CANADA

MONTANA

Missouri

...lacier N.P.

...Falls

Au cœur du Montana

NORD DES ROCHEUSES

DAKOTA DU NORD

WISCONSIN

Bozeman

Billings

DAKOTA DU SUD

MINNESOTA

Mississippi

Little Bighorn
• Battlefield N.M.★★★

...wstone N.P.

Cody ★

Devils Tower ★★

Grand Teton N.P. ★★

Cody et les grandes plaines du Wyoming

Fort Laramie N.H.S ★★

NEBRASKA

IOWA

Pour New York, les États de la côte Est, Chicago, la Floride et la Louisiane, voir le Guide Bleu États-Unis Côte Est et Sud

WYOMING

Platte

Cheyenne

...City

...eef

★★

Rocky Mountain N.P. ★★

Colorado

Denver

Arches N.P.
★★★

Canyon Country

COLORADO

KANSAS

MISSOURI

...ds
★★★

...ke
...vell

Moab

Black Canyon of the Gunnison N.P. ★★

Arkansas

ARKANSAS

Mesa Verde N.P.

Monument Valley ★★★

Chaco Culture N.H.P. ★★

Taos

...ajoland ★★

Le pays navajo

Canadian

OKLAHOMA

...staff

...nti ★★

Les villages pueblos

Santa Fe

Albuquerque

Amarillo

Red

...ZONA

NOUVEAU-MEXIQUE

Lubbock

US Bureau of Engraving and Printing ★ •

Dallas

LOUISIANE

...Trail ★★

GRAND SUD-OUEST

State Fair Park ★

...aguaro N.P. ★★

Alamogordo

Carlsbad Caverns N.P.

Fort Worth

Arlington

Tyler

Tombstone ★★

• Bisbee ★★

El Paso

Odessa

TEXAS

Waco

Beaumont

Fort Davis

Fredericksburg

Austin

Houston

Johnson • Space Center ★★

MEXIQUE

Big Bend N.P.

Seminole Canyon

Natural Bridge Caverns ★

Galveston ★

San Antonio

Golfe du Mexique

Rio Grande

Corpus Christi

Padre Island N.S.

200 km

200 miles

États-Unis

Ouest américain

Direction : Nathalie Pujo

Responsable de collection : Béatrice Hemsen-Vigouroux

Édition : Joël Ambroggi, Peggy Dion, Christian Duponchelle ; avec la collaboration d'Alexandra Abbache, Aude Gandiol et de Floriane Charron

Rédaction des introductions : Jacques Bethemont, Francis Geffard, Pierre Lagayette, Jean-Louis Leutrat, Françoise Perriot, Pascale Smorag

Rédaction générale : Pascale Desclos, Isabelle Villaud, Annick Foucrier, Sandrine Gayet, Marc Phéline, Joëlle Rostkowski ; avec la collaboration de Cécile Collette

Lecture-correction : Jean-Pierre Marenghi

Cartographie : Frédéric Clémençon, Aurélie Huot

Fabrication : Audrey Detournay, Nathalie Lautout

Informatique éditoriale : Lionel Barth

Couverture : Susan Pak Poy

Mise en pages : Étienne Hénocq

Crédit photographique : en fin d'ouvrage

Conformément à une jurisprudence constante (Toulouse, 14.01.1987), les erreurs ou omissions involontaires qui auraient pu subsister dans ce guide, malgré nos soins et les contrôles de l'équipe de rédaction, ne sauraient engager la responsabilité de l'Éditeur.

Régie de publicité : Hachette Tourisme ; contact : Valérie Habert ☎ 01 43 92 32 52.
Le contenu des annonces publicitaires insérées dans ce guide n'engage en rien la responsabilité de l'Éditeur.

À nos lecteurs

Ne manquez pas de nous faire part de vos remarques, par courrier
(Hachette Tourisme – Guides Bleus Monde, 43, quai de Grenelle, 75905 Paris Cedex 15)
ou par e-mail (bleus@hachette-livre.fr). Informez-nous aussi de vos découvertes personnelles :
nous accordons la plus grande attention au courrier de nos lecteurs

Sommaire

En savoir plus

Table des thémas

THÉMA

Pour aller plus loin, des sujets traités de façon approfondie en 1, 2 ou 3 pages largement illustrées

Cartes et plans

Abréviations et symboles

Ave., Aves	*Avenue, Avenues*
Blvd	*Boulevard*
Dr.	*Drive* (voie)
E.	Est ; *East*
Fwy	*Freeway* (autoroute sans péage)
Hwy	*Highway* (nationale à grande circulation)
h. pl.	hors plan
h.s.	hors saison
mi	*mile* (1 mi = 1,609 km)
Mt	*Mount* (mont)
N.	Nord ; *North*
N. F.	*National Forest*
N. H. P.	*National Historical Park*
N. H. S.	*National Historic Site*
N. M.	*National Monument*
N. P.	*National Park*
N. R. A.	*National Recreation Area*
N. S.	*National Seashore*
N. V. M.	*National Volcanic Monument*
O.	Ouest
Rd	*Road* (route)
S.	Sud ; *South*
S. H. P.	*State Historical Park*
S. M.	*State Monument*
S. P.	*State Park*
St	Saint
St., Sts	*Street, Streets* (rue[s])
t.a.	toute l'année
W.	*West* (Ouest)
→	se reporter à
►	début de détour
◄	fin de détour
☎	téléphone
☏	indicatif téléphonique
♥	coup de cœur de la rédaction
❶	information

Classification des sites, villes, monuments, musées…

★★★	Exceptionnel
★★	Très intéressant
★	Intéressant

Liste alphabétique des États traités

(voir codes alphabétiques des États-Unis sur le rabat arrière de la couverture)

AZ	Arizona
CA	California (Californie)
CO	Colorado
ID	Idaho
MT	Montana
NV	Nevada
NM	New Mexico (Nouveau-Mexique)
OR	Oregon
TX	Texas
UT	Utah
WA	Washington
WY	Wyoming

Classification des routes

㉟	State Highway
⑨③	US Highway
⑨⓪	Interstate Highway

OR : suivi d'un numéro, désigne une route de l'État de l'Oregon (par ex. OR 99) ; on trouve également « Rte » (Rte 99).

US : suivi d'un numéro, désigne une route nationale (par ex. US 93).

I : suivi d'un numéro, *Interstate*, autoroute « inter-États » (par ex. I-90).

découvrir

- partir
- séjourner
- comprendre
- visiter
- en savoir plus

Une présentation rapide
des richesses touristiques
de l'Ouest américain

Découvrir

Un coup d'œil sur la carte oblige à constater l'évidence : l'ouest des États-Unis couvre un territoire immense qu'on ne saurait parcourir en quelques semaines. Pour en découvrir quelques aspects choisis, l'idéal serait de se déplacer en avion d'une grande ville à l'autre puis de partir sur les routes explorer les différentes régions.

Du golfe du Mexique à la côte pacifique, cette terre est une promesse de surprise et d'émerveillement devant l'étonnante diversité de paysages, de climats, de cultures, de modes de vie, d'héritages historiques qu'on y rencontrera. À l'ouest, les mégapoles californiennes, par leur foisonnante activité et leur richesse culturelle, combleront le promeneur autant que l'amateur d'art et d'histoire. Dans la partie sud, les victoires sur le désert que sont Phoenix, Las Vegas ou Salt Lake City et les arrogantes cités de verre texanes évoquent la réussite du Nouveau Monde.

Il suffira de franchir les limites urbaines pour se convaincre que l'Ouest reste une terre d'aventure. La nature généreuse y donne quelques-uns de ses plus fascinants spectacles : déserts brûlants de l'Arizona et de la Death Valley, fantaisies hallucinantes du Grand Canyon du Colorado, pentes enneigées des Rocheuses, glaciers du Mount Rainier. Les parcs nationaux offrent de multiples possibilités d'excursion ; pour certains, ce voyage pourra être prétexte à une descente en raft le long du Colorado, à une chevauchée à travers le Montana ou à une randonnée sur le Pacific Crest Trail, qui longe le Pacifique du Canada au Mexique.

Les régions du guide

Consultez la carte « Que voir dans l'Ouest américain » en début de volume.

■ La Californie → *p. 137*

Des anciens pionniers aux immigrants mexicains en passant par les starlettes du septième art, la Californie exerce toujours son charme de terre promise. Ceux qui préfèrent l'effervescence des métropoles opteront pour San Francisco

---

◀ Windows Arch (Arches National Park). L'action du vent et de l'eau sur le grès d'Entrada a façonné un étonnant paysage de dunes, de pitons et d'arches naturelles.

et Los Angeles, aux musées prestigieux. Au sud de l'État s'alignent les stations balnéaires et leurs « folies » de milliardaires. Çà et là, les missions rappellent la présence des franciscains espagnols. Aux longues plages fréquentées par les joggers succède, à partir de San Simeon, une splendide côte, rocheuse et sauvage. Au cœur de la sierra Nevada, Yosemite National Park offre un cadre alpestre et des cascades spectaculaires. À l'est, les forêts de séquoias géants s'élèvent à quelques heures de voiture seulement de l'implacable fournaise de Death Valley.

■ Le Pacific Northwest → *p. 301*

En dépit d'un climat pluvieux, les habitants du Pacific Northwest restent farouchement attachés à leur environnement exceptionnel qui marie forêts profondes, cimes enneigées et une côte pacifique superbement découpée. Les attraits de l'Oregon sont nombreux : ses stations balnéaires aux maisons victoriennes et ses petits ports de pêche lui confèrent un charme paisible. L'État de Washington offre un visage plus montagneux : volcans – assoupis ou en activité – aux monts Rainier et Saint Helens, mers de glace à North Cascades National Park. Sur l'Olympic Peninsula, les vallées tapissées de *rain forest* ont des allures de jungles luxuriantes.

■ Le nord des Rocheuses → *p. 359*

C'est dans ces contrées sauvages et giboyeuses, où la nature reste encore indomptée, que les Indiens ont infligé aux Blancs leur plus cuisante défaite. L'ombre des Peaux-Rouges et de Buffalo Bill plane sur ces lieux légendaires dont les musées entretiennent le souvenir. Le « pays du Grand Ciel et des cowboys » joue sur les contrastes : vallées glaciaires et lacs d'altitude, dunes sahariennes à Bruneau Dunes, paysages lunaires au Craters of The Moon National Monument, monolithe de Devils Tower immortalisé dans le film de Steven Spielberg, *Rencontres du troisième type*.

■ Le grand Sud-Ouest → *p. 407*

Décor de western grandeur nature où, durant des millions d'années, la nature a ciselé des paysages saisissants. Monument Valley, Bryce Canyon et Grand Canyon… ces sites emblématiques constituent sans doute les plus beaux parcs du pays. Au nord-est, les neiges éternelles du Colorado font la joie des skieurs. Dans ces territoires à la beauté rude se trouvent le pays navajo, la plus importante nation indienne, et les terres des Hopis, dont les ancêtres Anasazis ont laissé des vestiges multiples et émouvants. Autres souvenirs d'une époque révolue : les villes fantômes, jadis prospères cités minières. L'homme a su pourtant insuffler la vie au désert en bâtissant l'austère cité mormone de Salt Lake City ou la ville tout en strass de Las Vegas.

■ Le Texas → *p. 541*

Au pays des ranches et de l'or noir, des barons du bétail et de la *country music*. Au-delà du folklore, le Texas reste une terre d'immigration : pionniers allemands ou alsaciens au XIXe s., Mexicains plus récemment. La richesse du sous-sol a contribué à la prospérité de l'État, comme l'affichent fièrement ses gratte-ciel, le centre spatial et les musées d'art exceptionnels de Dallas, Fort Worth et Houston. À côté des signes extérieurs de la réussite texane, on entretient les traces de l'époque pionnière : de nombreuses villes ont gardé ou reconstitué des quartiers du passé. À El Paso, où les Hispaniques représentent 76 % de la population, tout comme à San Antonio, berceau de l'indépendance texane, les missions et les maisons coloniales témoignent de l'époque où le Texas était une province espagnole.

rapaces ont élu domicile au **World Center for Birds of Prey★** *(p. 369)*, tandis que la plus importante colonie d'aigles pêcheurs réside sur le lac saumoneux de **Coeur d'Alene★★** *(p. 373)*.

Pour les mammifères marins, rendez-vous sur l'éperon rocheux de **Point Lobos★** *(p. 222)* ainsi qu'à **Sea Lions Caves★★** *(p. 339)*, la plus grande grotte marine d'Amérique du Nord, où se prélassent les otaries. Au large de **San Juan Islands★** *(p. 326)*, des bateaux permettent d'observer des orques et, dans les **Channel Islands★** *(p. 229)*, il n'est pas rare de croiser des baleines grises en migration.

Plus inhabituelle est la faune des déserts : souris-sauterelles, rats-kangourous, serpents à sonnette, *roadrunners* rendus célèbres par les dessins animés... ils se découvrent notamment à l'**Arizona-Sonora Desert Museum★★** *(p. 495)*.

Parmi les **aquariums**, citons ceux de **Monterey★★★** *(p. 219)* et de **Corpus Christi★★** *(p. 594)*. En matière de zoo, celui de **San Diego★★★** *(p. 209)* figure parmi les plus riches au monde, avec 4 000 animaux.

■ Flore

En Californie, **Sequoia et Kings Canyon N. P.★★** *(p. 275)* ainsi que le Redwood N. P. *(à 339 mi/542 km N.-O. de Sacramento)* sont le royaume des séquoias millénaires et des rhododendrons géants. Autour de **Flathead Lake★★** *(p. 380)*, on explore la canopée sur des ponts suspendus. L'**Olympic N. P.★** *(p. 331)* est le domaine de la *rain forest*, peuplée de conifères gigantesques et de fougères arborescentes. Dans le Texas oriental, les forêts lacustres de la Big Thicket National Preserve *(à 94 mi/151 km N.-E. de Houston)* rappellent la Louisiane et alternent avec la savane tourbeuse. L'arbre de Josué, le yucca, le figuier de Barbarie ainsi que les mille autres variétés de cactus composent la flore des déserts que l'on verra en particulier au **Saguaro N. P.★★** *(p. 498)* ou dans le **Joshua Tree N. P.★** *(p. 198)*.

■ Indiens

La grande majorité des réserves se situe dans l'Oklahoma, en Arizona, en Californie, dans les deux Dakotas et dans le Wyoming. Surnommé le cinquante et unième État fédéré, le **pays navajo★★★** *(p. 501)* est aussi vaste que la Suisse. Les plus beaux vestiges de la civilisation indienne sont réunis à **Mesa Verde N. P.★★★** *(p. 513)*, où 4 000 habitations troglodytiques ont été creusées par les Anasazis. Aux environs d'Albuquerque et de Santa Fe se trouvent des **villages pueblos★** *(p. 528)* et, au **Navajo N. M.★★** *(p. 505)*, des habitations hopies. Des monuments commémorent les épisodes de la tragédie indienne comme **Little Bighorn Battlefield N. M.★★★** *(p. 392)*, où périt Custer. Et pour découvrir davantage leur culture, pourquoi ne pas assister, à **Flagstaff** *(p. 469)*, au célèbre *pow wow* ?

■ Pionniers et cow-boys

Il suffit de franchir le Mississippi pour retrouver les traces des pionniers. Chaque État y recèle des souvenirs de la conquête de l'Ouest. **Tombstone★★** *(p. 499)*, où se déroula la fameuse fusillade de O. K. Corral, a gardé son trottoir en bois, son théâtre et ses saloons. À Denver, le **History Colorado Center** *(p. 419)*, confronte la culture des pionniers et celle des populations indiennes du Colorado qu'ils rencontrèrent. Le **Kit Carson Home and Museum** *(p. 525)* de Taos évoque la vie du célèbre éclaireur. Dans les faubourgs de **Cody★** *(p. 402)*, la ville fondée par Buffalo Bill, a été reconstitué un village typique du Far West, Old Trail Town. Au Texas, New Braunfels *(à 33,5 mi/53 km N.-E. de San Antonio)* a conservé des bâtiments datant de la fondation de la ville par des colons allemands, au XIXᵉ s.

▶ La capture du veau, épreuve incontournable des rodéos.

Pour vous familiariser avec la vie rude du cow-boy, visitez le **Grant-Kohrs Ranch N. H. S.**★★ *(p. 384)*, dont la superficie équivaut à celle de la Suisse ! La dernière étape pourrait être **Cheyenne** *(p. 406)*, où se tient, fin juillet, le plus fameux rodéo des États-Unis.

L'Ouest nous a légué une kyrielle de *ghost towns*, anciennes localités minières nées au XIXe s. avec la ruée vers l'or, puis tombées dans l'oubli une fois les filons épuisés. Certaines ont été aménagées pour le tourisme (musées, mines). Les plus connues sont **Tombstone**★★ *(p. 499)* et **Bisbee**★★ *(p. 500)*, qui semblent tout droit sorties d'un western, **Jerome**★ *(p. 471)*, **Butte**★ *(p. 384)*, un lieu mythique de l'époque des chercheurs d'or, et **Idaho City**★ *(p. 366)*, près de Boise, la plus grande cité minière du Montana à la fin du XIXe s.

■ Architecture

Maisons en adobe à **Santa Fe**★★★ *(p. 518)*, demeures victoriennes à **San Francisco**★★★ *(p. 256)*, gratte-ciel audacieux au Texas, l'Ouest offre un large panorama architectural où tous les styles se télescopent. À **Seattle**★ *(p. 313)*, les immeubles de brique et pierre à ossature métallique de **Pioneer Square District**★ sont inspirés de l'école de Chicago. **Portland**★ *(p. 348)* se distingue avec des réalisations puristes de P. Belluschi. À **Los Angeles**★★ *(p. 143)*, Frank Lloyd Wright, Isozaki, Ieoh Ming Pei, Frank Gehry ont laissé leur empreinte. Emblème de **San Francisco**, le **Golden Gate Bridge**★★★ *(p. 257)* tire un trait rouge entre les deux péninsules tandis que le **SFMOMA**★★ *(p. 242)*, dû à Mario Botta, est le deuxième musée d'art moderne américain par la taille. Perché sur les collines de San Simeon, **Hearst Castle S. H. M.**★★ *(p. 224)* constitue l'une des plus grandes folies architecturales des États-Unis (1920). À **Dallas**★ *(p. 563)*, **Fort Worth**★ *(p. 571)* et **Houston**★ *(p. 547)*, la manne pétrolière a permis aux architectes Ieoh Ming Pei et David Schwarz d'exprimer leurs talents.

■ Missions espagnoles

Généralement construites en adobe et entourées de jardins, elles ont été fondées par des missionnaires. Les plus anciennes datent du XVIIe s., mais beaucoup ont été agrandies ou restaurées à des époques ultérieures.

Au XVIIIe s., les franciscains ont établi 21 missions en Californie. La plus célèbre est **Santa Barbara**★★ *(p. 229)* ; d'autres sont éparpillées autour de LA, comme San Fernando Rey de España *(dans la banlieue N.)*, et autour de San Diego, **San Luis Rey de Francia**★ *(p. 216)* et **San Diego de Alcala** *(p. 214)*, la première en date (1769). Au sud de Carmel, la **mission San Carlos Borromeo**★★ *(p. 222)* est sans doute la plus belle de la Californie du nord. Au Texas, depuis San Antonio, on pourra découvrir, dans le **Missions N. H. P.**★★ *(p. 589)*, quatre missions établies le long de la rivière. Enfin, au sud de Tucson, **San Xavier del Bac**★★★ *(p. 495)* constitue le plus bel édifice baroque d'Arizona.

■ Musées

Leur diversité, la richesse des collections, merveilleusement mises en valeur, étonnent souvent le visiteur européen qui y retrouvera des pièces maîtresses de son propre patrimoine artistique.

Sur la côte ouest, les principaux musées consacrés à l'art sont situés à Los Angeles : incontournables, les larges collections du **LACMA**★★ *(p. 170)* constituent une véritable encyclopédie de l'art ; le **MOCA**★★ *(p. 183)* présente des œuvres contemporaines européennes et américaines ; on se rendra au **Getty**★★★ *(p. 165)* et au **Norton Simon Museum of Art**★★★ *(p. 188)* pour leurs collections de peinture européenne ; les amateurs de peinture anglaise ne manqueront pas la **Huntington Library**★★ *(p. 190)* et ses superbes jardins botaniques ; quant à la **Getty Villa**★ *(p. 188)*, elle est consacrée maintenant à l'art antique. À San Francisco, voyez l'art européen au **California Palace of the Legion of Honor**★★ *(p. 259)*, le parcours à travers l'art moderne du **SFMOMA**★★ *(p. 242)* et les collections khmères et chinoises de l'**Asian Art Museum**★ *(p. 266)*.

Plus au nord, l'**Art Museum**★★ *(p. 320)* de Seattle, en particulier son département d'art amérindien, mérite le détour. Au Texas, on visitera, à Houston, le **Museum of Fine Arts**★★ *(p. 556)* et **The Menil Collection**★★ *(p. 553)* ; à Fort Worth, le **Kimbell Art Museum**★★ *(p. 573)*, remarquable pour la peinture européenne, l'**Amon Carter Museum of American Art**★★ *(p. 575)*, consacré à l'art ouest-américain et le **Modern Art Museum**★★ *(p. 574)*, second musée d'art contemporain après New York. À Dallas, le **Museum of Art**★★ *(p. 568)* intéressera les amateurs d'art africain et américain. En ce qui concerne les Indiens et les artistes de l'Ouest, Cody possède le remarquable **Buffalo Bill Historical Center**★★ *(p. 402)*. Enfin, le **Chapin Mesa Museum**★★ *(p. 515)* présente une synthèse claire sur les premiers hommes du continent.

Propositions d'itinéraires

❶ Déserts et canyons du Far West

17 j. de Los Angeles à Salt Lake City à travers la Californie, le Nevada, l'Arizona et l'Utah • 1 400 mi/2 240 km en voiture.

Cet itinéraire convient parfaitement à un premier voyage dans l'ouest des États-Unis. En effet, la grandeur et la démesure, qui caractérisent si bien le Far West, s'y révèlent pleinement.

Jours 1 à 3 : **Los Angeles**★★ *(p. 143)*. Balade sur **Hollywood Blvd**, à **Beverly Hills**★★ et **Santa Monica**★★. Visite des **Studios Universal**★, de **Downtown LA**, du **Getty Center**★★★ ainsi que du **LACMA**★★.

Jour 4 : **Los Angeles-Death Valley N. P.** *(329 mi/530 km)*.

Jours 5 et 6 : **Death Valley N. P.**★★★ *(p. 280)*. Randonnées dans l'oasis de **Furnace Creek**, dans la plaine du **Devil's Cornfield** et visite de **Scotty's Castle**★. Le 6e j., gagner **Las Vegas** *(146 mi/ 235 km)*.

Jour 7 : **Las Vegas**★★ *(p. 473)*. Flâner sur le **Strip**★★ pour s'imprégner de l'ambiance si particulière, visiter le **Golden Nugget**★★, le **Caesar's Palace**★★★…

Jour 8 : **Las Vegas-Grand Canyon N. P.** ★★★ *(329 mi/530 km)*. En chemin, faire une pause dans le centre de **Flagstaff** *(p. 469 ; 251 mi/404 km)*, qui possède de beaux immeubles des années 1930, avant de s'engager, au N., sur l'US 180 en direction de **Grand Canyon Village**★.

Jours 9 à 11 : **Grand Canyon N. P.★★★** *(p. 461).* Découverte du panorama vertigineux et descente d'une journée au fond du canyon pour les plus courageux. Le 11ᵉ j., route vers **Lake Powell**, au N. *(138 mi/222 km).* Nuit à **Page.**

Jour 12 : Page et **Lake Powell★★★** *(p. 447).* Promenade en bateau sur le lac artificiel, et excursion jusqu'au **Rainbow Bridge N. M.★.** En fin de journée, départ pour **Zion N. P.** *(117 mi/188 km).*

Jours 13 et 14 : **Zion N. P.★★** *(p. 457).* Suivre les sentiers, très nombreux, de **Zion Canyon** le long de la Virgin River, ou préférer les chemins moins fréquentés, au N., de **Kolob Canyon★.** Le 14ᵉ j., rejoindre **Bryce Canyon N. P.** *(83 mi/132 km).*

Jour 15 : **Bryce Canyon N. P.★★★** *(p. 452).* Profiter des nombreux promontoires et pitons rocheux qu'offre ce parc naturel, probablement le plus beau de l'Ouest américain.

Jour 16 : **Bryce Canyon N. P.-Salt Lake City** *(268 mi/431 km).*

Jour 17 : **Salt Lake City★** *(p. 429).* Visiter **Temple Square★★,** lieu saint des mormons, et le **Grand Lac Salé.**

▲ Randonnée humide dans les eaux de la Virgin River (canyon de Zion Narrows).

② Le vieil Ouest

14 j. de Denver à San Francisco à travers le Colorado, l'Arizona, le Nevada et la Californie • 970 mi/1 560 km en voiture • avion de Las Vegas à San Francisco.

Pour ceux qui souhaitent associer la découverte de la nature, sauvage et superbe, du vieil Ouest et de ses époustouflantes fantaisies géologiques, à un séjour dans ces deux cités singulières que sont Las Vegas et San Francisco.

Jours 1 et 2 : **Denver★★** *(p. 415)* et **Rocky Mountain N. P.★★** *(p. 424).* Visite du centre-ville et des principaux musées. Découverte sportive du **Rocky Mountain N. P.★★,** en VTT, à pied ou à cheval.

Jour 3 : **Denver-Arches N. P.** *(365 mi/586 km).* Nuit à **Moab** *(p. 439).*

Jour 4 : **Arches N. P.★★★** *(p. 440).* Visiter le parc en voiture pour profiter du spectacle de milliers d'arches naturelles sculptées par l'érosion.

Jours 5 et 6 : découverte des déserts lunaires de **Canyonlands N. P.★★★** *(p. 443).* Le 6ᵉ j., quitter **Moab** pour **Kayenta,** dans le pays navajo *(176 mi/283 km).*

Jours 7 et 8 : le **pays navajo★★★** *(p. 501)* et **Monument Valley★★★** *(p. 508).* L'après-midi du 8ᵉ j., traverser au S. **Navajoland** pour accéder au **Grand Canyon** *(154 mi/248 km)* par l'entrée S. du parc.

☞ Consultez la carte des espaces naturels, en fin de volume, ainsi que, en début de volume, la carte « Que voir », qui recense les principaux sites touristiques de chaque région.

▲ San Francisco offre un panorama des plus colorés, entre gratte-ciel et *painted ladies*, nom donné aux maisons victoriennes bâties au tournant du XXᵉ siècle.

Jours 9 et 10 : **Grand Canyon N. P.***** *(p. 461)*. Découverte des paysages arides qui bordent le fleuve Colorado et randonnées au fond du canyon. En passant par Williams, on atteint **Las Vegas** *(278 mi/447 km)*.

Jours 11 et 12 : **Las Vegas**** *(p. 473)*. Dans la ville du jeu, s'étonner de voir côtoyer machines à sous et reconstitutions colossales de notre patrimoine européen.

Jours 13 et 14 : **San Francisco***** *(p. 230)*, à relier en avion depuis Las Vegas. Découverte du centre-ville, de **Fisherman's Wharf****, de **Chinatown**** et du **Golden Gate Bridge*****. Terminer par la visite du **SFMOMA****.

ⓔ Au pays des Navajos

13 j. de Phoenix à Albuquerque à travers l'Arizona, le Colorado et le Nouveau-Mexique • 1 130 mi/1 820 km en voiture.

En terre indienne, vous aurez souvent la sensation d'être hors du temps ; plus au S., vous pénétrez dans une contrée latine où tout évoque l'Espagne et le Mexique.

Jour 1 : **Phoenix-Grand Canyon N. P.** *(223 mi/357 km)*. Sur la route, détour pour **Sedona**** *(p. 471)* et visite du centre de **Flagstaff** *(p. 469)*. Arrivée le soir au **Grand Canyon** (entrée S.).

Jours 2 et 3 : **Grand Canyon N. P.***** *(p. 461)*. Rejoindre **Navajoland** *via* **Tuba City** *(83 mi/133 km)*.

Jours 4 à 7 : séjour dans le **pays navajo***** *(p. 501 ; itinéraire de 363 mi/ 584 km)*. Traversée de la **Hopi Indian Reservation**. Visite des vestiges pueblos et anasazis de **Canyon de Chelly N. M.**** et de **Navajo N. M.**** avant de remonter, au N., vers les paysages en Cinémascope de **Monument Valley*****. Quitter **Kayenta** en direction de **Cortez** et **Mesa Verde N. P.** *(139 mi/224 km)*.

Jours 8 et 9 : visite des villages troglodytiques de **Mesa Verde N. P.***** *(p. 513)*, témoignages de la civilisation anasazie. Route pour **Santa Fe** *(257 mi/413 km)*.

Jours 10 à 12 : **Santa Fe★★★** *(p. 518)* et les **villages pueblos★** *(p. 528)*. À Santa Fe, faire un détour par le **Museum of International Folk Art★★** et le **Palace of the Governors★**. Partir pour **Albuquerque** par l'I-25 *(63 mi/101 km)*.

Jour 13 : **Albuquerque★** *(p. 533)*. Voir l'**Old Town★** et l'**Indian Pueblo Cultural Center★**.

▣ Du Pacifique aux Rocheuses

19 j. de Portland à Denver à travers l'Oregon, l'État de Washington, l'Idaho, le Montana, le Wyoming et le Colorado • 1 600 mi/2 574 km en voiture • avion de Jackson à Denver.

À la lisière du Canada s'étendent des territoires sauvages extraordinaires, paradis de la pêche, de la chasse et de la randonnée. Après l'État de Washington, on gagne le Wyoming et le Colorado, des contrées peu bouleversées par le monde moderne où les cow-boys veillent encore sur le bétail.

Jour 1 : **Portland★** *(p. 348)*. Visite du centre-ville à **Pioneer Courthouse Square** et découverte des arts traditionnels des Indiens au **Portland Art Museum★**. Monter à **Pittock Mansion★** pour apprécier le panorama de la ville.

Jour 2 : **Portland-Aberdeen** *(205 mi/330 km)*. Visite, le matin, de **Washington Park★** ou d'**Oregon City**. L'après-midi, départ pour **Aberdeen** en longeant la côte.

Jours 3 à 6 : **Aberdeen-Seattle** *(288 mi/463 km)*. Longer l'**Olympic Peninsula** pour découvrir la *rain forest* (forêt humide) de l'**Olympic N. P.★** *(p. 331)* et les stations balnéaires qui s'égrènent le long de la côte : **Forks**, **Port Angeles**, et **Port Townsend★**.

Jours 7 à 9 : **Seattle★** *(p. 308)* et le **Mount Rainier N. P.★** *(p. 345)*. Découverte du centre-ville, de **Pioneer Square★** et de **Pike Place Market★★**. Profiter de la vue exceptionnelle depuis la **Space Needle★★**, et visiter le **Seattle Art Museum★★**. Consacrer une journée à la visite de **Mount Rainier N. P.★**

Jour 10 : **Seattle-North Cascades N. P.** *(125 mi/201 km)*. Randonnées dans le **North Cascades N. P.★** *(p. 324)*.

Jours 11 à 13 : **North Cascades N. P.-Lewiston** *(355 mi/571 km)*. Direction **Coeur d'Alene★★** pour une incursion dans le territoire des Indiens Nez-Percés : visite des villes de **Spokane** et **Lewiston★** *(p. 372)*, puis du **Nez Perce N. H. P.★**.

Jours 14 et 15 : **Lewiston-Hot Mammoth Spring** *(505 mi/812 km)*. Étapes à **Missoula★** *(p. 382)*, calme ville universitaire, et à **Butte★**, lieu mythique de l'époque des chercheurs d'or.

Jours 16 à 18 : **Yellowstone N. P.★★★** *(p. 393)* et **Grand Teton N. P.★★** *(p. 399)*. Découverte des geysers de Yellowstone en suivant la **Grand Loop Road★★**, et promenade le long des berges des lacs de **Grand Teton N. P.** (Jenny Lake Scenic Drive). À l'extrémité S. de Grand Teton, à Jackson, partent des avions pour Denver.

Jour 19 : **Denver★★** *(p. 415)*. Visite du centre-ville, du **Denver Art Museum★★** ainsi que du **Denver Museum of Nature and Science★★**.

▣ Texas et Arizona

14 j. de Dallas à Phoenix • 1 400 mi/2 200 km en voiture • avion de Houston à Midland.

Un soleil brûlant, le Rio Grande serpentant entre les canyons et Big Bend N. P. : voici le fief des Apaches et des Comanches. Le Texas illustre à merveille le lent et difficile combat pour la conquête d'une terre hostile.

Jours 1 et 2 : **Dallas★** *(p. 563)*. Visiter le centre-ville, le **Sixth Floor Museum★★** et le **Dallas Museum of Art★★**. Puis gagner Houston *(241 mi/386 km)*.

☎ NUMÉROS GRATUITS
Les numéros de téléphone qui commencent par ☎ 800, 855, 866, 877, 888 sont des numéros d'appel gratuits *(toll-free number)*. Faites-les précéder du ☎ 1 si vous appelez depuis un poste fixe (et non d'un portable). Dans ce guide, ces numéros sont notés ainsi : ☎ (1)800/000-0000.

▶ Un paysage typiquement américain : le *downtown* (centre-ville) de Houston et sa forêt de gratte-ciel.

Jours 2 et 3 : **Houston★** *(p. 547)*. Ne pas manquer le **Museum of Natural Science★★★**, le **Bayou Bend-Museum★★** et le **Museum of Fine Arts★★**. Rallier ensuite par avion l'aéroport de Midland.

Jours 4 à 7 : **Midland-Big Bend N. P.** *(242 mi/389 km)*. Randonnée de trois jours dans le **Big Bend N. P.★★** *(p. 596)*, excursions dans les étendues arides du désert et descentes du Rio Grande en rafting.

Jours 8 à 10 : **Big Bend N. P.-Carlsbad Caverns N. P.** *(378 mi/605 km)*. Étape à Fort Davis N. H. P. *(à 134 mi/215 km N. de Big Bend)*, puis visite de **Carlsbad Caverns N. P.★★** *(p. 537)* et de ses grottes, aux spectaculaires concrétions. Se diriger ensuite vers la ville frontière d'El Paso *(147 mi/237 km)*.

Jour 11 : étape à El Paso, puis suivre l'I-10 vers l'O., en direction de Tucson *(325 mi/520 km)*.

Jours 12 et 13 : **Tucson★** *(p. 492)*. Visite de la ville et de l'**Arizona-Sonora Desert Museum★★**. Au S. de Tucson, ne pas manquer la **Mission San Xavier del Bac★★★**. Prendre ensuite la route pour Phoenix *(116 mi/187 km)*.

Jour 14 : **Phoenix** *(p. 481)*. Visite du **Heard Museum★★** pour un aperçu de la culture des tribus du Sud-Ouest.

☞ Consultez la carte des espaces naturels, en fin de volume, ainsi que, en début de volume, la carte « Que voir », qui recense les principaux sites touristiques de chaque région.

découvrir

partir

séjourner

comprendre

visiter

en savoir plus

Pour préparer votre voyage

Partir

Adresses utiles

■ Informations touristiques et culturelles

Office du Tourisme USA - Visit USA Committee ☎ 0899-70-24-70 (1,35 €/ appel, puis 0,34 €/mn) ; www.office-tourisme-usa.com ; une conseillère est à la disposition du public, lun.-ven. de 9 h 30 à 13 h et de 14 h à 17 h. Sur le site, nombreuses informations et conseils pour bien préparer votre voyage. Consulter la rubrique des actualités touristiques et les formalités d'entrée aux États-Unis.

Association France-États-Unis, 34, av. de New-York, 75016 Paris ☎ 09-71-34-35-78 ; www.franceusa.org ; adhésion annuelle : 45 € (ou 65 € par couple). Conférences, avant-premières de films, sorties et dîners, séjours linguistiques.

Commission franco-américaine d'échanges universitaires, 9, rue Chardin, 75016 Paris ☎ 0892-68-07-47 ; www.fulbright-france.org ; cet organisme met à la disposition de ceux qui souhaitent faire des études aux États-Unis des consultations individuelles (sur r.-v.), des sessions collectives d'information et une bibliothèque. Accès et consultations payants. Documentation ouverte mar.-ven. de 14 h à 17 h.

■ Consulats des États-Unis

● **En France**. 18, av. Gabriel, **Paris** ☎ 01-43-12-22-22 ; http://french.france. usembassy.gov ; renseignements sur les visas ☎ 0892-23-84-72 (message enregistré, 1,35 € par appel puis 0,34 €/mn) et sur le site du consulat consacré aux demandes de visas : www.usvisa-france.com ; renseignements et prises de rendez-vous au ☎ 0810-26-46-26 (14,50 € par appel) ● 12, pl. Varian-Fry, 13286 **Marseille** Cedex 6 ☎ 04-91-54-92-00 ; www.consulats-marseille.org ● 15, av. d'Alsace, 67082 **Strasbourg** Cedex ☎ 03-88-35-31-04.

● **En Belgique**. Service visa, 25, bd du Régent, B-1000 Bruxelles ☎ 02/788-12-00 (lun.-ven. de 8 h à 17 h, 15 €/appel) ; http://french. belgium.usembassy.gov

● **En Suisse**. Section consulaire de l'ambassade des États-Unis, Sulgeneckstr. 19, 3007 Berne ☎ 0-900-87-84-72 (2,5 CHF/mn) ; http://bern.usembassy.gov

● **Au Canada**. Section consulaire, 490 Sussex Dr. (adresse postale : CP 866, Station B), **Ottawa** (Ontario) K1P 5T1 ☎ 613-238-5335 ; canada.usembassy. gov ● 1155, St. Alexandre, Montréal (Québec) H3B 3Z1 ; adresse postale : CP 65, succursale Desjardins, **Montréal** (Québec) H5B 1G1 ☎ 514-398-9695 ; montreal.usconsulate.gov ● 2, rue Terrasse Dufferin, derrière le château Fronte-nac (adresse postale : CP 939), **Québec** (Québec) G1R 4T9 ☎ 418-692-2095 ; quebec.usconsulate.gov

◀ Sur la Highway 24, à l'approche du Capitol Reef National Park (Utah).

Quand partir

Le climat de l'Ouest américain est d'une grande complexité compte tenu de la diversité géographique. À l'ouest du Mississippi commencent les grands espaces qui butent, dans le Colorado, sur l'imposante chaîne des Rocheuses. De l'Utah au Nevada, du Nouveau-Mexique à l'Arizona se succèdent les hauts plateaux, les sommets enneigés et les déserts de pierre. La sierra Nevada, très enneigée l'hiver, constitue une formidable barrière climatique, et l'influence adoucissante du Pacifique ne s'exerce que sur une bande côtière assez étroite qui s'étire de Seattle à San Diego.

Les saisons les plus favorables au voyage sont le **printemps**, pour assister à l'éveil de la nature dans les parcs, et l'**été**, pour toutes les régions situées au-dessus de 1 500 m (en particulier les Rocheuses, la sierra Nevada, le Grand Canyon et le nord de la côte californienne, rafraîchie par le courant froid de Humboldt). L'**automne**, le plus souvent sec et assez long, pare les arbres des couleurs splendides de l'*indian summer* (été indien). On pratiquera les sports d'hiver dans les stations des Rocky Mountains, de la sierra Nevada et de la chaîne des Cascades, ainsi qu'au Nouveau-Mexique et dans l'Utah où la poudreuse est, dit-on, la plus légère du monde.

En **Californie**, le climat est tempéré et très doux toute l'année au nord-ouest, très chaud l'été dans le sud (et l'on s'y promène tout l'hiver en tee-shirt). Au sud-est, les déserts bénéficient d'un climat doux et sec en hiver (20 à 25 °C), caniculaire en été (48 °C en moyenne dans la Death Valley). La ville de San Francisco est soumise à un microclimat : il y fait plutôt frais presque toute l'année et l'eau ne dépasse pas les 7 °C.

☯ MÉTÉO
- **Météo France**, www.meteofrance.com ☎ 3250 (0,34 €/mn).
- **Météo Consult**, www.meteoconsult.fr ☎ 3201 (1,35 €/appel puis 0,34 €/mn).
- **La Chaîne Météo**, www.lachainemeteo.com ☎ 3264 (1,35 €/appel puis 0,34 €/mn).
- www.cnn.com/weather

Sites Internet
- www.office-tourisme-usa.com : site du *Visit USA Committee*, à consulter pour les informations pratiques.
- www.nps.gov : site officiel des parcs nationaux, possibilité de réserver en ligne dans certains campings.
- www.america-dreamz.com : site consacré à l'exploration de l'Ouest américain. Informations, conseils pratiques.
- www.usatourist.com, www.usa-decouverte.com, www.roadtrippin.fr : forums, conseils pratiques, guide, comparateur de billets d'avion.

Se documenter

■ Librairies de voyage

Vous trouverez des cartes routières (les *Triple A* sont excellentes, ainsi que le *Road Atlas*), des livres et des guides de voyage dans les librairies suivantes.

● À Paris

Chemins en Pages, 121, av. Ledru-Rollin, 75011 Paris ☎ 01-43-38-15-77 ; ouv. lun. de 15 h à 19 h 30, mar.-ven. de 10 h 30 à 19 h 30, sam. de 9 h 30 à 19 h 30. Librairie entièrement dédiée au tourisme. *IGN*, 50, rue de la Verrerie, 75004 Paris ☎ 01-43-98-85-10 ; www.ign.fr ; ouv. lun.-sam. de 11 h à 19 h. Cartes, plans et guides sur toutes les destinations.

Itinéraires, 60, rue Saint-Honoré, 75001 Paris ☎ 01-42-36-12-63 ; www.itineraires.com ; ouv. lun.-sam. de 10 h à 19 h. Commandes sur le site Internet.

Librairie Voyageurs du Monde, 55, rue Sainte-Anne, 75002 Paris ☎ 01-42-86-17-38 ; www.vdm.com ; ouv. lun.-sam. de 9 h 30 à 19 h. Librairie du tour-opérateur Voyageurs du Monde, large choix de guides et de cartes.

● **En Belgique**

Anticyclone des Açores, 34, rue du Fossé-aux-Loups, 1000 Bruxelles ☎ 02/217-52-46 ; ouv. lun.-sam. de 10 h 30 à 18 h 30.

Peuples et continents, 17-19, galerie Ravenstein, 1000 Bruxelles ☎ 02/511-27-75 ; www.peuplesetcontinents.com ; ouv. lun.-ven. de 9 h à 18 h, sam. de 10 h à 18 h.

Le Monde à livre ouvert, 24, rue Bas-de-la-Place, 5000 Namur ☎ 081-413-490 ; www.lemondealivreouvert.be ; ouv. lun.-sam. de 10 h à 18 h.

● **En Suisse**

Payot, 4, pl. Pépinet, 1003 Lausanne ☎ 021/341-33-31 ; www.payot.ch ; ouv. lun.-ven. de 9 h à 19 h, sam. de 9 h à 18 h.

Le Vent des routes, 50, rue des Bains, 1205 Genève ☎ 022/800-33-81 ; www.vdr.ch

■ **Librairies anglophones**

Abbey Bookshop, 29, rue de la Parcheminière, 75005 Paris ☎ 01-46-33-16-24 ; www.alevdesign.com/abbey Une jolie librairie canadienne installée dans un bâtiment de style rococo. Catalogue varié d'ouvrages anglophones et canadiens.

Village Voice, 6, rue Princesse, 75006 Paris ☎ 01-46-33-36-47 ; www.villagevoicebookshop.com ; ouv. lun. 14 h-19 h 30, mar.-sam. 10 h-19 h 30, dim. 12 h-18 h. Organise des rencontres avec des écrivains.

WHSmith, 248, rue de Rivoli, 75001 Paris ☎ 01-44-77-88-99 ; www.whsmith.fr ; ouv. lun.-sam. de 9 h à 19 h, dim. de 12 h à 19 h. Une institution : un fonds d'ouvrages en anglais impressionnant, un large choix de journaux et magazines. Organise des événements et des rencontres avec des écrivains.

Formalités

■ **Passeport et visa**

Les citoyens **français**, **suisses et belges** se rendant aux États-Unis pour un voyage touristique de moins de 90 jours sont dispensés de visa. Il faut cependant remplir certaines conditions :

– présenter un passeport électronique en cours de validité ou bien un passeport à lecture optique en cours de validité émis avant le 26 octobre 2005 ou encore un passeport à lecture optique comportant une photo numérique (et non une photo collée) ou une puce électronique émis avant le 26 octobre 2006 ;

– être muni d'un billet aller-retour attestant que le séjour n'excède pas 90 jours ;

– être en possession d'une somme d'argent suffisante pour la durée du séjour, en espèces, chèques de voyage ou cartes de crédit ;

– avoir obtenu une **autorisation électronique de voyage** (ESTA), au plus tard 72 h avant le départ, en déposant une demande sur le site officiel de l'ESTA : https://esta.cbp.dhs.gov Cette formalité, obligatoire depuis 2009, remplace le questionnaire auparavant distribué pendant le vol.

À défaut, il vous faudra faire une demande de **visa** auprès du consulat des États-Unis à Paris, en prenant rendez-vous au ☎ 0810-26-46-26 (14,50 € par appel). Les enfants sont également soumis à ces dispositions. Renseignements sur le site www.usvisa-france.com

Les **citoyens canadiens** n'ont pas besoin de visa, une preuve de leur nationalité ainsi qu'une carte d'identité suffisent. **En provenance du Canada ou du Mexique**, l'admission sur le territoire américain par voie terrestre est désormais possible sans visa et sans billet aller-retour. Pour les **étudiants, journalistes, jeunes filles au pair** et certaines catégories de voyageurs, le visa est toujours nécessaire.

À l'arrivée sur le territoire américain, les autorités américaines prennent une photo numérique et les empreintes des index de chaque voyageur.

Le **permis de conduire national**, très souvent demandé comme preuve d'identité, est indispensable pour les visiteurs temporaires, à condition de l'avoir obtenu depuis plus d'un an.

■ Douane

Les **objets personnels** (vêtements, articles de toilette, bijoux, appareils photographiques ou caméras, jumelles, ordinateurs portables, postes de radio ou de télévision et magnétophones portatifs achetés avant le voyage, équipements sportifs) sont exempts de droits, à l'entrée comme à la sortie des États-Unis.

Les adultes (plus de 21 ans) peuvent emporter l'équivalent de 100 $ à titre de cadeaux, dont 1 l de vin ou d'alcool et 200 cigarettes (50 cigares ou 2 kg de tabac). L'importation de certains **produits alimentaires** (*food* ; viande, charcuterie, légumes, fruits, fromage…), de plantes et de produits végétaux (*plants*) est interdite par la puissante FDA (Food & Drug Administration), en revanche les aliments sous vide ou en conserve sont autorisés.

Les **chats et chiens** (*pets*) ne subissent pas de quarantaine, mais doivent être à jour dans leur vaccination (→ *encadré p. suiv.*).

Si l'on doit emporter des **médicaments** (*drugs*) contenant des substances entraînant une accoutumance, ne prendre que la quantité nécessaire, accompagnée d'une ordonnance rédigée en anglais. Il est interdit de transporter des articles dangereux (armes à feu, couteaux, substances toxiques…).

Renseignements douaniers ☎ 0811-20-44-44 ; www.douane.gouv.fr

■ Devises, cartes bancaires et chèques de voyage

Consultez également les rubriques « Argent et change » et « Budget », p. 48-49.
Il est plus avantageux d'acheter ses dollars avant de partir, car toutes les banques n'acceptent pas les devises étrangères et le taux de change est prohibitif.

Une **carte bancaire** est indispensable (*credit card* ; les Américains disent volontiers *plastic money*). Les plus répandues sont Visa Internationale et MasterCard (qui accepte EuroCard) ; American Express et Diner's sont acceptées dans les établissements haut de gamme. La carte de crédit permet de retirer de l'argent dans la plupart des distributeurs automatiques (rares dans les petites villes). Elle est également nécessaire pour réserver par téléphone une place de théâtre ou une chambre d'hôtel (on vous demandera votre *credit card number* ; à votre arrivée à l'hôtel, on prendra une empreinte – *print* – de votre carte, pour garantir votre séjour) ; elle servira de caution pour louer une voiture.

La formule des **chèques de voyage** en dollars (*traveller's checks*) est très pratique aux États-Unis : inutile de les changer à la banque, la plupart des commerçants les acceptent et rendent la monnaie en dollars, comme s'il s'agissait d'argent liquide. Notez leurs numéros (à conserver séparément) afin de pouvoir en déclarer la perte ou le vol sur place, auprès de la banque d'émission : les chèques seront alors remplacés (et non remboursés).

■ Voyageurs handicapés

Les États-Unis sont, dans ce domaine, le pays le mieux équipé.

■ **Assurances**

Si vous engagez des **dépenses médicales** aux États-Unis, vous devrez faire l'avance des frais. À votre retour en France, l'Assurance maladie vous rembourse, sur présentation de factures acquittées, sur la base des tarifs français pour les actes et opérations similaires. Les frais médicaux étant très élevés aux États-Unis, il est conseillé de contracter une assurance individuelle couvrant la responsabilité civile, les accidents, le rapatriement et le décès. Certaines cartes de crédit offrent ces garanties en cas d'accident grave à l'étranger ; se renseigner auprès de sa banque.

Il est également prudent de prendre l'assurance **annulation** proposée par l'agence de voyages, mais attention : pour en bénéficier, il faut des motifs valables, listés sur le contrat.

■ **Santé et vaccins**

Aucune vaccination n'est exigée.

Centre de vaccination Air France, 148, rue de l'Université, 75007 Paris ☎ 01-43-17-22-00 ; ouv. lun.-ven. de 9 h à 17 h. Il rassemble toutes les informations utiles aux voyageurs : températures, vaccins, nourriture, hygiène, MST, voyage des nourrissons et des femmes enceintes…

✍ BON À SAVOIR
Lors de l'achat d'un vol sec ou d'un voyage organisé, la plupart des compagnies aériennes et des agences de voyages proposent une assurance en plus du billet.

Partir

Le voyage par avion

■ **Compagnies aériennes**

Plusieurs compagnies internationales desservent les grandes villes du centre et de l'ouest des États-Unis, par vol direct au départ de Paris. Toutes proposent des correspondances qui permettent d'atteindre à peu près n'importe quelle ville, à des tarifs variables.

Air France ☎ 3654 ; www.airfrance.fr Au départ de Roissy-Charles-de-Gaulle, 14 vols directs hebdomadaires pour Los Angeles, 11 h 30 de vol ; 7 vols hebdomadaires direct pour San Francisco, 11 h 10 de vol ; 1 vol quotidien direct pour Houston, 10 h 15 de vol ; Las Vegas est desservie *via* Atlanta et Cincinnatti.

American Airlines ☎ 0826-460-950 ; www.americanairlines.fr 6 vols pour Los Angeles et San Francisco *via* New York, Miami, Chicago et Dallas (vols quotidiens). Las Vegas est desservie quotidiennement (avec correspondance).

Continental Airlines ☎ 01-71-23-03-35 ; www.continental.com Au départ de Roissy-Charles-de-Gaulle 2, vols directs pour New York (2 vols/j.) et Houston (1 vol/j.) ; correspondances notamment pour Los Angeles et San Francisco.

Jamais sans mon chat

L'importation d'**animaux domestiques** *(pets)* obéit à des règles sanitaires très restrictives. Il n'y a pas de quarantaine, mais les chats et les chiens doivent être identifiés, par tatouage ou par puce électronique. Il faut pouvoir présenter un carnet de vaccination à jour (vaccin contre la rage datant de plus d'un mois et moins d'un an pour les chiens) ainsi qu'un certificat de bonne santé, fourni par un vétérinaire et portant le numéro d'identification de l'animal.

Sur place, chaque État possède une réglementation particulière, plus ou moins tolérante. Le passage de l'est vers l'ouest correspond à une « frontière sanitaire » où s'effectue un contrôle d'importation, d'une zone vers l'autre.

Delta Airlines ☎ 0892-702-609 ; www.delta.com Au départ de Roissy-Charles-de-Gaulle 2, 2 vols directs quotidiens pour Houston, 1 pour San Francisco et 1 pour Los Angeles avec correspondance vers les villes de l'ouest et du centre des États-Unis.

KLM ☎ 0892-702-608 ; www.klm.fr Au départ de Roissy-Charles-de-Gaulle, vols quotidiens *via* Amsterdam pour Los Angeles, San Francisco, Houston, Las Vegas, Detroit ou Seattle.

United Airlines ☎ 0810-72-72-72 ; www.united.fr Au départ de Roissy-Charles-de-Gaulle, 1 vol quotidien direct pour San Francisco, Chicago, Washington, Los Angeles ; 4 vols/j. avec correspondance pour Las Vegas.

US Airways ☎ 0810-632-222 ; www.usairways.com Au départ de Roissy-Charles-de-Gaulle 2, 1 vol direct/j. pour Philadelphie ; correspondances pour Los Angeles, San Francisco, San Diego, Las Vegas, Houston, Denver et Phoenix.

■ Vols et voyages à prix réduits

Les tarifs peuvent être très intéressants pour des vols vers Los Angeles, Chicago, Houston et San Francisco. Tous les voyagistes, spécialistes ou non de la vente sur Internet, proposent tour à tour des tarifs charters, des promos sur des vols réguliers et des offres spéciales ponctuelles.

Anyway.com ☎ 0892-302-301 ; www.anyway.com Promotions 1 mois et demi à 7 jours avant le départ ; vols secs sur San Francisco, Los Angeles, San Diego, Sacramento, Salt Lake City, Las Vegas, Phoenix, Denver, Seattle. Forfaits villes 4 j./3 nuits, séjours dans les parcs nationaux, location de voitures, sélection d'hôtels à la carte, survol du Grand Canyon en avion ou en hélicoptère.

Ebookers ☎ 0892-234-235 ; www.ebookers.fr Billeterie en ligne.

Expedia.fr ☎ 0892-301-300 ; www.expedia.fr Un des leaders de la vente de voyage sur Internet. Grands choix de vols, séjours, circuits, promos et affaires de dernière minute. Consulter la rubrique « Activités » : réservation de visites guidées, musées, spectacles, restaurants.

Govoyages.com, 118, rue Réaumur, 75002 Paris ☎ 0899-651-951 ; www.govoyages.com Le site propose des vols à des tarifs avantageux et met en avant les promotions et bonnes affaires du moment.

Lastminute.com ☎ 0892-68-61-00 ; www.lastminute.com Du billet d'avion au séjour complet ; prix très intéressants pour des départs quasi immédiats (promotions en général 15 j. à 6 semaines à l'avance).

Nouvelles Frontières ☎ 0825-000-747 ; www.nouvelles-frontieres.fr Vols charters au départ de Paris vers Los Angeles et San Francisco ; également vols réguliers sur Los Angeles, San Francisco et Houston.

Opodo.fr ☎ 0899-653-655 ; www.opodo.fr Moteur de recherche auprès de 500 compagnies aériennes traditionnelles sur vols réguliers mais aussi sur des compagnies *low cost*, donne les disponibilités en temps réel. Offres spéciales et promotion sur les vols, les réservations d'hôtels ou locations de voiture.

Voyages-sncf.com ☎ 0892-335-335 ; www.voyages-sncf.com Première agence de voyages sur Internet. Propose ses meilleurs prix sur les billets de train et d'avion, chambres d'hôtel, locations de voiture, séjours clés en main ou Alacarte®. Services exclusifs : envoi gratuit des billets à domicile, « Alerte Résa » pour être informé de l'ouverture des réservations, calendriers des meilleurs prix, offres de dernière minute…

Le voyage organisé

■ Les voyagistes généralistes

Jet Tours ☎ 0820-830-880 ; www.jettours.fr Nombreuses agences à Paris et en province. Grands circuits accompagnés : « L'Ouest sauvage » (Denver, Mount Rushmore, Yellowstone, Arches et Canyonlands, Mesa Verde, Albuquerque) fait la part belle aux parcs nationaux. Également des itinéraires individuels : « Décor Western », « Californie mythique », et des formules à la carte avec location de voitures et réservations d'hôtels.

Kuoni, 40, rue de Saint-Pétersbourg, 75008 Paris ☎ 0820-223-223 ; www.kuoni.fr ; agences à Toulouse, Bordeaux, Lyon, Grenoble, Strasbourg, Lille. Un grand voyagiste, plutôt haut de gamme. Autotours et grands circuits autour des parcs nationaux.

Nouvelles Frontières ☎ 0825-000-747 ; www.nouvelles-frontieres.fr Réservations d'hôtels, locations de voiture, séjours à la carte et nombreux circuits organisés : « Rêve californien » (15 j.) et « À la conquête de l'Ouest » (15 j.), par exemple. Randonnée « Parcs et canyons de l'Ouest » (16 j.).

Thomas Cook, 38, av. de l'Opéra, 75002 Paris ☎ 0826.826.777 ; www.thomascook.fr Circuits, séjours, week-ends, voyages à la carte.

■ Les voyagistes culturels

Arts & Vie, 251, rue de Vaugirard, 75015 Paris ☎ 01-40-43-20-21 ; www.artsetvie.com ; antennes à Lyon, Grenoble, Marseille et Nice. Première association culturelle de voyages. Au programme, un itinéraire dans le Grand Ouest (19 j.).

Clio, 34, rue du Hameau, 75015 Paris ☎ 01-53-68-82-82 ; www.clio.fr Spécialiste des voyages culturels avec conférenciers. Circuit « L'Ouest américain » (18 j.).

Intermèdes, 60, rue La Boétie, 75008 Paris ☎ 01-45-61-90-90 ; www.intermedes.com Propose des voyages accompagnés par des conférenciers : « Terre sacrée des Indiens » (17 j.) et « Conquête de l'Ouest » (18 j.).

■ Les spécialistes des États-Unis

Back Roads, 14, pl. Denfert-Rochereau, 75014 Paris ☎ 01-43-22-65-65 ; www.backroads.fr Outre les expéditions sportives *(→ p. suiv.)*, ce voyagiste organise des voyages à la carte et des circuits dans les parcs de Yosemite, Bryce Canyon, Arches, Canyonlands, Monument Valley. Locations de voiture, camping-car et Harley-Davidson. L'agence représente la centrale hôtelière américaine Amerotel, d'où un nombre important de chambres à proposer dans l'Ouest ainsi que dans les parcs nationaux. Séjours en ranch également.

Compagnie des États-Unis, 5, av. de l'Opéra, 75001 Paris ☎ 0892-234-430 ; www.compagniesdumonde.com Voyages à la carte, circuits accompagnés, circuits individuels en voiture, locations de voiture, *motor-home*, moto (Harley-Davidson), circuits en avion privé.

Comptoir des États-Unis et du Canada, 2-18, rue Saint-Victor, 75005 Paris ☎ 0892-239-339 ; www.comptoir.fr ; agences à Lyon, Toulouse, Marseille. Prix intéressants sur les vols réguliers et séjours à la carte. Locations de voiture, *motor-home*, Harley-Davidson. Voyages à thème originaux : « Échos de New Mexico », « Couleur Colorado », séjours en ranch…

Jetset, 41-45, rue Galilée, 75116 Paris ☎ 01-53-67-13-00 ; www.jetset-voyages.fr Prix intéressants sur vols réguliers des compagnies américaines. Spécialiste des

États-Unis, du Canada, du Mexique et des Caraïbes. Grand choix de prestations : autotours, hôtels, locations de villa. Circuits « Canyons et casinos » (9 j.), « À la conquête de l'Ouest » (9 j.), « Panorama des Rocheuses » (16 j.).

La Maison des États-Unis, 3, rue Cassette, 75006 Paris ☎ 01-53-63-13-43 ; www.maisondesetatsunis.com Itinéraires sur mesure en individuel ou circuits accompagnés : « L'Ouest sauvage » (14 j.), « Sur la piste des Anciens » (itinéraire de 14 j. en voiture individuelle au départ de Phoenix), « À la conquête de l'Ouest » (circuit accompagné de 15 j.). Locations de voiture, hébergement dans les parcs nationaux. Nombreuses excursions pour agrémenter votre séjour.

Vacances fabuleuses, 36, rue de Saint-Pétersbourg, 75008 Paris ☎ 0820-300-382 ; www.vacancesfabuleuses.fr Un large éventail de formules, depuis « Western Basic » (10 j.) jusqu'à « L'Ouest dans tout son éclat » (21 j.) : voyages à la carte, séjours, itinéraires au volant, circuits accompagnés. Location de voiture, moto ou *motor-home*.

Vacances Transat ☎ 0825-12-12-12 ; www.vacancestransat.fr Ce groupe de tourisme, n° 1 au Canada, est leader pour les voyages en Amérique du Nord et aux Caraïbes. Vols, locations de voiture et de camping-car, circuits accompagnés, séjours, autotours, voyages à la carte.

Voyageurs aux États-Unis et au Canada (la Cité des Voyages), 55, rue Sainte-Anne, 75002 Paris ☎ 01-42-86-16-00 ; www.vdm.com ; agences à Bruxelles, Genève, Lille, Lyon, Marseille, Nantes, Bordeaux, Toulouse. Séjours à la carte concoctés par le spécialiste français du voyage sur mesure. Itinéraires en individuel : « Pacifique, Mojave et Néons » (9 j.) ; « Sur les pistes de John Ford » (23 j.) ; « 100 % Oregon » (14 j.) ; « Mustang et pépites d'or » (18 j.). Propose aussi des circuits accompagnés.

■ **Voyages sportifs, randonnées**

Allibert ☎ 04-76-45-50-50 ; www.allibert-trekking.com ; plusieurs agences en France, en Belgique et en Suisse. Grands spécialistes des voyages de marche (trekking, expéditions dans les montagnes et les déserts), les guides Allibert ont composé une belle gamme de circuits de randonnée, été comme hiver, à ski ou à pied : « Déserts de l'Ouest », « Alaska, la dernière frontière », « Parcs mythiques », Yellowstone, Yosemite et la sierra Nevada.

Back Roads, 14, pl. Denfert-Rochereau, 75014 Paris ☎ 01-43-22-65-65 ; www.backroads.fr Trekking, 4 x 4, VTT, expéditions de rafting sur le Colorado, chevauchées sur les terres des Indiens Navajos, randonnées en raquettes à Yellowstone, survol du Grand Canyon, et aussi des séjours chercheurs d'or dans le Colorado.

Terres d'Aventure, 30, rue Saint-Augustin, 75002 Paris ☎ 0825-700-825 ; www.terdav.com ; plusieurs agences en France ● en Belgique ☎ 02-54-395-60. Randonnées en petits groupes, de 14 à 21 j. : « Grande traversée des parcs de l'Ouest », 16 j. ; « De la Californie au plateau du Colorado», 14 j. Ces séjours nécessitent une bonne condition physique et un entraînement à la marche.

découvrir

partir

séjourner

comprendre

visiter

en savoir plus

Toutes les informations utiles sur place

Séjourner

Se loger

Si l'hôtellerie américaine offre, dans l'ensemble, d'excellentes prestations, l'hébergement peut se révéler assez onéreux. Tarifs négociés en agence de voyages ou réservation en ligne sur les sites hôteliers spécialisés permettent de rester dans un budget raisonnable, de même que les alternatives à l'hôtellerie traditionnelle : motel, B&B, *lodge*, échange de logement ou camping…

■ Hôtels et motels

Ils appartiennent pour la plupart à des chaînes, mais tarifs et prestations peuvent varier au sein d'une même enseigne. Les établissements, même modestes, disposent d'un bon confort de base : salle d'eau, téléviseur, climatisation et, le plus souvent, deux lits de 1,60 m *(queen size)* pouvant accueillir deux adultes et deux enfants. Précisez, lors de la réservation, si vous souhaitez un grand lit, de 1,80 à 2 m de large *(king size)*. Les chambres sont généralement vastes et bien équipées mais, dans les grandes villes, elles peuvent être plus exiguës.

Si les tour-opérateurs facturent au nombre d'occupants, sur place, le tarif de la chambre est en principe le même pour une occupation simple *(single)* ou double *(double)*. L'ajout d'un lit d'appoint *(extra bed)* pourra donner lieu à un supplément modique (de l'ordre de 20 $). En famille, optez pour une chambre triple (2 lits doubles + un lit d'appoint), la *junior suite*, équipée d'un convertible, ou des chambres communicantes *(connecting rooms)*. Si vous souhaitez une chambre fumeur *(smoking room)*, faites-en la demande à la réservation ; à défaut, on vous donnera d'office une chambre non fumeur *(non-smoking room)*.

Selon la catégorie de l'établissement, vous disposerez d'une connexion Internet, gratuite *(Internet access)* ou payante (comptez entre 9 et 14 $ les 24 h), de

Urgences

Police, pompiers, ambulance : ☎ 911 ou composez le ☎ 0 : une opératrice vous mettra en rapport avec le service adéquat *(emergency service)*.

Une liste de **médecins agréés** est disponible dans les **consulats** de France :

• **Houston** : 777, Post Oak Blvd, Suite 600, TX 77056 ☎ 713/572-2799 ; www.consulfrance-houston.org

• **Los Angeles** : 10390, Santa Monica Blvd, Suite 410, CA90025 ☎ 310/235-3200 ; www.consulfrance-losangeles.org

• **San Francisco** : 88 Kearny St., 6th floor, CA 94108 ☎ 415/397-4330 ; www.consulfrance-sanfrancisco.org

Perte ou vol de carte bancaire

• Carte bleue **Visa** : n° gratuit aux États-Unis ☎ 1-303/967-1096 ; www.visaeurope.com

• **American Express** : ☎ 1-850/882-028 ou ☎ 0800-900-888 (n° vert international) ; www.americanexpress.com

• **MasterCard** : n° vert aux États-Unis ☎ (1)800/MCASSIST ou ☎ 1-636/722-7111 ; www.mastercard.com

◀ Paradis des promeneurs, des adeptes de loisirs balnéaires comme de sports nautiques, les plages du Pacifique (ici, sur la côte de l'Oregon) font aussi le bonheur des otaries.

✎ À NOTER
• À l'arrivée, le réceptionniste prendra l'empreinte de votre carte bancaire afin de couvrir d'éventuels extras (incidentals) tels que téléphone, minibar, forfait Internet, chaînes TV payantes, films à la carte, etc.
• Il est strictement interdit de fumer dans les chambres sous peine d'amende (250 $) : le client doit s'engager par écrit à respecter cette consigne.

Réservation : conseils

• Pratiquement tous les hôtels disposent d'un site Internet : faites une visite virtuelle avant de réserver. Pour jouir d'une vue dégagée en ville, demandez, dès la réservation, un étage élevé.

• Préférez les sites hôteliers qui permettent de régler directement sur place. Il faut toutefois laisser ses références bancaires afin de confirmer la réservation. Néanmoins, certains hôtels prélèvent un acompte qu'il est parfois difficile de se faire rembourser en cas d'annulation ou de modification.

• En cas d'annulation moins de 48 h à l'avance, l'établissement est en droit de retenir tout ou partie du prix de la chambre. Pour éviter toute contestation, notez la date de l'annulation, l'heure et le nom de la personne qui a reçu l'appel.

• Sauf indication contraire, la taxe de séjour n'est pas comprise dans le prix affiché sur Internet, et des frais de réservation pourront être facturés.

• Acheter un forfait d'hébergement auprès d'un tour-opérateur dispense de la taxe de séjour sur le prix de la chambre, soit une économie d'environ 13 %.

lecteurs CD, DVD, Ipod, et d'un accès à la salle de sport (fitness center) ou à la piscine (pool). Certaines chambres sont équipées d'une kitchenette avec frigo et micro-ondes.

La taxe de séjour est variable selon les États (13 % en moyenne). Le prix d'une chambre s'entend toujours taxe non comprise et n'inclut généralement pas le petit déjeuner (15 à 20 $) : il est plus économique de le prendre à l'extérieur (5 à 10 $).

● **L'hôtel.** Le prix moyen d'une chambre se situe autour de 150 $ hors taxes, mais les hôtels à plus de 300 $ la nuitée ne sont pas rares, notamment dans les grandes villes. Le tarif de la chambre peut passer du simple au double selon la date choisie. Pour un séjour prolongé, n'hésitez pas à négocier un rabais si vous réservez par vos propres moyens.

L'arrivée à l'hôtel (check in) se fait à partir de 15 h, mais prévenez en cas d'arrivée tardive (passé 18 h). La chambre devra être libérée à 12 h (check out). Il est parfois possible de négocier un délai (late check out) selon le taux de remplissage de l'hôtel. Enfin, les parkings d'hôtel sont rarement gratuits (dans les grandes villes, comptez entre 25 et 40 $ la nuit).

● **Le motel.** Appelé aussi motor lodge ou motor inn, apparu dans les années 1950, le motel figure en bonne place dans l'imagerie américaine. Fonctionnant comme un hôtel (arrivée, départ, extras), c'est le mode d'hébergement idéal pour couvrir de longues étapes à travers le pays. De un à trois étages, plus ou moins confortable selon la catégorie, le motel est fréquemment situé à la périphérie des villes, le long des routes nationales (US). Pour 80 $ la nuitée, la situation sera rarement idéale et le décor probablement un peu kitch ; comptez 110 $ dans un motel de chaîne.

L'heure d'arrivée (check in) se situe vers 15 h, celle du départ (check out) entre 10 h et 12 h. Un emplacement de parking vous sera réservé à proximité de la chambre.

● **Centrales de réservation.** Les chaînes hôtelières disposent chacune d'un numéro central de réservation commençant par 800 (n° gratuit aux États-Unis), mais c'est sur leur site Internet qu'on trouvera les meilleures offres. Communiquez votre carte bancaire et présentez la confirmation de réservation à la réception, en arrivant.

Accor (*Sofitel, Novotel, Pullman, Motel 6*) : en France ☎ 0825-88-00-00 ; aux États-Unis (n° US) ☎ (1)800/221-4542 ; www.accorhotels.com ● *Best Western* : ☎ 0800-90-44-90 ; n° US ☎ (1)800/780-7234 ; www.bestwestern.com ● *Choice Hotels* (*Quality Inn, Roadway Inn, Comfort Inn, Econolodge,*

Clarion) : ☎ 0800-91-24-24 ; n° US ☎ (1)877/424-6423 ; www.choicehotels.
com • *Days Inn* : n° US ☎ (1)800/225-3297 ; www.daysinn.com • *Four Seasons* :
☎ 0800-919-819 ; n° US ☎ (1)800/819-5053 ; www.fourseasons.com • *Hilton
International* : ☎ 0800-90-75-46 ; n° US ☎ (1)800/445-8667 ; www.hilton.
com • *Holiday Inn* : ☎ 0800-917-165 ; n° US ☎ (1)800/465-4329 ; www.
holidayinn.com • *La Quinta Inn* : n° US ☎ (1)800/753-3757 ; www.lq.com •
Marriott : ☎ 0800-1927-1927 ; n° US ☎ (1)888/236-2427 ; www.marriott.com
• *Motel 6* : depuis l'étranger ☎ 614/601-4060 ; n° US ☎ (1)800/466-8356 ;
www.motel6.com • *Travelodge* : depuis l'étranger ☎ 800/578-7878 ; n° US
☎ (1)800/525-4055 ; www.travelodge.com • *Starwood Hotels* (*Westin, Sheraton,
Le Méridien*) : n° US ☎ (1)888/625-5144 ; www.starwoodhotels.com

● **Réservation en ligne**. Les sites spécialisés proposant des formules d'hébergement à prix réduit sont légion. Choisissez un opérateur connu et bien sécurisé. Le
paiement s'effectue par carte bancaire et un numéro de dossier vous sera attribué.
Imprimez votre facture d'achat et présentez-la une fois sur place.
www.ebookers.fr • www.expedia.fr • www.hotels.fr • www.activehotels.com
(en français) • www.travelocity.com • www.booking.com (en français) • www.
hotelrooms.com • fr.hotels.com (en français), l'un des meilleurs • fr.otel.com (en
français), sélection d'hôtels pas chers • www.placestostay.com • www.tripadvisor.
fr, excellent site communautaire mais les contributions d'internautes sont souvent
traduites de l'anglais.

■ Bed & Breakfast
Le B&B tient de la maison de campagne ou de la demeure bourgeoise, et c'est là
tout son charme. *Cottages* en bardeaux du côté de Seattle, maisons victoriennes
sur les hauteurs de San Francisco, authentiques chalets de montagne dans les
Rocheuses, bungalows contemporains *(beach house)* sur les plages de Californie et
du Pacific Northwest, ce sera l'occasion de découvrir la diversité de l'habitat dans
l'Ouest américain. L'accueil en B&B se veut chaleureux et personnalisé. Le confort
cosy et le cadre romantique conviennent bien à un séjour à deux. Réservez longtemps à l'avance pour un week-end, car ce type d'hébergement est très recherché,
notamment en zone rurale.
Comptez entre 150 $ et 300 $ la nuit, petit déjeuner inclus. Départ *(check out)*
vers 11 h. Une durée de séjour minimale est parfois requise et les tarifs grimpent
le week-end. Attention, les enfants en dessous de 10-12 ans et les animaux sont
rarement acceptés.

● **Réservation en ligne** : www.bbonline.com, une belle sélection par État
(notamment en Californie) et par ville • www.bnbfinder.com, centrale américaine proposant plus de 12 000 adresses • www.bedandbreakfast.com, des centaines d'adresses répertoriées par État • www.pillowsandpancakes.com, répertoire
très complet.

■ Lodge
Le *lodge* est situé en pleine nature, dans un parc national ou une station de montagne. Plus ou moins rustique, l'aménagement intérieur est néanmoins confortable et non dénué de charme. Il est prudent de réserver longtemps à l'avance (au
plus tard en décembre pour un séjour prévu entre mai et septembre) car les *lodges*
affichent complet le week-end et pendant les vacances.
Les tarifs peuvent être élevés dans les sites les plus touristiques, et varier selon la
saison. Comptez en moyenne 150 $ la chambre.

● **Renseignements**. Le guide en ligne www.resortsandlodges.com répertorie les
lodges. Dans les parcs nationaux, l'hébergement en *lodges* est très souvent assuré
par *Xanterra Parks & Resorts* : de l'étranger ☎ 303/297-2757 ; aux États-Unis

Séjourner

☎ NUMÉROS GRATUITS
Les numéros de téléphone qui
commencent par ☎ 800, 855,
866, 877, 888 sont des numéros
d'appel gratuits *(toll-free number)*.
Faites-les précéder du ☎ 1 si
vous appelez depuis un poste fixe
(et non d'un portable). Dans ce
guide, ces numéros sont notés
ainsi : ☎ (1)800/000-0000.

☎ (1)800/236-7916 ; www.xanterra.com Également,
auprès du *Visitors Center* du parc concerné et sur le
site officiel des parcs nationaux (www.nps.gov).

■ Ranch

Formule économique et originale pour partager le
quotidien d'une famille mais qui suppose de bonnes
qualités relationnelles et un esprit ouvert. Soins du
bétail, maniement du lasso et convoyage des bêtes
n'auront plus de secret *(→ aussi encadré p. 389)*.

● **Renseignements**. *Guest Ranches of North America* :
PO Box 191625, Dallas TX 75219 ☎ 214/912-1100 ;
www.guestranches.com ● *Dude Ranches* : 8287 North
Peak View Lane, Tucson AZ 85743 ☎ (1)877/859-
DUDE ; www.duderanches.com

■ Échange de logement

Cette formule connaît un succès grandissant entre
l'Europe et les États-Unis. C'est un bon moyen de
découvrir le mode de vie de vos hôtes et la culture du
pays en économisant les frais d'hébergement.

● **Renseignements**. *Homelink International* :
19, cours des Arts-et-Métiers, 13100 Aix-en-Provence
☎ 04-42-27-14-14 ; www.homelink.fr ● *Intervac* :
230, bd Voltaire, 75011 Paris ☎ 05-46-66-52-76 ;
www.intervac-homeexchange.com

■ Hébergement pour les jeunes

● Les *YMCA* (mixtes) et *YWCA* (pour femmes seulement) proposent en centre-ville des logements pour
jeunes et touristes de tous âges à prix raisonnables.
Hébergement en dortoirs et chambres individuelles
ou à partager.
YMCA : c/o UCJG (Union chrétienne des jeunes
gens) : 5, pl. de Vénétie, 75013 Paris ☎ 01-45-83-
62-63 ; fax : 01-45-83-35-52 ; www.ucjg.fr

● Les **auberges de jeunesse** (*Hostelling International,
American Youth Hostels*) se signalent par un panneau
figurant une hutte et un arbre. Elles permettent
un logement en chambre simple, double ou en
dortoir. Pour avoir accès aux auberges du réseau, il
est conseillé d'adhérer, avant le départ, auprès de
l'antenne française ou américaine.
Fédération unie des auberges de jeunesse (FUAJ) : 27,
rue Pajol, 75018 Paris ☎ 01-44-89-87-27 ; fax 01-44-
89-87-49 ; www.fuaj.org ● *Hostelling International-
USA* : 8401 Colesville Rd, Suite 600, Silver Spring MD
20910 ☎ 301/495-1240 ; fax : 301/495-6697 ; www.
hiusa.org (4 000 adresses de logement à travers les
États-Unis) ; www.hihostels.com (site international).

● Le **campus universitaire** est accessible aux jeunes
Européens désireux de suivre les cours d'universités
américaines.

▲ Une chambre dans un petit
motel indépendant ne vous
coûtera pas forcément plus cher
qu'un séjour en YMCA
ou en auberge de jeunesse.

Renseignements sur les stages, études et séjours en campus : *Commission franco-américaine d'échanges universitaires* : 9, rue Chardin, 75016 Paris ☎ 0892-680-747 • pour résider en campus pendant l'été : www.fulbright-france.org

■ Camping

C'est un moyen idéal pour vivre en contact étroit avec la nature sauvage de l'Ouest. Les terrains de camping (*campgrounds* ou *campsites*) sont, dans l'ensemble, bien équipés et offrent des prestations, à catégorie égale, supérieures aux campings européens. Évitez l'improvisation et réservez votre emplacement car les campings sont pris d'assaut en haute saison, y compris dans les contrées reculées. Il est toutefois possible de bénéficier d'une annulation de dernière minute. Respectez les heures d'arrivée (*check in*) et de départ (*check out*), variables selon le site. Dans les campings où la réservation n'est pas possible, le premier arrivé est le premier servi (*first come, first served*). Dans ce cas, arrivez tôt le matin pour choisir le plus bel emplacement.

● **Campings d'État** (State Campsite). Aménagés dans les parcs d'État (State Parks : S. P.), ils disposent d'installations assez sommaires mais, dans l'ensemble, satisfaisantes, et offrent des tarifs très abordables (12 \$ l'emplacement en moyenne, 15 \$ en haute saison). La réservation est le plus souvent ouverte sept mois avant la date choisie et dès le premier jour du mois : pour le mois d'août, réservation à partir du 1er février.

● **Campings nationaux**. Ils sont situés dans les parcs nationaux (N. P.) ainsi que dans d'autres zones naturelles protégées : National Monuments, National Forests, National Recreation Areas, etc., gérées par le National Park Service (NPS). Les installations peuvent paraître rudimentaires mais se réveiller dans un site naturel exceptionnel vaut bien un petit sacrifice de confort, d'autant que les tarifs sont modiques. Il est recommandé de réserver car ces terrains de camping sont fréquemment complets, ou d'arriver très tôt dans les sites où prévaut la règle du « premier arrivé, premier servi ».

Renseignements et réservations : aux États-Unis ☎ (1)877/444-6777 ; depuis l'étranger ☎ 518/885-3639 ; www.recreation.gov

● **Campings privés**. Ce sont les plus onéreux (20 \$/j. en moyenne pour une tente), mais leurs prestations sont très complètes : tables de pique-nique, barbecues, aires de jeux, boutiques et même piscine. Ils sont particulièrement bien équipés pour les camping-cars (RV ; → *encadré ci-contre*) avec branche-

⬢ **Séjourner**

✐ À NOTER

● Le camping sauvage est strictement réglementé dans les domaines publics : renseignez-vous auprès des *Visitors Centers*.

● Il est parfois possible de louer un bungalow (*log cabin*) : à réserver longtemps à l'avance.

Les US en RV

Aux États-Unis, le **camping-car** s'appelle RV (prononcez *ARVI*), pour *Recreational Vehicle*. Il faut être titulaire d'un permis de tourisme depuis plus d'un an et être âgé de 21 ans au minimum. Le plus économique est le *Camper*, camionnette aménagée de 3 à 5 m de long pouvant accueillir 4 personnes. L'habitacle ne communique pas avec la cabine. Plus confortable, le *motor-home* mesure 8 à 9 m de long et peut accueillir 6 personnes. Certains Américains sillonnent les routes du pays à l'année.

Mais attention, conduire un engin aussi long peut être intimidant. Et puis, il est interdit de stationner la nuit en dehors des zones aménagées à cet effet (*RV campgrounds*), ainsi que de circuler en ville. À la location du véhicule, plutôt onéreuse, on doit ajouter le kilométrage, la consommation de carburant (compter 30 l/100 km), le paiement des emplacements sur les aires autorisées (chers et rares en été).

Renseignements dans la plupart des agences de voyages (→ *Partir*, p. 29) ainsi que sur les sites Internet www.motorhome.fr ou www.motorhomerentals.com (américain).

ments *(hookups)* pour l'électricité, l'eau courante et parfois la TV câblée. Comptez de 15 à 40 $ l'emplacement selon la taille du RV, le site et la saison.

Renseignements et réservations : *KOA Campgrounds* : ☎ (1)888/562-0000 ou 406/255-7402 ; www. koa.com Cette chaîne possède 450 complexes dans tout le pays : emplacements pour RV, location en bungalow ou *lodge,* les prestations sont équivalentes à celles d'un complexe hôtelier (piscine, animations, excursions…).

Autres sites utiles : www.campground.com (7 000 terrains référencés ; possibilité de louer ou d'acheter un RV, location de *cabins, cottages* et *lodges)* • www. camping-usa.com : pour choisir son terrain de camping • www.gocampingamerica.com : annuaire de terrains de camping.

Se restaurer

Contrairement aux idées reçues, il est possible de faire d'excellentes expériences culinaires au pays du Coca et du hamburger, et à bon prix. On peut goûter à toutes les saveurs du monde dans les restaurants de San Francisco, de Los Angeles ou de Las Vegas. Sushis et sashimis s'invitent volontiers sur les tables de Californie, de l'Oregon ou de l'État de Washington. Du Texas à la Californie, on raffole des *tacos, enchilladas* et *burritos* mexicains. La cuisine italienne, savoureuse et ensoleillée, fait de nombreux adeptes, mais force est de constater que les restaurants français sont les plus réputés (et aussi les plus chers).

■ Au restaurant

La réservation au restaurant est indispensable dans les grandes villes et conseillée partout ailleurs. Il est possible de dîner à partir de 17 h *(early bird dinner,* à petit prix) et le service s'arrête bien souvent vers 22 h.

Les prix affichés sur la carte s'entendent hors taxe (entre 6 et 15 % selon les États) et hors pourboire (ajoutez 15 à 20 %). Comptez 25-30 $ au déjeuner et 40-60 $ au dîner. Les restaurants gastronomiques proposent souvent un menu « Découverte » à petit prix au déjeuner (30 $).

Il existe des chaînes de restaurants spécialisées dans la viande de bœuf au barbecue, comme l'apprécient les cow-boys de l'Ouest (prix élevés) : *Morton's, Outback Steak House, Ruth's Chris Steak House, Smith & Wolinski…* Dans une *steak house,* essayez l'aloyau *(sirloin),* le filet *(fillet)* ou, mieux encore, le *T-bone steak,* double entrecôte avec l'os en « T ».

Les mots du restau

Le *starter,* ou *appetizer,* correspond à notre entrée. L'entrée mentionnée à la carte est en fait le plat principal. Véritables plats complets, les *sandwiches* et *hamburgers* constituent une entrée particulièrement indiquée au déjeuner. Les *burgers* se déclinent selon une étonnante variété de garnitures.

Une formule *salad bar,* ou une entrée en plat unique, peut suffire au déjeuner, d'autant que les portions sont généreuses. Il est parfois possible de commander un plat en taille *small, medium* ou *large.* Différents assaisonnements *(dressing)* sont proposés : *italian* (proche de notre vinaigrette), *blue cheese* (au roquefort), *thousand islands* (mayonnaise et ketchup).

◄ Dans les cuisines d'un restaurant de Chinatown, à San Francisco. Les États-Unis sont une terre d'immigrants et chaque communauté a conservé ses habitudes culinaires au sein de son quartier.

Pensez aussi aux chaînes de restaurants de poisson et fruits de mer *(seafood)* comme *The Chart House* et *Legal Seafood.*

■ Restauration rapide

Pratique et économique, elle demeure très appréciée au déjeuner *(lunch time)*, la plupart des employés ne disposant que d'une demi-heure pour se restaurer. *Diners, luncheonnettes, delis* et *pizzerias* occupent chaque coin de rue. On trouvera toujours dans le voisinage un petit traiteur exotique, une chaîne spécialisée dans les *tacos* et *burritos* mexicains (*Chipotle, Chevy's, Taco Bell*) ou, plus traditionnellement, américaine (*Jack in the Box, Denny's, McDonald's*).

La nouvelle génération de fast-foods connaît un vrai succès : *Prêt à manger* (salades), *Hale and Hearty Soups* (potages), *Cosi* (italien), *Au bon pain* (sandwiches, viennoiseries), *In and Out* (bio). Il existe des chaînes plus chics comme *Financier* (*French patisseries*) ou *Le Pain quotidien* (boulangerie, salades, tartines garnies).

À Los Angeles et à San Francisco, la tendance est au *food trucks*, camionnettes de restauration installées au pied des tours de bureaux. Les files d'attente s'allongent devant les *gourmets trucks*, qui proposent aux employés pressés de savoureuses préparations cuisinées à base d'ingrédients bio.

■ Cafés, bars

Bar à bière *(brewerie)*, à vin *(wine bar)* ou à vodka, bar d'ambiance *(lounge bar)*, de sport *(sports bar)* et même bar à champagne… Consultez les magazines *Where* ou *Time Out* ainsi que les suppléments week-end des quotidiens régionaux. Les bars ne sont pas accessibles aux moins de 21 ans.

■ Cuisine

Née au temps du Far West et parvenue sur les rivages du Pacifique, la cuisine américaine de base s'est enrichie d'influences étrangères. On mange ethnique

✐ BON À SAVOIR
• Connaître les règles diététiques de base, boire du vin à table et apprécier la cuisine française sont, aux États-Unis, des marques de savoir-vivre.
• Il est strictement interdit de fumer dans les restaurants et les bars, sous peine d'amende.

Fin de repas

Aux États-Unis, le **pourboire** *(gratuity)* constitue le salaire principal du serveur. Si vous payez au moyen d'une carte bancaire, ajoutez-le sur la facturette et reportez le total final, sans quoi un employé indélicat pourrait s'octroyer, à votre insu, un pourboire royal… Il peut arriver que le serveur ajoute d'office le pourboire à la note, de peur que le client européen ne l'oublie…

Notre façon d'écrire le chiffre « 1 » pouvant créer une confusion avec le « 7 » américain, inscrivez lisiblement le chiffre désiré sur la facturette.

Séjourner

L'Ouest américain à la carte

■ Sites naturels

L'ouest des États-Unis compte plus de 40 parcs nationaux dont la visite vous laissera un souvenir inoubliable. C'est certainement dans le grand Sud-Ouest que vous rencontrerez les paysages les plus saisissants. Véritable livre ouvert sur l'histoire géologique, le **Grand Canyon N. P.**★★★ *(p. 461)* est le plus visité des parcs. L'Utah possède également des sites grandioses : **Monument Valley**★★★ *(p. 508)*, aux étranges monolithes, **Bryce Canyon N. P.**★★★ *(p. 452)* et son amphithéâtre de pitons orangés, **Arches N. P.**★★★ *(p. 440)*, aux 500 portiques naturels, sans oublier les gorges de **Canyonlands N. P.**★★★ *(p. 443)* et les forteresses de grès de **Zion N. P.**★★ *(p. 457)*.

Amoureux des lacs, explorez le féerique **Lake Powell**★★★ *(p. 447)*, dont les criques se prêtent à la baignade, ou le **Crater Lake N. P.**★★ *(p. 340)*, qui abrite le lac le plus profond des États-Unis. Sous un soleil de feu, les déserts miroitant de sel du **Death Valley N. P.**★★★ *(p. 280)* présentent un décor dantesque. Exceptionnels, les 300 geysers de **Yellowstone N. P.**★★★ *(p. 393)* sont les plus grands du monde, et les 70 grottes de **Carlsbad Caverns N. P.**★★ *(p. 537)*, aux concrétions extraordinaires, forment un des plus vastes ensembles connus.

▲ La vallée de Yosemite est dominée par le *Half Dome*, piton granitique de 1 440 m.

■ Faune

Sanctuaire de la vie animale, les parcs nationaux abritent de nombreuses espèces : grizzlis, ours bruns, bisons, coyotes, wapitis, élans, chiens de prairie. Le **Yellowstone N. P.**★★★ *(p. 393)* constitue la réserve animalière la plus importante du pays. Le long du golfe du Mexique, de **Galveston** *(p. 560)* à Brownsville, la côte texane et les îles littorales regroupent une multitude d'oiseaux de mer, sans compter les loutres de rivière, les mouffettes, les pécaris et les opossums. Condors, faucons et autres

☞ Consultez la carte des espaces naturels, en fin de volume, ainsi que, en début de volume, la carte « Que voir », qui recense les principaux sites touristiques de chaque région.

▶ Ancien camion de la Anheuser-Busch, avec son chargement. Lancée en 1876, la bière Budweiser fut créée par Anheuser et Bush, deux émigrés allemands brasseurs à La Nouvelle-Orléans, qui décidèrent de fabriquer une bière différente des bières allemandes : « légère, transparente et inoffensive », à base de houblon, d'orge et de riz, le tout clarifié sur un lit de copeaux de hêtre, titrant 4,8° et à boire à 6 °C.

Saveurs mexicaines

Les épouses des pionniers confectionnaient des plats simples et nourrissants tels ces ragoûts de haricots rouges, parfumés au lard et à la tomate, que l'on vous sert toujours dans certaines gargotes de l'Ouest sauvage. De surprenantes associations de saveurs et de couleurs exotiques ont enrichi ces préparations roboratives.

En Californie, au Texas et au Nouveau-Mexique, États proches du Mexique, on échappe difficilement à la vogue de la cuisine tex-mex, fusion assez réussie de deux traditions culinaires. La mexicaine relève agréablement la cuisine locale avec ses *tortillas*, crêpes de farine de maïs garnies d'oignons frits, de *chili peppers* (petits piments), de poulet ou de bœuf émincé parfumé au thym, et saupoudrées de cheddar râpé. On peut y ajouter tomate, purée d'avocat (*guacamole*), saucisse piquante et, même, melon. Les *tacos* sont roulés et nappés d'une sauce au fromage relevé d'une pointe de piment au chili.

et bio dans la plupart des grandes villes côtières tandis que la cuisine traditionnelle perdure dans les États de l'intérieur, où le steak-frites et le poulet frit du Kentucky règnent en maîtres. Dans les États du Pacific Northwest, le *fish and chips* (friture) est prédominant.

● **La viande**. À la commande, préciser la cuisson souhaitée : bien cuit (*well done*), à point (*medium*), pas trop cuit (*medium rare*), rose (*pink*) ou saignant (*rare* à *extra rare*) ; le canard sera toujours servi bien cuit. Les Américains apprécient les viandes blanches (poulet, dinde, veau…) et dédaignent le lapin et les abats.

● **Poisson et fruits de mer**. Les poissons les plus courants sont le flétan (*halibut*), la dorade (équivalent du *red snapper*), le saumon (*salmon*), l'espadon (*swordfish*), le bar (*seabass*), la lotte (*monkfish*) et le thon (*tuna*), qui peut être servi cru selon une délicieuse recette d'origine hawaïenne (*ahi tuna*), très populaire en Californie. On sert aussi le *cioppino*, savoureux ragoût d'inspiration italienne, à base de tomate, d'ail, de poissons blancs, de crabe et de coquillages. Partout sur la côte, on pourra déguster les gâteaux de crabe (*crab cakes*), les crabes à carapace molle (*soft shell crabs*), les coquilles Saint-Jacques (*scallops*), qui sont sans corail. Goûtez absolument l'onctueux velouté de palourdes du Pacifique (*clam chowder*).

Les huîtres (*oysters*) sont consommées chaudes et gratinées ; celles du golfe du Mexique sont plus grosses que les nôtres. Les moules (*mussels*) du Pacifique sont énormes et, à vrai dire, sans saveur.

● **Les desserts**. Parmi les spécialités : le gâteau au fromage blanc (*cheese cake*), au chocolat (*brownie*), le gâteau aux carottes (*carrot cake*), surprenant mais délicieux, la tarte à la citrouille (*pumpkin pie*), en octobre et novembre, la tarte aux pommes (*apple pie*), saupoudrée de cannelle (*cinnamon*). Dans les grandes villes, on trouvera mille déclinaisons de *cupcakes*. Les crèmes glacées *(ice cream)* sont onctueuses et accompagnées d'une garniture *(topping)*.

■ Boissons

Les Américains sont amateurs de **soda** *(soft drinks)*, boisson gazeuse servie bien glacée *(Coca-Cola, Pepsi, Seven Up, Ginger Ale)*. Le **thé** glacé *(iced tea)* est très désaltérant ; demandez-le sucré *(sweetened)* ou non *(unsweetened)*. L'**eau** minérale peut être gazeuse *(sparkling)* ou plate *(still)* ; insistez si vous tenez à l'eau du robinet *(tap water)*.

● Le **café** américain, très allongé, peut être servi à volonté si on le demande. Pour un café plus serré, demandez un *expresso*. Les Américains ont adopté notre café au lait *(latte)*. Dans les *coffee-shops*, on sert toutes sortes de cafés aromatisés à la vanille, au chocolat ou à la cannelle. Starbucks, multinationale née à Seattle sur les rivages du Pacifique, demeure l'enseigne de *coffee-shop* la plus répandue aux *States*.

● La carte des **vins** fait la part belle aux produits de la Californie et, plus rarement, de l'Oregon (Willamette Valley). La Californie est le premier État producteur du pays, avec plus de 130 000 ha de vignobles, situés principalement dans les vallées de Napa et Sonoma, près de San Francisco. Le vignoble californien a un peu plus d'un siècle d'existence : ses vins, résultat de l'alliance de techniques anciennes et des dernières technologies, ne cessent de croître en qualité. Les cépages les plus appréciés sont le chardonnay et le sauvignon (blancs), le merlot, le zinfandel et le cabernet sauvignon (rouges) ainsi qu'un blanc pétillant *(sparkling wine)* qui se veut proche du champagne. Comptez entre 7 et 18 $ le verre *(by the glass)*, à partir de 30 $ la bouteille selon le cru.

● Il existe de la **bière** sans alcool et sans calories, et même de la bière de racines *(root beer)*, au curieux goût de terroir. Le **bourbon**, whisky américain, a ses lettres de noblesse, ses grandes marques, ses subtiles différences ; le meilleur provient du Kentucky.

Se déplacer

En raison des grandes distances à parcourir, les Américains empruntent volontiers l'avion et, de plus en plus, le train ; les compagnies aériennes américaines rivalisent pour fidéliser les voyageurs en proposant des tarifs attractifs. Si vous voyagez en voiture et que le temps vous est compté, prévoyez quelques sauts de puce en avion.

✐ BON À SAVOIR
Dans la plupart des États, l'âge minimal requis pour consommer de l'alcool est 21 ans. Dans certains États ou comtés, la vente et la consommation sont strictement réglementées selon les heures, voire interdites.

Séjourner

Breakfast in America

Le *breakfast* (petit déjeuner) constitue un repas à lui tout seul : jus de fruits, café (allongé ou espresso), café au lait *(latte)*, cappuccino ou thé, céréales au lait froid ou au fromage blanc et fruits frais *(granola)*, toasts, *muffins*, beignets au sucre *(doughnuts)*, bagels au fromage *(cream cheese)*, pain perdu *(French toasts)*, gaufres *(waffles)* ou *pancakes* à arroser de sirop d'érable *(maple syrup)*, confitures *(jam)*, pain blanc *(white)*, pain complet *(whole wheat)* ou au seigle *(rye)*...

Les **œufs** sont accommodés de multiples façons : brouillés *(scrambled)*, à la coque *(boiled)*, durs *(hard boiled)*, mollets *(soft boiled)*, en omelette *(omelet)*, sur le plat *(sunny side up)* ou cuits des deux côtés *(over easy)*. Ils peuvent être accompagnés de pommes de terre sautées *(fried potatoes)* ou râpées et cuites en galette *(hash browns)*, de saucisses *(sausages)* ou de bacon.

Le **brunch** du week-end, typiquement américain, combine petit déjeuner *(breakfast)* et déjeuner *(lunch)*. C'est un moment de plaisir, pris sans hâte entre 9 h et 14 h, en famille ou entre amis. On boira volontiers du vin blanc pétillant de Californie, additionné ou non de jus d'orange *(mimosa)*.

Classification des routes

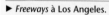
90 Interstate Highway

93 US Highway

35 State Highway

• I : suivi d'un numéro,
Interstate, autoroute « inter-
États » (par ex. I-90).

• US : suivi d'un numéro,
désigne une route nationale
(par ex. US 93).

• OR : suivi d'un numéro,
désigne une route de l'État
de l'Oregon (par ex. OR 99).

■ Réseau routier

Il est, dans l'ensemble, d'excellente qualité ; on appré-
ciera en particulier la précision du marquage au sol et
de la signalisation sur les grands axes.

Routes, autoroutes et bretelles d'accès sont **numérotées** : les nombres pairs indiquent les liaisons E.-O.,
les nombres impairs, les liaisons N.-S.

Les **Interstates**, autoroutes gratuites qui traversent
plusieurs États, sont reconnaissables à leurs panneaux rouge-blanc-bleu en forme de blason. Ainsi,
l'Interstate 80 West, qui relie New York à San Francisco, sera indiquée « I-80 W. ».

Les **US Highways** (Hwy) sont des autoroutes d'État
qui changent de numéro d'un État à l'autre. Les
tronçons payants sont appelés *turnpikes* et les *toll roads*
sont des autoroutes à péage. Tunnels et ponts sont
fréquemment soumis à un péage *(toll)*.

Les autres voies rapides et gratuites (*freeways*, *express-
ways*) sont signalées par un panneau monochrome.

Les routes secondaires (appelées *Routes*) sont également numérotées ; les emprunter permet de découvrir l'intérieur du pays.

■ Code de la route

Les **piétons** ont la priorité lorsqu'ils traversent et ils
respectent la signalisation.

Freeways mode d'emploi

Avant le départ, étudiez soigneusement la carte et notez, dans
l'ordre, les noms et numéros des
freeways (Fwys) que vous devez
emprunter. Soyez attentif aux indications d'orientation : le même
Fwy 405 (San Diego Fwy) dessert
aussi bien la San Fernando Valley,
au nord, que Long Beach, au sud.

Restez concentré, évitez toute
improvisation : on peut se retrouver, par manque d'attention, dans
un quartier dangereux. Dans ce
cas, rejoignez immédiatement le
Fwy que vous venez de quitter.

Pour rester sur le même Fwy, gar-
dez la voie du milieu ; les voies de
droite et de gauche sont généralement reliées à d'autres Fwys
(panneaux jaunes).

▶ *Freeways* à Los Angeles.

Le port de la **ceinture de sécurité** est obligatoire pour les passagers avant dans la plupart des États.

Il est interdit de dépasser ou de croiser un **bus scolaire** à l'arrêt (feux rouges clignotants) : il faut attendre le démarrage du bus pour poursuivre sa route.

On circule à droite et on double à gauche, mais il n'est pas interdit de doubler à droite et de franchir une **ligne continue**. Une double ligne continue peut être coupée pour tourner à gauche. Deux doubles lignes sont infranchissables.

Aux **intersections**, la règle du « premier arrivé, premier à passer » s'impose ; si deux véhicules arrivent en même temps à une intersection, la priorité à droite entre en vigueur. Le panneau YIELD indique qu'il faut céder le passage.

Sur certaines autoroutes, la voie de gauche peut être réservée, par tronçons, au **covoiturage** *(car pool lane)*, avec au moins 2 passagers : à bannir si vous voyagez seul, sous peine d'amende.

● **Feux**. Attention, les feux tricolores sont placés *après* les carrefours. Il faut donc veiller à s'arrêter 4 ou 5 m avant. Il est possible de tourner à droite à un feu rouge après avoir marqué un arrêt complet, à condition de pouvoir le faire sans danger et sauf si le panneau NO RIGHT TURN l'interdit (il existe des exceptions locales). Arrêtez-vous au feu rouge clignotant, cédez le passage au feu orange clignotant.

● **Changements de direction**. Contrairement à l'usage en vigueur en France, **tourner à gauche** à un croisement se fait au plus court : les véhicules ne sont pas obligés de se contourner par l'arrière. Les **demi-tours** sont interdits (NO U-TURN) dans les agglomérations ainsi que sur les routes marquées d'une ligne continue. Attention à votre positionnement sur les **autoroutes** : la voie de droite est souvent une voie de dégagement, dans ce cas elle est indiquée par un panneau jaune (RIGHT LANE EXIT). Si vous ne souhaitez pas quitter l'autoroute, restez sur

Séjourner

Quelques mots utiles sur la route

Ceintures de sécurité : seat belts
Coffre : trunk
Crevaison : flat tire
Essence : gas
Freins : brakes
Huile : oil
Interdit : forbidden

Moteur : engine
Panne : breakdown
Parking : parking lot, parking space
Péage : toll
Réparer : to fix
Roue de secours : spare tire
Station-service : gas station

Alt (alternate route) : déviation portant le même n° que l'itinéraire principal
Beware of : attention à
Bump : dos-d'âne
Byp (bypass) : voie de contournement
Car pool lane : voie de covoiturage
Caution : attention
Crossing (Xing) : croisement
Divided highway : route avec bande médiane
Free mileage : kilométrage gratuit
Jct (Junction) : embranchement
Keep on : circulez
Merge (merging traffic) : jonction de deux voies circulant dans le même sens

No U-turn : demi-tour interdit
One way : sens unique
Ped Xing (pedestrian crossing) : passage pour piéton
Roundabout : rond-point
Round trip : aller-retour (vous rapportez la voiture dans la ville de départ)
Signal ahead : attention, feux tricolores
Soft shoulder : accotement non stabilisé
Stock on road : attention au bétail
Unlimited mileage : kilométrage illimité
Wrong way : sens interdit
Yield : ralentir et céder le passage

les voies du milieu. Le panneau THRU TRAFFIC MERGE LEFT indique que l'on doit rester sur la voie de gauche pour continuer sur la même autoroute.

● **Limitation de vitesse**. Variable selon les États, elle est strictement contrôlée et très respectée par les automobilistes. La limitation *(speed limit)* est en moyenne de 25 mi/h (40 km/h) en ville, 15 mi/h (25 km/h) près d'une école et 55 à 68 mi/h (88 à 104 km/h) sur route. Sur les *Interstates* et les *freeways*, la vitesse maximale autorisée est comprise entre 65 et 75 mi/h (104 et 120 km/h). La police aérienne peut évaluer votre vitesse et prévenir la police de la route *(highway patrol)*, aux voitures blanc et noir.

● **Stationnement**. Les restrictions sont nombreuses en zone urbaine : arrêt interdit devant un trottoir bordé d'une bande rouge, sur un passage piéton, dans un virage, à moins de 1 m d'une rampe, sur un emplacement réservé aux personnes handicapées, à moins de 3 m d'une bouche d'incendie, sur un pont, dans un tunnel… et, bien sûr, devant les panneaux NO PARKING et NO STANDING.

L'**arrêt** est autorisé (mais non le stationnement, réservé aux véhicules d'urgence) devant un trottoir bordé de jaune ou de blanc ; également, pour une durée limitée, devant un trottoir peint en vert.

Les **parcmètres** *(meter)* autorisent le stationnement pour une durée limitée (de 10 mn à 3 h) avec des pièces de 25 cts *(quarters)* ou des cartes prépayées. Les heures de stationnement autorisé sont clairement indiquées par un panneau où figure le numéro de téléphone à composer en cas d'**enlèvement** *(tow away)*.

■ Carburants

Meilleur marché qu'en Europe, le prix du carburant *(gas)* est plus cher dans les grandes villes que sur les routes. Le carburant ne se vend pas au litre mais au *gallon* (3,785 l). Les voitures de location utilisent généralement de l'essence sans plomb *(unleaded)*, les autres de l'essence ordinaire *(regular)* ou du super *(highest)*. *Chevron*, *Mobil* et *Exxon* sont les stations-service les plus courantes.

■ Taxis

La lumière allumée sur le toit indique la disponibilité. Comptez 2,50 $ de prise en charge et 8 à 10 $ pour un trajet en ville. Un **pourboire** de 15 à 20 % est de rigueur. Certains taxis acceptent les **cartes bancaires** : sur un écran, vous pourrez vous-même ajouter au prix de la course le montant du pourboire. Si vous payez en **espèces**, préférez les petites coupures (jusqu'à 20 $).

Le métier de chauffeur de taxi est bien souvent le premier point de chute de l'immigrant aux États-Unis : peu de chauffeurs parlent couramment l'anglais, mais certains parlent le français. Soyez très précis en indiquant votre destination : les rues peuvent faire plusieurs dizaines de miles, dans ce cas le numéro de la rue n'est d'aucune utilité au chauffeur : mentionnez toujours l'intersection la plus proche (par exemple, « Montgomery Street, at Market Street »).

■ Location de véhicule

L'âge minimal requis est 21 ans. Le permis de conduire national français suffit. Au-delà de trois mois de séjour, il faudra produire un permis international ou passer le permis américain. Certains loueurs n'hésitent pas à facturer un supplément aux moins de 25 ans et aux titulaires d'un permis de conduire de moins de 3 ans. La présentation d'une carte bancaire (*Visa, MasterCard, Amex*) est indispensable : son empreinte servira de garantie. Pour un long séjour, louez auprès d'une agence de voyages avant de partir afin de bénéficier d'un tarif forfaitaire.

● **Assurance.** Question à étudier avec soin. Les loueurs bon marché incluent très peu de garanties dans leurs forfaits. L'assurance tous risques CDW *(collision damage waiver)* ou LDW, dégageant votre responsabilité financière en cas de vol et de dégâts matériels causés au véhicule, est indispensable. L'assurance LIS, qui augmente la couverture de responsabilité civile *(liability insurance)*, est obligatoire dans tous les États mais n'est pas systématiquement comprise dans le contrat de location. Il est également possible de souscrire l'assurance complémentaire PAI, assurant un capital invalidité et décès en cas d'accident, et la PAEC, couvrant les effets personnels en cas de vol. Optez pour un forfait tout compris.

● **Centrales de réservation** : *Auto Escape* (☎ 0892-46-46-10 ; www.autoescape.com) pratique des tarifs très compétitifs et présente plusieurs avantages : pas de frais en cas d'annulation ou de modification, kilométrage illimité, bonnes prestations pour les moins de 25 ans ● *Avis* ☎ 0821-230-760 ; n° vert depuis les États-Unis ☎ (1)800/331-1212 ; www.avis.fr ● *Hertz* ☎ 01-39-38-38-38 ; n° vert US ☎ (1)800/654-3001 ; www.hertz.fr ● *Budget* ☎ 0825-00-35-64 ; n° vert US ☎ (1)800/527-0700 ; www.budget.com ● *Thrifty Car Rental*, n° vert US ☎ (1)888/400-8877 ; www.thrifty.com

■ Cartes routières

Les *Visitors Centers* des parcs nationaux publient une documentation fiable, complète et gratuite. Les stations-service proposent également des cartes

Séjourner

✍ BON À SAVOIR
Pour les conditions de location d'un camping-car, reportez-vous à l'encadré p. 37.

✍ À NOTER
Les compagnies de location de voitures présentes dans les aéroports, au niveau des halls d'arrivée des différents terminaux, mettent parfois à disposition des voyageurs un service d'appel téléphonique pour une navette gratuite qui les conduira jusqu'à leur parc de stationnement, où les formalités concernant la location seront accomplies.

☞ CONSEIL
Pour vous orienter facilement dans les grandes villes et gagner du temps, équipez votre véhicule d'un GPS, moyennant une dizaine de dollars en supplément par jour de location (à réserver). Il arrive que le GPS ne soit pas opérationnel dans certaines zones reculées (les déserts, par exemple) ou les zones urbaines à forte concentration de tours *(financial districts)*. Emportez aussi cartes et plans.

routières gratuites. Les cartes AAA (American Automobile Association, prononcez *triple A*) et Rand McNally ainsi que l'*Interstate Road Atlas*, avec les plans de toutes les villes et des cartes régionales détaillées, seront vos meilleurs alliés sur la route.

■ Vols intérieurs

Si votre vol intérieur n'a pas été réservé en même temps que votre vol international, faites le tour du marché par téléphone ou sur Internet (sites comparatifs) avant de réserver, car les compagnies aériennes se livrent à une concurrence féroce. Chaque catégorie de voyageurs peut prétendre à un tarif privilégié : les couples en week-end, les familles nombreuses, les enfants, les étudiants, les seniors (retraités au-delà de 60 ans)… Selon la date et l'heure du vol choisi, les tarifs d'une même compagnie sur un même trajet peuvent chuter jusqu'à 50 %. Une escale peut également faire baisser le prix de moitié.

Depuis le 11 septembre 2001, les contrôles de sécurité sont draconiens : prévoyez une confortable avance. Sandwiches et boissons servis à bord sont pratiquement toujours payants sur les lignes intérieures.

● **Forfait** (*pass*). De nombreuses compagnies aériennes américaines proposent des forfaits à des tarifs très avantageux. Mais ce choix suppose de planifier son voyage. Les *passes* les plus avantageux sont réservés aux non-résidents américains. Il faut impérativement les acheter avant de partir, car ils ne sont pas vendus sur place, et vérifier auprès de votre agence de voyages que le vol transatlantique choisi est compatible avec le *pass* intérieur souhaité. Il est possible d'acheter de 3 à 10 coupons. Leur durée de validité est de 60 j. au maximum.

Renseignements : auprès des compagnies membres des réseaux **Skyteam** avec Delta Airlines (*Skyteam GoAmerica*, à acheter 14 j. avant le départ ; www.skyteam.com) et **Star Alliance** (*America North Air Pass*, avec United Airlines, US Airways, Continental Airlines www.staralliance.com).

■ Le train

Ce mode de transport fait de plus en plus d'adeptes. Les trains de la compagnie *Amtrak* relient essentiellement les grandes villes. Les wagons sont confortables mais les liaisons peu fréquentes, les trajets souvent longs et les tarifs plus élevés que ceux de l'autocar. Les trains ne s'arrêtent dans les gares secondaires que s'il y a des réservations, d'où l'obligation de réserver ses trajets. Il est possible de calculer son itinéraire en ligne et de bénéficier de promotions sur certains segments.

Amtrak : n° vert depuis les États-Unis ☎ (1)800/872-7245 ; www.amtrak.com

Des trains de légende

L'*Empire Builder* relie Chicago à Portland et Seattle *via* Milwaukee (WI), Saint Paul-Minneapolis (MN), Fargo (ND), Havre (MT), West Glacier (MT) et Spokane (WA), en suivant le tracé de la Great Northern Railway • t.l.j., 2 209 mi/ 3 550 km, 45 h 30.

Le *Sunset Limited* longe la frontière sud des États-Unis, de Miami à Los Angeles, avec arrêts à La Nouvelle-Orléans (LA), San Antonio (TX), El Paso (TX) et Tucson (AZ) • 3 fois/sem., 3 066 mi/4 906 km, 48 h • navettes pour le Big Bend N. P. à Alpine (TX).

Le *California Zephyr* emprunte la piste des pionniers entre Chicago et San Francisco : Omaha (NE), Denver (CO), Salt Lake City (UT), Reno (NV) et Sacramento (CA) • t.l.j., 2 416 mi/3 865 km, 52 h.

Le *Southwest Chief* relie Chicago à Los Angeles, par Kansas City (MO), La Junta (CO), Albuquerque (NM) et Flagstaff (AZ) • t.l.j., 2 247 mi/3 595 km, 41 h • navettes pour Santa Fe au départ d'Albuquerque et pour le Grand Canyon au départ de Flagstaff.

Le *Texas Eagle* est une ligne nord-sud au départ de Chicago qui rejoint, au Texas, le *Sunset Limited* • t.l.j. entre Chicago (IL) et Saint Louis (MO), 3 fois/sem. entre Saint Louis et San Antonio (TX), 1 308 mi/2 093 km, 30 h.

Le *Coast Starlight* longe la côte pacifique depuis Seattle et Portland jusqu'à San Francisco et Los Angeles, en passant par Eugene (OR), Oakland (CA), San Jose (CA) et Santa Barbara (CA) • t.l.j., 1 389 mi/2 222 km, 35 h.

● **Forfait** *(pass)*. Des forfaits nationaux ou régionaux *(USA Rail Pass)* sur tout le réseau Amtrak sont proposés aux visiteurs étrangers pour une durée de 15, 30 ou 45 jours et pour un nombre de trajets déterminé. À réserver en agence de voyages avant de partir, dans un bureau Amtrak ou en ligne. Le *California Rail Pass* permet de voyager pendant 7 jours en Californie, sur certains trains seulement. Il est valable pour une période maximale de 21 jours consécutifs (159 $). Les enfants de 2 à 15 ans bénéficient du demi-tarif.

■ Autocars

C'est un moyen de transport populaire, idéal pour parcourir de grandes distances à peu de frais. Les gares routières sont situées dans les centres-villes. On y enregistre ses bagages comme à l'aéroport (30 mn avant le départ) : deux sacs ou valises par personne.

✎ À NOTER
Dans les bus, on ne rend pas la monnaie.

Greyhound : ☎ 214/849-8100 ou ☎ (1)800/231-2222 (n° gratuit aux États-Unis ; horaires, tarifs) ; www.greyhound.com Dessert l'ensemble du pays. Les voyageurs étrangers peuvent acheter à l'avance un billet sur Internet et le retirer dans un terminal Greyhound (option *Will Call*). Les forfaits *Discovery Pass* s'achètent en ligne ou sur place (7, 15, 30, 60 jours). Promotions ponctuelles et conseils aux voyageurs sur le site Internet.

Vivre au quotidien

■ Langue

Les Américains parlent l'*american english*, variante du *british english*. Cette langue créative, en constante évolution, présente quantité de différences de vocabulaire : on ne demande pas le *centre* pour rejoindre le centre-ville, mais plutôt le *downtown* ; le trottoir est un *sidewalk* et non un *pavement* ; on ne vit pas dans un *flat* mais dans un *apartment* ; on ne monte pas dans un *lift* mais dans un *elevator* (ascenseur), etc. Des différences de prononciation caractéristiques existent entre les voyelles *a* et *o* : le mot *glass* est prononcé *glàss* en anglais alors que le mot *hot* est proche de *hat*, en américain. L'espagnol est la seconde langue parlée après l'anglais.

Les Américains prennent un vrai plaisir à utiliser abréviations, néologismes publicitaires, jeux de mots, acronymes. Au premier abord, certains paraissent incompréhensibles, comme *Xing* pour *crossing* (croisement), *Xmas* pour *Christmas* (Noël). *Amtrak* est la contraction de *American* + *track*, *Travelodge* = *travel* + *lodge*, *Scenicruiser* = *scenic* + *cruiser*, etc.

■ Argent et change

Le **dollar** américain est divisé en 100 cents. Les billets en circulation sont de 1, 5, 10, 20, 50, 100 $. Il existe des pièces de 1 cent (la plus petite pièce jaune), 5 cents (pièce blanche ou *nickel*), 10 cents (la plus petite pièce blanche ou *dime*), 25 cents (*quarter*), 50 cents et 1 dollar.

Le **change** en euros sur place est assez défavorable. Il est conseillé d'acheter une centaine de dollars avant de partir pour faire face aux premières dépenses.

Sur place, retirez des **espèces** dans un distributeur *ATM (Automated Teller Machine)* avec une carte bancaire internationale (*Visa, MasterCard, Amex*). Informez-vous auprès de votre banque pour connaître les établissements partenaires aux États-Unis, afin d'éviter le paiement d'une commission sur chaque retrait.

Sur place, les **chèques de voyage** en dollars s'échangent chez les commerçants comme des espèces, sur présentation d'une pièce d'identité (ID).

■ Budget

Le coût de la vie n'est pas aussi élevé qu'on pourrait le croire : alimentation, avion, autoroutes, carburant, voiture, multimédia sont meilleur marché qu'en France. En revanche, l'hôtel et le restaurant sont onéreux (notamment à San Francisco et Los Angeles). Mais il existe des moyens de réduire le coût d'un séjour en explorant les sites Internet spécialisés, les sites comparatifs et les sites hôteliers, en achetant un forfait auprès d'une agence de voyages ou en partageant une chambre si on voyage à 4 (2 lits doubles).

Comptez entre 150 $ et 250 $ la nuit si vous logez en ville et 20 à 30 $ par repas (40 $ pour le dîner) sans oublier le petit déjeuner (7 à 15 $). On trouvera quantité de solutions pour se restaurer à bas prix, mais on se lasse vite de ces expédients.

Un ticket de métro *(single ride)* dans une grande ville coûte 2 $ en moyenne ; pensez aux forfaits illimités *(unlimited ride)*. L'entrée au musée coûte entre 5 et 20 $, la plupart ont une plage horaire gratuite ou à tarif réduit. Attention, le billet d'entrée dans un parc d'attractions est généralement élevé (consultez les promotions ponctuelles sur leurs sites Internet) : comptez en moyenne 75 $ à Universal Studios, 80 $ à Disneyland, 70 $ à Seaworld. Un spectacle à Las Vegas coûte rarement moins de 100 $.

Prévoyez des frais de stationnement et de parking. Il est difficilement possible de stationner la nuit en ville à cause du nettoyage urbain *(street cleaning)*. Les parkings publics sont les moins onéreux, compter 20 à 30 $/24 h. Pensez aussi à prévoir un budget « pourboire ».

■ Pourboire

En règle générale, le service n'est pas compris et il est quasiment obligatoire de laisser 15 à 20 % du montant de la facture au restaurant, au chauffeur de taxi, chez le coiffeur ou dans un institut de beauté.

À l'hôtel : au porteur de bagages (1 à 2 $/bagage), au chasseur qui appelle un taxi (1 à 2 $), au voiturier *(valet parking)* à la reprise du véhicule (2 à 3 $), à la femme de chambre (1 à 3 $/j. à laisser sous l'oreiller), 5 à 10 $ au concierge de l'hôtel pour une réservation difficile à obtenir (restaurant, théâtre). Au porteur à l'aéroport, 1 ou 2 $/bagage ; au chauffeur de transfert, 2 $ par trajet et par personne, au guide touristique, 5 $ par excursion et par personne.

☞ CONSEILS
• Tous les billets sont verts et de format identique : il est donc prudent de les ranger par ordre de valeur.
• Préférez les petites coupures, plus faciles à échanger (jusqu'à 20 $).
• Garder toujours de la monnaie *(change)* dans sa poche, pour régler les parcmètres *(meter)*, payer le péage *(toll)*, acheter des tickets de bus ou de métro et, surtout, téléphoner dans les cabines publiques.

Séjourner

✐ BON À SAVOIR
Pour calculer rapidement le pourboire au restaurant, doublez le montant de la taxe portée au bas de la facture et ajoutez quelques dollars si vous êtes très satisfait *(→ aussi encadré p. 39)*.

■ Internet et wi-fi

Si les cybercafés ont pratiquement disparu dans les villes, la plupart des établissements hôteliers proposent un accès Internet gratuit *(free Internet access)* dans les parties communes et parfois même dans la chambre. L'accès wi-fi payant à l'hôtel coûte entre 9 et 14 $/24 h. Pour un séjour prolongé, négociez un forfait avec l'hôtelier. Sans ordinateur portable *(laptop)*, adressez-vous au *business center* de l'hôtel. Il existe des bornes Internet qui fonctionnent avec cartes prépayées ou cartes bancaires.

L'accès wi-fi est gratuit dans les bibliothèques *(public libraries)*, les halls d'hôtels *(lobby)*, restaurants, *coffee-shops* comme Starbucks, dans les parcs d'État *(State Parks)* et certains campings. L'accès est payant dans les aéroports. Sur certaines lignes intérieures américaines, il est possible de se connecter en vol (comptez 13 $ les 24 h). Wi-fi gratuite dans les trains sur l'ensemble du réseau Amtrak.

■ Vivre à l'heure américaine

L'heure est indiquée par des chiffres allant de 1 à 12, complétés le matin des lettres a.m. *(ante meridiem,* avant midi), des lettres p.m. *(post meridiem)* l'après-midi : 11 a.m. signifie 11 h du matin, 11 p.m. = 23 h.

Les États-Unis sont divisés en quatre fuseaux horaires et pratiquent le *daylight saving time* (heures d'hiver et d'été). Quand il est midi à Paris, il est 3 h du matin à Los Angeles, 4 h à Denver, 5 h à Houston.

Les **banques** sont ouvertes de 9 h à 15 h, du lundi au vendredi, et parfois le samedi matin ● les **grands magasins** ouvrent de 9 h à 19 h (souvent le dimanche avec des horaires réduits) et proposent une ou deux nocturnes par semaine ● les **musées** se visitent de 9 h ou 10 h à 17 h ou 18 h ; certains sont fermés le lundi et ouvrent en nocturne jusqu'à 21 h, souvent le vendredi. La plupart ferment les principaux jours fériés (Noël, jour de l'An et Thanksgiving).

■ Jours fériés

La plupart des lieux publics et musées sont fermés pendant les principaux jours fériés nationaux : *New Year's Day* (Nouvel An), le 1er janvier ● *Martin Luther King's Birthday* (anniversaire de M. L. King), le 3e lundi de janvier ● *President's Day* (anniversaire de George Washington et d'Abraham Lincoln), le 3e lundi de février ● *Memorial Day* (fête du Souvenir), le dernier lundi de

▲ Défilé de l'Independence Day dans la petite ville de Mount Shasta (Californie).

mai • *Independence Day* (fête de l'Indépendance,
fête nationale), le 4 juillet • *Labor Day* (fête du
Travail), le 1er lundi de septembre • *Columbus Day*
(découverte de l'Amérique par Christophe Colomb),
le 2e lundi d'octobre • *Veteran's Day* (Armistice),
le 11 novembre • *Thanksgiving*, le 4e jeudi de
novembre • *Christmas Day* (Noël), le 25 décembre.

■ Poste

L'US Postal Service est un service public. Les bureaux
sont ouverts de 9 h à 17 h du lundi au vendredi.
Dans les grandes villes, certains restent ouverts le
week-end, ou même 24 h/24. Le coût d'un timbre
pour une lettre vers l'Europe est de 98 cents.

■ Téléphone

Le réseau téléphonique est exploité par des compagnies privées dont les plus importantes sont *AT&T*
et *T Mobile*. Les numéros se composent de 7 chiffres,
précédés d'un indicatif local *(area code)*.

Certains numéros de téléphone sont constitués de
lettres, entièrement ou en partie. Chaque touche
des postes téléphoniques comprenant à la fois un
chiffre et 2 à 4 lettres, il suffit, pour composer le
numéro, d'appuyer sur les touches correspondant
aux lettres.

Avant de partir, n'oubliez pas de faire activer le service « **étranger** » auprès de votre opérateur téléphonique. En cas d'appel en provenance d'Europe, votre
correspondant ne paiera que la communication
nationale et vous serez facturé pour la partie internationale de l'appel.

Pour accéder au service **Carte France Télécom**
aux États-Unis, composez un des 3 numéros suivants puis laissez-vous guider par le serveur vocal :
☎ (1)800/473-7262, (1)800/937-2623, (1)800/
537-2623. Ces numéros pouvant être modifiés,
n'hésitez pas à vérifier avant votre départ. Renseignements ☎ 0800-202-202 (en France).

■ Informations touristiques

Vous pouvez recevoir renseignements et brochures
sur chaque région ou État en contactant les organismes suivants.

Arizona : *Arizona Department of Tourism*, www.
arizonaguide.com • **Californie** : *California Division
of Tourism*, www.visitcalifornia.com • **Colorado** :
State Department of Wildlife, www.colorado.com •
Idaho : *Idaho Division of Tourism Development*, www.
visitidaho.org • **Montana** : *Travel Montana*, www.
visitmt.com • **Nevada** : *Commission of Tourism*,
www.travelnevada.com • **Nouveau-Mexique** : *New
Mexico Department of Tourism*, www.newmexico.
org • **Oregon** : *The Oregon Department of Economic*

Téléphoner aux États-Unis

• **Appel local** *(local call)* :
dans certaines régions, composez directement le numéro
à 7 chiffres de votre correspondant ; sinon, composez l'indicatif
local *(area code)* suivi du numéro
à 7 chiffres.

• **Appel interurbain** *(long distance call)* : composez le ☎ 1
+ l'indicatif local + le numéro
à 7 chiffres ; l'appel interurbain
est moins cher la nuit.

• **Appel international** : vers la
France, composer le ☎ 0-11-33
+ le numéro de votre correspondant, sans le 0 initial.

• Depuis la France, la Belgique
ou la Suisse, composer le 00-1
+ l'indicatif de la ville + le n° du
correspondant.

• **Numéros gratuits** : les numéros de téléphone qui commencent par ☎ 800, 855, 866, 877,
888 sont des numéros d'appel
gratuits *(toll-free number)*. Faites-
les précéder du ☎ 1 si vous
appelez depuis un poste fixe
(et non d'un portable). Dans ce
guide, ces numéros sont notés
ainsi : ☎ (1)800/000-0000.

Development, www.traveloregon.com • **Texas** : *Texas Tourism Division*, www.traveltex.com • **Utah** : *Utah Travel Council*, www.utah.com • **Washington** : *Washington State Convention Center*, www.experiencewa.com • **Wyoming** : *Wyoming Travel & Tourism*, www.wyomingtourism.org

■ Parcs nationaux (National Parks)

Les parcs nationaux sont **ouverts toute l'année**, seuls les *Visitors Centers* (il y en a parfois plusieurs selon l'étendue du parc) ont des horaires restreints en hiver. De manière générale, il y a deux tarifs d'accès : un tarif **véhicule**, qui couvre tous les passagers, et un tarif **piéton/cycliste** individuel. Si vous avez l'intention de visiter plusieurs parcs, le *pass America The Beautiful* (80 $; valable un an ; rens. : www.store.usgs.gov/pass) offre la gratuité dans l'ensemble des parcs nationaux : soit pour tous les passagers d'un véhicule, soit, dans le cas où le tarif est fixé par visiteur, pour 3 personnes en plus du porteur du *pass*.

Chaque parc national propose un **site Internet** détaillé, rattaché à la plate-forme générale : www.nps.gov Ces sites, très complets, sont une source d'informations pratique et fiable pour préparer votre séjour. Il faut commencer impérativement par consulter les règles de conduite et de prudence à respecter dans le parc où vous souhaitez vous rendre. Vous y trouverez ensuite les horaires et conditions d'accès, les propositions d'hébergement (ou les conditions à remplir pour pouvoir camper sur place, ce qui nécessite parfois un permis), les activités possibles, ainsi qu'une documentation sur les spécificités naturelles et/ou culturelles du parc.

Si les conditions d'accès sont relativement homogènes d'un parc à l'autre, les modalités d'**hébergement** varient. Dans presque tous les cas, des espaces sont ménagés pour le camping, mais dans un esprit minimaliste d'immersion dans la nature. Ces *campgrounds* sont toujours bien situés, payants mais assez peu chers, et il est prudent de réserver en saison, du moins quand ils ne fonctionnent pas selon la loi habituelle du « premier arrivé, premier servi ». Les autres solutions d'hébergement dans les parcs nationaux sont très variables : parfois des *lodges* sont installés en pleine nature (souvent dans une logique de découverte de l'endroit et associés au *Visitors Center* ou au *Cultural Center* quand il y en a un), parfois un hôtel, plus rarement un motel. Il faut souvent aller au village le plus proche pour dormir entre quatre murs. ▶▶▶

▲ **Dans le Bryce Canyon National Park. Les Indiens Paiutes nommaient ce site singulier « les rochers rouges dressés comme des hommes ».**

Les gardiens de l'Ouest

L e métier de **ranger** est né avec le développement des parcs nationaux. Ces gardes forestiers sont en effet attachés au National Park Service (NPS), créé en 1916. Avec leurs chapeaux à large bord et leurs pantalons de style militaire, ces hommes et ces femmes passionnés entretiennent une image folklorique de l'Ouest.

▲ Le couvre-chef caractéristique des *rangers* s'inspire du chapeau à large bord que portaient les soldats de la cavalerie.

■ Un véritable sacerdoce

Totalement dévoués à la cause du parc, les premiers *rangers* menaient une vie rude, à un rythme militaire ou presque. Logés dans des baraquements rustiques, ils prenaient leurs repas en commun. De l'aube à la nuit tombante, ils parcouraient seuls, à pied ou à cheval, de vastes territoires ; l'essentiel de leur activité consistait à ouvrir et entretenir des pistes, repérer les incendies, débusquer les braconniers. En 1927, les femmes sont intégrées aux équipes. Elles représentent aujourd'hui le tiers des effectifs.

■ Des tâches variées

Le métier, souvent exercé par des étudiants, demande aujourd'hui de solides compétences. En saison, le *ranger* s'occupe de la circulation, veille à la sécurité des promeneurs, au respect de l'environnement ; parfois, il assiste des blessés ou recherche des égarés. Hors saison, il entretient chemins et installations.

Une mission d'accueil importante lui incombe, puisque plus de 300 millions de personnes traversent chaque année les parcs. Le *ranger* renseigne sur les dangers, les itinéraires, les équipements nécessaires. Son implication pédagogique n'est pas moindre puisqu'il organise des conférences, des visites guidées, des randonnées, des animations autour de feux de camp.

Mais son rôle principal consiste à protéger la nature. Naturaliste et zoologue, le *ranger* surveille et recense la faune et la flore des parcs.

◄ Dans Yosemite National Park, une famille américaine très à l'écoute.

▶▶▶ En arrivant dans un parc, rendez-vous à son *Visitors Center*, vous y trouverez toutes les informations sur les visites, les activités, ou l'hébergement. Dans presque tous les parcs, des **visites guidées** ou des randonnées commentées sont organisées, avec plus ou moins d'encadrement selon les caractéristiques du parc. La plupart du temps, ce sont les *rangers* (→ *théma p. préc.*), chargés de sensibiliser les visiteurs sur les richesses des parcs dont ils ont le soin, qui les coordonnent. Des associations ou organismes peuvent aussi proposer des activités, qui vont, selon l'endroit, de la promenade à cheval à la découverte de l'artisanat indien local.

■ Parcs d'État (State Parks)

Les coordonnées des organismes à contacter sont indiquées dans les chapitres de visite.

■ Musées

✐ À NOTER
Le Memorial Day (dernier lundi du mois de mai) inaugure la saison estivale, tandis que le Labor Day (1er lundi de septembre) en marque la fin.

Ils sont généralement payants et le ticket plein tarif peut coûter assez cher. Certains musées sont gratuits ou demandent une participation à l'entrée qui n'a aucune valeur d'obligation (*suggested donation* ; minimum raisonnable 5 \$). On vous remettra alors un pin's en guise de ticket d'entrée. Certains musées proposent, une fois par semaine, un créneau horaire pendant lequel vous pouvez payer ce que vous voulez (*pay what you whish*).

■ Santé

Il n'existe pas de convention de sécurité sociale entre la France et les États-Unis : les frais médicaux engagés sur place en cas de maladie ou d'accident seront donc à votre charge, et leur coût est élevé. Avant de partir, souscrivez une assurance incluant le remboursement de ces frais et le rapatriement sanitaire – certaines cartes bancaires offrent cette garantie. Renseignez-vous auprès de votre centre de Sécurité sociale et auprès de votre banque. Conservez toutes les preuves des frais engagés afin de pouvoir vous faire rembourser au retour.

✐ BON À SAVOIR
Les médicaments de première nécessité sont en vente libre (*over the counter*) dans les drugstores comme *Duane Reade, CVS/ Pharmacy, Walgreens, Rite Aid*.

Si vous êtes sous traitement médical, emportez la quantité de médicaments nécessaire, accompagnée d'une ordonnance en anglais (*prescription*) mentionnant le nom de la molécule plutôt que celui du médicament, afin de trouver facilement un traitement substitutif sur place.

■ Sécurité

☞ CONSEIL
À l'hôtel, n'ouvrez jamais la porte sans vous assurer de l'identité de votre visiteur. N'hésitez pas à appeler la réception au besoin.

Consultez le site Internet www.diplomatie.gouv.fr pour connaître les quartiers à éviter en zone urbaine. Il est conseillé de ne pas se rendre dans les lieux déserts et les parcs publics la nuit. Soyez vigilant sur les sites touristiques.

Les hôtels sont équipés de coffres-forts où déposer passeport, billet d'avion, objets de valeur et argent liquide. Une photocopie des premières pages du passeport vous sera précieuse en cas de perte ou de vol. Vous pouvez aussi scanner ces documents et les envoyer en pièces jointes à votre adresse de messagerie.

En cas de catastrophe naturelle, respectez les consignes des autorités locales, délivrées sur le site Internet : www.noaa.gov

■ Shopping

Le prix affiché dans les magasins n'inclut jamais la **taxe** locale, qui est variable selon l'État (ajoutez en moyenne 8 % au prix affiché). Certains États ne prélèvent pas de taxe sur les vêtements ou la nourriture, comme dans l'Oregon ; cela peut représenter une économie de plus de 10 %.

Jeans Levi's (pas de taxe ajoutée au-dessous de 55 $), tee-shirts de coton, articles de sport, verres optiques (apportez votre ordonnance) et solaires, linge de maison (attention, les draps n'ont pas les mêmes dimensions qu'en France), bagages, appareils photo numériques, matériel informatique, produits de beauté (Revlon, L'Oréal, Gemey-Maybelline, Clinique…) en vente dans les supermarchés sont plus avantageux qu'en France.

Les magasins de vêtements multimarques tendent à disparaître au profit des magasins de chaînes, le plus souvent regroupés dans des galeries marchandes *(shopping malls)* : Banana Republic (homme et femme), Victoria's Secret (lingerie), Anthropologie (vêtements femme, maison), J. Crew, Ann Taylor (vêtements femme), Old Navy, Urban Outfitters, GAP, American Eagle, Abercrombie & Fitch, Hollister, Aeropostale, Forever 21 (jeunes adultes), The Children's Place (enfants), Pottery Barn (maison).

☞ CONSEILS
• En cas d'accident, appelez le ☎ 911, numéro d'urgence valable dans tout le pays.
• En cas de perte ou de vol de moyens de paiement, faites opposition auprès de votre banque, déposez une déclaration auprès des services de police.
• Adressez-vous au consulat de France s'il s'agit de documents d'identité.

Séjourner

✎ À NOTER
Il est possible de faire de bonnes affaires, notamment à San Francisco.

◄ Boutique de santiags quelque part au Texas. Tous les goûts sont dans la nature…

Dégriffés : Marshall's, TJ Max, Filene's Basement, Nordstrom Rack, DSW (chaussures). Les magasins d'usine situés à la périphérie des villes *(outlet stores)* offrent des rabais jusqu'à 70 % sur les grandes marques.

Évitez les magasins d'électronique situés dans les quartiers touristiques et notez que les DVD vendus aux États-Unis appartiennent à la zone 1 (en France, zone 2).

En Arizona et au Nouveau-Mexique, l'**artisanat indien** est de grande qualité mais onéreux. Beaux bijoux d'argent et de turquoises, tapis tissés à la main, tableaux de sable aux vertus thérapeutiques, poteries au décor sobre et élégant, poupées katchinas fabriquées par les Indiens Hopis. Au Texas, la panoplie complète du parfait cow-boy s'impose (ceinturons et cravates à boucle d'argent, santiags et Stetson…).

■ Températures

Pour convertir les degrés Fahrenheit en degrés Celsius, soustrayez 32, divisez par 9 et multipliez par 5 ; de degrés °C en degrés °F, multipliez par 9, divisez par 5 et ajoutez 32.

°C	°F	°C	°F	°C	°F
40	104	25	77	10	50
35	95	20	68	0	32
30	86	15	59	– 5	23

■ Poids et mesures

Le système duodécimal (numérotation de base 12, non 10) est en usage.

Capacités	Poids	Longueurs et distances
1 pint = 0,473 l	1 ounce = 28,35 g	
1 quart = 0,946 l	1 pound = 436 g	1 inch = 2,54 cm
(2 pints)	1 kg = 2,205 pounds	1 foot = 30,48 cm
1 gallon = 3,785 l		1 yard = 91,4 cm
(4 quarts)		1 mile = 1,609 km
		1 cm = 0,3937 inch
		1 m = 3,281 inches
		1 km = 0,6214 mile

■ Courant électrique

Courant alternatif de 110 V/60 Hz à fiches plates. Emportez dans vos bagages un adaptateur de prise.

■ Journaux et magazines

Les grands quotidiens nationaux sont le *New York Times*, le *Wall Street Journal*, le *Washington Post* et le *USA Today*. Parmi les quotidiens régionaux les plus respectables, le *Los Angeles Times* et le *San Francisco Chronicle* ; attention, l'édition dominicale de ces quotidiens peut peser jusqu'à 2 kg ! *Times* et *Newsweek* se distinguent dans les meilleurs hebdomadaires. Dans les grandes villes, vous pourrez trouver la presse écrite en langue française.

Pour connaître la vie culturelle dans les grandes villes, achetez *Time Out*. Parmi les mensuels gratuits d'information locale, le magazine *Where* est publié à San Francisco, San Diego, Los Angeles et Seattle, et distribué dans les hôtels : très pratique pour connaître des adresses de restaurants et les horaires de musées.

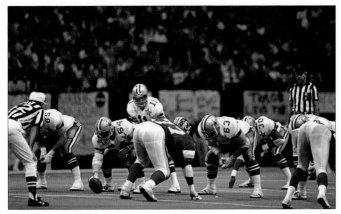

▲ Lors d'un match de football américain, le spectacle se déroule dans les gradins autant que sur le terrain.

■ Télévision et radio

Cinq grands réseaux *(networks)* trustent la quasi-totalité de l'information aux États-Unis : *ABC, CBS, NBC, FOX* et *PBS*. La principale chaîne d'information continue est *CNN*. Dans les hôtels, vous capterez facilement *TV5 Monde* (en français).

La plupart des 6 500 stations de radio locales se contentent de diffuser de la musique et des informations, entrecoupées d'envahissantes pages publicitaires. En revanche, la *NPR* (National Public Radio) diffuse des programmes de qualité.

Spectacles et loisirs

■ Fêtes, festivals et spectacles

Des milliers de manifestations sont organisées chaque année. La **parade** est le moyen d'expression collectif préféré des Américains. Consultez la presse locale et les sites Internet des offices de tourisme.

Les mensuels *Time Out*, *Where* et les suppléments hebdomadaires des quotidiens nationaux donnent les adresses de restaurants, bars, discothèques et le programme des spectacles et des festivals. Il est possible de réserver en ligne pour des spectacles dans les grandes villes sur les sites suivants : www. broadwayacrossamerica.com • www.ticketmaster.com (concerts, spectacles, tournois sportifs).

■ Activités sportives

Nombreux sont les Américains qui commencent la journée par une demi-heure ou une heure de pratique sportive *(working out)* avant le travail : course à pied *(running)*, vélo *(biking)*, vélo rythmique en salle *(spinning)*, natation *(swimming)*… C'est bien souvent autour de la pratique d'un sport que s'organise la vie sociale : le week-end, on se retrouve pour pratiquer la randonnée, le VTT *(mountain biking)*, la planche à voile *(windsurfing)* ou le golf. Parmi les sports d'équipe préférés des Américains, citons le basket-ball, le football américain et le base-ball. La plupart des hôtels disposent d'une salle de sport *(fitness center)*.

■ Sports de plein air

Les stations de **ski** les plus célèbres se trouvent dans les montagnes Rocheuses : Aspen, Snowmass, Vail, dans le Colorado. Parmi les autres stations et domaines skiables les plus remarquables : Squaw Valley, Mammoth Lakes (CA) ; Park City, Alta et Snowbird, aux environs de Salt Lake City (UT) pour la légèreté de la poudreuse ; Taos (NM) et Jackson Hole (WY), qui a conservé le charme de l'épopée western ; Sun Valley (ID), la plus ancienne station d'Amérique du Nord et l'une des plus réputées ; Big Lake (MN) et Timberline Lodge (OR), où l'on skie presque toute l'année. Pour le ski de fond, Royal George, Yosemite N. P. et Kings Canyon N. P. offrent de belles possibilités de randonnées.

⌀ BON À SAVOIR
Pour la pratique des sports de plein air, contactez directement les offices de tourisme. Les agences *Allibert*, *Back Roads*, *Terres d'aventure* organisent des stages de un ou plusieurs jours dans les stations de ski les plus réputées (→ *Partir*, p. 30).

L'**alpinisme** et l'**escalade** sont pratiqués toute l'année dans la sierra Nevada (Mt Whitney, Yosemite N. P.), les Rocheuses (nombreux sommets du Colorado), Wind River Chain (WY) et Sawtooth Mountains (ID).

Le **canyoning** (randonnée sportive au fond des canyons), le **rafting** (descente de rapides en canot) et le **canoë-kayak** (descente de rivières) sont très pratiqués dans les Rocheuses (UT) et en Arizona.

⌀ À NOTER
Le monokini est interdit sur les plages, sauf à Black's Beach (plage de naturistes à Torrey Pines State Beach, CA) et à Santa Cruz.

Le **surf**, né dans les îles Hawaï, a atteint les côtes californiennes dans les années 1950. En Californie, les meilleurs sites *(spots)* se situent à Santa Cruz, Big Sur, Malibu, Huntington Beach, San Clemente, et dans la région de San Diego. La planche à voile *(windsurfing)* se pratique dans la baie de San Francisco, aux environs de Los Angeles et San Diego, et sur certains lacs de montagne. Le *kite surf* (planche aérotractée) est très populaire mais assez dangereux.

Les terrains de **golf** sont incroyablement nombreux (plus de 7 000 dans la région de Palm Springs, CA) et superbement aménagés ; le Pebble Beach Golfe Course, à Carmel (CA), et le Torrey Pine Golf Course, à la Jolla (CA), comptent parmi les plus prestigieux.

découvrir

partir

séjourner

comprendre

visiter

en savoir plus

**Des introductions présentant
la société, l'histoire et la civilisation
de l'Ouest américain**

Les États-Unis aujourd'hui

par Pascale Smorag

L'Amérique fascine et irrite à la fois. Peut-être parce qu'elle est elle-même contradictoire. Ici se construisent les plus grandes fortunes, en dépit des crises, et ici aussi se meurent, pour faute de soins, les plus démunis. On y défend la liberté d'être et l'on y reprend celle de vivre, comme châtiment suprême. Si l'on y vit heureux, selon un credo lancé au monde entier, la violence et la pauvreté y sont aussi des présences familières. Bien que le monde lui pardonne mal ses erreurs et son esprit hégémonique, il la célèbre pour son dynamisme et son courage novateur, celui-là même qui propulsa, un certain jour de novembre 2008, pour la première fois dans l'histoire des démocraties occidentales, un candidat de couleur à la présidence de la nation. Nul doute que ce géant planétaire ne cesse d'attirer les regards sur lui, poursuivant, envers et contre tous, sa route vers le « progrès ».

« Une nation d'immigrants »

Ainsi le président Kennedy définissait-il son pays dans un ouvrage éponyme publié en 1959. Qu'un président, catholique et Irlandais d'origine, se fasse le chantre d'une telle affirmation identitaire traduisait manifestement l'importance que la nation américaine accordait à sa diversité. Pour l'ensemble du pays, et particulièrement pour l'Ouest, ce potentiel économique et humain n'est pas sans renvoyer à une difficile gestion de l'immigration, ainsi qu'à une subtile évolution des valeurs de l'Amérique.

Go West !

L'Américain du début du XXe s. habitait principalement dans des zones rurales du Nord-Est et du Midwest. Aujourd'hui, il vit dans les villes de l'Ouest et de la *Sunbelt*, cette « ceinture du soleil » qui s'étend d'Atlanta à Los Angeles. À elle seule, la Californie représente, avec ses 37,5 millions d'habitants, 16 % de la population nationale. Le Texas arrive en 2e position, avec 25,3 millions d'habitants. Bien que l'agglomération new-yorkaise reste la plus importante (22 millions d'hab.), Los Angeles est la 2e mégalopole du pays (18,5 millions d'hab.). Cette explosion démographique s'explique à la fois par une immigration soutenue et par un taux de natalité élevé chez certains groupes ethniques.

◄ Au pied des gratte-ciel de Denver (Colorado), Larimer Street a gardé son cachet du XIXe siècle, avec ses élégants petits immeubles victoriens en briques rouges.

Les États-Unis d'Amérique en bref

Nom officiel : United States of America.

Superficie : 9 629 047 km² (17 fois celle de la France).

Religions : protestants : 52 % (dont 13 % de baptistes et 8 % de méthodistes) • catholiques : 26 % • juifs : 1,7 % • mormons : 1,7 % • musulmans : 0,6 %.

Langue officielle : il n'y a pas de langue officielle fédérale • l'anglais est la langue maternelle de 80 % de la population (13 % pour l'espagnol) • la moitié des États ont toutefois adopté l'anglais comme langue officielle.

Régime politique : République fédérale formée de 50 États et du District of Columbia (→ encadré p. suiv.).

Capitale : Washington (5,6 millions d'hab.).

Démographie (estimations 2012) :

Population : 313 millions d'hab. (3ᵉ rang mondial).

Taux de croissance : 1 %.

Espérance de vie : femmes 81 ans, hommes 75 ans.

Population urbaine : 80 %.

États les plus peuplés : Californie (37,5 millions), Texas (25,3 millions), New York (19,7 millions), Floride (19 millions), Illinois (13 millions).

Économie :

Monnaie : le dollar • début 2012, 1 US $ équivaut à 0,70 € (1 € = 1,30 US $).

PNB : 15 000 milliards de $ (1ᵉʳ rang mondial), soit 20 % des richesses de la planète.

Taux de croissance du PNB : + 3,2 % (– 2,5 % en 2009).

PNB/hab. : 47 131 $.

Actifs : secteur privé 86 %, secteur public 14 %.

Taux de syndicalisation : 12 %.

Quelques dépenses, en pourcentage du budget fédéral (3,5 milliards $) :
– Santé, sécurité sociale, retraites : 43 %.
– Aides diverses : 12 %.
– Défense et sécurité intérieure : 20 %.
– Budget modulable : 19 %.

Recettes fédérales (2,1 milliards $) : 43 % provenant des revenus des ménages, 42 % des assurances et la sécurité sociales, 7 % des revenus des entreprises, 8 % autres.

Inflation : 3,8 % (août 2011).

Chômage : 9,1 % (octobre 2011).

Sous le seuil de pauvreté : 15 %.

Salaire minimal : variable, de 5,15 $ (Wyoming, limité à 2,13 $ si pourboires) à 8,67 $ (État de Washington) ou 9,92 $ (ville de San Francisco) • cinq États, tous du Sud, n'en appliquent pas.

Principaux partenaires : Chine, Canada, Mexique, Japon, Allemagne, Royaume-Uni (France au 10ᵉ rang).

Agriculture (1,2 % du PNB) : en tête, la Californie (produits laitiers, vignobles, serres, élevage), puis le Texas (élevage, coton, serres) • a contrario, revenus à la baisse pour les États traditionnellement agricoles (élevage, céréales) comme le Kansas, le Nebraska, le Dakota du Sud et l'Oklahoma.

Secteur industriel (21,9 % du PNB). Points forts : électronique et télécommunications, automobile, aéronautique et aérospatiale, biotechnologies, chimie, armement et agroalimentaire.

Secteur tertiaire (76,9 %). Points forts : finances, informatique, marketing, distribution. Le tourisme place le pays en 2ᵉ position mondiale (nombre de visiteurs), derrière la France.

Chiffres 2010-2011, sauf mention.

En 10 ans (2000-2010), les États-Unis ont gagné 30 millions d'habitants. Alors que des crises agricoles successives ont fait perdre au Midwest une partie de sa population, le Sud-Ouest et les États du Pacifique ont augmenté les leurs, avec des implantations sans précédent en Arizona et au Nevada (+ 66 % en 10 ans). Qualité de vie, ensoleillement et opportunités d'emplois jouent assurément en faveur de ces déplacements humains.

Terre toujours promise

Un million, tel est le nombre d'immigrants se rendant chaque année aux États-Unis. À partir de la seconde moitié du XXe s., l'afflux constant de réfugiés, principalement de Corée, de Cuba ou du Vietnam, oblige le gouvernement fédéral à revoir sa copie en matière de « préférence européenne ». En jouant actuellement sur la réunification de la cellule familiale (un immigrant pourra faire venir son épouse et ses enfants), les autorités misent sur le couple parents-enfants comme garant d'une stabilité économique et sociale.

Espérant contrebalancer cet apport d'immigrants plutôt pauvres et à fort potentiel démographique, le ministère de l'Immigration favorise parallèlement le *brain drain* (fuite des cerveaux), attirant tous ceux qui, hautement diplômés (Européens, mais surtout Orientaux), désirent faire carrière aux États-Unis. Dans les faits, ces législations se heurtent néanmoins à une immigration clandestine massive.

Creuset et saladier

Pour vraie que soit la déclaration de Kennedy, en réalité aujourd'hui seul un Américain sur huit a fait l'expérience directe de l'immigration. L'assimilation des étrangers a longtemps reposé sur le concept du *melting-pot*, « creuset » où se fondent les diversités de la nation. Toutefois, les animosités entre Européens, protestants contre catholiques par exemple, puis celles entretenues à l'égard des non-Européens, ont maintes fois contredit ce principe. Un *salad bowl*, voilà plutôt ce qu'est l'Amérique : un « saladier » pluriethnique renvoyant les principes d'acculturation au cimetière des utopies passées. Le multiculturalisme y apparaît donc davantage comme une réponse tolérante à la coexistence que comme un idéal national.

Cet équilibre entre diversité et individualisme est particulièrement vrai de l'Ouest. Le ralliement sous la bannière étoilée, la foi inébranlable dans la Constitution, la défense des valeurs léguées par les Pères fondateurs continuent de jouer en faveur d'une cohésion sociale. Bien que les Américains dits ethniques répondent à des valeurs aussi vibrantes que la liberté

Les institutions

Selon la Constitution de 1787, le **président des États-Unis**, chef de l'exécutif et commandant en chef des armées, est élu au suffrage universel indirect pour quatre ans renouvelables une fois. Entouré de deux cabinets influents (ministériel et privé) nommés par lui, il jouit d'un pouvoir considérable.

Le **Congrès**, qui vote les lois et le budget, contrôle l'exécutif, propose et vote les amendements à la Constitution, est constitué d'une **Chambre des représentants** (435 députés, élus pour deux ans, représentant les États au prorata de leur population) et d'un **Sénat** (100 sénateurs – 2 par État – élus pour 6 ans).

La **Cour suprême**, composée de neuf juges nommés à vie par le président, arbitre les différends entre États, ou entre l'État fédéral et un État ou un citoyen (cour d'appel). Elle juge aussi de la constitutionnalité des lois et des décisions présidentielles ; c'est de son interprétation que seront estimés constitutionnels ou non, par exemple, l'avortement, la peine de mort ou l'égalité entre les sexes (ces trois derniers points étant en l'occurrence laissés à l'appréciation des États).

Il revient enfin aux 50 **États de l'Union**, chacun doté d'une Constitution, d'un Congrès et d'un gouverneur, de gérer les questions d'ordre « local ». À condition de ne pas être en porte-à-faux avec la Constitution fédérale, les États réglementent ainsi le droit pénal et civil, les impôts locaux, le contrôle des armes, le maintien de l'ordre, la circulation routière, les mesures sociales, l'éducation, les systèmes de santé et l'immigration.

Société

ou la démocratie, la devise nationale *E pluribus unum* (« De plusieurs ne faisons qu'un ») se déclinera à l'avenir de plus en plus sur le mode de la pluralité.

Les Américains d'origine européenne

Texan issu de riches familles de planteurs virginiennes, agriculteur du Missouri descendant d'immigrants allemands, policier irlando-américain de San Francisco, la palette des Américains aux ascendances européennes semble infinie. Si elles tiennent toujours les postes clés de la politique, de l'éducation et des affaires, les populations blanches sont néanmoins en perte de vitesse par rapport aux minorités ethniques à forte croissance démographique.

Majority People

Alors que, à la veille de la Déclaration d'indépendance, en 1776, la moitié des colons étaient anglo-saxons, aujourd'hui seuls 10 % de la population peuvent revendiquer une telle ascendance. Certes, avec ses 72 % (80 % il y a 20 ans), la population blanche reste majoritaire. Bien que le pourcentage de *majority people* avoisine les 90 % au Montana, en Idaho, au Wyoming, en Utah, dans les Dakotas et au Nebraska, il est considérablement plus faible dans les États à forte immigration comme la Californie, où les Blancs ne constituent plus que la moitié de la population. Une première dans l'histoire du pays.

La diversité ethnique de la mosaïque américaine ne se réduit toutefois pas à des pourcentages ou à des statistiques. Mise en place par un gouvernement fédéral qui désirait compter « ses pauvres », cette catégorisation raciale devient chaque jour plus complexe, compte tenu de la mixité croissante des mariages.

L'Américain du Midwest

Ayant remonté, dès les années 1840, le Mississippi de part et d'autre duquel ils s'établissent (terres agricoles ou à houblon, témoin la fameuse bière Budweiser), les Allemands deviendront le nerf de l'économie du Midwest. Disciplinés, fiables, efficaces, ils donneront à cette région de l'Amérique son goût du travail, son attachement à la terre ainsi qu'un fort esprit communautaire. Choisissant, entre 1860 et 1880, de s'implanter sur les terres encore disponibles au sud des Grands Lacs, les Scandinaves y apporteront une certaine austérité, certes, mais aussi un respect de l'environnement et un intérêt pour les questions sociales. Ainsi, dans ce Midwest plutôt conservateur, comme l'indiquent les votes généralement en faveur des républicains, des

---

Texas, ton univers impitoyable

Pour un Texan, la véritable richesse, c'est la terre, qu'il s'agisse des ranches ou des gisements pétroliers. Dans les années 1970, alors que flambe le cours du brut et qu'est produite l'emblématique série télévisée *Dallas*, le gouvernement fédéral investit des sommes colossales dans le militaire et l'aérospatial, ce qui stimule l'informatique (Texas Instruments) et la haute technologie. Bénéficiant d'exonérations fiscales, l'industrie pétrolière y poursuit sa course à bride abattue, de quoi placer, depuis une dizaine d'années déjà, cet État en 2e position, derrière la Californie, pour son PNB.

Point d'inquiétude ici sur les émissions d'oxyde de carbone ou le réchauffement de la planète. Au Texas, on traite les affaires de manière virile, en véritable cowboy prêt à se battre pour défendre son bon droit. Nourrie d'une dialectique primaire entre hommes et femmes, Blancs et gens de couleur, riches et pauvres, la tradition texane s'appuie sur une droite fondamentaliste très influente, la *Christian Right*, qui a remplacé la *Moral Majority* après dissolution de cette dernière, en 1989.

espaces de tolérance se développeront sur des sujets aussi variés que l'avortement, la prise en charge scolaire et médicale, les mariages mixtes et gays ou le droit des minorités.

Le Texan

Colonisé par des planteurs de coton et de canne à sucre venus du Sud avec leurs esclaves, le Texas garde cet esprit de conquête et de liberté qui lui valut d'être le seul État américain à s'ériger en république indépendante (1836-1845) avant de rejoindre l'Union. Attachés à la terre ainsi qu'à son immensité, peu enclins aux changements sociaux, très croyants, ces fiers gens du Sud constituent un peuple à part, comme ils aiment à le rappeler.

À l'inverse des habitants des Hautes Plaines, ces grands propriétaires terriens et ces milliardaires du pétrole, favorables à la peine de mort, ont peu le souci de l'égalité raciale et de la défense de l'environnement : les « écolos » ne sont pour eux que des intellectuels auxquels échappe le rêve d'abondance de l'Amérique… Leurs votes majoritairement républicains se trouvent néanmoins modulés par la poussée démographique de la communauté latino, plus prompte à soutenir les démocrates, sauf pour sa frange la plus aisée.

Le Californien…

Tout a été dit, ou presque, à son sujet. Créatif, rebelle, fataliste, pragmatique, individualiste, dynamique, imprévisible, précurseur, hédoniste, tolérant, avant-gardiste, tel est le portrait de l'habitant de l'État le plus riche du pays. S'il doit cette personnalité en partie à un brassage ethnique et social, il a également hérité des Euro-Américains, venus au XIXe s. poursuivre leur aventure et leurs rêves de prospérité, cette faculté à aller de l'avant et à se remettre en question, prédispositions moins fréquentes chez l'éleveur du Nebraska, perdu dans ses Sandhills, ou parmi les établissements communautaires, voire autarciques, du Kansas.

Aujourd'hui multiethnique, plutôt enclin à soutenir la coalition démocrate, le Californien est avant tout la quintessence de ce dont rêve l'Amérique : « la vie, la liberté et la poursuite du bonheur », selon les vœux formulés par Thomas Jefferson en 1776 dans le texte de la Déclaration d'indépendance.

… et tous les autres

Plus modestes et peu fortunées, les familles du Kentucky et du Tennessee qui s'établirent en Arkansas y menèrent une vie rurale, forte de ses traditions et de son hospitalité. Autre héritage d'un passé qui le rattache au Vieux Sud (soutien aux Confédérés), cet État compte un très grand nombre de membres du Ku Klux Klan. Méfiants à l'égard des autorités

La ruée vers l'eau

Plages dorées, douceur du climat, loisirs, universités de renommée mondiale, dynamisme économique : la **Californie** est un lieu de vie pour ainsi dire idéal… à moins que l'eau ne vienne à manquer. Voilà donc cet État roi du *high tech* renvoyé à des considérations quasi primitives de survie.

Comment, en effet, alimenter en eau une ville en pleine expansion comme Los Angeles, pour ne citer qu'elle ? Les rivières de la sierra ne peuvent, seules, y parvenir. Aussi la Californie jouit-elle, depuis 1922, d'un « droit à l'eau », au même titre que les six autres États traversés par le Colorado, lui permettant de dériver une partie des eaux du fleuve. Cependant, avec la folle multiplication des gazons ou des terrains de golf au milieu des déserts que sont le sud de la Californie (Palm Springs) ou le Nevada (Las Vegas), la corne d'abondance aquatique commence à se tarir. Pire : les parts que lui avaient « prêtées » les États moins peuplés, comme le Nevada ou l'Arizona, sont désormais réclamées par ces mêmes États qui connaissent à leur tour une démographie galopante. De quoi préoccuper plus d'un Californien.

Société

fédérales, libres sur leurs terres, les habitants du Grand Ouest, notamment des Rocheuses, cultivent l'esprit cow-boy, lié à l'amour de la nature et des grands espaces. Tandis qu'en Utah les mormons, avec leur sens du devoir et de la famille, ne sont pas étrangers à une certaine rigueur, voire rigidité, les habitants de la côte pacifique, qui votent traditionnellement pour les démocrates, font preuve d'ouverture d'esprit, inspirés en cela par leur diversité ethnique et par une certaine sagesse indienne.

Les Indiens d'Amérique

☞ EN SAVOIR PLUS
Sur la situation historique et actuelle des Indiens, reportez-vous aux pages thématiques p. 97-99 et 506-507.

Depuis les années 1970, grâce à l'avènement de l'American Indian Movement, plusieurs tribus ont remporté d'importantes victoires auprès des tribunaux américains, validant ainsi leur requête de terres et de pratiques religieuses et culturelles dont « l'histoire » les avait dépossédées. Toutefois, ces succès ne sauraient brosser un portrait idyllique de la condition indienne aux États-Unis. Souvent relégués sur des terres tribales pauvres ou menant une existence urbaine misérable rythmée par le chômage, l'alcoolisme et la violence, les Amérindiens représentent le groupe ethnique le plus défavorisé et le plus démographiquement insignifiant de la nation.

Indiens et *businessmen*

Encouragées par diverses législations en faveur de l'autogestion tribale, certaines nations du Sud-Ouest et de l'Oklahoma se sont lancées dans l'exploitation des gisements miniers (charbon et uranium) ou pétrolifères. Toutefois, la réalité indienne n'est pas qu'exploitation minière ou forestière (Oregon), gestion de casinos (→ *encadré ci-contre*) ou vente d'artisanat de luxe. Si des emplois ont été créés, les fortunes réalisées bénéficient souvent davantage à quelques membres des conseils tribaux qu'à la communauté tout entière. De plus, servant aussi bien l'intérêt indien que fédéral, le Bureau des affaires indiennes (BIA) favorise parfois des transactions douteuses, comme la construction d'une route fédérale à travers les montagnes Siskiyou en Californie, terre sacrée des Yuroks, ou l'ouverture d'une mine de charbon et d'une station de sports d'hiver (San Francisco Peaks) en Arizona, contre l'avis de certains Hopis.

Indiens des villes, Indiens des réserves

Seuls 30 % des Natifs d'Amérique résident dans les réserves. Une embauche et des perspectives économiques limitées ont en effet, depuis des décennies, alimenté l'exode vers les villes. Déracinés et mal

Attirer le « bison blanc »

Certains Indiens semblent avoir pris leur revanche sur le passé, s'ouvrant au tourisme ou fondant leur propre entreprise, comme ces innombrables **casinos** qui fleurissent au sein d'États où l'industrie du jeu est interdite. Depuis l'arrêt de la Cour suprême, en 1979, de légaliser sur les terres tribales les jeux de hasard et les paris, les casinos se sont multipliés sur les réserves, attirant ainsi des milliers de « bisons blancs » (surnom donné à la clientèle blanche), opération qui rapporte chaque année plusieurs milliards de dollars. La manne ne pouvait échapper aux autorités fédérales qui votèrent, en 1996, une loi assujettissant les casinos à l'impôt sur le revenu. La mafia, à son tour, décida de s'intéresser à ces formidables rentrées d'argent…

◀ Dans la réserve des Indiens Blackfeet à Browning (Montana), les North American Indian Days (début juillet) donnent lieu à toutes sortes de manifestations : danses, parades, jeux, expositions d'artisanat…

rémunérés (manutention, bâtiment), les Indiens des métropoles sombrent souvent dans l'alcoolisme et la violence, ne faisant que renforcer les préjugés à leur encontre. Ils seront toutefois peu nombreux, même désœuvrés, à retourner vivre dans la réserve. Celle-ci fait souvent figure de tiers-monde : des épaves de voitures rouillent au fond de cours menant à des bâtiments préfabriqués dont le BIA assure l'entretien… quand la main-d'œuvre et les fonds sont disponibles. Pour illustration, la moitié des logements de la réserve navajo en Arizona n'ont ni électricité ni plomberie. Chez les Crows et les Cheyennes du Montana, il n'est pas rare que les familles s'entassent dans des bâtiments souvent délabrés, tandis que certains passent la nuit dans les voitures.

Entre fierté et dénuement

L'image du fier guerrier paré de ses plumes et de ses trophées se marie mal avec celle d'un peuple déchu, vivant en marge d'une société nourrie à la sève du progrès. Derrière la façade réservée aux touristes, quand touristes il y a, la pauvreté est souvent chronique, affectant un Indien sur quatre. Manque d'hygiène, violence, notamment conjugale, surconsommation d'alcool, taux de chômage pouvant atteindre 90 %, détresse identitaire, dépendance des subsides fédéraux, taux d'absentéisme scolaire élevé (à peine 10 % termineront le lycée et seuls 2 % iront à l'université)… les paramètres de la misère indienne sont innombrables.

Il n'est pas surprenant alors que l'on y recense les taux de suicide les plus élevés du pays : 1 adolescent sur 6. Élevés aussi, les taux de malnutrition, de malformations congénitales, de débilité et de maladies sexuellement transmissibles, tel le sida. Au pays des dépenses médicales somptuaires, la mortalité indienne bat des records : le diabète y fait 4 fois plus de victimes que la moyenne nationale, la tuberculose, 6 fois, l'alcoolisme, 7 fois (et 4 fois plus d'accidents de voiture mortels).

Les réserves

La Constitution des États-Unis reconnaît les réserves indiennes comme des nations autonomes et souveraines, soumises à la législation fédérale, au même titre que les 50 États de l'Union. Depuis le passage de l'**Indian Reorganization Act** en 1934, qui reconnaît aux tribus le droit à l'autonomie, plus de 300 tribus ont choisi de se doter d'une Constitution propre et d'un gouvernement tribal. En contrepartie de cette souveraineté et des aides fédérales qu'il distribue, le Département d'État (ministère de l'Intérieur), garde un droit de regard sur les activités des conseils tribaux, *via* le **Bureau des affaires indiennes** (**BIA**), qui gère les droits octroyés aux populations indiennes (→ *théma p. 506-507*).

Par choix politique ou par rejet de leur candidature, 200 nations n'ont à ce jour aucune reconnaissance fédérale. Or, les enjeux sont primordiaux, non seulement pour bénéficier de subventions, de nouvelles terres et de programmes éducatifs, médicaux et sociaux, mais aussi pour s'organiser en tant qu'entité politique et entreprendre des actions en justice.

Société

La population indienne

Trois millions d'Indiens, soit 0,9 % de la population (dont 80 % de sang-mêlé), vivent aux États-Unis, répartis principalement à l'ouest du Mississippi.

Principaux États :
– l'Alaska (16 % de la population) ;
– le Nouveau-Mexique (10 %) ;
– le Dakota du Sud (9 %) ;
– l'Oklahoma (8 %) ;
– le Montana (6,5 %) ;
– l'Arizona (5 %).

Avec 1,2 %, vu sa démographie globale, la Californie en compte le plus grand nombre (414 000).

Les six plus grandes tribus sont :
– les Cherokees (370 000) ;
– les Navajos (300 000) ;
– les Chippewas (175 000) ;
– les Choctaws (160 000) ;
– les Sioux (150 000) ;
– les Iroquois (125 000, dont 45 000 au Canada).

Gardiens de la Terre

Régulièrement desservies par l'apathie du public, les enjeux économiques, leur propre désintérêt envers la vie politique considérée comme un jeu de Blancs, les tribus, certes désabusées, se replient sur elles-mêmes. Une indéniable élite indienne (avocats, professeurs d'université, artistes) se bat néanmoins pour affirmer une certaine conscience identitaire. Au fil des législations, les nations indiennes retrouvent leurs cultures et leurs rites. Célébrant selon la tradition les liens inviolables qui unissent l'homme aux pouvoirs sacrés de la Terre, elles établissent ainsi un pont avec tous ceux que l'environnement intéresse ou que les valeurs d'une Amérique matérialiste laissent perplexes. Pour les Natifs d'Amérique, le défi est immense. Il s'agit en effet de rendre compatibles loyauté tribale et désir d'assimilation, croyances spirituelles et réussite économique, tradition et modernisme.

Les communautés noires

Il est de coutume de dire que, si les Indiens ont apporté aux États-Unis la terre, les Noirs y ont fourni la main-d'œuvre. Depuis leur immigration forcée aux XVIIe et XVIIIe siècles, les Afro-Américains n'ont cessé d'être une composante majeure de l'histoire du pays, renvoyant à l'Amérique l'image même de ses tensions comme de ses victoires. Tandis que la réussite sociale de nombre d'entre eux est indéniable, elle est fréquemment occultée par l'image du ghetto et de la criminalité, à laquelle est associée cette communauté de 38 millions de membres.

Pouvoir noir, vote noir

Depuis le mouvement des droits civiques des années 1960, les Afro-Américains ont obtenu des gains

▶ Manifestation en faveur des droits civiques des Noirs, le 28 août 1963 à Washington. Au premier plan à droite, Asa Philip Randolph, l'un des premiers syndicalistes noirs qui organisa la lutte contre la discrimination raciale. Il donne la main à Roy W. Wilkins (à gauche), l'un des dirigeants de l'Association nationale pour l'avancement des gens de couleur (NAACP). C'est à l'occasion de cette marche historique que Martin Luther King prononça son célèbre discours « I have a dream ».

politiques durables. S'ils sont élus maires ou représentants locaux depuis quelques décennies déjà, ils rejoignent désormais la vie politique de haut niveau, comme en témoignent Condoleezza Rice, ancienne secrétaire d'État nommée par George W. Bush, succédant elle-même à Colin L. Powell, et bien évidemment, Barack Obama, parvenu au pouvoir suprême en janvier 2009. Peinant à accéder à des postes qui requièrent un soutien électoral des Blancs, les Noirs doivent en outre rivaliser avec des candidats hispaniques susceptibles de leur ravir les votes des classes les moins favorisées.

L'abstention massive de l'électorat noir dans les zones urbaines difficiles, ainsi que l'abandon de certains programmes sociaux par les démocrates (à la cause desquels ils se rallient traditionnellement) n'ont fait qu'accentuer ce désintérêt. Il aura fallu toute l'énergie et tout le charisme du candidat Barack Obama pour envoyer aux urnes la population noire.

Entre réussite…

Tous les ans en février, depuis 1976, le *Black History Month* (mois de l'histoire des Noirs) rend hommage aux citoyens d'origine africaine ayant joué un rôle dans l'histoire des États-Unis. Ce *mea culpa* national explique aussi que fut possible, lors de la cérémonie des Oscars de 2002, la consécration comme meilleure actrice et meilleur acteur de deux Afro-Américains, Halle Berry et Denzel Washington. Grâce aux programmes d'*Affirmative Action*, ou « discrimination positive », mis en place dès les années 1960 en vue de favoriser l'éducation et l'emploi des minorités par le biais de quotas, de nombreux cadres, fonctionnaires et employés afro-américains jouissent aujourd'hui d'opportunités d'embauche et de salaires égaux à ceux des autres citoyens. Cependant, bien qu'un foyer noir sur deux appartienne désormais à la classe moyenne, la bourgeoisie noire reste méfiante à l'égard des Blancs… et peu encline à aider les « frères » des quartiers déshérités.

… et ghetto

Malgré le processus d'intégration, près de 40 % des Noirs vivent dans des zones défavorisées. Conçus comme des enclaves protectrices à l'intérieur des villes, les ghettos facilitaient, grâce à leur infrastructure religieuse et administrative, l'assimilation des immigrants et des minorités ethniques. Désormais abandonnés aux gangs et aux trafiquants d'armes et de drogue, ils sont devenus les lieux privilégiés des conflits raciaux. Malgré un taux élevé de criminalité, notamment en matière de délinquance juvénile, l'intervention policière y est invariablement vécue comme une agression.

La personnalité d'Obama

Jeune, différent, le candidat **Barack Obama** a promis le changement. On a cru à ce possible aplanissement des tensions partisanes, à cette Amérique nouvelle. À ce titre, il a été désigné personnalité de l'année par le magazine *Time* en 2008, a reçu le prix Nobel de la paix en 2009.

Quatre années d'exercice plus tard, ce président, décrit comme élégant et posé, mais également comme suffisant et distant, n'est plus que « l'homme-des-grands-compromis en chef » (éditorial du *L.A. Times*), faisant malgré lui le jeu des républicains, qui tiennent le Congrès. On l'attaque sans relâche sur sa réforme de couverture universelle d'assurance maladie. On l'accuse de cacher sa « véritable » religion, supposée musulmane (il se déclare « guidé par la foi chrétienne »), doute accru lors de son annonce de la création d'un centre islamique à quelques pas du World Trade Center. On lui reproche de faire le double jeu de son appartenance raciale.

Pas assez noir, trop noir, Obama ? Le magnifique discours sur la race, prononcé en 2007 durant sa campagne électorale, est à l'image de ce président au verbe facile mais aux résultats décevants. Pour autant, il n'a pas perdu la guerre : alors qu'il brigue un second mandat, il déclare encore « *This is not the America I believe in* » (Ce n'est pas l'Amérique en laquelle je crois).

Société

Le hip-hop ou la nouvelle visibilité noire

Pour la génération du hip-hop, les noms de Rosa Parks, de Martin Luther King et de Malcolm X appartiennent au temps des idéaux révolus. Aujourd'hui, les références des jeunes Noirs sont Snoop Dogg, Jay-Z, 50 Cent ou Queen Latifah (une des premières rappeuses américaines). Les prêches de leurs idoles se font sur les rythmes syncopés et fracturés d'une lutte déclinée en dollars plutôt qu'en égalité raciale. Désormais, le style *bling bling* (pendentifs en or ou en platine, belles voitures, vêtements de luxe) affirme autant la culture hip-hop que le *breakdance* et les tags des rues.

Alors que King tendait la main vers l'ennemi et que Malcolm X privilégiait l'opposition raciale, ces *African-Americans* voient venir à eux une jeunesse blanche et latino qui adopte leur langage – l'*Ebonics*, cette ébène linguistique née d'une nouvelle affirmation identitaire – et leurs modes vestimentaires, comme ces pantalons *baggy* qui célèbrent, à la manière du *gangsta rap*, les détenus des prisons à qui le port de la ceinture est interdit.

Mais au-delà des modes, c'est une expression rebelle, puissante quoique minoritaire, qui se fait entendre.

Emploi précaire, échec scolaire, analphabétisation, familles monoparentales, logements misérables, services publics déficients, investissements privés inexistants et recours chronique à l'assistance soulignent la marginalisation d'un sous-prolétariat (*underclass*) perdu pour la société.

Hispaniques, nouveau visage de l'Amérique

À juste titre peut-on dire que la communauté hispanique est devenue le sujet par excellence des études ethniques américaines. Alors que les tubes latinos déchaînent la fièvre sur les pistes de danse, de sérieuses considérations sur l'avenir d'une Amérique que l'on dit « brunissante », c'est-à-dire perdant sa composante blanche, et donc ses valeurs, témoignent de l'importance culturelle et politique de la plus grande minorité des États-Unis. Communauté allogène la plus anciennement établie sur le territoire américain, du fait de la présence, dès le XVIe siècle, des Espagnols, les 50,5 millions d'Hispaniques du pays représentent paradoxalement, avec les Asiatiques, le groupe d'immigration la plus récente.

Minorité ethnique, mais non raciale

Au terme « Hispaniques » que les autorités fédérales appliquent aux hispanophones, les Hispaniques eux-mêmes préfèrent celui de « Latinos » qu'ils opposent, parfois politiquement, à celui d'« Anglos ». Le débat terminologique a son importance, puisque la minorité latino-américaine n'est pas un groupe « racial » à proprement parler, mais une communauté culturelle et linguistique. Ainsi la moitié des Hispaniques s'identifie-t-elle comme « blanche », alors qu'une grande majorité de Dominicains, par exemple, se déclareront de descendance africaine, et certains Mexicains d'origine indienne. La langue espagnole et une culture hispano-indigène fortement influencée par la foi catholique, voilà essentiellement ce qui réunit les membres d'une communauté, somme toute, assez disparate.

Citoyens américains depuis 1917, allant et venant à leur guise, les Portoricains ont effectivement peu en commun avec les Cubains, qui affrontent parfois des mers dangereuses au péril de leur vie pour rejoindre, illégalement, des côtes de Floride hautement surveillées. Les anticastristes, arrivés dès les années 1960, ne ressemblent en rien non plus aux réfugiés politiques d'Amérique centrale. La bourgeoisie estudiantine mexicaine que l'on envoie dans les universités américaines évolue, elle aussi, en marge de la clandestinité vécue par les milliers d'immigrants passant la frontière texane.

Un taux de croissance quatre fois supérieur à la moyenne nationale

Au rythme démographique actuel, conjonction de l'immigration et d'une forte natalité encouragée par l'Église catholique, on estime qu'en 2050 la communauté latino-américaine représentera un quart de la population nationale (pourcentage déjà dépassé à Miami, Los Angeles, San Diego, San Francisco, San Antonio et à Houston). D'ici à 2020, elle représentera la moitié de la population de la Californie, État qui regroupera alors la moitié de la population hispanique du pays. La croissance des Latinos change donc le rapport de force entre une majorité blanche, dont le rôle de référent est ébranlé, et une minorité décidée à faire entendre ses valeurs… et sa langue.

Elle amène aussi à reconsidérer la dialectique raciale sous un angle autre que la traditionnelle opposition Noirs-Blancs. Lorsque enfin l'on sait que les groupes ethniques rivalisent pour l'obtention d'emplois ou de subsides fédéraux, cette explosion démographique ne peut être que source de conflits entre les minorités elles-mêmes.

Refuser « l'invasion »

Les Américains de souche associent aisément l'immigration hispanique à la clandestinité, à ces fameux *wetbacks*, « dos mouillés » traversant à la nage le Rio Grande. Malgré les centaines de milliers de clandestins refoulés tous les ans, on estime en effet chaque année entre 100 000 et 200 000 le nombre de Mexicains s'établissant illégalement aux États-Unis. Alors que 15 % d'Hispaniques seraient en situation irrégulière, les deux tiers sont des Américains de 2e génération, voire davantage.

Bien que les deux tiers des Latinos, soit un ratio égal à celui des Blancs, aient un emploi, on leur reproche d'être venus aux États-Unis pour tirer avantage des programmes sociaux, scolaires et médicaux… aux frais du contribuable américain. En Californie, l'augmentation des impôts et les mécontentements populaires poussèrent à l'adoption, fin 1994, d'une loi refusant à tout individu en situation irrégulière l'accès à l'éducation, aux soins médicaux et aux services sociaux publics. Ignorée dans les faits, puis déclarée anticonstitutionnelle par la Cour suprême fédérale, cette loi traduit cependant les appréhensions, voire les résistances à l'égard d'une communauté que l'on dit peu encline à s'intégrer.

Multiculturalisme à l'américaine

Mosaïque ethnique et plurielle, les États-Unis des années 2010 sont plus multiculturels que jamais. En 2011, on compte en effet : 72,4 % d'Américains d'origine européenne (63,7 % si l'on exclut les Hispaniques « blancs ») ; 16,3 % d'Hispaniques (quelle que soit leur appartenance raciale) ; 12,6 % d'Afro-Américains ; 5,1 % d'Asiatiques ; 0,9 % d'Amérindiens ; 9 % d'« indéterminés » (2 identifications raciales ou plus).

L'apport de populations étrangères, attirées par le rêve américain, participe de ce brassage ethnique constant. Alors que la grande majorité s'installe aux États-Unis de manière légale, d'autres poursuivent le rêve en dehors de la légalité : malgré des renforts aux frontières et un durcissement du contrôle de l'immigration, le pays compte encore entre 8 et 11 millions de **sans-papiers**. Chaque année, ce sont entre 700 000 et 850 000 nouveaux clandestins qui pénètrent sur le territoire national.

Société

La *Reconquista*, ou les nouveaux conquistadors

Figure aujourd'hui populaire, César Chávez fut cependant honni dans les années 1960, lorsqu'il entreprit, en tant que responsable syndical d'origine mexicaine, de se révolter contre le patronat. C'est également à cette époque que le Nouveau-Mexique, la Californie et le Texas envoyaient leurs premiers représentants hispaniques au Congrès fédéral, donnant ainsi corps au « pouvoir brun », lobby latino-américain soutenu par une communauté hispanique croissante. À cette époque aussi, la communauté hispanique commençait à bénéficier des nouvelles législations sur l'immigration en faveur des populations originaires d'Asie et d'Amérique latine.

Depuis, cette minorité n'a cessé de participer aux débats sur la discrimination positive *(Affirmative Action)*, l'action sociale et les programmes plurilinguistiques, en tant que citoyens, mais aussi comme maires, gouverneurs et représentants au Congrès fédéral. Votant traditionnellement pour la coalition démocrate, plus ouverte sur les questions sensibles de l'éducation, de la santé et de l'immigration, les Hispaniques, lorsqu'ils accèdent à la bourgeoisie, soutiennent majoritairement les républicains qui défendent, comme eux, la famille (unie et nombreuse) et l'opportunité économique.

Quelle culture latino ?

Multiplication des restaurants tex-mex et des *cabanas* cubaines, architecture inspirée des haciendas, notices d'emploi et enseignes bilingues, mariage des musiques hip-hop et mérengué ou salsa et R'n'B, chaînes télévisées et stations de radio en langue espagnole, tout semble prouver que la latinité dépasse les frontières du monde hispanophone. D'autre part, le succès international de certains Latinos, dans le sport (Rafael Nadal – tout Espagnol étant considéré comme Hispanique, officiellement et culturellement), la musique pop (Jennifer Lopez, Christina Aguilera) ou le cinéma (Eva Mendes, Antonio Banderas), fournit à la minorité hispanique des raisons de croire à son ascension sociale.

Cependant, cette réussite maintient, et c'est là l'ambiguïté, une vision parfois centrée sur elle-même de cette communauté. Quant à la définition d'une culture latino, elle reste elle-même aléatoire, étant soumise aux différences nationales, souvent empreintes de considérations politiques : les Portoricains jalousent, par exemple, les Cubains, alors que les Mexicains jugent les Argentins trop européens.

Asiatiques, histoire d'une intégration réussie

Longtemps considérés comme inassimilables, contraints de se marier entre eux, interdits d'émigrer vers les États-Unis (dès 1882 pour les Chinois, à partir de 1908 pour les Japonais), envoyés dans des camps d'internement, comme ces Nippo-Américains en 1942, nombreux sont les Asiatiques aujourd'hui à avoir pris leur revanche sur les déboires passés. À l'instar des coolies travaillant d'arrache-pied dès les années 1860 à la construction du chemin de fer, les Américains d'origine orientale ne cessent de prouver leur ardeur à la tâche, leur respect des aînés et de l'ordre public, leur dévouement à la communauté. Minorité modèle ?

En nombre croissant

L'immigration des Asiatiques vers les États-Unis est l'histoire d'une détermination sans faille. Malgré l'ostracisme autrefois encouragé par les lois fédérales ou celles des États (la Californie a longtemps été le théâtre de débats anti-Orientaux), la population originaire d'Asie et du Pacifique n'a cessé d'affluer, représentant actuellement 14,7 millions d'habitants, soit 5,1 % de la population nationale

▲ Chinatown à San Francisco.

(1 hab. sur 5 à San Francisco). S'établissant en priorité dans les zones urbaines des États de l'Ouest, les Asiatiques gardent des liens très forts avec leurs pays d'origine. Non seulement ces réseaux leur permettent de développer les échanges commerciaux avec leurs familles restées à Hong-Kong, Singapour, Bombay ou Shanghai, mais ils garantissent également aux nouveaux venus des emplois à l'intérieur de la communauté.

Qui sont-ils ?

Peu diplômés, occupant des emplois subalternes dans la manutention, la confection ou le commerce, certains Chinois, Philippins et Indochinois restent cantonnés au bas de l'échelle sociale. Toujours mal à l'aise avec les minorités vietnamiennes depuis la chute de Saigon, les Américains se montrent davantage prêts à vanter les succès des Coréens, des Chinois et des Japonais, installés de plus longue date. Très présents dans les professions libérales, le commerce et les affaires, ces derniers ont ouvert la voie à une nouvelle génération bardée de diplômes, originaire des États-Unis ou fraîchement débarquée d'Asie (d'Extrême-Orient tout autant que d'Inde et du Pakistan), et que le marché de l'ingénierie et de l'informatique attire.

Aussi entend-on dire que la réussite universitaire et socio-économique des Orientaux fait d'eux les « nouveaux Juifs » de l'Amérique : ils comptent en effet la plus forte proportion de diplômés (50 % contre 25 % pour la moyenne nationale), qu'ils soient nés aux États-Unis ou non, et affichent les revenus moyens les plus élevés de la nation.

Une Amérique à plusieurs vitesses

Le principe d'une société égalitaire, tel qu'annoncé lors de la Déclaration d'indépendance en 1776 comme l'une des « vérités évidentes » des Pères fondateurs, a constamment été battu en brèche, s'il a jamais existé. Dans un pays qui encourage les initiatives privées, d'un point de vue économique aussi bien qu'idéologique, les disparités sociales sont innombrables, davantage encore depuis la crise des *subprimes*.

Les plus grosses fortunes du monde

En haut de l'échelle sociale, en dépit de la crise financière qui sévit, mais ne déracine pas – ou peu – les grandes fortunes, les avocats du grand capital, l'élite de stature internationale, les diplômés des meilleures universités californiennes ou de Nouvelle-Angleterre génèrent et amassent toujours les dollars. Dans un pays où le succès est célébré, puisqu'il est le signe d'un individualisme efficace et ingénieux qui rejaillit sur le prestige de la nation tout entière, ces battants de l'économie américaine sont acclamés comme la quintessence même d'une Amérique dynamique et talentueuse. Bien sûr, la récente tourmente boursière a dénoncé certaines pratiques de *traders* et de banquiers peu scrupuleux, paralysant le marché de l'immobilier puis s'étendant à l'ensemble de l'économie américaine. Si la crise affecte les classes moyennes, le monde des affaires est reparti, soutenu par l'intervention fédérale visant à renflouer les établissements financiers.

Parmi les plus grosses fortunes, Bill Gates, fondateur de Microsoft, occupe, malgré la récession, la 2e place mondiale (56 milliards de $, en hausse), devant l'homme d'affaires Warren Buffet (50 milliards de $). Mécènes, ces *elite super-rich* participent souvent au progrès de la recherche, de l'éducation et de l'enfance, comme le font envers l'University of Arkansas les Walton, fondateurs-administrateurs de Wal-Mart, géant international de la distribution et 1re entreprise mondiale par son chiffre d'affaires.

Une classe moyenne en souffrance

Fondement de la nation, la classe moyenne participe de cette émulation nationale qui donne au pays son dynamisme et sa liberté économiques. L'Américain travaille, de longues heures, sans grandes vacances, puisque le droit du travail ne les lui accorde qu'au compte-gouttes et qu'il doit, sans aide de l'État, subvenir à de nombreux besoins, comme l'éducation ou l'assurance médicale. Depuis les années 1980, il a vu son pouvoir d'achat se fragiliser, tandis que s'envole le budget de la défense aux dépens de celui de l'éducation, situation amplifiée par la récession actuelle. Puisque, aux États-Unis c'est l'argent gagné, et dépensé, qui donne à l'individu sa place dans la société, la classe moyenne se trouve hors repères, et depuis la crise financière de 2008, bien souvent hors de ses murs, victime également de suppressions d'emplois sans précédent, si ce n'est la Grande Dépression.

Un Américain sur sept vit en dessous du seuil de pauvreté

Près de 50 millions d'Américains (soit 16 % de la population) survivent avec un maximum de 30 $ par jour pour un individu seul, 61 $ pour une famille de quatre personnes. Si l'on associe la pauvreté à un homme de couleur, traînant entre délinquance et misère dans les zones urbaines, il s'agit bien plus souvent de salariés mal rémunérés cumulant plusieurs emplois, d'agriculteurs du Midwest touchés par la mondialisation, de personnes âgées travaillant en complément d'une maigre retraite, de femmes élevant seules leurs enfants, de familles de la classe moyenne victimes de la récession économique, que l'on rencontre aussi bien dans des zones urbaines que dans celles, rurales, du Sud ou du Midwest.

Un constat inquiète particulièrement l'Amérique : sa jeunesse, dont 1/5 vit dans la plus grande pauvreté, avec son cortège d'échec scolaire, de délinquance juvénile, d'absence de soins médicaux, de naissances non désirées (surtout chez les jeunes filles noires et hispaniques).

L'État, quel régulateur ?

D'une manière générale, l'Américain n'est pas favorable à l'intervention de l'État, davantage conçu comme un garant du bon fonctionnement de la nation, de son économie et de sa liberté. Il a fallu une récession majeure, comme l'actuelle, pour que le président Obama réussisse à faire adopter par le Congrès, en février 2009,

▲ Dans une rue de Los Angeles ; 52 millions d'Américains (dont plus de 7 millions d'enfants) sont sans couverture sociale.

Société

un plan de renflouement de 787 milliards de dollars (*American Recovery and Reinvestment Act*) ciblant les familles nécessiteuses (éducation, aide alimentaire, logement), avec un allègement des impôts des classes moyennes et à faibles revenus.

Au niveau de l'entreprise, le gouvernement intervient rarement dans les négociations, laissant aux syndicats, détachés des idéologies, le soin de se battre pour l'amélioration des conditions de travail et les conventions collectives, notamment en matière de protection sociale (retraites, assurance maladie). L'assurance maladie est ainsi l'objet d'une convention entre l'entreprise et une compagnie d'assurance médicale. Le droit aux congés maladie, parentaux ou de maternité, ainsi que le remboursement des dépenses médicales dépendent donc des accords passés par l'employeur, et perdre un emploi signifie donc perdre ces prestations. Si intervention du gouvernement il y a, elle est davantage le fait des pouvoirs locaux et des États que des autorités fédérales.

Protection sociale minimale

La promulgation, en mars 2010, de la loi sur une couverture universelle d'assurance maladie (*Patient Protection and Affordable Care Act*), projet phare du président Obama, annonce un changement de taille, même si Roosevelt avait introduit dès 1935 une politique sociale instaurant une assurance chômage, une retraite pour les personnes de plus de 65 ans et des aides aux malades et aux invalides, programme que complétera Johnson en 1964 dans sa « guerre contre la pauvreté ». L'innovation de la loi de 2010 est en effet de garantir, avec de nombreux bémols, une couverture maladie à 35 millions d'Américains qui en sont privés. Toutefois, la moitié des États, soutenus par les républicains et par les lobbies médicaux et pharmaceutiques, ont engagé une bataille constitutionnelle pour la contrecarrer.

Au Congrès comme dans la rue, le passage de la loi a engendré tollés et parfois protestations racistes, puisque, à l'évidence, la réforme bénéficie en tout premier lieu à la population noire, dont 25 % vit sous le seuil de pauvreté (soit deux fois la moyenne nationale). Elle est également mal perçue par les seniors, votant majoritairement républicain, dont on ampute d'ores et déjà le budget *Medicare* (qui assure la gratuité des soins – de base – dès 65 ans), afin d'alimenter les fonds nécessaires à la nouvelle loi (940 milliards de dollars sur 10 ans).

« Nous, le peuple des États-Unis »

Comme le définit le préambule de la Constitution, « le peuple des États-Unis » affirme sa foi dans les bienfaits d'une liberté nourrie de démocratie et de justice pour tous. Croire que la société récompense l'individu entreprenant et travailleur est l'un des fondements d'une nation unie derrière des valeurs aussi cohésives que l'initiative individuelle, la morale civile et religieuse, le respect des lois, l'éducation, la tolérance, le patriotisme. Quelquefois, pourtant, l'Amérique dérape…

L'éducation, au service de la diversité

Si l'éducation a toujours été défendue comme un paramètre constitutif de la démocratie, ce n'est pas tant pour la connaissance du savoir qu'elle diffuse, que pour l'éveil de la personnalité et de la conscience sociale qu'elle encourage. La tendance actuelle, plus que jamais, est de promouvoir la diversité : chaque enfant doit apprendre les contributions des différents groupes ethniques à la nation, les manuels d'histoire sont révisés, les auteurs « classiques » cohabitent avec les nouvelles littératures. Dans cette ouverture d'esprit, les jeunes décident, dès le 4ᵉ *grade* (CM1), encadrés par leurs professeurs, de leur cursus scolaire : ainsi, en dehors des matières imposées (mathématiques, anglais et histoire), ils peuvent choisir leurs options et consacrer leurs après-midi au sport. Les élèves ne redoublent que très rarement et aucune forme d'examen final ne vient clore le cycle du secondaire, si ce n'est, pour les candidats à l'université, le SAT, *Scholastic Aptitude Test.*

Parent pauvre de la démocratie

Pourtant, souvent décriée pour ses faibles performances, l'école américaine peine à recruter des enseignants, qui, découragés par les bas salaires, quittent la profession (40 % le font dans les cinq années après leur titularisation). Bien que des fonds soient octroyés aux établissements qui proposent des projets éducatifs novateurs, le système éducatif voit son budget en constante régression.

Pour les enfants des milieux défavorisés, les États offrent, depuis 1983, des *school vouchers,* coupons scolaires permettant à leurs familles de les envoyer dans des écoles privées ; controversé, ce système, qui donne une chance à certains enfants, affaiblit les écoles publiques, les privant de leurs meilleurs éléments. La loi du *No Child Left Behind,* adoptée en 2001 sous George W. Bush et visant à « ne laisser aucun enfant à la traîne », est très critiquée pour mêler dans une même classe tous les enfants, quels que soient leur niveau ou leurs éventuelles déficiences mentales ou physiques. Malgré de nombreux et courageux efforts, la réalité scolaire reste marquée par une grande inégalité de moyens et de résultats.

« De l'esprit des lois »

Catalyseur de talents, l'individualisme est censé encourager les idées et les croyances de chacun, ainsi que son génie créatif, sa soif de liberté, désir de prospérité. Si la tolérance se conçoit comme un paramètre social, ce n'est pas tant par altruisme que parce qu'elle permet à chacun d'être ce qu'il est. C'est donc à la loi, que l'on peut ouvertement critiquer et amender, plus qu'aux mentalités, que l'on doit de vivre en bonne intelligence. Cette individualité, enseignée dès le plus jeune âge, encourage une affirmation quasi militante de ses idées, tout en exhortant au conformisme et au respect des règles établies. L'adhésion à l'ordre public est le seul garant durable de la démocratie, le seul qui permette à chaque citoyen de tenir le cap vers ses idéaux. Ceux-ci sont d'autant plus élevés que la société attend de ses membres qu'ils expriment le meilleur d'eux-mêmes, pour en faire des citoyens heureux, selon les vœux de la Déclaration d'indépendance, mais aussi pour que rejaillisse sur l'ensemble de la nation le bienfait de leur réussite.

United We Stand (« Unis nous resterons »)

Barbecues entre voisins, *garage sales* (vide-greniers), associations d'*alumni* (anciens étudiants), *fraternities* et *sororities* (confréries estudiantines), comités sportifs des seniors, groupes de Weight Watchers ou de *couch potatoes* (drogués de la nourriture affalés devant leur poste de télévision), forums de défense de l'environnement ou des chiens bâtards… tout rappelle à l'Américain qu'il est un être social. En multipliant les occasions d'être reconnu comme membre d'une communauté, il compense l'individualisme vers lequel le poussent la société et les institutions.

On choisit en effet l'école de ses enfants, son quartier, son association caritative, son Église, parce qu'on y retrouve ses pairs et qu'on y acquiert leur reconnaissance. Telle est la réalité des habitants de ce pays : être fiers et heureux d'appartenir à une Amérique forte et plurielle, en laquelle le *Stars and Stripes* (drapeau), la Constitution et le patriotisme donnent foi, à l'instar des autocollants *United We Stand*, affichés à tout-va depuis les attentats du 11 septembre 2001.

Au pays des colts…

Les statistiques sur la violence *made in America*, où, toutes proportions gardées, le taux d'homicides est six fois supérieur à celui de la France, sont accablantes. Faut-il accuser les achats banalisés d'armes à feu défendus par la National Rifle Association, puissant lobby des armes, la culture de l'autodéfense valorisée par le mythe du cow-boy redresseur de torts, une fracture sociale sans commune mesure, un sentiment d'insécurité largement nourri par les violences, réelles ou fictives, que rapportent les médias ou bien l'implantation d'une économie souterraine dans les ghettos urbains ? Avec 40 % des foyers américains équipés en armes à feu, ce sont 200 millions d'armes, soit davantage que d'animaux de compagnie, qui sont – légalement – en circulation.

… et des exécutions

Dans ce pays des shérifs et de leurs étoiles – façon western –, les réactions à la violence elles-mêmes sont brutales. Tandis que 2 millions de détenus sont derrière les barreaux (soit 1 personne sur 140, le quart de la population carcérale mondiale), 3 222 personnes (dont 60 femmes) attendent dans les couloirs de la mort. La peine capitale (par injection mortelle dans 80 % des cas) connaît un soutien de 50 % (80 % en 1994) de la population pour les cas d'homicide. Malgré le nombre décroissant des exécutions et des condamnations à mort depuis 1999 (43 exécutions en 2011, dont 13 au seul Texas), les États-Unis misent sur une justice rendue aux familles autant qu'à la société, ainsi que sur l'effet dissuasif d'une telle peine.

« Nous, le vrai peuple »

Moins effrayés par Al-Qaida que par le socialisme, les différentes factions du **Tea Party** ont entamé une nouvelle chasse aux sorcières. Il faut en effet purger le parti démocrate de ses espions travaillant pour Vladimir Poutine. Il s'agit de revenir aux « vraies » valeurs d'une Amérique simple (c'est-à-dire non élitiste), familiale (pas d'avortement et, bien sûr, pas de mariage gay), proche de ses textes fondateurs, libre dans son capitalisme et autogouvernée, à l'instar de ces insurgés du Boston Tea Party qui, en 1773, refusèrent de payer les taxes coloniales sur le thé.

Né du désir de bouter hors de Washington ces traîtres de démocrates et ces mollassons de républicains, le mouvement populiste du Tea Party fait entendre sa voix dès 2009, anticipant sur les élections parlementaires de 2010 et, au-delà, sur les présidentielles. Pour lui, l'urgence est d'en finir avec la mainmise fédérale en matière d'économie, d'environnement ou de diplomatie (« rapatrions les hommes mais aussi l'argent dépensé en missions »). Surtout, il faut mettre un terme à cette réforme de couverture sociale et sauver ainsi la médecine américaine du communisme. Décidément, le Tea Party est bien le vrai peuple d'Amérique.

Société

Présentation de l'Ouest

par Jacques Bethemont

L'Ouest, entendons par là l'espace qui s'étend à l'ouest des Dakotas et du Mississippi, n'entre qu'en 1849 dans l'histoire des États-Unis, avec la ruée vers l'or de la Californie. Jusque-là, le Mississippi servait de frontière et l'accès aux grandes plaines de l'Ouest était déconseillé, voire interdit aux colons, exception faite du Texas où les éleveurs disputaient les herbages aux Espagnols. En dehors des Indiens agriculteurs ou chasseurs de bisons, ne s'y risquaient que les trappeurs franco-canadiens, quelques hors-la-loi et les mormons qui avaient trouvé la Terre promise sur les rives du Great Salt Lake. Au-delà de montagnes et de déserts réputés infranchissables, la côte Pacifique était partagée entre les presidios espagnols de Californie, quelques postes russes et les Anglais établis dans l'Oregon.

C'est la volonté d'occuper l'espace situé entre le Mississippi et la Californie qui a justifié la conquête de l'Ouest. Un espace dont l'immensité et la rudesse ont suscité l'« esprit de la frontière », fait d'initiative, d'audace et de force souvent brutale, qualités qui sont devenues les valeurs les plus fortes des États-Unis.

Cet espace immense que l'on dit monotone

On dit l'ouest des États-Unis immense et monotone. Immense ? Certes, puisque de Saint Louis à San Francisco, on compte 3 400 km et de Corpus Christi à la frontière canadienne, 1 700 km. Reportées dans le vieux monde, ces distances correspondraient, d'ouest en est, à Paris-Bagdad et, du nord au sud, à Lille-Agadir. Monotone ? Voire.

De Saint Louis à Denver, un vaste plan incliné

Il est vrai que, de Saint Louis à Denver, la route 70 ne rencontre guère que les rares ondulations des Smoky Hills, mais, au terme de sa trajectoire, elle est passée de façon insensible de 50 à 1 600 m d'altitude. Vers le nord ou vers le sud, la régularité de ce vaste plan incliné est rompue tantôt par l'érosion qui ravage les Sand Hills du Nebraska, tantôt par des massifs aux formes nettes comme les Ozarks, au sud, ou les Black Hills, au nord. Au demeurant, la monotonie première des lieux est contrebalancée par d'autres traits, en particulier le climat.

Des Rocheuses au Pacifique, une suite d'obstacles

Il n'est en tout cas plus question de monotonie dès qu'on aborde les Rocheuses dont les parois dominent les Hautes Plaines sans pour autant former une muraille continue. Du Montana au Texas, de Flathead Range aux Sacramento Mountains,

▲ John Ford's Point,
dans Monument Valley.

l'alignement des chaînes laisse place à quelques passages balisés par autant de pistes devenues des axes de circulation, plus ou moins fréquentés de nos jours mais dont le nom évoque les temps héroïques de la ruée vers l'Ouest : Oregon Trail, Mormon Trail, Chisholm Trail ou Santa Fe Trail. Au-delà de la barrière des Rocheuses et jusqu'aux chaînes qui dominent le Pacifique, Cascade Range, sierra Nevada ou Coast Range, s'étend le vaste et complexe ensemble des *basins and ranges*, « bassins et montagnes ». La forme dominante est celle de vastes plateaux calcaires ou gréseux, tantôt surmontés par les tables des *mesas* ou des buttes comme celles de Monument Valley qui ont fourni à John Ford ses meilleurs décors, tantôt modelés en vastes cuvettes où les eaux descendues des montagnes viennent se perdre dans des lacs aux formes changeantes comme Great Salt Lake ou Malheur Lake. Des rivières aussi importantes que la Humboldt se perdent même dans les sables sans toujours atteindre d'anciens lacs asséchés ou *playas* au sol durci et au niveau rigoureusement plan.

D'autres « lacs », perdus dans les déserts de l'Arizona ou du Nevada, servent de bases plus ou moins secrètes à l'US Air Force. Ces plateaux enserrent parfois de vastes massifs montagneux, comme les Blue Mountains, Teton Range aux formes semblables à celles des Alpes, ou les monts Uintah.

Rocheuses en mouvement

Loin d'être figé, cet ensemble étendu a subi d'amples mouvements tectoniques qui sont loin d'être achevés. De gros blocs ont été relevés, d'autres abaissés comme celui de la Death Valley dont le plancher se situe à 86 m en dessous du niveau de la mer.

Certaines *playas* sont célèbres, comme Bonneville Lake dont l'étendue et l'horizontalité rigoureuse ont permis d'établir les records de vitesse automobile. Le dernier en date (1997) a été réalisé par le Britannique Andy Green à bord d'un véhicule équipé de deux réacteurs Rolls Royce : 1 149 km/h !

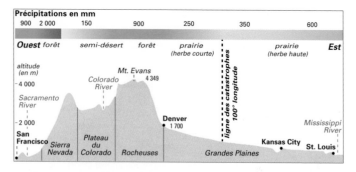

Des failles ont laissé s'écouler de vastes nappes de lave comme celles du plateau de la Columbia ; d'autres sont surmontées de volcans comme Crater Lake ou Mount Rainier, qui domine Seattle et culmine à 4 392 m. D'autres enfin font affleurer ces filons métallifères qui sont à l'origine de la conquête de l'Ouest.

Mais le fait le plus marquant est sans nul doute cet important soulèvement d'ensemble qui, durant l'ère tertiaire, a provoqué une désorganisation des réseaux hydrographiques à laquelle les principaux fleuves, le Colorado et la Columbia, n'ont échappé qu'en creusant de profonds canyons dont le plus connu, le Grand Canyon, atteint une profondeur de 1 800 m. Plus au nord, Hell's Canyon, creusé par la Snake et pratiquement inaccessible, atteint jusqu'à 2 600 m de dénivelé ! Ces mêmes soulèvements sont à l'origine des puissantes vagues d'érosion qui ont dégagé les *mesas* et provoqué les formes spectaculaires de Bryce Canyon ou de Marble Canyon.

La Californie sous le signe du risque

Les chaînes montagneuses qui séparent les plateaux intérieurs du Pacifique participent de cette mobilité, amplifiée par leur position au contact des deux plaques tectoniques, continentale et pacifique. De là, ces failles qui rejouent sans cesse, comme la faille de San Andreas au niveau de San Francisco, et ces manifestations volcaniques dont la plus récente et la plus spectaculaire est celle qui a fait exploser le Mt Saint Helens en 1980. Ces chaînes forment un double alignement : les Coast Ranges, peu élevées, tombent directement dans l'océan, tout en étant séparées de l'alignement des chaînes principales par un vaste sillon parfois envahi par l'océan (Puget Sound, baie de San Francisco) mais formant pour l'essentiel d'amples berceaux drainés par la Willamette qui se jette dans Puget Sound au nord et, plus au sud, par le Sacramento et le San Joaquin qui confluent au niveau de la baie de San Francisco.

Des climats aussi divers que difficiles

L'étirement du pays sur 25 degrés de latitude, la disposition du relief par grandes masses d'orientation méridienne et le cloisonnement montagneux qui isole les grands plateaux expliquent la large diversité et les particularités des climats de l'Ouest.

Vigoureuses nuances des Grandes Plaines

De la gouttière du Mississippi à l'arc des Rocheuses, les Grandes Plaines, largement ouvertes sur l'océan glacial Arctique au nord et sur le golfe du Mexique au sud, sont alternativement balayées par des masses d'air arctique sec et froid

◄ Coupe est-ouest, de Saint Louis à San Francisco.
Le 100ᵉ degré, plus connu sous le nom de « ligne des
catastrophes », trace une frontière imaginaire courant
de Bismarck (Dakota du Nord) à Laredo (Texas).

prédominantes en hiver et par des masses d'air
atlantique tiède et humide prédominantes en été.
Mais c'est tout juste si les basses températures hiver-
nales s'atténuent vers le sud, alors que les masses
d'air estival perdent rapidement l'essentiel de leur
humidité en remontant vers le nord et l'ouest. Ces
nuances vigoureuses expliquent – sauf correction
par irrigation – le relais du maïs par le blé ou le
sorgho en direction de l'ouest.

Les climats du littoral :
du norvégien au marocain

À l'autre extrémité du continent, l'étirement latitu-
dinal fait se juxtaposer le long du littoral un climat
doux et pluvieux sur les côtes de l'Oregon et du
Washington, baignées par les eaux tièdes du courant
Nord Pacifique, un climat de transition assez proche
du climat aquitain entre Eureka et San Francisco, un
climat de type marocain, plus au sud, avec une alternance d'hivers doux et d'étés secs et chauds.

Dans tous les cas, l'humidité se condense sur les pentes
des montagnes et franchit rarement leurs lignes de
crête. De là, un contraste vigoureux entre le versant
pacifique, où la presqu'île d'Olympic reçoit presque
4 m de pluie par an, et le versant intracontinental tout
proche mais où il tombe moins de 0,5 m.

Si, grâce à l'ouverture sur le Puget Sound, la sécheresse épargne la vallée de la Willamette, couverte
de vergers où dominent pommiers et pruniers, elle
affecte les vallées californiennes qui portent des
vignes et, sous réserve d'irrigation, du coton, des
agrumes et d'immenses champs de légumes.

La lutte pour l'eau

Les plateaux et les bassins de la région centrale, isolés
des masses d'air humide par les Rocheuses ou par
les chaînes du Pacifique, sont secs, cette sécheresse
s'atténuant vers le nord et se transformant en aridité
vers le sud. Aux forêts de pins de l'Oregon et du Montana répondent les cactus, les épineux et les déserts de
sable de l'Arizona. Toutefois, cette sécheresse s'atté-
nue avec l'altitude et les masses montagneuses, qui
coupent la régularité des tables calcaires ou gréseuses,
retiennent un peu d'humidité. Elles sont couvertes de
forêts ou de prairies (d'où la fréquence de toponymes
comme Mesa Verde) et dirigent vers la plaine des
eaux assez abondantes pour alimenter les canaux
d'irrigation et les centrales hydroélectriques.

L'Ouest américain

Une mosaïque végétale

Il pleut tous les jours sur l'Olympic Peninsula, au moment de la
pleine mer. L'humidité et la douceur du climat favorisent la croissance d'une **forêt pluviale** (rain
forest) dont les arbres sont couverts d'une mousse qui s'égoutte
continuellement comme une
éponge.

Les champs de **coton** du Texas
peuvent geler en plein mois de
mai, alors que, dans les comtés
occidentaux de l'Oklahoma,
du Kansas ou des Dakotas, les
champs de **céréales** ne reçoivent
pas toujours les quantités de pluie
nécessaires à leur maturation,
pendant que la vallée du Mississippi baigne dans une chaleur
moite.

Les forêts de pins du Nord évoquent celles de la Scandinavie,
alors que la végétation de la Californie du Sud est faite de genévriers, thuyas et autres ligneux
durs.

La maîtrise de l'espace, ses limites et son prix

Il ne faut pas se leurrer sur la nature dans l'ouest des États-Unis : elle est très rude. En témoignent l'éruption du mont Saint Helens ou les tremblements de terre qui secouent la Californie. Ce même État, qui souffre dans sa partie méridionale d'une sécheresse chronique, est alternativement ravagé par des inondations catastrophiques et par des incendies qui ne le sont pas moins. En témoignent également les immensités vides de l'espace intramontagneux où la répartition des hommes et de leurs activités est strictement conditionnée par l'accès à l'eau.

Pluie ou sécheresse

En dépit de ces conditions difficiles, ce n'est pas dans l'ouest lointain, mais dans les Hautes Plaines, comprises entre le rebord des Rocheuses et le 100e degré de longitude, que les contraintes imposées par le milieu ont été les plus sévères. Même si l'uniformité du vaste plan qui relie Saint Louis à Denver peut faire illusion, l'altération progressive du tapis végétal, qui passe progressivement de la prairie à une steppe où domine la sauge, dénonce un changement des conditions climatiques qui correspond à peu près à cette limite. Les hivers sont certes rudes dans ces Hautes Plaines et les orages d'été s'accompagnent souvent de tornades. Mais le fait essentiel est l'irrégularité de la pluviométrie.

La colonisation de cette région ne s'est faite que tardivement avec, pour symbole, l'ouverture des terres et la ruée vers l'Ouest de 1889. Les premières années de la colonisation coïncidèrent avec une phase pluvieuse qui fit illusion ; les années de sécheresse débutèrent en 1930. Les *dirty thirties* chantées par Woody Guthrie ruinèrent les fermiers et jetèrent sur la route de Californie – la route 66 – ces milliers de pauvres hères dont Steinbeck a retracé l'odyssée lamentable dans *Les Raisins de la colère* (1939).

▲ Ranch dans le Texas. Dans le Colorado, la société Montfort of Colorado, dont le siège est situé à Greeley, compte 400 000 têtes de gros bétail, réparties sur quelques ranchs dont le plus important possède plus de 100 000 têtes. Chacun d'entre eux dispose d'un abattoir et la viande découpée est livrée par camions dans l'ensemble des États-Unis.

Aujourd'hui, les terres des fermiers, rachetées par des banques et regroupées dans de vastes domaines, sont de nouveau cultivées, mais la sécheresse et l'érosion des sols demeurent une menace permanente. Les Grandes Plaines restent bien le grenier des États-Unis, mais la distinction doit être faite entre, d'un côté, ces Hautes Plaines, domaine de la très grande propriété et d'une agriculture qui tient de la loterie, et de l'autre, le Middle West aux sols plus riches et mieux arrosés, aux exploitations de taille moyenne (250 à 500 ha), gérées par des fermiers qui cultivent plus de maïs que de blé.

Un milieu largement maîtrisé

Que ce soit à un titre ou à un autre, l'Ouest reste ce qu'il est, un milieu difficile mais également un milieu largement maîtrisé. Cette maîtrise repose d'abord sur des facteurs d'attraction qui ont attiré des vagues successives de peuplement : la recherche d'un territoire vierge pour les mormons, l'or et les minerais métalliques à partir de 1849, la mise en valeur agricole, le pétrole et finalement la qualité de l'air et le climat en Californie. Elle repose aussi sur la gestion de l'eau, grâce à l'exploitation des nappes souterraines et à l'équipement des chutes et des canyons qui a permis de constituer de vastes réservoirs comme ceux qui s'échelonnent sur la Columbia ou le Colorado. Ces équipements fournissent à la fois l'énergie, qui a attiré des industriels comme Boeing à Seattle, l'eau d'irrigation, indispensable à la mise en valeur agricole, et l'eau de ravitaillement urbain, qui, les normes de consommation américaines aidant, devient le secteur prioritaire de la consommation.

Cette maîtrise repose enfin sur un système de communications unique au monde par sa capacité de liaison associant la voie ferrée, la route et un réseau d'aéroports hiérarchisés qui desservent les moindres localités.

Espaces publics préservés, espaces privatisés mal exploités

Cette maîtrise de l'espace va de pair avec de multiples excès. En dehors des forêts nationales, du réseau des parcs et des monuments nationaux, l'espace est totalement privatisé, de sorte que de vastes espaces vides sont ceinturés de barbelés. Les exploitations agricoles sont plus soucieuses de rendement que de protection du sol contre l'érosion. Les rivières sont souvent polluées par les rejets industriels et urbains, cependant que les barrages interdisent la remontée des saumons. Enfin, l'exploitation de la forêt par vastes espaces non reboisés est à l'origine d'une torrentialité souvent catastrophique. ▶▶▶

L'Ouest et les mouvements environnementalistes

C'est l'Ouest qui a suscité l'essentiel de la politique environnementaliste des États-Unis. Dès 1864, Abraham Lincoln avait signé un décret protégeant l'« héritage » du Yosemite, et c'est encore dans le cadre du Yosemite que le naturaliste écossais John Muir proposa la politique des parcs nationaux en 1872. Leur législation, définie en 1901 sous la présidence de Theodore Roosevelt, a fait la part belle aux terres sauvages (wilderness) ou protégées (semi-wilderness) de l'Ouest, où l'on compte actuellement 52 parcs ou monuments nationaux, contre 21 dans l'est du pays.

C'est également dans l'Ouest qu'ont été fondées les principales associations de protection de la nature comme le Sierra Club (1892) ou la Wilderness Society. Ces clubs sont à l'origine de la première législation de protection de la nature et de la législation forestière. En 1973, l'Environmental Impact Statement impose, avant tout aménagement, une étude d'impact, la recherche de solutions alternatives, et permet d'interdire la réalisation d'un projet qui aurait des conséquences irréversibles sur l'environnement.

L'Ouest américain

Les *cowtowns*

Dès 1865, le Kansas est devenu une plaque tournante du commerce dans les Plaines : l'arrivée du train a transformé Abilene, puis Ellesworth, Wichita et Dodge City en marchés au bétail tumultueux. Une quinzaine de villes du Kansas placées sur les lignes de chemin de fer, les fameuses *cowtowns*, constituèrent les têtes de pont d'un négoce très lucratif qui ne concerna pas moins de 4 millions d'animaux dans les 15 années suivantes. La viande était une denrée prisée dans l'Est et les éleveurs texans surent en tirer des revenus substantiels.

◀ Old Cowtown Museum, à Wichita (Kansas).

■ Une *main street*, une ville

Les *cowtowns* où se rencontraient les pistes et les rails ressemblaient aux villes minières des Rocheuses dont la croissance était vertigineuse. En pleine saison des transhumances, entre avril et septembre, elles devenaient chaotiques avec l'arrivée des troupeaux. Le long d'une rue principale, souvent parallèle à la voie de chemin de fer, s'alignaient de petites maisons en bois auxquelles venaient s'ajouter, au fil des mois, des édifices plus ambitieux : épiceries, magasins généraux, hôtels, bars et dancings. À côté de la gare, les bêtes attendaient l'embarquement dans des parcs à bestiaux, les *stockyards*. L'argent des éleveurs, des acheteurs de bétail et des cow-boys attirait des marchands et des commerçants honnêtes, mais aussi toutes sortes d'individus, en quête de profits, d'aventure ou d'action, parieurs, escrocs ou prostituées.

■ Jeux, beuveries, sexe

Les cow-boys étaient sans doute les hôtes les plus voyants en ville, avec leurs colts, leurs bottes, leurs larges chapeaux et leurs éperons sonores. À peine les bêtes livrées aux acheteurs, ils étaient en congé temporaire, libres de dépenser les 50 ou 100 $ durement gagnés sur les pistes. Un bain, un passage chez le barbier, l'achat de vêtements neufs et on les retrouvait sans tarder au *saloon*, point de passage obligé pour rafraîchir un gosier desséché par la poussière des Plaines ou pour jouer une partie de cartes. La plupart des cow-boys texans, jeunes et célibataires, cherchaient plus l'amusement que les ennuis.

Si les rixes et les échanges de tirs étaient fréquents, le plus souvent, ils ne représentaient pas, l'alcool aidant, de grand risque ni pour les spectateurs ni pour les combattants eux-mêmes. Le vrai danger

◄ *Coming Through the Rye*, Frederic Remington, 1902 (Amon Carter Museum, Fort Worth, Texas). Après de longs mois d'un dur labeur, les cow-boys déferlent sur la ville, bien décidés à profiter de tous les plaisirs.

■ La fin des *cowtowns*

Le train n'emmenait pas que des marchands vers l'Ouest. Des fermiers, en nombre sans cesse croissant, débarquèrent au Kansas et au Nebraska vers la fin des années 1860, puis dans le Wyoming et le Montana. La violence, que le cinéma et la littérature ont librement exaltée, et que les habitants eux-mêmes ont tenté d'endiguer, au besoin en formant des milices locales (les fameux *vigilantes*), s'exerça surtout entre éleveurs et fermiers. De plus en plus d'exploitations agricoles s'entourèrent de clôtures en barbelés, gênant la libre pâture et le libre passage du bétail à cornes.

pour Abilene, Wichita, Ellesworth et les autres villes terminus était surtout économique. Si leur unique activité – le commerce du bétail – venait à périclitter, elles déclineraient rapidement. La concurrence entre elles fut rude. Abilene ne connut guère que six années de franche prospérité ; de même pour Wichita ou Dodge City.

Les chemins de fer traversèrent tout le continent et s'approchèrent des lieux d'élevage, sonnant ainsi le glas des pistes et, avec elles, des villes du bétail ; certaines disparurent comme les villes minières des Rocheuses, d'autres tombèrent dans la torpeur économique et la nostalgie des splendeurs d'antan. Elles appartiennent aujourd'hui au grand mythe de l'Ouest et des cow-boys, d'une Frontière turbulente, aventureuse et fascinante, parsemée de grands noms comme Wyatt Earp (le pourfendeur de Billy the Kid) ou Wild Bill Hickok, shérif de Dodge City. Sans elles, les westerns ne nous auraient jamais tant fait rêver.

◄ *Just a Little Pleasure*, Charles Marion Russell, vers 1898 (Amon Carter Museum, Fort Worth, Texas). À leur apogée, les *cowtowns* possédaient de vastes hôtels (le Drovers Cottage à Abilene avait près de 100 chambres) et des bars de luxe (Dodge City en comptait 19) dont la plupart offraient des pistes de danse et, sur l'arrière, des chambres où officiaient des prostituées.

Ces excès ont donné lieu à des mouvements environnementalistes dont les plus anciens remontent au XIXᵉ s. mais dont les plus radicaux se sont affirmés depuis 1970.

Un peuple de migrants

Le pillage des richesses naturelles, mines abandonnées, terres érodées, forêts coupées à blanc et rivières polluées, est le fruit de l'abondance : des hommes peu nombreux, confrontés à un espace démesuré, ont longtemps pensé que les ressources offertes par cet espace étaient illimitées et qu'il suffisait simplement de se déplacer pour exploiter d'autres espaces vierges.

À la recherche de « terres d'opportunité »

Les Américains ont toujours été et sont toujours à la recherche des « terres d'opportunité ». Il a suffi et il suffit encore qu'une « opportunité » se présente, mine, forêt, terre vierge ou pétrole autrefois, avantage climatique ou firme dynamique aujourd'hui, pour que surgisse un campement ou une ville. Une fois la ressource épuisée, telle mode passée ou telle activité en faillite, la ville disparaît ou stagne.

Ce qui est vrai pour l'ensemble des États-Unis l'est tout particulièrement pour l'Ouest qui est jalonné par un nombre impressionnant de villes fantômes. Certaines de ces *ghost towns* sont revivifiées par le tourisme comme Deadwood ou Calico, qui furent des villes minières prospères jusqu'à l'épuisement de leurs gisements aurifères. D'autres villes, comme Butte, croissent ou dépérissent selon le cours de tel ou tel minerai. Les Hautes Plaines sont aussi semées de petites villes, autrefois relais ou marchés importants mais qui somnolent désormais, comme Guthrie, pendant quelques années capitale de l'Oklahoma et que l'on dirait figée dans la fin du XIXᵉ s. avec ses grandes maisons de brique, ses vitrines poussiéreuses et sa *Main Street* désertée.

Villes d'aujourd'hui…

Le traditionnel plan en damier des villes américaines *(→ encadré ci-contre)* sévit dans l'Ouest comme dans le reste des États-Unis. De façon traditionnelle, les villes s'organisent autour d'un centre-ville, *downtown*, qui regroupe les immeubles de bureaux et les sièges des sociétés de services. Le nombre et la hauteur de ces immeubles témoignent de l'importance de la ville : cela peut aller de quatre immeubles vieillots de quatre étages dans une bourgade perdue à un complexe de très hauts immeubles reliés entre eux par des passages souterrains qui

Le maillage du territoire

La loi de 1785, inspirée par le président Jefferson et toujours en vigueur, a défini un modèle d'occupation du territoire, le *township*. Ce système cadastral est fondé sur la division du territoire en damier *(grid)* dont chaque maille couvre 36 mi² et correspond en théorie à un territoire communal. Chaque maille est rescindée en 36 sections de 1 mi² qui sont réparties entre divers modes d'occupation, agricole, urbain ou simplement vacant.

Ce système simple qui court de l'Atlantique au Pacifique a facilité l'occupation de l'Ouest et constitue l'élément dominant du paysage à l'ouest du Mississippi. Il a donné leur forme aux champs et guide le tracé des rues dans le centre de nombreuses villes. Son application stricte est à l'origine de paysages insolites, telles les rues en pente de San Francisco. Si la totalité des routes secondaires de l'Ouest respecte encore les tracés orthogonaux, les risques inhérents à la monotonie des longues lignes droites expliquent les légères courbes des autoroutes.

doublent le centre-ville et permettent la circulation des piétons. Mais de plus en plus, les villes tendent à s'étendre démesurément en multipliant les centres commerciaux et les centres d'affaires reliés entre eux par des autoroutes intra-urbaines.

Les habitations privées se répartissent entre les mailles de ce système avec, pour constante, une ségrégation sociale et raciale très marquée dans les grandes métropoles qui juxtaposent des quartiers pauvres, mal équipés, et des quartiers riches, qui offrent des services commerciaux, scolaires ou hospitaliers de haut niveau. Au total, les trames urbaines sont moins régulières que par le passé, surtout dans les villes neuves en pleine expansion, où le centre-ville compte moins que les quartiers d'affaires disséminés le long des autoroutes.

Dans les « villes-flaques » comme Los Angeles, Houston ou Dallas, le centre ne se distingue guère des nombreux centres-relais qui prospèrent sur les nœuds autoroutiers de la circulation urbaine.

La ségrégation atteint ses limites dans les *gated communities*, quartiers opulents dont l'accès est interdit aux non-résidents et qui vivent en vase clos – écoles, églises et commerces compris.

... et villes « anciennes »

Quelques villes ont su conserver un patrimoine architectural datant soit de l'époque où les Espagnols étaient maîtres du Texas (San Antonio, avec le site d'Alamo) et de la Californie (Monterey), soit d'époques plus récentes, l'ensemble le plus remarquable étant celui de San Francisco, avec ses rues en pente, ses « vieilles » maisons de Nob Hill, son quartier chinois et un centre d'affaires qui multiplie les prouesses architecturales. Mais les villes en expansion, avec leurs gratte-ciel signés par des architectes prestigieux, leurs musées, leurs vastes parcs, ne manquent pas d'attraits, d'autant qu'elles sont loin d'être organisées sur un schéma uniforme.

Au théâtre des variétés

L'ouest des États-Unis, villes ou campagnes, subit donc une réputation de monotonie injustifiée. Même dans l'uniformité des Grandes Plaines, les Américains réussissent toujours à retenir l'intérêt. Mitchell, par exemple, modeste cité du Dakota du Sud, s'orne d'un *Corn Palace* dont les quatre façades sont décorées de fresques faites d'épis de maïs ; dans ce même État, la minuscule bourgade de Wall abrite le plus grand bazar de l'Ouest (selon son propriétaire). Ailleurs, ce sera un rodéo, un musée, un parc naturel ou tel souvenir historique qui retiendra l'attention. Bref, l'Ouest est divers, d'une diversité naturelle certes, mais aussi de celle que créent les Américains.

L'Ouest américain

Histoire de l'Ouest américain

par Pierre Lagayette

L'ouest du continent nord-américain a d'abord été un espace mystérieux, où les explorateurs cherchaient aussi bien des richesses fabuleuses, or et pierreries, qu'un passage vers les Indes. L'attirance vers le soleil couchant se doublait d'un désir de fortune que rien ne pouvait contrarier longtemps. Tous les grands empires européens, dans le sillage de l'Espagne, s'essayèrent à maîtriser cet espace, à le conquérir, tant les promesses qu'il semblait offrir étaient irrésistibles. Ce ne fut pourtant ni l'Espagne, ni la France, ni l'Angleterre, qui parvinrent à coloniser ces immenses contrées, mais un peuple neuf, courageux, arrogant et fier, les Américains, issus de la colonisation anglaise, et fondateurs de la plus grande république des temps modernes, les États-Unis.

L'Ouest, un « Nouveau Monde »

Pour l'Europe, le Nouveau Monde était une terre d'espoir à l'occident ; pour les colons installés sur ces nouveaux rivages, l'Ouest, loin à l'intérieur des terres, résonnait comme un appel à poursuivre la route, à travers forêts et fleuves, malgré les obstacles naturels.

▲ Les Indiens des Plaines, notamment les Sioux, vivaient de la chasse aux bisons qui leur fournissaient nourriture, peau et fourrure pour leurs vêtements (Gahey, d'après George Catlin).

Plaines infinies

Sitôt franchies les crêtes boisées des Appalaches, le relief décline en pente douce vers un large bassin fluvial où convergent de puissantes rivières : l'Ohio ou la Tennessee à l'est, le Missouri ou l'Arkansas à l'ouest, toutes fusionnant avec l'extraordinaire Mississippi. Ici, ce ne sont pas les arbres qu'il faut abattre pour avancer, mais les distances. Dans ces plaines vertigineuses, il faut suivre les cours d'eau pour ne pas se perdre. C'est sur leurs berges, ou à leurs confluents, que s'installeront les premières villes. **Saint Louis**, au carrefour du Missouri et du Mississippi, en est le plus bel exemple. Autour et au-delà règnent les savanes, immensités plates ou faiblement ondulées où les herbes font vivre les bisons, et où les bisons font vivre les hommes.

Montagnes gigantesques

Insensiblement, la terre s'élève vers l'ouest, jusqu'aux premiers contreforts d'une formidable cordillère, les **Rocheuses**, l'un des trois plus grands systèmes montagneux du monde, avec l'Himalaya et les Andes, qui semble barrer impitoyablement le passage vers le Pacifique sur près de 3 500 km. Formé de multiples chaînes imbriquées, de hauts plateaux et de canyons, de déserts et de forêts denses, c'est le pays des extrêmes. Ici, le point culminant des États-Unis continentaux, le mont Whitney, 4 418 m ; juste à côté, la vallée de la Mort, fournaise encaissée à 86 m au-dessous du niveau de la mer. Ici, le « grand bassin » où miroite le plus grand lac de l'Ouest, le Grand Lac Salé, coincé entre les monts Uinta à l'est et la sierra Nevada à l'ouest ; non loin, les reliefs tourmentés de Bryce Canyon, de Zion, et les grandioses falaises du Grand Canyon sculptées par le Colorado.

L'ennemi de l'homme : la sécheresse

À l'écart des torrents qui coulent de ces hautes montagnes, l'eau se fait rare dans les Grandes Plaines et les Rocheuses, en particulier sur les versants orientaux, peu exposés aux vents humides du Pacifique. Aussi les géographes font-ils commencer « l'Ouest », pour simplifier, au-delà du 100e méridien, là où les précipitations ne dépassent pas 500 mm par an. Surnommé « grand désert américain » jusqu'au milieu du XIXe s., l'Ouest évoque le mystère, la dangerosité et l'inaptitude d'une terre à être raisonnablement mise en valeur par l'homme. C'est ainsi 60 % de la surface du pays que l'on considérait alors comme vouée à demeurer inhabitée.

Cette naïveté fait aujourd'hui sourire, mais il est vrai que le manque d'eau, couplé au formidable obstacle des montagnes, a considérablement ralenti la course des migrants vers l'ouest. À cause de l'obstacle des

Le Meschacebé

Le premier nom du **Mississippi**, *Meschacebé*, qui signifiait en langue indienne « Père des eaux », fut employé par Chateaubriand dans *Atala*. Il devint ensuite *Rio de Flores* (rivière des fleurs) pour les Espagnols, puis fleuve Colbert pour les Français. Long de 3 780 km, le Mississippi est, depuis le XVIIe s., une des plus grandes voies de communication des États-Unis, dont il parcourt tout le territoire du nord au sud, depuis les Grands Lacs jusqu'au golfe du Mexique. Il draine, avec son affluent le **Missouri**, un bassin grand comme six fois la France et arrose successivement les villes de Minneapolis, Saint Paul, Saint Louis, Memphis, Baton Rouge et La Nouvelle-Orléans.

▶ Les missions d'exploration françaises suivent le Mississippi. Après Cavelier de La Salle, Pierre Le Moyne d'Iberville installe une colonie française sur les rives accueillantes du fleuve en 1699. Suivront la création de La Nouvelle-Orléans en 1718, puis celle de Saint Louis, en 1764.

DÉCOUVERTE DU COURS DU MISSISSIPPI ET DE LA LOUISIANE 1699

Jardins dans le désert

Les Indiens du Sud-Ouest, des cultures anciennes Hohokam et Mogollon, pratiquaient déjà l'**irrigation**, de façon archaïque, avant l'arrivée des Européens. Les Espagnols s'en inspirèrent pour installer le long du Rio Grande, autour des missions et des *presidios*, leurs systèmes d'*acequias*, ces petits canaux qui permettaient à une horticulture de subsistance de se développer dans le « désert ». Les mormons reprendront avec bonheur ces techniques en 1847 pour changer les rives du Grand Lac Salé en verger florissant. À la fin du XIXᵉ s., plus de 100 000 ha de terres irriguées offraient au regard l'étonnant spectacle de champs de blé, d'orge ou d'avoine entourés de caillasses et de buissons – un havre de verdure au milieu des bruns et des ocres sauvages du Grand Bassin.

Rocheuses et de l'aridité, la côte du Pacifique, bien qu'explorée dès la fin du XVIᵉ s., s'est trouvée isolée du reste du continent, accessible essentiellement par la mer, comme une île. Seule l'ingéniosité des hommes de l'Ouest, guidés par leur instinct de survie, a pu assurer l'approvisionnement en eau de la région.

Travaux publics

À la suite des pionniers, pour qui le puits artésien ou l'éolienne étaient aussi essentiels que le fusil, le gouvernement américain prend en mains le destin de ces terres arides de l'Ouest, dont il est à 80 % propriétaire. À partir de 1890, il se lance dans un vaste programme de gestion de l'eau : barrages, canaux, aqueducs se multiplient pour faire de l'Ouest une Mésopotamie ou une Égypte modernes, le jardin de l'Amérique où l'on puisse admirer les vertus de la science et de la démocratie.

Ainsi, par la loi et par la politique, l'Ouest est devenu le lieu où s'est exercé, de la manière la plus visible et la plus radicale, le pouvoir fédéral à travers les grands travaux hydrauliques, la création d'agences, de bureaux ou d'organismes multiples, et la mise en place d'une réglementation complexe liée à l'usage de l'eau. Un paradoxe pour une région dont l'exploration, le peuplement et l'essor sont dus au rêve et à l'aventure de milliers d'individus obsédés par la perspective d'une vie meilleure, ailleurs.

Explorations et empires

D'une part, l'Ouest américain résulte d'un empire, celui voulu et opiniâtrement constitué par l'Angleterre à partir du XVIᵉ siècle. Mais c'est aussi la scène où vont s'exprimer ensuite les rivalités impérialistes entre les grandes puissances européennes. Là-dessus, les États-Unis, convaincus d'avoir pour mission de civiliser et de coloniser le continent nord-américain, d'un océan à l'autre et du Canada au Rio Grande, vont y accomplir leur grand destin. À l'avant-garde de cette civilisation en marche se trouvaient des aventuriers, irrésistiblement attirés par l'inconnu et par la nouveauté, sans qui l'Ouest serait resté une terre ignorée.

Les Espagnols en tête

On sait que les Espagnols furent les premiers explorateurs présents au sud des Rocheuses, dans les plaines occidentales et en **Californie**. De Soto et Coronado, au milieu du XVIᵉ s., fouillèrent en vain la région à la recherche des fabuleuses cités de Cibolà et de leurs fantastiques richesses *(→ encadré ci-contre)*. Le navigateur portugais Juan Rodriguez Cabrillo, puis le capitaine mexicain Sebastián Vizcaino, en quête des trésors de la reine Calafia *(→ encadré ci-contre)*, eurent peine à vanter cette terre dont ils avaient suivi la côte, peuplée d'Indiens pêcheurs, avare de bons mouillages et hantée, vers le nord, par d'étranges brumes littorales.

Il faudra attendre le dernier quart du XVIIIᵉ s. pour qu'enfin l'Espagne sorte la Californie de sa torpeur et, sous l'impulsion colonisatrice des Franciscains, y installe ces 21 missions *(→ théma p. 212-213)* qui, jusqu'en 1833, serviront de fer de lance à la civilisation dans ce bout perdu de continent. Aux marches de l'empire, les provinces du nord de la Nouvelle-Espagne vivotent durant deux siècles : la fondation d'une capitale à Santa Fe, en 1609, affirme des prétentions politiques plus qu'elle ne fait du Nouveau-Mexique une colonie de peuplement.

Les Français et les Anglais en course

Au même moment, les Anglais prennent pied en Virginie, avec la ferme intention d'y rester et de coloniser, pour longtemps, ce Nouveau Monde auquel toute l'Europe se plaît alors à prêter attention. La France n'a-t-elle d'ailleurs pas devancé l'Angleterre en prenant pied au Canada dès 1608 grâce à Samuel de Champlain ? La course des empires est engagée. Les Français seront les premiers arrivés dans les plaines, par les Grands Lacs et la vallée de l'Ohio.

Monts et merveilles

En 1521, l'écrivain Garcia Ordoñez de Montalvo imagine, dans une chanson de geste intitulée *Les Exploits d'Esplandian*, les aventures de la reine Calafia, gardienne d'une île peuplée d'amazones, appelée **Californie**. Ce n'est qu'en 1701, lorsque le père jésuite Eusebio Kino explore le Colorado, qu'il est prouvé que la Californie n'est pas une île.

Les « **sept cités de Cibolà** », dont parlait une légende indienne du Mexique, attisèrent la convoitise des Espagnols et firent l'objet de deux expéditions vers le nord : en 1539, sous la houlette de Fray Marcos de Niza, et en 1540, dirigée par Francisco Coronado. Parvenus à l'endroit supposé de ces villes fastueuses, dans l'ouest du Nouveau-Mexique, les explorateurs, loin de découvrir or, argent et pierres précieuses, ne rencontrèrent que sept pauvres villages d'Indiens Zunis, potiers et vanniers, bons architectes avec la glaise battue mais piètres joailliers, même avec les éclatantes turquoises. Coronado baptisa néanmoins Cibolà ces implantations.

Histoire

Le 10 février 1763, la France, l'Angleterre et l'Espagne signent le **traité de Paris** qui met fin à la guerre de Sept Ans. Échec total pour la France, cette guerre impériale sonne le glas de ses espoirs d'expansion en Amérique du Nord. Le royaume perd la Nouvelle-France (le Canada), l'île du Cap-Breton et toutes ses possessions à l'est du Mississippi, qu'elle doit céder à l'Angleterre.

L'implantation anglaise dans le Nouveau Monde s'est accomplie par l'établissement de **13 colonies** le long de la côte atlantique. À partir de 1760, les colons américains, frappés par de nouvelles taxes qu'ils considèrent comme injustes, se soulèvent contre le Parlement anglais. Leur révolte aboutit, le 4 juillet 1776, à la déclaration d'Indépendance des États-Unis.

Explorations commerciales

Les explorations de l'Ouest ne furent jamais désintéressées : les compagnies commerciales y veillaient et les missions elles-mêmes conjuguaient sans scrupule l'Évangile et l'escarcelle. Depuis les aventures de Louis Jolliet et du jésuite Marquette dans le haut Mississippi en 1673, les explorateurs français coururent les plaines : entre autres, René Cavelier de La Salle descendit tout le Mississippi en 1682, et les sieurs de La Vérendrye, père et fils, s'approchèrent des Rocheuses dans les années 1730-1740. Tous traquaient le castor, le bison (→ théma p. 590-591) ou le daim, et troquaient l'alcool et les fusils avec les tribus indiennes.

Leurs trappeurs ou coureurs de bois vont rester, bien longtemps après le traité de 1763 qui fit perdre à la France toutes ses colonies nord-américaines, les éclaireurs de l'Europe dans l'Ouest. L'un d'eux aidera les explorateurs américains Lewis et Clark à franchir les Rocheuses, en 1804. D'autres continueront à sillonner les plaines du nord, du Missouri au Wyoming, et les montagnes où règnent encore le castor et la loutre. Le grand rassemblement des trappeurs s'appelle « rendez-vous » ; c'est tout dire.

Le temps de l'Indépendance

Avec l'Indépendance américaine commence une autre époque : **13 colonies** devenues États se constituent en république, donnant ainsi un coup d'arrêt à la politique impériale anglaise en Amérique du Nord. Et après l'Espagne, la Hollande, la France et l'Angleterre, ce continent accueille un nouveau partenaire, qui n'aura de cesse d'affirmer ses prétentions territoriales, au nez et à la barbe des empires coloniaux vieillissants.

La Nouvelle-France de Frontenac et de Duquesne avait longtemps guerroyé à l'est des Grandes Plaines pour résister aux Anglais. Les campagnes militaires s'y prolongèrent à la fin du XVIIIe s. entre révolutionnaires américains et tuniques rouges anglaises. Puis vint le temps de la paix, de la diplomatie, et du tracé des frontières entre le Canada et les États-Unis. La porosité de celles-ci et des intérêts commerciaux communs empêchèrent toute stabilisation durable pendant près d'un demi-siècle. En 1818, un traité fixait au 49e parallèle la limite entre les terres canadiennes et américaines, des Grands Lacs aux Rocheuses. Après bien des vicissitudes et un afflux massif de pionniers américains en Oregon, cette frontière fut prolongée jusqu'au Pacifique en 1846.

La frontière du Rio Grande

Avec l'Espagne, puis avec le **Mexique** indépendant après 1821, les rapports furent toujours plus passionnels. L'admirable opportunisme du président Jefferson avait permis, en 1803, d'acheter à Napoléon la grande Louisiane pour une bouchée de pain, doublant ainsi d'un seul coup la surface du territoire national. Mais tout le sud-ouest des Plaines, les Rocheuses jusqu'à l'Idaho et l'Oregon et la Californie demeuraient aux mains de l'Espagne. Les Mexicains, affaiblis par des révolutions trop fréquentes, laissèrent péricliter leurs terres du nord et s'y installer peu à peu des pionniers américains entreprenants.

Au **Texas**, en particulier, la fronde de ces nouveaux venus contre le gouvernement de Mexico finit par dégénérer : en 1836, la révolte armée conduisit à l'indépendance et, 10 ans plus tard, une courte

cédé par la
Grande-Bretagne en 1818

CANADA

WASHINGTON
OREGON
IDAHO
MONTANA
WYOMING
NEVADA
UTAH
CALIFORNIE
ARIZONA
NOUVEAU-
MEXIQUE
DAKOTA
DU NORD
DAKOTA
DU SUD
NEBRASKA
COLORADO
KANSAS
OKLAHOMA
TEXAS
MINNESOTA
IOWA
MISSOURI
ARKANSAS
LOUISIANE
WISCONSIN
ILLINOIS
MICHIGAN
INDIANA
KENTUCKY
TENNESSEE
MISSISSIPPI
ALABAMA
GÉORGIE
OHIO
VIRGINIE-
OCCIDENT.
VIRGINIE
CAROLINE
DU NORD
CAROLINE
DU SUD
FLORIDE
MAINE
VERMONT
NEW
HAMPSHIRE
NEW
YORK
MASSACHUSETTS
RHODE ISLAND
CONNECTICUT
PENNSYLVANIE
NEW JERSEY
DELAWARE
MARYLAND

OCÉAN
PACIFIQUE
MEXIQUE
Golfe
du Mexique
OCÉAN
ATLANTIQUE

500 km
miles

Territoire des treize États fondateurs en 1775

Territoire cédé par la Grande-Bretagne en 1783 *(Traité de Versailles)*

Territoire acheté à la France en 1803 *(Louisiana Purchase)*

Territoire cédé par la Grande-Bretagne en 1818 et en 1842

Territoire acheté à l'Espagne en 1819-1822

Territoire annexé aux dépens du Mexique en 1845

Territoire rattaché à l'Union en 1846 *(North West Territories)*

Territoire cédé par le Mexique en 1848

Territoire acheté au Mexique en 1853 *(Gadsden Purchase)*

Développement du territoire (les États ont leur tracé et leur nom actuels).

guerre mit fin aux ambitions mexicaines dans la région. Par traité, en 1848, et moyennant une indemnité financière symbolique, les États-Unis s'appropriaient toutes les terres au nord du Rio Grande et à l'ouest jusqu'au Pacifique. L'achat, en 1853, de la bande de Gadsden, au sud de l'Arizona et du Nouveau-Mexique, fixait définitivement les frontières continentales des États-Unis. Le dollar et le fusil devenaient les symboles d'une nation en plein essor.

Expéditions dans le désert

Le président Jefferson, soucieux de favoriser le commerce, de protéger les frontières de la jeune république et d'ouvrir de nouveaux territoires à une population sans cesse plus nombreuse, envoya **Lewis** et **Clark** à l'assaut des Rocheuses pour établir une voie de passage aisée vers l'ouest. Cette expédition réussie (de mai 1804 à septembre 1806) permit aux Américains de prendre la mesure véritable du continent et des terres récemment acquises. Le mouvement ainsi amorcé donnait au Grand Ouest une importance économique nouvelle : chasseurs, soldats, négociants, hommes de science, spéculateurs, financiers, aventuriers s'y retrouvèrent dans une indescriptible confusion d'intérêts. Le lieutenant Zebulon Pike arpenta l'Arkansas et le Colorado dès 1806. Le major

Histoire

Stephen Long explora en partie le Kansas, le Nebraska et l'Oklahoma en 1820 et conclut que l'endroit était inhabitable : on lui doit le terme « Grand Désert ». Les trappeurs s'enfoncèrent dans les Rocheuses, inscrivant leurs noms au tableau d'honneur des explorateurs de l'Ouest : ces « montagnards » s'appelaient Jedediah Smith, Jim Bridger, Milton Sublette ou Joseph Walker.

À leur suite, dans les années 1840-1850, un jeune homme convaincu de l'utilité politique de l'exploration, **John Charles Frémont**, parcourut les monts, les plaines et les vallées de l'Ouest avec la ferme intention d'y établir le pouvoir des États-Unis. Grâce à lui, des milliers d'émigrants s'en allèrent exploiter des terres fertiles en empruntant la fameuse « piste de l'Oregon », dont il avait précisé le tracé. Grâce à lui, les mormons purent s'installer près du Grand Lac Salé et les Californiens conquirent leur indépendance. L'exploration se muait en conquête.

La conquête du continent

À partir de 1830, l'imagination populaire s'empare de la « Frontière » pour en faire le lieu de tous les espoirs, de tous les bonheurs, de toutes les réussites extravagantes. Bien sûr, la réalité est autre : la « Frontière » est une marge mouvante de la civilisation, qui progresse vers l'ouest dans le sillage des découvertes et des explorations. Les conditions de vie y sont primitives et brutales : les duretés du climat, la nature sauvage, l'hostilité des Indiens ne sont pas pour encourager ceux qui s'y aventurent. Mais le danger décuple l'envie et nombre des 2,5 millions d'immigrants débarqués aux États-Unis se joignent aux Américains qui s'enfoncent vers l'intérieur du continent en empruntant un réseau de voies toujours plus dense.

Les routes carrossables ont franchi les Appalaches avant 1820 et les chariots arrivent à Chicago en 1832. Un petit train circule depuis deux ans déjà du côté de Baltimore ; mais, en deux décennies, les Américains vont poser 45 000 km

▲ Alfred Jacob Miller rend compte de la réalité de la conquête de l'Ouest : une progression périlleuse et difficile vers un but souvent incertain (*Landing the Charettes*, 1837, Walter Arts Gallery, Baltimore).

de voies et la première locomotive entre à Chicago en 1853. L'Ouest est à portée de main. Le destin des Américains n'est-il pas de s'approprier tout ce splendide continent ?

Effacer les Indiens

Thomas Jefferson, à la fin du XVIIIe s., avait cru résoudre la question de l'expansion territoriale en signant avec les tribus des Grands Lacs des traités équivalant à une expropriation pure et simple. Dans les plaines du sud, cinq « nations » indiennes dites « civilisées » (→ *encadré ci-contre*) refusaient de se laisser aussi facilement refouler vers l'Ouest. Hélas pour tous ces peuples, les États-Unis se donnèrent, en 1828, un président originaire de la Frontière, **Andrew Jackson**, ami des fermiers de l'Ouest et ennemi juré des Indiens, qu'il avait autrefois décimés en Floride. Avec lui, non seulement s'applique le principe d'une séparation définitive entre Américains civilisés et sauvages irrécupérables, mais l'État organise le bannissement systématique de ces populations inférieures.

▲ Andrew Jackson, élu à la présidence des États-Unis en 1828 à une forte majorité, devait sa popularité à ses victoires remportées sur les Indiens Séminoles en 1818.

Une loi sur la déportation des Indiens, en 1830, prévoit de les expédier vers un « territoire » aride, presque inhabité, qui leur est réservé à l'ouest du Mississippi. Bien plus tard, il deviendra l'État d'Oklahoma. À marches forcées, on y exile les Creeks, les Choctaws, les Cherokees dont plusieurs milliers périront en chemin, lors de l'exode de 1838 – la tristement célèbre « Piste des larmes » et des tribus venues des plaines du nord.

De l'exode à l'extermination

On croirait le problème réglé ; mais la cupidité, l'incompréhension, la volonté de puissance font ressurgir le problème indien après la guerre de Sécession. Ils ne sont plus guère que 200 000, mais ils gênent encore. On leur garantit officiellement des espaces de vie, chaque jour plus exigus, mais cela n'empêche ni les rapines ni les spoliations de la part de colons américains chaque jour plus avides et dont les lois foncières fédérales encouragent l'appétit de terres. Les incidents et les escarmouches dégénèrent en guerre d'extermination : les révoltes des Sioux et Cheyennes dans les plaines du nord, des Comanches et Apaches dans le sud, finiront dans un bain de sang.

De 1860 à 1890 s'égrène un chapelet lugubre de massacres inutiles ; l'itinéraire de la violence et de la honte passe par Sand Creek, Colorado et Canyon de Chelly, Arizona (1864), Washita, Oklahoma (1868), Little Big Horn, Montana (1876) et Wounded Knee, Dakota (1890 ; → *théma p. 97-99*). En un « siècle

> ### Indiens et civilisés
>
> Les cinq « **nations civilisées** », Choctaw, Creek, Chickasaw, Cherokee et Séminole, étaient cinq grandes tribus qui vivaient sur un vaste territoire s'étendant du Tennessee à la Floride et au Mississippi. Le contact avec les Européens les amena à adopter un mode de vie proche de celui de l'homme blanc : habitat, techniques agricoles, religion, emplois électifs, etc. Les **Cherokees** possédaient même un alphabet et, vers 1820, publiaient déjà plusieurs journaux. Cette assimilation partielle ne les protégea pas de l'injustice du gouvernement américain.

de déshonneur » (comme l'appelait, en 1881, l'écrivain Helen Hunt Jackson) les États-Unis avaient fait presque disparaître les premiers occupants du continent.

« *Go West, young man* »

Lorsque le journaliste Horace Greeley invente, en 1837, sa célèbre formule : « *Go West, young man, go forth into the Country* » (« Partez, jeunes gens, vers l'Ouest, pénétrez dans le cœur du pays »), c'est pour tenter de répondre à la crise économique et sociale que connaissent alors les États-Unis : l'Ouest ouvre à tous ceux qui sont soudain frappés par le chômage, l'endettement ou la faillite, une seconde chance de bonheur. À cette époque, la colonisation du continent a déjà fait son œuvre. Pour les dizaines de milliers de pionniers qui se lancent sur les pistes, l'Ouest signifie abondance et richesse, cela ne fait aucun doute. Au-delà même des motifs psychologiques – curiosité, soif d'aventure, besoin de liberté –, c'est bien la perspective d'échapper à la misère, aux mauvaises récoltes, au travail précaire ou sordide qui favorise la migration : en somme, l'espoir d'une vie meilleure.

Les Américains s'élancent vers les terres vierges de l'Ouest comme jadis les conquistadors voguaient vers le Nouveau Monde. Le juriste écossais James Bryce voit dans cette attirance la base du sentiment national : « L'Ouest, écrit Bryce en 1888, est la partie la plus américaine de l'Amérique. »

Un arpent de paradis

La vision d'un jardin d'Éden, d'une Terre promise ou d'un Eldorado demeure toujours vivace. Ailleurs, l'herbe est plus verte, la terre plus fertile et plus disponible. La fièvre de l'Oregon de 1842-1843, le boom du Dakota en 1878-1885 ou l'extravagante « ruée » sur l'Oklahoma d'avril 1889 sont autant d'exemples de ce besoin viscéral d'occuper ou d'acquérir des terres à tout prix. Ainsi s'explique aussi la présence de colons américains au Texas dès les années 1820 ou en Californie dans la décennie suivante.

En Oregon, les 6 000 émigrants qui ont résisté au long voyage de 3 000 km peuvent s'installer où ils veulent. Au Texas et en Californie, les autorités mexicaines cassent les prix pour attirer les pionniers : la terre s'y vend dix fois moins cher que dans les plaines du nord et la plus petite ferme fait au moins 1 500 ha. Le gouvernement devra s'aligner : en 1862, le Congrès promulgue une nouvelle **loi du Homestead** par laquelle il cède une partie du domaine public (24 millions d'hectares) à ceux qui veulent exploiter les terres quasi vierges de l'Ouest.

Les bénéficiaires de la nouvelle **loi du Homestead** (1862) reçoivent, contre un droit de 10 $, 24 ha à cultiver pendant cinq ans. Ils peuvent aussi bien acquérir cette surface au prix de 1,25 $/ha, s'ils le désirent. Ce système, en apparence avantageux, n'a pourtant pas les bons effets escomptés. Spéculateurs, compagnies foncières, cartels ferroviaires et autres puissants financiers y ont réalisé d'énormes bénéfices sur le dos des petits fermiers et, vers la fin du XIXᵉ s., un vent de révolte souffle sur l'Ouest rural, du Mississippi jusqu'au Pacifique.

Au royaume des « Saints »

Seuls, sans doute, les **mormons** de l'Utah, membres de l'« Église des Saints des derniers jours », peuvent bénir le Ciel de leur bonne fortune : chassés toujours plus loin vers l'ouest depuis 20 ans ▶▶▶

Les Indiens après la conquête de l'Ouest

C'est à **Wounded Knee**, le 29 décembre 1890, dans les neiges glacées du Dakota du Sud, qu'a lieu le point d'orgue dramatique de la conquête de l'Ouest. Une bande de Sioux affamés, conduits par le chef Big Foot, est encerclée par le 7e régiment de cavalerie, l'ancienne unité de l'impétueux général Custer, qui fut massacré avec ses hommes par les Indiens des Plaines à la bataille de Little Bighorn, dans le Montana, en 1876. Les Indiens acceptent de livrer leurs armes, mais l'un d'entre eux tarde à s'exécuter. À la suite d'une bousculade mal élucidée, les soldats abattent 200 personnes, dont des femmes et des enfants.

Cet épisode tragique, survenu presque 15 ans après une défaite historique qui avait suscité de violents désirs de revanche au sein de l'armée, met un terme à la résistance des Sioux. La fin des guerres indiennes clôt un long chapitre de l'histoire américaine.

◀ Affiche des années 1970 rappelant le massacre de Wounded Knee, en 1890.

En même temps que les premiers Américains, l'espace semble également vaincu. Les dernières zones de résistance indienne disparaissent et les deux océans sont reliés. La prophétie du journaliste John O'Sullivan, selon lequel la « destinée manifeste » du peuple américain consiste à conquérir le Continent, est accomplie. L'Ouest sauvage, amplement mythifié, est pacifié, exploré, peuplé, fractionné en États.

■ La fin de la Frontière

C'est aussi à la fin de l'année 1890 qu'est annoncée la fin de la Frontière, cette ligne fluctuante qui démarquait le pays des cow-boys de celui des Indiens. L'Ouest n'est plus troublé que par quelques échauffourées avec les Apaches. Les colons, auxquels ont été attribués des lopins de terre par le Homestead Act (p. 96), se félicitent de pouvoir enfin dormir en paix.

■ Le crépuscule des cultures indiennes

À la fin du XIXe s., on croit les 200 000 Indiens vivants voués à la disparition (*vanishing Americans*). Leur assise territoriale diminue considérablement : en 1887, leurs terres sont démantelées et louées ou vendues, pour les •••

▲ *Pigeon's Egg Head : voyage à Washington, l'aller et le retour* (1837-1839). L'acculturation du peuple indien vue par George Catlin.

accorde la nationalité américaine à tous les Indiens des États-Unis. Pendant les années 1930-1940, Roosevelt nomme à la direction des Affaires indiennes un réformateur atypique, **John Collier**, admirateur des premiers Américains. Sous son impulsion, une loi de réorganisation des Affaires indiennes, sur le modèle de la démocratie américaine, est adoptée en 1934. Elle maintient l'intégrité territoriale des réserves, affirme la liberté de culte des Indiens et autorise leurs pratiques religieuses traditionnelles, interdites depuis un demi-siècle. Ce retournement de la politique indienne ne dure pas : on fait bientôt valoir à Washington que les premiers Américains, pupilles de la nation sous la protection du gouvernement fédéral, coûtent cher et qu'il serait préférable d'en faire de bons Américains plutôt que de préserver leur indianité.

■ L'assimilation dans le *melting-pot*

Au cours des années 1950, Eisenhower entame la liquidation des réserves, censée activer le processus d'assimilation des Indiens. De nouveau, des terres tribales sont disloquées et vendues. Les jeunes Indiens, incités à quitter leurs réserves et à chercher du travail en ville, viennent grossir le prolétariat urbain. Dans les années 1960-1970, devant leur paupérisation inquiétante, un mouvement de contestation, encouragé par la lutte pour leurs droits civiques, prend naissance.

■ Le *Red Power*

Les Indiens, longtemps demeurés isolés et silencieux, se regroupent en associations intertribales de tendances politiques diverses, se mêlant aux militants

••• deux tiers, à des fermiers blancs. Et pourtant, ces cultures à l'agonie qui n'intéressent plus guère que les anthropologues survécurent à la paix comme elles avaient résisté à la guerre. La population autochtone se stabilise peu à peu, puis connaît une croissance supérieure à celle de la population américaine. Des philanthropes et des associations humanitaires font pression sur le gouvernement pour que les Indiens bénéficient des mêmes droits que les autres Américains. Après la participation valeureuse de nombreux volontaires indiens à la Première Guerre mondiale, les autorités fédérales accélèrent leur intégration au sein de la nation américaine.

■ L'accès à la citoyenneté

La loi de 1924 répond à la sensibilisation de l'opinion et

◄ La station de radio KTNN, basée à Window Rock, émet depuis 1985 des programmes d'information et de divertissement destinés à la nation Navajo.

RED POWER

◄ Emblème du *Red Power*. Sa stratégie consiste à investir des lieux de mémoire et à sensibiliser l'opinion à la cause indienne.

noirs du *Black Power* et s'inspirant de leurs tactiques. Ils organisent des manifestations au nom du *Red Power*.

Sans trop user de violence, sinon de virulence, le mouvement parvient, avec son ardeur et son ironie décapante, à toucher le grand public. Les militants organisent des manifestations pour dénoncer la violation des traités, la pauvreté et la discrimination. En 1969, ils envahissent l'île d'Alcatraz, dans la baie de San Francisco, rocher désolé et sans ressource, métaphore saisissante des conditions de vie dans les réserves. Ils proposent de l'acheter pour 24 dollars, référence sarcastique à la somme versée par les colons hollandais pour l'achat de l'île de Manhattan. Trois ans plus tard, en 1972, ils s'introduisent de force dans le bureau des Affaires indiennes, à Washington, pour en dénoncer l'inefficacité et la corruption.

Enfin, en 1973, ils occupent le village de Wounded Knee, sur la réserve sioux de Pine Ridge, pour dénoncer l'incurie du gouvernement tribal. Devant les médias du monde entier, mobilisés pendant plusieurs mois, ils rappellent le massacre de 1890, illustration des pages les moins glorieuses de la conquête de l'Ouest.

■ Une double identité

Ainsi, de Wounded Knee à Wounded Knee, les Indiens ont affirmé leur présence et énoncé des revendications apparemment paradoxales : ils veulent être pleinement américains tout en demeurant indiens. Ils revendiquent l'accès au développement économique, tout en refusant certaines formes d'exploitation de leurs terres. Et ils comptent bien défendre l'existence des réserves, en dépit de leur pauvreté, car elles sont les territoires où se perpétue leur identité, leur mémoire collective.

En un siècle, grâce à la sensibilisation de l'opinion et en mettant à profit leur statut juridique singulier, les premiers Américains ont connu des avancées nombreuses, même si leur condition demeure précaire. Des générations de juristes, d'écrivains, d'enseignants ont ainsi défini leurs nouvelles options de développement. Ils ont pu apporter un démenti à leur disparition annoncée et resurgir des oubliettes de l'histoire.

▲ Arrivée de la délégation indienne au palais des Nations à Genève, lors de la conférence des ONG sur la discrimination dans les Amériques (septembre 1977).

par l'intolérance et les persécutions, 1 800 d'entre eux finissent par trouver leur Terre promise près du Grand Lac Salé en juillet 1847. Dix ans plus tard, ils sont 22 000, rassemblés en une communauté bien structurée, vaillante, et ingénieuse (→ *théma p. 434-435*). Ce sont eux, les premiers, qui vont transformer le désert en jardin. Leur maître, Brigham Young, leur fait pratiquer l'agriculture irriguée, qui les sauve de la famine. Des oliviers, un peu de vigne, quelques champs de coton, surgissent dans l'immensité aride du Grand Bassin. Des petites industries se créent : textiles, cuirs, poteries, savon, papier, et même coutellerie.

Pas de quoi rivaliser avec les grands capitalistes du Chemin de fer transcontinental qui font passer leurs rails au beau milieu de l'Utah en 1869 ; mais de quoi vivre et commercer, et montrer au monde ce que la foi et l'entraide peuvent accomplir en des lieux sauvages et incultes. Une belle leçon d'ordre, de discipline et d'esprit collectif, qui contraste avec le développement souvent anarchique de l'Ouest.

La « destinée manifeste »

L'or de Californie vient à point pour sceller le destin de l'Ouest tout entier. Depuis une dizaine d'années, on agite l'étendard de l'expansion territoriale, comme moyen d'établir enfin définitivement la domination des États-Unis sur le continent nord-américain. Le règlement du problème frontalier en Oregon puis la guerre avec le Mexique pour l'annexion du Texas apportent de l'eau au moulin des expansionnistes. Le traité de Guadalupe Hidalgo (1848) tombe à pic pour leur donner raison : toutes les terres mexicaines au nord du Rio Grande et jusqu'en Californie deviennent américaines.

Ainsi va pouvoir s'accomplir la « destinée manifeste » des États-Unis, telle que la décrit le journaliste John O'Sullivan en 1845, une mission providentielle de dominer tout le continent, d'y apporter les bienfaits de la liberté et de la démocratie. Ce rôle, dévolu aux colons anglo-saxons qui sont censés incarner le niveau le plus élevé de la civilisation occidentale, est en quelque sorte la preuve d'un destin exceptionnel pour les Américains, dont la réalisation éclate au grand jour avec la conquête de la Californie.

En affirmant ainsi un droit quasi divin à l'ensemble du continent, les Blancs descendants des premiers colons tentent de justifier l'élimination de toutes les autres races, considérées comme inférieures, Noirs, Indiens ou même Mexicains.

De l'or dans les collines

L'anarchie, c'est bien ce que semble susciter la découverte de l'or en Californie, un beau matin de janvier 1848 (→ *théma p. 296-297*). Les pépites que James Marshall tamise dans l'American River concrétisent instantanément le rêve de l'Eldorado. La chasse au trésor est ouverte : la nouvelle se répand comme une traînée de poudre… d'or, et, avant la fin de l'année, près de 10 000 Californiens quittent tout pour se précipiter dans les montagnes. Ils y sont bientôt rejoints par une foule hétéroclite d'une centaine de milliers d'immigrants, venus de tout le pays et de l'outre-mer en quête de métal précieux. La bousculade est indescriptible : chacun veut sa concession ; on creuse le lit des rivières et l'on tamise la vase sans relâche. Mais ce Pérou n'est bientôt plus qu'un enfer boueux où il se révèle que les premiers sont effectivement les premiers. Les suivants ne ramassent que les miettes.

Néanmoins, le mythe de l'or et ces aventuriers de 1849, les *forty-niners*, vont transformer durablement la Californie et changer le visage de l'Ouest. Non seulement ils multiplient par dix en trois ans la population de la région, mais ils laissent croire que le bout du continent est bien le lieu où s'accomplit le destin de l'Amérique et où toutes les belles promesses de fortune seront tenues. Le Nevada, le Colorado, le Montana dans les années 1850-1860 et, plus tard, l'Alaska verront ainsi déferler des vagues successives de mineurs impromptus et crédules, dont seul un tout petit nombre aura réussi à s'enrichir un peu.

L'esclavage sur la sellette

Pour atténuer la montée des tensions sociales, l'Ouest offre une « soupape de sécurité » idéale. Politiquement, la croissance permet de différer l'affrontement qui se prépare sur la question fatale de l'esclavage : jusqu'en 1850, un fragile équilibre se maintient entre partisans et adversaires de cette servitude moderne. L'admission dans l'Union des nouveaux territoires de l'Ouest se fait avec un souci de parfaite égalité entre États esclavagistes et États libres : ainsi l'incorporation de la Californie sans esclaves fait-elle pendant à celle du Texas, où les planteurs sudistes font à présent la loi. Les choses sont, toutefois, moins faciles lorsqu'il s'agit de partager les territoires des Hautes Plaines : la loi sur le Kansas et le Nebraska de 1854, qui menace l'équilibre politique de l'Ouest en laissant les citoyens du Kansas choisir d'accepter ou non l'esclavage, met la région à feu et à sang. L'élan de patriotisme qui avait naguère favorisé la conquête de l'Ouest se consume dans ces flambées de violence sectaire.

Le conflit entre partisans et adversaires de l'esclavage dégénère : la Caroline du Sud quitte l'Union en décembre 1860, bientôt suivie de 12 autres États et territoires qui forment la **Confédération du Sud**. Deux drapeaux flottent sur un pays livré à la désunion et à la guerre civile. Une guerre âpre de cinq années rétablit l'unité nationale au prix d'un demi-million de morts et scelle l'émancipation des esclaves noirs.

Les clés de la prospérité

Le progrès, pourtant, n'attend pas : l'Américain, opportuniste et entreprenant, poursuit sa quête du bonheur matériel dans ce qui n'est déjà plus un « grand désert ». L'Ouest se peuple par à-coups, mais inexorablement : la « destinée manifeste » *(→ encadré p. préc.)* interdit la nostalgie ou les scrupules. Aux milliers de fermiers d'Oregon se sont ajoutés les milliers de mormons de l'Utah et les dizaines de milliers de mineurs, en Californie ou au Colorado. San Francisco, en 1860, compte 56 000 habitants. Des villes miraculeuses surgissent du désert, au bord des filons aurifères : Virginia City, au Nevada, rivalise avec San Francisco et offre à ses habitants trois théâtres et un opéra où se produiront Caruso et Lola Montes. L'Ouest est rattrapé par la révolution industrielle et attire l'argent. Le règne de l'entrepreneur capitaliste commence.

Effacer les distances

Le grand rêve commercial d'un lien direct entre la côte est et la vallée du Mississippi se réalise entre 1850 et 1860. Quinze mille kilomètres de voies ferrées, de la vallée de l'Ohio à Chicago et Saint Louis, quadrillent les plaines orientales qui sont déjà le grenier de l'Amérique : en 1860, 522 000 t de maïs et 775 000 t de blé sont expédiées vers New York et Baltimore. Mais, à l'Ouest, mineurs, fermiers et éleveurs se sentent abandonnés : ils ont apporté un peu de civilisation jusqu'au cœur des montagnes, mais la civilisation semble les avoir oubliés. Dans les camps de mineurs aussi bien qu'à Salt Lake City, et de Denver à San Francisco, la nécessité de rompre l'isolement est impérieuse. Le courrier transite par Panamá ou le cap Horn et les nouvelles, à l'arrivée, n'ont plus rien de nouveau. Soixante-quinze mille Californiens pétitionnent auprès du Congrès en 1856 pour obtenir un service régulier à travers le continent.

La folle course des diligences

L'aventure des diligences va commencer : dès 1858, une première ligne emprunte la piste du sud, entre Saint Louis et San Francisco *via* El Paso et Los Angeles. Deux fois par semaine, les attelages foncent dans le désert pour rallier leur destination en 24 jours. L'affaire est rentable, mais la politique s'en mêle : on ne peut laisser au Sud le monopole du transport continental. Trois associés, Russell, Majors

Histoire

▲ Avec le chemin de fer s'enclenche véritablement le développement de l'Ouest, devenu facilement accessible aux voyageurs et où l'on peut admirer des paysages exceptionnels. L'esprit de liberté, qu'évoquait Henry David Thoreau en écrivant : « Vers l'est, je ne vais que par force, mais vers l'ouest, je vais sans contraintes », se matérialise enfin ici. L'histoire des États-Unis connaît une nouvelle ère.

et Wadell, reçoivent l'appui de Washington pour ouvrir une ligne plus au nord, de Saint Joseph à San Francisco *via* Denver et Salt Lake City. Malgré tout, les gigantesques distances mangent les bénéfices : il faut faire mieux, et plus vite.

C'est l'objectif du fameux **Pony Express** *(→ théma p. 386-388)*, aventure si extraordinaire qu'elle résume à elle seule toute la légende de l'Ouest, le courage, l'habileté, l'exaltation des entrepreneurs de la Frontière. Dix jours à bride abattue, à travers le désert et les montagnes, au nez des Indiens, sans autre souci que la vitesse, pour porter les lettres du Missouri au Pacifique. Dix-huit mois d'utopie romantique et de « glamour » équestre, entre avril 1860 et octobre 1861, instantanément anéantis par le premier cliquetis du télégraphe.

Le rail et le capitalisme industriel

Le télégraphe, c'est le train, puisque les fils suivent les voies : la machine, comme l'a si joliment dit l'historien Leo Marx, entre dans le jardin. Avec la locomotive, le progrès industriel envahit l'Ouest. Les Grandes Plaines invitent ce moyen de transport qui déteste les reliefs ; avant même que la voie du Pacifique soit ouverte, l'Iowa, le Missouri, le Kansas, le Nebraska et le Colorado voyaient circuler des trains américains, sur des rails américains. Sans l'industrie du chemin de fer, l'Ouest n'aurait jamais connu la prospérité durable qui a été la sienne ces 150 dernières années. Sans les trains, le capitalisme industriel n'aurait jamais pris le fantastique essor qui permet à l'Amérique, au moment où s'achève la colonisation de l'Ouest, de supplanter l'Angleterre et l'Allemagne comme première puissance économique mondiale.

Le transcontinental

Tout cela parce qu'un jour l'ingénieur visionnaire Theodore Judah se met à croire que les Rocheuses ne sont pas infranchissables et que l'on peut poser des rails jusqu'au Pacifique *(→ théma p. 104-105)*. Quatre investisseurs californiens, Stanford, Huntington, Hopkins et Crocker, y croient aussi et en deviendront milliardaires. Profitant de l'appui du gouvernement, qui signe en juillet 1862, en plein milieu de la guerre de Sécession, une loi sur le chemin de fer transcontinental, ils se lancent dans une construction audacieuse et magistrale : leur Central Pacific Railroad Company ouvre le chantier à Sacramento, en direction de l'est. Dans le sens inverse, l'Union Pacific Railroad Company, embarquée dans le même projet, pose des rails vers l'ouest, à partir d'Omaha, au Nebraska. Près de cinq années plus tard, la jonction se fait dans le désert de l'Utah : le 10 mai 1869, on enfonce une dernière broche, surmontée d'une pépite d'or et reliée à un télégraphe qui répand partout la bonne nouvelle.

L'unité enfin retrouvée

Le premier télégramme est pour le président Grant, ainsi formulé : « Le dernier rail est posé et la dernière broche enfoncée ! Le chemin de fer du Pacifique est achevé ! » Gravée sur cette ultime broche, figure la phrase suivante : « Puisse Dieu perpétuer l'unité de notre nation, comme ce chemin de fer unit les deux plus grands océans du monde. » Par ces mots symboliques s'exprime le désir d'un peuple blessé qui, dans les lendemains d'une guerre fratricide, aspire à la paix et à la réconciliation. Et c'est alors l'Ouest qui sert de ciment social. L'Ouest et ce train qui, en mettant San Francisco à cinq jours d'Omaha, permet enfin aux Américains de se sentir citoyens d'une grande et vaste nation qui, à l'instar des empires anciens, s'étend à perte de vue sur tout un continent.

Migrations ferroviaires

Vingt ans plus tard, trois lignes supplémentaires franchissent les Rocheuses, assurant ainsi un lien économique fort entre l'est et l'ouest. Les villes traversées, ou proches du chemin de fer, se développent rapidement, surtout dans les Plaines : **Chicago**, petite bourgade de 4 000 habitants en 1840, en compte plus de 100 000 en 1860 pour, à la fin du siècle, dépasser le million et se caler juste derrière New York. **Saint Louis**, en un demi-siècle, voit sa population multipliée par 30. Avant le transcontinental, les seules bourgades du grand Ouest à dépasser les 10 000 âmes sont San Francisco et Sacramento. Puis la magie du train multiplie les villes nouvelles et fait croître les anciennes : Omaha, Kansas City, Saint Joseph, et aussi Denver, Salt Lake City ou San Antonio entrent dans le club des 100 premières villes du pays. Lorsque s'ouvre le xxe s., c'est une vingtaine de villes des Plaines, des Rocheuses et du Pacifique dont la population dépasse les 30 000 habitants. La migration, favorisée par les transports rapides, donne un poids politique et économique plus important à l'Ouest.

L'Ouest à portée de train

Le tourisme s'en trouve aussi favorisé. Explorateurs, trappeurs, chasseurs, pionniers, tous avaient été frappés par la beauté de l'Ouest, bientôt relayés par des peintres comme Albert Bierstadt ou Thomas Moran. La nature y réserve au visiteur des spectacles grandioses qui égalent en magnificence les plus grands monuments de l'Europe ou de l'Antiquité. Le moment est venu de les faire apprécier au plus grand nombre. L'idée de protéger ce patrimoine germe ainsi dans l'Ouest, et les parcs nationaux en sont le résultat : le parc de **Yosemite** se constitue dès 1864, mais c'est **Yellowstone** qui, à partir de 1872, attire les premiers vrais touristes. En 1916, 15 autres espaces naturels réservés de ce type ont déjà été créés, tous à l'ouest du 100e méridien.

L'engouement pour les grands décors naturels de l'Ouest, toutefois, est beaucoup plus récent : jusqu'en 1900, seuls les plus téméraires voyageurs empruntent les trains de la Santa Fe Railroad pour aller admirer les promontoires du Grand Canyon, et il faut attendre les années 1920 pour voir des touristes débarquer de la Great Northern Pacific Railroad et visiter le parc national de Glacier, au Montana, ou encore atteindre le parc de Zion, en Utah, par la ligne de l'Union Pacific. Et l'automobile ne va pas tarder à supplanter le train. ▶▶▶

Histoire

D'un océan à l'autre : le transcontinental

Le 10 mai 1869, cloches et canons se font entendre à travers toute l'Amérique : New York n'est plus qu'à cinq jours de San Francisco. La jonction de la première ligne transcontinentale a lieu à Promontory Point, au nord du Grand Lac Salé, quarante années seulement après l'arrivée de la première locomotive anglaise sur la côte est. À la fin du XIXᵉ siècle, 250 000 km de voies sillonnent le pays.

■ Une ligne et deux compagnies

D'abord cantonné aux régions de l'est, le chemin de fer gagne le Midwest vers 1850 et, dès 1855, d'importants réseaux se développent en étoile autour de Chicago. L'idée d'une ligne reliant l'Atlantique au Pacifique germait depuis 1845. Le jeune ingénieur **Theodore Judah** (1826-1863), créateur de la voie ferrée des gorges du Niagara et de la première ligne californienne, en permettra la réalisation. À la veille de la guerre de Sécession, il détermine le meilleur tracé et fonde, avec quatre riches commerçants de Sacramento, la Central Pacific. Au même moment, à Omaha, Thomas Durant crée l'Union Pacific.

► Affiche publicitaire de l'Union Pacific Railroad annonçant l'ouverture de la première ligne transcontinentale.

Soucieux d'unifier le pays, le Congrès et Abraham Lincoln soutiennent le projet transcontinental. Les compagnies obtiennent de l'État une concession de 16 km de large, de part et d'autre de la voie sur tout son tracé. L'une partant de San Francisco, et l'autre d'Omaha, les deux compagnies se rejoignent dans le nord de l'Utah, à Promontory Point.

◄ Jonction de la première ligne transcontinentale à Promontory Point (Utah), le 10 mai 1869.

que le peuplement et la mise en valeur de l'Ouest sont freinés par les difficultés de déplacement. Supplantant routes et voies d'eau, le chemin de fer joue à cet égard un rôle social et économique de premier plan : il favorise les voyages et la migration des colons et permet l'acheminement rapide des denrées agricoles et du bétail vers les grands centres comme Chicago, et celui des produits industriels et manufacturés vers l'Ouest, encore démuni. Autour des voies ferrées, le paysage s'urbanise et l'industrialisation se développe de façon spectaculaire. Plus rien ne peut arrêter la marche du progrès.

■ Deux chantiers, deux esprits

En octobre 1863, la Central Pacific pose le premier rail. Le matériel arrive par bateau, *via* le cap Horn. Les travaux progressent d'abord rapidement, mais les difficultés surgissent dans les Rocheuses. Il faut ouvrir d'immenses tranchées, combler des ravins, percer des tunnels en altitude : 15 seront creusés au cours d'un hiver glacé et d'un été brûlant. Malgré les pires obstacles, en 1867, la frontière du Nevada est atteinte.

Protégée par des hommes armés, l'Union Pacific avance sous la férule de Grenville Dodge. À l'avant, géomètres et topographes établissent le tracé. Ensuite, les terrassiers nivellent les voies, puis une équipe pose les traverses et les rails, tandis qu'une autre construit les ponts. Installés dans des wagons, bureaux, cantines, dortoirs et réserves se déplacent au rythme du chantier. Autour de cette ville ambulante se greffent saloons, maisons de jeux et de plaisirs, avec leur cohorte de mauvais garçons.

■ Les voies du progrès

De nombreux hommes d'affaires et politiciens estiment, dans les années 1850,

▲ Lors de la construction de la voie, le paysage s'urbanise, comme ici, autour d'un dépôt de la Central Pacific à Cisco, à une centaine de kilomètres de Sacramento, en 1867.

▶▶▶ # Les mythes de la Frontière

En 1890, le Bureau fédéral du recensement observe que la « Frontière » de l'Ouest, en tant que zone limite de peuplement et ligne de démarcation entre la civilisation et le désert, n'a plus d'existence légitime : en d'autres termes, la grande marche vers l'Ouest se termine et l'on doit considérer que les États-Unis ont achevé leur conquête continentale.

L'ère des clôtures

Peu d'espaces, il est vrai, sont alors totalement disponibles : entre le domaine public, les réserves indiennes et les terres distribuées dans le cadre des grandes lois foncières, il semble bien que tous les espoirs de fortune ou simplement de « seconde chance », qui avaient fait la gloire de l'Ouest, sont en train de disparaître à jamais. La libre pâture, qui avait fait la fortune des grands éleveurs comme Richard King ou Jesse Chisholm, a succombé à l'invasion des fermiers et à l'invention du fil de fer barbelé, dont les milliers de kilomètres posés entravent définitivement les plaines de l'Ouest comme une gigantesque toile d'araignée. Les transhumances déclinent et le cowboy devient sédentaire.

Les États-Unis referment ainsi un grand chapitre de leur histoire, mais la perte paraît si douloureuse que les Américains vont tenter à tout prix de conserver dans leur cœur une petite partie de cette grande épopée, sous forme de légendes et de mythes, si puissants qu'ils sont encore bien vivants aujourd'hui, dans la culture populaire et dans l'imagination de chaque Américain.

Frederick Jackson Turner

Sans ce jeune historien du Wisconsin, l'importance de l'Ouest dans l'histoire des États-Unis n'aurait jamais été aussi clairement perçue. Dans un essai fameux de 1893 intitulé *La Signification de la Frontière dans l'histoire américaine*, Turner affirme et s'emploie à prouver que c'est dans l'Ouest et grâce à l'Ouest que cette mosaïque de peuples immigrants s'est américanisée, que les citoyens de cette belle république ont enfin pu affirmer leur identité, rejeter l'héritage européen et construire leur propre histoire, glorieuse et exemplaire. C'est là, sur la Frontière, dans des conditions de vie primitives, qu'a grandi la démocratie, que s'est forgé le caractère américain, courageux, épris d'égalité et de liberté, exubérant, énergique, généreux et indomptable.

Les Américains se voient enfin offrir une explication globale et scientifique à leur formidable progrès, une raison de croire en leur destin exceptionnel,

---

Galerie de portraits

Les légendes de l'Ouest ont la vie dure, et leurs héros ne meurent jamais : intrépides, braves, rebelles, chevaleresques, ils incarnent tous une facette du caractère national. Ainsi s'est constituée une anthologie populaire d'histoires merveilleuses, remplies de personnages hauts en couleur et extraordinaires.

On raconte, sans se lasser, les aventures de **Daniel Boone**, conquérant des Appalaches, de **Davy Crockett**, l'homme du Kentucky tombé sous les balles mexicaines à la bataille d'Alamo, de **Kit Carson**, grand trappeur des Rocheuses et éclaireur de l'armée dans les guerres indiennes, de **George Armstrong Custer**, le flamboyant martyr de la bataille de Little Big Horn, du juge **Roy Bean**, seul représentant de la loi à l'ouest de la rivière Pecos, des hors-la-loi **Jesse James** ou **Billy the Kid**, et de quelques femmes étonnantes comme **Poker Alice**, la maquerelle du Dakota pour qui les cartes n'avaient aucun secret, ou **Calamity Jane**, la « cow-girl » la plus célèbre – et la moins sobre – de l'Ouest, entre Montana et Kansas.

une justification à leur rêve de suprématie. Les idées de Turner tombent à pic, en un temps où les États-Unis cherchent à asseoir leur pouvoir sur la scène internationale.

Theodore Roosevelt

Une nouvelle fièvre expansionniste les pousse, dans les années 1890-1910, aussi bien à « libérer » Cuba par les armes, à occuper les Philippines, à poursuivre les pirates barbaresques au Maroc, à se mêler des affaires de la Chine et de la guerre russo-japonaise. Le César à la mode américaine s'appelle Theodore Roosevelt, président énergique qui s'enorgueillit d'avoir été cow-boy et *rancher* dans le Dakota, et l'auteur d'une histoire de *La Conquête de l'Ouest* en quatre volumes. Pour lui comme pour Turner, l'Ouest incarne les valeurs vitales de l'Amérique anglo-saxonne. Il représente l'un des plus grands mythes fondateurs de la nation et consacre le triomphe de la civilisation, portée dans ces contrées sauvages par de glorieux pionniers.

L'étoffe des héros

John Kennedy ne s'y trompe pas, en 1960, lorsqu'il propose aux Américains de partir à la conquête d'une « Nouvelle Frontière » : le pouvoir évocateur de ce mot est stupéfiant. Même si les idées de Turner ont été violemment critiquées, depuis un siècle, la grande chanson de geste de l'Amérique s'est écrite dans l'Ouest. Et l'aventure astronautique dans l'espace, digne prolongement de la Frontière, fait souvent écho à la conquête du continent : les noms des programmes ou des engins le prouvent : « Columbia », « Discovery », « Ranger », « Pioneer »…

Le personnage flamboyant qui incarne le mieux le passage de l'histoire au mythe est sans doute William F. Cody, *alias* **Buffalo Bill**, non seulement parce que sa vie aventureuse semble offrir un résumé de l'histoire tardive de l'Ouest, mais aussi parce qu'il a réussi à mettre en scène un Ouest de rêve, dans son incomparable *Wild West Show* (→ *encadré p. 108*), sorte de contrepoint divertissant à la très sérieuse théorie de Turner. Tour à tour cavalier du Pony Express, éclaireur, chasseur de Sioux et tueur de bisons (4 280 au compteur, selon ses dires), éleveur et juge de paix dans le Nebraska, William Cody est un héros des Plaines. Sa vie est un vrai roman, qu'il n'hésite pas à montrer dans un grand spectacle dont il est le protagoniste principal : le *Wild West Show* fera le tour des États-Unis, et viendra même en Europe à plusieurs reprises, entre 1887 et 1910. Il offre aux foules, fascinées et nostalgiques, en tableaux successifs, un raccourci mythique de la conquête de l'Ouest.

▲ **Débarquement de l'armée américaine à Guantanamo.** En apportant leur soutien à Cuba dans sa guerre contre l'Espagne (1895-1898), qui aboutit à l'indépendance de l'île (1902), les États-Unis renforcent leur influence économique et politique sur l'île.

Histoire

Les écrivains populaires en rajoutent : Ned Buntline, Prentiss Ingraham, Edward Wheeler et quelques autres publient des dizaines de petits romans aux intrigues rocambolesques et stéréotypées, qui perpétuent la grande **saga de l'Ouest**. Cette littérature commerciale et les feuilletons imprimés dans les magazines bon marché anticipent de peu les premiers films *western* muets comme le fameux *Great Train Robbery* de 1903.

Wild West Show

LES AVENTURES DE **BUFFALO BILL**

Proche du cirque et ancêtre du rodéo, le *Wild West Show* de **Buffalo Bill** fait croire à une merveilleuse aventure où les Blancs sont les plus valeureux, les plus exemplaires, où la vertu triomphe du mal et la civilisation de la sauvagerie. Les cow-boys en habit chamarré défilent ; les diligences caracolent ; les lassos voltigent ; le Pony Express ressuscite l'espace d'un instant ; Annie Oakley, tireur d'élite, fusille les pigeons d'argile ; les Indiens se lancent dans des danses de guerre et assiègent vainement la ferme des pionniers ; Buffalo Bill scalpe inlassablement le chef Cheyenne Yellowhand « pour venger Custer » et tire, tire, tire encore sur toutes sortes de cibles dans toutes sortes de positions. En prime, une « star » indienne, le grand chef Sioux Sitting Bull, s'est laissé persuader de rejoindre le spectacle, en 1885, pour 50 $ la semaine.

Les tournées sont triomphales : le public américain a besoin de ressasser la légende d'un Ouest romantique et sentimental.

Patricia Nelson Limerick

Elle est l'un des chefs de file des « nouveaux historiens » de l'Ouest qui, depuis une quinzaine d'années, se battent pour démontrer que l'Ouest n'est pas seulement, comme le disait Turner, le terminus d'une conquête territoriale, mais une région à part entière, avec un environnement particulier et des habitants de multiples origines : Indiens, Européens, Asiatiques, Mexicains et bien d'autres, auxquels il faut rendre leur place dans l'histoire de la nation. Dans un livre passionnant paru en 1987, elle démontre que l'histoire de l'Ouest ne s'arrête pas en 1890 avec la fin annoncée de la Frontière.

Il faut dire que, depuis un demi-siècle, les positions défendues par Turner ont été violemment contestées par les « nouveaux historiens » de l'Ouest. Effectivement, des pans entiers de la conquête, peu glorieux, ont été laissés dans l'ombre : la violence faite aux Indiens (curieusement absents de la théorie de Turner), l'usage excessif et anarchique des ressources naturelles, l'ignorance du vrai rôle des femmes dans l'aventure de l'Ouest, le peu d'intérêt pour des minorités comme les Mexicains ou les Noirs.

L'héritage de la conquête

La révision, parfois douloureuse, de l'histoire conventionnelle a, dans le cas de l'Ouest, permis au moins de s'apercevoir que bien des questions soulevées par la conquête ont trouvé leur prolongement au XXe s., faisant ressortir le lien fort qui unit la société américaine contemporaine avec cette Frontière prétendument disparue.

L'histoire de l'Ouest offre des répliques fascinantes, d'un siècle à l'autre. La guerre de l'eau fait toujours rage *(→ encadré p. 110)*, attisée par l'urbanisation galopante et les exigences du productivisme agricole. La crise du pétrole des années 1970 a précipité les investisseurs vers les Rocheuses, comme les mineurs crédules de 1859 vers l'or de Pike's Peak, au Colorado : les deux ruées se sont identiquement soldées par un fiasco économique. Quant à l'uranium, il a fait un instant croire à un nouvel âge d'or de l'Ouest, mais la nature se venge : les déchets toxiques s'accumulent et menacent de transformer la région en poubelle nucléaire. Le rêve de richesse incarné par l'Ouest n'a pas été dissipé, seulement écorné par quelques échecs retentissants : la quasi-faillite financière de l'État de Californie en 1992, par exemple. Ou la récession sévère qu'a connue le paradis industriel de la *Silicon Valley* dans les années 1990.

Pôle d'attraction

Les mythes ont la vie dure : malgré les corrections ainsi apportées à l'Ouest de fantaisie que décrivent

Repères chronologiques

1540	Francisco Coronado explore le Nouveau-Mexique et le Texas.
1542	Juan Cabrillo explore la côte du Pacifique.
1673	Explorations de Marquette et Jolliet dans la vallée du Mississippi.
1682	Fondation de la Louisiane française par Cavelier de La Salle.
1718	Fondation de La Nouvelle-Orléans.
1763	Traité de Paris (fin de la guerre de Sept Ans) : la France abandonne à l'Angleterre le Canada et les territoires à l'est du Mississippi et cède la Louisiane à l'Espagne.
1785-1787	Ordonnances sur le « Territoire du Nord-Ouest ».
1794	Traité de Jay (frontière États-Unis - Canada).
1795	Traité de Pinckney (frontière États-Unis - Floride espagnole).
1803	Jefferson achète la Louisiane à la France.
1804-1806	Expédition de Lewis et Clark vers le Pacifique.
1806	Zebulon Pike explore les Rocheuses.
1821	Colons américains (dirigés par Moses Austin) au Texas.
1830	Loi de déportation des Indiens • Création du « Territoire indien ».
1836	Indépendance du Texas • Commercialisation du revolver « Colt ».
1837	Crise financière et économique aux États-Unis.
1838-1839	Exode des Cherokees (la « Piste des larmes »).
1841-1846	La grande migration vers l'Oregon.
1845	Annexion du Texas.
1846-1848	Guerre contre le Mexique.
1847	Salt Lake City fondée par les mormons.
1848	Traité de Guadalupe Hidalgo : le Mexique cède aux États-Unis la Californie et tous ses territoires au nord du Rio Grande.
1849	Ruée vers l'or de Californie.
1858-1859	Ruée vers l'or du Colorado.
1860	Service de courrier rapide : le Pony Express.
1862	Loi sur le Homestead • Loi sur le chemin de fer transcontinental.
1869	Jonction de l'Union Pacific et de la Central Pacific : première ligne de chemin de fer à travers le continent.
1872	Yellowstone, premier parc national.
1876	Bataille de Little Big Horn • Mort de George A. Custer.
1883	Première représentation du *Wild West Show* de Buffalo Bill.
1886	Reddition du chef Apache Geronimo.
1887	Loi Dawes attribuant des terres aux Indiens.
1889	Ouverture des terres de l'Oklahoma aux *homesteaders*.
1890	Fin de la Frontière • Massacre de Wounded Knee.
1893	Frederick Jackson Turner, *La Signification de la Frontière dans l'histoire américaine*.
1902	Loi Newlands organisant l'irrigation dans l'Ouest.
1906	Tremblement de terre de San Francisco.
1924	Attribution de la citoyenneté aux Indiens.
1937	Ouverture du Golden Gate Bridge à San Francisco.
1945	Première explosion nucléaire à Los Alamos.
1965	Émeutes raciales à Los Angeles (quartier de Watts).

Histoire

La guerre de l'eau

Aujourd'hui encore, l'eau reste un problème récurrent dans la région. L'approvisionnement des grandes villes a créé de graves conflits autour de l'exploitation des rivières qui descendent des sierras. L'assèchement de Mono Lake, les polémiques sur la vallée de Hetch Hetchy, engloutie pour faire un réservoir qui profite à San Francisco, et celle d'Owens pour servir de citerne géante à Los Angeles, n'en sont que quelques exemples. La Californie se bat avec l'Arizona pour l'eau du fleuve Colorado – pourtant de plus en plus polluée – et les États des Rocheuses se disputent âprement la moindre goutte qui coule des montagnes. Les nappes phréatiques sont menacées. L'Ouest parviendra-t-il à étancher sa soif ?

l'imagerie populaire, le cinéma ou la télévision, ce haut lieu de la splendeur américaine continue de chatouiller les imaginations, dans le monde entier. L'Ouest accueille aujourd'hui la moitié de tous les immigrants annuellement admis aux États-Unis, avec, et ce n'est guère surprenant, une forte proportion d'Hispaniques et d'Asiatiques. Le Mexique, à lui seul, fournit un immigrant sur cinq, sans compter les milliers de clandestins qui franchissent la frontière, à pied sec ou à la nage dans le Rio Grande (d'où leur surnom *mojados*, « mouillés »).

La proximité et l'héritage historique n'y sont pas étrangers : mais il faut compter aussi avec l'attrait impérieux du rêve américain, toujours si vivace malgré les dangers de l'exil. Car si l'Ouest peut s'enorgueillir d'avoir longtemps été un modèle de creuset *(melting-pot)* ethnique, aujourd'hui la juxtaposition et la concurrence entre elles d'un grand nombre de communautés raciales ou nationales créent un climat de tensions perceptibles surtout dans les grandes villes : les émeutes de Los Angeles, en 1992, en ont fourni une saisissante illustration.

Éden à vendre

D'une façon générale, le taux de criminalité est plus élevé dans les États de l'Ouest qu'ailleurs, et la violence sous toutes ses formes y offre un symptôme inquiétant d'instabilité et de frustration : les milices de défense citoyenne incontrôlables, au Montana, au Colorado, en Idaho, ont pris la suite des redoutables bandes de *vigilantes* qui semaient la terreur dans les villes de l'Ouest au XIXᵉ s. Les massacres aveugles, tels que l'effroyable tuerie du lycée de Columbine, au Colorado en 1999, perpétuent des traditions criminelles autrefois incarnées par John Wesley Hardin, les frères Dalton, Jesse James ou Butch Cassidy. Les armes à feu circulent presque librement et l'éthique de l'autodéfense, encouragée par le lobby des armuriers et des chasseurs, repeint le jardin d'Éden de couleurs funéraires.

Personne, cependant, ne peut sonner le glas d'un mythe : surtout pas ceux qui veulent voir dans l'histoire de l'Ouest les fondations du grandiose édifice de la puissance américaine et les sources d'un renouveau perpétuel. « Les pionniers d'autrefois », disait John Kennedy à Los Angeles, quelques mois avant son élection en 1960, « ont construit un nouveau monde ici, dans l'Ouest… Je demande à chacun d'entre vous d'être des pionniers sur la Nouvelle Frontière. » L'aventurier qui sommeille en chacun de nous, c'est vrai, trouvera encore aujourd'hui, dans l'Ouest américain, des raisons d'espérer le bonheur.

Peintres et photographes de l'Ouest

par Françoise Perriot

O n ignore souvent que le mythe de l'Ouest colporté par Hollywood fut fondé par des peintres et des photographes qui ont vécu l'épopée de l'Ouest. Les peintres ont trouvé là l'occasion d'exalter un nouvel Éden et de glorifier le monde des Indiens et des cow-boys. Les photographes se sont voulus les témoins objectifs d'une aventure qu'ils ont brillamment illustrée. Leurs œuvres, qui parfois idéalisaient la réalité, satisfaisaient la curiosité du public de l'Est, avide de connaître ces horizons prometteurs qui s'ouvraient à la conquête.

L'Ouest imagé, l'Ouest imaginé

L'art de l'Ouest est un art narratif. Il s'inspire des décors et des populations de la région qui s'étend de l'ouest du Mississippi jusqu'à la côte pacifique et des Rocheuses aux sierras. Durant son apogée, de 1820 à 1925, des artistes, principalement euro-américains, créent une fabuleuse allégorie romantique d'un Ouest au caractère édénique, regorgeant de richesses autant que de dangers

▲ Le plus connu des artistes ayant eu une approche ethnographique des communautés indiennes fut George Catlin, à qui l'on reprocha son manque de virtuosité artistique alors que sa préoccupation était précisément d'apporter des informations méticuleuses. *Jeu de balles indien* (milieu du xixe s., musée de la Coopération, Blérancourt).

et d'obstacles. D'après l'image qu'ils en donnent, l'Ouest devient un symbole de l'identité américaine, associé aux notions de courage et d'honneur, de progrès et d'accomplissement individuel.

Les artistes explorateurs

Dès le milieu du XVIIIᵉ s., avec les grandes missions exploratrices, la science et l'art voyagent de concert, offrant au public de l'Est la possibilité de découvrir et de suivre la conquête des dernières frontières. Lors de la première grande expédition menée en 1803 par les capitaines Meriwether Lewis et William Clark, peu d'artistes en Amérique sont capables de reproduire les vastes espaces inconnus, leurs habitants, leur faune ou leur flore. Les premiers dessins d'expédition datent de celle du major Stephen H. Young, en 1819 : croquis naturalistes par **Titian Ramsey Peale** (1799-1885) et quelques paysages par **Samuel Seymour** (1796-1823). En 1830, plusieurs artistes, tels que **George Catlin** (1796-1872), **Karl Bodmer** (1809-1893), **Alfred Jacob Miller** (1810-1874) et **Paul Kane** (1810-1871) pénètrent les terres sauvages et s'attachent à décrire les populations indigènes en détail, avec curiosité et émerveillement. Dans leurs galeries de portraits, les Indiens apparaissent, toutes parures dehors, pour la postérité. « Rien de moins que la perte de ma vie, déclarait Catlin, ne m'empêchera de parcourir leur pays et de me faire leur historien. »

S'aventurent ensuite les grands paysagistes : **Albert Bierstadt** (1830-1902 ; *photo p. 114*) en 1859, **Thomas Hill** (1829-1908) en 1861, **Thomas Moran** (1829-1901) en 1871. Le monde prétendu vierge de toute civilisation qu'ils décrivent est un appel aux braves en quête d'aventures et de fortune. Sur le terrain, ils prennent des croquis réalistes, qu'ils transforment, de retour dans leurs studios installés à l'Est, selon leurs souvenirs, en des tableaux envoûtants. Subtilement, sous les coups de pinceaux, se glisse une invitation à la conquête. Les paysages grandioses qu'ils évoquent amplifient la notion d'espaces à conquérir dont est avide la jeune nation américaine.

La vie de la Frontière

À la grandeur des paysages ne manque que l'exaltation de l'identité nationale. Dans les années 1830-1840 émerge, sur les toiles de **Bingham** (1811-1879) ou celles de **Miller**, un Ouest pacifique et « politiquement correct », dirait-on aujourd'hui, prometteur d'un avenir brillant pour les milliers de colons qui arrivent de l'est. Dans cet Éden, Indiens et colons vivent en paix, et leurs cultures,

▲ *L'Attaque d'un convoi de pionniers*, Charles Wimar, 1856 (University of Michigan Museum of Art, Ann Arbor).

qui se mêlent harmonieusement, revigorent la fougue de la jeune nation américaine insatiable dans sa quête de nouveaux horizons, d'évolutions sociales, morales et religieuses. Ce pays offre, par l'innocence qu'il suggère, de régénérer une société en pleine perversion à l'Est. Mais les conflits avec les tribus dont les territoires sont usurpés par les étrangers ne peuvent rester méconnus. Ils deviennent les sujets de prédilection de quelques artistes dont **Charles (Karl) Wimar** (1828-1862) ou **Charles Deas** (1818-1867).

Reste à inventer le mythe des héros, qui se matérialise dans les années 1880-1890. Ce tournant du siècle marque la fin des dernières « frontières » et, par corrélation, celle de l'Ouest indompté, symbolisé par des terres libres. Deux artistes illustrateurs, peintres et sculpteurs, l'immortalisent : **Frederic Remington** (1861-1909) et **Charles Marion Russell** (1864-1926). L'Ouest se peuple alors de cow-boys hauts en couleur, de soldats héroïques, d'Indiens mystiques et belliqueux. De nombreux autres artistes peintres, cow-boys de profession (**Will James, Ashton Rollins**), comme le fut aussi Russell, subliment dans des scènes de western célèbres l'esprit de cette vie d'une façon colorée et exagérée par la passion qu'ils vouent à leur existence. La trace laissée par cette interprétation de l'histoire dans la conscience américaine est indélébile. L'Ouest glorifia sans ambiguïté la virilité et la violence.

Les modernistes de l'Ouest

Plus au sud, les artistes hispaniques dédient leur talent à la décoration d'édifices religieux ; ce sont les peintres **James Walker** (1819-1889) en Californie, **Theodore Gentilz** (1819-1906) ou **Carl Hermann Lungkwitz** (1813-1891) au Texas, qui illustrent le monde flamboyant des *vaqueros* (vachers).

S'ouvrant sur la seconde décennie du XIXe s., l'art de l'Ouest imaginé évolue dans le Sud-Ouest. Un groupe d'artistes – **Eanger Irving Couse** (1866-1936), **Ernest L. Blumenschein** (1874-1960), **Bert Geer Phillips** (1868-1956) et le plus important, **John Henry Sharp** (1859-1953) –, formés à l'académie Julian de Paris, choisit de donner un nouveau ton à la représentation de l'Ouest. Ils se font appeler le « groupe de Taos ». Leur Ouest n'a rien à voir avec celui des cow-boys héroïques, des prairies noircies de bisons et des tribus nomades des Plaines ; pourtant, il devient aussi profondément mythique. Leurs œuvres révèlent souvent une influence Art nouveau. Ce courant moderniste s'inspire des scènes de vie des Indiens Pueblos, de leurs cérémonies, de leur artisanat, des étendues de champs de sauge, des chevaux dans le désert, des lumières vibrantes sous la chaleur aride. Peu à peu, un style réaliste et presque cubiste s'instaure, avec **Maynard Dixon** (1875-1946), **Marsden Hartley** (1877-1943) ou **Georgia O'Keeffe** (1887-1986).

La réinterprétation d'un mythe

Dans les années 1890, cet art de l'Ouest, considéré jusqu'alors comme l'art le plus représentatif de l'histoire et de la culture américaines, est dénigré en quelques débats et analyses critiques. Les paysagistes sont suspectés d'avoir embelli ce qu'ils voyaient, à des fins mercantiles. Mark Twain avait anticipé cette attitude, en reprochant à Bierstadt *(photo p. suiv.)* de peindre des paysages plus beaux que Dieu ne les avait créés. Nombre d'artistes

▲ *White Trumpet Flower*, Georgia O'Keeffe, 1932 (San Diego Museum of Art).

▲ *Hetch Hetchy Canyon*, **Albert Bierstadt, 1875 (Mount Holyoke College Art Museum, South Hadley).**

de cette époque adoptent en effet le style des traditions romantiques allemandes, plus soucieux de transmettre une émotion qu'un cliché réaliste. Ceux qui décrivent les cow-boys, les femmes de pionniers ou la vie des Indiens, et qui étaient auparavant célébrés comme les observateurs objectifs de leur temps, sont accusés de sexisme, de racisme ou d'être les vecteurs de l'impérialisme.

Les convictions de l'époque, qui érigent le progrès en force positive et croient les ressources naturelles illimitées, les empêchent de voir la réalité : la désintégration des cultures indiennes, l'extermination des bisons précipitée par le chemin de fer et la destruction des terres par les exploitations minières. Après avoir eu des générations d'admirateurs laudatifs, l'art de l'Ouest reçoit soudain une appellation à résonance péjorative : « l'**art cow-boy** ». Certains de ces artistes sont effectivement des cow-boys, mais il y a aussi des explorateurs, des topographes, des soldats en uniforme, des écrivains. Venus souvent de pays étrangers, issus de cultures diverses, ils partagent tous cette idée unique d'une quête et vivent une épopée qui les différencie des autres artistes ; en cela, chaque interprétation est unique.

La photographie

Le photographe est un acteur central dans le complexe réseau d'idées répandues tout au long du processus de la conquête de l'Ouest. Pour la première fois dans l'histoire, des hommes et des femmes enregistrent, grâce à l'appareil photographique, l'exploration et la colonisation d'une terre nouvelle. La photographie est, pour la conquête, une alliée essentielle car elle suscite le rêve et donne un état des lieux d'une incroyable précision. Méthode d'enregistrement du visuel, plus convaincante que la peinture, elle a une fonction d'authentification ; elle devient outil d'investigation et de propagande publicitaire.

Shadows catchers : les voleurs d'ombres

À pied, à cheval, en canoë, les photographes se déplacent parfois avec leur laboratoire : un chariot tiré par des chevaux, ou simplement des mules bâtées. Jusqu'en 1884, année de l'invention du négatif sur pellicule souple par George Eastman, leur matériel est très lourd et fragile – les plaques de verre mesurent 50 x 60 cm. Le procédé pour préparer les plaques de verre puis les développer immédiatement exige une grande dextérité ; mais la réussite d'une photo dépend aussi des caprices de la nature : la rigueur des hivers, le blizzard et le chinook (vent chaud et sec), l'aridité des déserts ou, au contraire, la violence des crues. Pour réussir un cliché, il faut de la chance, de la rapidité et une grande aptitude à effectuer des acrobaties.

Débuts d'une coopération

L'éclosion du culte de la *wilderness* en Amérique coïncide avec le début de l'exploration de l'Ouest. Les membres de ces expéditions comprennent des scientifiques, des militaires, mais aussi des artistes peintres et des photographes chargés de recueillir des témoignages visuels. Travaillant souvent en coordination avec le Département de la guerre et les compagnies de chemin de fer, les photographes ont une mission : en dehors de leurs qualités esthétiques, les photographies doivent répondre aux besoins du gouvernement de connaître cette région nouvellement acquise, pour la « civiliser ».

La photographie d'alors détaille les paysages comme s'ils étaient déjà vidés des villages indiens qui gênent la colonisation et l'avancée du chemin de fer. Elle sert à illustrer les publications scientifiques et anticipe l'occupation des terres, tandis que la circulation d'images sous différents formats (des stéréovues aux cartes postales) tente de satisfaire la curiosité du public de l'Est. La stéréophotographie est un procédé qui permet de donner à l'image l'illusion du relief. Les premiers daguerréotypes de terrain, à l'ouest du Mississippi, datent de l'expédition (du Missouri à l'Utah) du lieutenant John Charles Fremont en 1853, mais ces prises de vues de **Solomon Nuñes Carvalho** n'existent plus.

La photographie d'exploration (1853-1879)

Plusieurs photographes professionnels accompagnent les explorations officielles qui traversent l'Ouest entre 1867 et 1879. De 1867 à 1869, **Timothy O'Sullivan** (1840-1882) couvre, avec le scientifique Clarence King, la région du Nevada, terre sauvage et inexplorée, surnommée « le Grand Désert américain ». Ils se rendent ensuite vers le bassin de la Snake River pour enquêter sur de prétendus gisements de charbon. De 1871 à 1875, c'est avec le lieutenant G. M. Wheeler que O'Sullivan sillonne le Grand Canyon et les déserts de l'Arizona et du Nevada. La mission est alors d'établir des cartes topographiques dans le but de tracer des routes et une voie de chemin de fer, mais aussi d'évaluer la disposition d'esprit des Indiens, en prévision de l'installation des futurs colons. Un autre photographe, **William Henry Jackson** (1843-1942), photographie la construction de l'Union Pacific Railroad. En 1872, **John K. Hillers** (1843-1925) accompagne l'expédition de J. W. Powell, premier directeur du Bureau of Ethnology, lors de l'exploration de la rivière Colorado et du pays des Indiens Hopis et Navajos.

Le temps des guerres indiennes (1862-1891)

C'est une époque de troubles entre les tribus et le gouvernement, et les dangers ainsi que les difficultés techniques inhibent la photographie de reportage et d'action. Les photographes – tels **William Soule** (1836-1908), **David Frances Barry** (1854-1934), **Ben Wittick** (1845-1903) – travaillent sur les champs de bataille après les combats, et lors de l'arrivée des prisonniers indiens dans les forts militaires. Lorsque les combats cessent, les photographes s'emploient à prouver que la paix s'installe. En multipliant les témoignages d'entente, les signatures de traités, comme l'ont fait **Alexandre Gardner** (1821-1882) pour les Oglalas Dakota au Wyoming en 1868 et **Camillus S. Fly** pour les Apaches en 1886, ils enregistrent les efforts du gouvernement pour transformer les « Indiens belliqueux » enfermés dans les réserves en hommes « civilisés ». La propagande par l'image se développe, outil efficace de persuasion destiné à soutenir le processus de civilisation imposé aux Indiens.

Les pionniers de la Frontière

Les photographes de la Frontière, dernier territoire sauvage comprenant principalement la région des Plaines, sont les aventuriers oubliés de la légende de l'Ouest. **Laton A. Huffman** (1854-1931), **Fred Miller** (1868-1936), **Richard Throssel** (1882-1933), **Frank Jay Haynes** (1853-1921), **Evelyn Jephson Cameron** (1868-1928), parmi les plus célèbres, ont su préserver une image vibrante d'une époque transitoire pour les Indiens et les nouveaux colons. **Huffman** note qu'il photographie la rencontre de deux mondes qui ne se comprennent pas. Ces photographes ont choisi de vivre dans l'Ouest et connaissent bien les sujets qu'ils immortalisent : les petits fermiers comme les barons de ranchs et leurs troupes de cow-boys, les mineurs, les femmes et les enfants, les hors-la-loi et les shérifs, les mormons et les Indiens.

Chroniqueurs du quotidien, ils sont cow-boys (Huffman), pionniers venus d'Europe (Cameron), photographes professionnels (Miller et Haynes), agents du gouvernement dans des réserves indiennes (Throssel) et travaillent souvent en plein air dans un décor de paysages grandioses que popularise en particulier **Haynes**. Engagé comme photographe officiel de la Northern Pacific Railroad en 1877, il circule régulièrement dans les territoires des Dakotas et du Montana, fixant pour l'éternité les Indiens pacifiés, tout en glorifiant la vie de pionnier. En 1881, il effectue un premier voyage dans le parc de Yellowstone et en devient le photographe officiel en 1883.

La « nostalgie de l'Indien »

La photographie américaine a vécu avec des représentations d'Indiens qui en ont fait des « peuples en voie de disparition ». **Edward S. Curtis** (1868-1952), **Joseph Kossuth Dixon** (1856-1926), **Roland Reed** (1864-1934), **Frederick Monsen** (1865-1929), **Adam Clark Vroman** (1856-1916), parmi les plus connus, montrent une agonie « pittoresque », avec des Indiens décrits comme des participants passifs se résignant à leur destin. Ces représentations allégoriques qui concernent toutes les tribus de l'Ouest ont fait que l'assimilation forcée des Indiens soit palpable, acceptable, et qu'elle devienne un événement commémoratif. Ces photographies, au charme de toiles de maîtres, amalgament le romantisme simpliste et les sentiments condescendants de l'époque, en offrant à la foule la beauté d'un décor qui masque la profondeur de la richesse et de la détresse des cultures indiennes.

Hier observés, aujourd'hui observateurs, les Indiens commencent à réinterpréter ces photographies. Avec elles, leur passé, leurs costumes et leurs cérémonies resurgissent fièrement, leur insufflant une certaine confiance en l'avenir… quand bien même ces clichés sont loin des réalités de leur histoire.

Des pionniers aux modernes

La conquête de l'Ouest achevée, les plus grands noms de la photographie moderne continuèrent à s'intéresser à l'Ouest. Parmi eux, des photographes reporters (**Dorothea Lange, Robert Capa, Margaret Bourke-White**), des photographes de paysages (**Edward Weston, Ansel Adams**) ou d'Indiens (**Laura Gilpin**). Toujours plus nombreux pour montrer à quel point l'Ouest reste source d'inspiration.

Jackson-Hayden : une longue collaboration

En 1870, **William Henry Jackson** est engagé par **Ferdinand Hayden,** géologue désireux de partir à la découverte de Yellowstone, qui n'est encore qu'une légende colportée par les trappeurs. Après plusieurs mois de travail, W. H. Jackson publie les premières photographies du périple ; il offre neuf clichés aux membres du Congrès. L'émerveillement est tel que le gouvernement décide de créer, en 1872, le premier parc national américain : Yellowstone National Park. Pendant plusieurs années, Jackson est le photographe officiel des expéditions de Hayden. Dans le Sud-Ouest, il découvre Mesa Verde et ses habitations indiennes anasazis de l'époque archaïque.

▲ Indien Pieds-Noirs photographié par W. H. Jackson.

L'Ouest et la littérature

par Francis Geffard

Pour la plupart des habitants de la planète, l'Ouest américain convoque immédiatement à l'esprit images et paysages ; peu d'endroits auront été à ce point identifiables. Souvent rêve, parfois métaphore, il ne saurait se résumer à un mythe populaire universel ou à ce symbole national d'un pays, les États-Unis. Son histoire, sa société, sa culture comme sa littérature sont bien plus complexes.

Avant d'être un lieu, l'Ouest fut d'abord une idée : celle d'un immense territoire pratiquement inoccupé, offrant aux nouveaux arrivants d'infinies possibilités. Ce n'est qu'au cours du XXᵉ siècle que l'Ouest devient vraiment une réalité, allant jusqu'à incarner l'essence même de l'Amérique. Il présente aujourd'hui un ensemble contrasté de populations, de paysages et de climats, et l'image d'une société humaine confrontée à des choix importants. Sa littérature, à l'extraordinaire vitalité, où des femmes et des hommes d'aujourd'hui nous « disent » le monde, offre souvent de l'Amérique des images en rupture avec les idées reçues.

Une terre indienne

L'Indien est par nature indissociable de l'Ouest, et l'évolution de son image connaît le même parcours, du mythe à la réalité. La grande majorité des réserves est située dans cette vaste région qui s'étend du Missouri et du Mississippi jusqu'à l'océan Pacifique, et les « premiers Américains » occupent aujourd'hui une place importante dans la vie politique, économique et culturelle de l'Ouest. Il n'en a pas toujours été ainsi…

Un long chemin

Forts de leurs traditions orales riches et variées, les **Indiens** ont été les premiers à mettre en mots leur environnement dans des contes, des mythes, des chants et des poèmes. Des dizaines de tribus vivent là depuis des milliers d'années ou à la faveur de migrations plus récentes. Elles ont survécu aux épidémies meurtrières apportées par les Européens et à la violence de la Conquête.

À la fin du XIXᵉ s., les États-Unis achevèrent de conquérir l'ensemble de leur territoire, et les Indiens furent soumis à une politique d'assimilation forcée dans les réserves, où leurs sociétés traditionnelles furent démantelées. Ethnologues et anthropologues furent les premiers à consigner la mémoire des cultures traditionnelles et à faire découvrir aux lecteurs occidentaux une expression authentiquement indienne.

▲ *La Danse du bison*, d'après George Catlin (BnF, cabinet des Estampes).

Avant 1968, seuls neuf romans d'écrivains indiens avaient été publiés. Le premier, *Joachim Murieta* de John Rollin Ridge, paraît en 1854. Viennent ensuite *Queen of the Woods* de Simon Pokogon (1899), *Cogewea, the Half Blood*, de Mourning Dove (1927), les trois romans de John Milton Oskison dans les années 1920 et 1930, *Sundown* de John Joseph Matthews (1934) et deux romans de D'Arcy McNickle, *The Surrounded* (1936) et *Runner in the Sun* (1954). Romantisme puis naturalisme imprègnent alors ces premières œuvres.

Émergence d'une littérature

L'agitation politique, sociale et culturelle des années 1960 marque l'avènement d'une ère nouvelle. Dans la lignée de la lutte pour les droits civiques des Noirs, les revendications indiennes s'organisent et l'on assiste alors à une formidable renaissance de l'identité indienne, jamais démentie depuis. Après des décennies de malaise, et d'acculturation, est Indien celui qui revendique une histoire et une culture à nulle autre semblables sur le sol américain. En quelques années, des écrivains bâtissent des œuvres où ils portent enfin leur regard sur eux-mêmes, l'Amérique et le monde d'une façon vivante, imaginative et résolument indépendante.

En 1969, **N. Scott Momaday** obtient le prix Pulitzer avec *La Maison de l'aube*. Cinq ans après, *L'Hiver dans le sang*, premier roman de **James Welch**, jeune écrivain blackfeet, fait la une du *New York Times*. Puis sont publiés *Cérémonie*, de **Leslie Marmon Silko**, et *L'Amour sorcier*, de **Louise Erdrich**, récompensé par le National Book Award. Ces quatre auteurs ouvrent la voie à bon nombre d'autres parmi lesquels Louis Owens, Thomas King, Susan Power, Sherman Alexie, David Treuer, Greg Sarris et Adrian Louis. En littérature comme ailleurs, les Indiens cessent d'être des personnages silencieux de la société américaine pour devenir des acteurs à part entière. Ils puisent dans leurs expériences et leur héritage pour offrir au monde des œuvres originales et inspirées. Un juste retour des choses…

Au commencement était le mythe

Avec ses horizons illimités, sa nature généreuse et grandiose mais pleine de dangers, ses tribus indiennes parfois hostiles, l'Ouest avait tout du jardin d'Éden à conquérir coûte que coûte, exaltant l'audace, le courage et l'esprit d'entreprise du colon.

Témoigner d'une réalité

Dès l'aube du XIXᵉ s., quelques voyageurs et écrivains tentent de dépeindre l'Ouest. **Merriwether Lewis** et **William Clark**, que le président Jefferson envoie explorer le vaste territoire de Louisiane acheté à la France, vont ainsi rendre compte, dans *The Journals* (*Les Journaux*), de ce périple qu'ils entreprennent de 1804 à 1806, et qui les mènera de Saint Louis à l'océan Pacifique : l'un des plus beaux voyages d'exploration jamais entrepris. Plus tard, le lieutenant **Zebulon Pike**, lors de ses expéditions dans le Sud-Ouest, et le peintre **George Catlin**, qui part à la rencontre des tribus des Grandes Plaines, feront de même. Tous consignent soigneusement ce qu'ils ont observé – paysages, faune et flore, us et coutumes indiens –, témoignages irremplaçables sur l'Ouest sauvage.

Naissance d'un mythe

De 1820 à 1840, trois écrivains publient des ouvrages importants : **James Fenimore Cooper**, Francis Parkman et Washington Irving. Sans réelle connaissance de l'Ouest, l'auteur du *Dernier des Mohicans* crée le héros le plus célèbre du XIXᵉ s. : le Tueur de daims, *alias* Bas-de-Cuir. Dans cinq romans, ce personnage va incarner l'Ouest pour des millions de lecteurs. Ses aventures, dans une nature sauvage mais rédemptrice, vont forger la légende de la Frontière, légende naïve et contradictoire. Les récits historiques de **Francis Parkman** (*La Piste de l'Oregon*) et de **Washington Irving** (*Astoria*), fondés sur de courtes visites dans la région, cèdent au romantisme et aux clichés parfois imaginatifs.

▲ Mark Twain (1835-1910), de son vrai nom Samuel Langhorne Clemens, explora longuement l'Ouest américain. Il publia en 1872 *À la dure*, œuvre inspirée de son expérience parmi les mineurs et les chercheurs d'or du Far West.

Quand éclate la guerre de Sécession (1861-1865), seuls des Européens et des Américains de l'Est ont écrit sur l'Ouest… Une fois le conflit terminé, de nouvelles voix s'élèvent : Mark Twain, Bret Harte, Joaquin Miller et Alfred Henry Lewis. L'Ouest devient vite l'endroit où tout le monde veut aller et où, d'une certaine façon, tout est possible.

Des héros de légende

Dans ces années 1870-1880, la **presse**, très importante à l'époque, exige un certain romantisme : magazines, journaux et feuilletons populaires contribuent à faire naître la légende de l'Ouest destinée à attirer les immigrants. Le *western* en est le récit par excellence : il célèbre la conquête d'un monde sauvage et primitif, le triomphe des Européens et de leurs lois dans un conflit avec une nature sauvage et des hommes malveillants. Ainsi, au cours de cette seconde moitié du XIXᵉ s., plus de 2 000 romans populaires (*dime novels*) transforment en héros de fiction des personnages réels tels que Buffalo Bill, Kit Carson, Calamity Jane, le général Custer ou encore Billy the Kid. Dans ces livres, le public apprécie à la fois violence et romantisme, aventure et héroïsme, même s'ils prennent bien des libertés avec la réalité historique.

Le lancement, en 1883, du *Wild West Show* de Buffalo Bill (→ encadré p. 108), mais surtout la fin des guerres indiennes et celle de la Conquête, en 1890, marquent un tournant : il n'y a plus de territoires à découvrir, d'aventures à mener.

Littérature

En 1896, la nouvelle de la découverte d'or au **Klondike** (du nom d'une rivière du Canada située dans le Yukon) se répand rapidement et provoque l'une des plus célèbres ruées vers l'or. Attirées par les possibilités miroitantes de la région, plus de 100 000 personnes se mettent en route. Dès 1899, la **ruée vers l'or** appartient au passé, mais cette épopée continue d'exercer sa fascination et d'enflammer les imaginations.

▲ Jack London (1876-1916) aura été toute sa vie un tissu de contradictions et de tensions. Il alliait la générosité du socialiste militant et un individualisme typiquement américain, autant attiré par la nature sauvage que par la douceur californienne, à la fois humaniste et raciste, internationaliste et patriote chauvin.

Les Temps modernes, naissance du XXᵉ siècle

Une fois la Frontière disparue, l'Ouest laisse place à des États où les gens mènent des vies bien différentes de celles des personnages de romans populaires. Ici et là, des communautés s'organisent, des villes se créent, des familles s'enracinent.

Chariots bâchés, cow-boys, mineurs et chercheurs d'or cèdent le terrain aux commerçants, artisans et industriels. L'Ouest voit rapidement s'estomper les différences avec le reste du pays. Mais ses écrivains continuent à célébrer le mythe jusqu'à la Première Guerre mondiale. Bon nombre d'entre eux étaient venus s'y établir, cherchant à échapper aux pressions croissantes de l'immigration, de l'urbanisation et de l'industrialisation.

Owen Wister, Zane Gray et Max Brand ont certainement des raisons de se lamenter de la disparition du Vieil Ouest, et leurs œuvres – dont *Le Virginien* de Wister (1902), qui connaît un succès phénoménal – ouvrent la voie à une longue lignée de *westerns* populaires. Bien que plus littéraires que les *dime novels* du XIXᵉ s., ces *westerns* créent le personnage du héros romantique se battant pour la justice et l'ordre, que nous connaissons bien, et dont le cinéma et la télévision vont s'emparer.

Il faudra du temps pour dépasser cette mythologie officielle, mais certains écrivains vont comprendre qu'il leur appartient de faire évoluer cette image et de rendre justice à celles et à ceux qui habitent vraiment ce pays. Les premiers à entreprendre ce travail sont Frank Norris et **Jack London**. Ce dernier, le chantre du Klondike, passa toute sa vie dans l'Ouest et devint, avec *L'Appel de la forêt* (1903), le premier grand écrivain de cette Amérique-là.

Une région à part entière

Après la Première Guerre mondiale, alors que les auteurs dits de la « génération perdue » (Hemingway, Fitzgerald…) se tournent vers l'Europe afin de trouver des réponses à leurs interrogations, les écrivains de l'Ouest, eux, se plongent dans leurs racines. Une identité régionale va naître au-delà des clichés de la Frontière.

Une éclosion de talents

Dans les années 1920 et 1930, un mouvement se dessine, le plus souvent autour de revues et d'universités. **Willa Cather** marque cette époque avec *Mon Antonia* (1918) et surtout avec son chef-d'œuvre, *La Mort et l'Archevêque* (1927). **Mari Sandoz** s'affirme comme la chroniqueuse du Vieil Ouest et des guerres indiennes. **O. E. Rölvaag** retrace la saga des pionniers scandinaves dans *Giants of the Earth* (1927), tandis que **A. B. Guthrie** écrit *La Captive aux yeux clairs*, qui deviendra un classique de l'écran comme les romans de **Dorothy Johnson** : *L'Homme qui tua Liberty Valance*, *La Colline aux potences* et *Un homme nommé Cheval*. **Walter Van Tilburgh Clark**, quant à lui, introduit la morale dans le *western* avec *The Ox Bow Incident* (1940). Ces écrivains s'interrogent sur le lien entre les hommes et leur environnement, les hommes et leur histoire. Ils s'attaquent au mythe pour mieux célébrer la réalité.

Au même moment, un courant plus littéraire et plus en prise avec l'époque se dessine chez des écrivains comme **John Steinbeck** et Wallace Stegner. Dès *Tortilla Flat* (1935), Steinbeck s'affirme comme le romancier d'une certaine Amérique, celle des travailleurs et des sans-grade, que l'on retrouve dans *En un combat douteux*, *Des souris et des hommes*, et *Les Raisins de la colère*. Son œuvre sera récompensée par le prix Nobel de littérature en 1962. *La Grosse Montagne en sucre* (1943) inaugure la carrière de **Wallace Stegner** qui, avec une quarantaine de livres, s'affirmera comme l'un des plus ardents défenseurs de l'Ouest.

De grands changements

La Seconde Guerre mondiale achève de transformer la région. Le conflit avec le Japon, l'urbanisation et l'industrialisation, les changements économiques et sociaux qui en découlent, influent sur la littérature. Plus de huit millions de nouveaux arrivants s'installent dans l'Ouest qui voit fleurir industries et bases militaires, mais aussi écoles et universités. Les soldats démobilisés portent un nouveau regard sur le monde, et dans les communautés indiennes et hispaniques, ces jeunes vont servir de catalyseur. C'est aussi l'époque où des milliers de familles noires émigrent en Californie et où les femmes, qui ont remplacé les hommes mobilisés par le conflit, ont une vision nouvelle du couple, du travail et de la famille.

La vie culturelle s'en trouve transformée en profondeur et si des écrivains comme Wallace Stegner, Frank Waters ou Wright Morris incarnent une certaine tradition littéraire, ce sont surtout de nouvelles voix qui s'élèvent. Indiens, Asiatiques et Hispaniques vont, au cours des années 1960-1970, faire la différence dans cette région où leurs voix sont reconnues comme nulle part ailleurs. Une tout autre lecture de l'Amérique s'offre au regard, plus diverse, complexe et fragmentée, où les relations à l'histoire et à l'environnement deviennent des préoccupations majeures.

☞ EN SAVOIR PLUS
Pour des idées de lecture, reportez-vous à la bibliographie p. 603.

La « génération perdue »

Dans les années 1920, critique sociale et dénonciation du rêve s'expriment dans le roman et la nouvelle avec l'apparition d'une nouvelle génération d'écrivains. Plusieurs d'entre eux appartiennent à ce que Gertrude Stein a appelé *lost generation* (génération perdue), expression désignant les jeunes soldats américains qui, après la tuerie, cherchèrent de nouvelles valeurs dans l'exil, fuyant le vide culturel de l'Amérique triomphante et prospère.

Francis Scott Fitzgerald peint avec un lyrisme minutieux la dérive de personnages riches et oisifs, prisonniers du rêve américain (*Gatsby le magnifique*, 1925) ou désenchantés (*Tendre est la nuit*, 1934). **Ernest Hemingway** met en avant ses désillusions face à la Première Guerre mondiale (*Le soleil se lève aussi*, 1926), tout comme **John Dos Passos** (*Trois Soldats*, 1921). Comme les autres membres de la « génération perdue », celui-ci fréquente le quartier Montparnasse à Paris. Son retour aux États-Unis est marqué par l'engagement politique : *Manhattan Transfer* (1925) s'inscrit tout entier contre un système édifié sur l'argent, soutenu par la violence et la peur. C'est la description d'un monde catastrophique, peuplé d'êtres qui fuient dans l'alcool, le sexe ou la mort, une existence intenable.

Littérature

Le grand essor

Avec Jack Kerouac, Allen Ginsberg et Gary Snyder, la Californie devient la patrie de la *beat generation* (→ *encadré ci-contre*), tandis que Joan Didion, Alison Lurie et Marilyn Robinson donnent une analyse féministe de la société américaine. Richard Hugo, Norman Maclean, Tom Robbins, Thomas McGuane, Jim Harrison, James Crumley, John Nichols, Sam Shepard ou encore Ken Kesey marquent les années 1970-1980 : certains se replient sur les valeurs fondamentales de l'Ouest tout en les adaptant à la modernité, alors que d'autres ont une approche plus psychédélique et affranchie des conventions. Des œuvres importantes se dessinent, telles celles de **Cormac McCarthy**, qui fait revivre la violence de la Frontière ou son crépuscule, ou de **Raymond Carver**, qui s'intéresse aux vies minuscules des anonymes de la société américaine.

Comme les Indiens, d'autres écrivains se retrouvent autour d'expériences et d'héritages communs : hispaniques pour Rudolfo Anaya (*Bénis-moi, grand-mère*, 1971), Tomas Rivéra (*La Grande Maison*, 1975), Denise Chavez et Jimmy Santiago Baca ; asiatiques pour Maxine Hong Kingston (*The Woman Warrior*, 1976) et Amy Tan (*The Joy Luck Club*, 1989) ; noirs pour Ralph Ellison (*L'Homme invisible*, 1952).

Grâce à des écrivains comme Edward Abbey, Barry Lopez, William Kittredge ou Terry Tempest Williams, l'**écologie** devient un enjeu.

Des auteurs peuvent aussi se retrouver autour d'un endroit bien précis, voire d'une culture régionale : Sud-Ouest, Nord-Ouest, Plaines, Rocheuses, Texas… L'Ouest n'est plus seulement important pour les rêves et les mythes qu'il a engendrés, ou en raison de sa taille et de sa diversité, mais il l'est également par l'explosion littéraire qu'il connaît depuis.

Le monde comme sujet

Aujourd'hui, la littérature de l'Ouest s'est affranchie de toutes les étiquettes et catégories. Elle offre un panorama de voix dont la portée dépasse de loin le cadre géographique et qui, riches d'une tradition littéraire vieille d'un siècle, cherchent à définir un nouveau territoire esthétique. Parmi ces voix, citons celles de Barbara Kingsolver, Rick Bass, Dagoberto Gilb, Brady Udall, Sandra Cisneros, Pam Houston, Melanie Rae Thon, Kent Haruf, Judith Freeman ou encore David James Duncan. Si ces écrivains sont bien sûr attachés à ce qui fait et ce qui a fait l'Ouest et l'Amérique, ils s'intéressent aussi au monde et à la complexité des existences. Un paradis littéraire, en quelque sorte…

Beat generation : amour et répulsion

Dans les années 1950, à New York et à San Francisco, la *beat generation* (littéralement, « génération épuisée ») regroupe écrivains, philosophes et poètes américains en rupture de ban : Lawrence Ferlinghetti, Allen Ginsberg, Jack Kerouac, William Burroughs, Gary Snyder, Richard Brautigan… Le mouvement, qui se veut littéraire, culturel et social, s'inscrit dans une tradition libertaire et individualiste remontant au XIXᵉ s. américain, lorsque l'injustice de certaines lois, en contradiction avec l'idéal démocratique, suscitait les critiques de David Henry Thoreau, qui prôna la désobéissance civile.

Influencée par de grands écivains européens (William Blake, Artaud, Céline, Michaux…), la *beat generation* s'attaque au matérialisme déshumanisant de la société de consommation, veut révolutionner l'Amérique en profondeur et prône le retour aux sources par tous les moyens : spiritualités orientales, expérience des drogues hallucinogènes, redécouverte de la nature, sauvage et génératrice de vie intérieure. À bord d'une vieille voiture ou en auto-stop, les *beat* sillonnent le pays, couchant à la belle étoile. Jack Kerouac se fait le chantre de cette libre errance (*Sur la route*, 1957). Surnommés *beatniks* par dérision, ils furent récupérés malgré eux par le mouvement hippie.

Le cinéma et l'Ouest américain

par Jean-Louis Leutrat

L'Ouest américain a fasciné les émigrants du XIXᵉ siècle : terre promise, espace libre à investir, source de richesse (or, pétrole…). La présence d'un territoire « vierge » à l'ouest du Mississippi a suscité des déplacements de population historiques qui ont conduit Frederick Jackson Turner à élaborer, en 1893, une théorie faisant de l'existence de la « Frontière » la spécificité de la nation américaine : la « Frontière » entre sauvagerie et civilisation, toujours repoussée plus loin vers l'ouest, explique la nation américaine ; elle est notamment le fondement de sa nature « démocratique » et elle justifie ses visées expansionnistes. Ainsi, l'Ouest, terre régénératrice et hautement symbolique pour l'Américain, ne pouvait qu'avoir partie liée avec le cinéma. Et ce n'est pas un hasard si le western est le genre qui a longtemps représenté le cinéma américain ; il porte lui-même le nom d'une région des États-Unis chargée d'histoire et ayant valeur de mythe.

La conquête de l'Ouest a aussi généré des moyens de transport inédits (caravanes de pionniers, Pony Express, chemins de fer transcontinentaux), elle a entraîné l'exode massif de populations autochtones dont l'extermination a trop souvent été systématiquement organisée, elle a permis la constitution d'un « corps de métier » nomade, les garçons vachers dits cow-boys, tout à fait minoritaire, mais qui, en raison du mythe de l'Ouest, a été promu à une destinée hors du commun. Ces faits, et quelques autres, ont été thématiquement revisités dans les westerns. L'histoire s'est ainsi transformée en une réserve de scénarios.

Cette fascination de l'Ouest s'est poursuivie au XXᵉ siècle, se focalisant plus spécifiquement sur la Californie et, à partir des années 1920, sur Hollywood. La ville du cinéma a cristallisé sur son nom tous les espoirs rattachés au mythe et a drainé une population désireuse de se faire « une place au soleil » ou même de trouver la gloire. Aujourd'hui

▲ *Le train sifflera trois fois*, de Fred Zinnemann (1952) : le jour de son mariage avec une femme hostile à toute forme de violence (Grace Kelly), un shérif (Gary Cooper) doit défendre seul sa ville contre des bandits.

Cinéma

encore, la Californie n'est-elle pas perçue comme un lieu où toutes les expériences sont possibles, depuis le mouvement hippie jusqu'aux industries *high-tech* de la Silicon Valley ?

À la recherche d'un lieu

Dans les années 1903-1908, on entendait parler de « **ruée vers le nickel** ». La formule, évocation des diverses ruées vers l'or, désignait la croissance extrêmement rapide de l'industrie du cinéma américain à cette époque. Elle faisait référence au nickel de la pièce de cinq cents requise pour entrer dans les « nickelodeons », les salles de cinéma d'alors.

Avant l'année 1910, les films sur l'Ouest étaient majoritairement tournés dans l'est, notamment à Fort Lee et dans ses environs, comme la plus grande partie de la production cinématographique américaine. Autour de cette date, un mouvement de translation de cette industrie vers l'Ouest se réalise rapidement. Il rejoue sans danger et dans un temps réduit l'aventure des pionniers du siècle précédent.

Des débuts modestes

Vers la fin de 1908 et dans les premiers jours de 1909, Thomas Edison s'associe à neuf autres compagnies pour créer une société, le **Trust**. L'accord à peine signé, un producteur, William Selig, envoie vers l'Ouest et le Sud-Ouest le réalisateur Francis Boggs, accompagné de six comédiens et comédiennes, ainsi que d'un opérateur. Le groupe arrive en mars à Los Angeles. Boggs loue une laverie chinoise à l'angle de 8th Street et d'Olive Street et y réalise une bande qui n'a laissé d'autres souvenirs que celui du lieu où elle fut tournée, et un titre : *Au pouvoir du sultan* (→ encadré ci-contre).

Les raisons invoquées pour ce transfert sont le climat californien qui offre une luminosité exceptionnelle et une durée d'ensoleillement inégalée (Selig, établi à Chicago, sait les difficultés occasionnées par les mois d'hiver) ; un autre avantage réside dans la possibilité de trouver des décors qui puissent convenir à des films dont l'action prend place dans l'Ouest ; enfin, l'éloignement de la Californie permettra aux producteurs indépendants d'être momentanément à l'abri des tracasseries juridiques occasionnées par le Trust (→ *encadré p. 126*).

La fondation de Hollywood

À peu près à la même époque, G. M. Anderson, cofondateur d'une autre compagnie, la Essanay, voyage dans l'Ouest à la recherche de décors. Déjà en 1906, alors qu'il travaillait pour Selig, il était parti deux semaines dans les Rocheuses pour tourner des extérieurs de western. L'année suivante, d'autres lieux furent essayés : El Paso, au Texas, et la petite ville de Niles, de l'autre côté de la baie de San Francisco (non loin de cette ville se trouve, en effet, un canyon propice au tournage de westerns).

Les moyens du bord

Dans le film *Au pouvoir du sultan* (1909), une simple cour de blanchisserie *(laundry)* servait de décor. « Des objets et des meubles disparates empruntés aux voisins furent placés devant la toile peinte que l'on accrocha contre un mur de briques » (Robert Florey). Pour rappeler les très modestes débuts californiens d'une industrie qui allait brasser des sommes colossales, **Josef von Sternberg**, réalisateur de *L'Ange bleu* (*The Blue Angel*, 1930) et d'une série de films mythiques avec Marlene Dietrich, intitula ironiquement ses mémoires *Fun in a Chinese Laundry* (1965).

◀ Nombre d'œuvres décrivent le « milieu » hollywoodien, le petit monde qui vit grâce à cette industrie. Avec *Sunset Boulevard* (1950), film sombre sur les illusions pathétiques qu'engendre Hollywood, Billy Wilder fait revenir Gloria Swanson, Cecil B. De Mille, Erich von Stroheim et quelques autre gloires d'une époque révolue, pour un dernier « petit tour ».

Hollywood n'est alors qu'un lieu d'implantation parmi d'autres. Le premier studio à y être construit, en 1911, s'élève au coin de Sunset Boulevard et de Gower Street. La ville devient assez rapidement le centre de l'activité cinématographique.

Un gigantesque lieu de tournage

Sitôt investi, Hollywood a été le point de départ de tournages dans les paysages « proches » (déserts, bords du Pacifique…) ; quant aux rues de Los Angeles et des cités avoisinantes, elles servent dans les films burlesques par exemple, si bien qu'en regardant ces films on revoit Los Angeles ou les falaises de Santa Monica telles qu'elles étaient au début du XIXe s. La Californie et le Sud-Ouest sont transformés, dès les années 1920, en un gigantesque lieu de tournage. Si l'histoire est devenue une réserve de scénarios, l'espace, lui, est devenu une réserve de décors naturels ou urbains. Chacun des cinq ensembles géographiques couverts par ce volume (Pacifique, Rocheuses, Sud-Ouest, une partie du Midwest et du Sud) renferme des lieux éminemment photogéniques et propices à des scènes d'action.

San Francisco et ses environs en sont un exemple : les rues en pente, les tramways, le Golden Gate – que Hitchcock a su utiliser dans *Sueurs froides* (*Vertigo*, 1958) –, Bodega Bay – le lieu de l'action des *Oiseaux* (*The Birds*, 1963) du même Hitchcock. Le western a évidemment magnifié les grands espaces.

L'Ouest comme lieu de tournage

D'abord concentrés à proximité de Los Angeles, les lieux de tournage se diversifient rapidement. Yellowstone, Glacier National Park, Sequoia National Park… d'autres lieux « sensationnels » comme le Grand Canyon et la Royal Gorge of Colorado, les

Une ville mythique

Le nom de **Hollywood** est devenu synonyme de cinéma américain (il existe néanmoins un cinéma de la côte est, essentiellement new-yorkais), au point que les expressions « cinéma hollywoodien » ou « film hollywoodien » désignent un type de production et même une esthétique propres aux États-Unis.

Hollywood est devenu une « usine à rêves » où le savoir-faire, l'énergie, le talent comme l'incurie et l'indigence intellectuelle, liés au gaspillage comme au sens de l'économie, ont fourni au marché local et international d'une multitude de « produits », dont quelques-uns de grande qualité, pouvant atteindre une dimension artistique. Ce cinéma fut aussi une arme de propagande en faveur de l'*American way of life* et contre les « ennemis » du système, de l'intérieur comme de l'extérieur.

Si le mythe dépasse la ville proprement dite, il a néanmoins rendu célèbres des lieux. Qui ne connaît les hauteurs de Hollywood sur lesquelles sont dressées les lettres composant le nom de la ville ? Et qui ne connaît Sunset Boulevard, Mulholland Drive, les empreintes des stars sur le trottoir de Hollywood Boulevard, la cérémonie de remise des Oscars ?

Cinéma

déserts enfin – Painted Desert, Mojave Desert, vallée de la Mort – offrent autant de décors particulièrement appréciés. L'Arizona est sans doute l'État où les extérieurs sont les plus impressionnants.

Des décors proches

Le genre western triomphe sur les écrans, comme par hasard vers 1910. Les lieux de tournage se trouvent au départ à proximité de Los Angeles. Les studios de Thomas Ince sont édifiés à l'entrée du Santa Ynez Canyon avec, en arrière-plan, l'océan Pacifique et ses kilomètres de plage. Les studios hollywoodiens possèdent leurs propres lieux de tournage. Ainsi, Universal, spécialisé dans la production de westerns, dispose d'Universal City, qui est aussi une ville où l'on trouve des studios, des laboratoires, un zoo, des écuries, des pompiers et des policiers. Les réalisateurs de la firme se rendent dans les collines entourant Hollywood, le long de Mulholland Drive et de Laurel Canyon, parfois aussi dans la San Fernando Valley, au *Frenchie's Ranch* de Newhall. L'acteur Tom Mix, qui travaille pour la Fox, dispose d'un studio personnel, Mixville. Les parcs nationaux proposent des décors aux films.

Des tournages plus lointains

Bien des États sont dès lors mis à contribution pour des décennies. Pour n'envisager que le Nevada, le premier film à y être tourné l'est en 1913. La série télévisée *Bonanza* se situe au Ponderosa Ranch, sur la rive nord-ouest du lac Tahoe, près d'Incline Village, dans ce même État. *Les Désaxés* (*The Misfits*, 1961) de John Huston est tourné en juillet 1960 à Reno, près de Pyramid Lake, et à Dayton. Certains films demandent plusieurs lieux de tournage : un exemple, *Le Cheval de fer* (*The Iron Horse*, 1924) de John Ford, qui nécessite de nombreux déplacements en direction de la sierra Nevada, de Wadsworth (Nevada), de Beale's Cut et Truckee (Californie), du Dakota du Sud et de la Yaqui River, au Mexique…

L'Ouest, le Sud-Ouest

Cependant, une partie des paysages exploités par le cinéma n'est pas spécifiquement « western ». Le plus célèbre, Monument Valley, n'est en aucune façon un paysage de l'Ouest mais du Sud-Ouest. Lorsque Ford y fait se dérouler des actions censées se passer à Tombstone (*La Poursuite infernale – My Darling Clementine*, 1946) ou au Texas (*La Prisonnière du désert – The Searchers*, 1956), il demande donc au spectateur qui sait que Monument Valley se trouve non loin de « Four Corners », carrefour de l'Arizona, de l'Utah, du Nouveau-Mexique et du Colorado, de

---

Premiers tournages en extérieur

Le succès des productions de la **Bison**, compagnie spécialisée dans les films sur l'Ouest, est dû, par-dessus tout, aux décors naturels comme l'écrivent ses dirigeants : « Dès janvier 1910, nous tournâmes des scènes autour de Hollywood, nous rendant à cheval du studio d'Edendale jusqu'aux collines pittoresques au-delà des routes sinueuses. Il y avait quelques bâtiments en adobe sur un ranch de bonnes dimensions, juste à l'ouest de La Brea Ave. et de Hollywood Blvd ; à cet endroit, nous avons filmé un grand nombre de poursuites à cheval, de fusillades, d'attaques de diligence et d'autres scènes de ce type pour nos films Bison. »

Une fois que les détectives du Trust eurent retrouvé la trace de la compagnie en Californie, des endroits plus discrets furent choisis pour les tournages, la Big Bear Valley, « un lieu de séjour estival éloigné et pratiquement inconnu, au cœur des montagnes de San Bernardino ».

faire acte d'imagination (en tout cas, l'idée qu'au cinéma classique serait attaché le vraisemblable se trouve mise à mal). Ce décalage entre les lieux de tournage et le lieu de l'action est une constante inévitable.

Évolution du genre, du cinéma muet jusqu'au classicisme

Le genre *western* n'a pas toujours été ce qu'on croit. Le mot n'a pas été utilisé tout de suite pour désigner un genre. Dans les années 1920, il existe une vingtaine d'appellations pour les films sur l'Ouest, dont la plus courante est *western melodrama*.

Les « mélodrames de l'Ouest »

Western est un adjectif qui permet de préciser un terme générique traditionnel : il existe donc pour le spectateur des années 1920 des *western melodramas* (mélodrames de l'Ouest), comme il existe des *underworld melodramas* (mélodrames des bas-fonds). Le mélodrame, genre majeur du cinéma américain, se diversifie selon la localisation de l'action (espace, milieu social, etc.), ce à quoi servent les épithètes qui lui sont accolées (outre *western* et *underworld*, on trouve aussi *crook*, *adventure*, *historical*, *romantic*, *society*, etc.) : ils désignent un univers, une atmosphère.

Un *western melodrama* est d'abord un mélodrame dont l'action se déroule dans l'Ouest. La géographie semble être un élément déterminant. Il arrive que le héros défini comme un *westerner*, homme de l'Ouest, soit obligé de se rendre dans une grande ville (généralement Chicago ou San Francisco). La transplantation d'un lieu à un autre conduit nécessairement à des télescopages des genres « urbains » (*crook*, *society*, *underworld*) avec le western. Le personnage principal peut également voyager dans des lieux exotiques : les mers du Sud, l'Amérique du Sud, ou un royaume imaginaire de l'Europe, le royaume de Graustark, la Belgravia, etc. La qualité « Ouest » est donc pour partie attachée à un espace, pour partie à un acteur connu du public comme « homme de l'Ouest » (Tintin va de continent en continent, il reste Tintin ; Tom Mix de même).

Le genre western en voie de constitution

Si les westerns sont devenus avant tout pour nous des films historiques, au sens où leur action se déroule dans le passé, cela n'a pas toujours été le cas. L'action de près de trois quarts des films des années 1920 est contemporaine de leur tournage et, dans la même version, cette tradition se poursuit avec les cow-boys chantants, Gene Autry ou Roy Rogers. Ces cow-boys de l'écran, comme leurs prédécesseurs Tom Mix, Hoot Gibson, Ken Maynard et bien d'autres, utilisent volontiers comme moyens de locomotion l'avion ou l'automobile. Les films à teneur historique représentent une minorité, pendant près de 40 ans d'une histoire qui compte, tout au plus, le double d'années.

Ce rapport est destiné évidemment à s'inverser dès la fin des années 1930, avec pour conséquence de cette rencontre de films historiques et de westerns l'incorporation au western de films concernant la guerre de Sécession, qui constituent une catégorie spécifique, *Civil War story*. Une autre catégorie va subir le même sort : les films mettant en scène des Indiens *(Indian pictures)* se distinguent au départ des *cow-boy pictures* ou des *western melodramas* ; l'action des *Indian pictures* se déroule chez les Indiens et leurs personnages principaux sont des Indiens. Ce genre, florissant entre 1905 et 1915, va peu à peu disparaître et l'on en trouve des traces dans le western. Ou plutôt le western se constitue notamment par l'absorption des *Civil War stories* et des *Indian pictures*.

Cinéma

La fin du cinéma muet

Ainsi, à mesure que l'on avance dans les années 1920, c'est-à-dire plus on s'approche du sonore et du parlant, on assiste à une simplification : l'alliance entre les films historiques et le western se renforce ; en revanche, les films urbains et le western ne cessent de se différencier. Le fait que le western devienne, au sein des maisons de production – et de distribution –, une institution reconnue contribue à provoquer l'exténuation des termes génériques nombreux au profit de la seule épithète « western », qui devient un nom. Le mot est de plus en plus utilisé au substantif pour désigner un film après 1925.

Une simplification du système des genres est en train de s'opérer, qu'accélérera l'arrivée du parlant, laquelle s'accompagne d'un accent mis sur la psychologie (les personnages s'expriment). Alors que les films sur l'Ouest restent, dans les années 1920, assez proches des films burlesques – c'est-à-dire peu soucieux de la dimension psychologique –, cette « alliance » va s'estomper. Il en reste une trace dans les films de John Ford (la séquence de bagarre « pour rire ») et dans le personnage du *old timer* édenté, servant de faire-valoir au personnage principal (Walter Brennan dans *Rio Bravo* en 1958, par exemple).

Thématique historique du western « classique »

De 1939 jusque vers 1956, Hollywood connaît une période de relative stabilité ; le système des genres, notamment, bouge peu. Il est donc possible de décrire les thèmes historiques développés dans les films de cette période. Nous n'envisageons pas ici les unités narratives de base (vengeance, rivalité, rencontre, apprentissage, enquête, mise à l'épreuve, imposition d'une marque…), ni les fonctions des personnages (héros, agresseur, auxiliaire, femme, etc.) qui reviennent de film en film dans des situations variables et n'appartiennent pas en propre au genre.

Six grands cycles historiques

Dans les films tournés jusque dans les années 1960, six grands cycles se distinguent : le peuplement, les guerres indiennes, la guerre de Sécession, le conflit mexico-texan, le bétail et la *deadline* ou cycle du banditisme et de la loi. Il va de soi que certains films renvoient à des cycles divers : ainsi, *La Charge fantastique* (*They Died with their Boots on*, 1941) où guerre de Sécession et guerres indiennes se succèdent. À chacun de ces thèmes « historiques » sont attachées des situations, qui deviennent à l'écran des « scènes » et qui, souvent, beaucoup plus que le thème prétexte, constituent la substance du genre. Les rapports de l'homme blanc et de l'Indien se résument en grande partie à des scènes de violence : attaque du fort, du convoi ou de la ferme (généralement incendiée), embuscade, massacre de Blancs ou d'Indiens, enlèvement de femmes ou d'enfants, viol (mais l'attaque de la ferme, de la diligence, le massacre et le viol peuvent être aussi bien le fait de bandits).

L'année 1950 serait le tournant à partir duquel le western deviendrait « pro-indien ». C'est la date de *La Flèche brisée (Broken Arrow)* de Delmer Daves. Outre le fait qu'au même moment Anthony Mann réalise avec *La Porte du Diable* (*Devil's Doorway*, 1951) un film plus ouvertement favorable aux Indiens, parce que plus radical, de tels films existent dès les années 1920, comme *Courage indien (The Vanishing American*, 1925).

L'homme blanc contre la nature

Le cycle du **peuplement** et celui du **bétail** se recoupent largement : traversée des fleuves (attelages ou bêtes emportés par le courant), attaque des Indiens ou de maraudeurs blancs (cercle des chariots), descente des chariots et des animaux

◄ *Le Jugement des flèches* (*Run of the Arrow*, 1956) présente, dans ses premières images, les victimes de la bataille d'Appomatox (9 avril 1865), qui mit un terme à la guerre de Sécession, mais la plus grande partie de son action se déroule ensuite dans une tribu d'Indiens Sioux.

Cinéma

par des cordes le long des falaises (*La Piste des géants – The Big Trail*, 1930), la neige, la boue (roues de chariots s'enlisant), etc. La vie du cow-boy au ranch et durant le *cattle drive* (convoyage du bétail) est constituée d'événements inévitables : marquage des bouvillons, dressage des chevaux, *stampede* ou panique du bétail (provoqué par une arme à feu ou par un orage : *La Rivière rouge* [*Red River*, 1948], *San Antonio* [1945], *Les Loups dans la vallée* [*The Big Land*, 1957]), traversée du désert, tempête de sable, rencontre du serpent à sonnette (*Cowboy*, 1958), bain (dans un tonneau, une baignoire ou une rivière).

Tous ces événements ne sont pas liés de manière définitive au cycle du bétail : par exemple, la traversée du désert dans *La Mort tragique de Leland Drum* (*The Shooting*, 1967) et *Le Désert de la peur*, connu aussi sous le titre *Une corde pour te pendre* (*Along the Great Divide*, 1951), pour ce dernier, l'homme de la loi et son prisonnier ; la rencontre du serpent, saynète qui joue un rôle dans *La Rivière de nos amours* (*The Indian Fighter*, 1955), *Cable Hogue* (*Ballad of Cable Hogue*, 1970) et *Sierra torride* (*Two Mules for Sister Sara*, 1970) ; *L'Homme sauvage* (*The Stalking Moon*, 1969) montre une tempête de sable ; la charge des bisons rappelle le *stampede* et appartient au cycle de la construction des voies ferrées ; la traversée de la rivière constitue un épisode fréquent dans les films du cycle de l'armée.

L'homme blanc affronté à lui-même

Le **bétail** et la *deadline* rassemblent un certain nombre de situations et de personnages liés à l'histoire de l'Ouest, mais renvoyant à un moment précis, celui où l'homme blanc cesse de s'affronter à une autre race pour se retrouver face à lui-même, ce qui permet de distinguer le cycle du bétail et celui du peuplement. Le premier peut, en effet, être considéré comme une reprise du second. Tous deux

Les grosses têtes

Au **mont Rushmore,** dans les Black Hills (Dakota du Sud), les visages de quatre présidents des États-Unis ont été gravés dans la pierre au cœur du territoire sacré des Sioux, geste méprisant et humiliant à l'égard d'un peuple qui, aux yeux des plus cultivés, ne relève plus aujourd'hui que de l'anthropologie. Si Alfred Hitchcock n'a jamais réalisé de western, l'action de son film *La Mort aux trousses* (*North by Northwest*, 1959), débutée à New York, s'achève au mont Rushmore, sur les têtes géantes de Washington, Jefferson, Lincoln et Roosevelt.

relatent les longues traversées du continent, et les diverses péripéties auxquelles sont soumis les cow-boys accompagnant le convoi de bétail rappellent celles qui survinrent aux pionniers.

Néanmoins, il n'est pas possible d'intégrer un cycle à l'autre car ils se réfèrent à des situations historiques spécifiques. Avec le cycle du bétail, nous sommes à l'époque où la terre est déjà occupée, où les grands ranchs existent, où le personnage du « baron du bétail », *cattle king*, exerce son autorité despotique. L'homme blanc lutte contre lui-même, le fermier s'oppose à l'éleveur et l'éleveur au berger. Si Hawks, dans la séquence du départ du troupeau de *La Rivière rouge* (1948), retrouve le ton de l'épopée, c'est pour conter la rivalité de deux hommes et inaugurer dans le genre le thème de la conscience déchirée. Les péripéties survenues au long de la piste ont été illustrées dans de nombreux films : *Cowboy* (1958), *Les Implacables* (*The Tall Men*, 1956), *El Perdido* (*The Last Sunset*, 1961), *Will Penny le solitaire* (*Will Penny*, 1968), etc.

L'instauration de la loi

Le cycle de la **loi**, selon le côté qu'elle envisage, est soit une *outlaw story* (narrant l'histoire des frères James, de Billy the Kid…), soit une *marshal story* (*Le train sifflera trois fois* – *High Noon*, 1952). Y reviennent constamment le hold-up de la banque, l'attaque du train ou de la diligence, l'emprisonnement, l'évasion, le lynchage, le « posse » (patrouille de volontaires armés), les erreurs de la justice consommées ou non, la lâcheté de la ville, la lassitude de l'homme de la loi ou celle du tueur.

La guerre de Sécession

De la guerre de Sécession relèvent trois situations caractéristiques :

— **Le retour du combattant** : éclopé, comme le personnage du *Courrier de l'or* (*Westbound*, 1959) auquel il manque un bras ; pasteur, dans *Chuka le redoutable* (*Count Three and Pray*, 1955) ; amoureux déçu retrouvant la fille qu'il aimait fiancée à un autre dans *Les Dernières Heures d'un bandit* (*Showdown at Abilene*, 1956) ; dégoûté, qui quitte le monde des Blancs pour rejoindre les Indiens dans *Le Jugement des flèches* (1956), ou pour les exterminer dans *La Prisonnière du désert* (1956).

— **Le conflit entre officiers de camps adverses** : *La Caravane héroïque* (*Virginia City*, 1940) ou *Major Dundee* (1965) ; dans *Les Géants de l'Ouest* (*The Undefeated*, 1969), les deux officiers se réconcilient en passant la frontière mexicaine et en luttant contre les soldats français ; ce sont les Indiens qui font le plus souvent les frais de cette réconciliation, comme dans *Fort Bravo* (*Escape from Fort Bravo*, 1953).

— **Le détournement de convoi** : dans *L'Or et l'Amour* (*Great Day in the Morning*, 1956), *Tête d'or et tête de bois* (*The Redhead and The Cowboy*, 1951), *Sans foi ni loi* (*Incident at Phantom Hill*, 1966), il s'agit d'or ; dans *Alvarez Kelly* (1966), de vaches ; et dans *Rio Lobo* (1970), de soldats – toujours nordistes ; dans *Le Bataillon des lâches* (*Advance to the Rear*, 1955), le convoi est mené à bon port malgré les obstacles suscités par les sudistes, et dans *L'Infernale Poursuite* (*The Great Locomotive Chase*, 1956), c'est un groupe de yankees qui capture un train sudiste pour le ramener vers le nord en détruisant le réseau ferré de l'ennemi, il échoue dans sa tentative ; dans *Le Relais de l'or maudit* (*Hangman's Knot*, 1952), des sudistes pillent un convoi en ignorant que la guerre est terminée.

Le conflit mexico-texan

La bataille d'**Alamo**, sans doute l'épisode le plus célèbre de la conquête du Texas, se déroula du 23 février au 6 mars 1836. Le cinéma a traité ce thème très tôt : *Les Martyrs de l'Alamo* (*Martyrs of the Alamo*, 1915), *Quand le clairon* *sonnera* (*The Last Command*, 1955), *Alamo* (*The Alamo*, 1960)… Trois hommes se sont particulièrement illustrés lors de cette bataille qui opposa les 187 hommes de la garnison aux 4 000 Mexicains de Santa Anna : William Barret Travis, Jim Bowie (inventeur du *Bowie Knife*) et Davy Crockett. La défense héroïque mais inutile du fort sert à justifier la conquête du Texas dans laquelle les États-Unis étaient bel et bien les agresseurs.

La floraison du genre

Ce qu'on a appelé le « classicisme hollywoodien » se caractérise par une écriture narrative rodée et par sa remise en question discrète de la part de chaque grand réalisateur. Le « classicisme » peut se situer historiquement entre deux dates correspondant à deux films exemplaires de John Ford : 1939, *La Chevauchée fantastique*, et 1956, *La Prisonnière du désert*, période où le Hollywood classique commence à se désagréger, en même temps que le mode de production des films change et que la télévision prend de l'importance.

Un genre mineur

Le western, envisagé globalement, a longtemps servi à alimenter le système. À la fois méprisé, tenu pour négligeable par les critiques américains (« *Just a western* » est un jugement qui revient souvent sous leur plume), il exerçait auprès d'un public d'enfants et d'adolescents une attraction très forte. On sait que *L'Aurore* (*Sunrise*, 1927) de Murnau a été rendu possible grâce au succès des films avec Tom Mix. Jusqu'à la fin des années 1930, le principe du double programme (un film de série A précédé d'une série B, souvent un western) a imposé la production

« Délocalisation » du cinéma américain

La fin des années 1950 est marquée par une baisse du volume de la production et plus encore de la fréquentation : entre 1952 et 1962, les salles américaines perdent plus de la moitié de leur public. Malgré l'exploitation de nouveaux procédés (Cinémascope, 3D, Cinérama, etc.), le développement des *drive in* et l'évolution du rôle de la télévision qui, d'adversaire, se transforme en alliée (Hollywood lui vend ses films et lui loue ses studios), 509 films financés par les États-Unis entre 1949 et 1961 sont tournés à l'étranger.

Ce phénomène de la production « fuyante », *runaway production*, s'explique par le fait que les figurants coûtent moins cher en Espagne ou en Yougoslavie qu'aux États-Unis ! Peu à peu, Hollywood s'implante aux quatre coins du monde et, à la fin du XXᵉ s., la domination du marché international par le cinéma américain est phénoménale.

Cinéma

◄ Harry Carey Jr. et John Wayne dans *La Prisonnière du désert*, de John Ford (1956).

constante de films de ce genre (près de 1 900 courts et longs métrages, de 1921 à 1929 seulement) et la recherche perpétuelle de vedettes souvent éphémères.

Les acteurs

Le western des années 1920 se caractérise par une consommation incroyable d'acteurs, de l'Australien Snowy Baker au champion de rodéo Yakima Canutt, en passant par Ken Maynard et Fred Thomson. Une trentaine de noms pourrait être avancée pour cette période, et pratiquement autant pour la décennie suivante avec sa kyrielle de cow-boys chantants.

À la fin des années 1920, deux acteurs, l'un qui est déjà une vedette, **Gary Cooper**, l'autre qui débute à peine, **John Wayne**, vont connaître un succès exceptionnel, surtout le second (Cooper meurt d'un cancer en 1961) dû au fait qu'ils ont franchi le cap du parlant, interprété des rôles variés, joué dans d'autres films que les westerns et bien sûr travaillé sous la direction de metteurs en scène de grand talent appartenant à des générations différentes. En ce qui concerne Cooper : William Wyler, Cecil B. De Mille, Raoul Walsh, Robert Aldrich, Anthony Mann, Delmer Daves. En ce qui concerne Wayne : Raoul Walsh, John Ford, Howard Hawks, Michael Curtiz. Ces acteurs ont débuté au moment où le système des genres allait momentanément se stabiliser, où le western allait accéder au rang de série B supérieure, et même parfois de série A, et où la possibilité de traiter certains sujets allait fournir aux westerns un public plus adulte.

Les réalisateurs

Des années 1940 jusqu'aux années 1960, une série de chefs-d'œuvre sera tournée, en tête de laquelle les œuvres de Ford et de Hawks, deux vieux routiers. Dans les années 1950, de nouveaux réalisateurs apparaissent (Budd Boetticher, Anthony Mann, Robert Aldrich, et aussi Delmer Daves, John Sturges) qui alimentent cette version adulte du genre. Leurs films constituent une floraison exceptionnelle qui est en même temps la dernière. Chacun de ces réalisateurs s'est trouvé un acteur avec lequel il a tourné plusieurs films dans lesquels une alchimie heureuse s'est produite : Randolph Scott pour Boetticher (sept films), James Stewart pour Anthony Mann (cinq films), Glenn Ford pour Daves (trois films). Des acteurs comme Fonda (qui a tourné trois fois avec Ford et une fois avec Mann), Mitchum (Walsh, Preminger, Parrish, Hawks), Kirk Douglas (deux films avec Sturges), Richard Widmark (deux films avec Sturges), Burt Lancaster (deux films avec Aldrich), sans être liés à un réalisateur précis, ont marqué le genre de leur personnalité.

Clint Eastwood

Clint Eastwood fait partie de ces acteurs qui, comme Clint Walker ou James Arness, ont débuté à la télévision (dans la série *Rawhide*). Choisi par Sergio Leone pour incarner le personnage flegmatique de « l'homme sans nom » de sa trilogie *(Pour une poignée de dollars, Et pour quelques dollars de plus, Le Bon, la Brute et le Truand)*, il fonde, en 1968, sa propre maison de production (Malpaso Company), travaille sous la direction de Don Siegel, incarnant l'inspecteur Harry, et passe à la réalisation. Il tourne une trentaine de films, dont l'éventail des genres est largement ouvert ; cinq westerns (de *L'Homme des Hautes Plaines*, 1973, à *Impitoyable*, 1992) feront de lui le dernier grand créateur du genre.

Dans ses films, il interprète à plusieurs reprises des « revenants » venus de l'au-delà accomplir une vengeance. Il maintient vivant ce qui est mort, il assume quasi seul tout l'héritage : *Bronco Billy*, par son titre, rappelle la première vedette du genre, Broncho Billy Anderson ; *Pale Rider* reprend le sujet de *L'Homme des vallées perdues* de George Stevens…

Les prémices du déclin

Pour en revenir à **Gary Cooper** et à **John Wayne**, le vieillissement leur a très bien réussi. Le visage buriné de Cooper dans *L'Homme de l'Ouest* (*Man of the West*, 1958), d'Anthony Mann, et la stature puissante quoique alourdie de Wayne dans *L'Homme qui tua Liberty Valance* (*The Man who Shot Liberty Valance*, 1962), de John Ford, contribuent à faire de ces deux films deux chefs-d'œuvre parmi les westerns dits « crépusculaires », qui annoncent par leur thématique et par le physique même de leur acteur principal la fin proche du genre.

Les chiffres parlent d'eux-mêmes : 145 westerns sont réalisés en 1922, 227 en 1925, 145 en 1935, 130 en 1950, 28 en 1960, 22 en 1970 et seulement 7 en 1977... En 1950, il existe 3 séries western à la télévision, 46 en 1960, 15 en 1965, 9 en 1971, 3 en 1978 et une seule en 1985...

La fin du western

Vers la fin des années 1950, le western s'essouffle puis disparaît. La fin des premières parties au cinéma et la vulgarisation de la télévision signent l'arrêt de mort de la série B, même si des séries télévisées telles que *Bonanza*, *Rawhide* ou *Au nom de la loi* maintiennent le genre encore en vie pendant un temps en définitive assez bref.

Ultimes soubresauts

Dans les années 1960, le western subit des influences étrangères. *Les Sept Mercenaires* (*The Magnificent Seven* de John Sturges, 1960) ou *La Vengeance aux deux visages* (*One-Eyed Jack* de Marlon Brando, 1959) par exemple sont redevables au cinéma japonais. Quant à *Pour une poignée de dollars* (*Per un pugno di dollari* de Sergio Leone, 1964), western italien dit **western spaghetti**, il annonce un phénomène unique, à savoir la fin de la suprématie du cinéma américain, qui doit se plier à des formules inventées ailleurs : très gros plans (des yeux notamment), dilatation des temps morts, théâtralisation du décor...

Dans les années 1970 et 1980, alors que le cinéma américain change en profondeur, le genre « western » est en passe de disparaître complètement. L'apparition d'œuvres isolées comme *Silverado* (1985), *Pale Rider* (1985) ou *Young Guns* (1988), ne peut être interprétée comme le signe d'un renouveau, pas plus que ne peut l'être le film de Kevin Costner, *Danse avec les loups* (*Dance with Wolves*, 1990 ; → encadré p. 134), malgré l'engouement qu'il a suscité.

Que reste-t-il du western ?

Les grands acteurs du muet, Tom Mix ou William Hart, autrefois connus dans le monde entier, sont oubliés depuis longtemps ; les westerns classiques des années 1950 se sont estompés dans le souvenir collectif ; le western italien, qui détrôna un temps

Cinéma

▲ Charles Bronson, dans *Il était une fois dans l'Ouest* (1969) : la mélodie lancinante de son harmonica contribua, tout autant que les images, à créer l'atmosphère si particulière du film.

Un monde de références

Danse avec les loups (1990), de Kevin Costner, tourné en partie dans les Black Hills (Dakota du Sud) et créé alors que le western a déjà disparu de la scène, apparaît à la fois comme une récapitulation et une réflexion. Le récit, à la fois *Civil War story* et *Indian story*, relate l'histoire d'un combattant qui se rend, à la suite de la guerre de Sécession, chez les Indiens Sioux, tout comme le héros du *Jugement des flèches* (1956). Vivant auprès d'eux dans un voisinage circonspect, puis amical, à la manière de Jeremiah Johnson dans ses premiers temps en pays sauvage, il s'indianise progressivement, comme l'homme nommé Cheval.

▲ Kevin Costner et Graham Greene.

Le film rappelle à la fois *La Piste des Géants* (1930, pour la charge des bisons), les cavaliers dont la silhouette se découpe sur le ciel dans les films de John Ford, l'homme perdu dans l'immensité du paysage chez Anthony Mann, etc. Il commence et s'achève sur des épisodes militaires peu éloignés de ceux de *Le Bon, la Brute et le Truand* (*Il Buono, il brutto, il cattivo*, 1966) de Sergio Leone, metteur en scène emblématique du western spaghetti. *Danse avec les loups* a été couronné par sept Oscars en 1991.

son prédécesseur, appartient lui aussi au passé. Du western, demeure le souvenir de quelques scènes stéréotypées reprises dans des films relevant de genres nouveaux : par exemple, *Gangs of New York* débute comme un western italien et réactive la scène du duel *(gunfight)* par la confrontation de deux communautés. Rares sont les westerns qui ont accédé au rang de films cultes : *La Prisonnière du désert*, de John Ford, est cité dans *La Guerre des étoiles* (*Star Wars*, 1977) de George Lucas et dans *Mean Streets* (1973) de Martin Scorsese ; *L'État des choses* (*Der Stand der Dinge*, 1981), de Wim Wenders, accorde une place capitale au livre d'où fut tiré le scénario de *La Prisonnière du désert*.

Perspectives pour le XXIᵉ siècle

La réalité que le mot « cinéma » désigne aujourd'hui n'a déjà plus rien à voir avec celle qu'il recouvrait au long du XXᵉ s. Non seulement le support change inexorablement, mais les films sont regardés de plus en plus à domicile par le biais du DVD et de la vidéo à la demande. Quant à la forme dominante sur écran, elle consiste en des produits très coûteux, jouant la carte du spectaculaire, et de moins en moins ancrés dans un pays ou une culture précis. Le cinéma, dans son sens traditionnel, demeure comme une survivance et sera pratiqué (aux États-Unis comme ailleurs) dans les marges. En revanche, l'arrivée de la caméra vidéo numérique (dite Digital Video, ou DV) ouvrira peut-être l'ère de la caméra-stylo permettant une expression bon marché parfois intéressante – mais pour quel public ?

- découvrir
- partir
- séjourner
- comprendre

visiter

- en savoir plus

Les villes, sites et itinéraires
de l'Ouest américain

La Californie

La Californie cristallise toutes les espérances. Explorateurs, trappeurs, orpailleurs, pionniers, immigrants, starlettes ou entrepreneurs des nouvelles technologies, tous y ont vu leur Terre promise. Le Golden State, que les premiers explorateurs espagnols décrivaient, au XVIIIe siècle, comme une île aux merveilles, attise le désir d'accomplissement individuel et collectif dont Hollywood demeure la vitrine.

Malgré la menace d'un cataclysme naturel, malgré bien des désillusions, les Californiens s'accrochent à cette terre, parée de toutes les séductions, qui a vu naître quatre des quatorze plus grandes villes américaines : Los Angeles, San Diego, San Jose et San Francisco. Une nature belle à couper le souffle, le point culminant d'Amérique du Nord, hors Alaska (Mt Whitney, 4 418 m), et le point le plus bas (Death Valley, – 86 m). Et, entre mille atouts, ses longues plages dont les rouleaux font le bonheur des surfers.

Tribus amérindiennes, conquérants espagnols et anglo-américains, immigrants de tous horizons l'ont enrichie de leurs coutumes, divertissements, traditions culinaires, pratiques artistiques. Reconnue pour ses positions novatrices, la Californie est, avec sa furie visionnaire, l'incarnation même du mythe américain.

✐ SITES INTERNET
• www.visitcalifornia.fr : informations touristiques.
• www.parks.ca.gov : rens. complets sur les parcs naturels et historiques de l'État.
• www.wildcalifornia.org : protection de l'environnement, vie sauvage.

La Californie

◄ À San Francisco, les quartiers de petits immeubles s'adossent à une *skyline* de gratte-ciel, résultat d'une urbanisation inspirée des villes européennes et de New York.

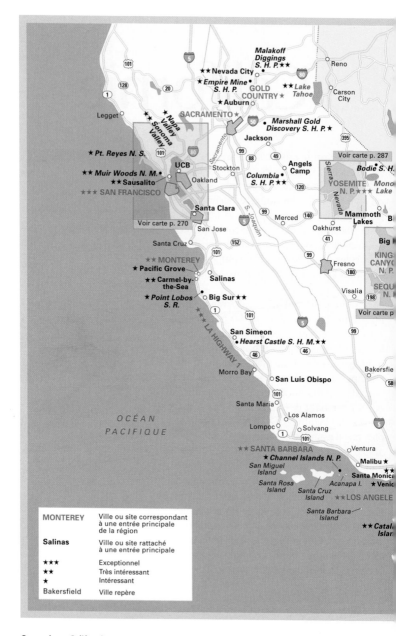

Légende de la carte :

MONTEREY	Ville ou site correspondant à une entrée principale de la région
Salinas	Ville ou site rattaché à une entrée principale
★★★	Exceptionnel
★★	Très intéressant
★	Intéressant
Bakersfield	Ville repère

Localités et sites mentionnés sur la carte :

Malakoff Diggings S. H. P. ★★, Reno, ★★ Nevada City, ★ Empire Mine S. H. P., GOLD COUNTRY ★, ★★ Lake Tahoe, Carson City, ★ Auburn, Legget, ★★ Napa Valley Sonoma Valley, SACRAMENTO ★, Marshall Gold Discovery S. H. P. ★, Jackson, 395, ★ Pt. Reyes N. S., UCB, Stockton, Angels Camp, Bodie S. H., ★★ Muir Woods N. M., Columbia S. H. P. ★★, ★★ Sausalito, Oakland, YOSEMITE N. P. ★★★, Mono Lake, ★★★ SAN FRANCISCO, Santa Clara, Merced, Mammoth Lakes, Voir carte p. 270, San Jose, Oakhurst, Big, Santa Cruz, Fresno, KINGS CANYON N. P., ★★ MONTEREY, ★ Pacific Grove, Salinas, ★★ Carmel-by-the-Sea, Visalia, SEQUOIA N., ★ Point Lobos S. R., Big Sur ★★, Voir carte p., LA HIGHWAY 1, San Simeon, Hearst Castle S. H. M. ★★, Morro Bay, San Luis Obispo, Bakersfield, Santa Maria, Los Alamos, OCÉAN PACIFIQUE, Lompoc, Solvang, ★★ SANTA BARBARA, Ventura, ★ Channel Islands N. P., Malibu ★, San Miguel Island, Santa Monica, Santa Rosa Island, Acanapa I., ★ Venice, Santa Cruz Island, ★★ LOS ANGELES, Santa Barbara Island, ★★ Catalina Island

Voir carte p. 287

Que voir en Californie.

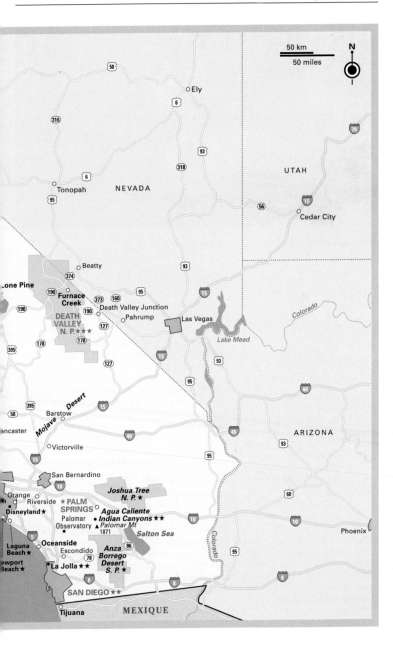

▲ Rencontre à Palm Springs.

La Californie en bref

- **Nom** : d'origine incertaine.
- **Abréviation** : CA.
- **Surnom** : Golden State.
- **Devise** : Eurêka ! (« j'ai trouvé », en grec, allusion à la découverte de mines d'or).
- **Superficie** : 403 468 km² (3ᵉ État, après l'Alaska et le Texas).
- **Population** : 37 500 000 hab. (État le plus peuplé).
- **Villes principales** : Sacramento (capitale, 467 000 hab.) ; Los Angeles (3 800 000 hab.) ; San Diego (1 308 000 hab.) ; San Jose (946 000 hab.) ; San Francisco (805 200 hab.) ; Long Beach (462 000 hab.).
- **Entrée dans l'Union** : 1850 (31ᵉ État).
- **Fuseau horaire** : Pacific Time (– 9 h par rapport à la France).

L'or de la sierra

En mai 1848, Samuel Brannan répand dans les rues de Yerba Buena (San Francisco) la nouvelle de la découverte de pépites d'or dans la sierra Nevada. Aussitôt se déclenche un irrésistible mouvement de populations. La découverte de filons d'or dans l'Ouest du pays accélère la conquête du territoire.

Le 29 mai 1848, on lit dans le *Californian* : « Tout le monde nous quitte, lecteurs et imprimeurs. De San Francisco à LA, du bord de mer aux contreforts de la sierra Nevada, le pays tout entier retentit du cri sordide : "de l'or, de l'or !" tandis que le champ reste à demi planté, la maison à demi construite et que tout est négligé, à l'exception de la fabrication des pelles et des pioches. Force nous est d'interrompre notre publication. » Des dizaines de milliers d'hommes et de femmes convergent vers la Californie, à la recherche du précieux métal, bâtissant des villes, vite abandonnées dès l'épuisement des filons.

Rêves californiens

Au tournant du xxᵉ s., l'attraction se porte vers le sud, à Los Angeles, où la découverte de pétrole, l'essor de l'automobile et de l'aéronautique accélèrent la croissance démographique. L'industrie du cinéma, établie sur les rivages du Pacifique, façonne et diffuse une image idyllique de la Californie. C'est alors le triomphe du *star system*, qui ne cesse d'exercer sa troublante fascination. Dans un mouvement de balancier révélateur du caractère éphémère des rêves, le centre de l'action se déplace à nouveau vers le nord de la Californie à la fin du xxᵉ s. La révolution *high tech*, née dans la vallée fruitière de Santa Clara (rebaptisée Silicon Valley), bouleverse durablement les échanges à l'échelle planétaire.

▲ À Sausalito, de nombreux artistes vivent sur de pittoresques *house boats*.

De façon cyclique, l'espoir d'une fortune rapide a attiré en Californie des populations ambitieuses qui ont contribué à son développement. D'autres sont arrivés porteurs d'un idéal plus noble, celui d'un monde libre et solidaire. Naturalistes de la fin du XIXe s. comme John Muir, beatniks de l'après-guerre, hippies dans les années 1960, chantres de l'écologie aujourd'hui, tous ont cherché à donner un sens à leur vie dans les solitudes d'une nature grandiose ou dans le tumulte de villes tentaculaires.

La planète Californie

Depuis 1964, la Californie est l'État le plus peuplé des États-Unis (plus de 37 millions d'habitants) et sa population s'accroît plus rapidement que la moyenne nationale. Cette population est plus jeune et aussi plus diverse. D'après le dernier recensement, en 2010, les descendants d'Européens et d'Africains ne représentent, respectivement plus que 57,6 % et 6,2 % de la population (moyenne nationale : 72,4 % et 12,6 %), tandis qu'Asiatiques et Hispaniques sont recensés à 13 % et 37,6 % (moyenne nationale : 4,8 % et 16,3 %). Plus de 25 % des habitants sont nés à l'étranger (moyenne nationale 11,1 %) et 42,2 % de la population âgée de plus de 5 ans parle une autre langue que l'anglais à la maison (19,6 % dans le reste du pays). 46 langues sont parlées dans l'État et l'espagnol talonne l'anglais, de Los Angeles à la frontière mexicaine. Ces chiffres ne prenant pas en compte l'immigration clandestine (majoritairement mexicaine), force est de constater le prodigieux pouvoir d'attraction de la Californie.

Chronique d'un séisme annoncé

L'État vit dans la crainte du « Big One », un séisme d'une magnitude supérieure à 8,5 sur l'échelle de

Splendeur et misère du Golden State

Si la Californie était un État indépendant, elle serait, grâce à son PIB, la 8e puissance mondiale : agriculture, pétrole, aérospatiale, recherche médicale, biotechnologies, high-tech, tourisme, industrie du spectacle, enseignement universitaire, énergies renouvelables…

Mais, depuis 2007, la Californie affronte une récession découlant largement de la crise des *subprimes*. Des milliers d'emplois ont été perdus. Le taux de chômage (11,7 % en octobre 2011, soit 2 points de plus que la moyenne nationale) y est le plus élevé du pays après celui du Nevada (14 %), avec des records dans la Central Valley et près de la frontière mexicaine (El Centro, 28,7 %). Si la Silicon Valley possède la plus forte densité de milliardaires, plus de 14 % des Californiens vivent au-dessous du seuil de pauvreté.

Ondes de choc

La généralisation d'infrastructures adaptées à la forte activité tellurique dans la région est une préoccupation majeure des instances gouvernementales de l'État. Les gratte-ciel sont construits dans les centres urbains selon des normes antisismiques très strictes. Plus résistantes que les immeubles d'appartements, les maisons individuelles en bois avec soubassement en béton se sont ainsi multipliées.

Parmi les séismes les plus puissants : Fort Tejon, près de Parkfield, en 1857 (7,9) ; Hayward, en 1868 ; San Francisco, le 18 avril 1906 (7,8) ; en 1989, Loma Prieta (7,1) ; Northridge, à LA, en 1994 (6,7) ; Mexicali (7,2), en 2010.

Il est recommandé de consulter, avant le départ, le site Internet du ministère français des Affaires étrangères : www.diplomatie. gouv.fr/fr/conseils-aux-voyageurs Une fois sur place, conformez-vous aux instructions affichées dans les chambres d'hôtel.

☎ NUMÉROS GRATUITS
Les numéros de téléphone qui commencent par ☎ 800, 855, 866, 877, 888 sont des numéros d'appel gratuits *(toll-free number)*. Faites-les précéder du ☎ 1 si vous appelez depuis un poste fixe (et non d'un portable). Dans ce guide, ces numéros sont notés ainsi : ☎ (1)800/000-0000.

Richter, qui semble inéluctable et imparable. La Californie repose sur le bord d'une immense plaque, constituée par l'océan Pacifique, au centre de laquelle se dresse une chaîne de volcans, l'East Pacific Rise. La croûte terrestre s'y forme à raison de 6 cm par an, poussant la plaque Pacifique contre le continent nord-américain. Au sud, la première glisse sous le second, surélevant les Andes et provoquant de violentes secousses. Sous la pression de l'East Pacific Rise, les deux plaques se déplacent vers le nord, mais à des rythmes différents, d'où la formation de failles très profondes. Il en existe une centaine en Californie. La faille de San Andreas (plus de 1 000 km de long, entre 1 et 100 km de large, jusqu'à 50 km de profondeur) est la plus importante. Elle s'est formée lors d'un déplacement vertical des deux plaques, qui créa la sierra Nevada et les montagnes de San Jacinto et San Bernardino. Découverte au XIXe s. par le géologue Andrew Lawson, elle est en fait constituée de plusieurs failles parallèles (comme celle de Hayward).

Nature et urbanisation

Née du mouvement des plaques terrestres et de l'océan Pacifique, la Californie offre des paysages somptueux : volcans en sommeil, sources d'eau chaude jaillissant en plein désert (vers Palm Springs) ou au sein de verdoyantes collines (Napa Valley), contreforts de la sierra tapissés de séquoias millénaires, côte rocheuse peuplée de mammifères marins et plages infinies, canyons, vallées et montagnes à l'état quasi sauvage. Longue bande de terre où la densité de population moyenne est de 90 hab./km^2, la Californie montre une forte disparité entre l'intérieur des terres, assez faiblement peuplé, et la zone côtière, où plus de 60 % des Californiens vivent en milieu urbain. La protection des richesses naturelles est très tôt devenue une priorité pour une population qui perçoit l'environnement comme un espace récréatif à préserver plutôt que comme un outil de travail à exploiter.

Plus généralement, l'Ouest est associé à l'idée de frontière telle qu'elle fut définie par Frederick Jackson Turner (→ p. 106), et la nature est synonyme de beauté et de liberté. Paradoxalement, ces valeurs menacent aujourd'hui l'environnement : le désir croissant de vivre en prise directe avec la nature conduit à l'expansion permanente de banlieues dévoreuses d'espace.

Los Angeles★★

Los Angeles s'ouvre en un large éventail, des monts San Gabriel, Santa Monica et San Bernardino, aux rivages du Pacifique. Vu d'avion, cet interminable lotissement dépasse le champ visuel. À part quelques protubérances de gratte-ciel, la ville s'allonge jusqu'à l'horizon, organisme complexe dont le cœur palpite et dont les *freeways*, incroyable entrelacs d'autoroutes, toujours en mouvement, transportent les forces vives. En un peu plus de deux siècles d'existence, le *pueblo* Nuestra Señora la Reina de los Angeles, fondé en 1781, est devenu la cité des Anges ou LA, l'une des plus grandes agglomérations du monde, faite de 84 villes-quartiers et qui ne cesse d'avaler le désert.

C'est le climat très doux et la beauté des paysages qui ont attiré à LA les cinéastes de la côte est au début du XXᵉ siècle. En quelques décennies, ils ont fait de Hollywood, petite banlieue plantée d'orangers, la capitale mondiale de l'industrie cinématographique et une prodigieuse usine à fabriquer du rêve sur grand écran. Mais, pour qui veut bien aller au-delà des apparences, LA ne saurait se résumer au strass et aux paillettes. Avec 300 musées, dont le fabuleux Getty Center, elle n'a rien d'un désert culturel.

Los Angeles mode d'emploi

■ Arriver à Los Angeles

En avion. *Los Angeles International Airport (LAX)* **I B2** se trouve à 17 mi/27 km S.-O. de Downtown LA ☎ 310/646-5252 • www.lawa.org/lax
● Pour rejoindre la ville en **bus**, empruntez à l'aéroport la navette gratuite « C » pour gagner le *Transit Center* où vous trouverez des bus ralliant les différents quartiers de LA (pour l'achat du ticket, prévoir l'appoint car les chauffeurs ne rendent pas la monnaie) ● la **navette** *Fly Away* dessert 7 j./7 Union Station (Downtown LA) et Westwood (West LA) ; connexion avec la Metro Gold Line.

Situation : à 124 mi/200 km N. de San Diego, 387 mi/619 km S. de San Francisco.

Population : 3,8 millions d'hab. ● Greater LA : 18 millions d'hab.

Superficie : 1 200 km² ● Greater LA : 88 000 km².

Fuseau horaire : Pacific Time (– 9 h par rapport à la France).

Voir carte régionale p. 138

❶ Visitors Information Center :
• *Los Angeles*, 333 S. Hope St., 18th floor (III A3) ☎ (1)800/733-6952 ; www.lacvb.com
• *Downtown Los Angeles*, 685 S. Figueroa St., entre Wilshire Blvd et 7th St. (III A3) ☎ 213/689-8822 ; lun.-ven. 8 h 30-17 h.
• *Hollywood*, 6231 Hollywood Blvd (II D1 ; Highland Center) ☎ 323/467-6412 ; lun.-sam. 9 h-17 h.
• *Santa Monica*, 1900 Main St., entre Pico Blvd et Bay St. (I A/B2) ☎ 310/393-7593 ; www.santamonica.com ; t.l.j. 9 h-17 h 30.

✐ TRAFIC
L'heure de pointe se situe entre 16 h 30 et 19 h 30. De toute façon, la durée des déplacements en voiture est, comme disent les habitués, *unpredictable* (« imprévisible »). Voici une approximation, depuis Downtown :
• Aéroport : 17 mi/1 h.
• Disneyland : 27 mi/1 h.
• Santa Monica : 15 mi/30 mn.
• Studios Universal : 7 mi/20 mn.
• Hollywood : 6 mi/10 mn.
• Beverly Hills : 10 mi/15 mn.

● Pour le **métro**, prenez à l'aéroport la navette gratuite « G » qui conduit à la station « Aviation » de la ligne verte *(Green Line)*.

● Outre les **taxis**, vous pouvez également utiliser les **navettes** *(shuttles)* payantes de deux compagnies *(Supershuttle, Prime Time Shuttle)*, qui mettent à disposition des taxis collectifs déposant les voyageurs à l'adresse de leur choix ● ces taxis prennent les passagers sous les panneaux orange « *Shared Ride Vans* », au niveau des halls d'arrivée de chaque terminal.

En voiture. Du N., l'I-5 passe à l'E. de Downtown LA et descend vers Orange County ; pour rejoindre les plages, prendre l'I-405 ; pour Hollywood, la CA 170 vers le S. puis l'US 101 ● **de l'E.**, l'I-10 traverse LA jusqu'à Santa Monica ; pour Hollywood, prendre l'US 101 vers le N. ● **du S.**, l'I-5 se partage, une branche (I-405) part en direction des villes côtières ● la CA 1 (Pacific Coast Highway) longe la côte.

■ Transports en commun

Métro. Pratique et rapide pour aller d'un quartier à l'autre. Le réseau (rens. www.metro.net) comprend 7 lignes (une 8e est en phase d'achèvement) : *Blue Line* (N.-S.), entre Downtown LA et Long Beach ● *Red Line*, entre Downtown LA (Union Station) et la San Fernando Valley *via* Hollywood et Wilshire Blvd ● *Green Line* (E.-O.), entre Norwalk, l'aéroport international LAX (Aviation LAX) et Redondo Beach ● *Gold Line*, entre East Los Angeles et Pasadena, *via* Downtown LA (Chinatown) ● *Purple Line*, entre Downtown LA (Union Station) et Mid-Wilshire ● *Orange Line*, entre North Hollywood et la San Fernando Valley ● *Silver Line*, entre East LA et Artesia Transit Center *via* Union Station ● *Expo Rail* dessert Downtown LA jusqu'à Culver City (prolongée en 2015 jusqu'à Santa Monica).

Bus. Le *Metropolitan Transportation Authority* (*MTA* ☎ 323/466-3876 ; www.metro.net) dessert la plupart des quartiers urbains et balnéaires, de la San Fernando Valley à Orange County. Mais les changements sont fréquents et se font parfois dans des zones dangereuses (à éviter absolument le soir). On paie en donnant l'appoint pour un voyage. Cartes et horaires dans les *Metro Center*.

● Le billet avec correspondance *(with transfer)* permet, pour 25 cents de plus, de s'arrêter en cours de route sur l'un des trois réseaux de transport jusqu'à l'heure indiquée sur le billet.

● Le *Dash* est un réseau de plusieurs lignes d'autobus qui relie les principaux sites touristiques de Downtown LA (lun.-ven. 6 h 30-18 h 30 ; sam. 10 h-17 h ☎ 213/808-2273 ; www.ladottransit.com).

■ Se déplacer en voiture

Si le métro permet de rejoindre certaines attractions éloignées, il est indispensable de disposer d'une voiture pour visiter LA. Malgré l'apparente complexité du plan de la ville, il n'est pas difficile de s'y repérer : LA est sillonnée, sur près de 2 000 km², par un réseau de *freeways* (→ *encadré ci-contre*). Le trafic y est généralement dense mais fluide. Ce réseau se double d'interminables boulevards et avenues (jusqu'à 60 km de long).

● Localisez bien votre destination avant d'emprunter boulevards et *freeways*. Équipez votre véhicule d'un **GPS**.

● La **vitesse** est limitée à 25 mi/h en ville et à 55 mi/h sur les *freeways*.

Se garer. Le stationnement en ville est limité à 1 h. Lisez attentivement les panneaux indiquant les restrictions, très variables d'une rue à l'autre, et n'oubliez pas que les amendes sont élevées et vite distribuées. Les parcmètres acceptent des pièces de 25 cents. Dans les parkings municipaux, les deux premières heures sont gratuites.

■ Sécurité

Évitez les quartiers E., S. et S.-E., tels que Watts, Inglewood et Florence. Des précautions doivent être prises dans le centre-ville et sur les lieux touristiques (Hollywood, Santa Monica, Venice Beach), en particulier à la nuit tombée.

■ Hébergement

Nombreuses possibilités à Santa Monica, Hollywood, Downtown LA et Long Beach.

■ Adresses utiles

Urgences. Dentiste : *Dental Referral Service* ☎ (1)866/639-7444 ; www.dentalreferral.com ● **médecin** : *Uni-Health Information and Referral Hotline*

▲ De nuit, lorsque l'avion commence sa descente sur LA, on prend aussitôt la mesure de l'immensité de la ville qui s'illumine à perte de vue.

Les *freeways* de LA

Il est indispensable d'emprunter les *freeways* pour se rendre rapidement d'un quartier à l'autre. Circuler uniquement sur les boulevards vous prendra deux fois plus de temps, même en cas d'embouteillage sur le *freeway* (Fwy). Observez bien les règles de circulation (→ *encadré p. 42*).

Fwy 2 : Glendale (E.-O.) ● 5 : Santa Ana-Golden State* (N.-S.) ● 10 : Santa Monica-San Bernardino* (E.-O.) ● 22 : Garden Grove (E.-O.) ● 57 : Orange (N.-S.) ● 60 : Pomona (E.-O.) ● 90 : Marina (E.-O.) ● 91 : Artesia-Redondo (E.-O.) ● 101 : Hollywood* (E.-O.) ● 105 : Century (E.-O.) ● 110 : Pasadena-Harbor* (N.-S.) ● 118 : Simi Valley-San Fernando (E.-O.) ● 134 : Ventura (E.-O.) ● 170 : Hollywood (N.-S.) ● 210 : Foothill (E.-O.) ● 405 : San Diego* (N.-S.) ● 605 : San Gabriel River (N.-S.) ● 710 : Long Beach (N.-S.).

* *Freeways les plus couramment empruntés.*

Los Angeles

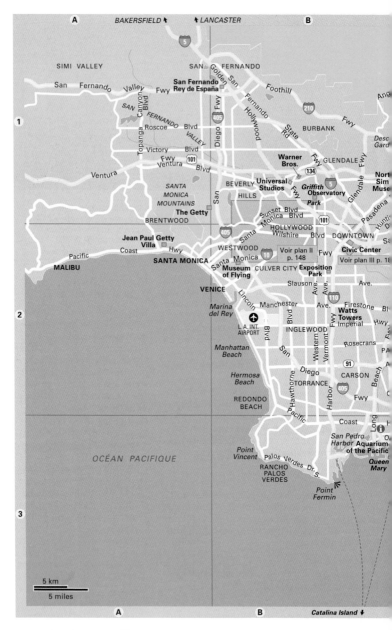

Los Angeles, plan I : ensemble.

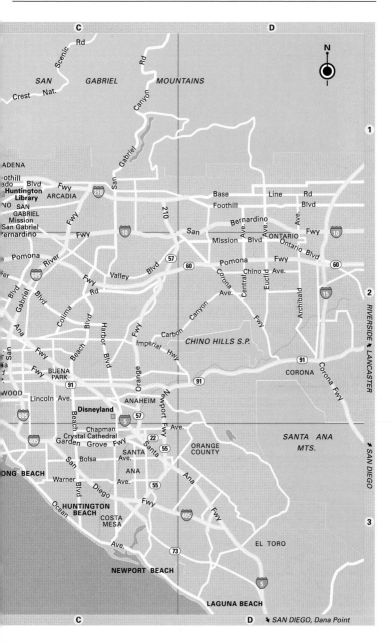

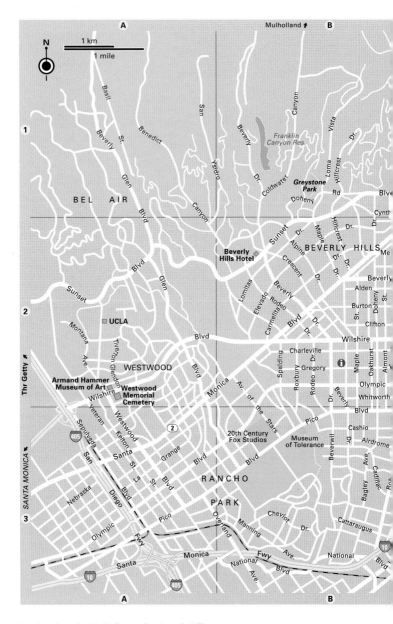

Los Angeles, plan II : Hollywood et Beverly Hills.

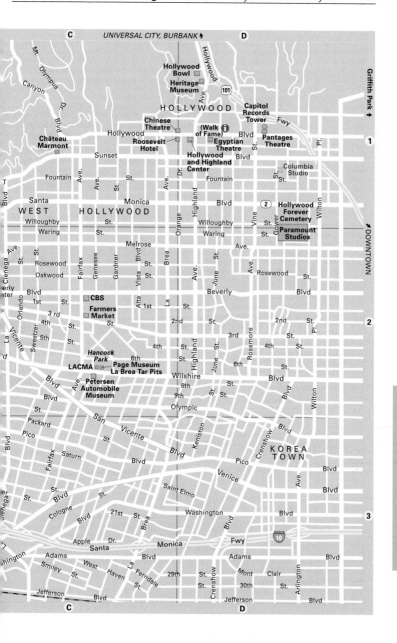

UNIVERSAL CITY, BURBANK ↟

Hollywood

Griffith Park ↟

Mt. Olympus

Canyon

Dr.

Blvd

Château
Marmont

Hollywood
Bowl

Heritage
Museum

101

H O L L Y W O O D

Capitol
Records
Tower

Fwy

Chinese
Theatre

Hollywood

Roosevelt
Hotel

Sunset

(Walk
of Fame) ℹ

Egyptian
Theatre

Blvd

Pantages
Theatre

Hollywood
and Highland
Center

Blvd

Pl.

1

Fountain

Ave.

St.

St.

Dr.

Highland

Fountain

St.

Columbia
Studio

St.

Santa

WEST

HOLLYWOOD

Willoughby

Waring

Monica

Blvd

St.

Willoughby

Waring

Vine

St.

Gower

2

Hollywood
Forever
Cemetery

Paramount
Studios

DOWNTOWN

Wilton

Blvd

erly
ater

Ave.

St.

Orlando

Rosewood

Oakwood

Fairfax

Genesee

Gardner

Vista

Melrose

Blvd

St.

St.

Brea

St.

Ave.

Ave.

June

Ave.

Rosewood

St.

Blvd

Blvd

1st

St.

3 rd

4th

5th

St.

St.

Sweetzer

CBS

Farmers
Market

Alta

1st

St.

2nd

St.

St.

3rd

Highland

St.

June

St.

St.

2nd

St.

Blvd

Rossmore

St.

Pl.

2

La
d

Vicente

4th

6th

Hancock
Park

LACMA

Petersen
Automobile
Museum

Blvd

Page Museum
La Brea Tar Pits

Wilshire

8th

9th

Olympic

4th

St.

St.

St.

Highland

6th

June

St.

St.

St.

4th

St.

6th

St.

Blvd

Blvd

Wilton

Blvd

St.

Packard

Pico

Fairfax

San

Vicente

Saturn

Blvd

Blvd

Blvd

Pico

Keniston

Crenshow

Venice

K O R E A
T O W N

Ave.

Blvd

Blvd

3

St.

Blvd

St.

Cologne

21st

Brea

St.

St.

Saint Elmo

Washington

Blvd

Blvd

Apple

Santa

Dr.

Monica

Fwy

10

hington

Adams

Smiley

St.

West

Haven

La

Ferndale

St.

Blvd

29th

St.

St.

Adams

Mont

Crenshow

30th

St.

Clair

St.

Arlington

Blvd

Jefferson

Blvd

Jefferson

Blvd

C

D

Los Angeles

☎ (1)800/922-0000 • **hôpital** : *Cedars-Sinai Medical Center*, 8700 Beverly Blvd II C1 ☎ 310/423-3277 • **pharmacies** : *Horton & Converse* : 11600 Wilshire Blvd I B2 ☎ 310/478-0801 ; 2001 Santa Monica Blvd, Santa Monica I A/B2 ☎ 310/829-3401 ; 9201 Sunset Blvd, Beverly Hills II B1 ☎ 323/272-0488 (ouv. jusqu'à 2 h du matin).

Consulats. France, 10390 Santa Monica Blvd, Suite 410, Santa Monica ☎ 310/235-3200 ; n° d'urgence pendant les heures de fermeture ☎ 310/854-4598 ; www.consulfrance-losangeles.org ; lun.-ven. 8 h 45-12 h 15 • **Belgique**, 6100 Wilshire Blvd, Suite 1200 ☎ 323/857-1244 • **Suisse**, 11766 Wilshire Blvd, Suite 1400 ☎ 310/575-1145 • **Canada**, 550 S. Hope St. ☎ 213/346-2700.

☼ MÉTÉO
Il fait beau presque toute l'année à LA (320 jours de soleil par an).
- En janvier, les températures sont supérieures à 18 °C.
- Les pluies, souvent violentes, tombent de février à avril.
- « June Gloom » (« obscurité de juin », en fait de fin avril à mi-août) est dû à un brouillard venu de l'océan qui voile le ciel.
- Les « Santa Anas », vents chauds venus du désert, soufflent en octobre et en novembre.

Argent, change. Pour obtenir l'adresse du bureau *American Express* le plus proche ☎ (1)800/221-7282 • autres bureaux *American Express*, 327 N. Beverly Dr., Beverly Hills II B2 ☎ 310/274-8277 • *Bank of America*, 525 S. Flower St., Downtown LA III A3 ☎ (1)888/279-3264.

Compagnies aériennes. *Air France* ☎ (1)800/237-2747 • *Air Canada*, ☎ (1)800/247-2262 • *American Airlines* ☎ (1)800/433-7300 • *Continental Airlines* ☎ (1)800/525-0280 • *United Airlines* ☎ (1)800/241-6522 • *Jet Blues* ☎ (1)800/538-2583 • *Delta Airlines* ☎ (1)800/221-1212.

Location de voitures. *Alamo* ☎ (1)877/222-9075 • *Avis* ☎ (1)800/831-1212 • *Budget* ☎ (1)800/527-0700 • *Dollar* ☎ (1)800/800-3665 • *Hertz* ☎ (1)800/654-3131 ; *National* ☎ (1)877/222-9058.

✐ À NOTER
Culver City, Beverly Hills ou Santa Monica ne font pas partie de Los Angeles. « Greater LA » désigne l'agglomération tout entière, étalée sur cinq comtés.

Taxis. Il n'existe pas de station de taxi *(taxi stand)* et on ne hèle pas les taxis dans la rue. Il faut appeler une centrale par téléphone : *Independent Cab* ☎ (1)800/521-8294 • *Yellow Cab* ☎ (1)877/733-3305 • *United Independent Taxi* ☎ (1)866/667-2991. Sinon, on en trouve généralement à l'entrée des hôtels.

En taxi, donnez toujours l'intersection la plus proche de votre destination. Par exemple : Kodak Theatre, sur Hollywood Blvd et Highland Ave. à Hollywood.

Gare ferroviaire (*Amtrak* • III B2). Union Station, 800 N. Alameda St., Downtown LA ☎ 213/683-6875.

☏ NUMÉROS GRATUITS
Les numéros de téléphone qui commencent par ☎ 800, 855, 866, 877, 888 sont des numéros d'appel gratuits *(toll-free number)*. Faites-les précéder du ☎ 1 si vous appelez depuis un poste fixe (et non d'un portable). Dans ce guide, ces numéros sont notés ainsi : ☎ (1)800/000-0000.

Gare routière (*Greyhound* • h. pl.). 1716 E. 7th St., Downtown LA, près d'Alameda St. ☎ (1)800/231-2222. Le quartier requiert un surcroît de prudence.

Poste. Pour obtenir l'adresse du bureau le plus proche ☎ (1)800/ASK-USPS.

Programme

Malgré son immensité, la ville est plus agréable et intéressante qu'on ne l'imagine, elle mérite plus qu'une simple visite aux grands sites touristiques. Des musées exceptionnels, des quartiers qui sont autant de voyages, du shopping chic et mode, des galeries d'art d'avant-garde, des balades en pleine nature, des plages en pleine ville et une vie nocturne trépidante…

1er jour. Faites un tour d'horizon en voiture ou en bus de tourisme *(Hop On-Hop Off)*. Explorez les collines de **Beverly Hills★★** *(p. 163)* et flânez à pied sur **Rodeo Drive★** *(p. 165)*. Suivez Mulholland Drive pour la vue★★ sur LA.

2e jour. Visite des **studios Universal★★** *(p. 159 ;* accès en métro, Red Line). Balade à pied sur **Hollywood Blvd★★** (Chinese Theatre, Walk of Fame ; *p. 154)*. Shopping et dîner sur Grove St.

3e jour. Visite du **musée Getty★★★** *(sur rés. ; p. 165)* et déjeuner sur place. Direction les quartiers balnéaires *(p. 185)* : **Venice★**, **Malibu★** et **Santa Monica★★**. Shopping et dîner sur **3rd Street Promenade★**, à Santa Monica.

4e jour. Cap sur **Downtown LA★** *(p. 179)*. Visite du **MOCA★★**, du **Disney Concert Hall★★** et descente en funiculaire (**Angel's Flight★**). Jetez un coup d'œil au pittoresque **Grand Central Market** *(p. 183)*. Visite du **Grammy Museum★★**, dans le LA Live District *(p. 185)*.

5e jour. Une journée à **Disneyland★** *(p. 184)* ou visite d'un autre musée remarquable : **Norton Simon Museum of Art★★★**, à Pasadena *(p. 188)*, ou **Huntington Library★★**, à San Marino *(p. 180)*. Ou encore farniente à **Laguna Beach★** *(p. 195)*.

Los Angeles dans l'histoire

Un *pueblo* mexicain

Des Indiens Chumashs et Tongvas vivaient de chasse et de cueillette sur ces terres sablonneuses, où poussaient saules et peupliers. Le 2 août 1769, une expédition espagnole, dirigée par Gaspar de Portolà, atteint une rivière, aussitôt baptisée rio de Porciúncula. El Pueblo de Nuestra Señora la Reina de los Angeles est fondé le 4 septembre 1781, près du village indien de Yang-na. Mais le site est inondable, le *pueblo* sera déplacé vers le N.-O. en 1815, sur une hauteur (auj. Olvera St., Downtown LA). En 1836,

☞ SPECTACLES, VIE NOCTURNE
Le supplément hebdomadaire du *Los Angeles Times, LA Weekly*, est une mine de renseignements.

🖉 BUS DE TOURISME
Un autobus à impériale permet de découvrir la ville selon quatre circuits. *Hop On-Hop Off* : arrêt à la demande aux 50 arrêts en ville. Billets valables 24 h ou 48 h. *Starline Tours* ☎ (1)800/959-3131 ; www.starlinetours.com

🖉 À VÉLO
Les quartiers balnéaires offrent de nombreuses possibilités de promenade :
ainsi, le **South Bay Bicycle Trail** longe la mer sur 35 km entre Santa Monica et Torrance Beach, et le **Griffith Park Trail** parcourt 13 km dans Griffith Park.

Los Angeles

▶ Une rue de Venice
au début du XXᵉ siècle.

la petite communauté compte déjà 2 228 habitants.
En 1845, Los Angeles devient capitale de la haute
Californie, alors mexicaine.

La conquête par les États-Unis

Avec ses ports bien protégés, la côte pacifique
est convoitée par les États-Unis. La guerre avec le
Mexique éclate en 1846 : les troupes américaines
se saisissent de la Californie, mais LA est la dernière
ville à se rendre. Sur la carte réalisée en 1849 par le
lieutenant de l'armée des États-Unis, Edward Ord, le
plan en damier typique des villes américaines vient
se substituer au *pueblo* traditionnel organisé autour
d'une *plaza*. Éloignée des mines, où se précipitent les
chercheurs d'or, Los Angeles se consacre à l'élevage
et à la viticulture. Elle demeurera longtemps un
modeste village

Des trains, du pétrole et de la pellicule

Dans les années 1870, la culture des agrumes, favorisée par l'introduction de l'orange navel à Riverside,
fournit une alternative à l'élevage. Puis, l'arrivée du
chemin de fer marque la fin de l'isolement de LA
et provoque une croissance démographique rapide
(plus de 50 000 hab. en 1890) ainsi qu'une augmentation subite de la valeur des terres. Une décennie
après la découverte de pétrole par Edward L. Doheny
(vers 2nd St.-Glendale Blvd), en 1892, la population
a plus que doublé. La lumière, l'air sec – et encore
pur – attirent des Américains du Midwest lassés des
hivers froids et aussi les cinéastes de la côte E. qui
fuient le monopole des brevets imposé par le Trust
(→ *Cinéma, p. 124*).

En route pour la gloire

Dans les années 1880, **Hollywood** n'était encore
qu'une vallée des environs de Los Angeles plantée
d'orangers et de citronniers. Convaincus du potentiel

Une ville
pour l'automobile

L'expansion de LA demeure limitée jusqu'à l'arrivée du chemin de
fer, dans les années 1880. Elle se
dote d'une ligne de tramway qui
permet aux classes moyennes de
s'établir à l'écart des zones urba-
nisées. Le tram dessert la lointaine
Hollywood, mais il faut compter 2 h pour s'y rendre. Dans les
années 1920, l'automobile offre
une formidable alternative à ce
type de transports en commun,
peu adapté à une ville en pleine
croissance. On voyait alors dans
l'automobile une chance d'améliorer sa qualité de vie.

Dans les années 1940, la constitution d'un réseau d'autoroutes
gratuites permet de canaliser les
flux routiers, mais elle accentue la
fragmentation de la ville en favorisant le développement de noyaux
périphériques. Aujourd'hui, les
Angelinos passent en moyenne
3 h par jour dans leur voiture et
on assiste au retour en grâce du
rail : le métro semble la solution
idéale pour circuler dans cette
ville gigantesque.

de développement de la région, des promoteurs la divisent en parcelles destinées à être vendues. En 1887, les Wilcox y établissent un ranch, que Mrs Wilcox baptisera Hollywood (joli bois de houx). Prospect Avenue (futur Hollywood Blvd) est l'artère principale de cette localité aux débuts modestes qui, au tournant du siècle, ne compte que quelques ranches et un hôtel pour attirer les investisseurs (Hollywood Hotel, à l'emplacement du Kodak Theatre). En 1906, on tourne déjà dans la région ; le premier studio de cinéma d'Hollywood, Gower Studios, sera construit en 1911, à l'angle de Sunset Blvd et Gower St.

Greater Los Angeles

Au début du XXe s., Los Angeles se lance dans une vaste politique d'annexion des localités voisines. En 1906, elle acquiert le *shoe string* (lacet de chaussure), bande de terre qui mène à la côte. Trois ans plus tard, San Pedro et Wilmington lui donnent un port et un véritable front de mer. Dans ce milieu semi-aride, l'approvisionnement en eau reste le principal handicap pour un véritable développement. On va chercher l'eau de plus en plus loin, dans l'Owens Valley (Mono Lake) et dans le Colorado. La ville poursuit son expansion malgré la réticence des agriculteurs de ces régions, lésés par la captation de l'eau.

L'annexion de la vallée de San Fernando, en 1915, lui donne accès à l'aqueduc. En 1920, la population de LA dépasse le demi-million d'habitants. L'expansion de la ville est telle qu'on remplace le système de tramway par un réseau d'autoroutes gratuites. La première, Arroyo Seco Parkway (auj. Pasadena Fwy) est ouverte en 1940. Aujourd'hui, Downtown LA, berceau de la ville, n'est plus que l'une des 84 villes-quartiers qui composent la mégalopole.

Une ville-monde

Dans les quartiers du centre et de l'E. de Los Angeles, les populations noires remplacent les immigrants d'autrefois, constituant un ghetto. En 1965, de violentes émeutes secouent le quartier de Watts à la suite de brutalités policières. L'histoire se répète en 1992 : le quartier de South Central s'enflamme après l'acquittement de quatre policiers blancs, pourtant convaincus du passage à tabac de Rodney King, un automobiliste noir. La révolte fait une cinquantaine de morts et des dégâts considérables. À partir des années 1980, les Hispaniques s'installent en nombre à LA. Aujourd'hui, ils sont majoritaires, et l'espagnol est plus parlé que l'anglais dans certains quartiers ; Antonio Villaraigosa, maire de 2005 à 2013, est d'origine mexicaine. Désormais, la population est composée de « minorités ».

❶ Hollywood★★

Situation. À 10 mi/16 km de Downtown LA, délimité au N. par Hollywood Fwy (US 101) et au S. par Beverly Blvd plan II.

Le berceau du septième art a beaucoup perdu de son glamour, mais le cinéphile pourra continuer à rêver du temps, pas si lointain, où les premières de cinéma rassemblaient les stars sur les trottoirs étoilés d'Hollywood Boulevard.

Combien de temps. En 1 j., vous pouvez flâner dans le quartier et visiter des musées. • attention, la visite d'Hollywood Forever Cemetery *(p. 158)* demande quelques heures et une **voiture**.

Se repérer. Hollywood Blvd est l'artère principale du quartier • **studios** et salles de montage sont concentrés dans les parties basses de Hollywood.

Parking. 1755 N. Highland Ave. II D1 (2 $/h les quatre premières heures).

Los Angeles

1

ℹ️ Hollywood Visitors Info Center, Hollywood & Highland, 6801 Hollywood Blvd (II D1) ☎ 323/467-6412. Plans, cartes, réservations.

✐ TARIF RÉDUIT
Hollywood CityPass, forfait pour quatre attractions : Starline Tours, Red Line Tours, Madame Tussauds, Kodak Theatre Guided Tour. En vente sur place ou sur www.citypass.com

La féerie des premières

En 1922, Sid Grauman, l'impresario des stars, instaure à Hollywood la tradition des premières de cinéma : l'**Egyptian Theatre**, extravagant pastiche de la tombe de Toutankhamon, est inauguré lors de la première de *Robin des Bois*, avec Douglas Fairbanks. Un triomphe ! Fans en liesse, stars foulant le tapis rouge dans la lumière des projecteurs, tout y est déjà. En 1927, l'étonnante pagode du **Chinese Theatre** ouvre pour la sortie du *Roi des rois*, de Cecil B. DeMille. Cette salle accueillera davantage de premières que toutes les autres à Hollywood. La soirée donnée pour *Morocco* (Josef von Sternberg, 1931), avec Marlene Dietrich et Gary Cooper, est éblouissante. En 1941, Orson Welles présente *Citizen Kane* dans le cadre luxuriant du théâtre **El Capitan**, datant de 1926. Le **Pantages**, véritable bijou Art déco inauguré en 1930, au lendemain de l'avènement du cinéma parlant, présente *Cléopâtre* (Cecil B. DeMille, 1934) et *A Star Is Born* (George Cukor, 1954), avec Judie Garland.

Ces somptueuses soirées de gala attirent toujours les foules, mais Hollywood Blvd a perdu beaucoup de son glamour légendaire.

■ **Chinese Theatre★★** II C/D1 *(6925 Hollywood Blvd* ☎ *323/464-8111 • www.chinesetheatres.com)*. Cette salle de cinéma à la pointe de la technologie, en forme de pagode chinoise, fut commandée par l'imprésario Sid Grauman – déjà propriétaire de l'Egyptian Theatre – à l'occasion de la sortie du *Roi des rois* (1927) de Cecil B. DeMille. Grauman aurait posé par mégarde le pied dans le ciment frais, ce qui lui donna l'idée d'une campagne de publicité originale : Norma Talmadge, Mary Pickford et Douglas Fairbanks feront de même lors de l'inauguration. Le plus grand livre d'or était né. Dans la cour de l'édifice, on peut mettre ses pas dans ceux de plus de 200 artistes. Chaque année, trois nouvelles empreintes viennent s'y ajouter.

■ **Hollywood Roosevelt Hotel★** II C-D1 *(7000 Hollywood Blvd* ☎ *323/466-7000 • www.hollywoodroosevelt. com)*. Édifié en 1927 dans le style Art déco, il a vu défiler le Tout-Hollywood. Le 16 mai 1929, la Blossom Room servit de cadre à la première cérémonie des Oscars. Marilyn Monroe logeait habituellement dans le bungalow 246 et Montgomery Clift au 9e étage. À voir, le **hall** au niveau de la mezzanine, de style hispano-mauresque (azulejos et plafond peint). La **piscine** a été décorée par le peintre David Hockney.

■ **The Walk of Fame★** II D1. Conçue par Oliver Weismuller en 1958, en hommage à ceux qui « font » Hollywood, la « promenade des célébrités » déroule son tapis de 2 454 étoiles, gravées en lettres de bronze sur **Hollywood Blvd** *(de Gower St. à La Brea)* et sur **Vine St.** *(de Yuca St. à Sunset Blvd)*. Les premières étoiles ont été attribuées en 1960 à Stanley Kramer et à Joanne Woodward. Chaque année, plus d'une vingtaine d'artistes sont honorés dans cinq catégories : cinéma, musique, théâtre, radio et télévision.

■ **El Capitan Theatre★** II D1 *(6838 Hollywood Blvd* ☎ *(1)800/347-639)*. Joan Fontaine, Clark Gable et tant d'autres ont triomphé sur la scène de ce théâtre (1926), au luxuriant décor de style colonial espagnol. À la suite de la première mondiale de *Citizen Kane* (Orson Welles, 1941), il a été transformé en salle de cinéma. Entièrement restauré dans sa splendeur d'origine, le théâtre a rouvert ses portes sous l'enseigne Disney et présente des spectacles maison.

À côté, l'austère **loge maçonnique** (Masonic Temple, 1922, architecte John C. Austin) a été annexée par les studios d'enregistrement d'ABC, filiale de Disney. Douglas Fairbanks, Harold Lloyd, Cecil B. DeMille et John Wayne ont fréquenté cette loge.

■ **Hollywood & Highland Center** II D1 *(Hollywood Blvd, entre Highland Ave. et Orange Dr. • www. hollywoodandhighland.com)*. Ce vaste complexe,

◀ L'inscription magique
« Hollywood », installée
en 1923 au sommet du Mt Lee,
servait à promouvoir un projet
immobilier : on pouvait alors lire
« Hollywoodland ».
En perdant ses dernières lettres,
elle est devenue le symbole
de la cité du cinéma.

construit en l'an 2000, abrite un centre commercial (magasins de chaîne, restaurants), l'hôtel *Renaissance*, le Chinese Theatre★★ (→ *ci-avant*) et le **Kodak Theatre** (3 332 places), où se déroule désormais la cérémonie des Oscars du cinéma (Academy Awards). La visite guidée permet d'explorer les coulisses et d'admirer de près la célèbre statuette. À l'affiche du Kodak Theatre : *Iris*★★, spectacle du Cirque du Soleil conçu par le chorégraphe français Philippe Decouflé.

🖉 **À NOTER**
Depuis la station de métro Hollywood/Highland *(Red Line)*, on peut gagner en 15 mn les studios Universal (*prom.* ❷ ; station Universal City).

■ **Hollywood Museum**★★ II D1 *(1660 N. Highland Ave. et Hollywood Blvd* ☎ *323/464-7776 • www. thehollywoodmuseum.com • ouv. mer.-dim. 10 h-17 h).* Ce petit musée, assez désuet mais fascinant, est la mémoire d'Hollywood. Il occupe le **Max Factor Building**, construit en 1931 dans le style Art déco pour le maquilleur des stars, inventeur des faux cils dans les années 1920. Retour sur un âge d'or : la cabine de maquillage de **Marilyn**, les chaussures de **Judie Garland** dans *Le Magicien d'Oz*, les tenues de **Joan Crawford**, des photos anciennes d'un Hollywood disparu, les costumes de *La Planète des singes* (1967, avec Charlton Heston), etc. Au dernier étage, les robes de **Mae West**, le chapeau de W. C. Fields et de nombreuses vitrines consacrées à **Jean Harlow** qui circulait dans une incroyable Packard Sport Phaeton★★ de 1932.

☞ **CONSEIL**
Certains secteurs du quartier sont mal famés le soir. Ne vous éloignez pas de la section la plus animée d'Hollywood Blvd.

■ **Egyptian Theatre** II D1 *(6712 Hollywood Blvd).* La découverte de la tombe du roi Toutankhamon, en 1922, inspira à Sid Grauman la construction, la même année, de cet extravagant pastiche (→ *encadré p. préc.).* Au temps de sa splendeur, la cour, plantée de bananiers, était occupée par des cages présentant des animaux sauvages.

■ **Musso & Frank Grill** II D1 *(6667 Hollywood Blvd* ☎ *323/467-7788 • www.mussoandfrankgrill.com).* Ce restaurant, le plus ancien de Hollywood, date de 1919. Repaire des scénaristes, acteurs et producteurs de l'âge d'or, c'est aujourd'hui encore celui des nostalgiques d'une époque révolue. ▶▶▶

♥ SHOPPING
Larry Edmunds Bookshop,
6644 Hollywood Blvd (II D1)
☎ 323/463-3273 ;
www.larryedmunds.com
Tous les livres sur Hollywood.

Los Angeles

1

Quand les murs parlent

C'est dans le Mexique du début du XXᵉ siècle que le mouvement des *murals* trouve ses origines, lorsque trois artistes, au nom de la révolution du peuple et de l'identité préhispanique, inventent cette forme picturale exubérante et visionnaire.

▶ *You Are the Star*, par Thomas Suriya (1983). Sur ce *mural* d'Hollywood (à l'angle d'Hollywood Blvd et de Wilcox Ave.), Charlie Chaplin, Marilyn, Woody Allen, Laurel, Hardy et d'autres encore vous regardent jouer la comédie.

◀ *Hester Street*, par Jane Golden (Los Angeles, Santa Monica, 1981). C'est dans cette rue de New York que nombre d'immigrants juifs, qui venaient de débarquer, s'installèrent.

■ Les muralistes mexicains

Dans les années 1920, après la révolution, le gouvernement du Mexique lance un grand programme de fresques murales dans le but d'éduquer une population, en grande partie analphabète, et de susciter un sens de l'identité nationale chez les Indiens, les paysans et les ouvriers. **Diego Rivera**, **David Alfaro Siqueiros** et **José Clemente Orozco** couvrent de fresques les murs de Mexico. Ils contribuent, chacun à sa façon, à lancer un mouvement artistique, le muralisme, qui ne va pas manquer d'inspirer les artistes de l'autre côté de la frontière.

Tous trois séjournent aux États-Unis dans les années 1930 et certaines de leurs œuvres sont toujours visibles en Californie. De Rivera, on peut voir, à San Francisco, *Mariage of the Artistic Expression of the North and South* (Diego Rivera Theatre) ; Orozco est présent à Claremont avec *Prometeo* (Pomona College) ; Siqueiros, à Los Angeles, avec *America Tropical* (Italian Hall, Olvera St.).

■ Mécénat officiel

Avec la crise économique de 1929, de nombreux artistes se retrouvent au chômage. Pour leur fournir du travail, le gouvernement fédéral finance, pendant le New Deal, la réalisation de fresques d'inspiration régionaliste. Bibliothèques, écoles, mairies et autres bâtiments publics sont ainsi décorés. Les fresques de la Coit Tower, à San Francisco, résument l'état d'esprit qui préside à ces représentations : ayant pour thème les *Aspects de la vie en Californie*, elles évitent, à la différence des muralistes mexicains, d'aborder l'actualité sociale alors même que San Francisco est secouée par les grèves. Ce mécénat officiel se poursuivra jusqu'à l'entrée en guerre des États-Unis.

■ Les années 1960-1970

Les mouvements de contestation des années 1960 et 1970 relancent l'intérêt pour cette forme d'art populaire accessible à tous. En 1969, à Sacramento State University, les professeurs Esteban Villa

et José Montoya forment, avec leurs étudiants, le RCAF (Rebel Chicano Art Front), également connu sous l'appellation humoristique Royal Chicano Air Force. Leurs œuvres sont des réalisations collectives qui transforment les quartiers délabrés en apportant des messages d'identité et de lutte des minorités et en impliquant les habitants, tout particulièrement les jeunes en quête de sens. Des femmes participent aussi à cette forme d'expression à la fois traditionnelle et nouvelle, comme Las Mujeres Muralistas, quatre artistes hispaniques qui, à Balmy Alley, dans le quartier de Mission, cherchent à formuler une conception optimiste de leur culture.

D'autres groupes se forment à Fresno, East Los Angeles, San Diego, et les murs peints se multiplient. En 1976, sous l'impulsion de Judy F. Baca, est créé le SPARC (Social and Public Art Resource Center), association d'artistes multiculturelle et à but non lucratif, qui recueille des fonds afin de favoriser la création de nouveaux *murals*.

■ Œuvres de réhabilitation

Associant artistes et résidents, les œuvres des années 1990 s'insèrent dans des actions de réhabilitation de quartiers déshérités. Elles sont l'expression d'une rupture avec l'environnement urbain et relèvent d'un art populaire échappant au circuit des galeries et des musées. Elles mettent parfois en avant la destination des bâtiments (maison des Femmes à San Francisco). Plus récemment, le mouvement des *murals* a dépassé le cadre des quartiers pauvres. L'idée a été reprise par de petites villes qui ont commissionné des artistes pour décorer leurs bâtiments, rappeler leur histoire et attirer les touristes.

◀ *La Vida loca*, par Carlos « Wiro » Ruiz (1992). Mur peint dans un quartier pauvre de Los Angeles : un *chicano* derrière les barreaux, et la statue de la Liberté brandissant la clé de la prison.

▶▶▶ *L'intersection Hollywood Blvd-Vine St. est un carrefour mythique : le **Walk of Fame** emprunte Vine St. et s'arrête devant le Capitol Records Building. La dernière étoile (1750 N. Vine St.) est celle de John Lennon (1988).*

■ **Capitol Records Tower**★ ‖ D1 *(1750 N. Vine St.).* Premier immeuble circulaire jamais construit (Welton Becket, 1954), sa forme évoque une pile de 45 tours. Frank Sinatra, Nat King Cole, Bing Crosby, les Beatles y ont enregistré leurs albums. L'immeuble abrite aujourd'hui les studios Capitol. La lumière sur le toit flashe, en morse, les lettres « Hollywood ».

■ **Pantages Theatre**★ ‖ D1 *(6233 Hollywood Blvd ☎ 323/468-1770 • www.broadwayla.org).* Ce très beau cinéma Art déco a été inauguré en 1930, après les débuts du cinéma parlant (il était alors à la pointe de la technique en matière de son). Acquis en 1949 par le milliardaire Howard Hughes, il a accueilli la cérémonie des Oscars jusqu'en 1959. Il présente aujourd'hui des comédies musicales à succès comme *Mamma Mia.*

■ **Gower Street** ‖ D1. À l'angle de Gower St. et W. Sunset Blvd ‖ D1 *(6098 Sunset Blvd)*, dans les années 1920, se retrouvaient les « cow-boys » qui rêvaient de figurer dans un western. À g., les anciens studios de la **Columbia** *(1438 Gower St.)*, fondée par Jack et Harry Cohn (auj. Sunset Gower Studios).

Pour la suite de la promenade, il est préférable d'être en voiture. Prendre Gower St. à dr., continuer jusqu'à Santa Monica Blvd.

■ **Hollywood Forever Cemetery**★ ‖ D1 *(6000 Santa Monica Blvd • plan à l'entrée • t.l.j. 8 h-17 h ☎ 323/469-1181 • www.hollywoodforever.com).* La section 8 abrite la tombe fastueuse de **Douglas Fairbanks** (m. 1939) et celle de **Cecil B. DeMille** (m. 1959). Près du lac, celle de Tyrone Power (m. 1958) et, très proche, celle de l'actrice Marion Davies (inhumée sous le nom Douras, en 1961). Dans la section 11, **Rudolph Valentino** (m. 1926) : le fils du Sheikh repose toujours dans une crypte provisoire (n° 1205). Section 14, la tombe du chanteur **Joe Dassin** (m. 1980). Dans la crypte n° 2081, **Victor Fleming** (m. 1949), qui réalisa en 1939 *Le Magicien d'Oz* et *Autant en emporte le vent.*

Poursuivre sur Gower St., puis prendre, à g., Melrose Ave.

■ **Paramount Studios** ‖ D2 *(5555 Melrose Ave. • vis. guidée de 2 h, lun.-ven. à 10 h, 11 h, 13 h et 14 h, réserv. indispensable ☎ 323/956-1777 • www.paramountstudios.com • pour assister à un show TV : www.tvtickets.com • parking payant en face des studios).* Construits en 1926, ils s'étendent derrière Hollywood

Studio system : majors et minors

Avec l'avènement du cinéma parlant, en 1927, Hollywood réorganise ses studios de façon plus industrielle. C'est le *studio system*, fondé sur le contrôle, par une dizaine de compagnies, des circuits de production, de distribution et d'exploitation. Les plus importantes sont appelées *majors* : Paramount, MGM, Twentieth Century Fox, Warner et RKO. Puis viennent les *minors* : Columbia, United Artists et Universal. Les studios RKO ont appartenu à John Kennedy, père du président américain, puis au milliardaire Howard Hughes, avant leur acquisition par la Paramount. Aujourd'hui, les studios se trouvent dans le giron de grands groupes industriels (NBC, Sony, Time Warner, etc.). Les studios Universal appartiennent à la dernière des grandes compagnies cinématographiques.

Cemetery et sont toujours en activité. Le **portail★** en fer forgé, de style *spanish revival* (Bronson Ave. et Marathon St.), a été immortalisé par le fim *Sunset Boulevard* (Billy Wilder, 1949).

Rejoindre le Fwy 101 (Hollywood Fwy N.) pour atteindre Universal City.

❷ Autour des Universal Studios★★

Situation. North Hollywood, East Hollywood, puis la San Fernando Valley I B1 et plan II.

À Los Angeles, la nature est aux portes de la ville. L'est d'Hollywood est dominé par les Santa Monica Range, une chaîne de montagnes où se niche le Griffith Park, l'un des buts de promenade préférés des Angelinos. À l'est et au nord de ses collines boisées s'étendent les banlieues résidentielles de la San Fernando Valley, Glendale et Burbank. Cette dernière est considérée aujourd'hui comme le nouvel Hollywood. Les chaînes de télévision NBC/Universal, ABC, les studios Touchstone Pictures, The Walt Disney Company, les mythiques Warner Bros. Studios et le groupe Warner Music, ainsi qu'une myriade de sociétés de production y ont établi leur siège social.

Combien de temps. 1 journée permet d'avoir un aperçu des lieux, reste à choisir lesquels visiter.

Accès aux Universal Studios. En métro (recommandé, mais véhicule indispensable pour la suite de la promenade) : *Red Line*, station Universal City, puis des navettes gratuites font la liaison avec le parc • en **voiture**, bien repérer l'accès pour éviter de se perdre : Fwy 101, sortie 9C « Universal City », parking payant.

■ **Universal Studios★★** I B1 *(1000 Universal City Plaza* ☎ *(1)800-UNIVERSAL • www. universalstudioshollywood.com • ouv. t.l.j. 8 h-22 h en été, le reste de l'année horaires variables • il est conseillé de réserver la vis.)*. Devenus l'une des principales attractions touristiques de la ville, on y produit toujours des films et surtout des séries télévisées : à bord du train touristique, il n'est pas rare de surprendre une équipe de tournage en action. Si vous êtes cinéphile, le côté parc d'attractions et usine à touristes vous décevront ; vous préférerez sans doute l'atmosphère plus authentique des studios Paramount ou Warner Bros., à Burbank, nouvelle cité du cinéma (→ p. 162). Toutefois, les décors extérieurs vous rappelleront quelques grands moments de cinéma.

Les bons tuyaux des

• Comptez une bonne **demi-journée** ; évitez les **week-ends** ; privilégiez les visites en **nocturne**.

• Prévoyez 30 mn d'**attente** par attraction en haute saison, sauf si vous disposez d'un *pass*.

• Des **restrictions** sont appliquées à certaines attractions : soyez attentif au panneau placé devant chacune d'elles.

• Un *pass* donne l'accès prioritaire à toutes les attractions et à des visites privilégiés, sous la conduite d'un guide.

• Le *Southern California City Pass* comprend l'entrée aux Universal Studios et au Seaworld de San Diego ainsi qu'un *pass* 3 j. Disneyland Park Hopper.

• Du fast-food au restaurant, le parc et le City Walk offrent de nombreuses possibilités de **restauration**. Évitez les buffets à volonté *(All you can eat)*, de médiocre qualité.

• Au *Victoria Station*, salades et grillades dans une étonnante reconstitution de la gare londonienne.

Los Angeles

2

● **Back Lot★★** *(studio supérieur • accès par escalier mécanique)*. À faire en priorité, **Studio Tour★★**, balade en train à travers les studios : décors extérieurs et attractions décoiffantes distillées tout au long du trajet. Earthquake, King Kong 360 3-D, un crash d'avion *(War of the Worlds)*, la maison et le motel du film *Psychose* (Alfred Hitchcock, 1959), la Wisteria Lane de la série *Desperate Housewives, Les Dents de la mer*, la traversée de la mer Rouge… 45 mn d'émotions, petites et grandes, orchestrées à l'américaine.

● **Upper Lot★** *(studio supérieur)*. House of Horrors, Waterworld (spectacle aquatique dont on ressort rincé), Special Effects, The Simpsons Ride *(roller coaster* virtuel) et, pour les enfants : Shrek 4-D, The Animal Actors.

● **Lower Lot** *(studio inférieur • accès par escalier mécanique)*. NBC Studios Experience, évocation de films tournés à Universal Studios (objets, photos, extraits de films, costumes). Les plus téméraires tenteront les attractions de type *roller coaster* (montagnes russes • *personnes au dos sensible s'abstenir)* : The Revenge of the Mummy et Jurassic Park.

■ **Hollywood Bowl** II D1 *(accès : Fwy 101, sortie Highland Ave. • parking payant et très limité • navettes payantes depuis Hollywood Blvd et Highland Ave. • bus 156, 222 • achat de billets ☎ (1)800/745-3000 et www.ticketmaster.com • places de spectacle vendues à demi-tarif pour le jour même ☎ 213/614-0556 • www.lastagealliance. com)*. Niché dans un amphithéâtre naturel, cette prestigieuse salle de spectacle (18 000 places) en plein air offre son acoustique parfaite à l'orchestre philharmonique de Los Angeles et à l'Hollywood Bowl Orchestra. Lloyd Wright (fils aîné de Frank Lloyd Wright) et Frank Gehry ont contribué à l'architecture de la scène actuelle, en forme de coque. Inauguré en 1922, l'Hollywood Bowl a atteint un record d'audience en 1936 avec la chanteuse d'opéra française Lily Pons. Les Beatles y ont donné un concert mémorable en 1964.

■ **Hollywood Heritage Museum★** II D1 *(2100 N. Highland Ave., près du croisement avec le Hollywood Fwy ☎ 323/874-4005 • www.hollywoodheritage.org • jeu.-dim. 12 h-16 h)*. Cette ancienne grange, déplacée ici en 1982, a abrité l'un des premiers studios de cinéma d'Hollywood : Cecil B. DeMille, Jesse Lasky et Sam Goldfish y tournèrent *Le Mari de l'Indienne (The Squaw Man)*, en 1913. Le petit musée est consacré aux débuts d'Hollywood. Parmi les objets présentés : une caméra ayant appartenu à Chaplin en 1919, le costume de Charlot porté par Gloria Swanson dans *Sunset Boulevard* ; voir également la reconstitution du bureau de Cecil B. DeMille.

■ **Griffith Park★★** I B1 *(4730 Crystal Springs Dr., à l'O. du Golden State Fwy I-5, entre Los Feliz Blvd, au S., et Ventura Fwy SR 134, au N. • ouv. t.l.j. 6 h-22 h ❶ Ranger Station et Visitors Center ☎ 323/913-4688 • t.l.j. sf mar. 9 h-16 h • brochures, location de vélos)*. Ce vaste parc municipal de 1 620 ha, le plus grand des États-Unis, est un endroit étonnamment beau et serein. Demeurées majoritairement à l'état sauvage, ses collines boisées, traversées de canyons, occupent une partie des Santa Monica Range, au N. d'Hollywood. Le colonel Griffith J. Griffith, dont la fortune provenait de la spéculation dans les mines d'or, acquit ce terrain sur le domaine du Rancho Los Felix en 1882. Il en fit généreusement don à la ville de Los Angeles en 1896 afin d'y créer un parc public. Après sa mort, en 1919, le Trust a fait bâtir le **Greek Theatre** (1930), bel amphithéâtre en plein air, et le **Griffith Observatory** (1935).

Autrefois habitée par des tribus indiennes, la zone inférieure du parc est sillonnée de routes qui serpentent entre terrains de golf, courts de tennis, aires de pique-nique, pistes équestres et cyclables, couloirs de varappe… Le parc offre plus de 85 km de sentiers de **randonnée** aménagés et des **vues** panoramiques sur la ville. Voir le **sanctuaire des oiseaux** (Bird Sanctuary • *sur Vernon Canyon Rd • ouv. t.l.j. 10 h-17 h*) et le **Ferndell Nature Museum** *(Western Canyon, 5375 Red Oak Dr. • tables de pique-nique)*, pour découvrir la flore du parc.

● **Griffith Observatory and Planetarium | B1** *(2800 E. Observatory Rd • accès par une navette obligatoire payante, départs à l'angle de Hollywood Blvd et Highland Ave., et 5333 Zoo Drive, sur réservation uniquement • ouv. mar.-ven. 12 h-22 h, sam.-dim. 10 h-22 h* ☎ *213/473-0800 • www.griffithobs.org • entrée libre à l'observatoire, payante au Samuel Oschin Planetarium* ☎ *323/664-1191).* Son dôme de cuivre (1935) domine les Hollywood Hills. De la terrasse, la **vue★★** très étendue sur LA est impressionnante.

● **Travel Town Museum** *(5200 Zoo Dr. ; au N. du parc, accès direct par Forest Lawn Drive Exit* ☎ *323/ 662-5874 • vis. lun.-ven. 10 h-16 h, sam.-dim. 10 h-17 h • entrée libre • aires de pique-nique).* Un intéressant **musée des Transports**, en plein air, où sont exposés wagons, locomotives à vapeur (Union Pacific de 1922), voitures de pompiers et autres véhicules datant de 1849 à 1944. L'été, balades en train miniature sur Zoo Dr.

● **Los Angeles Zoo and Botanical Gardens★** *(5333 Zoo Dr. ; au N. du parc, accès direct près de l'intersection des Fwys Golden State I-5 et Ventura I-34* ☎ *323/644-4200 • www.lazoo.org • t.l.j. 10 h-17 h • entrée payante, parking gratuit • spectacles animaliers à heures fixes).* Sur 46 ha de collines boisées, le zoo accueille plus de 1 200 animaux dont près d'une centaine d'espèces menacées de disparition. L'institution poursuit un ambitieux programme de reproduction. Animaux et plantes endémiques sont répartis par zones géographiques, les habitats recréant les conditions de vie en milieu naturel. En vedettes, les lémuriens, les koalas, les gorilles, les léopards des neiges et les invertébrés du nouveau LAIR Exhibit. Le **jardin botanique** confirme le dépaysement.

● **Autry National Center★** *(4700 Western Heritage Way* ☎ *323/667-2000 • ouv. mar.-ven. 10 h-16 h, sam.-dim. 11 h-17 h, f. lun.).* Fondé en 1988 par Gene Autry (→ *encadré ci-contre*), le **Southwest Museum of the America West** réunit plus de 21 000 pièces retraçant l'épopée de la conquête de l'Ouest ainsi que des collections consacrées à la culture ancestrale des Amérindiens à l'ouest des États-Unis.

■ **Hollyhock House★** h. pl. II par D1 *(4800 Hollywood Blvd et Vermont Ave.* ☎ *323/644-6269 • www. hollyhockhouse.net • vis. guidées ven.-dim. sur r.-v.).*

▲ À la sortie d'une séance au planétarium, une bande de jeunes turbulents et une égérie fugueuse provoquent un nouveau venu dans leur quartier. L'affrontement dégénère en bagarre au couteau. À Griffith Observatory, un monument dédié à James Dean rappelle le tournage de *La Fureur de vivre* (Nicholas Ray, 1955).

Le cow-boy chantant

À son arrivée à Hollywood en 1934, **Gene Autry** (1907-1998) ne savait ni jouer la comédie, ni monter à cheval, ni se servir d'un lasso ou tirer au pistolet, mais il savait chanter. On en fit donc un cow-boy chantant. Ce cow-boy allait définir le western série B dans 112 films, depuis *In Old Sante Fe* (David Howard, 1934) jusqu'à *The Last of the Pony Riders* (George Archainbaud, 1953). Après avoir quitté le cinéma, il devint propriétaire du club de base-ball des California Angels.

Los Angeles

2

✎ À NOTER
Courant 2013, le Southwest Museum of the American Indian devrait emménager juste en face d'Autry National Center.

Frank Lloyd Wright réalisa cinq projets à Los Angeles, dont la fameuse Ennis House (1924) aux étonnants blocs de béton « tissés », dont il confia la réalisation à son fils Lloyd Wright (2607 Glendower Ave.).

Cette maison, conçue en 1921 pour la riche héritière Alice Barnsdall, est la première réalisation du grand Américain **Frank Lloyd Wright** (1869-1959) à Los Angeles. Cette étonnante structure de béton, inspirée de l'architecture maya, emprunte à la rose trémière *(hollyhock)* le motif principal de son décor. Elle est située sur Olive Hill, colline autrefois couverte d'oliviers. Belle **vue★** sur Los Angeles depuis le **Barnsdall Art Park**.

■ **Forest Lawn Memorial Park★** I B1 *(1712 S. Glendale Ave., à Glendale • t.l.j. 8 h-17 h ☎ (1)800/ 204-3131 • www.forestlawn.com • www.forestlawn. com • entrée libre, parking gratuit)*. Ce **cimetière** est devenu une attraction touristique à part entière, notamment pour la diversité et l'intérêt de son architecture funéraire. Passé une superbe grille en fer forgé, les extravagants mausolées s'élèvent parmi les étangs, les bosquets et les parterres. Une galaxie d'étoiles y reposent : Clark Gable, W. C. Fields, Nat King Cole, Carol Lombard, Tex Avery, Bette Davis, Jean Harlow, Errol Flynn, Buster Keaton, James Stewart, Ernst Lubitch, Humphrey Bogart, Fritz Lang, Robert Altman, Elizabeth Taylor…

À voir : la réplique de la *Cène★* de Léonard de Vinci (**Great Mausoleum** • *vis. 9 h 30-16 h toutes les 30 mn*), la *Crucifixion* et la *Résurrection* (**Hall of the Crucifixion-Resurrection** • *t.l.j. sf lun. 10 h-12 h et 14 h-16 h*), *Birth of Liberty★*, mosaïque de 50 m de long célébrant l'histoire américaine de 1619 à 1787.

Le **Forest Lawn Museum** *(ouv. t.l.j. sf lun. 10 h-17 h)* abrite une collection de bronzes, des œuvres d'art européen (*La Vierge aux anges★* de **William Bouguereau**, 1900) et des expositions temporaires.

La légende de la Warner

Immigrés polonais et fils de boucher, les **frères Warner** suivront le parcours classique des grands producteurs de cinéma américains : petits exploitants de salle de projection au début du XXᵉ s., petits producteurs puis propriétaires d'un premier studio à Hollywood. Le rachat du Vitaphone, nouvelle technologie sonore qui n'intéressait alors personne, leur ouvre la voie du succès. En 1927, ils produisent *Le Chanteur de jazz*, d'Alan Crosland, qui signe la fin de l'ère du muet. La série des 19 *Rintintin*, dont le premier rôle est tenu par un berger allemand, connaît une immense popularité. Acteurs et réalisateurs travaillent à une cadence infernale sous la férule de Jack Warner, véritable despote des plateaux dont l'appât du gain est le principal moteur. La loi antitrust de 1948, l'avènement du petit écran amorcent le déclin inéluctable des *majors*. Aujourd'hui, la Warner se trouve entre les mains du puissant groupe de communication AOL Time Warner.

■ **Warner Bros. Studios★** I B1 *(3400 W. Riverside Dr., à Burbank ☎ (1)877/954-3000 • http:// vipstudiotour.warnerbros.com • parking payant sur Avon St., gate 6 • billetterie ouv. 7 h 30-19 h • rés. obligatoire • se présenter 20 mn avant le début de la vis., muni d'une pièce d'identité • interdit aux enfants de moins de 8 ans • cafétéria)*. Créés en 1925, ces studios sont les plus vastes des États-Unis : plus de 8 000 personnes travaillent autour d'une trentaine de plateaux. Balade en minibus, sous la conduite d'un guide, à travers les décors de vos films et séries préférés. Une rue de New York reconstituée, une petite ville de western avec son saloon, une forêt équatoriale…

Au **Warner Bros. Museum**, costumes, véhicules (l'une des batmobiles), objets, films et documents retracent l'histoire de cette grande *major (→ encadré ci-contre)*. Parmi les films tournés ici : *Key Largo*, *À l'est d'Eden*, *Barry Lyndon*, *Jurassic Park*, *Harry Potter*, *Collateral*… ainsi que la série TV *Mentalist*.

❸ De Sunset Boulevard à Beverly Hills★★

Situation. W. Hollywood et Beverly Hills plan II.

Le mythique « boulevard du crépuscule » a été décrit comme le plus court chemin entre l'enfer et le paradis. Long de 40 km, il traverse les quartiers huppés de Beverly Hills et se perd dans les quartiers dégradés du centre de Los Angeles. À l'ouest, entre La Brea et Beverly Hills, il se fait élégant et serpente sous les panneaux publicitaires géants *(billboards)* à la gloire des stars de cinéma et des maisons de production. Avec ses terrasses de cafés à l'européenne et ses restaurants branchés, Sunset Plaza est l'un des hauts lieux de la vie nocturne de Los Angeles.

Combien de temps. En 1/2 journée on peut se faire une bonne idée.

Visite. En voiture, mais descendre à pied Rodeo Dr.

■ **Sunset Strip★** II B–C1 *(1,6 mi/2,5 km entre Fairfax Ave. et Doheny Rd)*. Cette section de Sunset Blvd concentre grands hôtels, restaurants, bars, clubs, boutiques de luxe. Des groupes de communication, maisons de production et maisons de disques s'y sont installés dans les années 1970.

● L'**hôtel Château Marmont★** II C1 *(8221 Sunset Blvd* ☎ *323/656-1010 • www.chateaumarmont. com)*. Hôtel de légende, construit en 1929, où ont séjourné, entre autres célébrités, Errol Flynn, Humphrey Bogart, Boris Karloff, Howard Hughes, Greta Garbo, Jeanne Moreau, Al Pacino, Bob Dylan, Jim Morrison, l'acteur John Belushi (des Blues Brothers) qui y mourut en 1982 d'une overdose (bungalow 2), et plus récemment, Leonardo DiCaprio et Robert De Niro. Le *Bar Marmont* est l'un des lieux à la mode.

● **Sunset Plaza** II C1 *(8600-8700 Sunset Blvd, entre La Cienega et San Vincente Blvd)*. Cette section du Sunset Blvd, dans West Hollywood, attire les *beautiful peoples* et les *wanabees* (ceux qui veulent « y arriver »). Boutiques chics et restaurants en terrasse fréquentés par les célébrités *(Chin Chin, Clafoutis, Le Dôme)*.

Possibilité de rejoindre Museum Row (→ prom. ❺) en suivant La Cienega vers le S., jusqu'au Wilshire Blvd.

■ **Beverly Hills★★** II B2. Malgré sa taille minuscule (15 km^2), cette commune indépendante, jumelée avec Cannes, jouit d'un immense prestige dans le monde entier. Il faut disposer d'une voiture pour explorer ces rues-jardins qui grimpent à flanc

Le Kid était presque parfait

Né à Londres en 1889 de parents artistes de cirque, Charles Spencer Chaplin monte sur les planches dès l'âge de six ans. En 1910, celui qui deviendra **Charlie Chaplin** entreprend une tournée aux États-Unis, où il se fixe pour se consacrer au cinéma avec l'aide de Mack Sennett. Le personnage de **Charlot** peut alors prendre corps : l'inimitable vagabond rêveur et sentimental donne d'abord dans le burlesque. Le succès est immédiat : dès 1918, Chaplin peut s'installer dans ses propres studios ; en 1919, il fonde les Artistes associés avec D. W. Griffith, Mary Pickford et Douglas Fairbanks.

Par la suite, son œuvre devient plus grave : la satire sociale se mêle à la bouffonnerie, le comique se teinte de pathétique. Charlot devient un révolté, affiche ses convictions libertaires. À l'angle de Longpre Ave. et de La Brea se trouvent les studios, de style Tudor, qu'il occupa jusqu'en 1950. Subissant les foudres du maccarthysme, Chaplin sera contraint de quitter son pays d'accueil. Il vivra en Suisse jusqu'à sa mort, survenue en 1977, le soir de Noël…

♥ BONNE ADRESSE
House of Blues, 8430 Sunset Blvd (II B/C1) ☎ 323/848-5100. Gospel brunch le dimanche. Blues, jazz, rock'n roll.

✎ À NOTER
Beverly Center (II C2 ; au coin de Wilshire Blvd et La Cienega) est l'un des centres commerciaux les plus importants de la ville.

Los Angeles

3

Adresses de stars

Difficile de se repérer dans les méandres de **Beverly Hills** ! Des plans indiquent l'emplacement des demeures de célébrités.

• 400 Doheny Rd : **Marilyn Monroe** (n° inscrit sur le trottoir près de Hillcrest Rd) • 1083 Hillcrest Rd : **Groucho Marx** • Crescent Dr. : **Doris Day** au n° 713 et **Gloria Swanson** au n° 904 • 232 Mapleton Dr. : **Humphrey Bogart** • 111 N. Beverly Glen : **Tom Cruise** • 10100 Sunset Blvd : **Jane Mansfield** • 144 Monovale Dr. : **Elvis Presley** • Carolwood Dr. : **Sonny** et **Cher**, puis **Tony Curtis** au n° 141, **Burt Reynolds** au n° 245, **Barbra Streisand** au n° 301, **Walt Disney** au n° 355 • Summit Dr. : **Charlie Chaplin** au n° 1085, villa Pickfair (**Pickford-Fairbanks**) au n° 1143, remplacée par le bâtiment actuel, **Sammy Davies Jr** au n° 1151 • 822 Rexford Dr. : **Marlene Dietrich.**

de colline. Les piétons inconnus sont d'ailleurs mal vus des agents de sécurité, nombreux dans ce quartier privilégié.

C'est seulement en 1920 que la localité se développe : quelques stars du cinéma muet s'y installent, à la suite de Mary Pickford *(→ encadré p. suiv.)* et Douglas Fairbanks, établis l'année précédente dans une propriété baptisée *Pickfair*. Dix ans plus tard, la population est passée à 17 000 habitants (auj. 36 000 hab.). On plante jacarandas, sycomores, chênes et palmiers. Toujours en quête de perfection – tout y est réglementé, de la signalisation à la taille des bâtiments –, narcissique et opulente, cette enclave de luxe représente l'apothéose du rêve américain. Les maisons, dont l'architecture doit beaucoup aux styles européens, sont rangées côte à côte sur des pelouses impeccables.

• **Greystone Park** II B2 *(905 Loma Vista Dr. • t.l.j. 10 h-17 h, en été 10 h-18 h • f. pour Thanksgiving et à Noël • parking gratuit).* Ce très beau jardin offre un point de **vue** remarquable sur LA. Il abrite **Greystone Mansion** *(pas de vis.),* manoir de style Tudor qui fut la propriété du magnat du pétrole Edward L. Doheny.

• **Beverly Hills Hotel** II B2 *(9641 Sunset Blvd* ☎ *310/276-2251)* fut construit en 1912 dans le style des missions espagnoles. Les bungalows ont servi de retraites romantiques aux plus grandes stars : Marilyn Monroe et Arthur Miller, Carole Lombard et Clark Gable, Charlie Chaplin, Gloria Swanson, Rudolph Valentino. Tant de célébrités ont fréquenté *Polo Lounge*, où l'on peut agréablement déjeuner, parmi producteurs et starlettes en devenir.

▶ Dans Beverly Hills, les boutiques de Rodeo Drive attirent une clientèle de luxe.

☎ NUMÉROS GRATUITS
Les numéros de téléphone qui commencent par ☎ 800, 855, 866, 877, 888 sont des numéros d'appel gratuits *(toll-free number).* Faites-les précéder du ☎ 1 si vous appelez depuis un poste fixe (et non d'un portable). Dans ce guide, ces numéros sont notés ainsi : ☎ (1)800/000-0000.

■ **Mulholland Drive** h. pl. II par B1 *(prendre Beverly Dr. vers le N. et monter jusqu'à Coldwater Canyon Dr.).* La route qui longe la crête des Santa Monica Mountains réserve de très belles **vues panoramiques**★★ sur LA, surtout la nuit, à condition de ne pas se perdre dans les collines !

Descendre par Beverly Dr. sur Santa Monica Blvd.

■ **Rodeo Drive**★ II B2 *(entre Wilshire Blvd, Canon Dr. et Santa Monica Blvd).* Considéré comme le faubourg Saint-Honoré de Los Angeles. Balade à pied pour admirer les vitrines ultra-luxueuses (voir également Dayton Way). Le majestueux *Regent Beverly Wilshire Hotel*★ *(9500 Wilshire Blvd)* apparaît dans quelques films *(Le Flic de Beverly Hills, Pretty Woman).*

En descendant Wilshire Blvd vers l'E., on rejoint Museum Row (→ prom. ⑤).

 ## Le musée Getty et le Westside★★

Situation. Délimité au N. par Sunset Blvd, au S. par Wilshire et San Vicente Blvds I A1 et II A2.

Le Getty est le musée le plus prestigieux de LA. Il occupe un site exceptionnel sur les hauteurs, à l'ouest de la ville. Des collections remarquables, une architecture en parfaite adéquation avec la nature et des vues panoramiques splendides en font une visite incontournable. Brentwood et Westwood sont des quartiers à dimension humaine où il est agréable de flâner. Sur les hauteurs boisées de Westwood se niche la célèbre université UCLA.

Combien de temps. Compter 1 j. si l'on veut voir plus que le musée Getty.

Accès. En **voiture** par le San Diego Fwy (I-405), sortie Getty Center Drive, puis N. Sepulveda Blvd • **parking** payant (gratuit le jeu. après 17 h). Par le **bus** *Metro Rapid Line* n° 761, descendre à Sepulveda Blvd • Un **tram** automatisé (gratuit) dépose les visiteurs au sommet de la colline (à pied, compter 15-20 mn).

Visite. En voiture et à pied • le w.-e., **parking gratuit** derrière le Federal Building (11000 Wilshire Blvd).

■ **The Getty**★★★ I A1 *(1200 Getty Center Dr.* ☎ *310/440-7300 • www.getty.edu • mar.-dim. 10 h-17 h 30, sam. 10 h-21 h • entrée libre, sur réserv. • Highlight Tour, vis. guidée gratuite de 1 h, inscription à l'accueil • café en terrasse).* Ce vaste complexe culturel, inauguré

Sous les projecteurs

Mary Pickford est née à Toronto en 1893. C'est en frappant à la porte de David W. Griffith que cette jeune actrice de théâtre gravit les marches et devient « la petite fiancée de l'Amérique ». Avec Douglas Fairbanks, ils forment l'un des premiers couples mythiques du cinéma. Ils lancent Beverly Hills en s'installant dans une somptueuse villa baptisée Pickfair et fondent avec Chaplin la compagnie des Artistes associés, première maison de production indépendante (en activité jusqu'en 1957). L'avènement du cinéma parlant sonne le glas de sa carrière, qu'un Oscar viendra tardivement couronner. Elle disparaît en 1979.

☞ LES 3 PLANS DE LOS ANGELES :
• Plan d'ensemble (plan I) 146-147
• Hollywood et Beverly Hills (plan II) 148-149
• Downtown LA (plan III) 181

Los Angeles

4

☞ CONSEIL
Pour une visite rapide du Getty Center, suivre l'itinéraire proposé par la brochure disponible à l'entrée du musée.

▲ L'association du travertin d'Italie (brut et poli), du verre et du métal permet une architecture fluide, qui joue avec la lumière et l'ouverture sur la nature.

en 1997, occupe un site exceptionnel au sommet de deux collines des Santa Monica Mountains, au cœur d'un parc de 45 ha qui offre des **vues**★★ spectaculaires sur l'agglomération de LA. Le projet de l'architecte américain Richard Meier, lauréat du prestigieux prix Pritzker, a été choisi en 1984.

Reliés par des passerelles, les six pavillons à deux niveaux sont disposés autour d'un patio central. Les **Arts décoratifs européens** occupent le rez-de-chaussée *(1st floor)* ; la **peinture**, le 1er étage *(2nd floor)* de quatre des pavillons. Le musée est complété d'un institut de recherche en histoire de l'art (bibliothèque, photothèque, enseignement et conservation).

Les **jardins**★★ sont partie intégrante de cette composition architecturale et évoluent avec les saisons. Ne manquez pas le **labyrinthe** central et le **sentier** sonore.

Arts décoratifs européens★★★ *(pavillon sud • rez-de-chaussée)*

Ce département, qui permet au Getty de rivaliser avec le Metropolitan (MET) et la Frick Collection de New York, présente surtout des pièces datant des XVIIe et XVIIIe s. français. Passionné par les arts décoratifs de cette période, Jean Paul Getty avait acquis notamment quelques-uns des trésors du mobilier royal.

● Sont exposés un **secrétaire**★★ de Louis XVI exécuté par Riesener (vers 1785), un **bureau double**★ de Bernard Van Risenburgh, qui aurait été réalisé en 1750 pour le fermier général Daugé, et d'autres pièces provenant de Versailles qui faisaient partie des mobiliers de Marie-Antoinette et de Louise de France.

● À signaler également plusieurs œuvres d'André-Charles Boulle (1642-1732), dont une **table**★ (vers 1680) et un **coffre** (1675-1680) à la précieuse marqueterie, ainsi qu'un grand **cabinet**★★, sans doute réalisé pour Louis XIV, qui figure dans un médaillon central entouré de trophées militaires.

● La collection abrite aussi des tapisseries de la manufacture de Beauvais et de celle des Gobelins, une **horloge murale**★★ en porcelaine émaillée de la manufacture de Chantilly (vers 1740), un étonnant **chandelier**★★ de Gérard-Jean Galle (1818-1819) en forme de montgolfière, des boiseries d'hôtels particuliers parisiens, et quelques trésors du mobilier royal du temps de Louis XIV, comme cette table de **jeu de piquet**★★★ en marqueterie d'écaille et de laiton sur étain. Elle aurait été réalisée vers 1680 par Pierre Golle pour le Grand Dauphin.

Peinture européenne★★ *(pavillons nord, est, sud et ouest • 1er étage - 2nd floor)*

● **Peinture italienne.** Parmi les œuvres importantes, un triptyque de la *Vierge entourée de saint Thomas d'Aquin et saint Paul*★★ (vers 1330), par **Bernardo Daddi**, et, du même artiste, *L'Arrivée de sainte Ursule*★, réalisée vers 1333 pour le couvent florentin de Sant'Orsola. *Le Couronnement de la Vierge*★ de **Gentile Da Fabriano** (vers 1420), sur fond d'or, se situe à mi-chemin entre le gothique et la Renaissance florentine. Voir également un *Saint André*★★ (1426) de **Masaccio**, associé à ses symboles traditionnels, le livre et la croix ; Masaccio fut le premier, dans la Florence du Quattrocento, à donner à ses personnages une « épaisseur » physique et morale. Dans l'*Adoration des mages*★★ (vers 1495-1505) d'**Andrea Mantegna**, l'utilisation d'un fond neutre et d'un espace restreint fait écho aux bas-reliefs de l'Antiquité classique, source d'inspiration pour la Renaissance.

● **École flamande.** Elle est représentée, entre autres toiles, par une *Mise au tombeau*★★ de **Rubens** (vers 1612), œuvre dramatique inspirée des symboles catholiques dans une période de conflit religieux. Dans le portrait d'*Agostino Pallavicini*★★ (1621-1623), **Van Dyck** apporte un raffinement aristocratique au style puissant de son maître Rubens. Avec *L'Entrée des animaux dans l'arche de Noé*★★ (1613), **Bruegel l'Ancien** déploie son goût pour les détails et les couleurs. Parmi les œuvres hollandaises, citons plusieurs **Rembrandt** dont *L'Homme en costume militaire*★★ (vers 1630) et le fameux *Saint Barthélemy*★★★ (1661) où s'exprime toute la maturité du maître.

● **Peinture française.** On verra notamment des œuvres de **Georges de La Tour** (*La Dispute des musiciens*★, 1625-1630), **Théodore Géricault** (*La Course de chevaux libres*★★, 1817), **Pierre-Auguste Renoir** (*La Promenade*★★★, 1870), **Edgar Degas** (*L'Attente*★★, 1882). De **Van Gogh**, *Les Iris*★★★ (1889), peints dans le jardin de l'asile de Saint-Rémy : hymne à la force régénératrice de la nature et de l'art, qui dénote l'influence de Gauguin et de Hokusai.

● **Art moderne.** Clou de la collection, l'*Entrée du Christ à Bruxelles*★★★ (1888) de **James Ensor**, toile religieuse où figurent les masques du carnaval d'Ostende.

Manuscrits enluminés★★
(pavillon nord • rez-de-chaussée)

Commencée en 1983, avec l'achat de la collection de Peter et Irene Ludwig qui retrace l'évolution de l'enluminure du IXe s. au XVIe s, ce département

✐ À NOTER
Les salles du 1er étage accueillent les tableaux, qui bénéficient ainsi d'une lumière naturelle tamisée par des ouvertures mobiles, programmées par ordinateur en fonction de la saison et de l'heure.

Le musée le plus riche du monde

Héritier d'un empire pétrolier à l'âge de 23 ans, **Jean Paul Getty** (1892-1976) acquiert ses premières œuvres d'art au début des années 1930. Il ne cessera jamais d'accroître ses collections et ouvrira son premier musée en 1954, dans son ranch de Malibu. En 1974, le fonds est transférée à la Getty Villa (→ p. 188), étonnante réplique d'une antique villa romaine d'Herculanum.

Depuis sa disparition en 1976, les collections ont été considérablement enrichies. À la tête d'une fortune de plus de 4 milliards de dollars, le Getty Trust gère le budget d'acquisition le plus important au monde (plus de 100 millions de dollars annuels), dont l'essentiel est dévolu à la peinture. *Les Iris*, célèbre tableau de Van Gogh, a été acquis pour la somme de 56 millions de dollars en 1990. La réalisation du musée Getty de Brentwood a coûté la bagatelle d'un milliard de dollars.

Los Angeles

4

regroupe des chefs-d'œuvre des époques byzantine, ottonienne, romane, gothique et Renaissance. Les manuscrits sont présentés par roulement pour de courtes durées.

À ne pas manquer : les lettres initiales d'un **bréviaire★★** bénédictin du monastère de Montecassino (1153), décorées d'une profusion de créatures fantastiques et d'entrelacs ; *Les Visions du chevalier Tondal★★*, attribué à **Simon Marmion**, somptueux manuscrit flamand du XVᵉ s. ; *Les Heures de Simon de Varie★★*, enluminées par **Jean Fouquet** (1455).

Dessins★★ *(pavillon est • rez-de-chaussée)*

Cette section regroupe plus de 400 œuvres, études préparatoires et œuvres abouties, représentant les différentes écoles européennes du XIVᵉ au XIXᵉ s.

De **Véronèse**, *Études pour le martyre de saint Georges★★* (1566), certaines à l'encre, d'autres à la gouache. De **Rembrandt**, *Femme nue au serpent★* (vers 1637) et *Paysage avec la maison et la petite tour★★* (vers 1651), où le 1ᵉʳ plan est suggéré avec une grande économie de moyens, l'arrière-plan étant plus élaboré. De **Pierre-Paul Prud'hon**, *Étude de nu★★* (vers 1800), classique dans la pose et le traitement qui évoque le marbre, mais petites touches de craie suggèrent l'aspect frissonnant de la chair. Avec *Portrait de Joseph Roulin★* (1888), **Van Gogh** brosse un portrait pénétrant du facteur, « ni amer, ni heureux, ni toujours irréprochable ».

Photographies★★ *(pavillon ouest • rez-de-chaussée)*

Depuis 1984, la fondation s'est attachée à réunir des collections internationales qui font une large place aux maîtres de la photographie, des pionniers des années 1840 jusqu'aux contemporains : Charles R. Meade, Nadar, Alexander Gardner, Alfred Stieglitz, Henri Victor Regnault, Camille Silvy, Manuel Alvarez Bravo, Edward Weston, etc.

■ **Brentwood★** I A1. Situé entre le San Diego Fwy, San Vicente Blvd, Rustic Canyon et les collines de Santa Monica, Brentwood est un quartier tranquille et privilégié, discrètement enfoui dans la verdure. Ses résidents affichent un style BCBG décontracté et semblent y vivre d'éternelles vacances. **San Vicente Blvd**, bordé de boutiques élégantes et de restaurants à la mode, en est l'artère principale.

■ **UCLA★** II A2 (**University of California, Los Angeles** • *405 Hilgard Ave., entrée au 10945 Le Conte Ave.* ☎ *310/825-4321 • accès libre*). Fondée à Vermont en 1919, cette prestigieuse université publique a été transférée à Westwood en 1929. Six prix Nobel et trois prix Pulitzer sont sortis de ses rangs. Peu étendu (1,7 km²), le campus comprend 163 bâtiments pour 40 000 étudiants. Il a servi de village olympique pendant les JO de 1984. Il est très agréable d'y circuler à vélo, parmi les beaux jardins et les musées.

Accès. Le **parking** est hors de prix et les places libres sont rares • toutes les 5 mn, une **navette** gratuite *(Campus Express)* se rend à UCLA depuis Westwood Village • l'université est desservie par les **bus** MTA (nᵒˢ 2, 302, 305, 761, 920) et Santa Monica Big Blue Bus (nᵒˢ 1, 2, 3, 8, 12).

● Le **Center For Health Sciences** *(à dr. de l'entrée, sur Le Conte Ave.)* est l'un des plus grands centres de recherche médicale du pays. Les facultés de médecine, pharmacie, pédiatrie et santé publique y sont regroupées ainsi que le célèbre Neuropsychiatric Institute and Hospital.

● Le **Mildred E. Mathias Botanical Garden** *(au S.-E. du campus, Hilgard et Le Conte Aves)*, tout proche, incite à faire une pause. Les départements de musicologie et d'ethnomusicologie sont installés dans le Schönberg Hall, baptisé ainsi en hommage au compositeur Arnold Schönberg, professeur à UCLA de 1936 à 1951.

☞ LES 3 PLANS DE LOS ANGELES :
• Plan d'ensemble (plan I) 146-147
• Hollywood et Beverly Hills
  (plan II)   148-149
• Downtown LA (plan III)   181

◄ Westwood, quartier résidentiel où il fait bon vivre, à l'ouest de LA.

● Le **Eli and Edythe Broad Art Center** *(au N. du campus)* a remplacé le Dickson Art Center et abrite la **Wight Art Gallery** : expositions d'art contemporain.

● Le **Franklin Murphy Sculpture Garden** *(au N. du campus)* est à visiter de préférence en avril, lors de la floraison des jacarandas. Ce jardin est aussi un musée de sculpture ; reproductions grandeur nature d'œuvres de Rodin, Matisse, Henri Moore, Jean Arp, Miró et David Smith.

● Le **Fowler Museum of Cultural History** *(au N.-O. du campus, près de Circle Dr. • mer.-dim. 12 h-17 h, jeu. jusqu'à 20 h)* renferme l'une des plus belles collections d'art populaire et d'anthropologie du pays : 750 000 objets exposés concernant les Indiens d'Amérique, l'Afrique et l'Océanie.

▶ **Bel Air** ‖ A1, autre quartier résidentiel prolongeant Beverly Hills, est séparé du campus universitaire par les lacets de Sunset Blvd. Parmi les résidents célèbres de Bel Air, Charles Bronson *(121 Udine Way)*, Kim Novak *(780 Tortuoso Way)*, Henry Fonda *(10774 Chalon Rd)*. ◄

■ **Armand Hammer Museum of Art**★★ ‖ A2 *(10899 Wilshire Blvd ☎ 310/443-7000 • www.hammer. ucla.edu • vis. mar.-sam. 11 h-19 h, jeu. 11 h-21 h, dim. 11 h-17 h • entrée gratuite jeu.)*. La sélection donne à voir les plus belles pièces de la collection, réunie entre 1965 et 1990 par Armand Hammer, magnat du pétrole et célèbre « capitaliste communiste », ami de Lénine. Toiles, gravures et dessins de grands maîtres ornaient sa demeure de Moscou. En 1965, Hammer a légué sa collection à l'UCLA.

À ne pas manquer : **Van Gogh**, *Hôpital à Saint-Rémy*★★ (1889) ; **Rembrandt**, *Portrait de l'homme au chapeau noir*★★ (vers 1637) ; **Gustave Moreau**, *Salomé dansant devant Hérode*★★ (1876) ; **John Singer Sargent**,

Histoire d'un cow-boy

Fondés en 1935, les studios de la **20th Century Fox** subsistent en partie sur Pico Blvd, face à Motor Ave. **(‖ B3)**. Établis dans l'actuel quartier de **Century City**, ils étaient si vastes qu'on pouvait y tourner des batailles navales et des charges de cavalerie. Ce qu'il en reste n'est pas accessible au public, mais on peut jeter un coup d'œil, de l'entrée, sur la rue new-yorkaise du XIXe s. reconstituée pour le film *Hello, Dolly !* (Gene Kelly, 1969).

Avant d'être acquis par la Fox, ces terrains étaient la propriété de **Tom Mix** (1880-1940), le premier cow-boy employé au cinéma. Après avoir combattu à Cuba, en Afrique avec les Boers et en Chine lors de la révolte des Boxers, cet ancien soldat s'était retiré dans son ranch en Arizona. En 1909, une nouvelle carrière s'ouvrit pour lui au cinéma : jusqu'en 1935 il tourna dans plus de 300 films (bien que sa popularité ait été mise à mal par l'arrivée du parlant) et fut également scénariste et réalisateur.

Los Angeles

4

Dr. Pozzi at Home★★ (1881) ; **Camille Pissaro**, *Mardi Gras, boulevard Montmartre*★ (1897). Le musée possède, en outre, le plus important ensemble d'œuvres d'**Honoré Daumier**★★ (1808-1879) conservées hors de France *(exposées par roulement)*.

■ **Westwood Memorial Cemetery**★ II A2 *(1218 Glendon Ave., 1ʳᵉ rue à l'E. du carrefour Wilshire-Westwood Blvds, quelques mn à pied)*. Pendant longtemps, chaque semaine, le mari de **Marilyn Monroe**, Joe Di Maggio, célèbre joueur de baseball, fit fleurir d'une rose sa tombe *(Corridor of Memories, au fond à g. de l'entrée)*. Natalie Wood, Dean Martin, Truman Capote, John Cassavetes, Billy Wilder, Frank Zappa, Burt Lancaster, Farrah Fawcett reposent également dans ce cimetière.

⑤ Miracle Mile et Exposition Park★

Situation. Wilshire Blvd, entre Fairfax Ave. et La Brea II C-D2.

Cette section de Wilshire Blvd est l'un des pôles d'attraction culturelle de Los Angeles, avec cinq grands musées que l'on peut gagner aisément à pied. Au début du xxᵉ s., Henry G. Wilshire, propriétaire foncier enrichi par l'exploitation de mines d'or, finança le développement du secteur. En 1928, un agent immobilier visionnaire, A. W. Ross, y créait Miracle Mile, premier quartier conçu pour l'automobile.

Combien de temps. Prévoir une bonne journée.

Visite. On peut aller de musée en musée à pied ; en voiture pour suivre le Miracle Mile, jusqu'à Downtown LA.

Pour déjeuner. Farmers Market, 3rd St. et Fairfax (derrière le LACMA), ou au LACMA.

■ **Los Angeles County Museum of Art**★★ II C2 (**LACMA** • *5905 Wilshire Blvd, entre Fairfax et Curson Aves ; à l'extrémité O. de Handcock Park* ☎ *323/857-6010* • *www.lacma.org* • *vis. lun., mar. et jeu. 12 h-20 h, ven. 12 h-21 h, sam.-dim. 11 h-20 h, f. mer.* • *conférences* ☎ *323/857-6512)*. Fondé en 1961, ce musée aux collections encyclopédiques, riches de 100 000 œuvres d'art, est le plus important de l'ouest des États-Unis. En 2005, le LACMA a initié un vaste programme de transformation en trois phases, dont la seconde s'est achevée en 2010.

L'architecte italien Renzo Piano a réorganisé la circulation des visiteurs entre les cinq bâtiments existants, autour de la BP Grand Entrance, cette dernière illuminée par une installation de **Chris Burden**, *Urban Light* : 200 lampadaires en fonte d'époque, alimentés en électricité par des panneaux solaires installés sur le toit. À l'O. du complexe, le **Broad Contemporary Art Museum** est doublé du **Lynda and Stewart Resnick Bldg**, bâtiment d'un étage, tout en transparence, dévolu à des expositions temporaires.

Ahmanson Building

C'est le bâtiment principal du musée. Les espaces d'exposition sont distribués sur quatre niveaux autour d'un atrium remodelé par Renzo Piano, autour d'un grand escalier.

● **Peinture européenne**★★ *(1ᵉʳ étage - 2nd floor)*
Collections du Moyen Âge à la fin du xixᵉ s. Nombreux chefs-d'œuvre du baroque italien, de l'art flamand et de l'art français des xviiᵉ et xixᵉ s.

▲ La BP Grand Entrance donne accès au LACMA East (Ahmanson, Arts of Americas, Hammer, Pavilion for Japanese Arts, Bing Center Bldgs) et au LACMA West (Broad Contemporary Art Museum et LACMA West Bldg).

– **Peinture italienne**. Au tournant des XIVᵉ et XVᵉ s. se développe, dans toute l'Europe, le « gothique international ». Issu de l'enluminure parisienne, ce style est élégant, précieux, parfois maniéré. La contribution des maîtres italiens, siennois surtout, s'observe dans le rendu de l'espace et des architectures.

L'Annonciation★ (1388) de **Bartolo Di Fredi**, encore empreinte du hiératisme byzantin, fut probablement exécutée pour l'église franciscaine de Montalcino, près de Sienne.

La Vierge à l'Enfant★★ (1465), de **Jacopo Bellini**, s'affranchit de la préoccupation décorative du gothique international pour se concentrer sur l'étude des formes et de la perspective.

Portrait présumé de *Nicolo Barberini*★★ par **Lorenzo Lotto**, figure indépendante et anticonformiste de la peinture vénitienne du XIVᵉ s., où la sobriété de l'exécution s'allie à un remarquable pouvoir d'expression.

Très beau *Giacome Dolfin*★★ par **Titien**, où lignes et couleurs sont au service de la caractérisation du modèle.

– **Peinture française**. *Madeleine à la chandelle*★★★ (1638-1640) de **Georges de La Tour** offre un thème récurrent dans l'œuvre du peintre. La composition de ce clair-obscur guide le regard vers la chandelle, qui symbolise la « flamme de l'amour de Dieu » auquel est vouée une vie de repentir et de méditation. Le reflet de la lumière (crâne, chairs, vêtements, chevelure, cuir des livres, table) est méticuleusement rendu.

Le Portrait des sœurs Bellelli★★ (1865-1866), de **Degas**, fait partie d'un ensemble représentant cette famille italienne. Le peintre a exprimé les traits psychologiques dans les attitudes et les gestes (doigts nerveusement croisés de Giovanna, air pensif de Giulia dont le visage, à l'arrière-plan, est flou, comme sur une photographie). Moquées lors des premières expositions impressionnistes, les œuvres de **Cézanne** sont reconnues dès le Salon d'automne 1907 comme le fondement même de la peinture moderne. Ses natures mortes ont eu une influence déterminante sur les peintres cubistes. *Nature morte aux cerises et aux pêches*★★ (1885-1887) est une œuvre équilibrée, riche, statique, qui donne le sentiment de durée et de pérennité des choses. *Sous-Bois*★★ (vers 1894), composition abstraite d'arbres et de végétation entremêlés, est aussi une contribution originale à la peinture moderne des paysages, anticipant les travaux de Matisse, Picasso, Braque…

De mai 1889 à mai 1890, **Vincent Van Gogh** séjourne à l'hôpital de Saint-Rémy-de-Provence. On trouve, dans *L'Hôpital Saint-Paul*★★, le trait cursif et ascensionnel caractéristique de cette époque, notamment dans le traitement des herbes hautes et dans celui des cyprès noirs et tordus.

L'Opéra Messaline au théâtre à Bordeaux★★ (vers 1900), par Henri de **Toulouse-Lautrec** : à l'extrême fin de sa vie, l'artiste, fasciné par Messaline (l'épouse nymphomane de l'empereur Claudius), la peint telle qu'elle lui apparut dans l'opéra d'Isidore de Lara sous les traits de Mlle Ganne, l'interprète du rôle, descendant un escalier monumental, vêtue d'un long manteau rouge.

– Peinture flamande et hollandaise. *Vierge à l'Enfant avec anges entourée de saint Pierre Martyr et saint Jérôme*★★, triptyque du Maître de la légende de sainte Lucie (vers 1483) : traitement minutieux des personnages et de l'architecture, clarté de la composition caractérisent la peinture flamande du xve s.

Résurrection de Lazare★★, avec ses ombres et ses rares foyers de lumière, est une œuvre mystique majeure de **Rembrandt**, datant probablement des premières années passées à Leyde.

De **Frans Hals**, *Portrait de Pieter Tjarck*★★ (vers 1635-1638), négociant de soieries à Haarlem ; exclusivement portraitiste, Hals parvient à représenter, à l'aide d'une touche extraordinairement libre, le poids des chairs et le rendu des matières qui confèrent à ses modèles présence et vérité.

● **Art moderne** *(rez-de-chaussée - 1st floor)*
Portrait de Sébastien Juner Vidal★★ (1903) datant de la période bleue de **Picasso**.

La Trahison des images (Ceci n'est pas une pipe)★, de **René Magritte** (1929) propose une réflexion novatrice sur les rapports entre la peinture et l'objet qu'elle représente.

Composition en blanc, rouge et jaune★★ (1936), de **Piet Mondrian**, est une œuvre caractéristique du néoplasticisme dont l'artiste fut l'inventeur : peinture en aplats de couleurs pures soulignés de bandes noires perpendiculaires.

Les Disques★ (1918-1919), de **Fernand Léger**, est une interprétation très personnelle du cubisme, où l'artiste révèle sa fascination pour le monde industriel : « Je fus ébloui par une culasse de 75 ouverte en plein soleil », écrit-il au retour de la Première Guerre mondiale.

Dans le sillage du dadaïsme et de son inspirateur, Tristan Tzara, **Kurt Schwitters** (1887-1948), peintre et poète, fut l'instigateur du mouvement Merz, dont le nom, tout aussi incongru que celui de dada, viendrait de la seconde syllabe du mot allemand *Kommerz*. *Construction pour de nobles dames*★ (1919), d'inspiration cubiste, est à la fois peinture et collage.

D'**Ernst Ludwig Kirchner**, cofondateur du mouvement Die Brücke, à Dresde, en 1905, *Deux Midinettes*★★ (1911-1922) ; au dos du tableau, le peintre a représenté une danseuse indienne en jupe jaune.

Kupka, comme Kandinsky, Malevitch ou Mondrian, est un pionnier de l'art abstrait ; *Formes irrégulières, Création*★ (1911) fait partie de la série des *Cycles organiques* où l'artiste tente d'atteindre une dynamique cosmique.

● **Art contemporain** *(rez-de-chaussée - 1st floor)*
Black and White Number 20★ (1951) de **Jackson Pollock**, figure majeure de l'**expressionnisme abstrait**, révèle le véritable corps à corps que l'artiste engageait avec chacune de ses œuvres, promenant sur les toiles, étendues sur le sol de l'atelier, des bidons d'où s'échappaient les couleurs (technique du *dripping*).

« Inventé » à Londres dans les années 1950, le **pop art** se définit par l'utilisation dans l'œuvre d'objets ou d'images issus des mass media : publicité, drapeau, automobile, photos de stars… Sont réunies ici des œuvres de James Rosenquist, Andy Warhol, Roy Lichtenstein, Claes Oldenburg, Ronald B. Kitaj.

● **Sculpture et arts décoratifs européens** *(1ᵉʳ étage - 2nd floor)*
Le musée est célèbre pour ses sculptures polychromes italiennes, exposées parmi les tableaux. À voir aussi, *Sainte Scholastique*★ (vers 1755) par **Ignaz Günther**, grand sculpteur allemand du XVIIIᵉ s., qui montre les influences du maniérisme dans la disproportion du corps et l'allongement de la tête et du cou, ainsi que du baroque par le mouvement et le drapé ample des étoffes.
Remarquer les terres cuites françaises du XVIIIᵉ s. (Jean-Baptiste Tuby, Clodion, Joseph Chinard, Augustin Pajou) et les sculptures françaises du XIXᵉ s., en particulier des **bronzes et plâtres**★★ de **Rodin**.

● **Antiquités de la Méditerranée et du Proche-Orient** *(1ᵉʳ étage - 2nd floor)*
Sont exposés cinq **reliefs monumentaux**★ assyriens en albâtre (fin IXᵉ s. av. J.-C) provenant du palais du roi Assournazirpal II, à Nimroud (auj. Kalhou) ; le dernier à dr. représente un personnage à tête d'aigle face à l'arbre de vie, un autre le roi, accompagné d'une figure ailée, levant un vase à libations.
On verra aussi un **vase rituel**★ en or provenant de l'Iran du N.-O. (1000-900 av. J.-C.) ; des pièces en bronze du Luristan (1350-550 av. J.-C.), dont un curieux **sommet de hampe**★, ornement à forme humaine surmontée d'une étonnante coiffure à trois têtes superposées qui composent une silhouette maîtrisant deux prédateurs ; des œuvres d'art égyptien ; des **statuettes**★★ provenant des Cyclades ; des amphores grecques ; des sculptures romaines, dont un sarcophage du IIᵉ s. apr. J.-C. Particulièrement rare, un **gobelet romain**★ en verre peint et doré (fin du IIᵉ s.) trouvé en Égypte, décoré d'une scène de farce censée se passer dans une maison de prostitution de luxe et ridiculisant un client pingre.

● **Art islamique**★★ *(2ᵉ étage - 3rd floor)*
Le LACMA a acquis les premières pièces d'art musulman en 1973 : 650 objets du Caucase, d'Iran, d'Afghanistan, d'Irak et d'Asie centrale. Il possède actuellement l'une des dix plus belles collections d'art musulman au monde (du VIIᵉ au XIXᵉ s.),

▲ Dans la salle du palais d'Assournazirpal II (antiquités du Proche-Orient).

grâce à l'achat, en 2002, de plus de 750 objets du Dr Maan Madina (arts décoratifs, architecture, calligraphie, d'Espagne, d'Afrique du Nord, d'Égypte, de Syrie et d'Irak). Une partie seulement de ces trésors peut être exposée.

Très belles miniatures de Turquie, notamment celle représentant *Le Prophète Mahomet et trois disciples*★★ (vers 1558), réalisée pour Soliman le Magnifique : tout en bas, six observateurs ; au centre, Mahomet et trois disciples avec auréoles ; en haut, cinq anges dont les ailes dépassent du cadre. Si l'art public musulman proscrit les représentations humaines, elles sont présentes dans l'art à usage privé, où l'on perçoit des influences chinoises, byzantines, persanes. Cloisonnés d'Asie orientale ; bijoux et céramiques d'Iran (x^e-xie s.).

● **Arts de l'Asie du Sud et du Sud-Est** *(2e étage - 3rd floor)*

Les collections, très variées, comptent de belles sculptures, dont certaines, provenant de la vallée de l'Indus, remontent à plus de 5 000 ans et offrent un panorama des arts religieux hindou, bouddhique et jaïn.

Une **statue**★★ en bronze doré représentant le dieu Shiva dansant (Tamil Nadu, xe s.) illustre la conception cyclique de la création du monde. Shiva est entouré d'une auréole de flammes représentant l'univers et sa destruction ultime par le feu, émanant d'une fleur de lotus, symbole de la création. Il piétine le démon qui incarne l'ignorance, montrant ainsi la voie vers le salut.

Groupe en bronze★★ représentant les principales divinités de l'Inde : Rukmini, Krishna, Satyabhama et Garuda (dynastie chola, Inde du Sud, fin xie s.).

L'art moghol (xvie et xixe s.), reflétant des traditions turques et persanes, est représenté par de belles **miniatures**★, notamment une page du manuscrit Shangri du *Ramayana*, exécutée dans le style rajput (vers 1700).

● **Tissus et costumes** *(2e étage - 3rd floor)*

Sont exposés plus de 50 000 objets représentant plus d'une centaine de cultures et 2 000 ans de création. Costumes et étoffes de la Renaissance, modes européenne et américaine du xviiie au xxe s. sont les points forts du département.

À ne pas manquer : la **cape de chasse**★★ d'un empereur chinois (xviiie s.) ; une **mante funéraire**★ péruvienne (Paracas, Pérou, 200 av.-200 apr. J.-C.), en laine d'alpaga tissée sur une trame de coton, aux couleurs d'une grande fraîcheur ; un somptueux **costume de théâtre nô**★★ (Japon, xviiie s.), porté par des acteurs jouant des rôles de jeunes femmes.

● **Arts de Chine et de Corée**★ *(niveau inférieur - lower level - L.)*

– Chine. La collection comprend des objets datant du néolithique au début du xxe s. Nombreuses pièces de vaisselle en bronze, miroirs en bronze poli, poterie vernissée, porcelaine peinte sur fond bleu cobalt ou rouge cuivre, rouleaux peints, laques et jades. À remarquer : un **chaudron tripode** *(ding)* de la fin de la dynastie Zhou (début ve s. av. J.-C.), objet rituel (les premiers datent de 1500 av. J.-C.) destiné à recevoir la nourriture offerte aux esprits des ancêtres ; une **assiette**★ de porcelaine bleu et blanc (xive s.), typique de la dynastie Yuan par ses bords curvilignes et les motifs de vagues et de fleurs (ce type d'objets était destiné à l'exportation vers le Proche-Orient) ; **peinture de paysage**★★, le mont Huang, par Daoji (1694), moine bouddhiste, voyageur, poète, peintre et calligraphe, dont l'art manifeste l'indépendance d'esprit et le goût de l'expérimentation.

– Corée. En 1966, Park Chung-hee, président de la Corée du Sud, offrit au musée un groupe de **poteries** vernissées qui constituèrent le noyau de la collection, actuellement l'une des plus belles hors du pays. Des peintures furent ultérieurement acquises, en particulier un très rare **portrait**★★ sur soie (1562) d'un *arhat* (disciple de Bouddha ayant atteint la sagesse), où l'influence chinoise transparaît.

Arts of the Americas Building

Ce bâtiment est entièrement consacré aux arts nés sur le continent américain, de la Méso-Amérique à l'art latino-américain du XXe s.

● **Peinture américaine★** *(1er étage - 2nd floor)*

Ce département offre un panorama de l'art américain depuis la période coloniale. Les œuvres (peintures, sculptures, aquarelles, arts décoratifs) sont replacées dans le contexte international de leur production. L'accent est mis sur la fin du XIXe s. et le début du XXe s. On y trouve aussi des artistes de Californie du Sud, ainsi que certaines œuvres réalisées dans le cadre du **Public Works of Art Project** (programme financé par le gouvernement fédéral au moment du New Deal pour fournir des commandes à des artistes touchés par la crise économique).

Le premier tableau acheté par le musée, en 1916, est *Cliff Dwellers★*, de **George Bellows** (1913), œuvre réaliste, bien que dépourvue de critique sociale, qui évoque la vie quotidienne dans les *tenements*, immeubles où s'entassaient les immigrants.

Winslow Homer a essentiellement représenté des marines et des paysages de Nouvelle-Angleterre. Un voyage en Virginie lui fournit l'inspiration de *The Cotton Pickers★★* (1876), qui dépeint la condition des Noirs après l'abolition de l'esclavage. Très influencé par les peintres français de la vie paysanne, ce tableau monumental évite les stéréotypes courants à l'époque et offre une image quasi héroïque de deux jeunes femmes noires.

Amie des impressionnistes qu'elle a contribué à faire connaître aux États-Unis, **Mary Cassatt** a privilégié les scènes de la vie familiale. Dans *Mother About to Wash Her Sleepy Child★* (1880), elle étudie les jeux de la lumière sur les chairs et les vêtements.

Portrait of Mrs. Edward L. Davis and Her Son, Livingston Davis★★ (1890), de **John Singer Sargent**, est un tour de force technique et une fine étude psychologique. Le peintre allie la subtilité du traitement des nuances de tons sombres, dans le style de Carolus-Duran auprès de qui il étudia, et le contraste apporté par une forte lumière. Les relations d'affection entre cette femme de la bonne société bostonienne et son fils sont suggérées avec délicatesse.

● **Arts décoratifs américains★** *(1er étage - 2nd floor)*

Le mouvement Arts and Crafts *(→ encadré ci-contre)* est particulièrement bien représenté au LACMA. On y trouve surtout du beau **mobilier** du XVIIIe s. et du début du XIXe s., ainsi que des meubles des frères Herter de New York. **Louis Comfort Tiffany**

☞ EN SAVOIR PLUS
Reportez-vous également au chapitre « Peintres et photographes de l'Ouest », p. 111.

Le retour de l'artisanat

Le mouvement **Arts and Crafts** faisait l'apologie de l'objet beau et utile, fait main, par des artisans spécialisés, avec des matériaux simples. Il fut créé au Royaume-Uni en 1888, principalement par William Morris et Charles Robert Ashbee, dans le dessein de renouveler l'artisanat (utilisation de techniques et de matériaux locaux, dont le bois) et de retrouver une certaine simplicité, en réaction à la production industrielle et à la complexité du style victorien.

Le mouvement rencontra un certain succès en Californie au début du XXe s., en mobilier comme en architecture ; dans ce dernier domaine, ses meilleurs représentants sont Bernard Maybeck et les frères Greene. On considère aujourd'hui l'Arts and Crafts comme l'initiateur du Modern Style, équivalent anglo-saxon de l'Art nouveau.

Los Angeles

5

(début XXᵉ s.), plus connu pour ses lampes, verres, vitraux et bronzes, laisse un rare **service à thé★** en argent, de style Art nouveau, et le grand architecte **Frank Lloyd Wright** un **vase★** de cuivre (1898).

● **Arts d'Amérique du Sud et d'Amérique centrale★**
Le Guerrier debout★★ (civilisation jalisco, 100 av.-300 apr. J.-C.), figurine funéraire entourée d'objets de la vie quotidienne, fut retrouvé dans une tombe à puits ; ces tombes étaient sans doute destinées à accompagner le défunt dans l'au-delà. Réalisée d'une seule pièce, elle témoigne d'une remarquable maîtrise de la cuisson.
Le LACMA possède l'une des principales collections aux États-Unis d'**art latino-américain du XXᵉ s.** Sont présentées des œuvres de trois « grands » muralistes mexicains : Diego Rivera, José Clemente Orozco et David Alfaro Siqueiros (→ *théma p. 156-157*). La collection comprend aussi des œuvres de Frida Kahlo et de Jean Charlot, muraliste français qui s'employa à faire connaître les œuvres des maîtres mexicains.

Pavilion for Japanese Arts

Ce pavillon, qui interprète, avec des matériaux contemporains, l'architecture traditionnelle japonaise, rassemble 300 **paravents** et **peintures sur rouleaux** de l'époque Edo (1615-1868). Sont également exposés des poteries, des laques, des estampes (œuvres des XIXᵉ et XXᵉ s.), des tissus et une remarquable collection de **netsuke★★** *(Netsuke Gallery – niveau Plaza, P.)*. Ces boutons ou fermoirs sculptés, en ivoire, métal, porcelaine ou bois, servaient à suspendre à la ceinture *(obi)* différents objets.

Dirigez-vous à nouveau vers la BP Grand Entrance pour gagner le LACMA West.

Broad Contemporary Art Museum★ (BCAM)

Le bâtiment, conçu par Renzo Piano, est dévolu à l'art contemporain après 1945. Les œuvres de la collection permanente du LACMA sont exposées par roulement. Expositions temporaires.

■ **Hancock Park** II C2. En 1860, le major Henry Hancock achète le ranch La Brea ; on y trouve du pétrole ainsi qu'un étang de goudron, qu'il cède à la ville. En 1906, on en dégage les restes, vieux de milliers d'années, de plus de 200 espèces d'animaux (mammouths, loups, tigres à dents de sabre, lions américains…) : ils s'approchaient des fosses pour s'abreuver et s'y enlisaient. Le goudron qui les a engloutis a assuré leur conservation. Les fosses de bitume sont visibles dans le parc.

● **Page Museum La Brea Tar Pits★** II C2 *(5801 Wilshire Blvd et Curson Ave.*
☎ *323/934-7243 • www.tarpits.org • ouv. t.l.j. 9 h 30-17 h • gratuit le 1ᵉʳ mar. du mois, sf en juil.-août).* Ce musée retrace, de façon très didactique, l'histoire naturelle et paléontologique de La Brea pendant la dernière glaciation, qui se situe entre 10 000 et 40 000 ans. Squelettes d'oiseaux, de mastodontes (dont le mammouth impérial, qui pesait 10 t), hologramme redonnant vie à la femme de La Brea (9 000 ans), seul squelette humain retrouvé sur le site. On prend conscience de la densité du goudron et de la force du piège qu'il représentait. Vue sur le laboratoire de recherches.

■ **Petersen Automotive Museum★** II C2 *(6060 Wilshire Blvd et Fairfax Ave. • en face du LACMA • ouv. mar.-dim. 10 h-18 h).* L'établissement, consacré à l'histoire de l'automobile, rappelle aussi le développement fulgurant de LA. Au r.-d.-ch. : de la Underslung de 1911 à la voiture solaire. Au 1ᵉʳ étage :

somptueuses voitures de Hollywood, parmi lesquelles l'Aston Martin conduite par Sean Connery et Roger Moore dans la série des *James Bond 007*. À voir aussi, la série de voitures françaises des années 1930-1940 et les motos de collection.

■ **Farmers Market**★ II C2 *(6333 W. 3rd St. et Fairfax Ave. • lun.-ven. 9 h-21 h, sam. 9 h-20 h, dim. 10 h-19 h • www.farmersmarketla.com)*. Ce marché couvert, ouvert par des fermiers pendant la Grande Dépression (1933), est la vitrine de la production agroalimentaire californienne. On y trouve 150 stands de produits frais et des petits restaurants où l'on peut s'initier aux cuisines du monde. Il n'est pas rare d'y rencontrer des visages connus : les studios de CBS ne sont pas loin. Très sympathique pour déjeuner.

Depuis le LACMA, continuer sur Wilshire Blvd vers Downtown LA (en voiture).

■ **Miracle Mile** II C-D2 *(Wilshire Blvd, entre Fairfax et Highland Aves)*. Le majestueux **boulevard Wilshire** fut la première artère véritablement tracée pour l'automobile. Conçu par le promoteur A. W. Ross dans les années 1920, le Miracle Mile était l'un des quartiers les plus commerçants de la ville. De cette époque subsistent quelques immeubles de style Art déco Streamline, comme le **May Building** *(Wilshire Blvd-Fairfax Ave)*, dont la forme évoque un flacon de parfum.

En continuant sur le Wilshire Blvd vers l'E. on gagne Downtown LA (→ prom. ⑥). Par le Harbor Fwy (I-110), vers le S., on gagne Exposition Park.

■ **Exposition Park** I B2 *(701 State Dr., entre Figueroa St. et Exposition Blvd ☎ 213/763-0114 • à 2,5 mi/ 5 km S.-O. de Downtown LA, 2 blocks du Fwy 101, sortie « Exposition Park »)*. Ce complexe culturel et

▲ La construction du nouveau parking du LACMA a permis la découverte d'un mammouth de l'âge du pleistocène, piégé dans une fosse de bitume. Reconstitution au Hancock Park.

♥ SHOPPING
The Grove, près du Farmers Market (II C2) : l'une des meilleures destinations de la ville.

✐ BON À SAVOIR
En suivant Fairfax Ave. vers le N., on atteint les **studios CBS** (7800 Beverly Blvd ; II C2) : distribution de billets gratuits pour assister à une émission de télévision.

Los Angeles

5

sportif, qui a reçu les Jeux olympiques de 1984, se situe au cœur d'un secteur dégradé de la ville, proche de South Central et à deux pas de l'University of Southern California (USC). Ses musées, ses vastes espaces verts, sa magnifique **roseraie** apportent un peu d'humanité à ce quartier peu accueillant.

■ **California Science Center**★ I B2 *(700 State Dr., au coin d'Exposition Blvd et de Figueroa St.* ☎ *323/724-3623 • www.californiasciencecenter.org • t.l.j. 10 h-17 h • entrée gratuite).* Le musée organise des expositions très innovantes et présente des jeux interactifs qui enchanteront les enfants (une bonne connaissance de l'anglais est cependant nécessaire). À ne pas manquer : la **galerie des écosystèmes**★★ et ses huit zones à explorer, et **World of Life**★, le processus biologique expliqué à partir de la reproduction d'un corps humain, longue de 15 m.

● L'**IMAX Theatre** *(* ☎ *213/744-7400)*, hexagone à écran géant, a été conçu par Frank Gehry.

● L'**Air and Space Gallery**★★ *(lun.-ven. 10 h-13 h, sam., dim. et vacances 11 h-16 h)* est consacrée à l'histoire de l'aviation et de la conquête spatiale. Voir en particulier le *TR Air Force Trainer*★, la capsule spatiale *Gemini 11*★★ et la navette *Endeavour*★★, construite en Californie du Sud. Ce musée se distingue aussi par son **architecture**★ due à Frank Gehry. On le reconnaît de loin, avec son *F 104 Star-Fighter* fiché sur la façade.

■ **Natural History Museum**★★ I B2 *(900 Exposition Blvd* ☎ *213/763-DINO • www.nhm.org • t.l.j. 9 h 30-17 h).* C'est le seul musée au monde à retracer le cycle de vie du dinosaure, de 2 ans à 17 ans, au moyen de 10 squelettes (**T-Rex Growth Series**). À voir aussi : **Dinosaure Hall**★★, spectaculaire présentation de squelettes de dinosaures à l'échelle monumentale ; **Schreiber Hall of Birds**★, plus de 400 espèces d'oiseaux de Californie du Sud ; **Insect Zoo**★, pour tout savoir sur les blattes et les cafards géants ; la **Gem and Mineral Hall**★, la collection de minéraux ; l'habitat des **Indiens Pueblos** ; **What on Earth ?**, exposition présentée sous une superbe rotonde★ de 1913.

▲ Le Los Angeles Memorial Coliseum, construit en 1923 dans Exposition Park, a accueilli les Jeux olympiques de 1932 et de 1984. Aujourd'hui, des matchs de football américain et des concerts de rock y sont programmés. Capacité : 92 000 places (12 000 de plus que le Stade de France).

■ **University of Southern California** I B2 (USC • *3551 University Ave., au N. d'Exposition Park, limitée par Jefferson et Exposition Blvds, Figueroa St. et Vermont Ave. • www.usc.edu*). Agréable but de promenade, le campus de cette université privée, fondée en 1880, couvre 61 ha et abrite 191 bâtiments (37 000 étudiants). L'**USC Fisher Museum of Art** (☎ *213/740-4561 • http://fisher.usc.edu • mar.-ven. 12 h-17 h, sam. 12 h-16 h ; f. en été*) présente une collection d'œuvres européennes et américaines du XVe s. à nos jours.

■ **À voir encore : Watts Towers★** I B2 (*1765 E. 107th St., à 16,5 mi/26 km S. d'Exposition Park* ☎ *213/ 847-4646 • www.wattstowers.us • mar.-dim. 9 h-17 h • entrée gratuite, vis. guidées sur réserv. • parking payant • métro Blue Line, dir. Long Beach, station « 103rd Street »*). Bâties de 1921 à 1954 par Simon Rodia, un immigrant napolitain, ces huit tours ont été réalisées à partir d'objets de récupération. La structure est constituée de câbles d'acier, renforcés d'un ciment incrusté de morceaux de vaisselle, de verre, de coquillages et différents rebuts provenant de décharges publiques. Aujourd'hui classée monument historique, cette œuvre atypique, à laquelle on reconnaît une véritable valeur artistique, a été sauvée de justesse de la démolition.

Le quartier, excentré, situé en dehors des zones touristiques, est à éviter la nuit (aucun problème la journée).

☎ NUMÉROS GRATUITS
Les numéros de téléphone qui commencent par ☎ 800, 855, 866, 877, 888 sont des numéros d'appel gratuits *(toll-free number)*. Faites-les précéder du ☎ 1 si vous appelez depuis un poste fixe (et non d'un portable). Dans ce guide, ces numéros sont notés ainsi : ☎ (1)800/000-0000.

⑥ Downtown LA★

Situation. Délimité par 3 Fwys : Santa Ana Fwy (5) au N., Harbor Fwy (110) à l'O., Santa Monica Fwy (10) au S. ; il est bordé à l'E. par Alameda St. plan III.

Fondé en 1781, El Pueblo Nuestra Señora la Reina de los Angeles est le berceau de cette immense ville. Il regroupe Old Plaza, Olvera Street et une trentaine de bâtiments, restaurés pour la plupart, qui offrent un saisissant contraste avec les gratte-ciel futuristes du Financial District, vus dans bien des séries américaines. Des actions ont été entreprises pour revitaliser le centre-ville, longtemps en proie au délabrement et à l'insécurité.

Combien de temps. Prévoir 1 j. pour profiter du quartier, en promenades et en visites.

Visite. À pied, et de jour seulement • circulation et stationnement difficiles • la **navette** *Dash* (6 lignes) dessert les différents sites de Downtown LA : toutes les 5 mn lun.-ven. 6 h 30-18 h, toutes les 15 mn le w.-e. 10 h-17 h.

❶ *Visitors Center,* dans Sepulveda House, 200 N. Main St. (III B2) ☎ 213/628-1274 ; t.l.j. 9 h-16 h. Projection d'un film sur El Pueblo.

☞ FÊTES ET MANIFESTATIONS
Sur Old Plaza se déroulent les festivités de la communauté mexicano-américaine :
• Le *Cinco de Mayo* (5 mai) rappelle la victoire des troupes mexicaines sur les forces françaises qui soutenaient Maximilien, à Puebla, en 1862.
• Début novembre, fête des Morts.
• *Las Posadas*, semaine avant Noël.
• Bénédiction des animaux le samedi avant Pâques.

Los Angeles

6

■ **Pueblo de Los Angeles State Historic Park★** III B1-2 *(au N.-E. du Civic Center, bordé par Sunset et Springs Blvds, Arcadia et Alameda Sts • entrée 420 N. Main St.* ☎ *213/628-1274).* Le cœur historique de LA a été transformé en parc d'attractions avec *taquerias* et boutiques d'artisanat mexicain.

● **Old Plaza★** III B2, plantée de figuiers centenaires, est ornée d'une statue du fondateur de Los Angeles, Felipe de Neve, gouverneur espagnol de la Californie. Au centre se tient le traditionnel kiosque à musique que l'on retrouve sur tous les *zócalos* (places centrales) des villes mexicaines.

Nuestra Señora la Reina de los Angeles de Porciúncula, sur le côté O. de Old Plaza, est la plus ancienne église de la ville, construite de 1818 à 1822 par les missionnaires franciscains. En 1971, un tremblement de terre a sérieusement endommagé l'édifice. Sur la façade, la mosaïque représentant l'Annonciation (1981) est une copie de celle de l'église de Porciúncula (Italie).

Pico House (1870), au S.-O, construit par Pio Pico, dernier gouverneur mexicain de Californie. Cet hôtel, de style *Italianate*, offrait tout le luxe possible à l'époque : éclairage au gaz, toilettes séparées pour dames et messieurs, velours et rideaux de dentelles, et aussi un cuisinier français, « réputé de La Nouvelle-Orléans à Los Angeles ».

● **Olvera Street★** III B1-2. Cette rue très courte (100 m) et très commerçante aligne échoppes d'artisanat, *taquerias* et cafés bondés de touristes. Au n° 10, la plus ancienne maison de la ville (1818), **Avila Adobe★** *(t.l.j. 9 h-17 h, 16 h en hiver* ☎ *213/485-6855)*, a été transformée en **musée** historique de la Californie. Elle a conservé son aspect intérieur des années 1840. Sur **Italian Hall**, peinture murale *La America Tropical★* (1932) du Mexicain **David Alfaro Siqueiros**. Jugée scandaleuse (elle représentait un péon crucifié sous les serres d'un aigle qui pouvait être l'aigle mexicain ou américain), elle fut recouverte de peinture blanche, ce qui permit sa conservation. Le Getty Trust la fit restaurer à la fin des années 1980.

● **Plaza de Culturas y Artes** III B1/2 *(501 N. Main St.* ☎ *(1)888/488-8083 • www.lapca.org • ouv. mer.-lun. 12 h-19 h • entrée payante).* Adjacent à Olvera St., ce nouveau centre culturel a pour mission de renouer avec les racines mexicaines de LA, dont ce quartier est le berceau (1781).

■ **Union Station★** III B1/2 *(800 N. Alameda • Red Line, Purple Line).* C'est l'une des plus belles gares des États-Unis. Construite en 1939 dans le style *spanish revival*, ses mosaïques, ses fontaines et ses patios ont servi de décor à de nombreux films : *Nos Plus Belles Années* (Sydney Pollack, 1972), *Blade Runner* (Ridley Scott, 1982), *Bugsy* (Barry Levinson, 1991)… Du temps où le rail était roi, les journalistes s'y bousculaient et les flashs crépitaient quand les stars descendaient du train.

Depuis Old Plaza, prendre Main St. sur la dr., tourner à g. sur Cesar Chavez Ave. puis à dr. sur N. Broadway ; possible à pied.

■ **Chinatown** III A-B1 *(au niveau des n°s 700 à 1000 N. Broadway, délimitée par Ord, Alameda, Bernard et Yale Sts • entrée sur N. Broadway).* Plus petit et moins fréquenté que celui de San Francisco, le quartier chinois (10 000 hab.) fut le premier Chinatown de la côte O. Il constitue le centre culturel d'une communauté de 170 000 personnes, dispersées dans toute la ville. Sur N. Broadway, une porte en forme de pagode ouvre sur **Gin Ling Way**, zone piétonnière bordée de boutiques en tout genre : herboristerie, épiceries, magasins de bijoux, antiquaires…

■ **Cathedral of Our Lady of Los Angeles★★** III A2 (**Notre-Dame de Los Angeles** • *555 W. Temple St., entre Grand et Hills Sts* ☎ *213/680-5200 • www. olacathedral.org • métro Red Line, « Civic Center Station » • Dash, Route DD, arrêt*

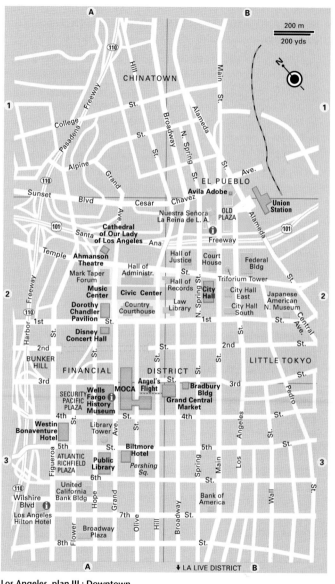

Los Angeles, plan III : Downtown.

face à l'Ahmanson Theater • ouv. lun.-ven. 6 h 30-18 h, sam. 9 h-18 h, dim. 7 h-18 h • parking payant). Bâtie entre 1999 et 2002 par l'architecte espagnol **Jose Rafael Moneo**, Notre-Dame est le siège de l'archevêché de Los Angeles et la plus grande cathédrale catholique du pays : la nef peut accueillir 3 000 fidèles. L'architecte a banni l'angle droit à l'extérieur, mais adopté le traditionnel plan cruciforme. Le béton teinté d'ocre reprend la couleur de l'habitat traditionnel en adobe. Les **vantaux** de bronze (25 t chacun), mus par un système hydraulique, ouvrent sur des portes intérieures ou figurent les différents visages de la Vierge à travers le monde, de l'Immaculée Conception à la Vierge de Pitié (Robert Graham). La nef baigne dans une lumière douce, filtrée par des plaques d'albâtre. Une tenture composée de 57 tapisseries, réalisée dans les Flandres d'après des images digitales conçues par l'Américain John Nava, représente *La Communion des saints*★★ : 135 saints catholiques parmi lesquels on reconnaîtra Jeanne d'Arc, le pape Jean XXIII et Mère Teresa. Leurs visages sont tournés vers la monumentale croix d'albâtre qui orne l'autel.

■ **Music Center**★ III A2 *(135 N. Grand Ave. ☎ 213/972-7211 • www.musiccenter.org • vis. guidée et gratuite t.l.j. 10 h-13 h 30, départ du hall d'entrée du Disney Concert Hall, 151 S. Grant St.).* Créé en 1964, ce complexe dédié à la musique se compose de quatre bâtiments : Disney Concert Hall★★, Dorothy Chandler Pavilion★, Ahmanson Theatre et Mark Taper Forum.

● **Disney Concert Hall**★★ *(151 S. Grant).* Œuvre de l'architecte californien **Frank Gehry** (1988-2003), cette architecture-sculpture hisse des voiles d'acier sur Bunker Hill. La **salle de concerts**★★ (2 265 places), dont l'acoustique est exceptionnelle, accueille l'orchestre philharmonique de LA. Voir aussi l'**Urban Park**, un beau jardin paysagé.

● **Dorothy Chandler Pavilion**★ *(Grand Ave.-Hope St.).* Superbe salle de concerts de 3 200 places, inaugurée en 1964, elle abrite le Los Angeles Opera et a accueilli, à 24 reprises, les Oscars du cinéma, en alternance avec le Shrine Auditorium.

● **Ahmanson Theatre** *(Grand Ave.-Hope St.).* Inaugurée en 1967, cette salle prestigieuse présente des pièces de Broadway.

■ **Civic Center** III A2 *(Temple, Main, First et Grand Sts • Red Line, Purple Line).* Les bâtiments abritent les instances administratives de l'État de Californie, du comté et de la ville de Los Angeles, commune indépendante au même titre que Beverly Hills et Santa Monica. L'aspect solennel et pompeux de ces édifices donne une atmosphère un peu austère au quartier.

● **City Hall**★ III B2 *(200 N. Spring St., entre 1st St. et Temple St.).* Cette tour pyramidale de 27 étages (138 m) fut dessinée par les architectes Austin, Parkinson et Martin (1928). Après le tremblement

▲ La tour du City Hall est très connue des Angelinos : on l'a vue attaquée par les Martiens dans *La Guerre des mondes* (Byron Haskin, 1953).

de terre de 1994, le gratte-ciel a été restauré selon les normes antisismiques les plus modernes. De la plate-forme d'observation *(26ᵉ ét. • lun.-ven. 10 h-16 h)*, magnifique **vue★★** sur LA.

■ **Bunker Hill** III A3 *(entre Harbor Fwy et Grand Ave., au S.-O. de Music Center).* Ce quartier, autrefois résidentiel, a fait l'objet d'une complète rénovation. Les demeures victoriennes ont fait place aux tours de verre qui abritent hôtels luxueux, compagnies d'assurances et banques. C'est actuellement un pôle d'attraction économique majeur, bordé par un « ruban de culture ».

■ **Museum of Contemporary Art★★** III A2 (**MOCA** • *250 S. Grand Ave.* ☎ *213/626-6222 • www. moca.org • desservi par le Dash Shuttle • ouv. lun. et ven. 11 h-17 h, jeu. 11 h-20 h, sam.-dim. 11 h-18 h, f. mar. et mer. • entrée libre jeu. après 17 h).* Le MOCA est un musée d'avant-garde à la politique d'acquisition audacieuse. L'architecte japonais **Arata Isozaki** (1986) a joué avec des volumes géométriques : cubes, pyramides et voûtes s'agencent autour d'une cour en contrebas. L'emploi du calcaire rouge des villages indiens est censé créer « une sorte de petit village niché au creux de la vallée formée par les gratte-ciel qui l'entourent ».

Le MOCA présente par roulement 5 000 peintures, dessins, gravures, sculptures et photographies d'ar-tistes américains et européens de 1940 jusqu'à nos jours. Tous les courants sont représentés : expres-sionnisme abstrait, pop art, minimalisme et post-minimalisme, néo-expressionnisme... Œuvres de Piet Mondrian, Jackson Pollock, Alberto Giacometti, Willem De Kooning, David Hockney, Diane Arbus, Brassaï, Robert Frank.

■ **Grand Central Market★** III B3 *(317 S. Broadway et 3rd St. • t.l.j. 9 h-18 h).* Pour accéder à ce marché couvert, créé en 1897, empruntez **Angel's Flight★**, pittoresque funiculaire de 1901, pour un très court trajet entre California Plaza Watercourt *(350 S. Grand Ave.)* et Hill St. *(près de la station Pershing Square, Red line).* À l'arrivée, nombreux restaurants de fast-food exotiques.

■ **Bradbury Building★** III B3 *(304 S. Broadway et 3rd St.* ☎ *213/626-1893 • Red Line, station « Pershing Square » • ouv. aux heures de bureau).* Conçu en 1893 par **George Wyman**, l'intérieur de cet édifice, de style victorien, est exceptionnel : sous une superbe verrière, de multiples passerelles et escaliers tissent, dans un espace très ouvert, un réseau complexe reliant cinq étages de bureaux. Ridley Scott a utilisé

✏ À NOTER
Le MOCA gère une annexe réservée aux expositions temporaires : **Geffen Contemporary** (152 N. Central Ave. ; III B2), aménagée dans des entrepôts réhabilités par Frank Gehry en 1983 (rens. ☎ 213/626-6222 ; moca.org).

Les transporteurs

Le 18 mars 1852, au lendemain de la ruée vers l'or en Californie, Henry Wells et William Fargo fondaient la **Wells, Fargo & Co.** à New York. La compagnie ouvrit son premier bureau à San Fran-cisco le 13 juillet, avant de gagner d'autres villes de l'Ouest. Spécia-lisée dans l'activité bancaire (achat et transport d'or), elle étendit ses activités au transport de pas-sagers, à l'acheminement du courrier et de marchandises. Son fameux **Pony Express** *(→ théma p. 386-388)*, service postier à che-val, reliait en 10 jours le Missouri à la Californie. En 1888, elle devint la plus grande compagnie de diligences : sa ligne « Ocean to Ocean » reliait plus de 2 500 communes à travers 25 États.

La Wells Fargo, qui a largement contribué à tisser la légende de l'Ouest, est aujourd'hui l'une des plus anciennes entreprises améri-caines en activité.

Los Angeles

6

▶ La Library Tower
(First Interstate World Center,
à g. ; *633 W. 5th St.*) est le
bâtiment le plus haut de
Los Angeles (310 m). Ce gratte-
ciel, auquel collabora Ieoh Ming
Pei, fut construit en 1990.

ce cadre ancien pour décrire une LA futuriste dans le film *Blade Runner* (1982). Ascenseur à mécanique hydraulique d'époque.

■ **Wells Fargo History Museum★** III A3 *(333 S. Grand Ave. • lun.-ven. 9 h-17 h • entrée libre ☎ 213/ 253-7166).* Ce petit musée privé retrace l'histoire de la Wells Fargo, compagnie de transport fondée en 1852, devenue établissement bancaire *(→ encadré p. préc.).* Au r.-d.-c. sont exposés des objets évocateurs de la conquête de l'Ouest et de la ruée vers l'or, dont une authentique **diligence**.

♥ BAR
***The Standard Hotel**,*
550 S. Flower St et 6th St. (III A3)
☎ 213/892-8080.
Le *rooftop bar* de l'hôtel est
l'un des lieux les plus tendance
de LA. Déco vitaminée, piscine
illuminée, *dance floor.*

■ **Westin Bonaventure Hotel** III A3 *(404 S. Figueroa St.).* Conçu par John Calvin Portman en 1976, il dresse la silhouette familière de ses cinq tours de verre, souvent photographiées. Au 35ᵉ étage, **vue★★** magnifique depuis le restaurant panoramique tournant. Un étage au-dessous, cuisine américaine au *BonaVista Lounge*, également tournant et panoramique *(service 17 h-1 h).*

Par la W. 5th St., rejoindre S. Broadway.

■ **Los Angeles Public Library★** III A3 *(630 W. 5th St. ☎ 213/228-7000 • www.lapl.org • ouv. 10 h-17 h 30, mar. et jeu. 10 h-20 h, f. dim.).* Édifice élevé en 1925 et rénové dans les années 1980-1990 à la suite d'un incendie, où se répondent les styles espagnol, byzantin, égyptien, moderniste. La rotonde, au 1ᵉʳ étage, porte des peintures murales de **Dean Cornwell**.

✎ À NOTER
Au sud de Pershing Square
s'étend le quartier des bijoutiers
(Jewelry District), le plus étendu
du pays après celui de New York.
Saint Vincent Jewelry Center
est la plus grande bijouterie
en gros au monde (50 à 70 % de
réduction sur les prix au détail).

■ **Millenium Biltmore Hotel★** III A3 *(506 S. Grand Ave., entrée par Olive St.).* L'ancien Regal Biltmore Hotel (1923) était le rendez-vous des stars du cinéma dans les années 1930. La cérémonie des Oscars s'y est tenue entre 1931 et 1942. En 1960, John F. Kennedy y installa les bureaux de la convention démocrate. Entre autres films, y ont été tournés *Sueurs froides* (Alfred Hitchcock, 1958) et *L'Arnaque* (George Roy Hill, 1973). Voir le décor Art déco de la **Cognac Room**.

■ **Broadway** III B3-A1. Sur cette artère, la plus commerçante de la ville, s'ouvrirent, entre 1910 et 1920, quelques-uns des plus beaux cinémas et théâtres (aujourd'hui désaffectés ou transformés en appartements) : le **Million Dollars Theatre** (1918), au n° 307 ; **Cameo Theatre** au n° 526 ; ainsi que le **Palace,** le **Tower Theatre** et l'**Orpheum.**

■ **LA Live District** h. pl. III par B3 *(800 W. Olympic Blvd • http://lalive.com • accès : Blue Line, « Pico Station » ; Red et Purple Lines, station « 7th Ave. » • bus nᵒˢ 81, 441, 442 • bus Dash, Route F).* Le quartier a reçu une formidable impulsion depuis l'ouverture de ce vaste complexe, adossé au centre de congrès (Convention Center) et au **Staple Center** (☎ *(1)877/234-8425* • 20 000 places • grands rendez-vous sportifs, concerts, shows TV). Le LA Live comprend le **Nokia Theatre** (7 100 places), des studios d'enregistrement, 14 salles de **cinéma** (Regal Cinemas), des **magasins**, des **restaurants** (on recommande *Rosa Mexicano*), et un musée pas comme les autres, consacré à la musique.

● **Grammy Museum★★** *(800 W. Olympic Blvd et Figueroa St. ☎ 213/765-6800 • www.grammymuseum.org • ouv. 11 h 30-19 h 30, sam. 10 h-19 h 30 • entrée et parking payants • comptez 2 h de vis.).* Consacré à la création musicale contemporaine et plus particulièrement aux artistes récompensés aux Grammy Awards, ce musée fait la part belle à l'interactivité et la haute technologie. Il a été conçu par la même personne que l'Experience Music Project de Seattle *(→ p. 319).* L'exposition occupe quatre niveaux, la visite commence au 3ᵉ étage *(4th floor).* Le processus de création, les arcanes de la production artistique sont abordés de façon entièrement nouvelle. Des écrans tactiles permettent à tout moment d'approfondir la connaissance d'un courant musical, le parcours d'un artiste ou les possibilités d'un instrument de musique. En tout 25 films, plus de 400 objets, vêtements et costumes de scène, instruments de musique, photos, documents audio et autographes complètent cette expérience en immersion totale, sans oublier une évocation des *Grammies*, décernés chaque année depuis 1959. Intéressantes expositions temporaires consacrées à des légendes de la musique, rencontres avec les artistes et concerts live.

En empruntant le Harbor Fwy (110) vers le S., on peut gagner Exposition Park (prom. ④) et les quartiers balnéaires (prom. ⑥).

⑦ Venice, Santa Monica et Malibu★★

Situation. Les quartiers balnéaires bordent la ville sur toute sa longueur (30 mn de voiture de Downtown) I B2-A1.

Entre l'océan et les montagnes de San Gabriel, la ville se confond avec les communes limitrophes. Sur la frange littorale, on découvre une Californie vouée au culte du corps et aux loisirs : surf, rollerblade, body-building sont les activités favorites des Angelinos. Lorsque la ville étouffe dans la chaleur de l'été, ses habitants s'échappent du côté de Santa Monica et de Malibu.

Combien de temps. On peut enchaîner les trois stations dans la même journée.

Accès. Depuis Downtown, le Santa Monica Fwy (I-10) rejoint directement la côte pacifique (15 mi/24 km) • moins rapide mais plus agréable : suivre

Frank Gehry à LA

Résident de Santa Monica, le célèbre architecte californien a offert à la cité des Anges quelques-unes de ses plus belles réalisations, à commencer par la maison-atelier de la famille Danzinger (1964). À Santa Monica : la maison Gehry (1979), sur 22nd St. (près de Washington Ave.), le centre commercial Santa Monica Place (1980), le centre culturel Edgemar, au 2435 Main St., le Chiat-Day Bldg et sa paire de jumelles géante, dessinée par Claes Oldenburg, au 340 Main St.). À Pasadena, le réaménagement du musée Norton Simon et enfin, sur Bunker Hill (Downtown LA), le Disney Concert Hall (2003) et sa spectaculaire coiffe de métal.

♥ BONNES ADRESSE À VENICE
• **Edgemar Center for the Arts**, 2437 Main St. Nombreux magasins, restaurants et galeries d'art.
• Sur Abbott Kinney Blvd, restaurants et magasins *vintage*, articles de surf, déco, vêtements.

☞ HÉBERGEMENT
Santa Monica est l'un des quartiers les plus agréables pour séjourner à Los Angeles. Nombreux hôtels proches de la plage *(Shutters on the Beach, Loews, Georgian, Shangri-la, Holiday Inn)*.

() *Santa Monica Visitors Center*, 1920 Main St., Suite B (entre Pico Blvd et Bay St.) ☎ (1)800/544-5319 ; ouv. t.l.j. 9 h 30-17 h 30.
• *Santa Monica Information Kiosk*, 1400 Ocean Ave. ☎ 310/393-0410 ; ouv. t.l.j.

Sunset Blvd (16 mi/26 km) jusqu'au San Diego Fwy (405), qui dessert également la côte, puis prendre la Pacific Coast Hwy.

■ **Venice★** I A-B2. Bastion de la contre-culture dans les années 1960, Venice conserve son caractère bohème, même si les *beach houses* de Ocean Front Walk s'arrachent aujourd'hui à prix d'or. Beaucoup sont les résidences secondaires d'habitants de Los Angeles.

Petite station balnéaire à l'origine, elle fut transformée, au début du xxe s., par le magnat du tabac Abbot Kinney, que la Venise italienne avait fortement impressionné. Il voulut permettre aux Américains de parachever leur propre Renaissance culturelle en créant une ville communautaire et se mit en tête d'y faire creuser des canaux (48 km). L'inauguration eut lieu le 4 juillet 1905 et, pour l'occasion, 40 000 invités purent les découvrir… en gondole. En 1925, la petite cité vota son annexion à LA qui fit derechef combler les canaux et fermer les maisons de jeux. Du grand projet initial ne subsistent que quelques arcades le long de Windward Ave., et de rares canaux *(S. Venice Blvd et E. Pacific Ave.)*. Ne pas manquer les fameux **murals**, en particulier, la *Venice* de Terry Schoonhoven *(25 Windward Ave.)*.

Ocean Front Walk★★. C'est sur le front de mer que rappers et culturistes font le spectacle (voir **Muscle Beach** !). Particulièrement animé le week-end. À éviter le soir.

Suivre Main St. en direction de Santa Monica.

■ **Santa Monica★★** I A2. C'est la principale station balnéaire de LA. À moins d'une demi-heure du Downtown par Santa Monica Fwy, le front de mer *(Ocean Ave.)* évoque irrésistiblement la Promenade des Anglais de Nice, à laquelle il emprunte les palmiers nonchalants et les parterres de fleurs. On le parcourt à pied sur la plage *(Ocean Front Walk)* ou à vélo *(le South Bay Bicycle Trail relie le quai 22 à la ville de Torrance)*.

● **Santa Monica Pier★** *(à l'extrémité de Colorado Ave.)*. Très fréquentés en été, les vieux pontons de bois de 1908, fortement ébranlés par l'assaut répété des vagues, ont été sauvés par la générosité des habitants. Les enfants apprécieront le parc d'attractions avec ses montagnes russes, la grande roue qui fonctionne à l'énergie solaire et le **carrousel** de Charles Loof, achevé en 1922.

● **Third Street Promenade★** *(entre Wilshire Blvd et Broadway Ave.)*. L'un des rares quartiers piétonniers et l'une des meilleures destinations shopping de la

▲ Santa Monica, la plus accessible des plages de Los Angeles.

ville : nombreux magasins de chaîne ouverts tard le soir, restaurants en terrasse et un centre commercial (**Santa Monica Place**) pour explorer les grands magasins Nordstrom, Barney's et Bloomingdales.

● **Bergamot Station** *(2525 Michigan Ave. et Cloverfield Blvd)*. Cet ancien dépôt de trolleys est devenu un haut lieu de la création artistique contemporaine en Californie du Sud. Le complexe culturel et artistique accueille une trentaine de galeries d'art ainsi que le **Santa Monica Museum of Art** *(☎ 310/586-6488 • www. smmoa.org • ouv. mar.-sam. 11 h-18 h, f. dim.-lun.)*, qui organise des expositions temporaires pointues d'artistes vivants.

● **Museum of Flying★** *(3100 Airport Ave. • rens. horaires ☎ 310/398.2500 • www. museumofflying.com)*. Le musée, consacré à l'histoire de l'aviation en Californie, présente notamment un *DC3* et un *Douglas World Cruiser* de 1924, construits par Douglas à Santa Monica ; voir également des chasseurs utilisés durant la Seconde Guerre mondiale (*Spitfire* et *Mustang*), des maquettes, des films…

● **Palisades Park** *(Ocean Ave., entre Colorado Ave. et San Vicente Blvd)*. Tout en longueur, ce petit parc à la végétation exotique domine la baie de Santa Monica. À parcourir à pied ou à vélo jusqu'à **Inspiration Point★** : vue superbe sur Malibu.
Continuer Pacific Coast Hwy vers l'O.

■ **Malibu★** I A2. Qui ne connaît ses 40 km de **plages** de sable fin ? La **Malibu Beach Colony**, entièrement privée, a été investie par des vedettes de cinéma, rockstars et autres personnalités fortunées. Parmi les plus belles plages accessibles, on recommande **Zuma Beach**, **Paradise Cove**, **Surfrider Beach** et Will Roger Beach State Park *(plage publique)*.
Au-dessus de la ville, la **Malibu Canyon Rd★★** grimpe dans les collines et procure de superbes vues sur LA. Belles randonnées dans la **Santa Monica Mountains National Recreation Area**. **Malibu Creek State Park** a servi au tournage de scènes de *La Planète des singes* (1967), *Butch Cassidy et le Kid* (1968), *M.A.S.H.* (1969).

Los Angeles

7

▲ La Getty Villa est une réplique de la villa des Papyrus, l'une des plus fastueuses demeures romaines d'Herculanum.

● **Jean Paul Getty Villa★** I A2 (*17985 Pacific Coast Hwy, entre Sunset et Topanga Canyon Blvds* ☎ *310/440-7300 • www.getty.edu • depuis LA, accès par Santa Monica Fwy I-10 vers l'O., puis Pacific Coast Hwy vers le N. • attention, accès impossible si l'on arrive par le N. • parking obligatoire payant • bus n° 534, arrêts « Coastline Drive » et « Pacific Coast Hwy » • vis. sur rés. jeu.-lun. 10 h-17 h, f. mar., mer. et j. fériés • entrée gratuite*). Dans cet édifice extravagant, Jean Paul Getty avait réuni une remarquable collection d'œuvres d'art de l'Antiquité classique, de la Renaissance et des XVIIᵉ-XVIIIᵉ s. Depuis la rénovation, achevée en 2006, seules les œuvres grecques et romaines sont présentées ici : le musée Getty (→ *p. 165*), à Brentwood, abrite désormais les autres trésors du collectionneur. La muséographie est thématique, centrée sur la religion, la mythologie mais aussi la vie quotidienne. Les **figurines des Cyclades★★** (entre 3000 et 2400 av. J.-C.) sont remarquables.

⑧ Pasadena et San Marino★

Situation. À 3,5 mi/5,5 km N.-E. de Downtown LA par le Pasadena Fwy, sortie « Ave. 43 » I B-C1.

Pasadena a été fondée en 1873, au pied des San Gabriel Mountains, par un groupe d'une centaine de familles de l'Indiana qui souhaitaient échapper aux hivers rigoureux de cette région. Centre agricole et lieu de villégiature hivernale, la ville s'est efforcée de conserver un caractère résidentiel. Depuis la construction du premier *freeway* en 1940 (Arroyo Seco Pkwy), Pasadena est devenue la première banlieue de Los Angeles.

Combien de temps. Prévoir 1/2 j. pour chacun des deux musées.

■ **Norton Simon Museum of Art★★★** I B1 (*411 W. Colorado Blvd, à l'angle de Orange Grove Blvd • t.l.j. sauf mar. 12 h-18 h, ven. 12 h-21 h • parking gratuit* ☎ *626/449-6840 • www.nortonsimon.org*). Fondé en 1924, le musée s'est constitué à partir de la collection privée de l'industriel Norton Simon (1907-1993) et possède aujourd'hui plus de 12 000 œuvres d'art. Une sélection d'un millier de pièces est présentée dans les galeries, rénovées par Frank Gehry.

Pour son **jardin de sculptures★★** (Rodin, Maillol, sculptures asiatiques), Nancy G. Power s'est inspirée de la demeure de Claude Monet à Giverny.

Renaissance

Superbe *Vierge à l'Enfant*★★ sur fond d'or (1427), de **Giovanni Di Paolo**, peinte pour la chapelle Branchini de l'église San Domenico, à Sienne. De **Botticelli**, *Vierge à l'Enfant*, aux très beaux drapés. *Vierge à l'Enfant avec un livre*★★ (1502-1503) de **Raphaël**, encore très ombrienne dans le traitement du paysage à l'arrière-plan.

Christ bénissant★★ (1478) de **Hans Memling** : une présence saisissante due à la parfaite frontalité ; le visage, violemment éclairé mais délicatement modelé, se détache sur un subtil camaïeu de bruns.

Bel exemple de maniérisme avec deux tableaux de **Lucas Cranach l'Ancien**, *Adam*★ et *Ève*★ (vers 1530). L'emblème du peintre, un serpent ailé tenant un anneau, est visible sur l'arbre derrière Adam.

XVIIᵉ-XVIIIᵉ siècles

Naissance de la Vierge★ (vers 1627) de **Zurbarán** : la composition circulaire met en valeur le jeu des ombres et de la lumière ; à noter, les couleurs qui se répondent en diagonales autour de la masse rouge du lit, le bol que présente la servante, au centre, et le panier d'où dépasse un linge, en bas à g.

De **Rembrandt**, un *Autoportrait*★★ (vers 1636) et un *Portrait de Titus*★★, son fils (vers 1645 ; inachevé), mais surtout *Les Trois Arbres*★★ (1643, gravure à l'eau-forte), qui se détachent sur un ciel immense.

On retrouve la manière vive et les couleurs brillantes de **Francesco Guardi** dans deux vues de Venise : *Santa Maria della Salute* et *Le Rialto* (vers 1780).

À ne pas manquer : des natures mortes de **Chardin** (dont *Chien et gibier*★, 1730) ; un *Autoportrait* (1764) au pastel de **Quentin de La Tour**, plein d'humour ; et le très beau *Portrait de Thérésa, comtesse Kinsky*★ (1793) par Mᵐᵉ **Vigée-Lebrun**, amie de Marie-Antoinette, qui suggère la tristesse de la comtesse, victime d'un mariage arrangé et abandonnée par son mari après la cérémonie.

XIXᵉ siècle

Le musée dispose d'un très bel ensemble d'œuvres impressionnistes et postimpressionnistes. Œuvres de Delacroix, Corot, **Courbet** (dont *Falaises à Étretat*★, 1869), Sisley, Pissarro, **Berthe Morisot** (*Villa au bord de mer*, 1874), Boudin, Monet.

De **Renoir**, *Le Pont des Arts*★ (vers 1868), œuvre encore marquée par l'influence de Courbet et des peintres de Barbizon, où les couleurs claires et sombres sont habilement agencées autour de la tache claire du quai Malaquais.

❶ *Pasadena Visitors Center,* 171 S. Los Robles Ave. et 300 E. Green St. (I C1) ☎ 626/795-9311 ; ouv. lun.-ven. 8 h-17 h, sam. 10 h-16 h.

☞ FÊTES ET MANIFESTATIONS
Depuis 1890, tout Pasadena se presse, chaque 1ᵉʳ janvier, pour assister au *Tournament of Roses* : dès 8 h, des dizaines de chars fleuris défilent en fanfare sur le Colorado Blvd jusqu'à Villa St.

Los Angeles

8

Le musée possède une centaine d'œuvres de **Degas** (tableaux, aquarelles, dessins, sculptures). Très beaux pastels sur le thème de la femme à sa toilette qui permet au peintre toutes les audaces de composition : jeu de miroir ou contre-plongée à la manière des estampes japonaises ; dans le même esprit, *Danseuses en coulisses* (vers 1880, pastel). Nombreux bronzes dont une version de *La Petite Danseuse de 14 ans*★★★.

D'**Édouard Vuillard**, *Portrait de Lucie Hessel* (vers 1905), où l'on retrouve le goût des nabis pour les couleurs mates et les intérieurs aux décors chargés. Voir aussi les œuvres de Toulouse-Lautrec, Van Gogh, Cézanne, Gauguin, Bonnard.

xxᵉ siècle

Kandinsky : *Rue de Murnau avec femmes* (1908), *Improvisation 24* (1912).

De **Picasso**, *La Pointe de la Cité*, toile cubiste ovale de 1912 ; *Buste de femme* (1924), aux formes monumentales ; *Femme avec un livre*★★ (1932), à la beauté sereine ; *Femme à la guitare* (1913) ; *Femme à la mandoline* (1925).

À voir aussi, *La Musique*, nature morte de **Braque** (1918), *Portrait de Jeanne Hébuterne*★★ (1918), par **Modigliani**, et, de **Matisse**, *Odalisque au tambourin*★ (1926).

Art asiatique

Le musée abrite de nombreuses sculptures et statuettes d'Inde, du Pakistan et d'Asie du Sud-Est (Népal, Tibet, Cambodge, Thaïlande), qui couvrent 2 000 ans d'art asiatique.

Du Cachemire, **statuette**★★ de Bouddha (vers 700) en bronze aux incrustations d'argent et de cuivre, **sculpture**★★ (en schiste) de Krishna jouant de la flûte (1100-1150), entouré de ses *gopi* (bergères), de musiciens et d'admirateurs.

Du Népal, **statuettes**★★ de bronze ou de cuivre, aux mouvements du corps empreints de grâce et d'élégance, et **statuette**★★ de la déesse Tara (vers 1300), déesse de la compassion très vénérée au Népal et au Tibet.

■ **The Gamble House** I B1 *(4 Westmoreland Place* ☎ *626/793-3334 • www. gamblehouse.org • vis. guidées jeu.-dim. 12 h-15 h • entrée payante)*. La maison, construite en 1908 dans le style **Arts and Crafts** *(→ encadré p. 175)* par les architectes Henry et Charles Greene pour la famille Gamble (de Procter & Gamble), est aujourd'hui occupée par l'USC School of Architecture. L'aménagement intérieur, d'un grand raffinement dans le choix des couleurs et des matériaux (teck, acajou, érable et cèdre), a été réalisé de façon artisanale ; meubles d'origine et verreries Tiffany dessinés par les frères Greene.

Derrière Westmoreland Place, sur Arroyo Terrasse Loop, les frères Greene ont réalisé une série de **bungalows**. Tous appartenaient à la nombreuse famille Greene *(résidences privées)*.

■ **Huntington Library, Art Collection and Botanical Gardens**★★ I C1
(1151 Oxford Rd, à San Marino ☎ *626/405-2100 • www.huntington.org • vis. lun. 12 h-16 h 30, mer.-ven. 12 h-16 h 30, sam.-dim. 10 h 30-16 h 30 ; en été, t.l.j. sf mar. 10 h 30-16 h 30 • gratuit le 1ᵉʳ jeu. du mois sur rés.* ☎ *(1)800/836-3006)*.

● Les 15 superbes **jardins**★★ (52 ha), aménagés par le paysagiste **William Hertrich**, comprennent deux jardins de camélias (1 500 variétés • *floraison d'oct. à mars*), un jardin shakespearien, composé de fleurs citées dans l'œuvre de l'écrivain, une roseraie retraçant l'évolution historique de la culture de la rose sur 2 000 ans, un jardin de plantes aromatiques et médicinales. Sur une éminence, un **jardin japonais**★ et une maison japonaise reconstituée de l'ère Meiji (xIXᵉ s.), ainsi qu'un pont en arceau.

◀ Des sculptures rehaussent
la beauté des jardins
de la Huntington Library.

● La **bibliothèque**, qui accueille les chercheurs en histoire et en littératures anglaise et américaine, renferme plus de cinq millions de manuscrits, livres, photographies. Des pièces rares sont exposées dans Exhibition Hall : le **manuscrit Ellesmere**★★ des *Contes de Canterbury*, de Chaucer, aux pages enluminées (vers 1410) ; une **bible de Gutenberg**★★ imprimée à Mayence vers 1455 ; *Les Oiseaux d'Amérique*★ de John James Audubon.

● L'**Arabella Gallery**, dans l'aile O., présente des tableaux Renaissance, du mobilier français du XVIIIe s., de la porcelaine de Sèvres, des tapisseries et des sculptures d'artistes français dont un buste célèbre de **Houdon**, *Portrait d'une dame*★ (1777). Remarquer la *Vierge à l'Enfant*★★ (vers 1460) de **Rogier Van der Weyden**, où l'artiste a prêté à la Vierge un visage empreint d'attention maternelle et de sérénité.

● La **Huntington Gallery**, située dans l'ancienne résidence de Henry E. et Arabella D. Huntington, est consacrée principalement à la **peinture anglaise** des XVIIIe et XIXe s., en particulier des portraits grand format et des paysages.
The Blue Boy★★ (vers 1770) de **Thomas Gainsborough**, est un hommage à Van Dyck : le jeune homme, fils d'un ami de Gainsborough, est vêtu à la mode du début du XVIIe s., l'époque de Van Dyck.
Pinkie★★ (1794), de **Thomas Lawrence**, portrait d'une jeune fille de 11 ans aux rubans roses, originaire de Jamaïque, qui avait été envoyée en Angleterre pour parfaire son éducation ; elle y mourut de tuberculose quelques mois après l'exécution de ce portrait.
Dans le portrait de *Sarah Siddons as the Tragic Muse* (1784), par **Joshua Reynolds**, l'actrice, en pleine gloire, regarde vers le ciel, comme sous l'influence d'une inspiration divine ; les deux figures allégoriques représentent la Pitié et l'Horreur et portent la dague et la tasse, attributs de Melpomène, Muse de la tragédie.

Les époux Huntington

Henry E. Huntington (1850-1927) était le neveu d'un des constructeurs du chemin de fer Central Pacific Railroad, Collis P. Huntington. Après avoir travaillé pour son oncle, il acheta en 1903 le ranch de San Marino, fit fortune dans l'immobilier, développa les transports en commun de LA, tout en se consacrant à sa passion : les livres. En 1913, il épousa à Paris **Arabella Duval** (vers 1850-1924), veuve de son oncle, détentrice d'une importante collection de tableaux qui constitue le fonds de la galerie des Beaux-Arts.

La résidence, construite en 1910-1911 sous la direction des architectes Myron Hunt et Elmer Grey, a été habitée à partir de 1914, bien que les Huntington aient continué à partager leur temps entre New York et Los Angeles. Le musée, les jardins et la bibliothèque sont gérés par une fondation privée à but non lucratif, créée par Henry et Arabella Huntington en 1919.

Los Angeles

⑧

Voir aussi, des deux plus grands paysagistes anglais : *View on the Stour near Dedham* ★ (1822), de **John Constable**, riche en détails sur la vie locale d'une région qu'il connaît bien ; et *The Grand Canal : Scene – A Street in Venice*★★ (1837), de **Turner**, où l'artiste a déployé la richesse chromatique qui fit de lui l'un des chefs de file du mouvement romantique en Angleterre.

• La **Virginia Steele Scott Gallery** rassemble des tableaux d'art américain du XVIIIe s. au XXe s. et des créations des architectes Charles et Henry Greene.
Sarah Jackson (vers 1765), de **John Singleton Copley**, est représentatif de l'art des portraits pendant la période coloniale.
Dans *Mississippi Raftmen at Cards*★ (1851), de **George Caleb Bingham**, un des principaux peintres de l'Ouest, la composition en triangle apporte une stabilité à cette représentation de la vie des bateliers pendant leur descente du fleuve.
Mary Cassatt, dans *Breakfast in Bed*★ (1897), reprend le thème de la mère et de l'enfant.
The Long Leg★ (1935), d'**Edward Hopper**, baignée d'une vive lumière, exprime la quiétude des côtes de Nouvelle-Angleterre.

Sont également présentées plusieurs pièces meublées, en particulier la grande **bibliothèque**★ décorée de mobilier français : tapis de la Savonnerie provenant du Louvre (XVIIe s.), tapisseries de Beauvais d'après des cartons de Boucher, mobilier Louis XV ayant appartenu à Mme de Pompadour, porcelaines de Sèvres.

⑨ Orange County★

Situation. À 23,5 mi/38 km S. de Downtown LA I C-D3.

Orange County, comme San Fernando Valley, est devenue une métropole indépendante (plus de 3 millions d'hab.). Elle doit son essor rapide à la création de grands parcs d'attractions comme Disneyland, en 1955. Long Beach, deuxième ville de l'agglomération de LA par la population (462 000 hab.), abrite le premier port de containers de la côte ouest et le mythique paquebot transatlantique *Queen Mary*.

Combien de temps. 1 journée, sans les parcs d'attractions.

En voiture. Quitter le centre de LA par Santa Ana Fwy, puis suivre Long Beach Fwy jusqu'à Artesia Fwy E. (à 14 mi/23 km de Downtown) ; sortir à Orangethorpe Ave., qui traverse Buena Park d'O. en E.

En train. De Union Station Downtown à Fullerton (35 mn ; rens. ☎ (1)800/USA-RAIL) • à Fullerton, rejoindre Commonwealth et Harbor Sts (à 1 *block*) pour prendre le bus n° 435 jusqu'à Disneyland.

En autocar. *Greyhound* (☎ (1)800/231-2222) dessert Anaheim depuis Downtown LA ainsi que les communes de Newport Beach et Laguna Beach • depuis l'aéroport, la navette *Airport Coach Service* dessert les principaux hôtels d'Anaheim • le *Funbus* ainsi que toutes les **navettes** d'hôtels desservent les parcs d'attractions et les principaux centres commerciaux d'Orange County.

■ **Long Beach**★ I B–C3 (*à l'extrémité de Long Beach Fwy • métro Blue Line depuis Downtown LA*). Fondée en 1880, la ville se développe à la suite de la découverte de pétrole sur Signal Hill, en 1921. Après le tremblement de terre de 1933, elle a été reconstruite dans le style Art déco. **Pine Street** conserve quelques bâtiments antérieurs (au n° 230, Masonic Temple, 1903). Pendant un temps, Long Beach fut le plus important centre de production de pétrole au monde : 600 puits sont encore en activité, habilement cachés par une luxuriante végétation tropicale.

● *Queen Mary*★ **I** B3 *(1126 Queens Highway, à l'extrémité du Long Beach Fwy* ☎ *562/435-3511 et (1)800/437-2934* • *www.queenmary.com* • *t.l.j. 10 h-18 h).* Embarquez sur le paquebot le plus luxueux des années 1930. Parcourez ponts et coursives et faites une halte au **bar**, de style Art déco. Lancé en Angleterre en 1934, long de 310 m, doté de 12 ponts, le *Queen Mary* pouvait accueillir près de 2 000 passagers et 1 100 membres d'équipage. En 1967, la ville de Long Beach en fit l'acquisition. C'est, depuis, une attraction touristique avec un hôtel Art déco, un palais des congrès et un **musée** qui évoque la participation du navire à la Seconde Guerre mondiale, lorsqu'il servit au transport des soldats australiens et néo-zélandais vers le Royaume-Uni.

▲ Le *Queen Mary* effectua sa dernière traversée transatlantique en 1967.

ⓘ *Long Beach Area Convention and Visitors Bureau,* 301 E. Ocean Blvd (I B3), Suite 1900 ☎ 562/436-3645 ou (1)800/452-7829 ; www.visitlongbeach.com

● *Scorpio (même horaires).* Ce sous-marin de la classe Foxtrot, l'un des 79 construits par les Soviétiques entre 1958 et 1984, est ancré juste à côté.

● **Shoreline Village**★ *(au pied de Pine Ave.).* Un centre commercial très touristique mais agréable. Nombreux magasins de souvenirs et restaurants avec **vues** féeriques le soir sur la marina et le *Queen Mary*. Beau **carrousel** de Charles Loof (1906).

● **Planet Ocean** *(300 E. Ocean Blvd, Shoreline Dr. et Linden Ave.).* Le plus grand *mural* du monde (11 000 m^2 ; Wyland, 1992) : baleines et dauphins grandeur nature évoluent sur l'enceinte circulaire de la **Long Beach Arena**.

♥ RESTAURANT À LONG BEACH
Parkers Lighthouse, 435 Shoreline Dr., Shoreline Village ☎ 562/432-6500 ; www.parkerslighthouse.com Cuisine américaine et *steak house,* cadre romantique. Au dernier étage, belle vue sur le *Queen Mary.*

● **Long Beach Aquarium of the Pacific**★★ *(100 Aquarium Way* ☎ *562/590-3100* • *www. aquariumofpacific.org* • *t.l.j. 9 h-18 h* • *possibilité de billets jumelés).* Plus de 500 espèces d'animaux marins, 11 000 individus présentés dans 4 galeries : Californie du S., Pacifique N., Pacifique tropical, Méduses.

● **Long Beach Museum of Art** *(2300 E. Ocean Blvd* ☎ *562/439-2119* • *www.lbma.org* • *mar.-dim. 11 h-17 h, jeu. 11 h-20 h* • *entrée libre ven. et jeu. soir).*

Los Angeles

9

Expositions temporaires d'artistes originaires de Californie du S. Musée de sculpture dans le parc, **vue★** superbe sur la plage et le port.

■ **Disneyland Park★** I C2 *(à Anaheim, 26 mi/ 42 km S. de Downtown LA • rens. pratiques → encadré ci-contre)*. Établi sur 34 ha, c'est le premier des deux parcs d'attractions créés par Walt Disney aux États-Unis en 1955 (le 2e se trouve en Floride). Le parc est divisé en sept zones *(lands)* rayonnant de la Central Plaza, à laquelle on accède par **Main Street USA**.

Pour avoir une vue d'ensemble du parc, empruntez le Disneyland Railroad, derrière l'entrée principale.

Dans le sens des aiguilles d'une montre : **Adventure-land** (Enchanted Tiki Room★, Indiana Jones Adventure★, Jungle Cruise★) • **New Orleans Square** (Pirates des Caraïbes★★, Haunted Mansion★★) • **Critter Country** (Splash Mountain★) • **Frontierland** (Big Thunder Mountain Railroad★★, Mark Twain River Boat) • **Fantasyland** (It's a Small World★★, Sleeping Beauty Castle★) • **Tomorrowland** (Space Mountain★, voyage intergalactique dans l'obscurité complète ; *ne convient pas aux jeunes enfants*).

Mention spéciale pour **Mickey's Toontown** *(enfants de plus de 3 ans)*, village où vivent Mickey (Mickey House★), Dingo, Pluto et Roger Rabbit (Roger Rabbit Cartoon Spin★), à explorer à bord du Jolly Trolley.

■ **Disney's California Adventure Park** I C2/3 *(tous rens. pratiques communs avec Disneyland Park)*. Ce parc d'attractions, consacré au rêve américain, s'étend sur 22 ha à proximité immédiate de Disneyland Park. Il comprend trois zones : **Hollywood Picture Backlot**, dédié à l'aventure du cinéma à Hollywood (Hyperion Theater, film sur l'histoire de l'immigration en Californie ; Muppet Vision 3-D★, avec les marionnettes de Jim Henson, Twilight Zone Tower of Terror★★, pour les amateurs d'émotions fortes) • **Golden State** (Soarin Over California★★, survol virtuel en deltaplane des merveilles de la Californie ; rafting dans le Grizzly River Run★★ ; reconstitutions d'un ranch dans le désert et d'une ferme vinicole de la Napa Valley) • **Paradise Pier** (grande roue, manèges et montagnes russes en bord de mer). Ne manquez pas l'Electric Parade★★.

■ **Huntington Beach** I C3 *(à 14,5 mi/23,5 km S. de Long Beach)*. Cette station balnéaire, bordée d'une longue plage de sable fin, s'est développée dès les années 1920 avec la découverte de pétrole dans la région. Baptisée Surf City, elle est considérée comme la capitale de cette discipline : les championnats du monde s'y déroulent chaque été. L'**International Surfing Museum** *(411 Olive Ave. ☎ 714/960-3483 • ouv.*

Au pays de Disney
(conseils pour la visite)

❶ 1313 S. Disneyland Dr., à Anaheim ☎ 714/781-4565 • http://disneyland.disney.go.com

• **Réservez** vos billets sur Internet ; le système *Fast Pass* permet de réserver un créneau horaire aux attractions et d'échapper aux longues files d'attente.

• **Tarifs réduits** de 3 à 9 ans ; **forfaits** « 1 parc/1 jour » ou « Park Hopper » (de 1 à 6 j.) donnant accès aux deux parcs Disney.

• Le *Southern California City Pass* comprend un *pass* 3 j. Disneyland Park Hopper, l'entrée à Universal Studios Hollywood et au Seaworld de San Diego.

• Évitez l'affluence des **week-ends** et arrivez le **matin** dès l'ouverture.

• En **été**, emportez chapeau et lunettes de soleil ; habillez-vous légèrement mais prenez un pull-over car les attractions en sous-sol se déroulent dans une atmosphère très fraîche.

• Un vaste **parc hôtelier** s'étend à proximité immédiate du site ; les *resorts packages* (hôtel + parcs) sont avantageux.

• Les **restaurants** à thème des parcs sont bondés à l'heure du déjeuner et du dîner : se restaurer aux heures creuses ou pique-niquer sur place.

12 h-15 h, mar. 12 h-21 h, sam.-dim. 12 h-18 h • entrée libre, donation conseillée) retrace l'histoire du surf, né à Hawaï et devenu symbole de la culture locale : galerie de célébrités, évolution de la planche, les femmes et le surf, le skateboard, le cinéma et la musique…

■ **Newport Beach★** I C3 *(à 5,5 mi/9 km S. de Huntington Beach)*. Station balnéaire résidentielle et port de pêche lancé par John Wayne et Humphrey Bogart. La marina abrite près de 10 000 bateaux de plaisance. Agréable balade à pied, avec vues sur la marina, autour de **Balboa Pavilion★** (sur Balboa Island), ancien établissement de bains de style victorien, d'où partent les bateaux pour Catalina Island *(→ ci-après)*. Shopping chic sur **Fashion Island** *(à la sortie de Pacific Coast Hwy, entre Jamboree et McArthur Blvds)*.

■ **Laguna Beach★** I D3 *(à 10 mi/16 km S. de Newport Beach par la Pacific Coast Hwy)*. La station est fréquentée par de nombreux artistes. La plupart des boutiques et restaurants sur Forest St. Jolie **plage**. Pour de belles **vues★** plongeantes sur l'océan, suivre la route en corniche (**Cliff Drive**).

En juillet-août, le festival **Pageant of the Masters★** rassemble, pendant 7 semaines, 600 volontaires qui élaborent des tableaux vivants, saisissantes reproductions des grands chefs-d'œuvre de la peinture *(rés. longtemps à l'avance pour chaque représentation* ☎ *(1)800/487-3378 • www.foapom.com)*.

■ **Catalina Island★★** h. pl. I par C3 *(à 22 mi/35 km S.-O. de Los Angeles* ❶ *Catalina Island Chamber of Commerce and Visitors Bureau, 513 Crescent Ave., Avalon* ☎ *310/510-1520 • www.catalinachamber.com)*. Cette île rocheuse des Channel Islands fut découverte en 1542 par Cabrillo. En 1811, ses habitants amérindiens furent transportés sur le continent. En 1915, William Wrigley, roi du chewing-gum, la transforma en station balnéaire de luxe ; le Catalina Island Conservery racheta 88 % de l'île à la famille Wrigley en 1975.

● **Avalon**, petit port où l'on accoste, s'accroche au versant de la montagne. À l'extrémité N. de la localité, le casino abrite le **Catalina Island Museum** *(t.l.j. 10 h-16 h)*. Le centre de Santa Catalina, accessible uniquement dans le cadre de visites guidées, offre de belles étendues sauvages.

Excursions en bateau à fond de verre vers les **Underwater Gardens** *(au S. d'Avalon)* ou en bateau à moteur vers la **Seal Colony** *(S.-E. de l'île • 40 mn)*, où vivent un millier de phoques. L'été, à 20 h et 21 h, promenade en bateau à la rencontre des poissons volants.

☎ **NUMÉROS GRATUITS**
Les numéros de téléphone qui commencent par ☎ 800, 855, 866, 877, 888 sont des numéros d'appel gratuits *(toll-free number)*. Faites-les précéder du ☎ 1 si vous appelez depuis un poste fixe (et non d'un portable). Dans ce guide, ces numéros sont notés ainsi : ☎ (1)800/000-0000.

♥ RESTAURANT
À LAGUNA BEACH
Las Brisas, 361 Cliff Dr. ☎ 949/497-5434. Terrasse idéale face au Pacifique. Rés. pour le brunch.

✐ ACCÈS À CATALINA ISLAND
• *Island Express*, hélicoptère depuis Long Beach et San Pedro ☎ (1)800/228-2566 ; www.islandexpress.com (15 mn de vol).
• *Catalina Flyer*, départ de Newport Beach ☎ (1)800/830-7744 ; www.catalinainfo.com (1 h 15 de traversée).
• *Catalina Express*, 320 Golden Shore Blvd, Long Beach (près de l'aquarium) ☎ (1)800/481-3470 ; www.catalinaexpress.com (1 h de traversée).

Los Angeles

9

Palm Springs et les déserts★

Situation : à 107 mi/171 km E. de Los Angeles, 123 mi/197 km N.-E. de San Diego, 268 mi/429 km O. de Phoenix (AZ).

Population : 47 600 hab., 400 000 hab. dans la Coachella Valley.

Fuseau horaire : Pacific Time (– 9 h par rapport à la France).

➊ *Visitors Center*, 2901 N. Palm Canyon Dr. ☎ 760/778-8418 ou (1)800/347-7746 ; www.palm-springs.org ; ouv. lun.-ven. 8 h 30-17 h.

À ne pas manquer

☞ MANIFESTATIONS À PALM CANYON
Tous les jeudis soir, *Village Fest* : un marché de rue à découvrir en flânant ; artisanat, musique et petits traiteurs.

OCÉAN PACIFIQUE

OR — ID — NV — UT — AZ

Sacramento
San Francisco
Monterey
Santa Barbara
Los Angeles
San Diego
Palm Springs

Voir carte régionale p. 138

MEXIQUE

Entourée de déserts spectaculaires, Palm Springs est une station thermale très fréquentée l'hiver, quand le climat se fait plus doux. Capitale mondiale du golf, avec plus de 100 parcours dans la Coachella Valley, la ville, qui annonce 354 jours de soleil par an, somnole en été sous une implacable chaleur. Palm Springs est devenue, dès la fin des années 1920, un lieu de villégiature apprécié des stars de Hollywood et autres millionnaires qui venaient se détendre dans les country clubs, aménagés autour des terrains de golf et au bord des piscines. Lieu de retraite dorée, cette oasis attire aujourd'hui une classe moyenne aisée et, ces dernières années, une importante communauté homosexuelle.

Palm Springs mode d'emploi

Aéroport international. À 2 mi/3 km N.-E. ☎ 760/318-3800.

Gare routière. *Greyhound*, 311 N. Indian Canyon Dr. ☎ 760/325-9557.

La meilleure période. L'hiver et le printemps sont les saisons les plus agréables (en été, les températures avoisinent 42 °C).

Hébergement. Logez dans un motel rétro des années 1950, comme le Tout-Hollywood : des dizaines d'établissements ont été remis au goût du jour, avec décor *vintage* mais confort ultra-contemporain ● attention, les motels de Palm Springs disposent de peu de chambres : réservez longtemps à l'avance.

Visiter Palm Springs

■ **Palm Canyon Drive**. L'artère principale de Palm Springs est bordée de magasins, de restaurants avec terrasse et de galeries d'art. C'est l'endroit le plus animé de la ville le soir. À découvrir à pied. Une **promenade des stars** *(stars walk)* de 329 étoiles de bronze court sur les trottoirs de Palm Canyon Drive, Museum Drive et Tahquiz Canyon Way.

■ **Palm Springs Art Museum★** *(101 N. Museum Dr. ☎ 760/322-4800 • www.psmuseum.org • ouv. mar.-dim. 10 h-17 h, jeu. 12 h-20 h, f. les lun. et j. fériés • gratuit après 16 h).* Collections d'art indien, méso-américain et du Sud-Ouest américain. Œuvres californiennes modernes et contemporaines.

■ **Palm Springs Air Museum★★** *(745 N. Gene Autry Tr. • t.l.j. 10 h-17 h ☎ 760/778-6262 • www. palmspringsairmuseum.org).* La Seconde Guerre mondiale à travers l'aviation américaine. Appareils de légende, maquettes de destroyers, porte-avions et avions de combat en parfait état de fonctionnement *(démonstrations de vol le sam.).* À ne pas manquer : la forteresse volante *B-17★★* et le *P-51 Mustang★.* Le plus : la présence d'anciens combattants (vétérans), qui enrichissent considérablement la visite par leurs connaissances et leurs souvenirs.

■ **The Living Desert★★** *(47900 Portola Ave., Palm Desert ☎ 760/346-5694 • www.livingdesert.org • t.l.j. 9 h-17 h, en été 8 h-13 h 30 • compter 2 h de vis., de préférence à l'ouverture à cause de la chaleur).* À la fois **zoo** et **jardin botanique**, le Living Desert contribue à la connaissance et à la préservation de l'écosystème des déserts. On traverse le parc à pied, en suivant les sentiers aménagés, à la découverte des espèces qui peuplent les déserts d'Amérique du Nord : mouflon du désert *(bighorn sheep)*, road-runner, lynx *(bobcat)*, couguar *(mountain lion)*, jackrabbit ou coyote. Dans la section consacrée aux déserts africains : porc-épic, oryx, panthère *(cheetah)*, zèbre, girafe, etc.

■ **Palm Springs Aerial Tramway★★** *(1 Tramway Rd ☎ 760/325-1391 ou (1)888/515-8726 • www. pstramway.com • à partir de 10 h en sem., 8 h le w.-e., toutes les 30 mn, dernière montée à 20 h, dernière descente à 21 h 30).* Le téléphérique du mont San Jacinto (jusqu'à 2 600 m) dispose de cabines à plancher tournant offrant une vue à 360°. En 10 mn, on voit défiler cinq milieux naturels différents, depuis le désert de pierre jusqu'aux forêts alpines. En pleine

Parker, 4200 E. Palm Canyon Dr. ☎ 760/770-5000. Spa, golf, tennis. Une retraite glamour au décor extravagant et au jardin exotique. À découvrir le temps d'un brunch ou d'un repas en terrasse au restaurant *Norma's.*

La beauté du désert a inspiré une esthétique au caractère unique. Les maisons conçues par Richard Neutra, William F. Cody, Albert Frey, David Wexler, E. Stewart William sont remarquables par leurs lignes épurées, l'emploi de matériaux nobles, la perfection des volumes, l'ouverture sur la nature *(plan du circuit d'architecture moderniste au Visitors Center).*

• *The Horizon*, 1050 E. Palm Canyon Dr. ☎ (1)800/377-7855 ; www.thehorizonhotel.com 22 bungalows autour de la piscine. Betty Grable et Walt Disney y ont séjourné.
• *The Orbit Inn*, 562 W. Arenas ☎ 760/323-3585. L'un des plus beaux hôtels des années 1950. Neuf chambres seulement.

Palm Springs et les déserts

◄ **Vue aérienne de Palm Springs,** oasis artificielle en plein désert.

Sur l'I-10, peu avant Palm Springs, d'énormes éoliennes brassent l'air de la San Gorgonio Pass. Avec celles qui sont installées dans les montagnes de Tehachapi (au nord de Los Angeles) et à Altamont Pass (au sud-est de San Francisco), elles fournissent 1,5 % de l'électricité consommée en Californie. Au total, on en dénombre 4 000 dans la vallée.

Dans les années 1980, la Californie était à la pointe de cette technologie : 95 % de l'énergie d'origine éolienne mondiale était produite dans cet État. Depuis, les changements de politique énergétique et le développement d'autres régions productrices (Allemagne, Danemark, mais aussi Texas, Minnesota et Iowa) ont réduit sa part à 10 % seulement de la production mondiale.

Excursions aux champs d'éoliennes : Windmill Tours ☎ *760/320-1365.*

🛈 *Visitors Center*, 74485 National Park Dr. à Twentynine Palms, t.l.j. 8 h-17 h ☎ 760/367-5500 ; www.nps.gov/jotr

〰 PARCS NATIONAUX
À propos des conditions d'entrée et des forfaits, consultez la rubrique « Parcs nationaux », dans le chapitre Séjourner, p. 52.

canicule, on passe de 45 °C à 0 °C (*prévoir un vêtement chaud*). Au sommet (3 302 m • *restaurant, café*) les sentiers de randonnées sont tracés dans la neige et la station de ski offre 85 km de pistes.

Environs de Palm Springs

Précautions pour les randonnées. Saisons idéales : printemps et automne • en été, privilégier le matin ou la fin d'après-midi • prévoir de l'eau en quantité, un couvre-chef, des lunettes de soleil, une crème solaire écran total et des chaussures de marche • attention aux serpents à sonnette.

1 Agua Caliente Indian Canyons★★ *(38500 S. Palm Canyon Dr., à 5 mi/8 km S. ☎ 760/323-6018 • www.indian-canyons.com • d'oct. à juin t.l.j. 8 h-17 h, de juil. à sept. ven.-dim. 8 h-17 h • entrée payante).*
Les Indiens Cahuillas habitaient depuis longtemps les canyons irrigués par les ruisseaux venant des montagnes San Jacinto lorsque, dans les années 1870, ils furent dépossédés de leurs terres. **Palm Canyon★★**, long de 15 mi/24 km, se visite à pied depuis le *trading post*. Le parking *(à 3 mi/5 km de l'entrée)* en donne déjà une belle vue★★. Pour **Andreas Canyon**, **Loop** et **Murray Canyon★★** *(5 mi/8 km)*, comptez 2 h.
Les Indian Canyons abritent quelques palmiers indigènes *(Washingtonia filifera)* ; les palmiers dattiers des palmeraies sont les descendants d'arbres importés d'Algérie à la fin du XIXe s.

2 Tahquitz Canyon★ *(500 W. Mesquite ☎ 760/416-7044 • www.tahquitzcanyon.com • d'oct. à juin t.l.j. 7 h 30-17 h, de juil. à sept. ven.-dim. 7 h 30-17 h • accès payant).*
Également situé sur la réserve indienne de l'Agua Caliente, ce canyon est réputé pour ses chutes d'eau et ses bassins naturels. Il se découvre en randonnée *(1 h 30 • facile).*

3 Joshua Tree National Park★ *(à 31 mi/50 km N.-E. de Palm Springs sur Twentynine Palms Hwy • entrée N. du parc, accès par la SR 62 ; au S., accès par l'I-10 • avant l'entrée dans le parc, faire le plein de carburant, d'eau et de vivres).*
Le parc abrite deux déserts : à l'E., le **désert du Colorado**, formé de basses terres ; à l'O., le **désert de Mojave**, où pousse le fameux arbre de Josué. Le désert mojave (ou mohave) est aussi appelé Haut Désert, car l'altitude peut dépasser 1 800 m. Parsemé de lacs salés plus ou moins asséchés et d'une végétation rare (yuccas, cactus, absinthe…), refuge d'animaux qui ne sortent qu'à la tombée du jour (lynx, tortues du

désert), il est en partie occupé par des champs de tir de l'armée. La réserve naturelle, splendide, renferme une flore et une faune abondantes et variées.

À voir : **Cholla Cactus Garden★**, jardin de cactus chollas à la lisière des deux déserts ; **Hidden Valley** où, dit-on, les voleurs de bétail cachaient leurs prises ; **Lost Horse Mine**, ancienne mine d'or. De Keys View (1 570 m), belle **vue★★** sur la Coachella Valley et la faille de San Andreas.

4 Salton Sea *(à 56 mi/90 km S.-E. de Palm Springs par la route 111).*
Ce lac (longueur 56 km, largeur 22 km), situé à 71 m en dessous du niveau de la mer, s'est formé accidentellement en 1905, à la suite d'une crue du Colorado. Dix-huit mois de travaux furent nécessaires pour faire reprendre au fleuve son cours normal. Du fait de l'évaporation, la salinité des eaux de cette mer intérieure tend à augmenter, menaçant son équilibre écologique. On continue cependant d'y pêcher et les oiseaux migrateurs y trouvent refuge. Nombreuses activités nautiques.

5 Anza-Borrego Desert State Park★ *(au S. de Palm Springs par les Hwys 86, 78 et Borrego Springs Rd).*
Avec 240 000 ha, c'est le plus grand parc désertique du pays. Il doit son nom à Juan Bautista de Anza, explorateur espagnol qui le traversa en 1774, et au *borrego*, espèce de mouflon que l'on trouve dans la région. Le sentier **Borrego Palm Canyon Nature Trail★★** *(5 km a.-r. • niveau facile à moyen • compter 2 h)* est doté de panneaux renseignant sur la flore (*ocotillos* et cactus) et sur les Indiens Cahuillas qui vécurent ici pendant 10 000 ans. En direction des Borrego Springs, la balade traverse l'une des rares palmeraies d'Amérique du Nord. Le **Narrows Earth Trail** (800 m) permet une approche intéressante de la géologie de ce désert.

▲ Le *Yucca brevifolia* a été baptisé « arbre de Josué » par les mormons. Il pousse dans les déserts de Californie, du Nevada et de l'Arizona. Cette plante géante à branches multiples peut atteindre 10 m de haut. Chaque branche est couverte de longues épines dont l'extrémité forme un panache. Au printemps, l'arbre ploie sous des grappes de fleurs blanches.

ⓘ *Visitors Center*, à 3 km O. de Borrego Springs ☎ 760/767-5311 ; ouv. 9 h-17 h, t.l.j. d'oct. à mai, le w.-e. de juin à sept. Excellente introduction à la géologie et à la flore de la région.

✎ BON À SAVOIR
L'hiver et le printemps sont les meilleures saisons pour visiter le parc.

Palm Springs et les déserts

San Diego★★ CA

Situation : à 124 mi/198 km S.-E. de Los Angeles, 15 mi/25 km N. de Tijuana (Mexique), 355 mi/568 km O. de Phoenix (AZ).

Population : 1 308 000 hab. • 3 173 000 hab. pour l'agglomération.

Fuseau horaire : Pacific Time (– 9 h par rapport à la France).

☞ Plan de la ville p. 202.

❶ *International Visitors Information Center*, 1040 1/3 W. Broadway (angle Harbor Dr.) ☎ 619/236-1212 ; www.sandiego.org ; ouv. t.l.j., de juin à sept. 9 h-17 h, d'oct. à mai 9 h-16 h.

C'est de San Diego que les Espagnols, maîtres de la basse Californie, commencèrent à prendre le contrôle de la haute Californie avec la fondation, en 1769, d'une première mission et d'un premier fort. Pourtant, la ville fut assez vite éclipsée par sa flamboyante voisine Los Angeles, et elle conserva longtemps une image un peu terne de ville frontière et de port militaire.

Aujourd'hui, San Diego, seconde ville de Californie, est très prisée des Américains eux-mêmes, qui apprécient ses nombreux atouts : un climat agréable et une situation exceptionnelle sur une large baie s'enroulant autour d'une longue péninsule, mais aussi une prospérité économique qui a permis la réhabilitation du centre-ville et l'aménagement de zones résidentielles attirantes. Sur le plan culturel, San Diego offre des centres d'intérêt majeurs : son zoo jouit, à juste titre, d'une réputation mondiale, mais il ne saurait faire oublier les nombreux musées de Balboa Park.

San Diego mode d'emploi

Aéroport. À 10 mn du centre-ville (les avions décollent et atterrissent en pleine ville) ☎ 619/400-2400 • **bus** n° 992 pour rejoindre le centre-ville.

Gare ferroviaire *(Amtrak).* 1050 Kettner Blvd ☎ (1)800/872-7245.

Gare routière *(Greyhound).* 120 W. Broadway (1st Ave. et Front St.) ☎ 619/239-6737 ou (1)800/231-2222.

Combien de temps. 1 à 2 jours.

Hébergement. Nombreuses possibilités à Downtown, sur le Waterfront, dans Old Town et sur Hotel Circle, quartier un peu excentré et accessible en voiture seulement.

Se déplacer. La ville est étendue et les centres d'intérêt sont distants de plusieurs kilomètres • bus et

◄ Avec ses puissantes tours de verre qui reflètent un ciel toujours bleu, San Diego fait rêver les milliers de Mexicains candidats à l'émigration qui se pressent chaque jour à la frontière toute proche.

trolleys desservent les principaux sites, mais pour ne pas perdre de temps, mieux vaut circuler en voiture.

Transports urbains (*Metropolitan Transit System*). Informations sur les bus et les trolleys : *Transit Store*, 102 Broadway St. ☎ 619/234-1060 ou (1)800-COMMUTE ; www.sdmts.com ; t.l.j. 9 h-17 h • bus panoramique *Hop On-Hop Off* (forfaits 48 h ; rens. *Starline Tours* ☎ (1)800/959-3131 ; www.starline.com).

Location de voitures. *Alamo Rent-A-Car*, 2942 Kettner Blvd ☎ 619/297-0311 • *Avis*, 3180 N. Harbor Dr. ☎ 619/688-5000 • *Budget*, 3125 Pacific Hwy ☎ 619/542-8626.

Poste. 815 E. St., entre 8th et 9th Sts ☎ (1)800/ 275-8777 ; lun.-ven. 9 h-17 h.

Centre médical. *UCSD Medical Center*, 200 W. Arbor Dr. (Hillcrest) ☎ 858/657-7000 • *CVS Pharmacy*, Westfield Horton Plaza, Broadway Circle, niveau 1.

Change. Travelex Currency Exchange, Westfield Horton Plaza, niveau 1.

① Downtown et le Waterfront★★

Situation. Entre le port et 12th St.

Les principaux centres commerciaux se trouvent en centre-ville, ainsi que le Financial District et la gare (Santa Fe Train Depot). C Street regroupe les bâtiments administratifs de la ville et du comté. La municipalité veut réhabiliter le quartier, tout en préservant l'originalité résidentielle et culturelle des différents secteurs.

Accès. **Trolley** (Blue Line, Orange Line) : arrêt « Civic Center » (3rd St.-C St.) • **parkings** : 4th St.-F St. et 3rd St.–G St., validation du ticket pour 3 h gratuites (Westfield Horton Plaza, niveau 1, près du magasin LOFT).

Success story **à l'américaine**

Originaire du Connecticut, **Alonzo E. Horton** (1813-1909) arrive en Californie en pleine ruée vers l'or et fait fortune dans la vente de mobilier d'occasion. En 1867, il part pour San Diego où il achète aux enchères 320 ha face à la mer (à l'emplacement de l'actuel Downtown) et se lance dans une vaste opération immobilière. Le terrain est divisé en lots et des rues sont tracées. Les prix s'envolent et encore davantage avec l'arrivée du chemin de fer, en 1885. En homme d'affaires avisé, le promoteur n'hésite pas à vendre 25 % plus cher les lots situés aux intersections, qui sont les plus convoités. En bâtissant une ville nouvelle, Horton a réussi là où, avant lui, William Heath Davis (→ p. 203) avait échoué. Horton finit lui aussi presque ruiné quand, à la suite du boom spéculatif, les prix de l'immobilier se sont effondrés.

San Diego

1

❶ *Downtown San Diego Visitors Center*, Westfield Horton Plaza, niveau 1 ☎ 619/235-2222.

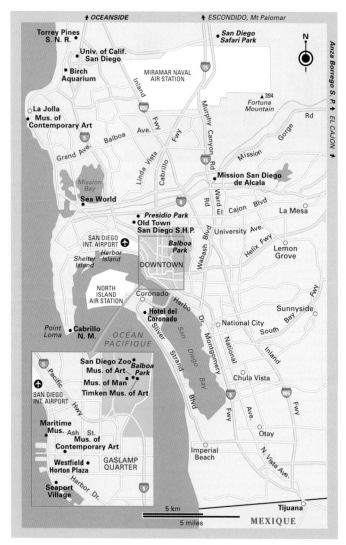

San Diego.

■ **Westfield Horton Plaza** (*4th Ave. et E St.* ☎ *619/239-8180*). Ce vaste centre commercial compte plus de 140 magasins. On peut y faire son shopping avant d'aller dîner au Gaslamp Quarter.

■ **Gaslamp Quarter**✶✶ (*délimité par 4th Ave. à l'O. et 6th Ave. à l'E., Broadway au N. et L St. au S.* • *r.-v. vis. guidée le sam. à 11 h au William Heath Davis House Museum*). D'époque victorienne, le quartier des réverbères est le plus ancien de Downtown et le haut lieu de la vie nocturne à San Diego. Dans les années 1880, le S. de Market St., baptisé Stingaree, comptait 71 saloons, 120 maisons closes et des dizaines de tripots et fumeries d'opium ; Wyatt Earp, l'un des protagonistes de la fusillade de O.K. Corral (→ *encadré p. 499*), y possédait trois maisons de jeu. La fermeture de ces établissements, en 1913, a inauguré une longue période de déclin. Cinémas X, prêteurs sur gages et autres commerces interlopes ont alors investi le quartier. À partir de 1970, le Gaslamp Quarter a connu une véritable renaissance : les bâtiments d'époque abritent aujourd'hui plus de 200 restaurants, boîtes de nuit, galeries d'art et magasins de vêtements pour la plupart.

Voir en particulier, sur **5th Ave.** ; Old City Hall *(n° 664)*, ancienne mairie de San Diego (1874) ; Yuma Bldg *(n° 633)* et Louis Bank *(n° 835)*, qui ont servi de maisons closes ; Backesto Bldg *(n° 614)*, immeuble d'affaires de style néoclassique (1873).

● **William Heath Davis House Museum** *(410 Highland Ave. et 4th Ave. ☎ 619/233-4892 • ouv. mar.-ven. 11 h-15 h, sam.-dim. 10 h-16 h, f. lun.).* Le petit musée offre une bonne introduction à l'histoire de la ville. Il occupe la maison du premier promoteur, malchanceux, de la ville nouvelle de San Diego dans les années 1850. La crise économique le poussa finalement à la faillite. C'est une modeste « boîte à sel » *(salt box)* construite dans le style de la Nouvelle-Angleterre. En raison d'une pénurie de bois dans la région, les maisons étaient alors préfabriquées sur la côte E. et envoyées par le cap Horn. Déplacée sur ce site, c'est la seule maison en bois de cette époque.

En continuant sur 5th St. vers l'O., on gagne le quartier du centre de congrès et le Waterfront.

■ **Seaport Village** *(809 W. Harbor Dr. et Knetter Blvd, sur le port, au S. de Downtown ☎ 619/235-4014 • www.seaportvillage.com • t.l.j. 10 h-22 h • Old Town Trolley, Seaport Village Stop).* Magasins et restaurants de fruits de mer pour s'attabler en terrasse, face à la baie. Agréable **promenade★** aménagée en front de mer.

■ **Embarcadero** *(à l'extrémité O. de Broadway, le long de Harbor Dr.).* Port de commerce et marina où sont amarrés de très beaux bateaux *(vis. des navires de guerre, sam.-dim.).* **Broadway Pier** est le point de départ des excursions dans le port *(1050 N. Harbor Dr.)* et des croisières pour le Mexique, les Caraïbes, le Canada et l'Alaska.

■ **Museum of Contemporary Art** (MCASD • *1001 Kettner Blvd et Broadway ☎ 858/454-3541 • www. mcasd.org • ouv. t.l.j. sf mer. 11 h-17 h).* La collection

♥ BONNES ADRESSES
● *Cheese Shop*, Horton Grand Hotel, 311 Island Ave. Excellents sandwichs et pâtisseries délicieuses.
● *Palace Bar*, Horton Grand Hotel, 311 Island Ave. Un bar à l'ancienne pour une pause cocktail. Bel escalier d'époque victorienne.
● *Habana Club Cafe*, 780 4th Ave, entre F et G Sts, Gaslamp Quarter. Tequila et excellents cigares dominicains.

☞ CONSEIL
Arpentez 5th Ave. le soir, quand les réverbères illuminent les terrasses des restaurants. Les magasins sont ouverts jusqu'à 21 h.

☎ NUMÉROS GRATUITS
Les numéros de téléphone qui commencent par ☎ 800, 855, 866, 877, 888 sont des numéros d'appel gratuits *(toll-free number).* Faites-les précéder du ☎ 1 si vous appelez depuis un poste fixe (et non d'un portable). Dans ce guide, ces numéros sont notés ainsi : ☎ (1)800/000-0000.

♥ RESTAURANTS EN FRONT DE MER
● *Anthony's Fishette*, 1360 N. Harbor Dr. ☎ 619/232-5103. Traditionnel *fish and chips*.
● *Stars of the Seas*, à la même adresse ☎ 619/232-7408. Un restaurant de fruits de mer plus onéreux. Belles vues sur la baie.
● *Island Prime/C Level*, 880 Harbor Dr. ☎ 619/298-6802. Délicieuse cuisine américaine de steaks et fruits de mer. Terrasse ouverte sur la baie, face à la ville. Accès en voiture.

San Diego

1

permanente est riche de 4 000 œuvres réunies à partir des années 1950. Minimalisme, pop art, art conceptuel, installations vidéo, art contemporain d'Amérique latine et californien sont les points forts du musée. Il existe une autre section de ce musée à La Jolla *(→ Environ 2, p. 215)*.

■ **L'USS Midway Museum**★★ *(910 Harbor Dr., Navy Pier ☎ 619/544-9600 • www.midway.org • vis. t.l.j. 10 h-17 h, billetterie f. 16 h • vis. guidées gratuites du pont supérieur jusqu'à 16 h).* Ce porte-avions de 330 m de long, mis à la retraite après 47 ans de service, a été transformé en musée. On pourra accéder à la cabine de pilotage, aux quartiers de l'équipage et des officiers, à la salle des machines et même à la prison. Dans l'**Aircraft Gallery**★★, où sont exposés une vingtaine d'aéronefs, voir en particulier les avions de combat : le *F9F 8P-Cougar* a servi pendant la guerre de Corée, le *F14 Tomcat* et le *A/6 Intruder* se sont illustrés pendant la guerre du Golfe. Les enfants pourront s'installer dans le cockpit d'un avion ou d'un hélicoptère. **Simulateurs** Strike Fighter 360, Avionics et Match Combat *(billet vendu séparément)*.

■ **Maritime Museum**★★ *(1492 N. Harbor Dr. et Ash St. ☎ 619/234-9153 • www.sdmaritime.org • t.l.j. 9 h-20 h).* La visite permet d'explorer plusieurs navires. Le magnifique voilier ***Star of India***★★, l'un des derniers cap-horniers et le plus ancien bâtiment à coque d'acier en état de naviguer, fut mis à l'eau à l'île de Man, sous pavillon britannique, en 1863, et a fait plus de 20 fois le tour du monde. Le ferry à vapeur ***Berkeley***★, d'époque victorienne (1898), a procédé à l'évacuation de milliers de personnes à la suite du séisme de San Francisco, en 1906. Armé par la marine française, le luxueux yacht à coque d'acier *Medea* (1904-1905) a fait office de navire escorte sous le nom de *Corneille*. Le ***San Salvador***★ est la réplique exacte du vaisseau espagnol qui, le premier, accosta à l'ouest du Nouveau Monde. Nombreuses vitrines thématiques consacrées à l'activité maritime en Californie du Sud.

② Balboa Park★★

Situation. Au N. du Balboa Stadium, à 5 mn de Downtown, dans le quartier résidentiel de Hillcrest.

Ce parc paysager de 560 ha est le plus ancien de la côte pacifique. En 1915, il servit de cadre à la Panama California Exposition, qui célébrait l'ouverture du canal de Panamá. Les bâtiments, de styles *Spanish revival*, *Southwest* et Art déco, n'abritent pas moins de 15 musées et galeries, mais c'est le zoo (le plus grand du monde) qui attire le plus de visiteurs.

Accès. Depuis Downtown, prendre Park Blvd (163) vers le N.

Visite. Ouv. 24 h/24 • parking et tram gratuits 9 h 30-16 h 30 • entrée libre dans le parc, mais payante dans les musées ❶ un *pass* est vendu au *Visitors Center* (1549 El Prado ☎ 619/239-0512 ; www.balboapark.org ; t.l.j. 9 h 30-16 h 30).

■ **San Diego Museum of Art**★★ *(1450 El Prado ☎ 619/232-7931 • www.sdmart.org • ouv. mar.-sam. 10 h-17 h, dim. 12 h-17 h, f. lun.).* Le bâtiment, de style néo-espagnol (1924-1926), est inspiré de la cathédrale de Valladolid et de l'université de Salamanque (style plateresque du XVIᵉ s. espagnol). Les statues de la façade représentent les peintres espagnols Murillo, Ribera et Velázquez, dont on peut admirer les œuvres dans le musée. On reconnaît aussi les blasons de l'Espagne, de l'Amérique, de la Californie et de San Diego. Le motif central est la coquille, emblème de saint Jacques (San Diego) et logo du musée.

☞ Plan de la ville p. 202.

◀ L'une des 70 miniatures indiennes qui, en 1990, furent offertes au San Diego Museum of Art par le collectionneur Edwin Binney. Art majeur en Inde, sous l'influence moghole, la miniature exprime l'essence de la civilisation indienne et ses croyances profondes.

Arts asiatiques

Le musée possède 4 000 objets : sculptures bouddhistes de Chine, du Japon, d'Inde et d'Asie du Sud-Est (dont de nombreux bouddhas), bronzes, jades, poteries et peintures chinoises. Voir en particulier une *jarre*★ du Gansu, datant du IIIᵉ millénaire av. J.-C., et un *jia*★★ (vase rituel) de bronze quadripode de la dynastie Shang (XVIIIᵉ-XIᵉ s. av. J.-C.).

Le musée abrite notamment la plus grande collection de peintures indiennes hors d'Inde, en particulier un remarquable ensemble de **miniatures**★★★ de la période de l'Empire moghol (XVIᵉ-début XIXᵉ s.).

La collection japonaise reflète surtout la période Edo (1615-1868) : poteries, sculptures, laques, ivoires gravés et 750 estampes, dont *Pluie à Shono*★ de **Hiroshige** (1833), *Mont Fuji*★ de **Hokusai** (1831-1834), *Les Cent Bonheurs des cent beautés*★ de **Takahisa Ryuko** (vers 1850). Voir aussi une **armure**★ de 1570, avec une cuirasse décorée d'un dragon et un casque orné d'une crête en forme de paulownia.

Peinture européenne

● Le musée possède des toiles importantes de grands **maîtres espagnols** tels **Zurbarán** (*Agnus Dei*★, 1635-1640), **Juan Sánchez Cotán** (*Nature morte au coing, chou, melon et concombre*★, vers 1602), **Goya** (*Portrait du marquis de Sofraga*★★, vers 1795).

♥ RESTAURANTS
● *The Prado*, 1549 El Prado ☎ 619/557-9441. Cuisine latino-américaine dans le beau cadre de la House of Hospitality.
● *The Tea House*, 2215 Pan American Plaza. Sandwiches à base de produits frais à croquer en terrasse.

San Diego

2

● L'**école italienne** (surtout vénitienne) est bien représentée avec : **Véronèse** (*Apollon et Daphné*★, vers 1565), très influencé par Titien ; **Canaletto** (*Vue du môle à Venise*★, vers 1750) ; **Rosalba Carriera** (*Portrait d'une dame*), une miniaturiste qui se spécialisa peu à peu dans l'art du portrait au pastel, technique qu'elle remit au goût du jour lors de son séjour à Paris en 1720.

● De l'**école flamande**, Van Dyck (*Portrait de la reine Henriette Marie, sœur de Louis XIII*★, 1636), né à Anvers, assistant de Rubens, spécialiste des portraits d'apparat, s'installa en Angleterre, où il eut une influence considérable sur les peintres du XVIIIe s.

● De l'**école hollandaise**, Franz Hals (*Portrait d'Isaac Abraham Massa*★★, vers 1635), grand portraitiste de Haarlem.

● Le musée renferme aussi une intéressante section d'**art français**. Un des tableaux les plus célèbres et les plus populaires auprès du public du musée est *La Jeune Bergère*★ (1885), de **Bouguereau**. De **Claude Monet**, *Meules de foin à Chailly*★★ (1865), où l'on retrouve l'influence d'Eugène Boudin, qui l'initia à la peinture en plein air. *Femme se coiffant*★★ (1907) de **Renoir** montre la virtuosité de l'artiste dans l'application de la couleur et la composition. Grâce à une donation d'œuvres de la fondation Baldwin, le musée possède une remarquable collection d'œuvres de **Toulouse-Lautrec** : tableaux, affiches, estampes, dont *Mademoiselle Cha-U-Kao*★ (1896). *La Seine à Paris*★ (vers 1904) et *Carnaval à Perpignan* (1947) de **Raoul Dufy** témoignent du goût de l'artiste pour les sujets gais et colorés, qui l'a conduit à rejoindre le fauvisme.

● **Salvador Dalí**, avec *Spectre du soir* (1930), et **René Magritte**, avec *Les Ombres*★ (1966), représentent le courant surréaliste. De **Pablo Picasso**, *Le Repas frugal* (1904), aux lignes ascétiques, et *Guitare et coupe de fruits* (1920), à la perspective cubiste.

● Parmi les **sculptures**, remarquer *Oiseau solaire* (1966), de **Joan Miró**, et *Colonne vertébrale* (1968) de **Calder**.

Peinture américaine

L'histoire de la peinture américaine jusqu'au début du XXe s. est marquée par l'influence des écoles européennes, surtout anglaise, française et italienne, et par la volonté de développer un art typiquement américain.

Parmi les artistes appartenant au premier groupe, on trouve **Joseph Blackburn** (*Portrait of Thomas Wentworth*, 1761), **Mary Cassatt**, qui fit connaître les impressionnistes aux collectionneurs américains (*Simone in a Blue Bonnet*, 1903), ou encore **Guy Rose** (*Late Afternoon Giverny*, vers 1905-1913), lui aussi très influencé par Monet et les impressionnistes.

Parmi les seconds, **George Bellows** (*Lobster Cove, Monhegan, Maine*, 1913, et *A Stag at Sharkey's*, 1917) a pour sujets les paysages mais surtout la vie urbaine au début du XXe s. **Grandma Moses**, qui a peint ses premières toiles à 70 ans, trouvait l'inspiration dans la vie à la ferme (*The Old Oaken Bucket*, 1941). Paysages et populations de l'Ouest ont été un sujet de prédilection pour certains artistes américains. **Thomas Moran** (*Indian Village*, 1915) accompagna une expédition à Yellowstone en 1871 ; ses dessins furent utilisés pour convaincre le Congrès de protéger certains sites naturels en les dotant d'un statut spécifique, celui de parc national (→ *encadré p. 396*).

Après la Première Guerre mondiale, New York devint un centre artistique à part entière, et les artistes, formés dans les institutions américaines, développèrent des styles plus personnels. **Alfred R. Mitchell** (1888-1972) est remarquable pour ses peintures des paysages de Californie du Sud (*Temecula Hills*★).

Georgia O'Keeffe (1887-1986) étudia dans les instituts d'art de Chicago et New York, et développa un style très personnel, simple et très coloré, inspiré par les fleurs, les collines, les objets du Sud-Ouest ; voir *White Trumpet Flower*★ (1932 ; *photo p. 113*), *Purple Hills near Abiquiu*★ (1935), *Pink Shell with Seaweed*★ (vers 1937).

Le musée possède aussi des œuvres du muraliste mexicain **Diego Rivera**, où l'on retrouve ses préoccupations sociales et différentes facettes de son talent : *Sueño*★ (1932), *Tête de jeune paysanne* (1937), *Mandragora* (1939), *Les Mains du Dr Moore*★ (1940).

■ **Timken Museum of Art**★★ *(1500 El Prado* ☎ *619/239-5548 • www.timkenmuseum.org • ouv. mar.-sam. 10 h-16 h 30, dim. 13 h 30-16 h 30, f. lun. • entrée libre)*. Le musée Timken a ouvert ses portes en 1965. Il abrite les collections réunies par les **sœurs Putnam** : Anne R. (1867-1962) et Amy (1874-1958), issues d'une famille d'industriels et de banquiers de la côte E. installée à San Diego au début du XXᵉ s.

● L'un des trésors de la Timken Art Gallery est sa collection d'**icônes russes**★★. Voir en particulier les *Portes royales*★★ (XVᵉ s., école de Novgorod), destinées à être placées au centre de l'iconostase, sur lesquelles sont représentés l'*Annonciation* en haut et les quatre évangélistes.

☞ Plan de la ville p. 202.

♥ CURIOSITÉ
Balboa Park abrite le plus grand orgue de plein air du monde, offert à la ville le 31 décembre 1914 par la famille Spreckels, magnats du sucre. Le Spreckels Organ compte 4 518 tuyaux, dont le plus petit mesure 4 cm et le plus grand 10 m. Concerts gratuits dim. à 14 h ; en été, lun. soir à 19 h 30.

Dans la religion orthodoxe, l'**icône** est plus qu'une image pieuse ou une représentation artistique. Expression plastique des données de la foi, elle est elle-même objet de culte, rendant sensible et présente la vie du Christ, de la Vierge, des saints et des apôtres. Les icônes sont plus ou moins grandes selon leur place dans l'église. Les plus importantes ornent, selon un ordre consacré, l'iconostase, cloison séparant la nef du sanctuaire où l'officiant s'isole pour la consécration.

San Diego

2

◄ Façade baroque de la Casa del Prado, à côté du musée Timken. Elle abrite un théâtre d'art lyrique.

● Quelques beaux **triptyques italiens** – *Trinité et crucifixion* (après 1390), de **Luca Di Tommè**, *Madone d'humilité* (1388), de **Niccolò Di Buonaccorso** – montrent une grande délicatesse de traitement des détails. La représentation de saint Christophe, patron des voyageurs, dans le second, peut s'expliquer par le caractère d'autels portatifs de ces objets.

La Tentation de saint Antoine★ (vers 1515), de **Giovanni Girolamo Savoldo**, présente une vision de l'enfer largement inspirée des personnages fantastiques du peintre flamand Jérôme Bosch.

Madone à l'Enfant, sainte Élisabeth, saint Jean enfant et sainte Justine★ (vers 1565), de **Véronèse**, offre une scène dont la composition autour de deux diagonales souligne le mouvement et l'unité du groupe, et où les couleurs chaudes et froides s'équilibrent parfaitement. Sainte Justine était la patronne de Padoue et de Venise.

Christ sur la croix★ (vers 1660), du maître espagnol **Murillo**, est une vision lumineuse sur un fond de ciel tourmenté.

● La section de **peinture flamande et hollandaise** est riche en œuvres de grands maîtres. *La Parabole du semeur*★ (1557), de **Pieter Bruegel l'Ancien**, peinte au retour d'un séjour en Italie, présente un paysage de montagnes dans une perspective où la contre-plongée soutient le schéma narratif. **Frans Hals**, dans *Portrait d'homme*★ (1634), fait ressortir la vivacité du regard sur le costume sombre. De **Rembrandt**, *Saint Barthélemy*★★ (1657), où le jeu de lumière sur le visage tourmenté exprime l'introspection et la spiritualité. *Portrait d'un jeune capitaine en armure*★ (vers 1620), de **Rubens**, est une étude de tête utilisée dans divers tableaux. Dans *Vue de Haarlem*★★ (vers 1665-1670), de **Jacob Van Ruisdael**, on distingue, perdue dans l'immensité du ciel et des champs, la cathédrale Saint-Bavon, vers laquelle convergent les diagonales des bâtiments et les taches claires des rangées de tissus. Voir aussi *La Lettre*, de **Gabriel Metsu** (vers 1658), intéressant témoignage de la vie quotidienne.

● La **peinture française** est bien représentée par : des portraits, tels *Guy XVII, comte de Laval* (vers 1540), de **François Clouet**, ou *Portrait de Cooper Penrose*★ (vers 1802), de **David** ; des scènes légères de Boucher et **Fragonard** (*Le Jeu de colin-maillard*, vers 1775) ; des peintures de paysages par **Claude Lorrain** (*Paysage pastoral à la tombée du jour*★, 1646) ou **Corot** (*Vue de Volterra*★★, 1838).

● Les collections offrent un large panorama de la **peinture américaine.** Voir un portrait de *Mrs Thomas Cage* (1771) par **John Singleton Copley**, des marines de Thomas Birch, des paysages grandioses, comme *The Yosemite Fall* (1864) par **Albert Bierstadt**, ou plus familiers, dans *The Cranberry Harvest* (1880) par **Eastman Johnson**, des scènes du « Wild West » par Frederic Remington, des natures mortes comme *In the Library* (vers 1894) par John F. Peto.

■ **Botanical Building** *(1549 El Prado* ☎ *619/239-0512 • derrière la Timken Art Gallery, à l'E. de la plaza de Panama • vis. ven.-mer. 10 h-16 h • entrée libre).* Serres tropicales (2 000 variétés).

■ **San Diego History Center** *(Casa de Balboa, 1649 El Prado* ☎ *619/232-6203 • www.sandiegohistory.org • mar.-dim. 10 h-17 h • gratuit mar.).* Expositions sur l'histoire et la culture de San Diego.

■ **Museum of Man**★ *(1350 El Prado* ☎ *619/239-2001 • www.museumofman. org • t.l.j. 10 h-16 h 30).* Le musée se signale de loin par la tour du California Building, élevée pour l'exposition de 1915. Consacré à l'anthropologie, il retrace l'évolution de l'humanité depuis la préhistoire. En vedette : les collections d'artisanat indien (Hopis d'Arizona et Indiens de Californie).

■ **San Diego Air and Space Museum**★★ *(2001 Pan American Plaza* ☎ *619/234-8291 • t.l.j. 10 h-16 h 30).* L'histoire de l'aéronautique, des années 1920 à nos jours, avec ses héros et leurs aéronefs.

■ **San Diego Model Railroad Museum**★ *(1649 El Prado* ☎ *619/696-0199 • www.sdmrm.org • ouv. mar.-ven. 11 h-16 h).* Maquettes et trains miniatures retracent l'épopée du rail dans l'Ouest américain.

■ **San Diego Zoo**★★★ *(2920 Zoo Dr. • t.l.j. 9 h-17 h, en été 9 h-21 h* ☎ *619/231-1515 • www. sandiegozoo.org • prévoir 1 j. de vis.).* Avec plus de 4 000 animaux (800 espèces différentes) évoluant dans un milieu copié de leur environnement naturel, c'est certainement l'un des jardins zoologiques les plus riches et les plus beaux du monde. Il renferme en outre un **jardin botanique** présentant 6 500 espèces de plantes exotiques.

À voir notamment : **Tiger River** (tapirs de Malaisie et tigres de Sumatra dans l'épaisse forêt tropicale de l'Asie), les reptiles du **Reptile Mesa**, les **ours polaires** *(polar bear plunge)*, le **bassin des hippopotames**, **Sun Bear Forest** (pour observer les ours et les singes dans une jungle peuplée d'oiseaux) ou encore **Gorilla Tropics** (la jungle africaine avec ses lianes et ses chutes d'eau où viennent s'abreuver les gorilles) et **Pygmy Chimps** (autre habitat bioclimatique réservé aux koalas d'Australie). Au **Children Zoo**, les enfants peuvent toucher certains animaux.

▲ **Botanical Building, pause rafraîchissante dans Balboa Park.**

✐ BON À SAVOIR
Pour découvrir rapidement les endroits les plus intéressants du zoo, on peut prendre un bus (vis. guidée) ou le téléphérique *Skyfari Aerial Tram* (longue file d'attente en été).

③ Old Town★★

Situation. À 2 mi/3 km N. de l'aéroport.

C'est le berceau historique de la Californie espagnole, dont San Diego fut la capitale jusqu'à l'annexion américaine, en 1846. On y retrouve le souvenir du père franciscain Junípero Serra qui, en 1769, fonda ici la mission San Diego de Alcala, la première des 21 missions californiennes. Cinq ans plus tard, celle-ci allait être déplacée d'une dizaine de kilomètres à l'est, dans la Mission Valley.

Accès. Par l'I-5 N., sortie « Old Town » • **bus** n⁰ˢ 8, 9, 10, 28, 30, 35, 44, 88, 105, 150 • desservi par le **trolley**.

■ **Old Town San Diego State Historic Park**★★ *(San Diego Ave. et Twiggs St. • sur 6 blocks, délimitée par Congress, Twiggs, Juan et Wallace Sts).* Ce parc d'État, créé en 1968, préserve l'ancien *pueblo* mexicain établi au pied de la colline du *presidio* (fort) à partir des années 1830. Certaines haciendas en adobe (brique

☞ Plan de la ville p. 202.

ℹ *Old Town San Diego S. H. P.*, 4002 Wallace St. ☎ 619/220-5422 ; www.parks.ca.gov

☞ SHOPPING
Restaurants mexicains et échoppes d'artisanat (ouv. jusqu'à 21 h) sur la Plaza del Pasado, le Old Town Market et la Fuente de Reyes.

San Diego

3

❶ *Robinson Rose Visitors Center,*
Robin Rose Bldg
☎ 619/220-5422 ;
ouv. 10 h-16 h, d'avr. à sept.
10 h-17 h.
Cette maison, datant de 1853
et entièrement reconstruite,
a abrité le siège du journal
San Diego Herald. On y verra
en particulier une maquette
de Old Town tel que le pueblo
apparaissait en 1872.
Départ des vis. guidées
t.l.j. à 11 h et 14 h.

♥ BONNES ADRESSES
• *Cosmopolitan Hotel*,
2600 Calhoun St., Fiesta de Reyes
☎ 619/297-1874.
B&B de 10 chambres, également
restaurant. Brunch le dim. (rés.
conseillée).
• *Casa de Reyes*, 2754 Calhoun et
Wallace Sts, Fiesta de Reyes
☎ 619/220-5040. Restaurant
mexicain avec terrasse, cuisine
au feu de bois.
• *Racine & Laramie*, 2737
San Diego Ave. ☎ 619/291-7833.
Ce magasin de tabac, cigares
et timbres a retrouvé son aspect
de 1869.
• *Cousins Candy Shop*, 2711
San Diego Ave. Un magasin de
bonbons au charme désuet.

Whaley House est officiellement
considérée comme la demeure
« la plus hantée des États-Unis » !
Riche documentation
paranormale dans le musée.
Quant au cimetière du Campo
Santo, on y ferait de bien
étranges rencontres...

crue) ont été reconstruites après le grand incendie
de 1872. On passe ici une soirée sympathique et
dépaysante : visites d'haciendas, shopping, margaritas
et tequila, restaurants en terrasse, spectacles de danses
mexicaines et orchestres de mariachis.

● **Old Town Square** (Washington Square), où
avaient lieu autrefois les combats de coqs et de tau-
reaux, constitue le centre d'Old Town. À l'angle N.
de la place, la **Plaza del Pasado** *(2574 Calhoun St.*
☎ *619/296-316)*, parc à thème visant à faire revivre
le San Diego des années 1821-1872. Sur le côté S.-E.
de la place, la **Casa de Estudillo** *(4001 Mason St.* •
t.l.j. 10 h-17 h) entièrement meublée, est l'une des
plus anciennes haciendas de Old Town (1827-1829).
Jose Antonio Estudillo, fils de l'officier espagnol commandant le Presidio en 1827, y vécut avec sa famille
jusqu'en 1887. Le **Seeley Stables** *(2648 Calhoun St.* •
ouv. 10 h-17 h) porte le nom d'Alfred Seeley, cocher de
diligence qui assurait également le service postal. Petit
musée des transports (diligences, wagons, selles, etc.).

● **Colorado House** *(2733 San Diego Ave.* • *t.l.j.*
10 h-17 h), ancien hôtel, saloon et maison de
jeu, abrite aujourd'hui le **Wells Fargo Museum★**
(→ encadré p. 183). L'exposition retrace l'histoire de
la ruée vers l'or, de la finance et des transports dans
le Far West des années 1850. Authentique diligence
Abbot-Downing de 1867.

● La **Casa de Bandini★** *(2600 Calhoun St., Fiesta de*
Reyes ☎ *619/297-1874)*, construite pour Don Juan
Bandini et sa famille (1827-1829), fut acquise par
Alfred Seeley, qui la transforma en hôtel. L'établis-
sement, ouvert à la visite, a retrouvé son aspect des
années 1870.

● Au **San Diego Union Newspaper Museum**
(Casa de Altamarino, 2602 San Diego Ave. • *ouv. mar.-*
dim.10 h-17 h) sont conservés la presse Washington sur
laquelle fut imprimé le premier journal de la ville, en
1868, ainsi que le bureau, intact, du rédacteur en chef.

■ **Old Town Village** *(San Diego Ave. et Twiggs St.)*.
Whaley House *(2482 San Diego Ave.* ☎ *619/207-*
9327 • *t.l.j. 10 h-17 h, f. mar. en automne-hiver)*,
construite en 1856, a abrité le siège du **tribunal**
jusqu'en 1871. **Old Adobe Chapel** *(2476 San Diego*
Ave. • *t.l.j. 10 h-16 h)*, ancienne église paroissiale
à partir de 1832, a été reconstruite en 1930. Un
demi-millier d'habitants de Old Town reposent dans
le cimetière catholique du **Campo Santo**, établi
en 1849. Situé à un jet de pierre de l'ancienne prison,
le **Sheriff Museum** *(2384 San Diego Ave.* • *ouv. mar.-*
sam. 10 h-16 h) retrace 150 ans d'existence d'un *sheriff*
department à Old Town San Diego.

■ **Presidio Park** *(au N. d'Old Town)* abrite les vestiges du **fort** espagnol, édifié en 1774. Maintes fois occupé par les forces mexicaines, il a été abandonné en 1837.

● Le **Junípero Serra Museum** *(2727 Presidio Dr.* ☎ *619/232-6203 • www.sandiegohistory.org • vis. sam. et dim. 10 h-16 h, d'avr. à oct. 10 h-17 h)* a été édifié sur le site même de la première mission californienne, fondée en 1769 par Junípero Serra *(→ théma p. 212-213)*. Il retrace l'histoire de San Diego et évoque la personnalité de ce père franciscain.

▼ Une promenade au phare du Cabrillo National Park délivre, par temps clair, une vue étendue sur la baie de San Diego.

À voir encore à San Diego

■ **Cabrillo National Monument★★** *(à Point Loma, 1800 Cabrillo Memorial Dr.* ☎ *619/557-5450 • www. nps.gov/cabr • t.l.j. 9 h-17 h • suivre l'I-8 vers l'O., sortie 209 [Rosecrans St.], à dr. Canon St., puis à g. Catalina Blvd • bus MTS nᵒˢ 28 et 84C • accès 5 $/véhicule).* Moderne monument érigé par le sculpteur Alvaro de Bree à la mémoire du navigateur portugais Juan Rodriguez Cabrillo, qui accosta au large de Point Loma le 28 septembre 1542, « découvrant » ainsi la côte O. de l'Amérique du Nord. Au *Visitors Center*, l'exposition « The Age of Exploration » retrace le voyage de Cabrillo et d'autres expéditions du XVIᵉ s.

Point Loma offre une **vue★★★** exceptionnelle sur, au N., la commune résidentielle de La Jolla, au S. le Mexique et, à l'E., le comté de San Diego : les gratte-ciel, la presqu'île de Coronado et le port militaire en contrebas. Quelques minutes de marche permettent d'atteindre le **phare★** (1855-1891). ▶▶▶

☞ Plan de la ville p. 202.

✐ OBSERVATION DES BALEINES (WHALE WATCHING)
Après avoir été presque exterminées, les baleines grises sont aujourd'hui près de 30 000 à faire le voyage aller-retour annuel entre l'Alaska et la basse Californie. Plusieurs agences organisent des promenades en bateau pour les observer :
• *Fisherman's Landing*, 2838 Garrison St. ☎ 619/221-8500 ;
• *H & M Landing*, 2803 Emerson St. ☎ 619/222-1144 ;
• *Seaforth Sportfishing*, 1717 Quivera Rd ☎ 619/224-3383.

San Diego

Un chapelet de missions

Avec les *presidios* (forts militaires) et les *pueblos* (villages), les missions sont une institution de la Frontière. Trop peu nombreux pour installer un nombre suffisant de colons sur ces terres lointaines, les Espagnols ont besoin des Indiens, dont ils veulent faire de loyaux sujets du roi d'Espagne et de bons chrétiens. Ainsi, de San Diego de Alcala (1769), au sud, à San Francisco Solano (Sonoma, 1823), au nord, le *camino real* (chemin royal) relie un chapelet de 21 missions fondées par les franciscains, les jésuites ayant été expulsés de Nouvelle-Espagne (actuel Mexique) en 1767.

◀ **L'église de San Diego de Alcala. Les missions ont eu peu d'influence si l'on considère l'ensemble de la population indienne de Californie durant cette période. Installées uniquement près des côtes, elles n'ont guère rassemblé que 20 000 Indiens, pour une population totale estimée à 400 000 individus.**

■ Un intense foyer de production

Une mission se compose d'une cour fermée autour de laquelle sont disposés une église et des bâtiments abritant les produits agricoles et les instruments de travail. En visite à Monterey en 1786, La Pérouse détaille celle de San Carlos Borromeo, fondée en 1770. Il remarque que l'église est assez grande pour contenir 500 à 600 personnes, mais qu'il n'y a pas de bancs. Souvent un déambulatoire court le long des murs, comme à San Juan Bautista. Un système d'irrigation, encore visible à Santa Barbara, alimente fontaines et lavoirs.

La construction de l'ensemble est réalisée par les Indiens (ils vivent à l'extérieur, dans des huttes), auxquels les missionnaires enseignent différentes techniques : fabrication des charpentes, réalisation des briques d'argile séchées au soleil (adobes), peintures murales.

Les missionnaires pratiquent l'élevage, l'agriculture (blé, légumes, vignes, arbres fruitiers) et la transformation des produits agricoles. À San Juan Capistrano, on peut encore voir des presses à huile, des fosses pour la tannerie, des fours pour fondre savons et bougies ou pour le travail des métaux.

■ Travail et prières

La Pérouse raconte qu'« il y a sept heures de travail par jour, deux heures de prière, et quatre ou cinq les dimanches et les fêtes, qui sont consacrées entièrement au repos et au culte ». Dès l'aube, la messe est célébrée ; toute la communauté se doit d'y assister. Prières et service durent une heure, puis les missionnaires distribuent un repas de farine d'orge (*atole*). Trois quarts d'heure plus tard, le travail commence : dans les champs, au jardin

▲ La mission de Santa Inés, à Solvang (Santa Barabara County), bien accueillie par les Indiens de la région à sa fondation en 1804, connut ensuite des phases de destruction et de délabrement. Sa restauration, au début du XXe s., est l'œuvre du frère Alexander Buckler.

ou dans les bâtiments. Un repas de blé et de maïs, auxquels sont mêlés des pois et des fèves (*poussole*), est servi à midi. La Pérouse y voit une solution économique qui pourrait être retenue pour la nourriture des pauvres en France en période de disette, à condition d'y ajouter de l'assaisonnement. À 14 heures, le travail reprend pour deux ou trois heures jusqu'à la prière du soir, suivie elle aussi d'un repas.

■ Le crépuscule des missions

Les années 1820 sont une période de grande prospérité pour les missions : San Diego de Alcala possède alors un troupeau de 20 000 moutons, 15 000 bovins et 1 250 chevaux. Mais, en 1833, le gouvernement mexicain met un terme à cette institution. Les terres des missions sont données à des propriétaires privés qui constituent des exploitations d'élevage, les *ranchos*. Les tremblements de terre et l'absence d'entretien mettent à mal les fragiles murs d'adobe.

Si, en 1862, le Congrès des États-Unis rétrocède la propriété des missions à l'Église catholique, la plupart d'entre elles ne sont plus que ruines à la fin du XIXe s. Grâce à d'importantes restaurations, elles sont devenues, depuis, les témoignages les mieux conservés de la présence espagnole en Californie.

▶ Santa Barbara, « Reine des missions » (1786). L'écrivain Malcolm Margolin souligne que « les Indiens n'ont pas été, comme il a été parfois suggéré, rassemblés par des soldats et conduits vers les missions comme prisonniers de guerre. Au début, au moins, ils semblent être venus volontairement vers les missions, et même avec impatience ».

▶▶▶ **Whale Overlook** est l'endroit idéal pour observer, au télescope, la migration des baleines grises vers le N. *(janv.-fév.)*. Un sentier de 3 km a été aménagé sur la pointe. On peut observer, à marée basse, la faune et la flore marines. À l'O. du parc, belle route côtière à parcourir en voiture.

■ **Hotel del Coronado**★★ *(sur la presqu'île de Coronado, 1500 Orange Ave.* ☎ *(1)800/468-3553 • www.hoteldel.com)*. L'hôtel a fait la réputation de Coronado, station balnéaire résidentielle.

De Balboa Park, prendre l'I-5 puis la CA 75, qui franchit la baie de San Diego par l'ample courbe du **Coronado Bay Bridge**★★, long de 3,4 km (1967 • belle vue sur Downtown • *péage : 1 $ sauf s'il y a plusieurs personnes dans la voiture)*. Passé le pont, prendre Orange Ave. vers le « Del ».

En 1885, San Diego n'est encore qu'un petit port de pêche quand deux magnats du chemin de fer, Babcock et Story, séduits par la beauté du site, décident d'y faire construire un hôtel exceptionnel, au charme européen, où l'on arriverait en train. Ce vaste bâtiment (400 chambres) de style victorien, ouvert en 1888, fut le premier éclairé à l'électricité.

Classé monument historique, le Del Coronado possède un vrai bijou : la **Crown Room**★, dont le plafond en forme de nef ne présente pas le moindre clou. Toutes sortes d'anecdotes circulent sur cet hôtel mythique et les personnalités qui le fréquentent. Marilyn Monroe, Tony Curtis et Jack Lemmon y tournèrent des scènes de *Certains l'aiment chaud* (Billy Wilder, 1959). Dans l'hôtel, exposition souvenir de photos anciennes *(entrée libre)*. La belle **plage** de sable fin est en accès libre.

■ **Sea World**★★ *(500 Seaworld Dr.* ☎ *(1)800/257-4268 • www.seaworld.com • ouv. t.l.j., 9 h-23 h en été, jusqu'à la tombée de la nuit hors saison • parking payant • prévoir une bonne 1/2 j.)*. Ce vaste parc d'attractions aquatiques (60 ha) en présente certaines à heures fixes. À ne pas manquer : orques (Shamu New Visions) ; dauphins (Rocky Point Preserve and Dolphin Show) ; loutres de mer (California Sea Otters) ; requins (Shark Encounter) et pingouins (Penguin Encounter). Essayez le Journey to Atlantis, un *roller-coaster* (montagnes russes) aquatique.

Environs de San Diego

1 **Mission San Diego de Alcala** *(10818 San Diego Mission Rd, à 8 mi/ 13 km N. • depuis Old Town, prendre l'I-8 jusqu'à Mission Gorge Rd, puis suivre les indications • t.l.j. 9 h-16 h 45)*.
C'est la première des missions californiennes *(→ théma p. 212-213)*. Ici commençait le *camino real* (chemin royal) qui reliait toutes les missions, espacées d'une journée de marche (56 km). Elle fut consacrée par Junípero Serra le 16 juillet 1769 sur l'actuel Presidio Park de San Diego, puis déplacée à cet endroit en 1774, dans une vallée fertile, pour être plus éloignée du fort et plus proche du village indien. Plusieurs fois détruite par les tremblements de terre, elle fut toujours reconstruite. Un petit **musée** jouxte l'église, élevée au rang de basilique en 1976 par le pape Jean-Paul II.

2 **La Jolla**★★ *(à 15 mi/24 km N.-O. de San Diego • quitter le centre-ville par la Pacific Hwy I-5, qui longe à l'E. Mission Bay* ❶ *Visitors Center, 7966 Herschel Ave.* ☎ *619/236-1212)*.
Élégante station balnéaire réputée pour ses boutiques de luxe et aussi pour son université (University of California at San Diego). Sur Prospect St. se concentrent les plus beaux magasins. Belle vue sur l'océan depuis Coast Walk ; entre Seal Rock et Whale Point, passage des baleines grises de mi-déc. à mars.

● Le **Museum of Contemporary Art** (MCASD • *700 Prospect St.* ☎ *858/454-3541* • *jeu.-mar. 12 h-17 h*) présente des œuvres d'artistes contemporains américains, en particulier Donald Judd, Ellsworth Kelly, Roy Lichtenstein.

● Le **Birch Aquarium at Scripps★** (*2300 Expedition Way* • *MTS Bus Route 30, arrêt « Downwind Way » puis 5 mn à pied* • *t.l.j. 9 h-17 h*), qui dépend de la Scripps Institution of Oceanography, regroupe plus de 60 aquariums dans lesquels évoluent 5 000 poissons et invertébrés représentant 380 espèces. La faune de l'océan Pacifique est particulièrement bien représentée. À ne pas manquer : l'habitat des **requins★** et la section consacrée aux **hippocampes★** (une douzaine d'espèces). Voir en particulier la section consacrée à leur reproduction *(seahorses nursery)*. On pourra admirer la chevauchée fantastique du *leafy seadragon★★*(dragon de mer feuillu), fragile et fascinante créature originaire d'Australie et apparentée à l'hippocampe. Belle **vue★★** depuis la terrasse.

Continuer vers l'E. par Torrey Pines Road (Pacific Coast Highway ou PCH).

● L'**University of California at San Diego** (**UCSD** • *9500 Gillman Dr.*) est classée au 8ᵉ rang des universités publiques du pays et accueille plus de 29 000 étudiants. Sur le campus sont disséminées 70 sculptures de la **Stuart Collection** (*plans du circuit au kiosque d'information*) : œuvres de Niki de Saint Phalle, Bruce Nauman, Name June Paik, Elisabeth Murray… Le **Salk Institute for Biological Studies** (*10010 Torrey Pines Rd.* ☎ *858/453-4100, ext. 1287* • *vis. guidées gratuites à 12 h lun.-ven.*), spécialisé depuis 1960 dans la biologie moléculaire, la génétique et les neurosciences, occupe un bâtiment conçu par Louis Kahn en 1965 *(→ encadré ci-contre).*

● **Torrey Pines State Natural Reserve★★** (*12500 N. Torrey Pines Rd* ☎ *858/755-2063* • *I-5 N., sortie « Carmel Valley », suivre Torrey Pines Rd ou PCH* • *bus 101*). Ce parc naturel a été créé dès la fin du XIXᵉ s. afin de préserver la côte, entre La Jolla et Del Mar, de tout projet d'urbanisation. Les hauteurs sont couvertes d'une espèce très rare de conifère, le pin de Torrey *(Pinus torreyana)*, qui pousse également sur Santa Rosa Island, au large de Santa Barbara. Pour découvrir cet environnement, 8 km de sentiers aménagés et une belle **plage★★**, longue de 5 km.

3 Oceanside et alentour (*Oceanside, à 15 mi/ 24 km N. de La Jolla, 38 mi/61 km N. de San Diego*). Localité proche de Camp Pendleton Marine Corps Base, Oceanside dispose d'une belle plage où l'incessant ballet des surfers en attente de *la* vague s'observe

♥ RESTAURANTS À LA JOLLA
La même adresse pour les trois (rés. conseillée) : 1250 Prospect St. ☎ 858/454-4244.

● *Ocean Terrasse Bistro*, belle terrasse pour un cocktail face à l'océan.

● *California Modern* (au r.-d.-c.), restaurant de cuisine californienne.

● *George's at the Cove* (niveau inférieur), table gastronomique.

L'**hippocampe** mâle possède la rare particularité de porter les œufs, que la femelle dépose dans sa poche ventrale. Après une période d'incubation qui peut durer de deux à six semaines, les petits seront expulsés. Peu survivront jusqu'à l'âge adulte. Les hippocampes font partie des espèces menacées.

La recherche en ses murs

L'**Institut Salk**, fondé en 1960 en bordure du Pacifique, porte le nom du bactériologiste **Jonas Salk** (1914-1995), qui mit au point un vaccin contre la poliomyélite en 1954. En 1992, il racontait comment, alors qu'il n'était qu'un jeune chercheur, il eut l'occasion de visiter une abbaye à Assise (Italie) et comment cette expérience esthétique l'aida dans ses recherches. Par la suite, Salk voulut fonder un centre indépendant de recherche biologique, avec la conviction que le succès de ce projet dépendrait largement de son architecture. À la fin des années 1960, il travailla avec **Louis Kahn**, l'un des grands architectes du XXᵉ s., pour concevoir un environnement à la fois accueillant et « source d'inspiration ».

San Diego

▲ Une sorcière grandeur nature
en Lego, au Legoland.

depuis le ponton de bois *(pier)*. Le **California Surf Museum** *(312 Pier View Way, entre Cleveland et Tremont Sts* ☎ *760/721-6876 • ouv. t.l.j. 10 h-16 h)* retrace l'histoire de ce sport et de ses figures légendaires, de Hawaï à la côte californienne. Importante collection de planches de surf, des plus rudimentaires, taillées dans le bois, aux plus sophistiquées.

● **Mission San Luis Rey de Francia★** *(à 3,5 mi/6 km E. d'Oceanside par la CA 76 • 4050 Mission Ave.* ☎ *760/757-3651 • www.sanluisrey.org • vis. t.l.j. 10 h-16 h).* Fondée en 1798, c'est la 18ᵉ mission, la plus grande et l'une des plus belles. Elle porte le nom de Saint Louis, le roi de France Louis IX, de sang espagnol par sa mère Blanche de Castille. À voir : le musée, le jardin et le cloître, ainsi que le cimetière indien.

● **Legoland** *(à Carlsbad, 8 mi/13 km S. d'Oceanside, 1 Legoland Dr. • I-5, sortie Legoland* ☎ *760/918-LEGO • www.legoland.com • ouv. jeu.-lun. 10 h-17 h).* Un parc d'attractions pour les petits, l'un des plus populaires du pays.

4 San Diego Safari Park★ *(à 32 mi/51 km N.-E. de San Diego par l'I-8 et l'I-15 ; sortir Via Rancho Parkway et suivre les indications • 1 h de route • 15500 San Pascual Valley Rd* ☎ *760/747-8702 • www.wildanimalpark.org).*
Ce grand parc zoologique de 730 ha compte plus de 3 000 animaux qui vont et viennent en semi-liberté dans des paysages rappelant leur habitat naturel. Un circuit en monorail (8 km) permet d'en faire le tour ; village de pêcheurs des rives du Congo, spectacles de dressage, danses africaines, etc.

✎ À NOTER
• Un passeport valide suffit pour entrer au Mexique.
• Attention : une assurance spéciale est nécessaire pour se rendre au Mexique avec une voiture de location.
• Tijuana est une zone *duty free*. Inutile de vous munir de pesos : on peut payer en dollars, par chèque de voyage ou carte de crédit.

⊙ *Tijuana Tourism and Convention Bureau*, 7860 Mission Center Court, Suite 202, San Diego ☎ 619/298-4105 ou (1)800/225-2786.

5 Tijuana *(Mexique • à 15 mi/24 km S. de San Diego par l'I-5 • le trolley de San Diego – ligne bleue ; départ toutes les 15 mn sur C St. – conduit en 45 mn jusqu'à San Ysidro, où l'on traverse la frontière à pied).*
Située dans l'État fédéré de Baja California, la ville (1 000 000 hab.), assez laide, n'est en fait qu'une vaste zone de transit pour des milliers de candidats à l'émigration. Le week-end, les Américains sont nombreux à venir ici pour profiter des prix avantageux (les boutiques et restaurants bon marché sont rassemblés sur l'Avenida de la Revolucion) et faire la tournée des bars. Bien que Tijuana soit une ville assez riche comparativement aux autres villes mexicaines, on perçoit vite la différence de niveau de vie qui existe de part et d'autre de la frontière.

Le **Tijuana Cultural Center** *(Paseo de los Heroes et Mina)* possède un cinéma avec écran géant projetant des films sur le Mexique, ainsi qu'un musée consacré aux arts populaires et à l'artisanat mexicain.

Monterey★★
et la Highway 1★★★ CA

Artistes et écrivains ont célébré la lumineuse beauté de la péninsule de Monterey et de la côte entre Big Sur et San Simeon. Monterey, qui inspira à Steinbeck son roman *Rue de la Sardine*, fut autrefois un grand port de pêche à la sardine. Si quelques pêcheurs y vivent encore aujourd'hui, la ville est surtout connue pour être une station balnéaire très fréquentée. Au sud de la péninsule, la côte, préservée de l'urbanisation, offre avec sa fameuse route en corniche (Highway 1) des vues à couper le souffle, alternant majestueuses falaises et criques sauvages.

Monterey dans l'histoire

La capitale de la Californie

Repérée par Cabrillo dès 1542, la baie de Monterey fut officiellement reconnue en 1602 par l'Espagnol Sebastiano Vizcaino, qui lui donna le nom du comte de Monte Rey, vice-roi du Mexique. En 1770 y fut fondée la mission franciscaine San Carlos Borromeo, qui fut transférée à Carmel l'année suivante. Capitale de la Californie en 1775 sous l'Empire espagnol, la ville devint mexicaine en 1821 puis américaine en 1846. Monterey demeura longtemps l'unique port d'entrée de la côte ouest. En échange du thé, du café, du sucre et des épices embarqués à Boston, les bateaux repartaient, les cales chargées de peaux de vaches.

Sardines fraîches

Rendu célèbre par le roman de John Steinbeck *Cannery Row* (*Rue de la Sardine*, 1945), le quartier des conserveries résonnait autrefois des cris et des sifflets à l'arrivée des bateaux. En effet, en 1945, on pêchait 250 000 t de sardines au large de Monterey. Avec l'industrialisation de la pêche, le beau petit poisson argenté disparut presque complètement de la baie, et les conserveries fermèrent leurs portes. Elles sont aujourd'hui transformées en magasins de souvenirs, hôtels ou restaurants.

Situation : à 120 mi/192 km S. de San Francisco, 345 mi/552 km N. de Los Angeles.

Population : 30 000 hab.

Fuseau horaire : Pacific Time (– 9 h par rapport à la France).

🛈 *Monterey Visitors Center*, 401 Camino El Estero ☎ 877/666-8373 ; www.seemonterey.org ; d'avr. à oct., lun.-sam. 9 h-18 h, 17 h dim. ; de nov. à mars, lun.-sam. 9 h-17 h, dim. 10 h-16 h.

🛈 *Monterey State Historic Park*, 20 Custom House Plaza ; www.parks.ca.gov : vis. guidées gratuites.

À ne pas manquer	
Monterey Bay Aquarium★★★	219
17-Mile Drive★★	222
Mission San Carlos Borromeo★★	222
Big Sur★★	223
Hearst Castle S. H. M.★★	224

Monterey

Voir carte régionale p. 138

Visiter Monterey

Combien de temps. Comptez au moins 1 j. pour découvrir Firsherman's Wharf, Cannery Row et la péninsule jusqu'à Carmel. Consacrez 2 h à la visite de l'aquarium.

■ **Fisherman's Wharf★**. La jetée située près du port de plaisance est la grande attraction touristique de Monterey, avec ses nombreux magasins de souvenirs, ses restaurants de fruits de mer et le spectacle des pélicans et des otaries qui s'ébattent dans les eaux alentour.

■ **Museum of Monterey★** (*5 Custom House Plaza, dans le Stanton Center • mar.-sam. 10 h-17 h, dim. 12 h-17 h ☎ 831/372-2608*). Cet intéressant musée permet de découvrir l'héritage maritime de la baie de Monterey, de la période indienne à l'ère de la pêche industrielle à travers instruments de navigation, maquettes de bateau, photos, films, objets et documents d'époque. À g. en entrant, **lentille** du physicien français Fresnel, qui fut mise en place sur le phare de Point Sur en 1889 et resta en service jusqu'en 1978 (fabricants : Barbier et Fenestra, Paris, 1887). Composée de 50 pièces assemblées, elle pèse plus de 2 t. Le musée évoque un autre Français, le corsaire Hippolyte Bouchard, au service de l'Argentine alors en révolte contre l'Espagne, qui rançonna la côte, de Monterey à Santa Barbara, en 1818.

■ **Monterey State Historic Park.** La ville coloniale a grandi à l'endroit même où accostèrent les premiers explorateurs espagnols. Le State Historic Park regroupe une dizaine de bâtiments construits en adobe à l'époque coloniale.

● **Custom House** (*20 Custom House Plaza • sam.-dim. 10 h-16 h*). L'ancienne douane est le plus ancien bâtiment gouvernemental de Californie (1827). C'est ici que, le 7 juillet 1846, le commodore John Drake Sloat hissa le drapeau américain, et que le territoire des États-Unis s'agrandit de près de 1 536 000 km²…

● **Pacific House** (*10 Custom House Plaza • sam.-dim. 10 h-16 h*). Construit en 1847 pour abriter les bureaux de l'armée américaine, le bâtiment, en adobe, abrite un petit musée consacré à l'histoire de la Californie et à la vie des Indiens.

● **Casa Soberanes** (*336 Pacific Ave. ☎ 831/649-7118 • vis. guidées lun.*). Maison en adobe appelée « maison à la porte bleue », construite en 1842 pour le chef des douanes. Beau décor intérieur ; meubles de Nouvelle-Angleterre.

♥ RESTAURANTS
• **Fisherman's Grotto**, 39 Fisherman's Wharf ☎ 831/375-4604. Bon rapport qualité-prix. Goûtez l'onctueuse soupe aux palourdes (*clam chowder*).
• **Sardine Factory**, 701 Wave St. ☎ 831/373-3775. L'un des meilleurs restaurants de poissons et de fruits de mer.

☞ CONSEILS
• Il est possible d'acheter un *pass* permettant d'accéder à tous les bâtiments du Monterey State Historic Park.
• Attention : en raison des coupes drastiques dans le budget des parcs d'État, les heures de visite ont été réduites au minimum ; se renseigner sur place.

● **Casa Serrano** (1843 • *412 Pacific St.* ☎ *831/372-2608 • sam. et dim. 14 h-16 h*). Florencio Serrano fut instituteur et maire adjoint de Monterey (1848). Toiture en séquoia, épais murs en adobe, meubles d'époque.

● **Cooper-Molera House** (*525 Polk et Munras Sts • vis. guidées*). Bel ensemble de bâtiments en adobe construits en 1827 pour un riche marchand.

● **Stevenson House** (*530 Houston St.*). Venu d'Écosse pour convaincre Fanny Osborne de l'épouser, **Robert Louis Stevenson**, inconnu, pauvre et malade, rédigea *The Old Pacific Capital* durant l'automne 1879, à l'étage de cette maison qui était alors le *French Hotel*.

■ **Colton Hall** (*522 Pacific St.*). Les 48 délégués des comtés (dont deux Français, Pierre Sainsevain et José Maria Covarrubias) rédigèrent ici la première Constitution de Californie en 1849. Petit musée au 1er étage. Sur l'arrière, se trouve l'ancienne prison de Monterey (Old Monterey Jail), datant de 1854.

■ **Presidio** (*remonter Pacific St. vers le N.*). Il fut construit en 1770 à Monterey par Gaspar de Portola. Le musée est consacré à l'histoire du site depuis l'époque indienne : fouilles d'un village des Indiens Ohlones, vieux de 2 000 ans.

■ **Monterey Bay Aquarium**★★★ (*886 Cannery Row, à l'extrémité N. de la rue* ☎ *831/648-4800 • www.mbayaq.org • t.l.j. 10 h-18 h, en été 9 h 30-18 h, 20 h le w.-e. • pour éviter l'attente, réserv. • relié en été par navette à Downtown Monterey, à Pacific Grove et aux hôtels du centre-ville*). L'aquarium occupe la plus

▲ À intervalles réguliers, un plongeur vient nourrir les poissons du grand aquarium.

Poète, essayiste et romancier, **Robert Louis Stevenson** (1850-1894) a voyagé toute sa vie à la recherche d'un climat plus sain pour soigner sa tuberculose.
En 1883, il rencontre le succès avec *L'Île au trésor*, roman d'aventure que lui inspire Point Lobos, au sud de Monterey. *Docteur Jekyll et Mister Hyde*, chef-d'œuvre de la littérature fantastique, paraît deux ans après. Stevenson rejoint ensuite les îles Marquises, Tahiti puis les îles Samoa où il s'installe ; la tuberculose l'emporte en 1894.

Le « Grand Canyon » de Monterey

Les eaux de la baie de Monterey figurent parmi les plus profondes au monde. Au niveau de la localité de Moss Landing s'ouvre une faille formant un canyon long de 1 500 m et profond, par endroits, de 3 000 m. Il est souvent comparé par les chercheurs au Grand Canyon d'Arizona mais, à la différence de ce dernier, sa formation ne résulte pas de l'érosion fluviale. Il se serait formé sous la mer il y a des millions d'années, sous l'action de puissantes forces tectoniques.

D'étranges créatures et de multiples micro-organismes peuplent ces abysses glacés, toujours plongés dans une obscurité totale. L'institut de recherche de l'aquarium de Monterey conduit de longue date un programme d'exploration de cet univers. Au cours de chaque mission, un laboratoire submersible opère des prélèvements, recense, photographie et filme ce monde encore largement inconnu et ses mystérieux habitants.

Monterey

Loutres orphelines

Longtemps victime de la traite des peaux, la **loutre de mer** *(sea otter)* était en voie d'extinction sur la côte pacifique dans les années 1920. L'espèce, désormais protégée, a été réintroduite avec succès dans la région, mais peine à s'y maintenir, peut-être en raison de la pollution croissante.

Trois milliers de loutres sont recensées au large des côtes californiennes, entre Half Moon Bay et Santa Barbara. Elles vivent parmi les algues géantes *(kelp forest)* et se nourrissent d'invertébrés. En hiver, après chaque tempête, de jeunes loutres orphelines sont recueillies et soignées à l'aquarium de Monterey. En une dizaine d'années, l'institution a ainsi sauvé plus de 550 petits, notamment grâce à l'aide de femelles adultes qui servent de mères de substitution *(foster moms)*.

☞ MANIFESTATIONS À SALINAS
• La 3e semaine de juillet se déroule, pendant quatre jours, le plus célèbre rodéo de Californie.
• En août, *Steinbeck Festival.*

Alfred Hitchcock tourna la scène finale de *Sueurs froides* (1958) dans la mission San Juan Bautista, aux environs de Salinas *(à 23 mi/41 km N. par l'US 101).*

✐ À NOTER
L'été, le soleil est souvent masqué par la brume côtière qui se retire en fin de matinée pour revenir en fin d'après-midi, rafraîchissant considérablement la température. Il est prudent d'emporter un lainage, même s'il fait très beau à Monterey.

grande conserverie de sardines (Hovden Cannery) de Cannery Row, restée en activité jusqu'en 1972. Environ 600 espèces caractéristiques de la flore et de la faune marines locales sont présentées dans une centaine d'aquariums reconstituants divers habitats. En immersion totale, le visiteur a presque la sensation d'évoluer dans les eaux profondes du « Grand Canyon » de Monterey *(→ encadré p. préc.).* À ne pas manquer l'**habitat des loutres★★**, le **grand aquarium★★**, où les poissons évoluent parmi les algues géantes *(kelp forest)*, et l'**Open Sea★★★** : depuis 2002, l'aquarium de Monterey conduit une étude sur le **requin blanc** ; chaque individu, après un séjour de quelques semaines à quelques mois dans un bassin spécifique (l'Open Sea), est remis à la mer après avoir été équipé d'une puce afin d'étudier son comportement en milieu naturel.

● **Elkorn Slough Gallery** *(1ᵉʳ étage)* est consacrée aux oiseaux qui peuplent les marécages situés au N. de Monterey. Bassin tactile pour les enfants.

Au nord de Monterey

■ **Salinas** *(à 20 mi/36 km N.-E. ● sortir de Monterey vers le N. par la CA 1 et bifurquer après 2 mi/3 km à dr., sur la CA 68).* Dans ses romans, John Steinbeck *(→ encadré p. suiv.)* évoque souvent Salinas, sa ville natale, aujourd'hui centre industriel (fabrique de chocolat Nestlé) et agricole (laitues, vignobles). Le **National Steinbeck Center** *(1 Main St.* ☎ *831/775-4721 ● t.l.j. 10 h-17 h)* retrace le parcours et l'univers de l'écrivain à travers objets et souvenirs personnels, documents d'époque, extraits de films et de livres. Sa **maison natale** *(132 Central St.)*, de style Queen Ann (1897), est occupée par un petit restaurant, elle est accessible. Le personnel assure le service et la visite en costume d'époque *(réserv.* ☎ *831/424-2735).* Quant à la dernière demeure de Steinbeck, elle se trouve au cimetière **Garden of Memories** *(768 Abbott St., à 2 mi/3,2 km du centre-ville).*

La péninsule et la Highway 1★★★

De la péninsule de Monterey à San Simeon, la route côtière Highway 1 (ou Pacific Coast Highway), étroite et sinueuse, accrochée parfois très haut au-dessus du Pacifique, semble coupée du monde. De magnifiques points de vue ont été aménagés sur cette route en corniche. Ses rochers à l'abri des falaises offrent un refuge naturel pour les oiseaux et les mammifères marins qui viennent s'y reproduire.

Itinéraire. 250 mi/400 km depuis Monterey jusqu'à San Luis Obispo par la Hwy 1 • faire le plein de carburant à Monterey ou à Carmel.

Combien de temps. Compter 2 j. (vitesse limitée à 30 mi/48 km/h).

■ **Pacific Grove**★ *(à l'extrémité N.-O. de la pénin-sule • après Cannery Row, au bout de Lighthouse Ave., suivre Ocean View Blvd)*. Cette petite localité au charme victorien célèbre chaque année, en octobre, le retour de papillons migrateurs, les monarques *(Danaus plexippus)*, par une parade… des Papillons. On observera ces insectes au **Monarch Grove Sanctuary** *(Ridge Rd, près de l'intersection de Lighthouse Ave. et 17-Mile Drive* ☎ *831/648-5716 • t.l.j. du lever au coucher du soleil • entrée libre)*. À noter qu'il est strictement interdit de les capturer sous peine d'une forte amende (1 000 $).

On peut aussi se promener le long de la côte pour observer les écureuils et les animaux marins qui se réchauffent au soleil sur les rochers ; sur la pointe N. est érigée une statue de papillon.

◀ Le papillon monarque, qui vient chaque hiver profiter du climat doux de la Californie et s'y reproduire, est aujourd'hui de plus en plus menacé par la déforestation.

Monterey

■ **17-Mile Drive★★** *(route privée à péage qui longe la côte entre Pacific Grove et Carmel • suivre Pacific Grove Gate sur Sunset ; de Carmel, suivre Ocean Blvd et prendre à dr. juste avant la plage • 26 points de vue)*. La route serpente à travers la forêt Del Monte parmi pins et cyprès où se cachent de somptueuses propriétés, longeant parfois de près les rochers de la côte, fréquentés à cet endroit par des phoques et des otaries.

● **Point Joe**. De nombreux navires échouèrent ici, manquant de peu l'entrée de la baie. Des biches se promènent en liberté sur les terrains de golf. Faites une halte pour observer les cormorans de Brandt, les pélicans bruns de Californie et toutes sortes d'oiseaux rassemblés sur **Bird Rock**.

● **Cypress Point Lookout**. Vue sur une maison en bois ayant appartenu à Clint Eastwood *(n° 3172)* ; l'acteur fut maire de Carmel entre 1986 et 1990, il y réside et y possède un restaurant.

● **Crocker House** *(3264 17-Mile Drive)* ressemble à un monastère byzantin. C'est la plus vaste et la plus luxueuse propriété de Pebble Beach *(pas de vis.)*. Elle fut construite dans les années 1930 pour le banquier Charles Crocker Jr ; elle compte 17 pièces plus des dépendances et quelques maisons d'invités.

● **Lone Cypress★** (le cyprès solitaire • *à dr., chemin en contrebas*) : arrêt presque obligatoire pour admirer le plus photographié des arbres de la côte. Le cyprès de Monterey est un vétéran du pleistocène ; ils sont nombreux dans la région, reconnaissables à leur tronc noueux et déformé. Ces arbres souffrent d'un parasite qui les fait mourir branche après branche.

● **Pebble Beach**, élégante localité construite autour du fastueux *Hotel Del Monte★* (1880, l'actuel date de 1926) ; belle galerie commerciale. Nombreux parcours de golf dont le célèbre **Pebble Beach Golf Club★★** et son practice entouré par la mer.

■ **Carmel-by-the-Sea★★** *(à 17 mi/27 km S. de Monterey)*. Station balnéaire ultra-résidentielle, fréquentée dès la fin du XIXᵉ s. par des artistes et des écrivains. Boutiques chics, galeries d'art et restaurants se succèdent sur Ocean Ave., sur Carmel Plaza et dans les rues adjacentes. En continuant sur Ocean Ave., on gagne la **plage★★** *(à dr., accès payant par la route privée 17-Mile Drive • à g., suivre la Scenic Drive qui longe la plage et la côte)*. Pour préserver leur tranquillité, les habitants de Carmel ont recours à quelques stratagèmes : certains panneaux indicateurs ont disparu, l'éclairage est inexistant, les rues ne portent pas de numéro (les maisons sont connues par un nom). Vous ne verrez ni parcmètres, ni trottoirs (sauf dans le centre-ville), ni panneaux publicitaires.

● La **mission San Carlos Borromeo★★** *(3080 Rio Rd, au S. de Carmel ☎ 831/ 624-1271 • 9 h 30-16 h 30, dim. 10 h 30-16 h 30 • entrée payante)* est la plus belle des missions de Californie *(→ théma p. 212-213)*. Fondée en 1770 par le père Junípero Serra à Monterey, elle fut déplacée à Carmel l'année suivante et lui servit de quartier général jusqu'à sa mort en 1784. En 1961, la mission a été consacrée « basilique » par le pape Jean XXIII.
Les pères Serra, Crespi, Lasuen et Lopez reposent sous l'autel de l'église, le cénotaphe du père Serra (1924) se trouve dans la Mora Chapel. Dans le **musée★**, voir la cellule du père Serra et sa bibliothèque personnelle, la première de Californie. On visite également les ateliers, le cloître, les jardins et le cimetière où reposent nombre d'Indiens ayant travaillé à la mission. Une plaque dans la cour rappelle la visite des officiers de l'expédition commandée par La Pérouse en septembre 1786.

■ **Point Lobos State Reserve★** *(à 5 mi/8 km S. de Carmel • t.l.j. de 9 h au coucher du soleil)*. Cet éperon rocheux situé face à la péninsule de Monterey doit son nom (« pointe des Loups ») aux Espagnols, qui découvrirent la région et trouvèrent une

▲ La première église de la mission San Carlos Borromeo était en bois ; elle ne prit son aspect actuel qu'en 1797.

Nous fûmes reçus comme des seigneurs de paroisse qui font leur première entrée dans leurs terres ; le président des missions, revêtu de sa chape, le goupillon à la main, nous attendait sur la porte de l'église, qui était illuminée comme aux plus grands jours de fête…

Jean-François Galaup de La Pérouse, septembre 1786.

grande ressemblance entre les aboiements des otaries de Californie et le hurlement du loup. Les lieux sont occupés par d'importantes colonies d'oiseaux : pélican brun, cormoran, aigrette blanche, héron bleu, caille californienne, plongeon arctique, palmipède au plumage gris et blanc. Des sentiers de promenade donnent accès à des sites splendides au-dessus de l'océan.

Robert Louis Stevenson se serait inspiré des paysages de Point Lobos pour son roman *L'Île au trésor*.

■ **Big Sur**★★ *(à 25 mi/40 km S. de Point Lobos State Reserve)*. Zone côtière très sauvage, à l'habitat dispersé le long de la route ou sur le versant des collines. Sur 150 km entre Point Lobos au N. et San Simeon au S., des falaises tombent à pic dans l'océan ; criques et collines boisées se succèdent, offrant de magnifiques paysages.

Le lieu-dit **Big Sur**, qui s'étire le long de la Hwy 1, était habité par les Indiens Esselens bien avant l'arrivée des artistes et des écrivains ; Henry Miller y vécut quelques années. La forêt de *redwoods* ne fait qu'ajouter à l'impression d'isolement qui se dégage de ce lieu préservé.

● **Pfeiffer Big Sur State Park**★ *(sur la Hwy 1 à Big Sur • ouv. 30 mn avant le lever du soleil et jusqu'à 30 mn après le coucher du soleil • entrée libre)*. Parc naturel de 330 ha planté de *redwoods*, de sycomores, d'érables, de pins, de saules, et où vivent lynx, renards gris, ratons laveurs et cerfs. Camping accessible aux *motor-homes*, nombreux sentiers de randonnée, pêche aux écrevisses, à la truite et au saumon dans la rivière Big Sur. **Pfeiffer Beach**, accessible par Sycamore Canyon Rd (seule route pavée à l'O. de la Highway 1), est un bon spot de surf.

Sur la côte de Big Sur, le restaurant ***Nepenthe*** *(48510 Hwy 1* ☎ *831/667-2365)* est installé à l'emplacement du bungalow qu'Orson Welles avait offert à Rita Hayworth pour leur lune de miel ; la vue y est superbe.

♥ HÔTEL
Ventana Inn, 48123 California 1, Big Sur ☎ 831/667-2331 ; www.ventanainn.com
Perché sur les hauteurs de Big Sur, un hôtel à la fois rustique et raffiné, composé de bungalows en pleine nature. Restaurant en terrasse et vues plongeantes sur l'océan.

Monterey

● **Henry Miller Library** *(à 0,25 mi/0,4 km du restaurant Nepenthe sur la Hwy 1* ☎ *831/667-2574* • *www.henrymiller.org* • *t.l.j. sf mar. 11 h-18 h)* : c'est en 1944 que l'écrivain est venu pour la première fois à Big Sur ; son livre *Big Sur* fit connaître l'endroit. Livres épuisés, photos, etc.

● **Julia Pfeiffer Burns State Park** *(à 8 mi/13 km S. de Henry Miller Library* ☎ *831/667-2315* • *www.parks.ca.gov)* s'étend sur 330 ha de forêt. La Big Sur River qui le traverse est aménagée pour la baignade et la pêche. Balade à pied (Overlook Trail • *facile* • *1 h)* offrant une **vue★★** plongeante sur l'océan.

● **Plages** : Molera Beach, Pfeiffer Beach, Sand Dollar Beach peuvent être difficiles à trouver car la signalisation est quasi inexistante.

● **Plage de Piedras Blancas** *(à 48 mi/77 km S. de Julia Pfeiffer Burns S. P.)*, entre Ragged Point et Cambria, abrite une importante colonie d'éléphants de mer qui viennent s'y reproduire (nov. à janv.).

■ **San Simeon** *(à 63 mi/109 km S.-E. de Big Sur)* marque la limite de la route en corniche. Au loin, à g., perché sur les collines de Santa Lucia, on aperçoit l'imposant château du magnat de la presse William Randolph Hearst (1863-1951), personnage qui inspira à Orson Welles le film *Citizen Kane.*

■ **Hearst Castle State Historic Monument★★** *(sur la Hwy 1* ☎ *(1)800/444-4445 ; depuis l'étranger* ☎ *1-805/927-2115* • *www.hearstcastle.org* • *vis. guidées uniquement* • *8 h-17 h, l'hiver 8 h 20-15 h 20* • *4 tours de 45 mn sont proposés* • *réserv. indispensable durant l'été).* Établi sur la « Colline enchantée », Hearst Castle est l'une des plus grandes folies architecturales des États-Unis. La propriété s'étend sur 51 ha et comprend, outre la résidence principale (Casa Grande), quatre pavillons destinés aux invités de marque qui se pressaient à San Simeon (Winston Churchill, Charlie Chaplin, Clark Gable…). Les travaux commencèrent en 1922 sous la direction de l'architecte californienne **Julia Morgan**. À la mort de Hearst, en 1951, ils étaient loin d'être terminés ; le « ranch », comme il s'obstinait à appeler la « Casa Grande », comprenait 115 pièces, dont 38 chambres, 42 salles de bains, 14 salons, 1 salle de cinéma, 1 court de tennis et 2 somptueuses piscines.

▲ La piscine de Neptune est l'un des décors les plus représentatifs de la somptuosité de la demeure bâtie pour William Randolph Hearst.

Amateur d'art, W. R. Hearst faisait venir des œuvres par bateaux entiers de toute l'Europe. Dans le **grand salon★★** : plafond à caissons italien (palais Martinengo, à Brescia, XVIᵉ s.) et cheminée Renaissance française (château de Joué-lès-Tours) ; la tapisserie (Flandres, XVIᵉ s.) est l'unique vestige d'une tenture aujourd'hui disparue consacrée à l'histoire de Scipion l'Africain (une 2ᵉ version de cette tenture est conservée au musée du Louvre). La **salle à manger★★** est imposante avec ses stalles et ses drapeaux (ceux de la fête du Palio, à Sienne) ; cheminée provenant d'un château français et pièces d'orfèvrerie du XVIIIᵉ s.

Dans les **jardins**, fontaines vénitiennes, sarcophages romains, statues égyptiennes (dont une précieuse Sekhmet) et les deux piscines : celle de **Neptune★★**, en marbre de Carrare, est dominée par un portique gréco-romain, la transparence de l'eau laisse voir une mosaïque à l'antique ; la **piscine romaine★★**, inspirée du mausolée de Galla Placidia à Ravenne, est revêtue de milliers de tesselles provenant de Venise et formant un somptueux revêtement bleu et or.

☞ **CONSEIL**
Pour une 1ʳᵉ visite de Hearst Castle, suivez le tour n° 1 (Grand Rooms Museum Tour). Présentez-vous quelques minutes avant l'heure à la porte d'embarquement indiquée sur votre billet ; un bus vous conduira aux portes du château où vous rencontrerez votre guide.
Au *Visitors Center*, une exposition évoque la vie de W. R. Hearst ; on peut observer les restaurateurs d'œuvres d'art à travers une vitre.

■ **San Luis Obispo** *(à 42 mi/67 km S.-E. de San Simeon).* Au centre d'une région d'agriculture (vignobles, légumes, bétail, fleurs, fruits), la ville (45 000 hab.) s'est développée autour de sa mission fondée en 1772 par le père Junípero Serra. La population augmenta après l'arrivée du Southern Pacific Railroad en 1894, et la fondation, en 1901, de l'université polytechnique de Californie (Cal Poly, 18 000 étudiants). **Mission Plaza** forme le centre historique de la cité ; une Scenic Drive *(flèches vertes peintes sur la chaussée)* permet d'en faire le tour.

● La **mission San Luis Obispo de Tolosa★** *(751 Palm St. ☎ 805/781-8220 • de juin à déc. ven.-mer. 9 h-17 h, jeu. 12 h-17 h ; de janv. à mai, t.l.j. 9 h-16 h, vis. guidée vers 13 h 15),* fondée en 1772 et portant le nom d'un évêque de Toulouse du XIIIᵉ s., est la 5ᵉ des missions de Californie. Reconstruite en 1933 après plusieurs tremblements de terre, elle sert encore aujourd'hui d'église paroissiale. Son musée présente de nombreux objets utilisés par les premiers colons et les Indiens Chumashs.

● La **plage de Pismo Beach**, au S. de la ville, s'étend sur 35 km entre San Luis Obispo et Santa Barbara. De fin nov. à mars, des milliers de papillons monarques *(→ p. 221)* venus du Canada se réfugient sur les eucalyptus de Pismo Beach.

ⓘ *Visitors Center*, 1039 Chorro St. ☎ 805/781-2777 ; www.visitslo.com ; ouv. dim.-lun. 10 h-17 h, mar.-mer. 8 h-17 h, jeu.-sam. 8 h-20 h.

☞ EN SAVOIR PLUS
Sur les missions californiennes, lire aussi le théma p. 212-213.

Monterey

Santa Barbara★★ CA

Situation : à 91 mi/146 km N.-O. de Los Angeles, 249 mi/398 km S.-E. de Monterey.

Population : 90 300 hab.

Fuseau horaire : Pacific Time (– 9 h par rapport à la France).

() *Santa Barbara Visitors Center,* 1 Garden St. ☎ 805/965-3021 ; www.santabarbara.com ; t.l.j. 9 h-17 h, dim. à partir de 10 h.

À ne pas manquer

✎ **BON À SAVOIR**
Un service de trolley dessert les principaux sites pendant l'été.

✎ **ADRESSES UTILES**
• Gare ferroviaire *(Amtrak).* 209 State St. (☎ 805/963-1015 ou (1)800-872-7245).
• Gare routière *(Greyhound).* 34 W. Carillo et Chapala Sts (☎ 805/965-7551).

Voir carte régionale p. 138

Station balnéaire réputée, la très résidentielle Santa Barbara s'étage à flanc de colline face à l'océan. Après le séisme de 1925, la ville a été reconstruite dans le style méditerranéen des missions espagnoles. Places à arcades, maisons en adobe et patios fleuris incitent à la flânerie, à pied ou à vélo. Aucun gratte-ciel ne vient déranger la belle ordonnance de ses toits de tuiles roses. Sillonné de bikers, joggers, patineurs et surfers, le front de mer, et sa superbe plage de sable fin ourlée de palmiers longilignes, lui donne des airs de riviera française.

Visiter Santa Barbara

Combien de temps. Comptez 1 j. pour visiter la ville : balade à pied sur Ocean Front et le Stearns Wharf, shopping sur State St. et Paseo Nuevo, visite du musée d'Art et montée à la tour du County Courthouse pour la vue. Continuer en voiture par la Scenic Drive qui fait le tour de la ville.

■ **County Courthouse★** *(1100 Anacapa St.* ☎ *805/ 962-6464* • *lun.-ven. 8 h-17 h, sam.-dim. 10 h-16 h 30* • *vis. guidées gratuites t.l.j. sf dim.).* Le **palais de justice** est l'un des plus beaux édifices de la ville. Il a été reconstruit en 1929 dans le style hispano-mauresque, après le séisme de 1925. Beau décor de mosaïques tunisiennes, ferronneries et mobilier de style hispanique. La **Mural Room** *(1er étage)* est décorée de **peintures murales★** maroufflées (Dan Sayre Groesbeck) retraçant l'histoire de la Californie. Belle **vue★★** sur la ville depuis la tour de l'horloge (El Mirador • *accès par ascenseur).* Le public est admis aux audiences de justice.

■ **Santa Barbara Museum of Art★** *(1130 State et Anapamu Sts* ☎ *805/963-4364* • *www.sbma.net* • *t.l.j. sf lun. 11 h-17 h* • *entrée payante, gratuit dim. mais enfants bienvenus* • *vis. guidées gratuites t.l.j. à 12 h).* Le **musée** a ouvert ses portes en 1941 dans l'ancien bâtiment des postes (1932). Particulièrement riche en œuvres gréco-romaines et impressionnistes, le fonds des collections provient du legs de Wright S. Lundington, un milliardaire philanthrope, résident de Montecito. La collection permanente (27 000 œuvres) est exposée par roulement et à l'occasion d'expositions temporaires. Deux galeries (Ridley-Tree Gallery et Asian Gallery) ont été récemment rénovées.

Près de l'entrée, on découvre une fresque murale de **David Alfaro Siqueiros**, *Portrait of Mexico Today*★ (1932), peinte à l'huile sur ciment frais pour une villa de Pacific Palisades à Los Angeles, où l'artiste vivait en exil.

● **Peinture européenne**★★ *(Ridley-Tree Gallery)*. La peinture française est largement représentée, notamment par **William Bouguereau** et son *Portrait de Mlle Martha Hoskier*★ (1869), œuvre récemment acquise par le musée, de facture classique ; par **Jules-Bastien Lepage** (*Les Blés murs*★,1884), peintre réaliste et fin observateur de la dure vie des paysans de la Meuse ; ou encore par **Berthe Morisot**, la belle-sœur de Manet, qui, avec *Vue de Paris depuis le Trocadéro*★ (1871-1872), montre une vue de la ville au lendemain de la guerre franco-prussienne. Avec *Villas à Bordighera*★ (1884), **Claude Monet** fait l'expérience de la lumière chaude et dorée du sud de la France ; dans *Charing Cross Bridge*★★, le chef de file des impressionnistes met en avant les nuances infinies de la lumière, le sujet (un pont) devenant à peine visible. Voir également *Pont Saint-Michel* (vers 1901) par **Henri Matisse**, *Le Joueur d'échecs* (vers 1905) d'**Édouard Vuillard** et *Jardin au petit pont* (1937) par **Pierre Bonnard**.

● **Sculptures et dessins**. Sont exposées des sculptures de Henri Carrier Belleuse et Jean-Baptiste Carpeaux, des dessins de Henri Moore, Picasso, Braque. Le renouveau de la gravure en France, en Angleterre et en Allemagne à partir des années 1850 est également bien illustré.

● **Arts de l'Asie**★ *(Asian Gallery* • *1er étage - 2nd floor)*. Plus de 300 œuvres ; l'art chinois est à voir tout particulièrement.

■ **El Presidio de Santa Barbara State Historical Park** *(123 Cañon Perdido St.* ☎ *805/965-0093* • *www.sbthp.org* • *t.l.j. 10 h 30-16 h 30)*. Vestiges de l'ancien fort de 1782, l'une des quatre places fortes établies par les Espagnols en Californie. Construit en adobe selon un plan rectangulaire autour d'une vaste cour, il fut mis à mal par les tremblements de terre successifs. Aujourd'hui, seuls deux bâtiments d'origine subsistent : Cañedo Adobe (1782) et El Cuartel (1788). Le bureau du commandant, les cellules des missionnaires de passage et la chapelle ont été reconstruits.

Un canon perdu

La rue Cañon Perdido évoque un événement qui eut lieu après la fin de la guerre entre les États-Unis et le Mexique et l'annexion de la Californie. Santa Barbara était la ville la plus aristocratique de la Californie, la plus attachée à sa culture espagnole, celle qui la conserva le plus longtemps. Les habitants étaient d'ailleurs périodiquement soupçonnés de préparer une insurrection, comme en témoigne l'affaire du « canon perdu ».

En avril 1848, un canon destiné à être chargé sur un navire disparaît. Par mesure de représailles, et pour inciter les habitants à trouver les responsables, le gouverneur américain impose une contribution militaire de 500 $ à la ville, somme élevée à l'époque, payable par tous les habitants. Sans succès… Le canon, qui avait été enfoui dans le sable de la plage, ne fut retrouvé que dix ans plus tard.

✎ **À NOTER**
● L'itinéraire Red Tile Walking Tour, de l'office de tourisme, permet de découvrir Santa Barbara.
● Une navette sur State St. dessert la plage (Downtown Waterfront Shuttle).

✎ **OBSERVATION DES BALEINES**
De mi-déc. à mars, les baleines grises venant de basse Californie croisent au large de Santa Barbara pour rejoindre les eaux de l'Alaska. De juin à oct., les baleines bleues et les baleines à bosse empruntent le même chemin. Croisières d'observation et excursions (de 2 h 30 à plusieurs jours en mer).

Santa Barbara

♥ SHOPPING

El Paseo Nuevo, 812 State St., près de De la Guerra St. ; lun.-ven. 10 h-21 h, sam. 10 h-20 h, dim. 11 h-18 h. Galerie marchande regroupant magasins de chaîne (*Abercrombie & Fitch, American Eagle Urban Outfitters, Gap...*) et grands magasins (*Nordstrom et Macy's*).

♥ RESTAURANTS

• **Santa Barbara Shellfish Company**, 230 Stearns Wharf ☎ 805/966-6676. Un *shack* (ancienne cabane de pêcheur) où déguster poissons et fruits de mer en toute simplicité. Prix raisonnables, vue sur l'océan.

• **Santa Barbara FisHouse**, 101 E. Cabrillo Blvd ☎ 805/966-2112 ; www.sbfishhouse.com L'un des meilleurs restaurants de poissons et fruits de mer.

▼ Une balade sur le Stearns Wharf, où les promeneurs côtoient les pêcheurs à la ligne, sera peut-être l'occasion d'apercevoir les baleines qui traversent le Santa Barbara Channel.

■ **Casa de la Guerra** (*15 E. De la Guerra St. • sam.-dim. 12 h-16 h • entrée payante*). Élevée en 1819, ce fut la demeure du 5e commandant du *presidio*, José de la Guerra, qui y résida entre 1828 et 1858. Durant ces 30 années, elle fut le centre social et politique de Santa Barbara. Elle abrite quelques meubles d'époque ainsi qu'une maquette de la ville au XIXe s.

■ **Stearns Wharf★** (*dans le prolongement de State St.*). Ce ponton de bois long de près de 1 km est l'endroit le plus touristique de Santa Barbara. Aller jusqu'à l'extrémité pour la **vue★★** sur la ville, la plage et les Channel Islands. On peut observer les pêcheurs à la ligne, le ballet aérien des pélicans et parfois des phoques et des otaries. Magasins de souvenirs et restaurants de fruits de mer.

● Le **Ty Warner Sea Center** (*211 Stearns Wharf ☎ 805/962-2526 • t.l.j. 10 h-17 h • le centre peut être f. au public pendant les horaires scolaires*) est un petit musée consacré à la faune et à la flore marines du Santa Barbara Channel, qui sépare la ville des Channel Islands au S. ; squelette de baleine grise, aquariums, maquettes et photographies.

■ **Maritime Museum★** (*113 Harbor Way, face au port et à la marina de Santa Barbara, accessible par une navette fluviale au départ de Stearns Wharf ☎ 805/962-8404 • www.sbmm.org • t.l.j. sf mer. 10 h-17 h, jusqu'à 18 h en été*). Cet intéressant musée permet d'explorer l'écosystème et le riche passé maritime de la Central Coast. La vie quotidienne des Indiens Chumashs et leurs techniques de pêche, la découverte des côtes par les premiers explorateurs espagnols, les nombreux naufrages survenus au large des Channel Islands, la pêche industrielle, l'exploration des fonds marins, l'histoire du surf sont quelques-uns des thèmes abordés. Instruments de navigation, maquettes de bateaux, photos anciennes et extraits de films complètent cette évocation très vivante.

■ **Old Mission Santa Barbara**★★ *(2201 Laguna St., E. Los Olivos et Upper Laguna Sts • à 2 mi/3 km N. de Downtown ; accès par l'US 101, sortie Mission St. • t.l.j. 9 h-16 h 30 • entrée payante)*. Le 4 décembre 1786, jour de la fête de sainte Barbe, le *padre* Fermin Francisco de Lasuen fondait la 10e mission espagnole, baptisée la « Reine des missions ». Elle deviendra le plus important couvent franciscain de Californie. Reconstruite après le séisme de 1812, l'église actuelle est ornée de statues polychromes et d'objets liturgiques de l'époque coloniale espagnole provenant d'une église antérieure. Le musée occupe un ancien bâtiment conventuel : cellule de moine, cuisine, objets usuels et liturgiques, pièces de mobilier (XVIIIe-XIXe s.), artisanat des Indiens Chumashs. **Sacred Gardens**★ est un beau jardin exotique donnant sur le cloître. Dans le cimetière reposent 5 000 Indiens Chumashs, missionnaires et pionniers.

■ **Montecito** *(vers l'E., par Alameda Padre Serra)*. Quartier très résidentiel au pied des collines de Santa Ynez, piquetées de villas somptueuses entourées de jardins tropicaux. Des hôtels aussi discrets que luxueux permettent aux célébrités d'y séjourner incognito (voir en particulier le *San Ysidro Ranch*, 900 San Ysidro Lane ; en leur temps, Rex Harrison, Winston Churchill, Groucho Marx fréquentèrent cet établissement au jardin planté d'orangers).

Environs de Santa Barbara

■ **Channel Islands National Park**★

L'archipel des Channel Islands est accessible depuis Santa Barbara et **Ventura** *(à 30 mi/48 km S.-E. par l'US 101)*. Les îles qui composent ce parc national ont pour nom Anacapa, Santa Cruz, Santa Rosa, San Miguel et Santa Barbara, très éloignée des précédentes (au S. de Los Angeles). Autrefois habitées par les Indiens Chumashs au N. et les Tongvas au S., elles furent explorées par Juan Rodriguez Cabrillo en 1542 (il reposerait dans l'île de Santa Cruz). Les trappeurs fréquentèrent les lieux, attirés par les éléphants de mer et les phoques qui vivent sur les rochers.

Aujourd'hui inhabitées, les Channel Islands, aux étonnants paysages de landes sauvages et de rochers découpés où s'accrochent les herbes folles, sont le domaine des mammifères et des oiseaux marins : phoques, éléphants de mer, pélicans bruns, cormorans. Au large, on peut apercevoir des orques ou des dauphins, ainsi que des baleines grises lors de leur migration annuelle (de mi-déc. à mars). Au total, 2 000 espèces animales et végétales sont présentes sur l'archipel, dont 145 spécifiques à ces îles.

⚓ EXCURSIONS EN BATEAU
Au départ de Santa Barbara avec *Truth Aquatics*,
301 W. Cabrillo Blvd,
Santa Barbara ☎ 805/962-1127 ;
www.truthaquatics.com

✐ À NOTER
Depuis la mission, on peut emprunter la Scenic Drive, qui longe la côte et contourne la ville.

✐ BON À SAVOIR
Les vignobles de Santa Barbara (plus de 7 300 ha, plus de 60 établissements vinicoles) sont situés au nord-ouest de la ville, dans les vallées de Santa Ynez, Los Alamos et Santa Maria. Vous pourrez y goûter merlot, sauvignon blanc, riesling… Pour tout rens. sur les conditions de visite, contactez le *Santa Barbara County Vintners' Association* ☎ 805/688-0881 ; www.sbcountywines.com

❶ *Channel Islands Visitors Center,* à Santa Barbara, 113 Harbor Way, 4e étage ☎ 805/884-1475 ; t.l.j. 10 h-17 h.
❶ *Channel Islands National Park,* à Ventura, 1901 Spinnaker Dr., ☎ 805/658-5730 ; www.nps.gov/chis ; t.l.j. 8 h 30-17 h.

☞ CONSEILS
• Il n'y a ni boutique ni restaurant sur les îles : il faut emporter eau, nourriture et matériel de camping.
• Promenades guidées par des *rangers*.

Santa Barbara

San Francisco★★★ CA

Situation : à 88 mi/140 km S.-O. de Sacramento, 387 mi/619 km N. de Los Angeles.

Population : 805 200 hab. • 7,4 millions d'hab. pour l'agglomération (Bay Area).

Fuseau horaire : Pacific Time (– 9 h par rapport à la France).

☺ *San Francisco Convention and Visitors Bureau*, 900 Market St. (et Powell St.), au r.-d.-c. de Hallidie Plaza (II C3) ☎ 415/391-2000 ou 391-2003 (en français) ; www.sanfrancisco.travel.com ; lun.-ven. 9 h-17 h, sam.-dim. 9 h-15 h, f. dim. de nov. à avr. • www.ci.sf.ca.us et www.baycityguide.com

Posée sur des collines à la pointe d'une courte péninsule, au creux d'une baie immense que ferme d'un trait rouge le Golden Gate Bridge, San Francisco se voile et se dévoile au gré des brumes et des vents du Pacifique. De ses rivages sont partis les grands courants libertaires qui ont influencé le monde entier – la génération beatnik et le *Summer of Love* des hippies – et la révolution high-tech de la Silicon Valley. Laboratoire propice à l'innovation, mégalopole où le rêve américain semble encore possible, San Francisco est moins tapageuse que Los Angeles, moins stressante que New York. Provinciale et écolo, elle cultive un art de vivre qui n'appartient qu'à elle.

À ne pas manquer

Voir carte régionale p. 138

San Francisco mode d'emploi

■ Arriver à San Francisco

En avion. Le *San Francisco International Airport (SFO)* est situé à 16 mi/23 km au S. sur l'US 101.

Le **BART** (*Bay Area Rapid Transit*, niveau 3 du terminal international) est le moyen de transport le plus rapide (30 mn du centre-ville) et le moins cher, à condition d'avoir peu de bagages.

Très pratiques, les **navettes collectives** (*door to door shuttle*), stationnées à la sortie des terminaux, vous déposeront à la demande à votre hôtel. Au retour, il vous suffira de la commander la veille pour un départ le lendemain.

En **taxi**, comptez de 40 à 50 $ selon la destination.

En voiture. Depuis le S. (et l'aéroport), accès à San Francisco par les autoroutes US 101 et I-280. À l'E., accès par l'I-80 *via* l'Oakland Bay Bridge. Au N., accès par l'US 101 *via* le Golden Gate Bridge.

■ Se déplacer

En voiture. L'usage de la voiture est déconseillé en ville vu les difficultés pour se garer : les **parkings** publics sont onéreux (3 $ l'heure, tarifs dégressifs) et la plupart de ceux des hôtels, payants (30 $ pour 24 h) ; le stationnement est très restrictif, notamment la nuit à cause du nettoyage urbain *(street cleaning)*. Soyez attentif aux panneaux indiquant les heures non autorisées ; le panneau *Tow Away* n'augure rien de bon, c'est celui de la fourrière • nombre de rues accusent des pentes très raides : bien serrer le frein à main et orienter obligatoirement les roues vers le trottoir sous peine d'amende.

☞ Plan I, p. 232-233 (plan d'ensemble) • plan II, p. 234-235 (Downtown).

À pied. San Francisco est l'une des rares villes aux États-Unis où il est agréable de marcher. Le centre-ville (Downtown), qui gravite autour d'Union Square, est relativement peu étendu mais les pentes sont raides alentour.

En transport en commun. Le réseau *MUNI* quadrille la ville de ses lignes de métro, bus, *cable-car*, trolleybus et tramways historiques • les tickets (2 $ à l'unité sauf pour le *cable-car*), valables pour 2 trajets de moins de 1 h 30 (hors *cable-car*), sont en vente à bord (prévoir l'appoint, en cas de correspondance, demander un *transfer*) • les *Muni-Pass* 1, 3 ou 7 j. permettent d'emprunter à volonté bus, métro, trams et *cable-cars* • le *CityPass* comprend un *Muni-Pass* 7 j. et l'entrée gratuite à cinq attractions de la ville. Rens. : www.citypass.com

● **Le *cable-car*.** Il dessert trois lignes : Powell-Mason, Powell-Hyde (la plus touristique) et California • on peut monter à n'importe quel arrêt, les tickets s'achètent à bord (6 $ à l'unité).

● **La ligne F.** 28 tramways anciens (1940-1950) originaires du monde entier sur Market St., entre Fisherman's Wharf et le quartier de Castro.

● **Le *BART*** *(Bay Area Rapid Transit)*. Ce train urbain ultra-rapide, qui relie l'aéroport au centre-ville (4 stations), dessert également la banlieue E. (East Bay) dont Oakland, Berkeley, Richmond et Walnut Creek • en service lun.-ven. 4 h-minuit, sam. 6 h-minuit, dim. 8 h-minuit. Rens. : www.bart.gov

■ **S'orienter**

Bâtie à l'extrémité d'une petite péninsule vallonnée, longue de 48 km et large de 10 km, San Francisco s'étend sur 43 **collines** (point culminant : Mt Davidson, 310 m) • la baie compte 12 **îles** dont Alcatraz et Treasure Island • la plupart des sites touristiques de **Downtown** s'inscrivent à l'intérieur du triangle formé par Market St., l'avenue principale, et Van Ness Ave.

■ **Météo**

Il fait toujours frais à San Francisco, particulièrement l'été, quand les fortes chaleurs de l'intérieur aspirent l'air marin • le thermomètre descend rarement au-dessous de 7 °C mais ne dépasse guère 24 °C.

▲ *Cable-car* sur **Hyde Street**.

Up and down

« Quand vous êtes fatigué de marcher dans San Francisco, appuyez-vous sur elle », dit le proverbe. La ville est bâtie sur 43 collines. Les rues les plus pentues se situent dans les quartiers de Nob Hill, Russian Hill et Pacific Heights. Avec 31,5 % de dénivellation, Filbert St. (entre Leavenworth et Hyde Sts) et 22nd St. (entre Church et Vicksburg Sts) sont les rues les plus raides de San Francisco. Deuxièmes *ex aequo* : Kearny St. (entre Vallejo et Broadway) et Jones St. (entre Union et Filbert) : 29 %. Lombard St., célèbre pour ses huit virages en épingle à cheveux, penche « seulement » de 16 %.

San Francisco

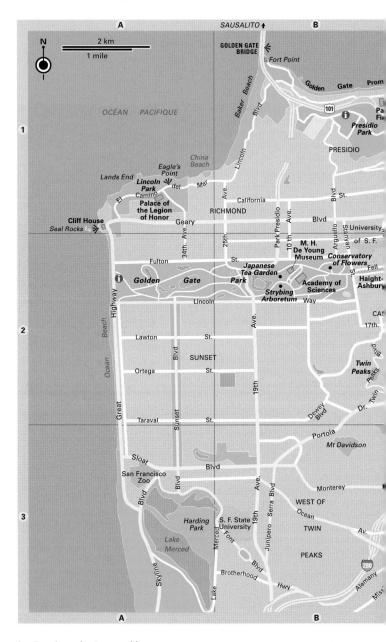

San Francisco, plan I : ensemble.

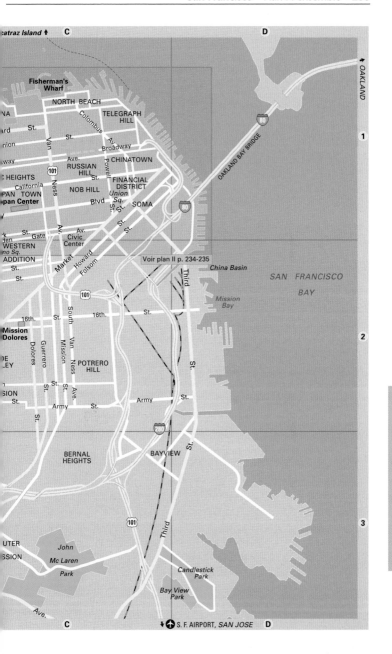

catraz Island ↑   C   D

OAKLAND

Fisherman's
Wharf

NORTH BEACH
Columbus
TELEGRAPH
HILL
NA
ard   St.
Van
St.
nlon
Broadway
Ave.
way
RUSSIAN
HILL
Powell
CHINATOWN
101
Ness
HEIGHTS
California
FINANCIAL
DISTRICT
PAN TOWN
NOB HILL
Union
pan Center
Blvd
Sq.
SOMA
St.
St.
OAKLAND BAY BRIDGE
80
80

1

St.   Gate
Av.
en
Civic
WESTERN
Center
no Sq.
ADDITION
St.
Market
Howard
Voir plan II p. 234-235
China Basin
SAN   FRANCISCO
St.
Folsom
Third
BAY
101
Mission
Bay
16th.
St.
16th.
St.
South
Mission
Van
16th.

2

Mission
Dolores
Dolores
Guerrero
Ness
Ave.
POTRERO
HILL
St.
St.
DE
EY
n
St.
St.
Army
St.
Army
St.
SION
St.
280

BERNAL
HEIGHTS
BAYVIEW
St.

3

101
Third
UTER
SSION
John
Mc Laren
Park
Candlestick
Park
Bay View
Park
Ave.
C   ↓ ✈ S. F. AIRPORT, SAN JOSE   D

San Francisco

San Francisco, plan II : Downtown.

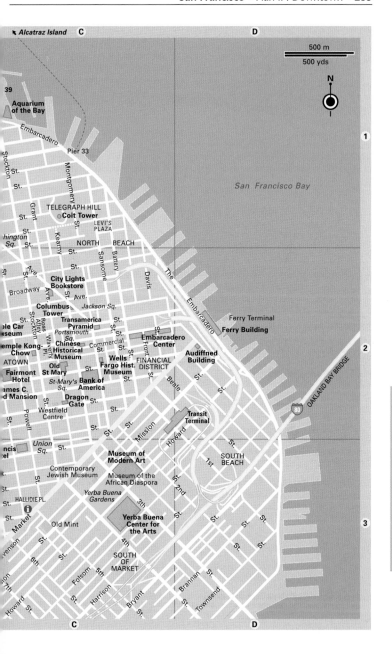

Alcatraz Island C   D

500 m
500 yds

N

39
Aquarium
of the Bay

Embarcadero

Pier 33

San Francisco Bay

Stockton
St.

Montgomery

St.

Grant
St.

TELEGRAPH HILL
Coit Tower

hington
Sq.   St.

LEVI'S
PLAZA

Kearny

St.

NORTH BEACH

St.

Sansome

Battery

Davis

The

Embarcadero

Ave.
St.

City Lights
Bookstore

Broadway   Ave.

St.   Ave.

Columbus
Tower   Jackson Sq.

Ross Stockton

le Car
seum

Transamerica
Pyramid   St.

Portsmouth
Sq.   St.

Chinese
Historical
Museum

Commercial
St.

Embarcadero
Center

Ferry Terminal
Ferry Building

emple Kong-
Chow

Waverly
Pl.

ATOWN

Old
St Mary

St.

Wells
Fargo Hist.
Museum

Front

FINANCIAL
DISTRICT

Audiffned
Building

Fairmont
Hotel

St-Mary's
Sq.

Bank of
America

St.

Beale

St.

ames C.
d Mansion

Dragon
Gate   St.

St.

Westfield
Centre

Powell

St.

St.   St.

Transit
Terminal

ncis
el

Union
Sq.   St.

Mission

Howard

St.

SOUTH
BEACH

OAKLAND BAY BRIDGE

80

1st

Contemporary
Jewish Museum

Museum of
Modern Art

Museum of the
African Diaspora

St.   St.

St.   HALLIDIE PL.

Yerba Buena
Gardens

3rd

2nd

St.

St.

St.

venson

Old Mint

Yerba Buena
Center for
the Arts

4th

SOUTH
OF
MARKET

St.

St.

St.

Market

6th

5th

Folsom

Brannan

St.

St.

on

Howard

St.

Harrison

Bryant
St.

Townsend

C   D

San Francisco

▲ Les brumes matinales apportées par le Pacifique s'enroulent au-dessus de la ville, rendant le Golden Gate Bridge particulièrement photogénique.

■ Adresses utiles

Urgences. Comme dans tout le pays, en cas d'accident, d'incendie ou d'agression, composez le 911.

Santé. *SF General Hospital,* 1001 Potrero Ave.-22nd St. | C2 ☎ 415/206-8000, urgences ☎ 415/206-8111 ; *Traveler Medical Group,* 490 Post et Mason Sts, Suite 225 (2nd floor) || C2/3 ☎ 415/981-1102 • Pharmacies *Walgreens,* 135 Powell et O'Farrell Sts || C3 (lun.-ven. 9 h-19 h, sam. 9 h-17 h, f. le dim.) ☎ 415/391-7222 ou 459 Powell et Sutter Sts || C2 (lun.-ven. 8 h-21 h, sam. 9 h-17 h, dim. 10 h-18 h) ☎ 415/984-0793.

Consulats. **Belgique**, 1663 Mission St., Suite 400 | C2 ☎ 415/861-9910 • **Canada**, 580 California St., 14ᵉ étage || C2 ☎ 415/834-3180 • **France**, 88 Kearny St., 6th floor || C2/3 ☎ 415/397-4330 ; www.consulfrance-sanfrancisco. org ; lun.-ven. 9 h-12 h 30 • **Suisse**, 456 Montgomery St., Suite 400 || C2 ☎ 415/788-2272.

Compagnies aériennes. *Air France,* 100 Pine St., Suite 230 || C2 ☎ (1)800/237-2747 • *Air Canada* ☎ (1)888/247-2262 • *American Airlines* ☎ (1)866/248-8403 • *Delta Airlines* ☎ (1)800/221-1212.

Gare routière. *Transbay Transit Center,* 425 Mission St. et 1st St., fermé pour travaux jusqu'en 2014 • *Temporary Bus Terminal,* entre Howard, Main, Folsom et Beale Sts., www.temporaryterminal.org

Location de voitures. *Alamo,* 320 O'Farrell St. || C3 ☎ (1)888/826-6893 • *Hertz,* 550 O'Farrell St. || B3 ☎ 415/923-1590, 325 Mason St. || C3 ☎ 415/771-2200 • *Avis,* 675 Post St. || B/C3 ☎ 415/929-2555, 500 Beach St., Suite 120, Fisherman's Wharf || B1 ☎ 415/441-4141.

Librairies et presse. *Alexander Book Company,* 50 2nd St., entre Market et Mission Sts || C2/3 • *Café de la Presse,* 342 Grant Ave. et Bush St. || C2.

Poste. Au sous-sol du grand magasin *Macy's,* Union Square || C3 (170 O'Farrell St.).

Centres commerciaux. *Westfield Center,* au niveau de Powell St. || C2 • *Embarcadero Center,* dans le Financial District (Embarcadero et Battery Sts) || C2.

■ Fêtes et manifestations

Février : le **Nouvel An chinois** ; grande parade entre Market St. et Columbus Ave.

17 mars : **Saint-Patrick**, au centre culturel irlandais ; parade sur Market St. entre 2nd Ave. et le Civic Center.

Mi-avril : **fête des Cerisiers en fleur** (Cherry Blossom) à Japantown.

5 mai : **Cinco de Mayo,** fête de la communauté mexicaine ; parade sur Mission St. et festival sur la Civic Center Plaza.

Fin juin : **Gay Pride.**

Juillet-août : 4 juil., **Independence Day,** fête nationale ; feu d'artifice sur la baie à partir de 21 h • 14 juil., **Bastille Day** ; nombreuses célébrations de la prise de la Bastille dans la communauté française sur Bush St. • 2ᵉ quinzaine de juil., **Midsummer Mozart Festival,** au Herbst Theatre • 2ᵉ sem. d'août, **Nihonmachi Japanese Festival** à Japantown.

Octobre : début oct., **bénédiction des barques de pêche** au Fisherman's Wharf, ancienne tradition sicilienne • 2ᵉ lun., **Columbus Day,** fête de la découverte de l'Amérique par Christophe Colomb • 31 oct. : **parade de Halloween,** au Civic Center.

Programme

Comptez 4 j. au minimum pour visiter San Francisco et ses environs.

1ᵉʳ jour. Rien de mieux qu'un tour d'horizon en voiture (en suivant la 49-Miles Scenic Drive), en bus panoramique (*Hop On-Hop Off* ; rens. *Big Bus Tours* ☎ (1)877/332-8689 ; www.bigbustours. com) ou en *cable-car* : Nob Hill, Chinatown, North Beach, Telegraph Hill, Pacific Heights, Lombard Street, Golden Gate Bridge, Lincoln Park, Cliff House, Golden Gate Park, Haight-Ashbury, Twin Peaks, Castro et Mission Districts.
Ou bien explorez Downtown à pied. Shopping sur Union Square, Jackson Square et le Financial District, puis visite du SFMOMA, le musée d'art moderne, et balade dans Chinatown à la nuit tombée.

2ᵉ jour. Découverte à pied du Fisherman's Wharf et excursion à Alcatraz.

3ᵉ jour. Exploration du Golden Gate Park et de ses musées, montée à la tour du De Young Museum pour la vue, puis balade dans l'ancien quartier hippie de Haight-Ashbury.

4ᵉ jour. Traversez le Golden Gate Bridge pour une excursion à Sausalito et Muir Woods.

San Francisco dans l'histoire

Une baie secrète
La baie de San Francisco est l'un des plus beaux ports naturels du monde, et l'un des plus secrets. Le site resta longtemps protégé de la curiosité des

☎ **NUMÉROS GRATUITS**
Les numéros de téléphone qui commencent par ☎ 800, 855, 866, 877, 888 sont des numéros d'appel gratuits *(toll-free number).* Faites-les précéder du ☎ 1 si vous appelez depuis un poste fixe (et non d'un portable). Dans ce guide, ces numéros sont notés ainsi : ☎ (1)800/000-0000.

✐ **BON À SAVOIR**
Informations sur les spectacles dans le supplément (rose) du *San Francisco Chronicle,* sur les sites www.sfarts.org ou www.sfstation.com

☞ **CONSEIL**
Une *Scenic Route* fait le tour de la ville (49 mi/79 km) : itinéraire balisé par des panneaux bleu, orange et blanc ornés d'une mouette.

San Francisco

Le promeneur de San Francisco

Né à Baltimore en 1894, élevé à Philadelphie dans un milieu modeste, **Samuel Dashiell Hammett** séjourne à San Francisco entre 1921 et 1929. Les rues obscures et les restaurants cossus du centre-ville servent de toile de fond à de sombres intrigues où se croisent les nababs de Pacific Heights et les pauvres du Tenderloin. La San Francisco du maître du roman noir brille par son réalisme. Embauché à 21 ans dans la célèbre agence de détective Pinkerton, ses fréquentations interlopes lui inspireront ses personnages de fiction : Joel Cairo, Casper Gutman et surtout Sam Spade, le détective du *Faucon maltais* (1930) qu'Humphrey Bogart incarnera à l'écran (John Houston, 1941). Le héros des premiers romans est un détective honnête qu'une société corrompue pousse à sortir du droit chemin.

Ruiné pendant la crise de 1929, Hammett divorce et rencontre Lillian Hellman, qui deviendra la scénariste d'Alfred Hitchcock. Malgré les propositions des studios hollywoodiens, il abandonne le roman policier ; son dernier texte, *Tulip*, date de 1952. Il sera emprisonné cinq fois pendant le maccarthysme pour refus de coopération, et partagera son existence entre New York et l'île de Martha's Vineyard jusqu'à sa mort, en 1961.

De 840 habitants à la veille de la ruée vers l'or, la population de San Francisco passe à 2 000 en février 1849, 5 000 à la fin de l'année, sans doute 23 000 au début de 1851, et 36 151 selon le recensement de 1852.

explorateurs européens, voilé par la brume venue du large. Sa découverte est due au hasard. En 1602, le navigateur espagnol Sebastiano Vizcaiano, lors d'une exploration de la baie de Monterey, en fait une description erronée qui, 150 ans plus tard, incite les Espagnols à renouveler l'expérience. Le 5 août 1775, Juan Manuel de Ayala découvre enfin la baie secrète. Les Espagnols, inquiets de l'avancée des Russes dans la région, accélèrent le processus de colonisation.

Yerba Buena, village espagnol

Le 27 juin 1776, 34 familles parties à pied du désert mexicain de Sonora prennent possession de cette presqu'île vallonnée et couverte de menthe sauvage. Yerba Buena (« la bonne herbe ») est le nom donné au premier village édifié. Les Espagnols construisent un ouvrage fortifié (Presidio) à l'entrée de la baie et, au S., la mission San Francisco de Asis (actuelle mission Dolores). Les pères franciscains se chargent d'enrôler à la mission et d'évangéliser les Indiens Ohlones, habitants historiques de la presqu'île.

San Francisco, l'américaine

En 1839, un certain William Richardson fait tracer une rue, la calle de la Fundación, au centre du village (future Grant Ave., aujourd'hui dans Chinatown). Le 9 juillet 1846, le vaisseau de guerre américain *Portsmouth* entre dans la baie et le capitaine Montgomery hisse le drapeau américain (à l'emplacement de Portsmouth Square, dans Chinatown). La conquête américaine de la Californie (1846) et surtout la découverte de filons d'or dans la sierra vont changer la destinée de Yerba Buena. En 1847, le village prend le nom de San Francisco.

Aux portes de la sierra

Pendant la ruée vers l'or, la population explose. En 1849, la petite ville devient le camp de base de milliers d'aspirants orpailleurs, population cosmopolite, avide et déterminée, qui s'empresse d'y revenir dépenser son argent, une fois fortune faite. Pour accueillir un tel afflux de population, d'énormes travaux sont entrepris : on rase les collines, on comble les vallées, on assèche les marécages. San Francisco est un gigantesque chantier. Des maisons sont construites à la hâte avec le bois des bateaux abandonnés dans la baie par les prospecteurs.

Après l'or, l'argent

En 1854, au lendemain de la ruée vers l'or, la fièvre est retombée. L'épuisement du gisement aurifère laisse une population désœuvrée. Cette situation fait le lit de la pauvreté et de la violence. San Francisco maintient malgré tout sa croissance économique grâce à son port marchand, au chantier du chemin de fer transcontinental, et bénéficie de la découverte de minerai d'argent dans le Nevada. Cette nouvelle prospérité s'affiche sur Nob Hill qui se couvre de somptueuses demeures victoriennes.

Le séisme de 1906

Le 18 avril 1906 à 5 h 12, un tremblement de terre majeur (de magnitude 8,6 sur l'échelle de Richter) secoue San Francisco, causant des centaines de morts. L'épicentre du tremblement de terre se situe à Olema, à 60 km au N., mais les dégâts en ville sont considérables. La rupture des canalisations de gaz provoque un terrible incendie qui dure trois jours. Quelque 8 000 maisons victoriennes disparaissent dans un immense brasier. Union Square et le parc du Presidio servent de campement à ciel ouvert à des milliers de sans-abri. San Francisco se relève néanmoins rapidement de ses ruines et fête sa reconstruction dès 1915, à l'occasion de l'Exposition internationale Panama-Pacific.

Les grands travaux

Pendant la Grande Dépression, ses activités portuaires sont sévèrement touchées. En pleine récession, l'économie locale est relancée grâce à la politique de grands travaux du New Deal décidée par l'administration Roosevelt. On construit ainsi la Coit Tower (1933) sur Telegraph Hill, puis deux ponts magnifiques, le Oakland Bay Bridge (1936) et le Golden Gate Bridge (1937), qui mettent fin à l'isolement des populations de l'East Bay.

La ville rebelle

Après la Seconde Guerre mondiale, chaque décennie a porté San Francisco sur le devant de la scène contestataire. Dans les années 1950, la Beat Generation remet en question le conformisme oppressant d'une société prospère mais très inégalitaire. Dix ans plus tard, une jeunesse idéaliste prête à changer le monde fait du quartier de Haight-Ashbury l'épicentre du mouvement hippie. Les homosexuels (ou gays) profitent de la libération des mœurs et d'une grande tradition de tolérance pour affirmer leur droit à la différence. Si la première marche des fiertés homosexuelles (Gay Pride) a eu lieu à New York en 1972, celle de San Francisco est devenue la plus importante au monde.

La révolution des puces

Les années 1970-1980 s'engouffrent dans une nouvelle révolution, celle du silicium et des puces. Cette fois, le filon se trouve dans la Santa Clara Valley, sur une centaine de kilomètres entre San Francisco et San Jose. Cette zone rebaptisée Silicon Valley (→ encadré ci-contre) par un journaliste en 1971, et

La nouvelle ruée vers l'or

La vallée de Santa Clara, plus connue sous le nom de **Silicon Valley** en référence au silicium, composant essentiel des microprocesseurs, est assurément l'un des endroits les plus innovants de la planète. En une trentaine d'années, les puces électroniques ont remplacé les vergers qui prospéraient en ces lieux. La Silicon Valley regroupe désormais plus de 10 000 entreprises et laboratoires de recherche en nouvelles technologies.

Tout commence en 1938 quand **William R. Hewlett** et **David Packard**, deux étudiants de l'université de Stanford, fondent le premier atelier dans un garage de Palo Alto (367 Adison Ave.). Après la guerre, pour financer son développement, l'université de Stanford accorde un bail de 99 ans à des sociétés high-tech. L'impulsion est donnée. Dans les années 1950, Eastman Kodak, General Electric, Lockheed, Hewlett-Packard s'établissent dans le Stanford Research Park, la première concentration d'entreprises high-tech de la région.

La Silicon Valley attire aujourd'hui encore 40 % des investissements aux États-Unis. Parmi les entreprises les plus performantes, on peut citer Hewlett-Packard (Palo Alto), Apple (Cupertino), Intel (Santa Clara), eBay (San Jose), Oracle (Redwood City), Facebook (Menlo Park), Google (Mountain View), Yahoo ! (Sunny Valley) et Netflix (Los Gatos).

☞ Plan I, p. 232-233 (plan d'ensemble) • plan II, p. 234-235 (Downtown).

San Francisco

▲ Les tours de verre de Financial District, construites selon des normes antisismiques strictes, abritent surtout banques, compagnies d'assurances et grands hôtels.

dont le berceau est l'université de Stanford à Palo Alto, devient le paradis des investisseurs en high-tech et un eldorado financier. Désormais, la bonne santé économique de San Francisco sera étroitement liée à celle de la Silicon Valley.

La fièvre Internet

À la fin des années 1990, les start-up créées autour d'Internet relancent l'économie de la Bay Area. Une fièvre immobilière sans précédent, une frénésie d'investissements, s'empare de la ville. Dans les quartiers populaires, les prix flambent, notamment sur Mission St., dans l'ancien quartier d'entrepôts de SoMa où le nombre de créations d'entreprises Internet grimpe en flèche en quelques mois. Les populations les plus modestes n'ont d'autre choix que de s'exiler en banlieue. Après l'éclatement de la bulle Internet en 2001 et les incessantes fluctuations des valeurs technologiques depuis, la fièvre est retombée à San Francisco comme au lendemain de la ruée vers l'or. Ce ralentissement brutal de la nouvelle économie s'est soldé par des faillites et des milliers d'emplois perdus.

Le retour aux valeurs sûres

Aujourd'hui encore, les bureaux peinent à se remplir, les loyers en ville ont augmenté de 14 % et le taux de chômage stagne autour de 9 %. La municipalité reste le premier employeur de la ville devant l'université de Californie et la Wells Fargo. Mais San Francisco ne manque pas d'atouts pour redresser son économie locale. Parmi ses valeurs sûres, la banque et la finance, activités « historiques » héritées du temps de la ruée vers l'or. Une trentaine d'institutions financières internationales sont basées à San Francisco, et Levi's, Gap, Wells Fargo, Visa International, Chevron sont des entreprises solidement implantées. Le secteur des énergies renouvelables est créateur d'emplois et la nouvelle économie demeure un formidable moteur de croissance. Enfin, le tourisme est en nette augmentation : San Francisco est la troisième destination touristique aux États-Unis.

Révolution verte

En 2011, San Francisco est devenue la ville la plus « verte » des États-Unis. Depuis les années 1990, la municipalité a mis en place un ambitieux programme de recyclage, et prévoit d'atteindre le « *zero waste* » (zéro gaspillage) d'ici à 2020.

Les premiers résultats sont encourageants : près de 12 % de réduction des émissions de CO_2, suppression des bouteilles et des sacs en plastique non recyclables, tri des déchets. Sur le front des économies d'énergie, la ville donne aussi l'exemple : 60 000 panneaux solaires sont installés sur le toit du Moscone Center (le centre de congrès) et le stade de base-ball (AT&T Park) est le premier stade du pays équipé en panneaux photovoltaïques. Une politique bien reçue par une population à la fibre plutôt écolo.

À San Francisco, qui consacre plus de 20 % de sa surface aux espaces verts, on marche et on pédale volontiers, et on utilise fréquemment l'excellent réseau de transports en commun. Quant aux marchés de produits frais et bio, ils font fureur et se multiplient aux quatre coins de la ville.

☞ Plan I, p. 232-233 (plan d'ensemble) • plan II, p. 234-235 (Downtown).

① D'Union Square au SFMOMA★★

Union Square marque le centre de Downtown. Bordée de grands magasins et de boutiques de luxe, proche des théâtres, des hôtels et des restaurants, la petite place est un point de repère essentiel pour qui découvre San Francisco. L'immense centre commercial Wesfield Centre est à deux pas. Au sud de Market Street, le SoMa (South of Market) est un ancien quartier industriel au développement urbain futuriste.

Combien de temps. Une bonne 1/2 j. et plus si l'on veut faire du shopping et visiter un musée.

■ **Union Square★** II C3. Cette place a vu se dérouler les manifestations des partisans de l'Union à la veille de la guerre de Sécession (1860). Au centre, une **colonne** surmontée d'une victoire en bronze célèbre la conquête des Philippines par l'amiral George Dewey pendant la guerre hispano-américaine (1898). L'**hôtel Westin St Francis★** *(côté O. de la place)*, classé monument historique, est l'un des plus anciens bâtiments de la ville (1804). Il a été fidèlement restauré dans sa splendeur d'origine après le séisme de 1906 ; des souvenirs de ce tragique événement sont exposés dans le hall d'entrée. Voir également la Compass Room, le lieu de rendez-vous privilégié des élégantes à l'heure du thé.

Entrez dans le magasin **Nieman Marcus** *(côté S.-E. de la place)*, fondé à l'époque de la ruée vers l'or par un Français, Félix Verdier, et reconstruit en 1909. La verrière, ornée du blason de Paris, et l'escalier sont les seuls vestiges d'origine.

✐ BON À SAVOIR
• Le quartier des théâtres est situé à l'O. de Union Square. Pour acheter des billets à moitié prix, se présenter au kiosque de *Tix Bay Area* sur Union Square (au niveau de Post St. ; II C3) 30 mn avant son ouverture ; mar.-ven. 11 h-18 h, sam. 10 h-18 h, dim. 10 h-15 h ; www.tixbayarea.com

• Le *Westfield Center*, 865 Market St. au niveau de Powell St. (II C3), est un vaste centre commercial regroupant des centaines de boutiques, des restaurants et le grand magasin *Nordstrom*.

☞ CONSEIL
Le terminus des *cable-cars* se trouve sur Powell St. au niveau de Market St. (II C3). Pour se rendre directement à Lombard St., la route la plus sinueuse du monde, emprunter la ligne Powell-Hyde.

San Francisco

1

■ **Maiden Lane** II C2-3 *(E. de la place)*. Cette ruelle piétonne était bordée de saloons et de maisons de passe au temps de la ruée vers l'or. Aujourd'hui s'alignent de sympathiques tavernes avec terrasse et des boutiques chics *(Chanel, Marc Jacobs, Allsaints…)*. Au n° 140 (Xanadu Gallery • *entrée libre*), voir la rampe en spirale dessinée par Frank Lloyd Wright (1948), prélude à celle du musée Guggenheim de New York.

Descendre Stockton St. jusqu'à Market St. Remonter Market St. vers l'E., puis tourner à dr. dans 3rd St.

■ **South of Market** (SoMa) II CD3. Ce secteur au S. de Market St. est un ancien quartier industriel réhabilité à partir des années 1980. Le musée d'Art moderne s'y est installé en 1995, suivi par les start-up de l'Internet, suscitant un incroyable boom de l'immobilier. Aujourd'hui, les tours de bureaux flambant neuves se succèdent sur Mission St. jusqu'au *waterfront*. Le SFMOMA, le centre de congrès (Moscone Center), le centre culturel Yerba Buena ainsi que de nombreux musées, hôtels et restaurants, en font l'un des quartiers les plus dynamiques de la ville.

■ **San Francisco Museum of Modern Art**★★ II C3 (**SFMOMA** • *151 3rd St., entre Mission et Howard Sts* ☎ *415/357-4000 • www.sfmoma.org • ouv. 11 h-18 h, 10 h-18 h de fin mai à début sept., jeu. jusqu'à 21 h ; f. mer. et j. fériés • gratuit le 1ᵉʳ mar. du mois • parking au 147 Minna St.*). Fondé en 1935 dans le quartier du Civic Center, le musée s'installe au S. de Market St. en 1995. Riche de plus de 27 000 œuvres, il s'ouvre sur les prémices de l'art moderne et se clôt avec des œuvres d'avant-garde exposées par roulement et à l'occasion d'expositions temporaires thématiques. L'accrochage, très sélectif et très souvent changé, souligne une époque charnière : les années 1960.

● **Les fauves**. Les peintres dits « fauves » (Matisse, Vlaminck, Derain, Van Dongen, Manguin, Marquet) font scandale à Paris au Salon d'automne de 1905 du fait de leur totale liberté dans l'utilisation de la couleur pure. Plusieurs œuvres de jeunesse d'**Henri Matisse** illustrent bien cette obsession à l'aube du xxᵉ s. Dans *Femme au chapeau*★★ (1904-1905), l'artiste modèle le visage de son épouse Amélie, modiste de son état, en juxtaposant des couleurs qui s'opposent. Dans *Fille aux yeux verts*★★ (vers 1908), le bleu et le rouge s'exaltent mutuellement. Dans les deux cas, on est loin de ces portraits académiques si prisés à la fin du xixᵉ s.

● **Le cubisme**. Les cubistes s'attaquent au sujet lui-même, le décomposant dans ses structures élémentaires. De **Picasso**, on découvre une *Nature morte*

Carnet rose du SoMa

En continuelle expansion, le quartier de SoMa (II C3) accueille de nouveaux **musées**.

Contemporary Jewish Museum *(736 Mission St.* ☎ *415/655-7800 • www.thecjm.org • t.l.j. sf mer. 11 h-17 h ; jeu. 13 h-20 h)*, installé dans un bâtiment dessiné par Daniel Libeskin (2008), présente des expositions temporaires sur la culture juive.

Museum of the African Diaspora (MoAD • *685 Mission St. et 3rd St.* ☎ *415/358-7200 • www.moadsf.org • mer.-sam. 11 h-18 h)* rend hommage aux cultures nées des diasporas africaines.

Camerawork *(657 Mission St., 2ᵉ étage* ☎ *415/512-2020 • mar.-sam. 12 h-17 h-17h)* est une galerie d'art consacrée à la création photographique contemporaine.

Museum of Craft & Folk Art *(51 Yerba Buena Lane, au niveau de Mission St. entre 3rd et 4th Sts* ☎ *415/227-4888 • 11 h-18 h, f. mar., dim. et j. fériés • entrée payante)* propose des expositions temporaires d'arts traditionnels et d'artisanat contemporain.

Cartoon Art Museum *(655 Mission St., entre New Montgomery St. et 3rd St.* ☎ *415/CAR-TOON • 11 h-17 h, f. lun. et j. fériés • entrée payante)* organise des expositions temporaires consacrées au dessin animé.

à la cafetière (1944) et *Femmes d'Alger*★ (1954), interprétation cubiste d'un tableau d'Eugène Delacroix. **Georges Braque** est présent avec une *Nature morte* (1930-1933) aux rythmes curvilignes et une toile intitulée *Vase, Palette et Mandoline*★ (1936), où des objets sont montrés sous des angles différents, illustrant bien la théorie cubiste.

● **Le surréalisme.** Qu'ils soient écrivains, poètes, sculpteurs ou peintres, les surréalistes trouvent leur inspiration dans l'exploration de l'inconscient, des rêves et des hallucinations. Voir *Les Contrariétés du penseur*★ (1915) de **Giorgio De Chirico**, *La Famille nombreuse* (1926) de **Max Ernst**, *Tête et feuille : Tête et Vase*★ (1929) de **Jean Arp**, aux lignes souples et simplifiées, qui ressemble à un dessin d'enfant spontané et plein d'humour, *Le Complexe d'Œdipe* (1930) de **Dalí**. *Les Valeurs personnelles*★★ (1952) de **René Magritte** représente une chambre à coucher dont les murs sont remplacés par le ciel et les nuages, où les objets ordinaires prennent d'étranges proportions, comme dans un rêve…

● **Les années 1930.** Réalisme et abstraction pure coexistent sur la scène artistique américaine de ces années. Le muraliste mexicain **Diego Rivera** s'installe à San Francisco en 1930, et reçoit de nombreuses commandes publiques. Son art est sous-tendu par ses convictions politiques, comme en témoigne l'un de ses rares tableaux de chevalet, *The Flower Carrier*★★ (1935), dans lequel il exalte la dignité des paysans mexicains.

Parallèlement, **Joseph Stella** peint *The Bridge*★★ (1936), réduisant le pont de Brooklyn (New York) à un jeu de lignes géométriques, dans une palette restreinte de bleus, gris et noirs, à mi-chemin entre le figuratif et l'abstraction. Dans les années 1930 se développe aussi le style précisionniste, caractérisé par une représentation cubiste mais figurative (cubo-réalisme).

Fasciné par l'architecture industrielle, **Charles Sheeler** est un représentant de ce courant mineur. Ses toiles, telle *Aerial Gyrations* (1953), ressemblent à des agrandissements photographiques avec des images superposées où les formes simplifiées et répétitives créent une sorte de mouvement mécanique.

● **L'expressionnisme abstrait.** Dans les années 1945, ce courant conduit par **Jackson Pollock** (*action painting* ou « peinture gestuelle ») et **Mark Rothko** (*color field* ou « champ coloré ») marque le renouveau de la peinture américaine. Dans *Guardians of the Secret*★★ (1943), de **Jackson Pollock**, on repère des formes mystérieuses issues de la culture des Indiens

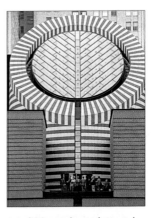

▲ Le bâtiment du musée, tout de brique rouge, constitue le premier projet américain de l'architecte suisse Mario Botta. L'austère façade est coiffée d'une curieuse verrière cylindrique, qui permet une utilisation maximale de la lumière naturelle. Même sobriété à l'intérieur, où l'alternance du granit gris et du bois rythme l'espace avec élégance, autour du grand escalier blanc.

San Francisco

1

☎ NUMÉROS GRATUITS
Les numéros de téléphone qui commencent par ☎ 800, 855, 866, 877, 888 sont des numéros d'appel gratuits *(toll-free number)*. Faites-les précéder du ☎ 1 si vous appelez depuis un poste fixe (et non d'un portable). Dans ce guide, ces numéros sont notés ainsi : ☎ (1)800/000-0000.

L'attitude New Dada

Sensibilisé à l'expressionnisme abstrait et à l'*action painting* (peinture d'action) par sa rencontre avec Willem De Kooning, **Robert Rauschenberg** (1925-2008) se fait connaître du public par de grandes peintures monochromes texturées. Désireux d'aller plus loin dans la subversion, l'artiste adopte une attitude qu'il qualifie de New Dada. Ses assemblages (*Combines*, 1953-1964) abolissent la frontière entre peinture et sculpture, et détournent des objets inesthétiques du quotidien. Dans ses *Silkscreen*, il intègre des procédés de reproduction d'images.

Ami du compositeur John Cage et du chorégraphe Merce Cunningham, Rauschenberg apprécie leur collaboration. Il tend vers un art total. C'est pourquoi il ne cesse d'expérimenter de nouvelles influences, techniques et supports : *Shiners* (panneaux métalliques), *Waterworks Series* (transferts sur papier), *Scenarios Series* (superpositions)…

d'Amérique, et une calligraphie instinctive rappelant l'écriture automatique des surréalistes. Dans les années 1947-1950, l'artiste invente dans son atelier de Long Island (New York) la technique du *dripping*, privilégiant la spontanéité du geste pictural. La couleur pure s'écoule directement du pot de peinture sur la toile. Dans *Number 14*★★ (1960), **Mark Rothko** peint de grandes plages de couleur quasi monochromes où s'exprime sa quête de spiritualité.

Cette tendance minimaliste se retrouve aussi chez **Barnett Newman** (*Untitled*, 1960) et **Clyfford Still**, proche de Rothko (*1952-A*, 1952 ; *Untitled*★★, 1957 ; *Untitled*, 1960). La couleur zèbre la toile avec une étonnante puissance d'expression. **Joan Mitchell** (*Untitled*★, vers 1960) laisse quant à elle une œuvre largement inspirée par les traces que la perception de la nature fixe dans sa mémoire. Un lent processus de création qui n'exclut pas la spontanéité du geste pictural…

● **Le pop art**. Né dans les années 1960, le pop art se définit par l'utilisation d'objets et d'images issus des médias. *Collection*★★ (*Formerly Untitled*, 1954-1955), par **Robert Rauschenberg**, illustre la période des assemblages du précurseur du mouvement, qui combine sur la toile peinture et objets en trois dimensions, fragments de photographie et articles de presse. Autre fondateur du pop art, **Jasper Johns** (*Lands End*★, 1963) se situe entre l'expressionnisme abstrait et le pop art par l'utilisation d'images détournées (cibles, drapeaux, cartes géographiques, etc.). Voir également *Rouen Cathedral Set V*★ (1969) de **Roy Lichtenstein**, l'un des artistes majeurs de ce courant, et *National Velvet*★ par **Andy Warhol**.

● **Photographie**. Créé en 1979, ce département conserve 14 000 tirages originaux constituant une parfaite introduction à l'histoire de la photographie. Les grands maîtres du genre (Edward Weston, Eugène Atget, Ansel Adams, John Gutmann, Berenice Abbott, Diane Arbus, Lisette Model…) sont représentés par un ou deux tirages originaux significatifs.

● **Sculpture**. Sur le **Roof Top Garden**★★, le toit du musée, on verra une sélection de sculptures monumentales provenant des collections permanentes (œuvres de Mark Di Suvero, Barnett Newman, Joel Shapiro, Louise Bourgeois, Tony Smith…).

■ **Yerba Buena Center for the Arts** II C3 (*701 Mission St.* ☎ *415/978-2787* • *www.ybca.org* • *jeu.-sam. 12 h-20 h, dim. 12 h-18 h* • *entrée payante sf 1er mar. du mois*). Ce centre culturel ouvert en 1993 organise des expositions temporaires d'art contemporain pointues, des événements et des spectacles de théâtre et de danse (Novellus Theater). Traversez le jardin qui lui sert de toit et, si vous avez du temps, prenez un thé à la terrasse du *Samovar Tea Lounge* (*730 Howard St.*).

☞ Plan I, p. 232-233 (plan d'ensemble) • plan II, p. 234-235 (Downtown).

 Chinatown★★
et Nob Hill★

À deux pas d'Union Square, la porte du Dragon s'ouvre sur Chinatown, un monde en soi où dominent les toits en pagode, les idéogrammes, les petits restaurants et les boutiques de souvenirs clinquantes. Grant Avenue en est l'artère principale mais n'hésitez pas à explorer les rues voisines, plus authentiques.

Les pentes de Nob Hill étaient si raides que les attelages ne pouvaient y accéder. Avec l'arrivée du *cable-car* dans les années 1870, la colline se couvre de somptueuses propriétés qui disparaîtront quasiment toutes en 1906. Mais la « colline des nababs » (Nob Hill) demeure un quartier ultrarésidentiel.

Départ. Dragon Gate sur Grant Ave. et Bush St. II C2.

Combien de temps. Comptez 1/2 j. pour explorer Chinatown et Nob Hill.

✐ MANIFESTATION
En février, Chinatown fête le Nouvel An chinois par un spectaculaire carnaval qui débute sur Walter U. Lum Alley (côté ouest de Portsmouth Square ; II B2). Un dragon de 80 m de long est promené dans tout le quartier.

Parmi les « nababs » qui firent bâtir sur Nob Hill, citons les quatre grands magnats du chemin de fer transcontinental appelés les « Big Four » (« quatre grands ») – Collis Huntington, Mark Hopkins, Leland Stanford et Charles Crocker – ainsi que les Bonanza Kings, riches propriétaires de mines dans le Nevada.

➤ Chinatown★★

Ce quartier est le berceau de San Francisco. Les premiers Chinois s'y établissent au temps de la ruée vers l'or, dès 1848. Dans les années 1880, il occupe déjà six *blocks*. Mais les fumeries d'opium, les maisons de jeu et de prostitution disparaissent à jamais dans le séisme de 1906. Chinatown sera reconstruite dès l'année suivante, dans un style « pagode » assez éloigné de la réalité chinoise. Aujourd'hui, elle occupe 24 *blocks* et s'étend toujours davantage au détriment du quartier italien de North Beach.

■ **Dragon Gate** II C2 (« porte du Dragon ») marque l'entrée S. de Chinatown sur Grant Ave. Cette porte d'entrée monumentale (1970), avec ses tuiles vernissées et ses ornements empruntés à l'architecture des temples, est un bon exemple de l'interprétation américaine d'une ville chinoise. Toutefois, l'utilisation de motifs ornementaux provenant de l'architecture religieuse appliquée à des bâtiments civils (cabines téléphoniques) et commerciaux (banques) est contraire à la tradition chinoise.

Avec plus de 120 000 membres, San Francisco possède la communauté chinoise la plus importante hors d'Asie. Quelque 20 000 personnes d'origine chinoise vivent dans Chinatown. Si c'est toujours dans ce quartier qu'aboutissent les nouveaux arrivants, 100 000 Chinois de San Francisco vivent aujourd'hui en dehors de ses limites.

San Francisco

2

▶ Les Chinois arrivés en Californie pendant la seconde moitié du XIXᵉ siècle n'étaient pas les bienvenus dans le reste de la ville et ce quartier devint rapidement leur terre d'adoption : un ghetto surpeuplé et insalubre, livré à la violence de bandes rivales (les Tongs) qui semèrent la terreur pendant près d'un siècle, en particulier dans les années 1920.

🖉 BON À SAVOIR
Grant Ave. est très touristique. N'hésitez pas à emprunter Stockton St. et les rues parallèles ou adjacentes, souvent plus intéressantes.

Face à Old St Mary's Church, dans le St Mary's Square, trône la statue de **Sun Yat-sen** (1866-1925), haute de plus de 3 m. Le premier président de la République de Chine fut aussi le fondateur du Kuomintang. Exilé en Amérique pour y chercher des soutiens à sa révolution, il vécut au n° 36 Spofford Alley, à San Francisco.

■ **Grant Avenue★** II C2 n'est autre que l'ancienne calle de la Fundación, la plus ancienne rue de San Francisco, tracée en 1835 par le pionnier William Richardson. C'est aussi l'artère la plus touristique de Chinatown ; on trouvera facilement des idées de cadeaux dans ses bazars bon marché (cerfs-volants, jouets, nappes brodées, etc.).

● **Old St Mary's Church** II C2 *(660 California St. et Grant Ave.)* fut la première cathédrale catholique de Californie, construite en 1853-1854 par Joseph Alemany, premier archevêque de San Francisco. Elle fut bâtie par des Chinois avec des briques apportées de Nouvelle-Angleterre *via* le cap Horn et du granit importé de Chine. Redevenue simple paroisse après la construction de l'actuelle St Mary's Cathedral, elle fut dévastée par l'incendie qui suivit le séisme de 1906 (voir photos anciennes à l'intérieur) et restaurée en 1909 (seuls les murs extérieurs et le clocher sont d'origine).

■ **Telephone Exchange Building★** II C2 (**United Commercial Bank** ● *743 Washington St. et Grant Ave.*). Ce central téléphonique existait depuis 1891. Reconstruit en 1909 dans le style « pagode », avec son toit à trois étages couvert de tuiles vernissées, il est resté en service jusqu'en 1949. Les opératrices chinoises devaient connaître les noms de tous les habitants du quartier, car il était incorrect, dans la communauté chinoise, de se référer à des numéros. Elles devaient donc parler cinq dialectes cantonais plus l'anglais pour rechercher les destinataires des appels. Les fameuses cabines téléphoniques de Chinatown, en forme de pagode, étaient alors reliées à ce central téléphonique.

☞ Plan I, p. 232-233 (plan d'ensemble) • plan II, p. 234-235 (Downtown).

■ **Waverly Place**★ II C2 *(entre Washington et Clay Sts)*, comme les ruelles voisines, est plus pittoresque et plus authentique que Grant Ave. Malgré son délabrement, on distingue encore les couleurs symboliques des balcons de bois : le vert pour la longévité, le jaune pour la chance, le rouge pour le bonheur et le noir pour la richesse. Quelques petits **temples** se cachent derrière les façades couvertes d'idéogrammes : au n° 109, **Norras Temple** *(3e étage)* ; au n° 125, **Tien Hou** *(dernier étage • t.l.j. 10 h-17 h)*, dédié à la déesse des sept mers, reine du Ciel ; au n° 146, **Jen-Sen Temple**.

✐ BON À SAVOIR
Les dons sont appréciés dans les temples de Chinatown.

■ **Golden Gate Fortune Cookie Company** *(56 Ross Alley, en traversant Washington St.* ☎ *415/ 781-3956 • t.l.j. 8 h-18 h • entrée libre)* prépare encore les *fortune cookies*, biscuits de la chance enroulés autour d'un papier censé prédire l'avenir et inventés à San Francisco.

■ **Chinese Historical Society of America** II C2 *(965 Clay St.* ☎ *415/391-1188 • www.chsa.org • mar.- ven. 12 h-17 h, sam.-lun. 11 h-18 h • entrée payante sf le 1er jeu. du mois)*. Ce centre culturel renseigne sur les premiers temps de l'immigration chinoise, au moyen d'objets d'époque et de photographies anciennes (outils de chercheur d'or, etc.), et sur la culture chinoise (têtes de dragon en papier mâché, annuaire chinois calligraphié, etc.).

■ **Portsmouth Square** II C2 *(entre Clay, Washington, Kearny et Mongomery Sts)*. Ce jardin public marque véritablement le cœur de Chinatown. C'est ici que se trouvait la *plaza* centrale du village de Yerba Buena. Envahi par le béton, Portsmouth Square a irrémédiablement perdu son charme de l'époque où Robert Louis Stevenson, dont la statue se dresse dans le jardin, s'y promenait en voisin (il habitait 124 Bush St.). Aujourd'hui, de vieux Chinois s'y rendent quotidiennement pour jouer au mah-jong et pratiquer le tai-chi.

● Le **Chinese Culture Center** *(750 Kearny St. • en bordure du jardin, au 3e niveau de l'hôtel Holiday Inn* ☎ *415/986-1822 • www.c-c-c.org • vis. guidées payantes de Chinatown, sur réserv. mar.-dim. à 10 h, 12 h et 14 h • entrée libre)* sert de lieu de rencontre aux Sino-Américains et de galerie d'exposition sur les arts et la culture chinois.

« Interdit aux chiens et aux Chinois »...

L'histoire de l'immigration chinoise sur la côte ouest des États-Unis est jalonnée de longs épisodes de ségrégation et d'humiliation, malgré la contribution de la communauté à l'édification d'une Californie moderne. Les premiers immigrants chinois débarquèrent à San Francisco en 1848. D'autres suivirent pendant la ruée vers l'or et à la suite de l'achèvement de la construction de la ligne de chemin de fer transcontinentale (1869), à laquelle ils participèrent comme « **coolies** » (hommes de peine). En 1862, la Californie vote une loi anticoolies afin de protéger les Blancs de la concurrence asiatique sur le marché du travail. En 1882, c'est une loi d'exclusion qui est votée et prorogée indéfiniment en 1904. Dans les années 1920 apparaissent de honteux panneaux à l'entrée des parcs et jardins publics de Californie : « Interdit aux chiens et aux Chinois »... Cette loi sera assouplie en 1943 mais n'accordera des droits aux immigrants chinois qu'à partir de 1965.

San Francisco

2

Sur Bush St., on trouve l'Alliance française, l'église Notre-Dame-des-Victoires, le consulat de France, la Chambre de commerce franco-américaine, le *Café de la presse* et plusieurs restaurants français.

■ **Stockton Street★** II C1-3, parallèle à Grant St. et plus authentique que celle-ci, est la seconde artère importante à Chinatown. Elle est bordée de maisons de thé, d'échoppes d'herbes médicinales, d'étalages de légumes et de canards laqués. Au n° 843 se trouve le siège de la **Chinese Six Companies**, puissante société secrète en Californie qui, afin de mieux lutter contre la ségrégation raciale, défendait les intérêts des familles, organisait le travail et gérait les conflits entre clans rivaux. Dans les années 1860, cette association organisa la venue de milliers de coolies pour participer à la construction de la ligne de chemin de fer transcontinentale.

Au n° 855 *(au niveau de Clay St., 4ᵉ étage)*, le **Kong Chow Temple ★** est le plus ancien (1857) et le plus charmant des temples taoïstes du quartier chinois.

➤ Nob Hill★

Des scènes des films *Bullitt* (1968), avec Steve McQueen, et *Basic Instinct* (1991), avec Michael Douglas et Sharon Stone, ont été tournées sur les pentes vertigineuses de Nob Hill.

■ **Cable-Car Museum** II C2 *(1201 Mason et Washington Sts* ☎ *415/474-1887 • www.cablecarmuseum. org • ouv. 10 h-17 h, d'avr. à sept. 10 h-18 h • entrée libre)*. Le musée occupe le bâtiment en brique construit vers 1887 pour abriter la machinerie du réseau de *cable-cars*. On peut observer le fonctionnement des treuils de halage depuis la galerie des visiteurs. Un autocar de la fin du XIXᵉ s., des lanternes à gaz, des cloches d'alarme, des photos anciennes et une boutique de souvenirs complètent la visite du musée.

■ **Fairmont Hotel★** II C2 *(950 Mason St.* ☎ *415/ 772-5000)*. Ce vénérable établissement est l'un des plus anciens bâtiments de la ville. Il était à peine terminé et meublé quand le séisme de 1906 frappa San Francisco. Entièrement détruit, il brûla pendant plus de trois jours. Il a été reconstruit à l'identique dès l'année suivante par l'architecte Julia Morgan *(→ Hearst Castle, p. 224)* dans le style beaux-arts. Il mérite une visite pour son hall d'entrée grandiose. Du Garden Roof, belle vue sur la baie.

■ **James C. Flood Mansion** II C2 *(1000 California St., en face du Fairmont Hotel)*, construite en *brownstone* (1886), est la seule résidence du XIXᵉ s. qui ait résisté au séisme de 1906. Elle abrite le siège du très exclusif Pacific Union Club.

☞ CONSEIL
Du bar Art déco *Top of the Mark* situé au sommet de l'hôtel *Mark Hopkins* (999 California St. ; II C2 ; www.topofthemark.com), vue exceptionnelle sur la ville. Plusieurs autres hôtels très chics sur Nob Hill : le *Stanford Court* (905 California St.) date de 1911.

■ **Grace Cathedral★** II B2 *(1100 California et Taylor Sts • lun.-ven. 7 h-18 h, sam. 8 h-18 h, dim. 8 h-19 h)*. Cette église épiscopalienne néogothique, inspirée de l'architecture religieuse française et espagnole, a été construite entre 1928 et 1964. Le **portail est★** est orné de lourds vantaux de bronze, répliques des

portes du Paradis que Lorenzo Ghiberti réalisa à la Renaissance pour le baptistère de Florence. Il figure dix scènes de l'Ancien Testament.

À l'intérieur, notez le **crucifix** espagnol du XIIIᵉ s., les **vitraux** (1931) figurant des personnages célèbres du XXᵉ s. (Franklin D. Roosevelt, John Glenn, Albert Einstein) et, dans la chapelle dédiée aux victimes du sida, un **triptyque** en bronze (1990) de Keith Haring, dernière œuvre de l'artiste. Un fragment du AIDS Memorial Quilt est conservé dans cette même chapelle. Le **labyrinthe** (2007) est inspiré de celui de la cathédrale de Chartres.

③ Du Financial District au Ferry Building★

Le centre des affaires et de la finance s'étend sur une vingtaine de *blocks* dans un triangle délimité par Market, Kearny et Washington Streets. Au pied de la Transamerica Pyramid, avec ses petites bâtisses de brique datant de la ruée vers l'or, Jackson Square conserve le souvenir d'une San Francisco disparue.

Départ. À l'angle de California et Kearny Sts **II** C2.

Combien de temps. 3 h de promenade à pied.

■ **Bank of America II** C2 (*555 California et Kearny Sts*). Cet imposant bâtiment de granit rouge (1968) abrite le siège de l'une des plus grandes banques américaines. Elle a été fondée en 1904 sous le nom de Banque d'Italie par Amadeo Peter Giannini, fils d'immigrants italiens qui participa au financement du Golden Gate Bridge dans les années 1930.

■ **Wells Fargo History Museum★ II** C2 (*420 Montgomery et California Sts* ☎ *415/396-2619* • *www.wellsfargohistory.com* • *ouv. 9 h-17 h, f. w.-e.* • *entrée libre*). Cet intéressant petit musée retrace

Le *cable-car*

Par un matin calme de l'année 1947, les habitants apprennent par voie de presse la fin programmée de leur *cable-car* bien-aimé et son remplacement par de simples autobus. La fureur s'empare de la ville et chacun se mobilise pour sauver le *cable-car*, système de transport à crémaillère, unique au monde.

Construit dans les années 1870, le réseau comptait huit lignes à l'origine, dont trois seulement subsistent. Les voitures sont tractées par des câbles entraînés par des moteurs. Les *cable-cars* circulent à la vitesse de 9,5 mi/h (15 km/h). Grâce à la vigilance des Sanfranciscains, une quarantaine d'antiques wagons de bois verni escaladent, aujourd'hui comme autrefois, les rues pentues de San Francisco, dans un joyeux tintement de cloche.

☞ Plan I, p. 232-233 (plan d'ensemble) • plan II, p. 234-235 (Downtown).

San Francisco

3

☎ NUMÉROS GRATUITS
Les numéros de téléphone qui commencent par ☎ 800, 855, 866, 877, 888 sont des numéros d'appel gratuits *(toll-free number)*. Faites-les précéder du ☎ 1 si vous appelez depuis un poste fixe (et non d'un portable). Dans ce guide, ces numéros sont notés ainsi : ☎ (1)800/000-0000.

l'histoire de la célèbre compagnie de transports fondée au lendemain de la ruée vers l'or, devenue une banque prestigieuse *(→ encadré p. 183)*. Son rôle dans la conquête de l'Ouest et dans l'histoire de San Francisco, de la ruée vers l'or au tremblement de terre de 1906, est illustré par de nombreux objets et documents d'époque. On pourra notamment admirer de vraies pépites d'or et une diligence de 1866. Une visite qui plaira aux enfants.

Poursuivre Montgomery St.

■ **Transamerica Pyramid**★ II C2 *(600 Montgomery et Washington Sts • pas de vis.)*. Construite par **William Pereira** (1968-1972) pour la compagnie d'assurances Transamerica, c'est la plus haute tour de la ville (256 m). Malgré un accueil des plus mitigés quand elle fut érigée, elle est devenue une icône urbaine. Elle héberge une cinquantaine d'entreprises qui emploient plus de 1 500 personnes. L'architecte a opté pour la forme pyramidale afin de ne pas assombrir les rues voisines. Un saloon, que fréquentait Mark Twain, occupait cet emplacement au temps de la ruée vers l'or. L'observatoire est fermé au public mais des webcams situées dans le **hall d'entrée** *(r.-d.-c. • lun.-ven. 9 h-18 h • entrée libre)* permettent de profiter de la vue depuis le sommet.

✐ À NOTER
On peut marcher sur les pas des chercheurs d'or en suivant le « Barbary Coast Trail » : 170 médaillons de bronze incrustés sur les trottoirs signalent les sites historiques les plus significatifs. Cette balade de 3,8 mi/5 km commence à l'Old US Mint (hôtel de la monnaie), à l'angle de 5th St. et Mission St. (II C3).

■ **Jackson Square**★ II C2 *(entre Sansome, Washington, Montgomery Sts et Pacific Ave.)*. À l'ombre de la Transamerica Pyramid, ce *block* aux charmantes maisons de brique date de la ruée vers l'or. Les prospecteurs faisaient peser leurs pépites sur Gold St., puis se rendaient dans les saloons, les maisons de jeu et les hôtels de passe de Jackson Square. Alors situé au bord de la baie, ce quartier insalubre et mal famé était surnommé la « Barbary Coast » (la côte des barbares) en référence aux pirates de la Méditerranée. C'est aujourd'hui un quartier élégant, et l'on s'y promène agréablement en admirant les vitrines des antiquaires et des galeries d'art.

Revenir vers Clay St. par Sansome St. et traverser Embarcadero Center pour gagner le waterfront ou emprunter la ligne F du tramway.

✐ BON À SAVOIR
En suivant le *waterfront* vers l'O. ou en empruntant la ligne F du tramway, on gagne directement le Fisherman's Wharf *(→ p. 253)*.

■ **Embarcadero Center** II C2 *(Clay St., entre Battery St. et l'embarcadère • t.l.j. 10 h-17 h)*. Ce complexe de bâtiments (1967-1981) reliés par des passerelles témoigne d'une réelle politique urbaine qui a tenté de s'opposer à la désertification du centre-ville en y créant des espaces piétonniers où sont regroupés habitations, bureaux et commerces. Important centre commercial au rez-de-chaussée.

☞ CONSEIL
Prenez un verre au bar de l'*hôtel Hyatt Regency* (5 Embarcadero Center), la vue est incroyable !

☞ Plan I, p. 232-233 (plan d'ensemble) • plan II, p. 234-235 (Downtown).

◀ La pointe de la Transamerica Pyramid s'élève à 256 m de haut ; large de 45 m à la base, elle n'en fait plus que 14 au 48e étage.

Poursuivre sur Clay St. et traverser the Embarcadero.

■ **Audiffred Building** II D2 *(1 Mission St. et Embarcadero)* date de 1889. Il est, avec le Ferry Buiding, le seul bâtiment qui subsiste du front de mer avant le séisme de 1906. Son propriétaire, Hippolyte Audiffred, un Français originaire des Alpes-Maritimes, évita sa destruction en servant à boire aux pompiers qui dynamitaient les bâtiments du quartier après la catastrophe. Photos anciennes dans l'entrée.

■ **Ferry Building**★ II D2 *(sur l'embarcadère à la hauteur de Clay et Market Sts* ☎ *415/983-8007 • www. ferrybuildingmarketplace.com).* Signalée par un beffroi de 72 m, la gare des ferries (1903) a récemment bénéficié d'une restauration très réussie. Elle abrite des échoppes de produits gastronomiques, des magasins d'artisanat et un marché de produits frais. Les employés du quartier de la finance l'investissent volontiers à l'heure du déjeuner. La **vue**★★ sur le Bay Bridge depuis le quai est saisissante. Sympathiques restaurants peu touristiques pour s'attabler en terrasse *(Mijita, The Slanted Door, Ferry Plaza Seafood, Hog Island Seafood Company).*

Un pont hors normes

En 1936, la construction de l'**Oakland Bay Bridge** a mis les banlieues d'Oakland et de Berkeley à quelques minutes du centre de San Francisco. Cet ouvrage d'art exceptionnel (13,3 km de long, 5 voies de circulation sur deux niveaux) est l'œuvre de l'ingénieur Charles H. Purcell. Il a été inauguré six mois avant le Golden Gate Bridge. L'une des rampes d'accès, côté est, s'est effondrée au cours du séisme de 1989.

S'il est impossible de s'arrêter pour profiter de la vue sur le pont, la traversée au retour offre un superbe panorama sur les gratte-ciel du Financial District, surtout la nuit. Il est également possible de sortir à gauche sur Treasure Island pour admirer la vue.

San Francisco

The beat

Les années 1950 commencent sous la menace pesante du maccarthysme. De jeunes écrivains, dont **Jack Kerouac** et **Allen Ginsberg**, dans un refus commun des contraintes sociales de la côte est, partent pour la Californie, qui a une réputation de plus grande tolérance. Ils établissent leur quartier général à la librairie de Lawrence Ferlinghetti, *City Lights Bookstore,* à North Beach. Leur mot d'ordre est l'impulsion profonde et l'instant, *the beat.* C'est un journaliste, Herb Caen, qui, un peu par dérision, les appellera beatniks.

♥ CAFÉ CULTUREL
Vesuvio, 255 Columbus Ave. (II C2) ☎ 415/362-3370. Situé en face du *City Lights Bookstore,* ce café, ouvert en 1949, accueillait artistes, musiciens et écrivains.

♥ RESTAURANT ET CAFÉ
• **Fior d'Italia**, 2237 Mason et Francisco Sts, angle Stockton St. (II B1) ☎ 415/986-1886. Se proclame le plus ancien restaurant italien des États-Unis (1886).
• **Caffè Trieste**, 601 Vallejo St. et Grant Ave. (II C2) ☎ 415/392-6739. Ambiance bohème garantie.

④ De North Beach à Telegraph Hill★

Le San Francisco de Ginsberg et Kerouac. Un quartier sympathique et plutôt bohème avec ses terrasses de café, ses boutiques *vintage*, ses antiquaires et ses petits restaurants pittoresques tenus par des Italiens ou des Basques. Peu de monuments à visiter sinon l'église Saint-Pierre-Saint-Paul, et surtout une librairie mythique, le *City Light Bookstore,* haut lieu de la *Beat Generation* dans les années 1950. À quelques rues pentues de là, Telegraph Hill offre l'un des plus beaux points de vue sur la baie.

Départ. Angle Columbus Ave.-Kearny St. II C2.

Combien de temps. Compter 3 h.

■ **Columbus Tower** II C2 (*ancien Sentinel Building • Columbus Ave. et Kearny St.*). Ce curieux bâtiment d'angle, reconnaissable à sa couleur vert-de-gris (1907), s'inspire directement du Flatiron Building de NYC (1902). Il abrita tour à tour un *speakeasy* dans les années 1930, au temps de la prohibition, puis un studio d'enregistrement où jouèrent les Grateful Dead dans les années 1960. L'immeuble appartient depuis 1972 au cinéaste et producteur Francis Ford Coppola.

■ **City Lights Bookstore★** II C2 (*261 Columbus Ave. et Broadway* ☎ *415/362-8193 • www.citylights.com • t.l.j. 10 h-minuit*). Fondée en 1953 par le poète Lawrence Ferlinghetti, ce fut d'abord une librairie puis une maison d'édition à partir de 1955. Elle devint un lieu de rencontre pour les artistes et les intellectuels. La publication de *Howl,* d'Allen Ginsberg, en 1956, lui valut une condamnation pour obscénité et attira l'attention sur la *Beat Generation* naissante.

■ **Washington Square Park** II C1/2 (*entre Columbus Ave. et Stockton St.*) était l'un des points de ralliement des hippies dans les années 1960 ; aujourd'hui, on y croise plutôt des adeptes du tai-chi. L'église catholique **Saint-Pierre-Saint-Paul** (1922) domine la place, toujours très animée. C'est traditionnellement la paroisse des pêcheurs d'origine sicilienne.

Emprunter Filbert St. au N. de Washington Square ; la distance étant assez importante, il est également possible de prendre le bus 39 de Washington Square à Telegraph Hill.

■ **Coit Tower★★** II C1 (*1 Telegraph Hill Blvd et Greenwich St.* ☎ *415/362-0808 • t.l.j. 10 h-18 h*). Construite au sommet de **Telegraph Hill★** (85 m), cette tour (1933-1934) en forme de lance à incendie porte le nom de sa donatrice, Lillie Hitchcock Coit, sauvée d'un incendie dans son enfance, et restée depuis admiratrice inconditionnelle du corps des sapeurs-pompiers. Les fresques du rez-de-chaussée de la Coit Tower s'inscrivent dans le Projet d'art fédéral initié durant les années 1930 par l'administration Roosevelt, dans le cadre de sa politique de grands travaux (New Deal). Une trentaine d'artistes rémunérés par le gouvernement furent engagés pour décorer la Coit Tower de **fresques★** (1934) figurant la vie quotidienne en Californie pendant la Grande Dépression. Leur style s'apparente au réalisme social du muraliste mexicain Diego Rivera, du reste présent à San Francisco dans les années 1930-1940. Certaines scènes consacrées à la classe ouvrière furent jugées subversives par les autorités, dans le contexte de la grève des dockers de San Francisco (1934).

Vue panoramique depuis la terrasse : la montée au sommet de la tour n'est pas indispensable car l'observatoire est vitré. Le jardin derrière la tour donne aussi une belle **vue★** sur le Bay Bridge.

● Les **escaliers Filbert** (Filbert Steps ● accessibles par Filbert St.), sur le versant E. de Telegraph Hill, desservent quelques belles maisons de bois (1860) et mènent à **Levi's Plaza**. Ils permettent une balade très agréable avec la baie pour décor.

L'épopée du blue-jean

La **Levi's Plaza** (II C1) rappelle que le blue-jean a ses origines à San Francisco. Arrivé en Californie au temps de la ruée vers l'or, **Levi Strauss**, immigrant bavarois, fournit des textiles aux commerçants de la région. En 1872, il s'associe à Jacob Davis, un tailleur de Reno (Nevada), qui a l'idée de renforcer les coutures des poches des vêtements d'ouvriers avec des rivets métalliques. Strauss et Davis font breveter la trouvaille et produisent en masse les *waist overalls* (« pantalons de travail »). Dans les années 1930, l'engouement pour l'Ouest et les westerns popularisent les jeans dans tout le pays.

Levi Strauss & Co. Visitors Center (1155 Battery St. ● II C1).

⑤ Fisherman's Wharf et Alcatraz★★

Boutiques, restaurants et vieux bateaux sur un front de mer très touristique, certes, mais l'endroit le plus indiqué pour emmener les enfants et déguster des fruits de mer fraîchement pêchés. Ne manquez pas la visite de l'île d'Alcatraz ainsi que la balade à vélo sur le Golden Gate Bridge.

Accès. Par le *cable-car* (lignes Powell-Mason et Powell-Hyde) ● plus rapide, le tramway F depuis Market St.

Combien de temps. Prévoir une bonne 1/2 j.

Où faire une pause. Dans l'un des restaurants de poisson du *wharf*.

■ **Pier 39★★** II C1 (☎ *415/705-5500 ● www.pier39. com*). Le quai 39 a été aménagé en 1977 pour accueillir les touristes. Plus d'une centaine de boutiques, une dizaine de restaurants, un carrousel, une marina et une colonie d'otaries créent une joyeuse ambiance de kermesse.

● **Aquarium of the Bay★** II C1 (*Pier 39* ☎ *415/623-5300 ● www.aquariumofthebay.org ● lun.-jeu. 10 h-19 h, ven.-dim. 10 h-20 h ; l'été t.l.j. 9 h-20 h*) propose une

☞ Plan I, p. 232-233 (plan d'ensemble) ● plan II, p. 234-235 (Downtown).

San Francisco

⑤

✐ CROISIÈRES DANS LA BAIE
● *Blue & Gold Fleet,* Pier 39, Marina Terminal
☎ 415/705-8200 ;
www.blueandgoldfleet.com
● *Red & White Fleet,* Pier 43 1/2
☎ 415/673-2900 ;
www.redandwhite.com

▲ Le cinéma (*Le Prisonnier d'Alcatraz*, avec Burt Lancaster, 1962 ; *L'Évadé d'Alcatraz*, avec Clint Eastwood, 1979) a fait connaître l'île-prison au grand public.

L'île aux pélicans

Le navigateur espagnol Ayala baptisa ce caillou de 5 ha trouvé sur sa route *la isla de los alcatraces*, « l'île aux pélicans » : **Alcatraz** fut aménagée pour recevoir une prison dès 1907 et devint pénitencier fédéral en 1934. On y incarcérait les irréductibles : Al Capone y fut emprisonné durant deux ans et demi pour fraude fiscale. Parmi les autres prisonniers célèbres, Robert Stroud (l'homme-oiseau d'Alcatraz) et « Machine Gun » Kelly inspirèrent, respectivement, les films de John Frankenheimer (1962) et de Roger Corman (1958).

L'île comptait un gardien pour trois détenus et aucune des 36 tentatives d'évasion n'aboutit en raison de l'eau glacée de la baie. Les difficultés d'approvisionnement et l'état des bâtiments conduisirent à la fermeture du pénitencier en 1963.

Pour visiter, réservez plusieurs jours à l'avance d'avril à septembre • l'audioguide en anglais permet d'entendre les voix d'anciens prisonniers et de gardiens.

✐ BON À SAVOIR
Le terminus du *cable-car* (ligne Powell-Hyde) se trouve sur Hyde et Beach Sts (II B1).

exploration de l'écosystème aquatique de la baie de San Francisco ; un tunnel vitré permet de traverser un aquarium et de « plonger » au cœur de la faune et la flore de cette partie du pacifique.

■ **La prison d'Alcatraz**★★ h. pl. II par C1 *(accès en navette : Alcatraz Cruises, départs t.l.j. 9 h 30-16 h, toutes les 30 mn du Pier 33 ☎ 415/981-7625 • www. alcatrazcruises.com).* On visite les **cellules** (1,5 x 3 m) où les prisonniers passaient de 16 h à 23 h par jour et celles du quartier de haute sécurité, dont on ne sortait qu'une fois par semaine pour prendre une douche. On apprend quantité d'informations sur le système pénitentiaire américain, sur les Indiens qui revendiquèrent l'île de 1969 à 1971, sur la fermeture de la prison, devenue trop coûteuse, et sur d'autres aspects moins connus : 300 civils y habitaient, dont 60 enfants qui prenaient tous les jours le transbordeur pour San Francisco.

■ **The Cannery**★ II B1 *(Leavenworth St., angle Beach St. ☎ 415/771-3112 • www.thecannery.com).* Cette conserverie fut construite en 1907 pour l'emballage des fruits de la California Fruit Canner's Association. Le bâtiment, restauré avec goût et une touche d'humour par l'architecte Joseph Esherick, abrite aujourd'hui magasins d'artisanat, galeries d'art, cafés et restaurants.

■ **San Francisco Maritime National Historical Park**★★ II B1 *(Hyde Street Pier • t.l.j. 9 h 30-17 h, de mi-juin à mi-août 9 h 30-18 h).*

• Le **Visitors Center**, installé dans la **Hashlett Warehouse** *(495 Jefferson et Hyde Sts ☎ 495/447-5000 • t.l.j. 9 h 30-17 h, l'été 9 h 30-17 h 30),* est consacré au patrimoine maritime de San Francisco et à l'histoire de la baie.

• Sur **Hyde Street Pier**★ sont amarrés plusieurs navires restaurés, propriétés du Maritime National

Historical Park. Le trois-mâts *Balclutha*★★, lancé à Glasgow en 1886 et qui passa 17 fois le cap Horn, quittait San Francisco chargé de bois et de charbon, puis revenait les cales remplies de grain ; un petit musée de la Marine est aménagé à l'intérieur. Le *CA Thayer* est un schooner à vapeur construit en 1895 pour le transport du bois et transformé pour la pêche au saumon ; le ferry à aubes *Eurêka* (1890) assura la liaison Sausalito-San Francisco de 1890 à 1957 ; il transportait jusqu'à 2 300 passagers et 120 automobiles, et était le plus grand transbordeur du monde.

● Le **sous-marin *USS Pampanito*★** (1943 • Pier 45 • t.l.j. 9 h-18 h, jusqu'à 21 h l'été) coula six navires japonais pendant la Seconde Guerre mondiale. À Fort Mason, quai n° 3, le *Jeremiah O'Brien* (t.l.j. 10 h-18 h) est le dernier survivant de ces *Liberty Ships* construits en deux mois pendant la Seconde Guerre mondiale.

▶ La **Golden Gate Promenade** I B1, à faire à pied ou à vélo, mène jusqu'au Golden Gate Bridge (6 km) en longeant la baie. Elle offre des vues exceptionnelles sur ce pont emblématique, sur Alcatraz et sur le Palace of Fine Arts. ◀

■ **Bathhouse Building** II B1 (900 Beach et Polk Sts ☎ 415/447-5000 • t.l.j. 10 h-16 h), de style Art déco (1939), adopte la forme d'un paquebot (streamline). Les peintures murales réalisées dans le cadre des grands travaux du New Deal (Works Progress Administration ou WPA) par Sargent Johnson et Hilaire Hiler ont été restaurées. Le Bathhouse Building est idéalement situé sur la plage d'**Aquatic Park**.

■ **Ghirardelli Square★** II B1 (N. Point, Beach et Larkin Sts). Dans cette galerie commerciale joliment aménagée dans une ancienne chocolaterie en brique du XIXe s., on trouve des restaurants et des boutiques d'artisanat.

Pour gagner Russian Hill, prendre le cable-car ligne Powell-Hyde sur Hyde St.

■ **Russian Hill★** II B/C1/2 (à l'O. de Columbus Ave.). Cette colline doit son nom à des trappeurs russes originaires de Fort Ross qui auraient été ensevelis au sommet de la colline et dont les sépultures ont été retrouvées à l'époque de la ruée vers l'or. Haute de 90 m, elle est, dès la fin du XIXe s., l'un des quartiers les plus résidentiels de San Francisco au même titre que Nob Hill et Pacific Heights. Les écrivains Mark Twain et Jack London y vécurent. Ses rues escarpées lui garantissent une certaine tranquillité. De petits escaliers se fraient un passage à travers les jardins d'où se dégagent des **vues** aussi stupéfiantes qu'inattendues sur la baie, en particulier au coin de Vallejo et Jones Sts II B2.

Certaines **maisons victoriennes** datant d'avant 1906 ont survécu côté N., mais les demeures plus récentes sont aussi très belles, notamment celles bâties dans le style shingle (en bardeaux). Un segment de Green St. (entre Jones et Leavenworth Sts) s'appelle « Paris ». **Feusier Octagon House** (1067 Green St.), construite en 1859, est l'une des rares maisons octogonales subsistant à San Francisco.

● **San Francisco Art Institute** II B1 (800 Chestnut St.). Cette école d'art a pris ses quartiers dans ce bâtiment de style colonial espagnol à la sobriété monastique, qui laisse voir par endroits sa structure en béton armé (1926). À l'intérieur, grande **fresque★** (1931) du muraliste mexicain **Diego Rivera** posant avec Frida Kahlo, son épouse. Dans l'aile moderne sont présentées des œuvres d'avant-garde. Les étudiants participent à de fréquentes expositions temporaires.

● **Lombard Street★★** II A2-B1. Tracée dans les années 1920, c'est, entre Hyde et Leavenworth Sts II B1, la rue la plus tortueuse (the crookedest street) et la plus

☞ Plan I, p. 232-233 (plan d'ensemble) • plan II, p. 234-235 (Downtown).

photogénique de San Francisco, avec ses huit virages en épingle à cheveux bordés de massifs de fleurs. Une légende promet le bonheur à ceux qui la descendent ensemble. À emprunter en voiture ou en taxi.

❻ De Pacific Heights à Cliff House★

Les *painted ladies*

San Francisco doit beaucoup de son charme à ses pimpantes **maisons** en bois de séquoia, à l'architecture désuète rehaussée de couleurs tendres. Elles furent construites en série dans les années 1860-1900 pour une bourgeoisie en pleine ascension. Elles offraient déjà toutes les commodités : sanitaires, chauffage central et même le téléphone.

Leur plan, standardisé (un couloir central desservant chaque pièce d'habitation), évolua peu au cours du XIXe s. Il n'en fut pas de même pour les éléments décoratifs. Dans les années 1860-1870, le **style** *italianate* est en vogue : toits en terrasse, corniches et ornements italianisants. Dix ans plus tard, le **style** *eastlake* domine, avec ses fenêtres carrées et ses portes étroites soulignées de baguettes. Plus cossues, les maisons de **style** *Queen Ann* arborent porches à colonnes, gables, tourelles à poivrière, balcons en saillie et verrières colorées.

Longtemps abandonnées à des populations défavorisées, quand elles n'étaient pas détruites, les maisons victoriennes connurent un regain d'intérêt dans les années 1960. Les hippies les parèrent de teintes vives... et on les baptisa *painted ladies* (les dames peintes) ou *gingerbread houses* (maisons de pain d'épice). On en dénombre aujourd'hui 14 000. Les plus belles se trouvent dans Pacific Heights, Russian Hill, Alamo Square et Castro.

Pacific Heights est un quartier très résidentiel et plein de charme avec ses rues pentues bordées d'élégantes maisons victoriennes aux teintes pastel. Une promenade en voiture permettra de découvrir ces demeures qui ont été largement épargnées par le tremblement de terre de 1906, et dont les prix atteignent des sommets... Puis baladez-vous sur Lands End jusqu'à Cliff House ; peut-être aurez-vous le plaisir de voir surgir de la brume les piliers rouges du Golden Gate Bridge.

Départ. Haas-Lilienthal House, sur Franklin St., dans Pacific Heights II B2.

Combien de temps. Une bonne 1/2 journée.

■ **Haas-Lilienthal House**★ II B2 (*2007 Franklin St., entre Washington et Jackson Sts* ☎ *415/441-3000* • *www.sfheritage.com* • *mer. et sam. 12 h-15 h, dim. 11 h-16 h* • *vis. guidées seul., durée 1 h*). Cette belle maison victorienne de style Queen Ann (1886) appartenait à une famille de commerçants d'origine bavaroise.

■ **Spreckels Mansion**★ II B2 (*2080 Washington et Octavia Sts* • *propriété privée, pas de vis.*). Cette opulente demeure de 55 pièces à l'ordonnance classique (1913, style beaux-arts) fut commanditée par Adolph Spreckels, riche magnat du sucre, et son épouse, Alma de Bretteville-Spreckels. Elle est aujourd'hui habitée par la romancière Danielle Steele.

Continuer sur Washington St. vers Alta Plaza Park, d'où la vue sur la baie est majestueuse.

■ **Fillmore Street** II A2-3 (*entre Jackson et Post Sts*). Artère commerçante de Pacific Heights (restaurants de quartier, antiquaires et petites boutiques de design et de mode indépendants entre Washington et Bush Sts). Dans les années 1950, Upper Fillmore accueillait les meilleurs clubs de jazz de la ville. Charlie Parker, Billie Holiday et même Clint Eastwood (au saxo alto) y ont joué.

● En suivant **Broadway** et **Vallejo St.** vers l'O., on découvrira quelques-unes des plus belles ***painted ladies*** (→ *encadré ci-contre*).

■ **Union Street★** II A-B2 *(entre Fillmore et Laguna Sts)*. Les maisons victoriennes de cette rue abritent de coquettes boutiques de vêtements, des magasins d'antiquités et des galeries d'art qui attirent une clientèle locale aisée. **Octagon House★** *(2645 Gough St., entre Union et Green Sts* ☎ *415/441-7512 • vis. les 2ᵉ et 4ᵉ jeu. du mois)* est l'une des dernières maisons (1861) de forme octogonale subsistant à San Francisco. Avec ses huit pans vitrés, elle profite au maximum de la lumière naturelle. Il existe une autre maison octogonale sur Russian Hill : la Feusier Octagon House *(1067 Green St.)*.

■ **Palace of Fine Arts★** I B1 *(3601 Lyon St. et Marina Blvd • pas de vis.)*. Cette galerie à péristyle coiffée d'une coupole à base octogonale fut édifiée à l'occasion de l'Exposition internationale Panama-Pacific, qui fit la gloire de San Francisco en 1915. Bien que promise à la destruction, elle fut conservée, mais en mauvais état ; elle a été entièrement rebâtie entre 1964 et 1975.

■ **Golden Gate Bridge★★★** I B1 *(traversée en voiture payante, accessible également aux piétons et aux vélos)*. Le **détroit de la porte d'Or** relie l'océan Pacifique à la baie de San Francisco, bassin naturel de 800 km² alimenté par 16 rivières. Les courants y atteignent 100 km/h, les vents y sont puissants (lorsqu'ils soufflent en tempête, le pont oscille avec une amplitude qui peut atteindre 5 à 6 m) et la brume y est quasi permanente.

La construction du Golden Gate Bridge est décidée en 1930, en pleine crise économique, pour relier les six comtés de la baie et rompre l'isolement de l'East Bay. Elle débute en janvier 1933 sous la direction de l'ingénieur en génie civil Joseph B. Strauss,

▲ Une rotonde se reflète dans un étang où glissent cygnes et canards… L'architecte du Palace of Fine Arts, Bernard Maybeck, s'est probablement inspiré des dessins de Piranèse et des ruines romaines chères aux peintres du XIXᵉ s.

L'explorateur John Charles Fremont baptisa « porte d'Or » l'entrée de la baie de San Francisco, en référence à la porte d'Or de Constantinople.

San Francisco

6

☞ Plan I, p. 232-233 (plan d'ensemble) • plan II, p. 234-235 (Downtown).

▶ Le Golden Gate Bridge a fortement amélioré la qualité de vie des habitants de Marin County qui, jusque-là, parcouraient des centaines de kilomètres pour se rendre à San Francisco, située en face.

et s'achève quatre ans plus tard. Le Golden Gate Bridge, ouvrage d'art exceptionnel qui franchit le détroit à 67 m au-dessus des flots, est alors le plus long pont suspendu du monde (2,7 km). Sa couleur « orange international » a été choisie pour sa résistance au soleil, au vent et à la pluie, et pour sa visibilité en cas de brouillard.

■ **Presidio Park** I B1 *(entrée sur Lombard St. • desservi par les bus nᵒˢ 28, 29 et 43 ☎ 415/561-5418 • www.presidio.gov)*. Fortifié par les Espagnols en 1876, ce domaine de 740 ha situé en pleine ville a longtemps hébergé le quartier général de la 6ᵉ armée. Il accueille notamment The Walt Disney Family Museum et **The Letterman Digital Arts Center** *(Chestnut et Lyon Sts, côté E. du Presidio • vis. sur invitation seul.)*, qui regroupe l'essentiel des activités du cinéaste et producteur George Lucas. **Vue★★** exceptionnelle sur la baie depuis la colline du Presidio, près d'une batterie abandonnée.

● **The Walt Disney Family Museum★** *(dans Presidio Park, 104 Montgomery St. ☎ 415/345-6800 • vis. 10 h-16 h 45, f. lun. et j. fériés • entrée payante • parking avec horodateur)*. Comme son nom ne l'indique pas, ce musée s'adresse moins aux enfants qu'aux adultes bercés par les merveilleux dessins animés créés par Walt Disney. Son parcours personnel, ses premiers dessins, son arrivée à Hollywood en 1923, la genèse de ses personnages sont retracés à travers films d'époque, documents vidéo, lettres et objets personnels. Nombreux extraits de films commentés par lui et ses collaborateurs *(bonne compréhension de l'anglais recommandée)*.

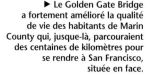

☏ NUMÉROS GRATUITS
Les numéros de téléphone qui commencent par ☎ 800, 855, 866, 877, 888 sont des numéros d'appel gratuits *(toll-free number)*. Faites-les précéder du ☎ 1 si vous appelez depuis un poste fixe (et non d'un portable). Dans ce guide, ces numéros sont notés ainsi : ☎ (1)800/000-0000.

■ **Lincoln Park**★ I A *(Clement St., au niveau de 34th St.)*. Ce parc occupe un site magnifique de 77 ha surplombant l'océan Pacifique, bout de terre sauvage baptisé **Lands End**★ (« la fin de la terre »), aux avant-postes du continent. Il abrite le **California Palace of the Legion of Honor** *(→ ci-après)*, **Point Lobos**, d'où l'on a une vue superbe jusqu'au phare de Point Bonita dans le Marin County, et la **Cliff House**★. Cette bâtisse aujourd'hui occupée par un restaurant *(1090 Point Lobos ☎ 415/386-3330)* domine **Ocean Beach**★, la plus belle plage de San Francisco et la préférée des surfers, ainsi que les **Seals Rocks**, des rochers situés non loin du rivage, où paressent phoques et otaries (de juin à sept.).

À proximité, on peut voir les ruines des fameux **bains Sutro**, bâtis en 1896 pour Adolph Sutro, millionnaire et philanthrope qui en fit don à la ville. Ces immenses bassins d'eau de mer pouvaient accueillir 1 600 baigneurs.

■ **California Palace of the Legion of Honor**★★
(100 34th St. et El Camino del Mar dans Lincoln Park ☎ 415/750-3600 • http://legionofhonorfamsf.org • bus nos 1, 2, 18, 38 jusqu'à 33rd Ave. • mar.-dim. 9 h 30-17 h 15). Inauguré en 1924, ce bâtiment de style beaux-arts s'inspire directement de l'hôtel de Salm, à Paris (XVIIIe s. ; musée de la Légion d'honneur), où Napoléon rendit les honneurs aux soldats français. Le musée possède des collections d'art européen d'une richesse remarquable.

● **Salles 2 à 5 : art médiéval, Renaissance et maniérisme**. Elles regroupent des œuvres de Fra Angelico, Bartolomeo Vivarini, Lucas Cranach, Dirk Bouts. En salle 5, voir en particulier un portrait d'homme attribué à **Lorenzo Lotto** (vers 1540). *Saint François vénérant la Croix*★★ (vers 1595), par **Le Greco**, est caractéristique du courant maniériste, tandis que *Saint Jean-Baptiste*★ (vers 1600), du même artiste, est représentatif de toute son œuvre : silhouette étirée vers le ciel, visage méditatif, lumière argentée, mains translucides et surtout étonnante atmosphère mystique.

● **Salles 6 et 7 : art baroque et rococo en France et en Italie**. Le fonds du musée est particulièrement riche en œuvres d'art du XVIIIe s. grâce à un important legs de la famille Huntington *(→ encadré p. 191)*.

En salle 6 sont exposées des toiles des grands peintres réalistes du XVIIe s. tel **Georges de La Tour**, représenté par *Le Jeune Chanteur*★★ (vers 1650) et deux **portraits**★ en pied d'un couple de vieillards (vers 1618-1619). De **Louis Le Nain**, remarquer *Paysans devant leur maison*★ (vers 1641), où un frémissement de vie

✏ **À NOTER**
Pour découvrir Lands End, faire la belle balade à pied entre Eagle's Point et Cliff House (3 mi/4,8 km aller et retour ; compter 2 à 3 h) ; possibilité, en bifurquant à g. au niveau du Palace of the Legion of Honor, de raccourcir la promenade (1 h).

« Honneur et patrie »

La devise de Napoléon figure en français sur la façade du palais de la Légion d'honneur de San Francisco, comme elle figure à Paris. Le palais est dédié aux 3 600 soldats américains d'origine californienne qui perdirent la vie en France pendant la Première Guerre mondiale. Le musée conserve un précieux livre d'or portant leurs noms et signé par les maréchaux Foch, Joffre et Pétain, ainsi que par le général Pershing, commandant des forces américaines en France pendant la Grande Guerre.

San Francisco

6

☞ Plan I, p. 232-233 (plan d'ensemble) • plan II, p. 234-235 (Downtown).

émane de ces personnages en apparence statiques, un peu à la manière de Jean-François Millet. Le Nain se fit une spécialité de ces sombres scènes paysannes ; ce choix de sujets « ordinaires » était très peu courant à l'époque. Voir aussi le *Martyre de Saint Barthélemy*★ (vers 1660) par **Luca Giordano**, *Vue de Tivoli au coucher du soleil*★ (vers 1642-1644) par **Claude Lorrain**, et un splendide **cabinet**★★ attribué à Pierre Gole (vers 1620-1685), ébéniste de Louis XIV.

Dans la salle 7, on découvre *La Partie carrée*★★ (1713), une œuvre d'**Antoine Watteau** imprégnée de l'atmosphère gracieuse et légère des fêtes galantes, rendue par des teintes délicates. *Vertumne et Pomone*★ (1757), par **François Boucher**, servit de carton de tapisserie ; on peut voir ici un carton exécuté à Beauvais. Quatre **dessus-de-porte**★ (1753) de **Carl Van Loo** figurent les symboles des Arts : musique, architecture, peinture, sculpture. À noter aussi les remarquables pièces de **mobilier** signées Boulle, Gole, Cressent, Hamsen.

Plusieurs peintures de **Jean Honoré Fragonard** illustrent sa brillante carrière de peintre à la cour de Louis XV : *La Bonne Mère*★ (vers 1762-1763) est une scène intime, inhabituelle dans la production de l'artiste ; *La Résistance inutile*★★ (vers 1713), chef-d'œuvre de petit format, est d'une grande spontanéité dans la composition.

● **Salle 9**. Bel ensemble de **boiseries**★ provenant d'un château près de Rouen (2e quart du XVIIIe s.).

● **Salles 8, 10 et 12 : la sculpture du XIXe s.** La salle 10 abrite une centaine de **bronzes et moulages de Rodin**★★ patiemment réunis par Alma Spreckels, qui fut aidée dans ses choix par Rodin lui-même. La plupart des œuvres présentées ici ont ainsi été fondues du vivant de l'artiste. Plusieurs d'entre elles sont issues de *La Porte de l'Enfer*, un projet inspiré de *La Divine Comédie* de Dante qui occupa le maître de façon obsessionnelle pendant 40 ans : *Les Ombres, Ève, Le Baiser, Le Fils prodige, Le Penseur.* Voir également un remarquable **portrait de Rodin**★ par Camille Claudel, qui fut pendant 15 ans l'élève, la muse et l'amante de Rodin.

● **Salles 14 et 15 : peintures hollandaise et flamande du XVIIe s.** Elles abritent des scènes de genre, des paysages et des portraits signés Rembrandt, Rubens, Van Dyck, Frans Hals et Jan Steen.

En salle 14, *Le Tribut*★★ (vers 1612), par **Rubens**, est une œuvre baroque qui révèle ses influences italiennes. La composition reprend les schémas vénitiens, et le traitement des couleurs et de la lumière

Quand les origines parlent

Descendante d'un général français et épouse fortunée d'un magnat du sucre, **Alma Spreckels**, née Bretteville en 1881, conserva toute sa vie d'étroits liens avec la France. Mécène dans l'âme, elle conçut l'idée de financer la construction d'un bâtiment pour honorer sa ville et les nombreux soldats américains de Californie tombés pour la France. C'est en découvrant avec admiration le pavillon français de l'Exposition internationale Panama-Pacific de San Francisco (1915) – une copie de l'hôtel de Salm à Paris – qu'elle décida d'en financer une réplique. Une fois le bâtiment terminé (1924), Alma Spreckels en fit un musée dédié à l'art. Elle réunit pendant 35 ans un remarquable ensemble de bronzes de Rodin, et multiplia les legs à son musée jusqu'à sa mort en 1968.

rappelle les clairs-obscurs du Caravage. Remarquer également *Femme et enfant*★ (vers 1658-1660), de **Pieter De Hooch**, une scène d'intérieur très recueillie qui célèbre les vertus de la famille.

Salle 15, le *Portrait de Joris de Caulerii*★★ (1632) est une œuvre de jeunesse de **Rembrandt**, remarquable par son réalisme psychologique et sa riche orchestration des couleurs en demi-teinte. Dans *Portrait d'homme en blanc*★★ (vers 1635), **Frans Hals** joue avec la palette des blancs, ce qui est rare chez cet artiste.

● **Salles 16 à 19 : de l'époque néoclassique au postimpressionnisme (**XVIIIᵉ-XXᵉ **s.).** Dans la salle 16, dédiée à l'art néoclassique, on peut voir un *Portrait de Hyacinthe Gabrielle Roland*★ (1791) par Mᵐᵉ **Vigée-Lebrun**, et deux toiles du chef de file de ce courant, **Jacques-Louis David** : *Laure-Émilie-Félicité David, baronne Meunier*★ (1812), portrait tout en douceur de sa fille, et *La Diseuse de bonne aventure*★ (1824), exécuté un an avant sa disparition. De **Jean-Baptiste Corot**, *Vue de Rome*★ (1826-1827) est une étude sur le motif du pont et du château Saint-Ange à Rome, aux jeux de couleurs délicates et à la lumière subtile. De **Claude Monet**, on remarque *Barques sur la Seine*★★ (1874), peint la même année que le fameux *Impression soleil levant* (musée Marmottan, Paris), et *Nymphéas*★★ (vers 1914-1917), exécuté dans les dernières années de sa vie, alors que ses recherches pour traduire la lumière le conduisent vers l'abstraction.

La salle 17 regroupe des œuvres d'**Edgar Degas** (*Portrait d'homme*, vers 1864), **Carolus-Duran** (*Marie Anne Carolus-Duran*★, 1874), **Alexandre Cabanel** (*Mrs. Collis Huntington*, 1882), **William Bouguereau** (*La Cruche cassée*★, 1891), **Giovanni Boldini** (*Portrait de Mrs. Whitney Warren Sr.*, 1908).

En salle 19, plusieurs toiles de **Degas** témoignent de l'intérêt de l'artiste pour les coulisses du théâtre et de l'opéra : *Musiciens d'orchestre*★ (vers 1870) et *Étude pour orchestre de l'opéra* (vers 1870), étonnante représentation de la fosse d'orchestre où l'on reconnaît le fameux basson Désiré Millau. Voir également *La Loge*★★ (1874), par **Auguste Renoir**, et *La Tour Eiffel*★ (vers 1889), par **Georges Seurat**, où l'on découvre la « Dame de fer » en construction.

● **Salle 23 : la galerie des porcelaines.** Récemment rénovée, elle accueille la collection Bowles (du XVIIIᵉ au XXᵉ s.), riche en porcelaine de Sèvres, Limoges, Chantilly, Meissen, majolique italienne, porcelaine d'exportation chinoise, etc.

⑦ Golden Gate Park et Haight-Ashbury★★

Le Golden Gate Park, l'un des plus beaux parcs paysagers des États-Unis, est à San Francisco ce que Central Park est à New York, mais en plus vaste : un poumon vital pour les citadins qui s'étend sur 5 km jusqu'à l'océan Pacifique. Dessiné à la fin du XIXᵉ s. par les paysagistes Hall et McLaren, il a été aménagé sur des dunes dont il a gardé les douces ondulations. On pourra y visiter de grands musées, un jardin japonais, une roseraie, un jardin botanique et une serre.
À la lisière est du parc, le célèbre quartier de Haight-Ashbury a vu naître le mouvement hippie dans les années 1960.

Départ. Music Concourse dans le Golden Gate Park **I** A/B2.

Combien de temps. Compter une bonne 1/2 j.

Accès. Depuis Powell et Market Sts **II** C3, prendre le tram *N-Judah* du MUNI ou le *Fulton Bus* n° 5 jusqu'à la station Mc Allister-Polk Sts ● **entrées** à l'E. du parc au 501 Stanyan St. et, à l'O., sur Ocean Blvd, au niveau du moulin à vent hollandais (Dutch Windmill).

San Francisco

7

❸ À l'entrée O. du Golden Gate Park, le *Beach Chalet* (I A2 ; 1925) abrite, au r.-d.-c., un *Visitors Center* (1000 Great Highway et Fulton St. ☎ 415/386-8439) et, à l'étage, un restaurant (excellent brunch avec vue sur Ocean Beach).

• Vente de billets combinés pour tous les musées au *Visitors Information Center* ☎ 415/666-7200.

✐ BON À SAVOIR
• Les voitures sont interdites le dim. sur J. F. Kennedy Dr.
• De mai à fin octobre, une navette gratuite traverse le parc (10 h-18 h ; toutes les 15 mn).
• La caféteria du M. H. De Young Museum donne sur un agréable jardin de sculptures.

☞ AVEC LES ENFANTS
Allez voir l'enclos des bisons du Wyoming (*Bison Paddock*) sur J. F. Kennedy Dr., dans l'O. du parc.

■ **California Academy of Sciences**★★ I B2 *(55 Music Concourse Dr. ☎ 415/379-8000 • www.calacademy.org • lun.-sam. 9 h 30-17 h, dim. 11 h-17 h • entrée payante sf le 3ᵉ mer. du mois).* Depuis 2008, la plus ancienne institution scientifique de l'ouest des États-Unis (1853) occupe un bâtiment à la gigantesque toiture entièrement végétalisée. Conçu par Renzo Piano, cet édifice répondant aux normes énergétiques et écologiques les plus avancées abrite un planétarium, un musée d'histoire naturelle, une **forêt tropicale**★ (*rainforests* du Costa Rica, de Bornéo et de Madagascar) peuplée d'oiseaux et de papillons, un marécage ou vit un alligator blanc, un aquarium, etc., ainsi qu'un laboratoire de recherche sur la biodiversité.

■ **M. H. De Young Museum**★★ I B2 *(50 Hagiwara Tea Garden Dr. ☎ 415/750-3600 • www.deyoungmuseum.org • mar.-dim. 9 h 30-17 h 15, ven. jusqu'à 20 h 45 • entrée libre le 1ᵉʳ mer. du mois et ven. entre 18 h et 20 h 45).*

Visite. Commencez par les salles du 1ᵉʳ niveau (*Upper Gallery level*), où vous découvrirez les **collections de peinture américaine**, les arts premiers (Afrique, Océanie, Nouvelle-Guinée) et les textiles anciens, et terminez par le rez-de-chaussée (*Concourse level*), consacré aux arts américains (Méso-Amérique, art amérindien, arts d'Amérique centrale et d'Amérique du Sud, arts moderne et contemporain).

Réputé pour ses collections d'art américain, le musée De Young est le plus ancien musée des Beaux-Arts de la ville (1895). Sévèrement endommagé par le tremblement de terre de 1989, il a rouvert ses portes en 2005 dans un nouveau bâtiment (architectes :

▲ Façades et toitures du M. H. De Young Museum sont recouvertes d'une résille de cuivre gaufrée figurant des motifs végétaux.

Herzog & de Meuron – Fong & Chan), qui se distingue par son originalité et son adéquation avec l'environnement. Cette construction basse est dominée par une **tour** *(entrée libre)* d'où la **vue**★★ est superbe.

La **collection d'art américain**★★ est l'une des plus importantes des États-Unis. Elle dresse un panorama de la peinture, de l'époque coloniale (fin XVIIᵉ s.) au début du XXᵉ s.

● **XVIIᵉ siècle.** *The Mason Children* (1670) est l'œuvre la plus ancienne de la collection De Young ; elle fut peinte 50 ans seulement après l'arrivée des pèlerins dans le Massachusetts. Seules 35 œuvres américaines datant d'avant 1700 sont aujourd'hui recensées.

● **XVIIIᵉ siècle.** À cette époque, les échanges artistiques entre l'Amérique et l'Angleterre sont constants et bilatéraux. Le peintre américain **Benjamin West** (*George Harry Grey*, 1765) s'expatrie à Londres où il travaille à de grands portraits officiels et lance le genre de la peinture d'histoire contemporaine. Toute une génération d'artistes américains tels que **John Singleton Copley** (*Mrs Daniel Sargent*★★, 1763), **Charles W. Peale** (*Mordecai Gist*★, vers 1774), **Ralph Earl** (*Portrait of a Lady*, 1784), **John Trumbull** (*Portrait of Philip Church*, 1784) iront se former dans son atelier londonien.

● **Début du XIXᵉ siècle.** Un intérêt pour la peinture de paysage se dessine avec la découverte d'une nature vierge et généreuse. **Thomas Cole** (*View near the Village of Catskills*, vers 1827) est le maître incontesté de ce courant naturaliste dont il est le fondateur avec **Asher Brown Durand** (*A River Landscape*, 1858). Voir également **Frederic Edwin Church** (*Rainy Season in the Tropics*★★, 1866) et **Martin Heade** (*Dusk*, 1862). Le recul constant de la Frontière, à l'O., en fascine plus d'un, tels **George C. Bingham** (*Boatmen on the Missouri*★★, 1846) et **Albert Bierstadt** (*View of Donner Lake*★, *California*, vers 1871). Les charges de cavalerie et les campements de pionniers de **Frederic Remington**, spécialiste du Far West, sont de vrais témoignages historiques. Autre témoin précieux, **George Catlin**, dont toute l'œuvre est consacrée à des tribus indiennes disparues sans laisser d'autre trace.

● **Fin du XIXᵉ siècle.** Dans les années 1850, une tendance réaliste se fait jour avec les scènes d'intimité bourgeoise, les paysages et les marines de **Winslow Homer** (*The Bright Side*, 1865), les scènes de la vie ordinaire d'**Eastman Johnson** (*Open Eyes Dream*, 1877), les portraits austères de **Thomas Eakins** (*The Courtship*★, vers 1878), les natures mortes de **William Harnett** (*The Pipe*, 1886) et **John Peto** (*Job Lot Cheap*, 1892). En pleine révolution industrielle, **Thomas P. Anshutz** innove par son intérêt pour les classes laborieuses (*Ironworker's noontime*, 1880) et par ses cadrages audacieux. À la fin du XIXᵉ s., les artistes américains ne cachent plus leur attirance pour l'Europe, notamment Londres pour **John Singer Sargent** (*Le Verre de porto – A Dinner Table at Night*★, 1884 et *Caroline de Bassano, marquise d'Espeuilles*★★, 1884), grand portraitiste mondain. Peintre de scènes intimistes et très proche des impressionnistes, dont elle partagea l'existence parisienne, **Mary Cassatt** (*Mrs Cassatt*★★, vers 1889) œuvra beaucoup pour assurer leur succès outre-Atlantique.

● **Début du XXᵉ siècle. Thomas Hart Benton** donne une version moderne et sensuelle de *Susanna and the Elders*★ (1938). L'homme à la moustache est un autoportrait. **Edward Hopper** s'intéresse à la vie urbaine dans *Portrait of Orleans*★ (1950), une localité sans grâce de l'Amérique profonde, où percent la solitude et le désespoir, thèmes récurrents dans son œuvre. **Charles Demuth** n'aura de cesse d'exprimer sa fascination pour l'esthétique industrielle (*From the Garden of the Château*, 1921).

1967 : *Summer of Love*

En 1964, dix ans après la révolte littéraire des beatniks, San Francisco connaît une seconde révolution culturelle avec la naissance, dans le quartier de Haight-Ashbury, d'un nouveau mouvement de rebellion. Issu de la génération des babyboomers, celui-ci rejette en bloc conformisme et matérialisme, et prône un autre mode de vie fondé sur la liberté d'aimer, la solidarité et la vie en communauté.

Des jeunes venus du monde entier investissent alors les maisons victoriennes de Haight-Ashbury, vivent parfois dans la rue et consomment volontiers des substances hallucinogènes. En 1965, le mot « hippie » apparaît sous la plume d'un journaliste. L'été 1967 marque l'apogée du mouvement : plus de 100 000 personnes assistent au Rain Festival de San Francisco et vivent un « Summer of Love » sur fond de musique pop et de guerre du Vietnam. L'épopée hippie va par la suite s'étioler, minée par les drogues et la virulence de la répression. Mais elle aura largement contribué à la libération des mœurs dans l'ensemble du monde occidental.

■ **Japanese Tea Garden★★** ‖ B2 *(Tea Garden Dr.* ☎ *415/752-4227 • www.japaneseteagardensf.com • ouv. t.l.j. 8 h 30-17 h, de mars à oct. 8 h 30-18 h • entrée payante, sf les lun., mer. et ven. avant 10 h).* Vestige du village japonais de l'Exposition universelle de 1894-1895, ce jardin est un petit paradis verdoyant ; des ponts, des bassins, des bonsaïs, des camélias, une pagode et une statue de Bouddha fondue au Japon en 1790. Thé vert et gâteaux de riz vous seront servis pour une somme modique dans la maison de thé.

■ **Conservatory of Flowers★** ‖ B2 *(J. F. Kennedy Dr.* ☎ *415/831-2090 • www.conservatoryofflowers. org • mar.-dim. 9 h-16 h 30, f. lun. et j. fériés • entrée payante).* Cette magnifique serre victorienne a de mystérieuses origines. On raconte qu'elle arriva d'Angleterre en pièces détachées par le cap Horn en 1874 ! Après avoir résisté à l'incendie de 1883 et au séisme de 1906, elle a été gravement endommagée par un violent orage en 1995 ; elle a été restaurée depuis. Elle abrite des plantes tropicales, notamment une collection unique d'**orchidées dracula★**, des plantes carnivores (népenthès), des nénuphars vraiment géants et un étonnant jardin aquatique orné d'un pont de verre.

■ **Strybing Arboretum** ‖ B2 *(9th Ave. et Lincoln Way* ☎ *415/661-1316 • lun.-ven. 8 h-16 h 30, sam.-dim. 10 h-17 h).* Ce jardin botanique sillonné de sentiers permet de découvrir plus de 7 000 espèces de fleurs, d'arbres et d'arbustes provenant du monde entier. Ne pas manquer le délicieux **Garden of Fragrances** (jardin des Fragrances).

Quitter le jardin par l'accès E. sur Stanyan St.

■ **Haight-Ashbury★** ‖ B2 *(à l'E. du Golden Gate Park, Haight et Ashbury Sts).* Investi par les étudiants et les beatniks à la recherche de loyers bon marché dans les années 1950, le carrefour Haight-Ashbury fut, dans les années 1960, le sanctuaire du mouvement hippie qui gravitait autour de la *Phelan Brother's Psychedelic Shop* et du *Café Blue Unicorn*. Après avoir eu son heure de gloire en 1967 avec le Summer of Love *(→ encadré ci-contre)*, le quartier se dégrade avec l'arrivée de populations plus interlopes et devient dangereux dans les années 1970. Depuis, il a connu une réhabilitation mais cultive toujours un certain côté bohème.

Les nostalgiques trouveront qu'il s'est embourgeoisé mais pourront encore voir où vécurent **Janis Joplin** *(122 Lyon St., apt. 1, et 635 Ashbury St.)*, les **Grateful Dead** *(710 Ashbury St.)*, les **Jefferson Airplane** *(130 Delmar St.)*. Au 715 Ashbury St. se trouvait le quartier général des **Hell's Angels** à la fin des années 1960.

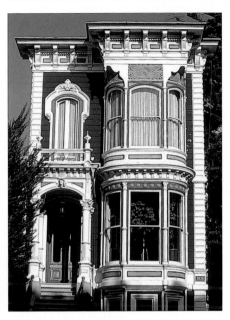

☞ Plan I, p. 232-233 (plan d'ensemble) • plan II, p. 234-235 (Downtown).

◀ Le quartier de Haight-Ashbury a conservé quelques beaux alignements de maisons victoriennes.

● **Buena Vista Park** I B2 *(entre Cypress et Pine Sts)*. Ce parc résidentiel, dessiné en 1867, constitue l'un des ensembles de **maisons victoriennes** les plus homogènes de San Francisco. Superbes **vues★** sur l'océan et sur la ville. C'est en octobre 1967, dans ce parc, que fut officiellement enterré le mouvement hippie : un petit groupe lassé des dérives y organisa une cérémonie funèbre avec un véritable cercueil.

■ **Alamo Square★** II A3 *(dans le quartier de Western Addition • délimité par Steiner, Scott, Hayes et Fulton Sts)*. Sans doute l'une des **vues★★** les plus célèbres de San Francisco, avec ses superbes maisons victoriennes colorées sur fond de gratte-ciel *(photo p. 18)*.

⑧ Civic Center et Japantown

Le Civic Center est le quartier administratif de San Francisco, dominé par l'imposante coupole du City Hall. Les Sanfranciscains s'y rendent rarement, sinon pour leurs démarches administratives. On y croise surtout des fonctionnaires mais aussi des artistes ; le Performing Arts Center est tout proche, avec son opéra et son auditorium. Le soir, le quartier est désert et peu accueillant. On pourra faire une « escale-sushi » dans la toute proche Japantown.

☞ FÊTES ET MANIFESTATIONS
Deux événements japonais
à San Francisco :
● le *Cherry Blossom Festival* (festival des Cerisiers en fleur) se déroule en avril, avec un grand défilé.
● *Nihonmachi Street Fair*, le 1er week-end d'août.

San Francisco

⑧

⬥ MARCHÉ

Marché aux fruits et légumes
les mercredis et dimanches,
sur United Nations Plaza
(II B3 ; 7 h-17 h).

⬥ BON À SAVOIR

On trouvera des antiquaires, des
galeries d'art et de bons petits
restaurants sur Hayes St. (II B3),
à deux pas du Civic Center.

Une compagnie pionnière

Fondé en 1933, le **San Francisco Ballet** constitue la plus ancienne compagnie de ballet des États-Unis. Il eut un rôle de pionnier dans le développement de la danse classique sur le continent, en donnant le premier *Coppelia* en 1939, la première version non expurgée du *Lac des cygnes* en 1940, le premier *Casse-Noisette* en 1944. C'est aujourd'hui l'une des trois plus grandes compagnies américaines, qui se dédie au répertoire et à la création.

⬥ BON À SAVOIR

Le musée organise, sur rendez-vous, des cérémonies du thé.

Presque la moitié de la collection permanente de l'Asian Art Museum provient de la donation Avery Brundage (1960), riche industriel de Chicago. D'autre part, le musée abrite une importante collection khmère, qui se place au 4e rang des collections mondiales après celles du Cambodge, de Thaïlande et du musée Guimet (Paris).

Départ. City Hall II B3.

Combien de temps. Compter 3 h.

Accès. *BART* station Civic Center, bus n°s 42 et 71, tramway ligne F station Civic Center.

■ **City Hall** II B3 *(401 Van Ness Ave.* • *entrée au 1 Dr. Carlton B. Goodlet Pl.* ☎ *415/554-6139* • *vis. guidées lun.-ven. à 10 h, 12 h et 14 h).* L'hôtel de ville de San Francisco a été construit en 1915-1916 dans le style beaux-arts, sur le modèle de la basilique Saint-Pierre de Rome. C'est le plus vaste City Hall des États-Unis. La restructuration du quartier du Civic Center fut amorcée par la municipalité en 1912, avec la construction de plusieurs bâtiments d'un classicisme austère.

■ **San Francisco War Memorial and Performing Arts Center** II B3 *(301-401 Van Ness Ave. et Grove St.* ☎ *415/621-6600* • *www.sfwmpac.org).* **Louise M. Davies Symphony Hall** est une salle de concerts de 2 740 places où se produit le San Francisco Symphony Orchestra, fondé en 1911, l'un des plus anciens orchestres symphoniques américains. La **War Memorial Opera House** *(Van Ness Ave. et Grove St.),* salle de 3 150 places, a été inaugurée en 1932 avec une représentation de *Tosca.* Le San Francisco Opera et le San Francisco Ballet se produisent dans cette salle.

■ **Asian Art Museum★** II B3 *(200 Larkin St.* ☎ *415/ 581-3500* • *www.asianart.org* • *mar.-dim. 10 h-17 h, jeu. 10 h-21 h, f. lun. et fêtes).* Il occupe les bâtiments de style beaux-arts de l'ancienne bibliothèque municipale, rénovés par Gae Aulenti, architecte du musée d'Orsay (Paris). Les collections permanentes, riches de plus de 14 000 objets, couvrent toutes les cultures asiatiques sur 6 000 ans. La présentation suit un découpage géographique et insiste sur trois thèmes majeurs : la diffusion du bouddhisme en Asie, le commerce et les échanges culturels, les pratiques religieuses et les coutumes locales.

La visite commence à l'étage supérieur (3rd floor).

● **Inde**. Les collections d'art indien couvrent une période de 2 000 ans reflétant les différents aspects de la culture religieuse indienne (hindouisme, islam, bouddhisme, sikhisme, jaïnisme). Le musée est d'ailleurs le seul au monde occcidental à présenter une collection d'art sikh.
Vishnou★★ (grès rouge, IVe s.), deuxième figure de la trinité hindoue, son épouse Lakshmi et sa monture, l'oiseau Garuda. **Brahma★★**, dieu créateur et le premier de la trinité hindoue, est ici représenté sous sa forme féminine, à quatre têtes : ses attributs

traditionnels sont les quatre livres des *Veda* et le récipient d'eau (granit, dynastie Chola, IXe s., Inde du Sud). **Ganesha★★**, fils de Shiva et Parvati, le dieu éléphant ou dieu de la sagesse (schiste chloritique, dynastie Hoysala, XIIe-XIIIe s.). Quelques rares **miniatures★★** mogholes à la technique éblouissante, dont l'une, très raffinée, représente un couple princier assistant à un feu d'artifice (XVIIIe s.).

● **Asie du Sud-Est**. Ce département illustre la diffusion de l'hindouisme et du bouddhisme dans toute l'Asie. On verra notamment un important ensemble de sculptures de bronze et de pierre provenant du temple d'Angkor Vat, au Cambodge, une rare collection de kriss (dagues) provenant d'Indonésie, de Birmanie, du Vietnam, des Philippines et de Thaïlande, ainsi que de nombreux objets rituels.

Avalokitesvara★ en bronze, à quatre bras et aux pectoraux « à la grecque » (Thaïlande, 2e moitié du VIIe s.). **Couple princier★★** sous la forme de Shiva et de sa shakti en grès poli, style du Baphuon (Cambodge, 2e moitié du XIe s.). Durga (relief en basalte, Java, X^e-XIe s.) : la déesse de la guerre terrasse de ses multiples bras le démon Mahisha, mi-homme mi-animal, qu'elle foule aux pieds.

● **Himalaya et Tibet**. Bouddha Dipankara en bronze doré (Népal, XVIIe s.). Thanka représentant Mahakala Brahmanaroupa (Tibet, XVIIIe s.). Bouddha couronné, stèle en chlorite noire, dynastie Pala (X^e-XIe s.). Rares **rouleaux tibétains★★** provenant des monastères de Shalu et Ngor ; textiles du Bhoutan.

● **Chine**. La collection d'art chinois représente plus de la moitié des collections du musée. Elle est riche de plus de 12 000 pièces, couvrant une période de 4 500 ans, de la période néolithique à l'époque Qing.

Jades. La collection, riche de plus de 1 200 pièces, illustre l'évolution du travail du jade sur près de 6 000 ans. **Oiseau néolithique★★** d'une surprenante facture, quasi moderne (1700 av. J.-C.). Ornement de coiffure en forme de phénix d'époque médiévale (VIIe-Xe s.).

Bronzes. La collection de 300 bronzes rituels de la période néolithique est considérée comme la plus importante hors d'Asie. Nombreux objets rituels, destinés aux offrandes de vin, eau et nourriture, et ornés de formes animalières stylisées : **vase à vin★★** en forme de rhinocéros, pièce unique datant du XIe s. av. J.-C. ; grand **vase tripode★** à vin, Jia, de la fin de la dynastie Shang (XIIIe-XIe s. av. J.-C.) ; **vase à vin Hu★★** à masque inversé (XIIe-XIe s. av. J.-C.).

Époque bouddhique. L'essor du bouddhisme, introduit en Chine au Ier s. av. J.-C., est illustré par une pièce unique, **Bouddha en méditation★★** en bronze doré daté de 338 apr. J.-C. (le plus ancien Bouddha de Chine), et surtout par des œuvres religieuses de l'époque des Six Dynasties (IVe-VIe s. apr. J.-C.) dont une **stèle bouddhique★★**, de 533 apr. J.-C.

*La visite se poursuit à l'**étage inférieur** (2nd floor).*

Époques Liao et Song (Xe-XIIIe s.). Cette période fut marquée par le développement des techniques de fabrication de la porcelaine. Parmi les plus belles pièces, voir un **oreiller★★** Song en porcelaine Ding à couverte blanc crème (XIe-XIIe s.) ; un **brûle-parfum★** Song en porcelaine Qingbai à couverte bleutée (X^e-XIIe s.) ; un oreiller en forme de tigre de grès Cizhou (début du XIIe s.).

Époque Yuan (1279-1368). Collection unique de **laques** d'époque médiévale : **boîte cylindrique★★** en laque rouge et noire à décor de dragons (XIIe-XIIIe s.) ; petit **écran de table★** en laque noire incrustée de nacre représentant un personnage avec une épée sur une face et une branche de prunier sur l'autre (XIIIe-XIVe s.) ; **vase★** à anses en porcelaine à couverte transparente décoré en rouge d'un dragon (fin du XIVe ou début du XVe s.).

San Francisco

8

Époque Ming (1368-1644). Ensemble d'**éventails peints** de toute première importance et quelques œuvres remarquables : *Paysage brun*★ de Dong Qichang (1555-1636) ; *La Montagne hérissée et contorsionnée*★★ de **Wu Bin** (1568-1626) ; **statuette**★ en ivoire de Guan Yü, le dieu de la guerre (xvᵉ s.).

Époque Qing (1644-1912). Porcelaines, laques, éventails peints et **peintures** de **Kun-can**, *Coude de la rivière*★★ (1661) ; **Yun Shouping** (1633-1690), *Lotus*★ ; **Wang Yunqi**, *Paysage*★ (1708) ; **Zheng Xie**, *Rocher, orchidées, bambous et calligraphie*★ (1761), qui illustre la symbiose de la peinture, de la poésie et de la calligraphie.

● **Corée**. La collection de **céramiques** et de **bronzes** coréens est la plus riche du monde occidental. **Vase**★ en forme de canard, poterie du début de l'époque des Trois Royaumes (Ⅲᵉⱽ s.). **Vase à vin**★★ (le plus célèbre céladon de l'Avery Brundage Collection) à anse unique et couvercle en forme de lotus (fin xⅠᵉ-début xⅡᵉ s.).

● **Japon**. Les **arts graphiques** sont représentés par une grande peinture bouddhique représentant *Amida dans son paradis*★ (xivᵉ-xvᵉ s.), un *Paravent des oiseaux*★, attribué à **Sesshu** et daté de 1497, une paire de paravents à six panneaux, *Paysage et personnages*, de **Tosa Mitsuoki** (xviiᵉ s.).

Quelques pièces très anciennes. Une **cloche**★ en bronze Dotaku, de la fin de l'époque Yayoi (iiᵉ s. av. J.-C.-iiᵉ s. apr. J.-C.), épouse l'une des formes les plus anciennes de l'art japonais. On remarquera un **guerrier haniwa**★★, poterie de l'époque des *tumuli* (viᵉ s.) : ces terres cuites en forme de cylindre, à effigie humaine, étaient placées dans la tombe du défunt.

■ **Saint Mary's Cathedral**★ II B3 *(1111 Gough St. et Geary Blvd • parking gratuit).* La cathédrale Sainte-Marie-de-l'Assomption a été reconstruite en 1970. Ses quatre voûtes en béton revêtu de travertin blanc s'élèvent à 60 m au-dessus du sol et se rejoignent en formant une **croix**★ ornée de vitraux symbolisant les quatre éléments. L'orgue Ruffatti compte 4 842 tuyaux.

■ **Japantown** II A-B3 *(entre Geary Blvd et Post St., Laguna et Fillmore Sts).* Après la Seconde Guerre mondiale, la ville japonaise ressemblait à un bidonville. Certains Nippo-Américains, de retour des camps américains où ils avaient été internés pendant la guerre *(→ encadré p. suiv.)*, s'y installent et fondent Japantown. Lors de la rénovation du quartier, dans les années 1960, quantité de maisons victoriennes furent détruites pour laisser la place au **Japan Center**. Ce complexe culturel et commercial a été conçu en 1968 comme une vitrine de la culture nippone ; on y trouve des temples, des restaurants et maisons de thé, des bars à karaoké, des bars à sushi, des galeries d'art et tout le matériel nécessaire à l'exercice de la calligraphie et de l'origami.

La **Peace Pagoda** (« pagode de la Paix » • *Peace Plaza, entre Post et Geary Sts*) est un cadeau du Japon à San Francisco ; elle s'inspire des pagodes de l'impératrice Kooken, du viiiᵉ s.

⑨ Mission et Castro★

Le quartier de Mission, qui a pour centre Mission Street et 24th Street, a grandi autour de Mission Dolores, le plus ancien bâtiment de San Francisco. Fief de la communauté hispano-californienne, c'est aujourd'hui l'un des endroits les plus dépaysants de la ville, avec ses rues fleurant bon les parfums de *tortilla* et de *churros*, et ses murs peints de scènes réalistes.

Castro, un peu plus à l'ouest en direction de Twin Peaks, est le quartier d'élection de la communauté homosexuelle de San Francisco. Le vent de folie des années 1980 a laissé la place à une convivialité plus calme ; le spectacle y perd, mais la qualité de vie y gagne.

Départ. Mission Dolores I C2.

Combien de temps. Compter 3 h.

Accès. *BART* station 24th St.-Mission St.

■ **Mission Dolores★** I C2 *(3321 Dolores St. et 16th St. ☎ 415/621-8203 • t.l.j. 9 h-16 h).* L'ancienne mission San Francisco de Asis est le bâtiment le plus ancien de San Francisco. Inaugurée en 1776 mais achevée en 1791 (et déplacée sur son site actuel), c'est la 6ᵉ des 21 missions implantées en Californie par les franciscains. La mission prit par la suite le nom d'un lac des environs.
La **chapelle** fut bâtie par les Indiens Ohlones, enrôlés dans la mission *(→ théma p. 212-213).* Très simple, construite en adobe (boue séchée et cuite au soleil), ses épais murs sont presque aveugles. Les poutres du toit en bois de séquoia sont tenues par des bandes de cuir qui garantissent résistance et souplesse. La chapelle a d'ailleurs bien résisté à la catastrophe de 1906, alors que la basilique voisine s'est effondrée. Des traces de polychromie sont encore visibles au plafond.
La **basilique** fut reconstruite en 1918, dans un style néobaroque dont l'exubérance tranche avec la simplicité de la chapelle. Dans le petit musée, les salles reconstituées avec du mobilier d'époque font revivre les premiers temps de la mission.
Dans le **cimetière**, nombreuses tombes d'Indiens Ohlones pour lesquels les conditions de vie dans la mission étaient déplorables, et quelques tombes de Français, datant de la ruée vers l'or.

■ **Castro★** I B2. Le quartier « gay » de San Francisco, où la population masculine est très largement majoritaire, est délimité par S. Market, Castro Sts et 18th St. On s'y promène pour voir et être vu. Petits restaurants, boutiques insolites et jolies maisons peintes de couleurs vives. La bannière arc-en-ciel y flotte le long des rues. Deux dates à ne pas manquer dans le quartier : la Castro Street Fair, le 6 oct. (grande parade homosexuelle), et Halloween, le 31 oct.

■ **Twin Peaks** I B2 *(Twin Peaks Blvd • s'y rendre en voiture ou en taxi).* Très beau **panorama★★** par temps clair, depuis le sommet des Twin Peaks, deux pics jumeaux (alt. 275 m).

Une communauté humiliée

La Seconde Guerre mondiale fut une véritable tragédie pour les **Nippo-Américains**. En dépit de sa loyauté, la communauté japonaise de San Francisco fut emprisonnée dans des camps. Pourtant, 33 000 Japonais (soit un tiers de la population totale emprisonnée) se déclarèrent volontaires pour aller combattre à l'étranger. Le 100ᵉ bataillon californien et le 442ᵉ régiment d'Hawaii, composés en grande partie de Japonais, se couvrirent de gloire sur le front européen ; ils étaient, à la fin de la guerre, les régiments les plus décorés. Aujourd'hui, San Francisco compte 12 000 habitants d'origine japonaise.

ⓘ *Visitors Center* (quartier de Mission), 2981 24th St. et Harrisson St. ☎ 415/285-2287.

Entre Mission St., Potrero St., 20th St. et Precita Ave., les murs sont ornés de grandes **peintures murales**. À voir, Balmy Alley (entre 24th St. et 25th St.) et ses 28 *murals* sur le thème de la paix en Amérique du Sud, ainsi que la façade du San Francisco Women's Building (maison des Femmes), au 3543 18th St. (entre Valencia et Guerrero Sts).

☞ Plan I, p. 232-233 (plan d'ensemble) • plan II, p. 234-235 (Downtown).

San Francisco

9

Environs de San Francisco

Dans les années 1930, la construction du Golden Gate Bridge, du Oakland Bay Bridge puis celle de quatre autres ponts mirent fin à l'isolement des populations de la baie de San Francisco. Aujourd'hui, plus d'un demi-million d'employés empruntent le *BART* (Bay Rapid Transit Area) ou le ferry pour gagner leur bureau en ville.

Accessibles par le Golden Gate Bridge, Sausalito, Tiburon et Belvedere (Marin County) sont les localités les plus résidentielles de la région. À l'est de la baie, plus populaire et plus urbanisé, la ville industrielle d'Oakland et la célèbre université de Berkeley sont accessibles par Oakland Bay Bridge. À ne pas manquer dans l'arrière-pays : les vignobles des vallées de Napa et de Sonoma, les séquoias de Muir Woods et la nature sauvage de la côte nord jusqu'à Point Reyes.

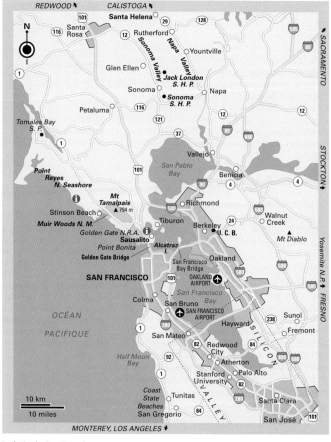

La baie de San Francisco.

1 Sausalito★★ *(à 8 mi/13 km N. de San Francisco).*

Accès. Quitter San Francisco par le Golden Gate Bridge et l'US 101, puis prendre la 1re sortie • en ferry (30 mn) : *Blue & Gold Fleet*, Pier 39 ☎ 415/705-8200, www.blueandgoldfleet.com ; *Golden Gate Ferry*, Ferry Building, The Embarcadero au niveau de Market St. • en bus, *Golden Gate Transit* depuis le Ferry Building, Pier 1/2.

Appelée jadis Saucelito (« petit saule » en espagnol), Sausalito est une localité très résidentielle, construite à flanc de colline face à San Francisco. La vue sur la ville et sur le pont depuis la marina et les hauteurs est spectaculaire. La rue principale, **Bridgeway**, s'étire au bord de l'eau, bordée de boutiques d'artisanat, de cafés et de restaurants avec terrasse. Le principal attrait de Sausalito réside dans ses *houses boats,* des maisons flottantes très prisées par les artistes, ancrées à **Richardson Bay★** *(photo p. 141).*

2 Muir Woods National Monument★★ *(à 11 mi/ 17 km N. du Golden Gate Bridge • de San Francisco, suivre l'US 101 puis la Hwy 1, sortir à Stinson Beach • t.l.j. de 8 h au coucher du soleil • promenades de 1 h à 1 h 30 • entrée payante, pique-niques et vélos non autorisés ❶ Visitors Information ☎ 415/388-2595).*

Le naturaliste John Muir réussit à convaincre William Kent, homme d'affaires, d'acheter ce terrain de près de 300 ha pour préserver les *redwoods (Sequoia sempervirens)* millénaires des bûcherons. En 1908, Theodore Roosevelt en fit un parc national. L'arbre le plus haut (dans Bohemian Grove) mesure 76 m.

● **Mount Tamalpais** *(alt. 794 m • suivre la Panoramic Hwy★ • à 12 km de l'entrée de Muir Woods s'embranche la route qui mène au sommet),* terre sacrée des Indiens Miwoks avant l'arrivée des Blancs. Un belvédère situé à 783 m d'alt. offre une **vue★★★** fabuleuse à 360° sur l'océan Pacifique, les Coast Ranges, la sierra Nevada, les montagnes de Santa Cruz, les collines de Contra Costa, le Mt Diablo, San Francisco et sa baie *(rangers à Pantoll Station, 801 Panoramic Hwy ☎ 415/388-2070).* La Panoramic Hwy débouche sur **Stinson Beach**, à proximité de la réserve ornithologique du lagon de **Bolinas**.

● **Point Reyes National Seashore★** *(à 35 mi/56 km N.-O. de San Francisco).* En 1579, sir Francis Drake aurait jeté l'ancre de son navire, le *Golden Hind,* à Drake Estero dont il prit possession au nom de la reine d'Angleterre et qu'il baptisa Nouvelle Albion.

L'agglomération de San Francisco (Metropolitan Area) se compose de 9 comtés totalisant plus de 7,4 millions d'hab. : Alameda, Contra Costa, Marin, Napa, San Francisco, San Mateo, Santa Clara, Solano et Sonoma.

▲ Le *Sequoia sempervirens* ou séquoia Redwood doit son nom à son écorce rougeâtre. C'est l'arbre le plus haut du monde : son tronc varie de 4 à 6 m de diamètre et sa hauteur peut atteindre 112 m ; il peut peser jusqu'à 500 t.

San Francisco

☞ Carte de la baie de San Francisco, p. 270.

Cette presqu'île sauvage, séparée du continent par la fameuse faille de San Andreas, possède la particularité de s'écarter de 5 cm par an de la côte. Si vous disposez de 2 h au moins pour visiter le parc, prenez en voiture la **Bear Valley Rd** et bifurquez au S. sur Francis Drake Hwy. À la pointe S., marchez jusqu'au **phare★** *(emportez un coupe-vent)*. Pour marcher le long de la faille de San Andreas, bien visible à Olema (épicentre du tremblement de terre de 1906), suivre Earthquake Trail Loop à partir du Bear Valley Visitors Center *(1 km a.-r.)*.

✐ À NOTER
À partir du mois de décembre, des troupeaux de baleines défilent au large du phare de Point Reyes.

❸ University of California at Berkeley (UCB • *à 12 mi/19 km E. de San Francisco, par l'I-80).*
Fondée en 1868, Berkeley accueille près de 36 000 étudiants et jouit d'un grand prestige ; 21 prix Nobel en sont issus. Elle cultive aussi une réputation d'anticonformisme. En septembre 1964, son président interdit toute activité politique dans l'enceinte universitaire et aux abords du campus. Le 1er octobre, huit étudiants sont renvoyés ; des manifestations s'organisent aussitôt. Deux jours plus tard est créé le Free Speech Movement (« Mouvement pour la liberté d'expression ») en référence au 1er amendement de la Constitution. Après 1965, l'opposition à la guerre du Vietnam se radicalise. En 1969, les étudiants de Berkeley occupent un terrain dont les dirigeants de l'université souhaitaient faire un parking, le baptisent People' Park (« parc du Peuple ») et résistent aux forces armées envoyées par le gouverneur d'alors, Ronald Reagan. Ces événements sont commémorés par un mur peint, *The People' Park's Mural* *(à l'angle de Telegraph Ave. et Haste St.).*

❶ *UC Berkeley Visitors Center,*
101 Sproul Hall,
près de l'intersection entre Bancroft Way et Telegraph Ave.
☎ 510/642-5215.
Visites guidées par des étudiants pratiquant le français.

Le **campus**, bordé par Bancroft Way, où se sont multipliés restaurants et cafés, s'élève progressivement. Devant Sather Gate, l'entrée principale, le spectacle est permanent. Le **South Hall**, de style Tudor (1873), est le plus ancien bâtiment de l'université. La **Sather Tower**, copie du campanile de la place Saint-Marc, à Venise (1914), domine de ses 94 m l'ensemble du campus et offre un beau point de vue sur la baie de San Francisco.

♥ RESTAURANT
Chez Panisse,
1517 Shattuck Ave., entre Vine et Cedar Sts, à Berkeley
☎ 510/548-5525. Ce restaurant sert une cuisine californienne d'inspiration méditerranéenne. Réserv. longtemps à l'avance.

● **Berkeley Art Museum★** *(2626 Bancroft Way • mer.-dim. 11 h-17 h, ven. 11 h-21 h • entrée payante).*
Ce musée fondé en 1963 autour d'un legs du peintre expressionniste abstrait Hans Hofmann est riche d'œuvres de Rubens, Thomas Gainsborough, Jean-François Millet, Paul Gauguin, Jackson Pollock, Mark Rothko, Andy Warhol, Jasper Johns, Egon Schiele, René Magritte… Il abrite également une collection d'art asiatique comprenant un remarquable ensemble de **miniatures indiennes★**.

☎ NUMÉROS GRATUITS
Les numéros de téléphone qui commencent par ☎ 800, 855, 866, 877, 888 sont des numéros d'appel gratuits *(toll-free number)*. Faites-les précéder du ☎ 1 si vous appelez depuis un poste fixe (et non d'un portable). Dans ce guide, ces numéros sont notés ainsi : ☎ (1)800/000-0000.

4 Sonoma Valley★★ (*à 43 mi/69 km N. de San Francisco • prendre la Hwy 101 jusqu'à Santa Rosa, puis reprendre la SR 12 vers Sonoma*).

Côtes rocheuses, forêts protégées, sources d'eau chaude, fermes viticoles, petits marchés et vignobles à flanc de colline invitent à la flânerie.

● **Sonoma State Historic Park** (*363 3rd St. W., Sonoma* ☎ *707/938-9560 • t.l.j. 10 h-17 h • le billet d'entrée donne accès à tous les bâtiments*). La **mission San Francisco Solano** est la dernière des 21 missions construites en Californie. Consacrée le 4 juillet 1824, elle est composée des logements des pères et d'une chapelle en adobe reconstruite dans les années 1840 qui abrite un petit musée. Sur Spain St., le **Blue Wing Inn** était un hôtel et saloon à l'époque de la ruée vers l'or. Juste en face de la place (1834), la **caserne** (*barracks*) servait de logements aux troupes stationnées à Sonoma pour défendre la frontière N. contre les tribus indiennes et la progression des Russes. Après l'**hôtel** *Toscano*, construit dans les années 1850, se trouve la **Casa Grande**, une des demeures de Mariano Vallejo (→ *encadré ci-contre*), dont il ne reste que le bâtiment des domestiques.

Visites de caves : Buena Vista Winery (*18000 Old Winery Rd, Sonoma* ☎ *(1)800/926-1266 • t.l.j. 10 h-17 h*) est la plus ancienne cave en activité, fondée en 1857 par le comte hongrois Haraszthy, qui rapporta d'un voyage en Europe 100 000 pieds de vigne, donnant naissance au plus beau vignoble d'Amérique. **Sebastiani Vineyards** (*389 4th St. E., Sonoma* ☎ *707/933-3230 • t.l.j. 11 h-17 h*) : visite de la propriété et des vignobles, cours de dégustation. **Ravenswood Winery** (*18701 Gehricke Rd, Sonoma* ☎ *707/933-2332 ou (1)888/669-4679 • dégustations t.l.j. 10 h-16 h 30*) produit l'un des meilleurs *zinfandel* de Californie.

● **Jack London State Historic Park**★ (*à 13 km N. de Sonoma sur la SR 12 • 2400 London Ranch Rd* ☎ *707/938-5216 • www.parks.ca.gov • ouv. 10 h-17 h, f. mar., mer. et j. fériés • entrée libre*). C'est, en pleine nature, dans sa propriété de Glen Ellen, que Jack London écrivit la plupart de ses romans. Il repose dans son domaine.

5 Napa Valley★ (*à 50 mi/80 km N. de San Francisco • prendre l'US 80 jusqu'à Vallejo, puis remonter la CA 29 qui suit la Napa Valley • www.napavalley.org*).
La vallée s'étend sur 56 km et couvre 388 km². Les premiers plants de vigne y ont été introduits en 1856, et elle compte aujourd'hui plus de 400 caves à vins (*wineries*) dont sont issus les meilleurs crus californiens, pour la plupart situées le long de la route 29.

Coup de force à Sonoma

Sonoma fut fondée en 1835 par **Mariano Vallejo**, commandant mexicain de la frontière nord. Le 14 juin 1846, un groupe d'Américains, immigrants illégaux et trappeurs, inquiets des projets du gouvernement mexicain de les expulser, se saisit du général Vallejo et l'emprisonne au fort Sutter, à Sacramento. Ils s'empressent de hisser un drapeau orné d'un ours et d'une étoile (le *Bear Flag*) proclamant la nouvelle République de Californie. C'est l'épisode fameux de la **Bear Flag Revolt** (« révolte du drapeau à l'emblème de l'ours »).

La nouvelle République de Californie vécut un mois seulement. Deux ans plus tard, elle passait sous tutelle américaine. Une statue sur la place commémore l'événement. La Californie s'était choisi un drapeau qu'elle a conservé depuis.

Sonoma ou Napa ?
Les deux vallées ont chacune leurs vignobles réputés, leur écrivain célèbre (Jack London pour la première, Robert Louis Stevenson pour la seconde).
Côté authenticité, la vallée de Sonoma est moins touristique et plus propice à la balade, avec ses vignobles à flanc de colline qui se découvrent au détour de chemins creux, ses fermes viticoles, ses petits marchés et ses sources d'eau chaude revigorantes.

San Francisco

✐ **BON À SAVOIR**
Rares sont les caves qui offrent encore des dégustations gratuites (comptez 10 à 20 $, rendez-vous indispensable pour certaines d'entre elles).

Le vin californien

Ce sont les missionnaires espagnols qui introduisent la culture de la vigne en Californie au XVIII⁰ s. Au siècle suivant, des émigrants européens développent le vignoble. Chacun, Italien, Allemand, Suisse ou Français, apporte avec lui les cépages de son terroir et son savoir-faire. Les vallées californiennes deviennent un melting-pot de la viticulture du Vieux Continent, à tel point que le *zinfandel*, cépage porte-drapeau des vins de la Californie, y a perdu la trace précise de ses origines : croates ou italiennes !

Après la Seconde Guerre mondiale, l'essor de la viticulture s'accélère.

Aujourd'hui, la Californie est le principal État producteur et possède plus de 80 % du vignoble des États-Unis. La diversité géographique et climatique (zones arides au sud, zones humides près des côtes, climat septentrional au nord) ainsi que le grand nombre de cépages lui permettent de produire une large variété de vins.

Les vignobles les plus réputés se trouvent au nord de San Francisco, dans les vallées de Napa et Sonoma. Les rouges sont très structurés et riches en alcool, et les blancs sont très aromatiques. La qualité des vins californiens est aujourd'hui reconnue dans le monde entier.

Visite de caves : Domaine Chandon *(1 California Dr., Yountville* ☎ *(1)888/ 242-6366 • t.l.j. 10 h-17 h • dégustation à partir de 18 $)* a été créé en 1973 par les champagnes Moët-et-Chandon. Les caves futuristes de **Robert Mondavi** *(7801 St Helena Hwy, Oakville* ☎ *(1)888/766-6328 • t.l.j. 10 h-17 h • dégustation 15 $ sur r.-v.)* produisent l'un des meilleurs crus de la vallée, l'Opus One, un cabernet sauvignon. **Beaulieu Vineyards** *(1960 St Helena Hwy, Rutherford* ☎ *(1)800/264-6918 • t.l.j. 10 h-17 h • dégustation 15 $)*. **Beringer Vineyards** *(2000 Main St, Santa Helena* ☎ *707/963-8989 • t.l.j. 10 h-17 h)*.

● **Santa Helena** *(à 19 mi/30 km N.-O. de Napa)* est la capitale historique du vignoble. Le **Silverado Museum** *(1490 Library Lane* ☎ *707/963-3757 • mar.-dim. 12 h-16 h)* est un petit musée dédié à la vie et à l'œuvre de Robert Louis Stevenson *(→ p. 219)*.

Sequoia et Kings Canyon National Parks★★ CA

Kings Canyon Park, et Sequoia Park sont deux parcs contigus qui s'étendent sur plus de 100 km, des contreforts vallonnés de la San Joaquin Valley, à l'ouest, jusqu'aux cimes de la sierra Nevada, à l'est. Ils abritent le plus haut sommet des États-Unis hors Alaska, le Mount Whitney (4 418 mètres), visible seulement depuis l'Owens Valley (versant est) et plusieurs autres sommets de plus de 3 000 mètres. Mais leur véritable trésor se trouve sur le versant ouest de la sierra, où se dressent d'extraordinaires futaies de séquoias géants.

Situation : à 286 mi/457 km E. de San Francisco, 249 mi/398 km N. de Los Angeles.

Superficie : 3 370 km².

Fuseau horaire : Pacific Time (– 9 h par rapport à la France).

☞ Carte du parc, p. 276.

❶ ☎ 559/565-3341 ; www.nps.gov/seki
❶ *Visitors Centers* (t.l.j. 8 h-17 h) à Foothills (☎ 559/565-3135) et Lodgepole (☎ 559/565-4436) pour Sequoia N. P. ; à Grant Grove et Cedar Grove pour Kings Canyon N. P.

Sequoia et Kings Canyon N.P. mode d'emploi

Entrées. Elles sont situées sur le versant O. uniquement • **entrée S. de Sequoia N. P.** à 6 mi/10 km N.-E. de Three Rivers par la CA 198 (Ash Mountain Entrance) • **entrée N.-O. de Kings Canyon N. P.** à 50 mi/80 km de Fresno par la CA 180 (Big Stump Entrance à Grant Grove).

Accès. Depuis Los Angeles : 217 mi/347 km par l'I-5 puis la CA 99 en direction de Fresno. À Visalia, suivre la CA 198 en direction de Three Rivers (entrée S. de Sequoia N. P.) ; 4 h de route.
Depuis San Francisco : 250 mi/402 km par l'I-80 et l'I-580. Continuer sur la CA 152 puis la CA 99. Prendre la sortie 133 B pour rejoindre la CA 180 (entrée N.-O. de Kings Canyon N. P.) ; 5 h de route.
Depuis Yosemite N. P. : 130 mi/209 km par la CA 41. À Fresno, prendre la sortie 128 et suivre la CA 180 (entrée N.-O. de Kings Canyon N. P.) ; 2 h 30 de route.

L'accès par la CA 180 est recommandé pour les véhicules de plus de 7 m de long.

Transports. Navettes payantes pour Sequoia N. P. au départ de Visalia • dans le parc, navettes gratuites (t.l.j. 26 mai-25 sept.) : **route 1** *(green line)* pour Lodgepole

À ne pas manquer	
Giant Forest★★ et le General Sherman Tree★★★	278
Moro Rock★★	278
Grant Grove★ et le General Grant Tree★★	278

Voir carte régionale p. 138

Visitors Center-General Sherman Tree-Giant Forest Museum ; **route 2** *(grey line)* pour Giant Forest Museum-Moro Rock-Crescent Meadow ; **route 3** *(purple line)* pour Lodgepole Visitors Center-Wuksachi Lodge. Réserv. ☎ 559/565-4436 ; www. sequoiashuttle.com

Le meilleur moment. Au printemps et en été car, si les parcs sont ouverts toute l'année, certaines zones – Mineral King, Cedar Grove et Crystal Caves – ne sont accessibles qu'en été seulement.

Visite. Prévoir 1 j., plus si vous désirez y randonner ● droit d'entrée dans le parc : 20 $ par véhicule ou 10 $ par personne ● *pass America The Beautiful* accepté ● permis obligatoire pour le camping sauvage (14 terrains de camping) ou pour les randonnées en montagne de plus de 1 j., rens. dans les *Visitors Centers*.

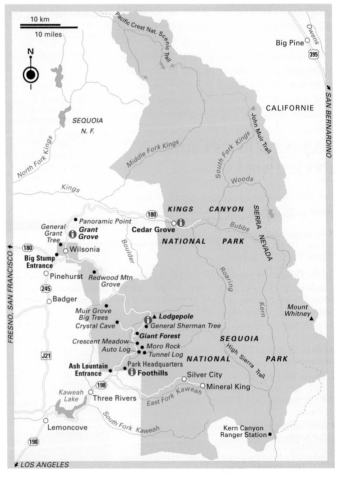

Sequoia et Kings Canyon National Parks.

Se déplacer. Le réseau routier des parcs est réduit (80 km), et certaines routes peuvent être fermées l'hiver • la CA 198 forme une boucle à l'intérieur du Sequoia N. P. • Generals Higway relie les deux parcs • Kings Canyon Scenic Byway (CA 180) traverse le Kings Canyon N. P. ; c'est une route sinueuse, qui se termine en cul-de-sac à Cedar Grove (comptez 2 h pour parcourir 45 km).

Randonnées. Le parc est très bien aménagé pour les randonneurs (1 450 km de sentiers) • les sentiers les plus facilement accessibles sont situés dans le Sequoia N. P.

Un très ancien parc national

Protéger les séquoias

Les premiers habitants de la région étaient des Indiens Monaches et Potwishas originaires de l'E. de la sierra. Quelques expéditions d'exploration approchèrent ces montagnes, mais le nom de Kings River *(El Rio de los Santos Reyes)* ne fut donné qu'en 1806 par une expédition espagnole. Jusqu'à la ruée vers l'or, les Monaches furent rarement dérangés, mais les chercheurs d'or apportèrent la rougeole et la variole. L'épidémie de 1862 fut particulièrement meurtrière. Dans les années 1870, des scieries furent installées et des forêts entières de séquoias transformées en crayons et en tuteurs pour les vignobles.

Il a fallu que les habitants de la vallée se mobilisent pour que, en 1890, le Sequoia National Park soit créé. Le Kings Canyon reçut le statut de parc national beaucoup plus tard, en 1940.

L'étagement de la végétation

Les collines et les versants au-dessous de 450 m, secs et sans neige en hiver, sont couverts d'une steppe herbeuse et de taillis, refuge de nombreux animaux à la mauvaise saison : renards gris, lynx, campagnols californiens, martres, ratons laveurs *(racoons)* et cerfs-mulets aux longues oreilles *(mule deers)* ; le serpent à sonnette est assez répandu, et protégé. Au fond des vallées, les trembles tapissent les prairies humides.

Les zones comprises entre 450 et 1 200 m sont couvertes d'épaisses forêts de conifères : sapins rouges, épicéas, pins ponderosas et pins tordus, cèdres et bien sûr séquoias géants *(Sequoiadendron giganteum)*, les vedettes des lieux. L'hiver recouvre ces régions d'une épaisse couche de neige (2 à 4,5 m). Les cervidés et les ours bruns y sont nombreux, les pumas *(mountain lions)* sont plus rares. Au-dessus de 1 200 m, la forêt

✎ BON À SAVOIR
• Pour **séjourner** dans le parc, réserv. auprès du
Sequoia and Kings Canyon N. P., Reservation Manager, PO Box 789, Three Rivers 93271
☎ (1)877/444-6777 ;
www.nps.gov/seki
• **Vêtements** chauds conseillés le matin et le soir, même en été.
• **Stations-service** à Grant Grove et à Cedar Grove (Kings Canyon N. P.). Pas de station-service dans le Sequoia N. P. ; faire le plein à Visalia ou à Three River.

〰 PARCS NATIONAUX
À propos des conditions d'entrée et des forfaits, consultez la rubrique « Parcs nationaux », dans le chapitre Séjourner, p. 52.

Ursus americanus

L'**ours brun** est le seul ours de la région (le grizzli a disparu depuis 1924). La couleur de son poil peut d'ailleurs aller du blond au brun foncé. Il vit de 12 à 15 ans, les mâles peuvent atteindre 180 kg, et les femelles 112 kg. Ils hibernent pendant l'hiver, mais en été, ils se déplacent sur de grandes distances.

La rencontre avec un ours est fascinante mais peut être dangereuse. Ne cherchez surtout pas à le nourrir, ne laissez traîner aucun reste de nourriture et conservez les aliments, trousses de toilette et produits de beauté dans des contenants bien hermétiques, même dans le coffre de votre voiture. Les parcs nationaux sont désormais équipés de coffres en fer, utilisez-les ! Si d'aventure vous croisez un ours, restez à bonne distance, faites-lui peur en frappant dans vos mains et en jetant des cailloux dans sa direction pour l'effrayer.

Sequoia et Kings Canyon N. P.

est plus clairsemée ; plus haut encore apparaissent des prairies puis des étendues rocailleuses totalement dénudées. Ici, la faune se limite à de rares espèces adaptées aux conditions extrêmes : le mouflon, la marmotte et le pika (sorte de lièvre) partagent la solitude des sommets.

Un colosse au pied fragile

Le séquoia doit son nom au botaniste autrichien Stephan Endlicher (1804-1849) qui l'aurait nommé ainsi en l'honneur du chef indien cherokee Sequoyah. Les séquoias se répartissent en deux groupes : le *giganteum*, que l'on rencontre sur le versant O. de la sierra Nevada, et le *sempervirens* (toujours vert) ou *redwood*, qui prospère le long de la côte pacifique. Ces géants sont les ultimes survivants d'une espèce répandue dans tout l'hémisphère N. il y a 175 millions d'années (*taxodiaceae*). Le *sempervirens* peut atteindre 112 m de hauteur. Le *giganteum*, moins haut (95 m), se rattrape sur la largeur (12 m de diamètre). Son écorce est ininflammable et peut atteindre 79 cm d'épaisseur chez les plus âgés. Sa haute teneur en tanin décourage insectes et champignons.

Pourtant, le séquoia est un géant fragile. Ses racines s'étalent largement autour de lui mais s'enfoncent peu profondément dans le sol ; l'érosion naturelle, le vent, le poids de la neige peuvent avoir raison de sa stabilité.

Visiter Sequoia et Kings Canyon National Parks

■ **Giant Forest★★** *(Generals Hwy, Sequoia N. P., à 17 mi/27 km de l'entrée du parc)* est la plus belle futaie de séquoias géants du parc. À ne pas manquer, **General Sherman Tree★★★**, dont l'âge est estimé à 2 300-2 700 ans, et qui est le plus grand spécimen connu de l'espèce : 83 m de haut, 31 m de circonférence au sol, 11,1 m de diamètre à la base. La première grosse branche de ce vénérable colosse de 1 385 t est à 40 m de hauteur, et la plus grosse branche affiche un diamètre de 2 m.

Giant Forest Museum *(sur Generals Hwy, à 2 mi/3 km S. du General Sherman Tree • entrée libre)* est un petit musée consacré aux géants de la forêt. Voir le **Sentinel Tree★** sur le parking, une autre invitation à l'humilité…

À partir du General Sherman Tree, la **Congress Trail** est une promenade de 2 mi/3 km *(comptez 1 h de marche)*.

Depuis Giant Forest, emprunter **Crescent Meadow Road**. On passe devant **Auto Log**, un énorme tronc abattu sur lequel, autrefois, des voitures circulaient, et **Tunnel Log★**, un autre tronc percé d'un tunnel ouvert à la circulation. De **Moro Rock★★** *(1,8 mi/3 km • 30 mn de marche a.-r. depuis le parking)*, imposant bloc granitique à 2 050 m d'alt. *(400 marches pour accéder au sommet)*, la **vue★★** panoramique sur la Kaweah Valley et les sommets du Great Western Divide est exceptionnelle.

High Sierra Trail est l'un des plus beaux sentiers de randonnée du parc *(70 mi/ 114 km jusqu'au Mt Whitney)* ; on peut le suivre en partie jusqu'à Bearpaw Meadow *(11,5 mi/18,5 km)*.

■ **Grant Grove★** *(près de Grant Grove Village, dans Kings Canyon N. P.)*. Des séquoias vieux de 3 000 ans se dressent dans de larges clairières. Le **General Grant Tree★★**, âgé « seulement » de 1 800 à 2 000 ans, est le 3e plus gros séquoia recensé (81,5 m de haut, 12,3 m de diamètre et 32,8 m de circonférence à la base).

☞ Carte du parc, p. 276.

✐ BON À SAVOIR
Des deux parcs, Sequoia est le plus facile d'accès et le mieux aménagé ; Kings Canyon, moins bien desservi, est plus sauvage.

◄ Le séquoia (ici, General Grant Tree) porte des aiguilles persistantes et des pommes de la taille d'un œuf de poule. Il croît près d'autres arbres et doit sa longévité (jusqu'à 3 200 ans) à une formidable capacité de régénération.

Le feu, allié du séquoia

Dans les années 1860, le service des Parcs, croyant protéger les séquoias, lança un programme de lutte contre les incendies. Le résultat se révéla désastreux ; privés de la chaleur du feu, les séquoias ne pouvaient plus se reproduire et des arbres mieux adaptés à l'ombre prirent leur place dans les sous-bois. Des études ont montré que le feu, loin de lui être néfaste, l'aide à se développer. La chaleur fait éclater les cônes et libère les minuscules graines sur un sol fertilisé par la cendre. Pour améliorer le cycle écologique de la forêt de séquoias, le service des Parcs mène depuis 1968 une politique de feux contrôlés très efficace.

Depuis Grant Grove, la **Kings Canyon Scenic Byway** conduit à la vallée du bras S. de la Kings River, bordée de parois rocheuses abruptes. N'empruntez pas cette route si vous disposez de peu de temps. Il faut plus de 1 h pour descendre dans la vallée. Cedar Grove est un cul-de-sac, point de départ pour des randonnées dans Kings Canyon ; retour obligatoire par la même route.

Toujours dans Kings Canyon N. P., **Park Ridge Trail** *(4 mi/6,4 km)*, randonnée à partir de Panoramic Point près du parking du *Visitors Center* ; vues saisissantes sur la High Sierra, la vallée de San Joaquin et les Coast Ranges. Nombreuses pistes à partir de Cedar Grove vers Zumwalt Meadow★, Roaring River Falls★ et Mist Falls pour les plus faciles.

Sequoia et Kings Canyon N. P.

Death Valley
National Park★★★ CA

Situation : à 260 mi/418 km N.-E. de Los Angeles, le long de la frontière avec le Nevada.

Fuseau horaire : Pacific Time (– 9 h par rapport à la France).

❶ *Visitors Center* sur la Hwy 190 ☎ 760/786-3200 ; www.nps.gov/deva ; t.l.j. 8 h-17 h.

〰〰 PARCS NATIONAUX
À propos des conditions d'entrée et des forfaits, consultez la rubrique « Parcs nationaux », dans le chapitre Séjourner, p. 52.

À ne pas manquer	
Zabriskie Point★★	282
Dante's View★★	283
Artist Drive★	282
Scotty's Castle★	283

Voir carte régionale p. 138

Au creux des vallées désertiques de l'Amargosa River et du Salt Creek, dominée à l'est par Amargosa Range et à l'ouest par Panamint Range, la vallée de la Mort est une vaste dépression en grande partie située au-dessous du niveau de la mer. Le géologue Gilbert, qui l'étudia en 1880, nota la présence de roches très anciennes mises au jour par des soulèvements récents. La formation de la vallée ne résulte aucunement de l'érosion fluviale et du travail des glaciers, qui ont sculpté Yosemite Valley ; ici, c'est essentiellement l'élévation progressive des montagnes qui sont à l'origine de ces paysages lunaires uniques.

Death Valley National Park mode d'emploi

Accès. Trois accès possibles. **Depuis Los Angeles**, au S.-O., à 260 mi/418 km par les CA 14, 395 et 190 **Depuis Las Vegas**, à l'E., 120 mi/192 km par l'US 95 puis la NV 373 jusqu'à Death Valley Junction ou par l'I-15, la CA 127 puis la CA 190 qui traverse la vallée d'E. en O.
Depuis Lone Pine, à l'O., 50 mi/80 km par la CA 136 et la CA 190.

Visite. 20 \$/véhicule, valable 7 j. ; 10 \$/pers. (piétons, deux-roues), valable 7 j. ● *pass America The Beautiful* accepté.

Le meilleur moment. Au printemps et à l'automne ● le pic de fréquentation se situe entre juin et sept., quand le Tioga Pass, qui permet d'accéder à Yosemite N. P., est ouvert (f. le reste de l'année à cause de la neige).

Combien de temps. Consacrez au minimum 1 j. à la traversée de la vallée ; passez la nuit à Furnace Creek ou Stovepipe Wells Village ● en été, mieux vaut rouler tôt le matin ou en fin de journée, quand la fraîcheur s'installe et que la vallée se pare de splendides couleurs.

Death Valley National Park dans l'histoire

De l'eau au désert...

Difficile d'imaginer que, à l'époque glaciaire, le fond de cette vallée brûlée par le soleil était occupé par un immense lac de 190 km de long et 180 m de profondeur, encadré de montagnes. Ce lac disparut et fut remplacé, voici 2 000 ans, par un autre, dont l'eau s'évapora à son tour, déposant une épaisse couche de boue mêlée à la saumure et au borax qui atteint par endroits près de 2 m d'épaisseur (le *salt pan*). Ainsi, la vallée brille du reflet métallique de milliers de petits miroirs de sel qui en tapissent le fond.

L'antichambre de l'enfer

En décembre 1849, Death Valley fut le théâtre d'un drame qui lui valut son nom. Un groupe de pionniers en route vers l'O., en quête de nouveaux filons, s'engage dans ces terres arides, croyant prendre un raccourci. Prisonniers du bassin désertique salé, cette centaine d'hommes, de femmes et d'enfants vont vivre un mois d'enfer, contraints d'abandonner leurs 25 chariots et leur bétail pour rester en vie. Parti chercher de l'aide seul vers le S., le capitaine Culverwell mourut en chemin et fut, au final, la seule victime d'un épisode qui aurait pu se révéler plus tragique.

Le périple du borax

En 1880, le Français Isidore Daunet découvre dans la vallée d'importants gisements de borax (→ *encadré ci-contre*). Davantage que l'or ou l'argent, c'est ce minerai qui se révélera le plus rentable ; Daunet fonde la compagnie *Eagle Borax*, qui en assure l'extraction pendant 2 ans avant d'être remplacée en 1882 par *Harmony Borax*, créée par un certain Coleman. Le minerai était transporté jusqu'au chemin de fer de Mojave, dans des wagonnets tirés par 18 mules et 2 chevaux, supportant un chargement de 36 t ; en 10 jours, ils parcouraient près de 270 km à travers ce désert brûlant. La compagnie ferma ses portes en 1890. Quelques mines furent exploitées jusque dans les années 1930.

Visiter Death Valley N. P.

■ **Furnace Creek** (*sur la CA 190*). Au centre de la vallée, Furnace Creek est un passage obligé pour qui veut trouver un hébergement ou se restaurer. Située à 54 m au-dessous du niveau de la mer, cette oasis plantée de palmiers dattiers vient agréablement contredire la nudité absolue de la vallée. On y trouve

---

✐ BON À SAVOIR
• Il est impossible de camper dans la vallée en été en raison de la chaleur.
• Hébergement : dans le parc à Furnace Creek (*Furnace Creek Inn* et *Furnace Creek Ranch*), Stovepipe Wells Village et Panamint Springs Resort ; hors du parc à Lone Pine, Big Pine et Bishop.

Quelques clés pour la Death Valley

Avec 13 500 km² de **superficie**, Death Valley est le plus grand parc national des États-Unis, hors Alaska.

Il ne tombe que 4 cm d'eau par an dans la Death Valley mais, aussi rares que violentes, les **précipitations** ont ici de quoi surprendre : en quelques minutes, l'eau dévale les pentes, emportant la terre et creusant de profondes rigoles.

D'origine volcanique, le **borax** est composé de bore, de sodium ou de calcium et d'eau. Il en existe 26 variétés dans la Death Valley. Le minerai se forme lors de l'évaporation de l'eau des lacs et des sources (sa présence se signale par la teinte jaunâtre du sol). Il est utilisé dans les domaines les plus variés : industrie aéronautique, recherche spatiale, production de fibres de verre et de matériaux isolants, composition d'engrais, de désherbant, de vernis à poterie...

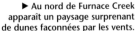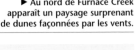

► Au nord de Furnace Creek apparaît un paysage surprenant de dunes façonnées par les vents.

Death Valley sans danger

Si la chaleur est éprouvante en été, la visite reste possible, à condition de respecter certaines règles de sécurité : chapeau, lunettes de soleil et écran total vous seront indispensables. Portez des vêtements légers et emportez de l'eau en quantité suffisante (4 l/personne). Ne voyagez pas seul et vérifiez l'état de votre véhicule avant de vous engager dans la vallée : les conditions climatiques sont également éprouvantes pour les voitures et les bus – on vient y tester les performances des véhicules en conditions extrêmes. Les stations d'essence sont rares (seulement à Furnace Creek Ranch, Stovepipe Wells Village et Panamint Springs Resort). Des réserves d'eau pour radiateurs de voiture sont signalées par des points rouges sur la carte du parc. Restez sur les routes goudronnées ; n'empruntez pas les chemins de traverse. Les GPS étant souvent inopérants dans la Death Valley, emportez une carte routière.

Si vous tombez en panne, ne partez surtout pas à pied : restez près de votre voiture et attendez que passe un autre véhicule ou qu'une patrouille vienne vous chercher.

deux hôtels, une cafétéria, une poste et un *Visitors Center*. Le **Borax Museum** *(entrée gratuite)* perpétue le souvenir de l'exploitation minière : tracteurs à vapeur, wagons à mules, photographies d'époque.

Death Valley est sillonnée par la CA 190 ; trois itinéraires sont possibles depuis Furnace Creek.

■ **Vers le sud : Artist Drive et Badwater** *(par Badwater Rd, CA 178).*

● **Artist Drive★** *(8 mi/13 km).* Cette boucle à sens unique permet de découvrir les montagnes les plus colorées de Death Valley ; splendide point de vue d'**Artist Palette★★** à découvrir au soleil couchant.

● Vers l'O., un ancien sentier muletier *(W. Side Rd)* mène aux ruines d'**Eagle Borax Works**, autrefois centre d'extraction du minerai.

● **Devil's Golf Course★★** *(11 mi/18 km)*, « terrain de golf du diable », est une vaste plaine salée qui miroite au soleil. En face se trouve **Natural Bridge Canyon★** *(0,5 mi/0,8 km • 15 mn a.-r. sans difficulté)*, étrange canyon de terre rouge chevauché par un pont naturel.

● **Badwater** *(18 mi/29 km)*, situé à 86 m au-dessous du niveau de la mer (signalé par un panneau blanc), est le point le plus bas d'Amérique du Nord. C'est le résidu d'un lac immense qui couvrait autrefois la vallée tout entière ; l'eau est si salée que rares sont les animaux capables de s'y adapter. Il y fait 6 à 8 °C de plus qu'à Furnace Creek.

■ **Vers le sud-est : Zabriskie Point et Dante's View** *(depuis la CA 190, un circuit panoramique de 23 mi/37 km dessert de très beaux points de vue sur la vallée).*

● **Zabriskie Point★★** *(1,8 mi/3 km)* surplombe le Twenty Mule Team Canyon. On profitera au mieux de ses couleurs magnifiques au lever et au coucher du soleil. Vue sur Manly Beacon et Red Cathedral. L'âpre beauté de Zabriskie Point a inspiré à Michelangelo Antonioni un film du même nom (1970).

● **Dante's View**★★ *(32 mi/51 km • route secondaire 190 E interdite aux véhicules de plus de 7,7 m de long)* est le point de vue le plus saisissant du parc. À 1 700 m au-dessus de la vallée, en face de la chaîne des Panamint et de Telescope Peak (3 300 m), on aperçoit à l'O., par temps clair, le Mt Williamson (4 381 m), l'un des hauts sommets de la sierra Nevada.

■ **Vers le nord : de Furnace Creek à Scotty's Castle** *(55 mi/88 km par la CA 190 et la NV 267)*. La route s'engage dans la vallée de Salt Creek, où l'on a retrouvé les restes fossilisés du *pupfish*, petit poisson de la mer intérieure qui recouvrait le fond de la vallée.

● **Harmony Borax Works** *(à 2 mi/3 km N. de Furnace Creek Springs)*. Il ne reste que des ruines de la compagnie d'extraction créée par Coleman en 1882.

● **Devil's Cornfield** *(16 mi/26 km • à g.)*, « champ de blé du diable » : plaine de sel couverte de sagittaires.

● Vers l'O., on atteint **Stovepipe Wells Village** *(8 mi/13 km par la CA 190)* en traversant d'étonnantes dunes.

● **Gravepine**★ *(51 mi/82 km)*, où l'on prendra la NV 267 vers l'E. pour rejoindre Scotty's Castle.

● **Ubehebe Crater**★ *(à 6 mi/10 km O. sur la CA 190)* est l'unique cône volcanique de la région, large de 800 m et profond de 122 m.

● **Scotty's Castle**★ *(53 mi/85 km* ☎ *(1)877/444-6777 • www.recreation.gov • t.l.j. • vente de billets au Visitors Center pour une visite le jour même, achat possible à l'avance • vis. guidées de 50 mn)*. On croit à un mirage tant la présence d'un tel bâtiment dans ce désert paraît improbable. L'histoire de cette hacienda grandiose est peu banale : en 1920, Walter Scott, dit **Scotty**, aventurier membre de la troupe de Buffalo Bill, conçut un plan étrange : il fit croire à un milliardaire de la côte E., Albert Johnson, qu'il y avait de l'or à Death Valley et parvint à le convaincre de financer une compagnie d'extraction. Scotty dilapida l'argent, promena le riche naïf pendant plus d'un mois dans la vallée en lui racontant d'extravagantes histoires. Johnson s'enticha de cet endroit et ordonna la construction de ce château en 1922. Il y séjournait en hiver, accueillant régulièrement des personnalités. Ruiné par le krach de 1929, Johnson dut interrompre les travaux, qui ne furent jamais achevés. Le château a conservé son mobilier d'époque et les *rangers* le font visiter en costumes des années 1930.

Sécheresse sans pitié

Death Valley est l'une des régions les plus chaudes et les plus arides du globe : en été, la chaleur peut atteindre 57 °C (record de juillet 1913) ; en hiver, elle peut descendre jusqu'à – 9 °C. Ces températures extrêmes sont dues à sa situation encaissée, à l'abri des vents du Pacifique, entre des montagnes élevées (point culminant : Telescope Peak, 3 300 m). C'est aussi là que se trouve le point le plus bas du continent : 86 m sous le niveau de la mer. Venu du désert de Sonora au sud-est, un **vent** sec et brûlant (1 % d'humidité) s'attarde dans cet étroit couloir, transportant le sable jusqu'au centre sous forme de grandes dunes mouvantes.

Contredisant bien des idées reçues, 900 espèces d'**arbres** et de **plantes** sont parfaitement adaptées à ce type de climat ; le mesquite et le créosotier, par exemple, supportent très bien la potasse et les sels de calcium présents dans le sol. Les plantes vivent au ralenti, consacrant toute leur énergie à capter, grâce à leurs racines très profondes (celles du mesquite peuvent atteindre 18 m), l'eau invisible mais présente partout sous forme de sources et de nappes phréatiques.

La **faune** n'est pas moins riche dans la Death Valley. À la tombée de la nuit, toutes sortes d'animaux apparaissent pour chasser. On rencontre notamment le *bobcat* (lynx roux), l'écureuil-antilope, le lapin sauvage, le gecko (gros lézard mangeur d'insectes), le serpent à sonnette, le *road-runner* (→ *encadré p. 494*), la tarentule et parfois, sur les hauteurs, le mouflon du désert.

Death Valley N. P.

Yosemite N. P.★★★ CA

Situation : à 195 mi/314 km E. de San Francisco, 313 mi/500 km N. de Los Angeles.

Superficie : 3 080 km².

Fuseau horaire : Pacific Time (– 9 h par rapport à la France).

☞ Carte du parc, p. 287.

ℹ *Valley Visitors Center* à Yosemite Village ☎ 209/372-0200 ; www.nps.gov/yose • *Wawona Visitors Center*, Hill's Studio, près de l'hôtel Wawona (entrée S.) ; mai-oct. 9 h-17 h. • *Tuolomne Meadows Visitors Center* (entrée E.) ; mai-oct. 9 h-17 h.

≪ PANORAMA
L'entrée sud (CA 41), depuis Oakhurst, est la plus spectaculaire en raison du panorama sur la vallée depuis Tunnel View.

☞ CONSEIL
Procurez-vous les journaux *Yosemite Guide* et *Yosemite Today*.

Spectaculaire ! Niché entre les parois abruptes de la sierra Nevada, Yosemite est l'un des plus beaux parcs des États-Unis. Entre mer et désert, il surprend par la fraîcheur de ses paysages alpins où abondent torrents et chutes d'eau, où se succèdent forêts de pins et de séquoias géants. Ses paysages grandioses sont dominés par de grands monolithes de granit gris qui attirent les grimpeurs du monde entier. Les sentiers qui parcourent les lieux plongent vers la Yosemite Valley, où serpente la rivière Merced, largement creusée par le lent passage des glaciers.

Yosemite N.P. mode d'emploi

Entrées. South Entrance, près de Mariposa Grove • **entrée O.** : Arch Rock Entrance, Big Oak Flat Entrance, Hetch Hetchy Entrance (f. la nuit) • **entrée E.** : Tioga Pass Entrance (f. de nov. à mai-juin).

Accès. Depuis San Francisco, 195 mi/314 km par l'I-580 E, l'I-205, la CA 120 (Manteca) ou la CA 140 (Merced) ; trajet un peu plus long (226 mi/363 km) pour gagner l'entrée S. du parc *via* Fresno (CA 99) et Oakhurst (CA 41) • **depuis Los Angeles**, 313 mi/ 504 km par l'I-5, la CA 99 et la CA 41 *via* Fresno • **depuis Death Valley**, 270 mi/435 km par l'US 395 et la CA 120 *via* Lee Vining • **depuis Lake Tahoe**, 118 mi/180 km par l'US 395 et la CA 120 (de juin à oct. seulement, route f. l'hiver).

En bus. *Greyhound* assure des liaisons t.l.j. depuis San Francisco *via* Sacramento, depuis Merced, Mariposa et Fresno ☎ (1)800/231-2222 • en été, service de bus depuis les communes environnantes par *Yosemite Area Regional Transportation Service* ☎ (1)877/98-YARTS ou 209/388-9589 ; www.yarts.com

Visite. Droit d'entrée 20 \$/véhicule • *pass America The Beautiful* accepté.

Itinéraire. Depuis l'entrée S. par la CA 41 (Wawona Rd) 50 mi/80 km jusqu'à Yosemite Village. En poursuivant sur la CA 140 (Northside Dr.), on rejoint l'intersection avec la Tioga Rd (CA 120), qui traverse le parc d'O. en E. sur 43 mi/70 km.

OR | ID
OCÉAN PACIFIQUE
NV | UT
Sacramento
San Francisco •
Monterey • **Yosemite N. P.**
Santa Barbara • Palm Springs | AZ
Los Angeles •
San Diego •

Voir carte régionale p. 138   MEXIQUE

Yosemite N. P. dans l'histoire

Chassés de leur terre ancestrale

Jusqu'à l'arrivée de l'homme blanc, les Indiens Miwoks coulaient des jours tranquilles dans la fertile vallée d'Ahwahnee, la « profonde vallée tapissée d'herbes » comme ils la nommaient. Seuls quelques trappeurs s'y étaient aventurés. En 1849, la ruée vers l'or attire des milliers de prospecteurs sur les pentes de la sierra, terrain de chasse traditionnel des Indiens, qui finissent par se révolter en 1851. Pour les soumettre, les autorités pénètrent dans la vallée. Leurs récits émerveillés des lieux attireront les premiers visiteurs dès 1855. Quant aux Indiens, ils seront déportés loin de la terre de leurs ancêtres.

John Muir, chantre de la nature

En 1864, Abraham Lincoln signe le *Yosemite Grant*, décret de protection de la Yosemite Valley et de Mariposa Grove, les plaçant sous la tutelle de l'État de Californie. Militant pour la sauvegarde de ces contrées sauvages, le naturaliste écossais John Muir (1838-1914) joue de son côté un rôle déterminant dans la création des parcs nationaux de Sequoia et Kings Canyon (1890), de Yosemite ainsi que de Mount Rainier (1899), dans l'État de Washington.

Une somptueuse vallée glaciaire

La formation géologique de Yosemite Valley n'est pas d'origine volcanique.

– *500 millions d'années* : la mer recouvre la région, accumulant d'épaisses couches de sédiments sur un socle de roches très dures.

– *200 millions d'années* : la tectonique des plaques fait jaillir le magma qui, en refroidissant, forme d'énormes monolithes de granit.

– *10 millions d'années* : les blocs de granit se soulèvent et se fracturent lors de la surrection de la sierra Nevada. Le débit de la Merced River s'accélère et la vallée, tapissée de séquoias, devient un canyon profond de 1 000 m.

– *3 millions d'années* : à l'approche de la glaciation, les forêts se raréfient et le cours des affluents de la Merced River se ralentit.

– *1 million d'années* : une épaisse chape de glace transforme, sur une période de 750 000 ans, le lit de la Merced River en une majestueuse vallée en auge. Ses nombreux affluents se muent en autant de cascades et vallées suspendues.

– *10 000 ans* : les grands glaciers amorcent leur retrait, laissant derrière eux un chapelet de lacs.

– *4 000 ans* : l'homme fait son apparition dans la vallée, dont la physionomie a peu changé depuis.

☞ HÉBERGEMENT
• *FDNC Parks and Resort at Yosemite* ☎ 801/559-4884 ; www.yosemitepark.com
• *Campground Reservation Line* ☎ (1)877/444-6777, de l'étranger 518/885-3639 ; www.recreation.gov et www.reserveamerica.com

☎ NUMÉROS GRATUITS
Les numéros de téléphone qui commencent par ☎ 800, 855, 866, 877, 888 sont des numéros d'appel gratuits *(toll-free number)*. Faites-les précéder du ☎ 1 si vous appelez depuis un poste fixe (et non d'un portable). Dans ce guide, ces numéros sont notés ainsi : ☎ (1)800/000-0000.

La vie sauvage

Yosemite s'étage entre 600 et 4 000 m d'altitude, ce qui offre un habitat à des espèces très diverses : 75 espèces de mammifères dont cerfs gris, ours bruns, coyotes, pumas, marmottes, écureuils, mouflons qui, chassés jusqu'à extinction, ont été réintroduits. Des champignons aux séquoias, 1 500 variétés de plantes y poussent. Plus de 250 espèces d'oiseaux y nichent, des hiboux gris, espèce protégée, aux faucons pèlerins qui, en revanche, ne le sont plus.

Yosemite N. P.

Visiter Yosemite N. P.

■ **Mariposa Grove**★★★ *(à 2 mi/3 km de l'entrée S., à 36 mi/58 km S. de Yosemite Valley en 1 h de route au moins • parking à l'entrée de la forêt • sentiers aménagés et fléchés • 2,5 km a.-r. jusqu'au California Tunnel Tree • promenades en petit train 9 h-18 h toutes les 20 mn).* Cette forêt, qui s'étend sur 1 km² de territoire forestier, à une altitude comprise entre 1 675 et 2 135 m, constitue le plus important des groupes de séquoias du Yosemite Park. Elle abrite 500 spécimens de séquoias géants adultes *(Sequoiadendron giganteum)* aux dimensions impressionnantes.

● Le **Fallen Monarch**★, tombé il y a plus de 300 ans, est encore intact, protégé de la décomposition par le tanin que contient l'écorce ; noter les racines très courtes et larges. Le sentier en pente douce mène au **Grizzly Giant**★★ (2 700 ans), le plus âgé et le plus grand arbre de la futaie ; haut de 63,7 m, sa circonférence est de 29,3 m à la base ; ses branches sont aussi grosses que des troncs ! Sur la g., en contrebas, on peut descendre jusqu'au **California Tunnel Tree**, séquoia percé en 1895 pour laisser passer les diligences des premiers touristes.

● Le **Mariposa Grove Museum** *(de mai à sept.)*, installé dans un cottage en rondins (1930), présente des expositions consacrées à l'histoire naturelle de la région et à l'écologie du parc.

Le bon usage de la vallée

• Des **navettes** gratuites sillonnent le fond de la vallée d'avril à octobre ; elles desservent les plus beaux points de vue et les points de départ des sentiers de randonnée (le circuit est indiqué dans le petit journal du parc).

• Le **vélo** est un moyen de transport idéal pour circuler dans la Yosemite Valley : pistes cyclables aménagées (Yosemite Valley Bike Path).

• Pour **camper**, permis obligatoire, à se procurer dans les *Visitors Centers*.

• Attention, le Tioga Pass et la route qui mène à Glacier Point sont **fermés** de novembre à juin.

• **Stations d'essence** (en été seulement) à Wawona, Tuolomne Meadows, Crane Flat et El Portal.

■ **Pioneer History Museum** *(à Wawona, 4 mi/ 6,5 km de l'entrée S. du parc, près de l'hôtel Wawona • l'été du mer. au dim.)* regroupe les plus anciens bâtiments du parc. Un **pont couvert**★ sur la Merced River mène au village de pionniers : maisons en rondins, cabane du maréchal-ferrant *(animations en été)*, charrettes et machines agricoles.

▶ **Glacier Point**★ *(à 17 mi/27 km N.-E. • Glacier Point Rd, en cul-de-sac, f. en hiver après la station de ski de Badger Pass).* De ce promontoire rocheux qui fait saillie à près de 1 000 m au-dessus de la Yosemite Valley, on a l'un des plus beaux **points de vue**★★ sur cette zone du parc (Half Dome, Tenaya Creek, chutes Merced, Nevada et Vernal). Dans une ancienne tour de surveillance contre les incendies, panneaux sur l'histoire géologique de la vallée. À 1 mi/1,6 km avant d'arriver à Glacier Point, vue panoramique de **Washburn Point**★★. ◀

■ **Tunnel View**★★★ *(à 20 mi/32 km sur la CA 41, après le Wawona Tunnel, long de 1 200 m)* est un exceptionnel point de vue aménagé à g. en descendant sur la Yosemite Valley. Une table d'orientation permet de situer les formations granitiques les plus remarquables du parc : à g., **El Capitan★★★**, le plus grand monolithe du monde (2 307 m, très apprécié des grimpeurs chevronnés) et les trois pointes des **Three Brothers★** ; dans l'angle oriental de l'Eagle Peak (2 371 m), le plus haut des « trois frères », les **Yosemite Falls★★**, chutes majestueuses sur trois paliers ; à dr., **Bridalveil Fall★** ; en face, la silhouette altière du **Half Dome★★** (2 695 m), dont le granit, vieux de 87 millions d'années, est composé de roche plutonique façonnée dans les entrailles de la terre par l'action successive de la chaleur, de la pression et d'un progressif refroidissement.

■ **Bridalveil Falls★** *(39 mi/63 km)*, sur la rive g. de la Merced River. Cette cascade surnommée le « voile de la mariée » – elle s'envole avec grâce dans un souffle de vent – est large de 15 à 20 m et se jette à la verticale sur 190 m. Comme les autres chutes, son débit faiblit durant l'été *(accès à pied ● 20 mn)*.

■ **Cathedral Rocks★** (2 021 m), surmonté de deux aiguilles de granit hautes de 1 800 et 1 865 m, se dresse plus à l'E. face à El Capitan.

■ **Yosemite Village** *(44 mi/71 km)*, centre touristique, regroupe l'administration du parc, un *Visitors Center*, un musée des civilisations indiennes (Miwoks et Paiutes), une piscine, un bureau de poste et différentes possibilités d'hébergement.

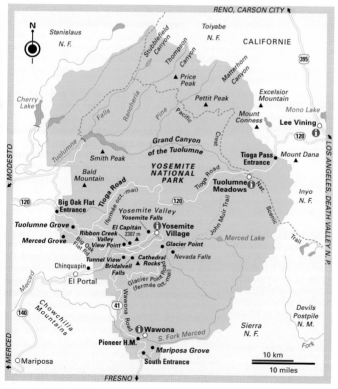

Yosemite National Park.

Randonnées dans le parc de Yosemite

Pour toute randonnée dans le parc, il faut impérativement s'informer sur les conditions météo avant le départ, s'équiper correctement (chaussures de marche, coupe-vent, etc.), emporter de l'eau et des vivres, et bien sûr respecter scrupuleusement les consignes de sécurité.

• **Mirror Lake Loop** (3 mi/5 km, facile ; 1 mi/1,6 km jusqu'au lac) grimpe dans la vallée du Tenaya Creek, rejoint le Snow Creek Trail et revient au Mirror Lake.

• **Upper Yosemite Falls Trail** (7,5 mi/ 12 km aller-retour, assez difficile) part du camping de Sunny Side (arrêt n° 7) pour atteindre le bord supérieur des Yosemite Falls.

• **Sierra Point Trail** (1,5 mi/2,5 km, circuit abrupt), de Happy Isles (arrêt n° 16) au sierra Point d'où sont visibles cinq chutes d'eau : Nevada, Vernal, Illilouette, Upper et Lower Yosemite.

• **Vernal-Nevada Falls Trail** (8 mi/11 km aller-retour, niveau modéré) part de Happy Isles (arrêt n° 16), remonte le canyon de la Merced River jusqu'à ses deux chutes ; il forme le début du **John Muir Trail** (340 km), qui mène aux Sequoia et Kings Canyon N. P. et fait partie du Pacific Crest Trail.

• **Half Dome Trail** (17 mi/27 km aller-retour, niveau modéré) part de Happy Isles, desservi par les navettes du parc (arrêt n° 16), et mène au pied du Half Dome *via* Nevada Fall. Un système de cables aménagé sur le versant N.-E. (pente à 45°) permet d'accéder au sommet (de mai à mi-octobre) : ascension de 1 450 m très difficile (compter au moins 12 h aller-retour, permis nécessaire pour bivouaquer).

♥ BONNE ADRESSE

Ansel Adams Gallery, 9031 Village Dr. ☎ 209/372 4413 ; www.anseladams.com ; t.l.j. 9 h-17 h. Galerie tenue par les petits-enfants du célèbre pionnier de la photographie. Film biographique, clichés d'époque (reproductions autorisées).

♥ HÔTEL

Ahwahnee Hotel, 9005 Ahwahnee Dr., Yosemite Village ☎ 801/559-4884. Un palace datant de 1927 en pleine nature. Prix élevés, à découvrir à l'occasion d'un verre au piano-bar ou d'un brunch dans l'excellent restaurant de l'hôtel.

▶ Au-delà de Yosemite Village, la route *(sens unique au S. de la Merced River)* conduit à **Curry Village** *(1,5 mi/2,5 km)*, à l'extrémité E. de la Yosemite Valley, qui se ramifie alors de part et d'autre du Half Dome, dans les étroites vallées du Tenaya Creek (N.-E.) et de la Merced River (S.-E.).

Au S., par le canyon de la Merced River, un sentier conduit à **Vernal Fall**★★ *(3 mi/5 km • 3 h a.-r. • niveau modéré)*, haute de 100 m, et à **Nevada Fall**★★ *(7 mi/11 km • 5-6 h a.-r. • niveau modéré)*, haute de 186 m. Points de vue impressionnants aménagés au plus près des chutes *(ne jamais franchir les barrières)*. ◀

■ **Yosemite Falls**★★ *(arrêt navette Northside Dr. n° 6 • accès facile)*. À la sortie O. de Yosemite Village, chemin d'accès à la **Lower Fall** (chute inférieure • 98 m). En hiver, une stalactite de glace haute de 90 m se forme sur l'**Upper Fall** (chute supérieure • *arrêt n° 7*) ; large de 10 m, cette chute plonge presque verticalement de 436 m de haut. La **Middle Cascade** est formée d'une série de petites chutes d'une hauteur totale de 206 m *(le sentier d'accès à l'Upper Fall commence à 500 m, au-delà du chemin qui conduit à la Lower Fall • dénivelé important)*.

Après Yosemite Village, la CA 140 *(Northside Dr., route à sens unique)* serpente au pied des **Three Brothers**★ et d'**El Capitan**★★★. En face, belle **vue**★ sur Bridalveil Fall.

☞ Carte du parc, p. 287.

◀ Les chutes de Yosemite (740 m) sont les cinquièmes plus hautes du monde ; particulièrement spectaculaires au printemps, à la fonte des neiges, elles peuvent décevoir l'été, par manque d'eau.

■ **Ribbon Creek** *(48 mi/77 km)* est coupé par la Ribbon Fall⋆, chute haute de 491 m.

■ **Valley View Point⋆** *(50 mi/80 km)*. Beau point de vue aménagé sur le Half Dome et la Merced River depuis le Sentinel Bridge.

● En continuant sur la CA 120 (Big Oak Flat Rd) vers le N. en direction de Flat Crane, on peut suivre un sentier *(1,5 km/2,4 km • assez difficile)* qui descend vers **Merced Grove**, le plus petit des trois groupes de séquoias du parc.

■ La **Tioga Road⋆** *(CA 120 • f. d'oct. à mai)* traverse la partie centrale et l'E. du parc jusqu'à Lee Vining dans un splendide décor de haute montagne parsemé de lacs qui s'assèchent progressivement en se remplissant de sédiments.

● 4 km plus loin, après l'intersection CA 140-Tioga Rd, un autre chemin mène à **Tuolumne Grove** *(1 mi/ 1,6 km • niveau moyen)*, 3e futaie de séquoias géants du parc. Le **Dead Giant** est un arbre-tunnel creusé en 1878. Une route étroite et à sens unique part de Crane Flat et traverse le bois.

● À **Holmsted Point**, belle **vue⋆** sur le vallon de Tenaya Creek et le Half Dome. La route longe le Tenaya Lake⋆ en direction des **Tuolumne Meadows⋆** (2 713 m), qui constituent le plus grand plateau subalpin de la sierra et où vivent des marmottes et quelques mouflons.

✐ BON À SAVOIR
En hiver (de novembre à mai), lorsque à l'est la Tioga Rd (CA 120) est fermée, on devra suivre vers l'ouest, sur 9 mi/4 km, El Portal Rd (CA 140), qui conduit à Arch Rock Entrance.

Yosemite N. P.

☞ Carte du parc, p. 287.

● Au N. de la Tioga Road s'étend le **Grand Canyon of the Tuolumne River★** *(1,5 km de profondeur ● accès depuis Tioga Rd par un chemin qui longe la Tuolumne River sur 10 km).* Ruines indiennes de **Pate Valley**, près des chutes. Peu visitée, cette partie du parc en révèle l'aspect le plus sauvage.

● La Tioga Road se fraie ensuite un passage entre les lacs de montagne Tioga et Ellery avant de basculer vers **Lee Vining**, sur le flanc oriental de la sierra.

Environs de Yosemite National Park

✎ **BON À SAVOIR**
Le long de l'US 395, nombreuses possibilités d'hébergement à Mammoth Lakes, Bishop, Big Pine et Lone Pine, pour faire étape entre désert et montagne.

*Quitter Yosemite N. P. par la CA 120 et la Tioga Pass à l'E. (f. en hiver) pour rejoindre **Lee Vining**.*

▶ Pour rallier **Death Valley N. P.** *(à 172 mi/ 275 km S.-E.),* à Lee Vining suivre l'US 395 vers le S. jusqu'à Lone Pine, puis la CA 190, qui rejoint l'entrée O. du parc. ◀

1 Bodie State Historic Park★ *(à 32 mi/51 km N. de Lee Vining par l'US 395 ☎ 760/647-6445 ● suivre l'US 395 puis, à 7 mi/11 km au S. de Bridgeport, bifurquer sur la SR 167 ; continuer sur 10 mi/16 km puis suivre Bodie Road, une piste, sur 3 mi/4,8 km ● t.l.j. 9 h-15 h, en oct. 9 h-17 h, l'été 9 h-18 h ● entrée payante ● pas d'approvisionnement : prévoir vivres et boissons).*

Bodie tient son nom de Waterman Body, qui y découvrit de l'or en 1859. C'est la plus authentique des villes-fantômes de l'Ouest. Fondée en 1877 autour d'une petite mine d'argent, elle comptait déjà 10 000 hab. en 1880, attirés par la quête de l'or sur les flancs de la sierra. Ses saloons, cabarets, maisons de jeu et de prostitution, meurtres et bagarres firent sa très mauvaise réputation. Le boom dura une dizaine d'années, jusqu'à épuisement de la veine aurifère. En 1885, la population était tombée à 3 000 hab. Pillée et ravagée par les incendies, Bodie fut laissée à l'abandon. Les 170 maisons de bois visibles aujourd'hui représentent moins de 5 % de la ville.

La vie du lac

Quatre des cinq rivières alimentant le **lac Mono** sont captées par le grand aqueduc de Los Angeles, qui longe l'Owens Valley. Cela entraîne une forte concentration en sel et en alcali, et donc la disparition des micro-organismes qui nourrissent les milliers d'oiseaux venant nidifier à cet endroit.

En 2010, les chercheurs de la NASA ont mis en évidence la présence d'une bactérie dans le lac, dont les eaux sont riches en arsenic. Cette bactérie au métabolisme révolutionnaire utilise l'arsenic en remplacement du phosphore, l'une des briques élémentaires de la vie. Ainsi, la vie extraterrestre dans un environnement radicalement différent de la vie sur terre peut désormais être envisagée.

2 Mono Lake★★ *(à 13 mi/21 km E. de Yosemite N. P., 20 mi/32 km S. de Bodie ● à Lee Vining, prendre l'US 395 vers le S. et bifurquer à g. sur la CA 120, dir. Benton ❶ Visitors Center à **Lee Vining** ☎ 760/647-6595 ● www.monolake.org).*

Ce lac salé de 180 km², résidu d'une mer antérieure, s'est formé il y a 700 000 ans. Il présente d'étonnantes concrétions de tuf calcaire dues à des sources d'eau contenant du calcium. Mono Lake est une zone d'activité volcanique, comme en témoigne

▲ En 1962, l'ancienne ville minière de Bodie fut classée monument historique. Depuis, elle est conservée dans un état de « délabrement arrêté ».

la présence de cratères. Le *Visitors Center* propose une bonne introduction à l'histoire naturelle des lieux *(entrée payante pour visiter South Tufa, la zone S. du lac)*. Un sentier *(niveau moyen)* mène au sommet du **Panum Crater**. Beau point de vue sur le lac en montant au Yosemite Park *via* le Tioga Pass.

3 Mammoth Lakes *(à 29 mi/47 km S. de Lee Vining par l'US 395 et la SR 203* ❶ *Visitors Bureau* ☎ *(1)888/466-2666 ou 760/934-2712 • www.visitmammoth.com)*. Cette ancienne ville de mineurs et de bûcherons, sur les contreforts de la sierra Nevada, est la station de ski préférée des habitants de Los Angeles depuis les années 1960. Très fréquentée en toute saison, elle accueille jusqu'à 35 000 skieurs chaque week-end d'hiver.

● **Devils Postpile National Monument★** *(à 14 mi/22 km O. de Mammoth Lakes par la SR203 • navettes t.l.j. de mi-juin à mi-sept. depuis le Mammoth Mountain Ski Area)*, dans un étroit canyon, est un mur de colonnes de basalte de 20 m de haut formées il y a 100 000 ans, lorsque la lave s'est refroidie. Un sentier permet d'atteindre le sommet où l'on voit la structure hexagonale rabotée par les glaciers. Un sentier conduit aux **Rainbow Falls** *(2 mi/3 km)*. La mi-journée est le meilleur moment pour admirer l'arc-en-ciel dessiné par les rayons du soleil sur les chutes.

Yosemite N. P.

Sacramento
et le Gold Country★ CA

Situation : à 90 mi/140 km N.-E. de San Francisco, 383 mi/616 km N. de Los Angeles.

Population : 467 000 hab. • plus de 2 millions d'hab. pour l'agglomération.

Fuseau horaire : Pacific Time (– 9 h par rapport à la France).

Capitale de la Californie.

✆ *Old Sacramento Visitors Center*, 1004 2nd St. et K St. ☎ 916/442-7644 ; www.oldsacramento.com ; t.l.j. 10 h-17 h.
• *Convention and Visitors Bureau*, 1608 I St. ☎ (1)800/292-2334 ; www.discovergold.org ; lun.-ven. 8 h-17 h.

Voir carte régionale p. 138

Capitale de l'État de Californie, Sacramento est une ville tranquille de près d'un demi-million d'habitants, située à la confluence de la Sacramento River et de l'American River, au centre d'une riche région agricole. Assez peu visitée, elle a pourtant largement contribué à forger la légende de l'Ouest. La découverte de pépites d'or dans la région, en 1848, a changé sa destinée. En 1860, elle devient le terminus du Pony Express ; en 1862, la Central Pacific Railroad la choisit pour achever sa course entre Atlantique et Pacifique.

Alentour sur la route 49, dans les villages nés au long de la veine aurifère, le temps semble s'être arrêté en 1850. Plus loin, les forêts denses de la sierra Nevada servent d'écrin au miroir émeraude du lac Tahoe.

Sacramento dans l'histoire

De l'or dans la rivière

C'est en 1848, dans le ranch de Johann Sutter, près de Sacramento, que sont découvertes les premières pépites d'or (→ *encadré p. 294*). Grâce à sa proximité avec les mines du N., Sacramento est choisie pour capitale de l'État de Californie en 1854, malgré les risques d'inondation. En 1860, elle devient brièvement le point de départ du Pony Express, qui achemine le courrier entre Sacramento et Saint Joseph, dans le Missouri.

La victoire du rail

Après l'inondation catastrophique de 1862, le niveau du sol est surélevé de 3,65 m dans le quartier du port. Quatre marchands de la ville, Leland Stanford, Collis P. Huntington, Charles Crocker et Mark Hopkins, les *Big Four* (« quatre grands ») du chemin de fer, obtiennent la concession de la construction de la branche O. du transcontinental, Central Pacific Railroad (1862 à 1869).

Visiter Sacramento

Combien de temps. 1/2 journée.

S'orienter. Dans le centre, les rues à lettres sont orientées E.-O. et les rues à numéros N.-S. • M St. n'existe pas, elle est remplacée par Capitol Ave. • noter que la plupart des rues sont à sens unique.

■ **Old Sacramento Historic District★** (☎ *916/ 442-7644* • *www.oldsacramento.com*). Située le long de l'American River, la ville des années 1850-1880 a été restaurée dans son style d'origine avec ses bâtiments en brique et en bois, ses rues pavées et ses saloons transformés en magasins de souvenirs et en restaurants avec terrasses. Un quartier très touristique mais agréable.

C'est ici que se trouvait le terminus des lignes du Pony Express et de la Central Pacific Railroad. Voir la statue *Pony Express* (*angle 2nd St. et J St.*) et le **Wells Fargo Museum** (*1000 2nd St., en face de la statue* • *t.l.j. 10 h-17 h* • *entrée libre* • → *encadré p. 183*) : souvenirs de la ruée vers l'or, authentique diligence *Concord*.

■ **California State Railroad Museum★★** (*125 I St. et 2nd St.* ☎ *916/323-9280* • *www.csrmf.org* • *ouv. 10 h-17 h, f. j. fériés* • *entrée payante*). Conseillé aux enfants, ce musée fait magnifiquement revivre l'épopée du chemin de fer avec ses locomotives à vapeur d'époque et ses voitures Pullman qui semblent prêtes à accueillir le voyageur et que l'on peut visiter.

🖉 ADRESSES UTILES
• Aéroport (SMF) : 10 mi/16 km, 15 mn, navettes.
• Gare ferroviaire : Amtrak Depot, 401 I St. et 4th St. ☎ (1)800/872-7245.
• Gare routière : Greyhound Bus Depot, 420 Richard Blvd et N. 4th St. ☎ (1)800/231-2222.
• Information sur les musées : www.sacmuseums.org

☞ EN SAVOIR PLUS
Sur l'aventure du Pony Express, reportez-vous au théma p. 386-388.

♥ BONNES ADRESSES
• *Candy Heaven*, 1201 Front St. Un incroyable magasin de bonbons. À ne pas manquer.
• *Rio City Cafe*, 1110 Front St. Terrasse avec vue sur la rivière.

Sacramento et le Gold Country

◄ Le quartier historique de Sacramento, un voyage aux temps épiques du « Rush to Gold ».

☎ NUMÉROS GRATUITS
Les numéros de téléphone qui commencent par ☎ 800, 855, 866, 877, 888 sont des numéros d'appel gratuits *(toll-free number)*. Faites-les précéder du ☎ 1 si vous appelez depuis un poste fixe (et non d'un portable). Dans ce guide, ces numéros sont notés ainsi : ☎ (1)800/000-0000.

L'or de John Auguste Sutter

Johann Augustus Sutter est l'un de ces émigrants dont l'installation fut encouragée par le gouvernement mexicain qui distribuait des concessions : près de 600 entre 1836 et 1840. Sutter, d'origine suisse, implante à l'emplacement de l'actuelle Sacramento une petite colonie qu'il baptise « Nouvelle Helvétie ». Naturalisé Mexicain en 1841, il fonde Fort Sutter et achète Fort Ross aux Russes pour 50 000 $.

Le 24 janvier 1848, James Marshall, qui travaillait pour le compte de Sutter dans son ranch à Coloma, découvre des traces d'or dans l'American River. La nouvelle se répand, et c'est aussitôt la ruée, encouragée par le gouvernement américain qui espère ainsi justifier la conquête de ces terres mexicaines et annexer la région (la Californie devient le 31e État de l'Union en 1850). La fièvre de l'or gagne les membres de la colonie ; le ranch de Sutter est déserté, pillé, dévasté. En 1858, ses terrains sont confisqués par le gouvernement américain.

Ruiné, Sutter n'obtiendra réparation qu'en 1880, l'année de sa mort !

Nombreuses photographies anciennes du chantier de la ligne de chemin de fer transcontinentale, inaugurée le 10 mai 1869 à Promontory Point (Utah).

■ **Crocker Art Museum★** *(216 O St. et 3rd St., Downtown* ☎ *916/808-7000 • www.crockerartmuseum. org • mar.-dim. 10 h-17 h, jeu. jusqu'à 21 h).* Fondé en 1885, le musée occupe l'ancienne **demeure victorienne★** du juge Edwin B. Crocker, frère du baron du rail Charles Crocker. L'ajout d'un nouveau bâtiment a permis de mieux déployer une collection permanente riche de 14 000 œuvres d'art exposées par roulement.

Œuvres des XVIe-XVIIe s. hollandais et flamand (*La Noce★★* par **Pierre Bruegel le Jeune**, *L'Allégorie de la peinture★* par **Gerrit Van Honthorst**, *Le Sacrifice d'Abraham★* par **Maarten Van Heemskerck**) ; intéressant panorama de l'art californien, représenté par Wayne Thiebaud, Richard Diebenkorn, Charles Nahl, Guy Rose, Edwin Deakin ; installations d'artistes contemporains.

■ **California State Capitol★** *(1315 10th St. et L St.* ☎ *919/324-0333 • www.capitolmuseum.ca.gov • t.l.j. 9 h-17 h • entrée libre).* Siège du gouvernement et du parlement de Californie depuis 1854, le Capitole (1860-1874) s'élève dans un beau parc de 16 ha. Le bâtiment à coupole de style néoclassique abrite les bureaux du gouverneur et de son équipe (reconstitution de 1906) ainsi que les **chambres législatives** *(vis. guidées gratuites, durée 1 h).*

On verra notamment des télégrammes et journaux d'époque annonçant le terrible séisme de San Francisco en 1906, un film et une exposition sur l'histoire du Capitole, des peintures murales★ d'**Arthur Mathews** (1914-1915) retraçant l'histoire de la Californie.

■ **Sutter's Fort State Historic Park★** *(2701 L St., entre 26 et 28th Sts dans le Midtown* ☎ *916/445-4422 • t.l.j. 10 h-17 h).* Une reconstitution de l'ancien fort qui fait revivre l'atmosphère du XIXe s. par l'évocation de la vie des trappeurs et des artisans. Quand l'or fut découvert dans la propriété de Sutter à Coloma, à 80 km de là, cela signifia pour celui-ci non le début de la fortune, mais la ruine *(→ encadré ci-contre).*

■ **State Indian Museum★** *(2618 K St.* ☎ *916/324-0971 • mer.-dim. 10 h-17 h • entrée payante).* Le musée abrite une intéressante collection d'artisanat et d'objets indiens : canoë yurok, lames d'obsidienne, arcs, flèches et carcans, minuscules paniers tressés. Exposition consacrée à Ishi, le dernier des Indiens Yashis qui survécut dans la forêt jusqu'en 1911, longtemps après le début de la colonisation.

Le Gold Country★

La route 49, ainsi nommée en souvenir de l'arrivée massive de chercheurs d'or en 1849, serpente sur plus de 300 mi/480 km, à travers des paysages bucoliques de collines. Implantés sur la Mother Lode, veine mère du minerai, les villages exploitent leur illustre passé ; mines désaffectées, musées de souvenirs d'époque, vieilles maisons ornées de balustrades ou de façades postiches et trottoirs en planches évoquent l'atmosphère fiévreuse de la ruée vers l'or (1849-1854), quand des dizaines de milliers de mineurs parcouraient les vallées et venaient bruyamment dépenser leur fortune dans les saloons et les maisons de prostitution.

▉ Les mines du Nord★★

Cet itinéraire *(env. 145 mi/233 km • compter au moins 1 j.)* permet de découvrir les villes minières du N. de la Mother Lode (la « veine mère ») et de gagner les rives somptueuses du lac Tahoe (→ *Environ 2*).

● **Auburn★** *(à 35 mi/56 km N.-E. de Sacramento par l'I-80)*. Avec plus de 13 000 hab., Auburn est la localité la plus peuplée de la région. Elle doit son existence à un mineur français, Claude Chana, qui en 1848 tira quelques pépites d'un ruisseau (une statue monumentale rappelle cet événement • *photo p. 297*). **Commercial St.**, la rue principale de Old Town, conserve des bâtiments de brique (vers 1857) évocateurs de cette époque héroïque.
Placer County Museum★ *(101 Mapple St. ☎ 530/889-6500 • t.l.j. sf j. fériés 10 h-16 h • entrée libre)* est installé dans la County Courthouse (1894-1898), cour supérieure de justice du comté de Placer. On verra en particulier le **bureau du shérif★** et celui du trésorier, où sont exposées 48 pépites d'or. Souvenirs de la ruée vers l'or ou dans les locaux de l'ancienne prison et intéressante collection d'**artisanat amérindien★**.
Gold Country Museum *(1273 Hight St. • t.l.j. sf lun. 11 h-16 h • entrée libre)*. Cette réplique d'une vraie mine d'or recrée les conditions de travail des prospecteurs, leur vie quotidienne en famille, les méthodes d'extraction. Les enfants pourront apprendre à chercher l'or à la battée.

● **Coloma** *(à 18 mi/29 km S.-E. d'Auburn par la CA 49)*. **Marshall Gold Discovery State Historic Park★★** *(☎ 530/622-3470 • www.parks.ca.gov • t.l.j. 8 h-17 h, de mai à sept. 8 h-19 h)* est une reconstitution de la scierie de Johann A. Sutter, à quelques mètres de l'endroit où James W. Marshall aperçut les premières pépites d'or en 1848. En cinq ans, ▶▶▶

✎ FAIRE DU SKI
● Squaw Valley ☎ 530/583-6985 ; www.squaw.com
● Alpine Meadows ☎ 530/583-4232 ; www.skialpine.com

⚏ *Auburn Chamber of Commerce*, 601 Lincoln Way ; www.auburnchamber.com ; mar.-ven. 9 h-16 h.
● *California Welcome Center*, 13411 Lincoln Way, près de l'I-80 (Foresthill Exit), à Auburn ☎ (1)866/752-2371. Entièrement consacré à la Californie et au Gold Country.

La grande lessive

Les premières découvertes d'**or** ont eu lieu dans le lit des rivières, où des dépôts d'or *(placers)* avaient été entraînés par l'érosion. De petits groupes de mineurs lavaient les dépôts aurifères avec un matériel peu onéreux, la battée. Dans les terrains meubles, un jet d'eau suffisamment puissant pulvérisait les roches, qui étaient ensuite lavées et rejetées dans les rivières. Cette pratique très destructrice pour l'environnement a été interdite à partir de 1884 car les débris charriés par les cours d'eau provoquaient des inondations.

Une fois épuisé l'or de surface, les mineurs s'attaquèrent à la Mother Lode (veine mère), où l'or était enfermé dans des veines de quartz, de Nevada City à Mariposa, près de Yosemite. Il fallait alors creuser des galeries, ce qui était hors de portée du mineur indépendant et nécessitait de lourds investissements.

Sacramento et le Gold Country

La ruée vers l'or

Le 24 janvier 1848, James Marshall, charpentier de son état, découvre des pépites d'or dans le lit asséché d'une rivière traversant une propriété de Johann Augustus Sutter, près de Sacramento. Quelques mois plus tard, Samuel Brannan fait sensation à San Francisco en brandissant une bouteille pleine de poudre du précieux métal. Auparavant, ce mormon en rupture d'Église a pris soin d'acheter tout le matériel utile aux chercheurs d'or. Cette précaution et son sens du commerce lui permettront de devenir l'un des premiers millionnaires de San Francisco.

◄ Dans les arrière-salles des gargotes de Jackson Square, à San Francisco, les chercheurs venaient faire peser leur or (*Three Years in California*, Borthwick, 1857).

Un nouvel Eldorado

Par le traité de Guadalupe Hidalgo du 2 février 1848, le Mexique avait accepté de céder la Californie aux États-Unis. Immédiatement, les nouvelles autorités font une grande publicité aux découvertes de James Marshall et Samuel Brannan pour peupler au plus vite ces nouvelles contrées. Le but recherché est rapidement atteint : l'afflux de population est tel que, dès le 9 septembre 1850, la Californie devient un État à part entière. La Constitution est rédigée et signée à Monterey en 1849.

Des prospecteurs arrivent de toutes les régions du monde, de la côte est des États-Unis, d'Europe, du Mexique, du Chili, des îles du Pacifique et de Chine. Pour atteindre la Californie, certains embarquent sur des navires qui doublent le cap Horn, comme au temps du commerce des cuirs ; le voyage dure entre quatre et huit mois. Toujours par mer, d'autres, plus pressés, gagnent l'isthme de Panamá, le traversent à pied et en pirogue, puis reprennent un second navire jusqu'à San Francisco. Par voie terrestre depuis la côte est, le voyage, long de 3 500 km, dure six mois. Quel que soit le trajet choisi, l'expédition reste toujours dangereuse.

Aléas de la prospection

Une fois à San Francisco, les chercheurs d'or doivent s'enfoncer à l'intérieur des terres, puis trouver un terrain vacant (*claim*) qu'ils prospecteront en s'associant par petits groupes. Les résultats

◄ *The Stanislaus Mine* (détail ; gravure de Robert J. Hamerton, 1850).

de résistance. Nombre d'entre eux furent littéralement réduits en esclavage sous prétexte de vagabondage.

Dans les premiers temps de cette course au trésor, les femmes étaient fort peu nombreuses : selon le recensement de 1850, elles ne représentaient que 8 % de la population de l'État de Californie. Les mineurs vivaient donc séparés de leurs familles et les actrices, les chanteuses et les filles de petite vertu constituaient les seules présences féminines. Néanmoins, assez rapidement (les femmes représentaient 30 % de la population de l'État en 1860), épouses, mères de famille, maîtresses d'école rejoignirent les hommes et s'efforcèrent de fonder une société sur le modèle de celle de la côte est.

Malgré des explosions de violence contre certaines communautés tels les Chinois, l'appel de l'or a permis aussi un exceptionnel mélange de populations, de cultures, de religions. Aucun groupe ne pouvant imposer totalement ses propres règles, il s'est développé dans cette région des principes de tolérance qui, aujourd'hui encore, caractérisent la Californie.

de leur dur labeur sont imprévisibles, et ils vont de-ci, de-là, en quête du filon qui les rendra riches. Les villes minières sont abandonnées aussi vite qu'elles apparaissent.

Les premiers arrivés trouvent beaucoup d'or, mais les meilleurs terrains sont vite occupés. Quant à l'or qui est en surface, facile à ramasser, il s'épuise tout aussi rapidement. De fait, nombre de mineurs américains qui peinent à survivre s'en prennent à ceux qu'ils considèrent comme des étrangers, surtout s'ils sont plus chanceux. En 1850, un lourd impôt est voté, principalement contre les Chinois et les Mexicains, mais que subissent aussi les Français.

Après 1854, il faut creuser de plus en plus profondément dans les entrailles de la terre pour trouver le précieux métal : l'exploitation aurifère passe ainsi sous le contrôle de grosses sociétés comme Empire Mine, près de Grass Valley, qui seules détiennent les capitaux nécessaires à la poursuite de cette activité.

■ **L'héritage de la ruée vers l'or**

Les Indiens furent les grandes victimes de la ruée vers l'or. Leurs terres furent envahies par des individus sans scrupules qui détruisirent leurs ressources alimentaires et n'hésitèrent pas à massacrer des villages entiers en cas

◄ Statue de Claude Chana, à Auburn. La Californie suscite un grand intérêt en France durant la période 1849-1852, quand la ruée vers l'or bat son plein. Des milliers de Français se lancent dans l'aventure. Leur présence a laissé de nombreuses traces en Californie : sur une carte, on trouve côte à côte French Corral, French Lake, Frenchtown Road, French Bar, etc. Sans compter des noms de mineurs comme Le Duc, Fricot ou Chana.

▶▶▶ la ville passa à 10 000 hab., puis redevint un village ; **musée** *(t.l.j. sf lun. 10 h-15 h, en été 10 h-16 h)*. Le moulin fonctionne maintenant à l'électricité.

♥ SPÉCIALITÉS

À Grass Valley, on fabrique encore, en souvenir des mineurs anglais, les *cornish pasties*, sortes de chaussons de pâte fourrés à la viande ou aux pommes de terre.

● **Grass Valley** *(à 19 mi/30 km N. d'Auburn par la CA 49)* fut l'une des plus riches villes minières de Californie, mais un incendie la détruisit entièrement en 1855. Ici séjourna la célèbre **Lola Montes** *(248 Mill St. • réplique de sa demeure de 1851 • → encadré ci-contre)*.

Empire Mine State Historic Park★ *(à 1,5 mi/2,4 km, sur la route 49 • 10791 E Empire St. ☎ 530/273-8522 • www.empiremine.org • ouv. 10 h-17 h, de mai à août 9 h-18 h)*. Avec plus de 500 km de galeries allant jusqu'à 3 000 m de profondeur, Empire Mine était la plus grande mine d'or du monde (plus de 165 t d'or traité de 1850 à sa fermeture en 1956). Les bureaux des ingénieurs, les ateliers des forgerons, les maisons des propriétaires et les outils nécessaires à l'extraction ont été conservés.

Une aventurière

Que n'a-t-on raconté sur la vie tumultueuse de **Lola Montes**, petite Irlandaise de Limerick, née Eliza Gilbert en 1818 ! Courtisane, aventurière, maîtresse de Louis Ier de Bavière, artiste de cabaret et amie de Liszt, de Dumas et de Victor Hugo, on la décrit comme une féministe avant l'heure, séductrice et excentrique. En 1848, forcée de quitter la Bavière en proie à des troubles politiques, elle débarque dans une Amérique bouleversée par la découverte de l'or californien. En 1852, San Francisco lui fait un accueil triomphal. Quelques mois plus tard, elle part à l'aventure dans le Gold Country. Elle s'installe à Grass Valley de 1853 à 1856, y tient salon, adopte un ours apprivoisé, fascine et scandalise par son extravagance. Elle gagnera ensuite l'Australie pour une nouvelle ruée vers l'or.

● **Nevada City★★** *(à 5 mi/8 km N. de Grass Valley ❶ Nevada City Chamber of Commerce, 132 Main St. ☎ (1)800/655-6569)*. C'est la ville minière la mieux préservée du Gold Country. Ses **bâtiments victoriens★★** ont été édifiés après l'incendie de 1856 qui détruisit la petite ville. On flâne agréablement sur **Broad St.**, la rue principale, où le temps semble s'être arrêté. Voir en particulier le **théâtre** *(401 Broad St.)*, l'un des plus anciens de l'État (1865), l'**hôtel National★** *(vers 1857)*, suranné à souhait *(211 Broad St.)*, et le **Firehouse Museum** *(215 Main St. ☎ 530/265-5468 • de mai à oct. mar.-dim. 13 h-16 h, l'hiver sur r.-v.)*, qui occupe l'ancienne caserne de pompiers, à la belle façade victorienne (1861) : reliques ayant appartenu à des pionniers, photographies anciennes et artisanat indien.

● **Malakoff Diggings State Historic Park★★** *(à 32 mi/51 km N.-E. de Nevada City par la CA 49, puis à dr. sur Tyler-Foote Crossing et à dr. dans Derbec Rd ☎ 530/265-2740 • de juin à sept. t.l.j. 9 h-17 h, d'oct. à mai les w.-e. 10 h-16 h)*. Les paysages ruiniformes sont impressionnants et attestent de la puissance destructrice de l'exploitation hydraulique. Voir les canons à eau à **North Bloomfield**, ville-fantôme restaurée. Sentiers de randonnée dans la forêt.

● **Donner Memorial State Park** *(à 55 mi/88 km E. de Nevada City par l'I-80, sur la rive E. du Donner Lake • 12593 Donner Pass Rd)*. Dans le *Visitors Center*, l'**Emigrant Trail Museum★** *(t.l.j. 9 h-16 h ☎ (1)800/777-0369)* évoque le douloureux épisode de la Donner Pass, un étroit passage situé à 2 151 m d'alt. dans la sierra Nevada, qui fut le théâtre d'une véritable

▲ Pas moins de 63 rivières alimentent le lac Tahoe, aux eaux d'une incroyable transparence.

tragédie : en octobre 1846, un groupe de 81 pionniers s'y trouva bloqué par la neige pendant tout l'hiver. Seulement 45 d'entre eux purent survivre, probablement grâce à des actes de cannibalisme. Bonne introduction à l'histoire naturelle de la sierra Nevada.

2 Lake Tahoe★★ *(à 19 mi/30 km S.-E. du Donner Memorial State Park par l'I-80 et la CA 89, 100 mi/ 160 km E. de Sacramento par l'US 50 ❶ Taylor Creek Visitors Center, South Lake Tahoe ☎ 530/543-2674 • www.visitinglaketahoe.com).*
Joliment comparé par Mark Twain à une « noble feuille d'eau bleue », cet immense lac de montagne (520 km² à 1 900 m d'alt. ; profondeur maximale de 500 m) s'allonge sur 35 km au creux d'une vallée de la sierra Nevada.

Une poignée de localités, comme **Sunnyside-Tahoe City** (1 560 hab.), ponctuent la rive O. et la rive N., la plus sauvage et la mieux préservée. À **South Lake Tahoe** (21 000 hab.), la ville principale de la rive S., on trouvera plages de sable fin, complexes hôteliers et sportifs, campings et sentiers de randonnée dans la pinède. À noter qu'un tiers du lac se trouve dans l'État du Nevada, où le jeu est autorisé. De fait, les gros hôtels-casinos offrent un contraste saisissant avec la beauté sauvage des paysages de montagne.
Shoreline Drive, une route panoramique de 72 mi/ 116 km, fait le tour du lac.

✎ **BON À SAVOIR**
• Attention : la route 89 est souvent impraticable l'hiver dans le secteur d'Emerald Bay (état des routes ☎ (1)800/427-7623).
• L'US 50 est souvent embouteillée. Prendre plutôt l'I-80.

Bateau, ski nautique, ski alpin et nordique, parachute ascensionnel, VTT, randonnée, escalade…, de très nombreux sports peuvent être pratiqués dans cette région magnifique, qui bénéficie de 274 jours d'ensoleillement par an.

✎ **CROISIÈRES**
• *Tahoe Queen* (départ au 900 Ski Run Blvd, à South Lake Tahoe ☎ 530/543-6191).
• *MSDixie II* (départ de Zephyr Cove) avec *Zephyr Cove Resort & Lake Tahoe Cruises* ☎ 775/589.4906 ; www.zephyrcove.com

Sacramento et le Gold Country

Les Indiens Washoes racontent que, pour porter secours à un pauvre innocent poursuivi par le diable, le Grand Esprit lui jeta une branche d'arbre qu'il lui dit d'effeuiller : chaque feuille tombée se transformait en une pièce d'eau que le diable, dans sa course, devait contourner. Un des lacs est appelé Fallen Leaf Lake (« le lac de la feuille tombée »). L'Indien fit tomber par mégarde la branche entière : ainsi fut créé le lac Tahoe.

La route 89 suit la rive O. *(west shore)* après la traversée du site de **Squaw Valley**, où se sont déroulés les Jeux olympiques d'hiver de 1960 *(à 5 mi/8 km N.-O. de Tahoe City • www. squaw.com).*

Emerald Bay State Park★★, le joyau du lac, s'admire depuis un promontoire d'où la vue★★ est exceptionnelle. En contrebas, on aperçoit **Vinkingsholm Castle** *(accès à la propriété par un sentier pentu de 1 mi/1,6 km ☎ 530/525-9530 • vis. guidées t.l.j. de mai à sept. 10 h 30-16 h 30, durée 1 h 30 • parking payant • baignade possible l'été)*, étonnante résidence d'été de 38 pièces d'inspiration scandinave. Elle fut construite en 1929 pour Lora J. Knight, une riche veuve passionnée d'architecture médiévale. L'endroit, qui bénéficie d'une vue saisissante sur le lac, était alors tout à fait isolé parmi les pins et les cèdres.

▣ Au cœur du Gold Country★

Vers le S., la route 49 sillonne les contreforts boisés de la sierra Nevada, où se succèdent d'anciennes villes minières aux noms évocateurs. Itinéraire de 99 mi/158 km, compter 1 j.

● **Jackson** *(à 48 mi/77 km S.-E. de Sacramento par la CA 16 et la CA 49)* est au cœur du comté le plus riche en or de la Mother Lode. **Amador County Museum** *(225 Church St.• f. pour une période indéterminée, rens. ☎ 209/223-6375)* expose des maquettes de mines. Les **Kennedy Tailing Wheels** *(Jackson Gate Rd)*, deux gigantesques tours de bois datant de 1913, servaient à évacuer les déchets de la mine Kennedy.

● **Angels Camp Museum** *(à 30 mi/48 km S.-E. de Jackson par la CA 49 • 753 S. Main St. ☎ 209/736-2963 • vis. jeu.-lun. 10 h-16 h, en janv.-fév. sam.-dim. 10 h-16 h)* retrace une belle aventure : un habitant d'Angels Camp tira un coup de pistolet dans le sol, mettant au jour un bloc de quarz veiné d'or. Il fit fortune en suivant la veine aurifère qui courait tout au long de Main St.

● **Jamestown** *(à 12 mi/19 km S.-E. d'Angels Camp par la CA 49 et Rawhide Rd)* a servi de décor à de nombreux films. **Railroad 1897 State Historic Park★** *(18115 5th Ave. ☎ 209/984-3953 • www.railtown1897. org • t.l.j. 9 h 30-16 h 30)* abrite une intéressante collection de locomotives et de wagons anciens.

● **Columbia State Historic Park★★** *(à 9 mi/14 km N.-E. de Jamestown par la CA 49 • Parrots Ferry Rd, 22708 Broadway ☎ 209/588-9128)*, ville-fantôme la mieux conservée : quatre pâtés de maisons constituent un espace piétonnier où les activités de la ruée vers l'or sont recréées avec des figurants en costumes. Voir en particulier le *Fallon Hotel★* (1857), au décor victorien d'époque.

Un bandit désarmant

Dans les années 1870, **Black Bart** attaqua 28 fois la diligence de la Wells Fargo, seul et avec un fusil non chargé. Avant de prendre la fuite à pied, il laissait des poèmes signés Po8 (prononcer « po-eite »). Il s'emparait de la caisse contenant l'argent, sans jamais détrousser les voyageurs. Lors de la 29ᵉ attaque, il perdit son mouchoir en prenant la fuite. La marque de la blanchisserie permit à la police de le démasquer. Habitant respecté de San Francisco, il travaillait pour une compagnie de diligences. Il fut condamné à six ans de prison à San Quentin. À sa sortie, quelqu'un lui demanda s'il comptait écrire d'autres poèmes ; il répondit qu'il avait décidé de ne plus commettre de méfaits.

Le Pacific Northwest

I fait bon vivre à Portland, l'une des grandes villes américaines dont le centre-ville est le plus agréable, comme à Seattle : malgré le formidable essor économique qui en fait aujourd'hui une rivale sérieuse des autres métropoles de la côte ouest, San Francisco et Los Angeles, elle a conservé son caractère de ville ouverte sur la nature. En effet, les habitants du Pacific Northwest, où les Indiens ont vécu pendant des millénaires en parfaite harmonie avec la nature, restent profondément attachés à l'environnement exceptionnel qui est le leur. Le caractère sauvage et la surprenante variété des paysages – chapelets de volcans, sommets enneigés, rivières tumultueuses, cascades, longues plages de sable, îles et presqu'îles, lacs d'altitude et vastes forêts de conifères géants – font de la région un paradis pour les amateurs de randonnée, d'alpinisme, de pêche et de sports nautiques.

En dépit du climat, pluvieux presque toute l'année à l'ouest, tandis que la zone à l'est de la chaîne des Cascades est plus sèche, d'énormes camping-cars sillonnent en toute saison les routes du Pacific Northwest et stationnent dans les innombrables aires aménagées à leur intention sans jamais défigurer le paysage, comme la plupart des nombreux équipements touristiques.

L'appellation « Pacific Northwest » désigne les États du nord-ouest des États-Unis compris entre les montagnes Rocheuses et l'océan Pacifique : Oregon et État de Washington. Cette région se poursuit, au Canada, par la province de Colombie-Britannique.

Le Pacific Northwest

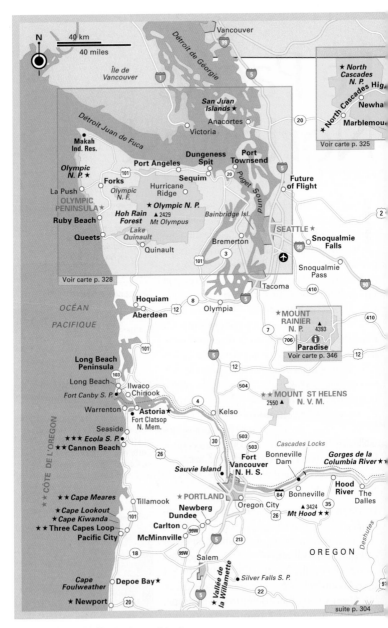

N

40 km

40 miles

Île de Vancouver

Détroit de Georgie

Vancouver

★ **North Cascades N. P.**

North Cascades Hig...

Newha...

★ North Cascades... Marblemou...

San Juan Islands ★

Anacortes

Victoria

Voir carte p. 325

Détroit Juan de Fuca

Makah Ind. Res.

Olympic N. P. ★

Port Angeles

Dungeness Spit

Port Townsend

Puget Sound

Forks

Sequim

Future of Flight

La Push

Olympic N. F.

Hurricane Ridge

★ *Olympic N. P.*

OLYMPIC PENINSULA ★

Hoh Rain Forest

▲ 2429 *Mt Olympus*

Bainbridge Isl.

/ **SEATTLE** ★

Ruby Beach

Lake Quinault

Bremerton

Snoqualmie Falls

Queets

Quinault

3

Snoqualmie Pass

Voir carte p. 328

Tacoma

OCÉAN

Hoquiam

8

Olympia

410

PACIFIQUE

12

Aberdeen

★ **MOUNT RAINIER N. P.**

▲ 4393

410

7

706

Paradise

Voir carte p. 346

12

Long Beach Peninsula

103

Long Beach

Ilwaco

Fort Canby S. P.

Chinook

504

★ ★ **MOUNT ST HELENS N. V. M.**

2550 ▲

Warrenton

4

Kelso

Seaside

Astoria ★

Fort Clatsop N. Mem.

Cascades Locks

★★★ *Ecola S. P.*

★★ *Cannon Beach*

30

503

503

Gorges de la Columbia River ★ ★

26

Sauvie Island

Fort Vancouver N. H. S.

Bonneville Dam

Hood River

CÔTE DE L'OREGON

★ ★ **PORTLAND**

84

Bonneville

The Dalles

★ ★ *Cape Meares*

Tillamook

Newberg

Oregon City

▲ 3424

35

★ *Cape Lookout*

Dundee

Mt Hood ★ ★

★ *Cape Kiwanda*

101

26

★ ★ *Three Capes Loop*

Carlton

99W

Pacific City

McMinnville

213

18

99W

Salem

Deschutes

OREGON

Cape Foulweather

Depoe Bay ★

Vallée de la Willamette

★ *Silver Falls S. P.*

★ **Newport**

20

5

22

97

suite p. 304

Que voir dans le Pacific Northwest (Nord).

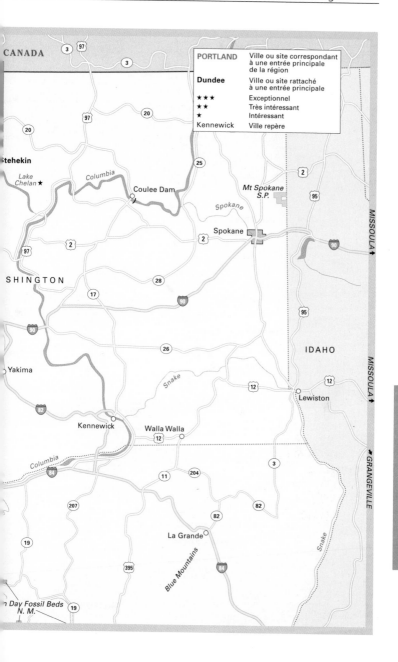

CANADA

PORTLAND   Ville ou site correspondant
à une entrée principale
de la région

Dundee   Ville ou site rattaché
à une entrée principale

★★★   Exceptionnel

★★   Très intéressant

★   Intéressant

Kennewick   Ville repère

Stehekin

Lake
Chelan ★

Columbia

Coulee Dam

Mt Spokane
S.P.

Spokane

Spokane

WASHINGTON

Yakima

Snake

IDAHO

Lewiston

Kennewick

Walla Walla

Columbia

La Grande

Blue Mountains

Day Fossil Beds
N. M.

MISSOULA →

MISSOULA →

→ GRANGEVILLE

Snake

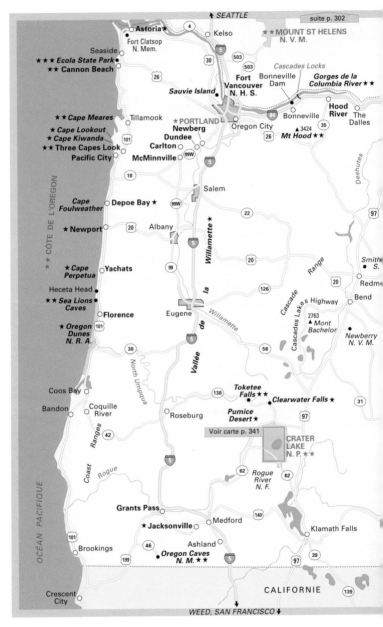

Que voir dans le Pacific Northwest (Sud).

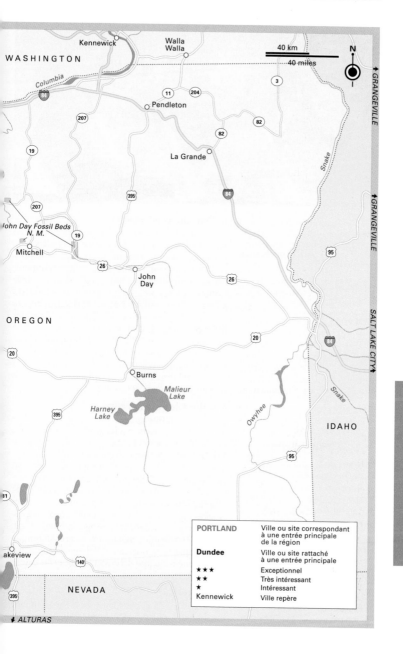

▲ **Warm Springs Indian Reservation, dans l'Oregon, invite à découvrir l'héritage culturel des Wasco et des Paiutes.**

☞ CONSEIL

Faites votre shopping à Portland : l'État de l'Oregon ne perçoit pas de taxe *(sales tax)* sur les biens de consommation.

L'Oregon en bref

- **Nom** : du français « ouragan ».
- **Abréviation** : OR.
- **Surnom** : The Beaver State (l'État du Castor).
- **Superficie** : 254 819 km².
- **Population** : 3 831 000 hab.
- **Villes principales** : Salem (capitale, 153 500 hab.) ; Portland (569 000 hab.) ; Eugene (150 100 hab.).
- **Entrée dans l'Union** : 1859 (33e État).
- **Fuseaux horaires** : Pacific Time (– 9 h par rapport à la France) et Mountain Time (– 8 h).

Indiens du Nord-Ouest

Bien avant l'arrivée des premiers explorateurs, au XVIe s., les populations indiennes étaient établies entre la chaîne côtière et l'océan, au creux des estuaires, isolées par une forêt dense et des sommets impraticables. D'autres étaient installées sur les berges de la Columbia River ou sur le plateau aride qui s'étend à l'est de la chaîne des Cascades. D'autres encore avaient investi les collines boisées, les rives fleuries et les pâturages des vallées de la Willamette et de la Rogue River. En 1830, des missionnaires, ignorants de leur culture et de leurs croyances, tentèrent d'évangéliser les Indiens du Nord-Ouest ; en 1847, la mission Whitman, établie près de Walla Walla, était détruite par un raid des Cayuses.

L'exploration européenne

Les États de Washington et de l'Oregon ont une histoire commune, écrite par les explorateurs espagnols et anglais. En mars 1543, Bartolomé Ferrelo atteignait l'embouchure de l'Umpqua River. En 1578, sir Francis Drake, corsaire de la reine d'Angleterre, remontait la côte pacifique à bord du *Golden Hind*. En 1592, Juan de Fuca s'aventurait dans le détroit qui porte aujourd'hui son nom. À partir des années 1775, les Anglais James Cook, John Meares et George Vancouver cherchèrent le fameux passage du Nord-Ouest, une voie navigable joignant les océans Atlantique et Pacifique. C'est finalement Robert Gray, un navigateur américain, qui découvrit l'embouchure de la Columbia River, le 11 mai 1792.

La prospérité

Les négociants anglais de la Hudson Bay Company s'établirent à Astoria, achetant aux Indiens des fourrures qu'ils échangeaient en Chine contre du thé et des épices. La ruée vers l'or de 1848 entraîna, avec

▲ Sparks Lake et Mount Bachelor dans les Cascade Range, près de Bend (Oregon).

l'essor de la Californie, celui des régions du Nord-Ouest. Dans les années 1880, Seattle devint la base arrière de milliers de prospecteurs en route pour les concessions minières *(claims)* de l'Idaho et de Fraser River, au Canada ; puis à nouveau à la suite de la découverte d'or en Alaska, en 1897.

Le chemin de fer contribua largement au développement du Nord-Ouest mais c'est l'énergie hydro-électrique qui donnera à l'industrialisation de la région une impulsion considérable, grâce à la vingtaine de barrages construits sur la Columbia River entre les années 1930 et 1975.

À Seattle, les prospecteurs se fournissaient en matériel et se faisaient délester de leurs pépites dans une ambiance trouble d'aventuriers.

Washington, éternellement vert

Nombreux sont les habitants de Seattle qui disposent d'un bateau, et presque tous possèdent un équipement de randonnée, dans un État aux paysages creusés par les glaciers et recouverts d'une épaisse forêt de pins, refuge des cervidés, des ours et des pumas. Aujourd'hui, l'économie de Seattle dépend davantage de Boeing, pôle industriel autour duquel gravitent des centaines de petites entreprises, et de Microsoft, que de l'industrie forestière, freinée par le lobby écologiste. La plus grande ville du Nord-Ouest est l'une de celles qui ont le mieux supporté les difficultés économiques des dernières années. Tournée vers le Pacifique, elle a choisi l'Asie pour partenaire.

Paisible Oregon

Portland, la première ville de l'Oregon, s'est développée grâce aux chantiers navals et au commerce du bois. D'une taille raisonnable, la « cité des Roses » a le charme et l'élégance d'une ville de province. Comme les habitants de Seattle, les Portlandais sont très soucieux de l'environnement et partagent leurs loisirs entre le ski – sur le Mt Hood –, la randonnée et les plaisirs de la côte pacifique.

L'État de Washington en bref

- **Abréviation** : WA.
- **Surnoms** : Evergreen State (l'État toujours vert) et Chinook State (l'État de la Langue chinook, langue indigène de l'État).
- **Superficie** : 184 672 km².
- **Population** : 6 724 500 hab.
- **Villes principales** : Olympia (capitale, 45 300 hab.), Seattle (598 500 hab. intra-muros), Spokane (202 300 hab.).
- **Entrée dans l'Union** : 1889 (42e État).
- **Fuseau horaire** : Pacific Time (– 9 h par rapport à la France).

Le Pacific Northwest

Seattle★ WA

Situation : à 174 mi/280 km N. de Portland, 258 mi/413 km S. de Vancouver (Canada).

Population : 598 500 hab.

Fuseau horaire : Pacific Time (– 9 h par rapport à la France).

☞ Plan I (plan d'ensemble), p. 310 • plan II (Downtown), p. 314-315.

ⓘ Downtown, 800 Convention Plaza (II C1) ☎ 206/461-5840.
• L'été, kiosque à Pioneer Square (II C3 ; Occidental Mall et Main St.).
• University District, University Way et N.-E. Campus Pkwy ☎ 206/543-9198.

Voir carte régionale p. 302

Ville portuaire établie sur six collines verdoyantes, Seattle offre le spectacle grandiose des cimes enneigées du mont Rainier, le calme apaisant des eaux du lac Washington et la tonicité marine de l'immense Puget Sound, gages d'une incomparable qualité de vie. Forte de sa position géographique favorisant le commerce avec l'Asie, la ville est en plein essor et sa population a triplé en dix ans. Les Californiens, voisins du sud, n'hésitent plus à s'établir dans l'innovante métropole du nord. Le développement spectaculaire de Microsoft attire depuis les années 1990 des talents de tous horizons.

La ville, qui a donné naissance au hard rock puis à la mode grunge, est de plus en plus jeune et cosmopolite. Après des décennies d'urbanisation anarchique dont cette autoroute qui défigure le Waterfront est le meilleur exemple, Seattle a élaboré une réglementation stricte pour préserver le charme de ses quartiers historiques. Le Pike Market, avec ses étals colorés et ses pittoresques restaurants de *fish and chips*, le Pioneer Square District, cœur historique rénové, l'aménagement des jetées de bois sur le port donnent à la ville un cachet certain.

Seattle mode d'emploi

■ Arriver à Seattle

En avion. L'aéroport Sea-Tac (Seattle-Tacoma International I B3 ☎ 206/433-5388) se trouve à 14 mi/ 22 km au S., sur l'I-5.
Moyen rapide et peu onéreux de gagner le centre-ville (Westlake Center) : le *Link Light Rail* (t.l.j. de 5 h à minuit • 2,50 $ le trajet • durée 35 mn + 15 mn de marche entre l'aéroport et la gare).
Les **navettes** *Gray Line Airporter* (10 $ le trajet) et *Shuttle Express* (15 $) desservent plusieurs hôtels de Downtown.
Taxi : compter 45 $ + pourboire.

En train. *King Street Station*, 303 S. Jackson St. et 3rd Ave. S. II C4 ☎ 206/382-4125 ; au S. du centre-ville, à 3 *blocks* à l'E. de Pioneer Square.

En bus. *Greyhound Bus Station*, 811 Stewart St. (entre 8th et 9th Aves) II C1 ☎ 206/628-5526.

En voiture. Direction I-5 N. (sorties Downtown 164 à 169).

■ S'orienter

Le centre des affaires gravite autour de Westlake Center (5th et Pine Sts) où se concentrent hôtels, restaurants, grands magasins et galeries marchandes. De là, on gagnera à pied Pike Place Market, le Waterfront, le Seattle Art Museum et le Pioneer Square District *via* 1st Ave.

■ Se déplacer

Le réseau de transports en commun, modernisé lors de l'Exposition universelle de 1962, est remarquable. Le Westlake Center en est la plaque tournante.

Voiture. Les parcmètres, nombreux dans le centre-ville, doivent être réapprovisionnés toutes les 2 heures • **parkings :** *Westlake Park*, Pine St. et 4th Ave. II B1 ; *Seattle Art Museum*, University St. et 1st Ave. II B2 ; *Pike Place Market*, entre Pike Pl. et Western Ave. II B2 ; *Pioneer Square*, Yesler Way et 1st Ave. II C3.

Bus. Les bus (*Metro Transit* ☎ 206/553-3000) circulant dans le périmètre de Downtown (Battery St. au N., S. Jackson St. au S., 6th Ave. à l'E. et le Waterfront à l'O.) sont en accès libre de 6 h à 19 h • circuits *Hop On-Hop Off* à bord d'un bus à toit ouvert : *Grayline Tours* ☎ (1)800/426-7532 ; www.graylineseattle.com

Tram. La ligne *South Lake Union* dessert 11 stations, entre Westlake Center (au S.) et South Lake Union (au N).

Trolley. *Waterfront Streetcar* dessert neuf arrêts du quai n° 70 à International District, en passant par Pioneer Square.

Monorail. Dessert Seattle Center (Space Needle) au départ de Westlake Center, en 3 mn (lun.-ven. 7 h 30-23 h, sam.-dim. 8 h 30-23 h).

Transports locaux : *Pierce Transit* ☎ 253/581-8000 ; www.piercetransit.org

Ferry. Départs pour Vashon, Bainbridge Island, Olympic Peninsula ou Victoria (Canada), sur les *piers* 50 et 52 II B3. *Washington State Ferries* ☎ (1)800/808-7977 ou 206/464-6400 ; www.wsdot.wa.gov ; à **Edmonds** (30 mn N. de Seattle), départs pour Kingston (Olympic Peninsula).

■ Adresses utiles

Police. 610 3rd Ave. ☎ 206/625-5011 • Urgences ☎ 911.

Urgences médicales. ☎ 206/296-4600 • *Harbor View Medical Center*, 325 9th Ave. (et Alder St.) II D3 ☎ 206/223-3000.

Consulat de France. World Trade Center, Suite 490, 2200 Alaskan Way ☎ 206/256-6184.

Change. *Travelex Currency*, 400 Pine St. (et 3rd Ave.), Westlake Center (2e ét. - 3rd floor) II B1 ☎ 206/682-4525.

Taxis. *Yellow Cab* ☎ 206/622-6500.

Location de voitures. En centre-ville : *Hertz*, 1501 8th Ave. (et Pike St.) II C1 ☎ 206/903-6260 • *Avis*, 1919 5th Ave. (et Stewart St.) II B1 ☎ 206/448-1700 • *Budget*, 2200 7th Av. (et Blanchard St.) h. pl. II par B1 ☎ 206/448-1940 • *Dollar*, 1900 Boren Ave. (et Stewart St.) h. pl. II par C1 ☎ 206/682-1316.

Poste. Downtown, 301 Union St. (et 3rd Ave.) II B2 ☎ 206/748-5417 ; ouv. lun.-ven. 7 h 30-17 h 30.

Seattle

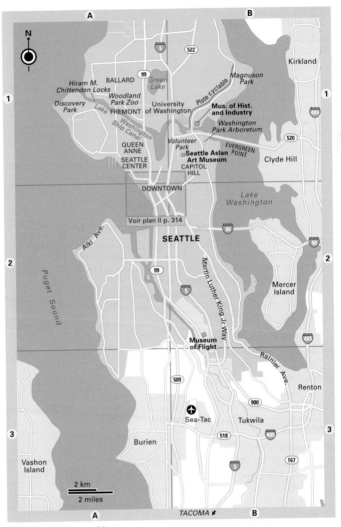

Seattle, plan I : ensemble.

Programme

■ Une journée

Explorez **Pike Place Market**★★ *(p. 318)* puis descendez les escaliers en direction du **Waterfront** *(p. 318)*. Visite du **Seattle Aquarium**★★ *(p. 318)* et **croisière**★★ dans le Puget Sound pour la vue sur la Skyline.

■ **Deux jours**

Visite du **Seattle Art Museum★★** *(p. 320)* puis balade dans le **Pioneer Square District★** *via* 1st Ave. *(p. 313)*. Visite du **Klondike Gold Rush Museum★** *(p. 316)*. Au Westlake Center, empruntez le monorail pour gagner Seattle Center. Visitez l'étonnant **Experience Music Project★** *(p. 319)* puis montez à la **Space Needle** *(p. 319)*.

■ **Trois jours et plus**

Explorez les environs de Seattle. Découverte de l'**Olympic Peninsula★** *(p. 327)* ou du **North Cascade National Park★** *(p. 324)*.

Seattle dans l'histoire

New York Alki

Le 13 novembre 1851, une trentaine d'hommes, de femmes et d'enfants, Arthur Denny à leur tête, accostent sur une plage de la côte O. Ils y passeront un hiver glacé avant de trouver, au mois de février suivant, un site abrité plus au N., sur la rive E. de Puget Sound, dans la baie d'Elliot, à l'emplacement de l'actuel quartier pionnier. À cet endroit – une plaine fertilisée par les marées au pied de montagnes abruptes et boisées –, malgré tous les obstacles, ils conçoivent le projet d'une grande ville : New York Alki, « l'autre New York », tournée vers l'Asie comme New York l'était vers l'Europe.

De Sealth à Seattle

Le 31 mars 1852, le Dr Maynard, guidé par Sealth (→ *encadré ci-contre*), chef d'une tribu indienne installée à l'embouchure de la rivière Duwamish, se rend à New York Alki. Là, il offre une partie de ses biens fonciers à Henry Yesler pour qu'il y construise une scierie : il apporte ainsi à la ville sa première industrie. Yesler installe la scierie sur les quais, faisant descendre son bois par un chemin, l'actuel Yesler Way. L'entreprise fournira bientôt tout le bois nécessaire à la construction de Seattle et approvisionnera même San Francisco. Maynard inaugure le premier bureau de poste et le premier hôpital. Reconnaissant de la tolérance des premiers habitants de la région à l'égard des colons, il suggère de baptiser la cité du nom de Sealth, ou Seattle, en hommage au grand chef indien. En 1869, la ville compte près de 1 000 habitants.

La ville en cendres

Les ambitions de Seattle sont déçues lorsque, en 1873, Tacoma (plus au S.) est désignée par la Northern Pacific Railway comme terminus de la voie ferrée venant de Chicago. L'importance et la durée des travaux entraînent l'embauche d'une importante

☞ **HÉBERGEMENT**

La plupart des hôtels sont situés dans le quartier de Westlake Center.

• *Mayflower*,
405 Olive Way et 5th Ave. (II B1)
☎ 206/623-8700.
Établissement traditionnel à l'élégance classique, très bien situé à proximité immédiate du Westlake Center.

Seattle, chef indien

Le chef Indien Noah Sealth (Seattle), issu des tribus Duwamish par sa mère et Suquamish par son père, fut le témoin de l'arrivée des premiers explorateurs, conduits par George Vancouver, en 1792. Chef très respecté de la tribu des Suquamish, installée sur le lac Washington et sur Bainbridge Island, leader incontesté de son peuple jusqu'à sa mort en 1866, Seattle se montra ouvert à la négociation et bienveillant à l'égard des nouveaux arrivants.

On lui attribue un discours prononcé devant l'Assemblée des tribus en 1854, à l'annonce de la confiscation des terres aux Indiens et de leur installation dans des réserves : « L'eau étincelante des ruisseaux et des fleuves n'est pas seulement de l'eau, elle est le sang de nos ancêtres. Si nous vous vendons notre terre, vous devez vous souvenir qu'elle est sacrée, et vous devrez l'enseigner à vos enfants, et leur apprendre que chaque reflet spectral de l'eau claire des lacs raconte le passé et les souvenirs de mon peuple. Le murmure de l'eau est la voix du père de mon père. » Une statue du chef Seattle a été érigée en 1908 sur Tilikum Place *h. pl. II par B1*.

☞ Plan I (plan d'ensemble), p. 310 • plan II (Downtown), p. 314-315.

main-d'œuvre chinoise, qui fait concurrence aux Blancs en acceptant de dures conditions de travail. L'hostilité à l'égard des immigrants chinois finit par contraindre ces derniers à repartir. En février 1886, 300 Chinois sont embarqués de force à bord du *Queen Pacific* en direction de San Francisco. Le 6 juin 1889, un incendie se déclare dans une scierie. Seattle, bâtie en bois, sera détruite en quelques heures.

La reconstruction

Des dizaines de milliers d'ouvriers affluent de tout l'Ouest pour aider à reconstruire la ville, cette fois en brique. Les immeubles de Pioneer Square portent pour la plupart la marque d'Elmer Fisher, disciple des architectes Burnham, Sullivan et Richardson, de la célèbre école de Chicago (→ *encadré ci-contre*). En rebâtissant, on surélève le niveau des rues, si bien que le rez-de-chaussée des maisons se trouve enterré, créant ce qu'on appelle aujourd'hui *Underground Seattle*.

Avec la Great Northern Railway, inaugurée en juillet 1893, Seattle met fin au conflit qui l'opposait à la Northern Pacific Railway. En 1896, la ville se réconcilie avec l'Asie en signant avec une compagnie japonaise de bateaux à vapeur un accord commercial sur le transit des marchandises et des passagers. Le rêve de Seattle d'une ouverture asiatique se réalise enfin.

Soudain, l'or !

Le 17 juillet 1897, le *Post Intelligencer*, premier journal de Seattle, annonce la découverte de tonnes d'or au confluent du Yukon et du Klondike, en Alaska. Les prospecteurs affluent de tout le pays, suscitant l'ouverture de nombreux commerces et hôtels. Des fermiers, des banquiers, des maîtres d'école et jusqu'au maire de Seattle tenteront l'aventure du Klondike, et beaucoup y laisseront leur fortune. Mais la ruée vers l'or permet le développement de la ville, qui devient le centre commercial le plus important au N.-O. En 1909, l'exposition « Alaska-Yukon-Pacific » célèbre les richesses de l'Alaska et la nouvelle prospérité de Seattle.

Naissance d'une métropole

Dans les années 1930, le centre de Seattle s'est déplacé vers le N. Cette petite ville de 80 000 hab. s'est transformée en un important centre économique et financier. L'industrie aéronautique, grâce aux usines Boeing, remplace l'industrie forestière et devient une des principales activités de la ville. On relie le Puget Sound et les lacs Union et Washington par un canal, et la ville s'étend peu à peu aux six collines environnantes. Dans les années 1950, Seattle compte 500 000 hab. et peut se vanter de n'avoir

De Chicago à Seattle

Avec les reconstructions consécutives à l'incendie qui l'a ravagée en 1871, Chicago a vu se développer une école d'architecture qui fut à l'origine des **gratte-ciel**, grâce à plusieurs innovations techniques : l'ascenseur, inventé par Otis en 1857, l'ossature métallique de fonte, puis d'acier, l'armature croisée résistant au vent. Les chefs de file de cette **école de Chicago** étaient William Le Baron Jenney, Daniel H. Burnham et surtout **Louis Sullivan**. Celui-ci fut l'un des premiers à défendre le fonctionnalisme, sans renoncer à une ornementation volontiers foisonnante, mais limitée aux articulations majeures des bâtiments, dont les structures apparentes laissent une grande place aux espaces vitrés. Fidèle au modèle de la Renaissance, il divise ses bâtiments en trois parties : rez-de chaussée, ornementé pour les magasins, étages de bureaux modulables nus, en façade, couronnement décoré.

Dans le Nord-Ouest, ces innovations concernent de nombreux immeubles, dont les panneaux décoratifs en fonte étaient commandés sur catalogue à des usines du Middle West.

aucun bidonville. En 1962, elle affirme sa position de grande métropole en accueillant l'Exposition universelle.

Seattle aujourd'hui

L'agglomération de Seattle approche les 4 millions d'hab. Cette croissance démographique s'explique par une forte immigration asiatique, conséquence des bonnes relations commerciales que la ville entretient avec l'Asie (95 % du transit portuaire). Longtemps considérée par le reste du pays comme une petite cité provinciale, Seattle offre désormais l'image d'une ville ouverte, dynamique et pleine d'avenir. Son économie repose essentiellement sur l'activité de la firme Boeing et sur le développement spectaculaire de Microsoft. Consciente de la qualité de son environnement, elle est de plus en plus souvent partagée entre la nécessité d'une expansion économique et le souci de préserver le cadre de vie de ses habitants.

❶ Pioneer Square District★

C'est dans ce quartier que tout a commencé. Au début du xxᵉ s., en dépit des efforts des investisseurs pour y maintenir le centre-ville, la cité se développe plus au nord, autour du Westlake Center. Dans les années 1930, le site est laissé à l'abandon. En 1960, un plan de réhabilitation du quartier est entrepris. Les immeubles en brique et en pierre à ossature métallique, témoins d'une glorieuse époque d'architecture inspirée par l'école de Chicago, sont rénovés. Aujourd'hui, Pioneer Square conserve un charme particulier : boutiques de mode, galeries d'art, musées et librairies, bars et théâtres en font l'un des pôles de la vie culturelle et nocturne.

Situation. Entre Columbia St. au N., 7th Ave. à l'O. et King St. au S. II B–C3.

Combien de temps. 2 h suffisent pour visiter Pioneer Square, mais on peut s'attarder dans ce quartier riche en librairies, en galeries, en bars et restaurants.

■ **Pioneer Square** II C3. Les deux ornements de la place sont sa pergola et son **totem**, commandé par la ville en 1938 pour remplacer le précédent, détruit par un incendie. Il avait été dérobé par les pionniers dans un village tlingit (→ *encadré p. 321*) puis installé sur la place en 1890. L'élégante **pergola** en fonte ouvragée et en verre fut élevée en 1909 pour abriter les 8 000 personnes qui utilisaient quotidiennement les toilettes publiques sous-jacentes, restées en usage jusque dans les années 1950. En 2001, elle fut

✎ **SEATTLE CÔTÉ MER**
• Pour admirer la Skyline sans vous ruiner, empruntez le *water taxi* jusqu'à Alki Beach (West Seattle ; 30 mn de trajet), un site maritime entouré de collines verdoyantes.
• *Salty's*, 1936 Harbor Ave., Alki Beach, Elliott Bay ☎ 206/937-1085. Cuisine traditionnelle, vue incroyable sur les gratte-ciel, brunch le w.-e. (réserver une table avec vue).
• *Argosy Cruises*, 1101 Alaskan Way (II B3) ☎ 206/622-8687. Au départ du Pier 55 : croisières dans le port (Harbor Cruise, 1 h), vers les écluses (Locks, 2 h), les lacs Union et Washington (Lake Cruise) ainsi que vers le village indien de Tillicum. *Seattle City Pass* accepté (→ p. 319).

▲ Immeuble de Pioneer Square District caractéristique de l'école de Chicago : brique, ossature métallique, bow-windows.

Seattle

1

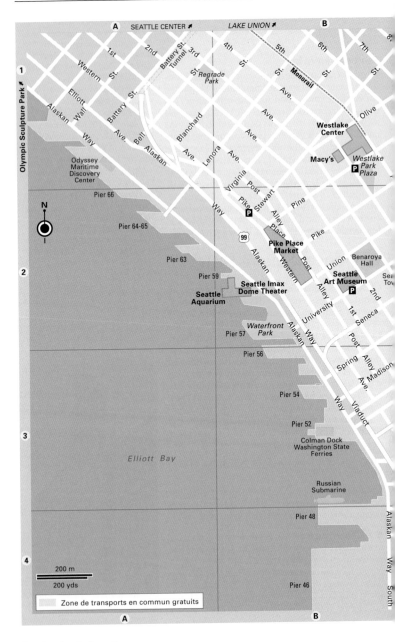

Seattle, plan II : Downtown.

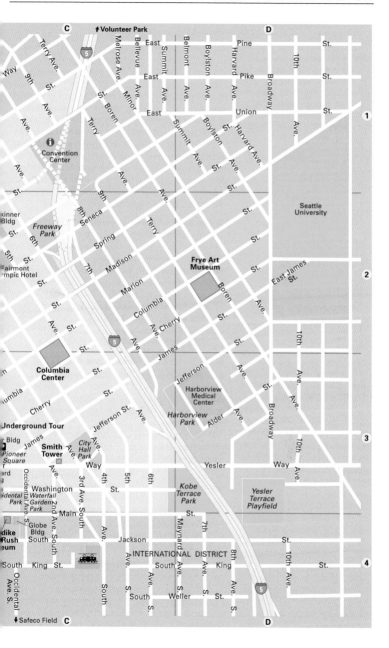

Seattle

☎ NUMÉROS GRATUITS
Les numéros de téléphone qui commencent par ☎ 800, 855, 866, 877, 888 sont des numéros d'appel gratuits *(toll-free number)*. Faites-les précéder du ☎ 1 si vous appelez depuis un poste fixe (et non d'un portable). Dans ce guide, ces numéros sont notés ainsi : ☎ (1)800/000-0000.

Le mouvement grunge

Le mot « grunge » serait une contraction de deux mots d'argot : *grotty* (cradingue) et *gunge* (voyou). Né à Seattle à la fin des années 1980, le mouvement grunge a rassemblé une jeunesse blanche désabusée, mi-hippie mi-punk, trouvant son inspiration dans le hard rock, le mouvement punk et la musique des Sex Pistols. Mal de vivre et autodestruction furent des thèmes souvent évoqués par les chanteurs des groupes Nirvana (Kurt Cobain est décédé à Seattle en 1994, à l'âge de 27 ans), Alice in Chains, Pearl Jam ou Mudhoney. Authentique expression d'une génération, le mouvement grunge en tant que tel a aujourd'hui perdu de sa force mais son influence dans le domaine de la musique a été considérable. Il a beaucoup inspiré la mode de la rue (streetwear) dans les grandes villes américaines et européennes.

heurtée par un camion et s'écroula entièrement. Chapiteaux corinthiens, colonnes et volutes ont été reconstitués à partir d'éléments sauvés des ruines.

Les bâtiments qui entourent Pioneer Place ont été construits après l'incendie de 1889, dans le style créé par les architectes de l'école de Chicago Louis Sullivan, Daniel H. Burnham, John W. Root et Richardson. **Pioneer Building**, avec son imposante arche d'entrée à bossages rustiques, est dû à Elmer Fisher, l'architecte qui dirigea la reconstruction de la ville. C'est le point de départ de l'**Underground Tour**, promenade souterraine qui parcourt les rez-de-chaussée des premières maisons de Seattle, enfouis lors de la reconstruction qui suivit l'incendie de 1889 *(608 1st Ave., angle Cherry St. et Yesler Way* ☎ *206/682-4646 • www.undergroundtour.com).*

■ Les immeubles de la reconstruction II C3-4
(1st Ave. South). Du N. au S., on rencontre **Yesler Building** *(angle de Yesler Way)*, construit par Fisher en 1890-1895 et également mutilé par le tremblement de terre de 1949, puis **Maynard Building** *(angle de South Washington St.),* immeuble de bureaux néo-roman construit en 1892 par A. Wickersham, l'un des plus accomplis que l'école de Chicago ait produits à Seattle, et enfin **Globe Building** *(angle de Main St.),* élevé en 1890 et qui abrite une immense librairie, *Elliott Bay Book Company.*

■ De South Main Street à 2nd Ave. II C3-4
● Le petit **Klondike Gold Rush Museum★** *(117 S. Main St. • t.l.j. 9 h-17 h • entrée libre)* s'est installé dans l'ancien hôtel *Cadillac*, bâti au lendemain du grand incendie de 1889. De façon vivante, il commémore la ruée vers l'or en Alaska, qui a vu plus de 100 000 personnes de tous milieux entreprendre, en pleine crise économique, l'incroyable voyage vers les montagnes glacées du Yukon.

● De l'autre côté de Main St., **Occidental Park** est une place ombragée ornée de deux totems de Duane Pasco et d'un monument très réaliste aux pompiers de Seattle (1995) par Hai Ying Wu. Un bloc plus haut, **Waterfall Garden Park** *(2nd Ave. et S. Main St.),* créé en 1977 par une fondation privée, abrite un jardin japonais et une cascade artificielle.

● En reprenant 2nd Ave. vers le N., le regard est attiré par la toiture pyramidale de **Smith Tower** *(Yesler Way et 2nd Ave.),* le plus ancien gratte-ciel de Seattle (1914), remarquable par sa structure métallique apparente et qui fut longtemps le plus haut bâtiment construit à l'O. du Mississippi (42 étages). Vue sur le centre-ville depuis l'**Observation Deck** *(35e ét. • ouv. 10 h-17 h, en été 10 h-20 h 30 • accès payant).*

■ **International District** ‖ C–D4 *(entre 4th Ave. et 8th Ave. • Main St. et Weller St.)*. Habité à l'origine par les Chinois qui travaillaient à la construction du chemin de fer transcontinental, le quartier abrite encore aujourd'hui une importante communauté asiatique. Ce Chinatown très américanisé offre un grand nombre de restaurants et de commerces asiatiques, des salons de massage, d'acupuncture et des maisons de jeux.

Poussez jusqu'au **Columbia Center** ‖ C3 *(701 5th Ave. et Columbia St. • ouv. lun.-ven. 8 h 30-16 h 30 • entrée payante)*, la plus haute tour de Seattle (284 m), terminée en 1985. Au 73ᵉ étage de cet immeuble de bureaux, superbe **panorama★★** sur la ville et le Puget Sound.

❷ Downtown

Le quartier du commerce et des affaires s'est développé autour de l'ancien emplacement de l'université du Washington, installée sur son nouveau campus en 1895. Dix ans plus tard, un plan d'aménagement visant à une certaine harmonie fut adopté. Mais, en 1954, un nouveau plan privilégiant l'esthétique de chaque bâtiment, au détriment de l'unité d'ensemble, entra en vigueur : gratte-ciel postmodernes, tours de verre et austères immeubles en béton des années 1970 côtoient ceux des années 1920 et 1930, en brique et pierre.

Situation. Entre Seneca St. au S., 5th Ave. à l'E. et le Seattle Center au N. pl. ‖.

Combien de temps. Entre 3 et 4 h.

Où faire une pause. Sur le Waterfront, dans l'un des nombreux restaurants de fruits de mer • pour les amateurs de bière, au célèbre *Pike Pub and Brewery* (1415 1st Ave. et Union St.).

■ **Westlake Center** ‖ B1 *(1601 5th Ave.)*. Sur une place piétonne égayée de fontaines, à la croisée des rues les plus animées de Seattle, vous êtes au centre vital de la ville : 27 étages de bureaux surmontent 3 étages de galeries marchandes et le terminal du monorail pour Seattle Center.

▲ University Street partage le Downtown de Seattle en deux parties : au nord, les rues commerçantes et animées ; au sud, les bureaux et les banques. Ce dernier quartier, très animé le jour, est déserté le soir, à l'inverse de Pike Place et du Waterfront.

• **Old Seattle Paperworks**, Pike Market (II B2 ; sous-sol) ☎ 206/623-2870. Photos anciennes, magazines *vintage* (le *New York Post* illustré par Norman Rockwell...), pubs des années 1960, cartes et plans, un vrai bonheur.

• **Golden Age Collectables**, 1501 Pike Market (II B2), 401 Lower Level ☎ 206/622-9799. L'une des plus anciennes librairies de BD du pays.

Steelhead Diner, 95 Pine St. (II B2) ☎ 206/625-0129. Cuisine américaine moderne, ambiance décontractée. Proche de Pike Place Market.

Le plus beau des marchés couverts

En 1907, le maire de Seattle, Charles A. Burett, institua un jour de marché libre pendant lequel les fermiers pouvaient vendre directement leurs produits. Peu à peu, bâtiments et galeries marchandes remplacèrent camions et charrettes, sans pour autant empêcher le marché de se développer librement et d'occuper bientôt tout le versant de la colline. En 1927, plus de 400 fermiers se réunissaient sur Pike Place.

Pendant la Seconde Guerre mondiale, le marché déclina. La ville le défendit, soutenue dans son action par le peintre Mark Tobey, pour qui ce lieu était indissociable de l'histoire de Seattle et de son avenir. Aujourd'hui, le **Pike Place Market** II B2 occupe deux niveaux au-dessous du niveau de la rue.

Un bloc plus à l'O., le grand magasin **Macy's** II B1 (ancien Bon Marché • *Pine St., 3rd et 4th Aves*) a gardé ses belles façades Art déco : il fut fondé en 1890 par Edward Nordhoff, immigrant allemand admirateur du Bon Marché, à Paris.

■ **Pike Place Market★★** II B2 *(Pike Place et 1st Ave. • lun.-sam. 10 h-18 h, dim. 11 h-17 h • compter 1 h à 2 h de vis., de préférence le mat. • entrée libre)*. Le **marché**, avec ses étals colorés de produits régionaux ou d'artisanat, la foule mouvante, les cris, les odeurs de marée, les bouquinistes et les brocanteurs, constitue un tableau vivant qui a inspiré de nombreux peintres *(→ encadré ci-contre)*. Le **Corner Market Building** date de 1912.

Le **Pike Market Hill Climbs Corridor** (1978) établit la jonction entre le niveau supérieur du marché et le Waterfront, par une série d'escaliers agrémentés d'espaces verts ou par un ascenseur.

■ **Waterfront** II A1-B4. Défigurée par l'Alaskan Way Viaduct, construit le long d'Elliott Bay, la zone portuaire compte plus de 90 jetées *(piers)*. Des entrepôts datant des années 1890 ont été transformés en espaces récréatifs : restaurants *(fish and chips)*, boutiques de souvenirs, cafés et bars à bière.

• **Seattle Aquarium★★** II A/B2 *(Pier 59, 1483 Alaskan Way • Seattle City Pass accepté, → p. suiv.)*. Un aquarium aux lignes contemporaines, une fenêtre ouverte sur la faune et la flore marines du Puget Sound. On y admire le ballet des méduses et des pieuvres géantes, de rares espèces de poissons multicolores présents dans la barrière de corail, des oiseaux des rivages tels les macareux plongeurs et encore des loutres, des phoques et des otaries.

• **Olympic Sculpture Park** h. pl. II par A1 *(2901 Western Ave.* ☎ *206/441-4261 • ouv. de l'aube au coucher du soleil ; f. les j. fériés • entrée libre)*. Situé face au Puget Sound, ce musée de sculpture en plein air a avantageusement remplacé une ancienne friche industrielle. Œuvres d'Alexander Calder, Mark di Suvero, Claes Oldenburg, Richard Serra, Ellsworth Kelly, Louise Nevelson, Louise Bourgeois.

❸ Seattle Center

À la limite du centre-ville, le site de l'Exposition universelle de 1962 a vu construire Space Needle. Le parc de 30 ha, organisé autour d'International Fountain, a conservé sa vocation culturelle : aux bâtiments de l'exposition, qui abritent aujourd'hui un théâtre (Play House), une salle de concert (Opera House) et un stade (Washington State Coliseum), est venu s'ajouter, au début du XXIᵉ s., Experience Music Project, un musée entièrement consacré à la musique.

Situation. Entre 1st Ave. N. et 5th Ave. N., Mercer St., Broad St. et Denny Way I A1.

Accès. Monorail depuis Westlake Center (3 mn).

Combien de temps. 1 h pour en faire le tour et monter à Space Needle, mais les différents musées méritent que l'on s'y attarde.

Où faire une pause. En haut de Space Needle, ou devant les jeux d'eau musicaux d'International Fountain.

■ **Space Needle** I A1 (☎ *206/443-2100* • *www. spaceneedle.com t.l.j.* • *9 h 30-23 h* • *Seattle City Pass accepté, → ci-contre*). L'« aiguille de l'espace » est une tour de 185 m qui ouvre la **vue★** sur Puget Sound, Olympic Peninsula, le Mt Rainier et la chaîne des Cascades locale. Accès gratuit à l'Observation Deck si l'on mange au restaurant *Sky City* (☎ *206/905-2100* • *cher*).

■ **Pacific Science Center** I A1 (*200 2nd Ave. N.* ☎ *206/443-2001* • *lun.-ven. 10 h-16 h, w.-e. 10 h-18 h, f. mar.* • *Seattle City Pass accepté, → ci-contre*). Signalé par des ogives en fonte de Minoru Yamasaki (architecte du World Trade Center de New York), il présente des expositions interactives sur les sciences, des mathématiques à la vulcanologie. Papillons tropicaux, dinosaures, reconstitutions de salles du *Titanic* et deux salles IMAX®.

■ **Experience Music Project★** I A1 (EMP • *325 5th Ave. N. et Broad St.* ☎ *206/770-2700* • *www.emps.org* • *ouv. 10 h-17 h, de mai à sept. 10 h-19 h ; f. les j. fériés de sept. à mai* • *Seattle City Pass accepté, → ci-contre*). Conçue par Frank O. Gehry (1999-2000), cette architecture-sculpture est la réalisation la plus novatrice de la ville, et aussi la plus controversée. Ses arêtes vives et ses pans coupés évoquent deux guitares électriques pressées l'une contre l'autre. Ce musée pas comme les autres rend hommage à la musique des 50 dernières années en montrant instruments, documents audio et vidéo, photos, concerts virtuels et interviews de musiciens célèbres (Jimi Hendrix est né à Seattle en 1942).

Le bâtiment abrite également le **Science Fiction Museum** : films, vidéos, photos, objets, costumes et vitrines thématiques.

☞ Plan I (plan d'ensemble), p. 310 • plan II (Downtown), p. 314-315.

✎ BON À SAVOIR
Le *Seattle City Pass* (59 $ adultes, 39 $ enfants) offre une réduction de 50 % sur les billets d'entrée de : Space Needle, Pacific Science Center, Seattle Aquarium, Argosy Cruise Harbor Tour, Experience Music Project, Science Fiction Museum, Woodland Park Zoo et Museum of Flight.

▲ Les ascenseurs de la Space Needle peuvent atteindre 240 m/mn, vitesse réduite de moitié en cas de vents dépassant 60 km/h. Au-delà de 100 km/h, les ascenseurs sont mis à l'arrêt. Conçue pour résister à des vents de 320 km/h, la tour a bien supporté les secousses sismiques, notamment en 2001 (6,8 sur l'échelle de Richter).

Seattle

3

■ **Bill and Melinda Gates Foundation** | A1 *(500 5th Ave., Mercer et Republican Sts)*. Le fondateur de Microsoft inaugure un campus dans le Seattle Center. La fondation est la mieux dotée de l'histoire : elle dépense chaque année plus de 2 milliards de dollars dans les domaines de la santé, de l'éducation et de l'agriculture.

④ Seattle Art Museum★★

Le SAM est né de la volonté de Richard E. Fuller, directeur de l'Art Institute of Seattle, et de sa mère, passionnée d'art oriental qui, en 1933, offrirent à la ville un musée, élevé dans Volunteer Park, sur Capitol Hill. En 1991, ce bâtiment est devenu le Seattle Asian Art Museum (SAAM ; → p. 322), et le SAM a déménagé Downtown, dans un édifice conçu par Robert Venturi. Sa façade aveugle est rythmée de lignes verticales et de marbres de couleur dont les motifs évoquent les arts traditionnels de la côte nord-ouest. La scénographie des collections permanentes, notamment la mise en lumière, est remarquable.

Accès. 1300 1st Ave. (et University St.) II B2 • bus 10.

Combien de temps. Comptez 1 h 30.

Visite. Ouv. mer., sam. et dim. 10 h-17 h, jeu.-ven. 10 h-21 h ; entrée libre le 1er jeu. du mois ☎ 206/654-3137 • www.seattleartmuseum.org • le billet donne également accès au SAAM.

■ **Art américain** *(2e étage - level 3)*. Les somptueux paysages du N.-O. ont inspiré les peintres américains de la fin du XIXe s. : **Frederic Church** (*A Country Home*★, 1854), **Albert Bierstadt** (*Puget Sound on the Pacific Coast*★, 1870 ; l'artiste ne visita pourtant jamais l'État de Washington), **Sanford Gifford** (*Mount Rainier*★★, 1875 ; peint de mémoire dans le studio de l'artiste à New York).

■ **Art moderne et contemporain** *(2e étage - level 3)*. Plus de 5 800 sculptures, peintures, dessins, gravures, photographies et installations. L'école américaine est représentée par des œuvres de **Willem De Kooning** (*Wall Landscape*★★, 1958), **Jackson Pollock** (*Sea Change*★★, 1947 ; une toile de transition, du figuratif à l'abstrait), **Mark Rothko** (*Number 10*★, *1952*, et *Number 11*★, *1947*, où l'on voit émerger les plages de couleur qui définiront son œuvre). Le musée met particulièrement en valeur les artistes de la côte N.-O. : **Jacob Lawrence** (*The 1920's*,

Mark Tobey

L'école du Pacifique, ou **école de Seattle**, reflète les affinités profondes existant entre l'État de Washington et le Japon. Cette influence est particulièrement sensible dans l'œuvre de Mark Tobey (1890-1976). Établi à Seattle à partir de 1922, où il enseigne le dessin à la Cornish School, Tobey s'initie à la calligraphie et aux philosophies orientales au cours de voyages au Japon et en Chine. Son « écriture blanche » puise ses racines dans le dessin extrême-oriental et dans l'observation de la nature : les grèves du Pacifique balayées par les vents, les écorces et les essences d'arbres, la brume marine... Aussi éloignée de la peinture gestuelle que de l'expressionnisme figuratif, son œuvre possède une délicatesse et un raffinement dus en partie à la technique du pastel, de l'aquarelle, de la tempera mais aussi à l'attirance de l'artiste pour l'ésotérisme, le monde invisible, l'immatérialité.

1974), **Morris Graves** (*Message*, 1943), **Mark Tobey** (→ *encadré p. préc.* ; *Parisian Women*, 1957 ; *Appearances in Time*★, 1962).

☞ Plan I (plan d'ensemble), p. 310 • plan II (Downtown), p. 314-315.

■ **Art précolombien et amérindien** *(2ᵉ étage - level 3)*. À un appréciable ensemble d'art méso-américain et andin s'est ajoutée, en 1991, la **collection Hauberg**★★, tenue pour l'une des plus belles collections d'art amérindien du monde : masques, ornements, vêtements, textiles et sculptures de la côte N.-O., de Colombie-Britannique et d'Alaska.

■ **Arts africains**★★ **et océaniens** *(3ᵉ étage - level 4)*. Cette collection regroupe 3 000 pièces : sculptures, masques, textiles, vanneries et objets d'ivoire, notamment un **masque de femme** (XVIᵉ s.) du Bénin, et une **salière** de Sierra Leone caractéristique de l'art afro-portugais du XVIᵉ s. Actuellement, elle s'ouvre aux productions d'artistes africains contemporains. La présentation thématique des pièces est fort intéressante : ainsi, celle des coiffes, qui révèlent le niveau social et la situation maritale de celui ou celle qui la porte.

✐ À NOTER
Afin de déployer l'ensemble de ses collections, le musée a transféré le fonds d'art asiatique au Seattle Asian Art Museum (→ *p. 322*).
Les sculptures monumentales sont exposées à l'Olympic Sculpture Park (→ *p. 318*).

■ **Art antique et européen**★ *(3ᵉ étage - level 4)*. Outre un fonds assez modeste, mais cohérent, qui couvre l'Égypte, la Grèce et la Rome antiques, le musée possède plus de 1 600 dessins, gravures et sculptures européens, du XIVᵉ au XIXᵉ s. Les pièces maîtresses sont : le *Jugement de Pâris*★★, de **Lucas Cranach l'Ancien** (vers 1516-1518), *Saint Sébastien*★★ attribué à **La Tour** (vers 1638-1639) et le *Triomphe de Neptune* de Luca Giordano (fin XVIIᵉ s.).
À cela s'ajoutent les 2 200 objets du département des **Arts décoratifs**, qui vont de la majolique italienne à la porcelaine de Saxe. Remarquer le bol orné de caractères coufiques (Perse, IXᵉ-Xᵉ s.), aux motifs très graphiques, et le panneau de *cassone* (coffre de mariage). Voir aussi les **Wyckoff Porcelaine Room** et **Italian Room**★ (XVIᵉ s.), dont les boiseries proviennent de Chiavenna (Lombardie).

⑤ **Capitol Hill**

Sur cette colline se côtoient l'animation des boutiques et cafés à la mode, autour de Broadway, et le calme des rues ombragées bordées de demeures cossues, au sud de Volunteer Park. Celui-ci abrite le Seattle Asian Art Museum, dont la visite complète avantageusement celle du SAM.

Situation. À l'E. de Downtown **I B1** • I-5, sortie 166.

Combien de temps. 3-4 h.

Où faire une pause. Dans le jardin de thé de l'Arboretum ou dans un bar de Broadway.

La symbolique Tlingit

Les Tlingits font partie des « peuples du Totem », terme regroupant plusieurs tribus indiennes de la côte nord-ouest. Vivant essentiellement de la pêche et excellant dans le travail du bois, ils ont développé une civilisation complexe et originale. Très décoratif, l'art Tlingit est avant tout symbolique, révélant le monde des esprits : âmes défuntes prêtant leur visage aux masques, représentations animales emblématiques comme le corbeau, figure divine créatrice.

Le **totem**, colonne de bois de cèdre sculptée, représente avant tout l'histoire familiale et la position sociale. Sculpter un totem relevait du devoir filial. Ces poteaux sculptés, parfois hauts de 25 m, servaient à délimiter le territoire occupé par chaque famille dans les habitations collectives.

Seattle

5

■ **Volunteer Park** | B1 *(East Prospect St. et 15th Ave. East)*. Les arbres majestueux de ce parc de 17 ha, créé dans les années 1880, entourent les serres victoriennes du **Conservatory** (1912) et le SAAM, devant lequel s'étendent une esplanade et l'ancien réservoir (1901). Vue sur la ville et, au loin, sur Space Needle.

● **Seattle Asian Art Museum★** | B1 (**SAAM** • *1400 East Prospect St.* ☎ *206/654-3100* • *bus n° 7 ou 10* • *parking gratuit* • *ouv. mer.-dim. 10 h-17 h, jeu. 10 h-21 h* • *entrée libre le 1ᵉʳ jeu. du mois* • *le billet du SAAM donne également accès au SAM*). Il occupe l'édifice d'origine du Seattle Art Museum (SAM ; → *p. 320*), inauguré en 1933. Façade Art déco de marbre blanc et entrée flanquée de deux chameaux chinois de pierre. Au gré d'expositions thématiques, les 7 000 pièces des collections se partagent entre le SAAM et les salles asiatiques du SAM.

Chine : beaux jades (*cong* et *bi*, objets funéraires datant de 3500-2000 av. J.-C.), bronzes rituels, laques et un ensemble de sculptures bouddhiques ; exceptionnel *Moine entrant dans le nirvana★★★* (xivᵉ s.), en bois polychrome.

Japon : ensemble de **sculptures protohistoriques★★** d'époque Haniwa considéré comme l'un des plus beaux conservés hors du Japon, calligraphies (xviiᵉ-xixᵉ s.), fines porcelaines et textiles traditionnels ; rare paire de *Paravents aux corneilles★★* de la période Edo (1615-1868).

Corée : grès et céladons, célèbre paravent des *Écureuils jouant avec des grappes de raisin* (xixᵉ s.), à lire comme un rébus : « écureuil » et « pin » se prononcent de la même façon en coréen, tout comme « raisin » et « pêche » ; le pin et la pêche sont deux symboles de longévité…

Inde et Asie du Sud-Est : sculptures bouddhistes et hindoues en pierre et en bronze, peintures et superbe ensemble de **céramiques thaïes★**.

■ **Museum of History and Industry** | B1 *(2700 24th Ave. East* ☎ *206/324-1126* • *ouv. t.l.j. 10 h-17 h, le 1ᵉʳ jeu. du mois jusqu'à 20 h)*. L'histoire de Seattle est évoquée au moyen d'objets rescapés de l'incendie de 1889 et de souvenirs de la ruée vers l'or.

Le quartier de Fremont, au nord-ouest de Seattle, est connu pour l'originalité et la liberté d'esprit de ses habitants. Le *Fremont Troll*, œuvre en ciment d'un collectif d'artistes, est tapi sous Aurora Bridge. Le géant malicieux agrippe une véritable « Coccinelle » Volkswagen.

● Au S. du musée s'étend le **Washington Park Arboretum** (t.l.j. 7 h-coucher du soleil • tables de pique-nique), où rhododendrons et azalées voisinent avec 2 000 plantes du monde entier ; le **jardin de thé japonais★** (entrée payante) est un cadeau de Kobe, ville jumelée avec Seattle.

☞ Plan I (plan d'ensemble), p. 310 • plan II (Downtown), p. 314-315.

À voir encore

■ **Frye Art Museum** II D2 (704 Terry Ave. et Cherry St. • ouv. mar.-dim. 11 h-17 h, jeu. 11 h-19 h • entrée libre • parking gratuit). Un peu à l'écart des circuits touristiques, ce musée reflète les goûts éclectiques de ses fondateurs, l'homme d'affaires Charles Frye et son épouse Emma : important ensemble de l'école de Munich et œuvres de maîtres américains.

■ **Woodland Park Zoo★** I A1 (750 N. 50th St., sortie 169 de l'I-5 • ouv. t.l.j. 9 h 30-16 h, de mai à sept. 9 h 30-18 h • www.zoo.org • Seattle City Pass accepté, → p. 319). « Venez voir le bébé » est le slogan de ce zoo qui met l'accent sur la reproduction de ses pensionnaires. Plus de 300 espèces animales cohabitent, dont de nombreuses sont en voie de disparition.

■ **Museum of Flight★** I B2/3 (9404 East Marginal Way S., South Seattle ; sortie 158 de l'I-5 S. ☎ 206/764-5720 • bus n° 124 • ouv. t.l.j. 10 h-17 h, le 1er jeu. du mois 10 h-21 h • entrée libre le 1er jeu. du mois 17 h-21 h • parking gratuit • Seattle City Pass accepté, → p. 319). Ce musée, consacré à l'histoire de l'aviation, présente plus de 150 modèles d'avions ainsi que des simulateurs de vol. Dans la Great Gallery, remarquer le **Seaguard HH-52**, hélicoptère des United States Coast Guards qui a sauvé 15 000 vies, et le **missile V1** (Fieseler Fl) mis en service par l'Allemagne à la fin de la Deuxième Guerre mondiale. Dans l'Airpark (ouv. 10 h 30-16 h 30), le **Boeing 707 présidentiel** qui a transporté Eisenhower, Kennedy, Johnson et Nixon, ainsi qu'un **Concorde**, offert au musée par British Airways. Le film A Century of Flight dresse une rétrospective de l'aventure de l'aviation.

Environs de Seattle

1 **Future of Flight** (à 25 mi/40 km N. par l'I-5, sortie 189 • 8415 Paine Field Blvd, Mukilteo). C'est ici, à l'aéroport d'Everett, que sont assemblés les Boeing 747 et 767. Visite possible à l'**Aviation Center and Boeing Tour★** (8 h 30-17 h 30, f. les j. fériés • vis. guidées en anglais • rés. ☎ 360/756-0086 • www.futureofflight.org).

Le commerce des peaux

La suspension du négoce des fourrures, décidée par Louis XIV de 1696 à 1698, jette ces centaines de « coureurs de bois » (wood runners) dans la clandestinité. Ils construisent alors des base camps, ces fameux postes de traite où les Indiens viennent faire du troc. Ce sont ces hommes et leur descendance métisse que rencontrent Lewis et Clark, lors de leur expédition de 1804-1806 : des Français rudes et solitaires, bientôt rejoints par des trappeurs américains qui, comme eux, adoptent les mœurs des indigènes et choisissent une épouse parmi eux. En ce début du XIXe s., l'American Fur Company envoie ses hommes dans les Rocheuses. Les fourrures se négocient au cours de grands rassemblements, au milieu de la montagne. Les trappeurs descendent parfois aux postes de traite que protègent des garnisons. De là, via le Missouri et ses affluents, les peaux partiront pour Saint Louis, plaque tournante du négoce.

Vers 1840, le castor, devenu rare, cède la place au bison. Les trappeurs n'étant pas des chasseurs, ces mountain men font dès lors profiter de leur connaissance du terrain et de leurs relations indiennes l'armée, les missions scientifiques et les pionniers en route pour l'Oregon.

Seattle

Une terre vierge

Plusieurs expéditions échouèrent avant que la barrière de la chaîne des Cascades ne soit franchie. Alexandre Ross, employé de la Compagnie des fourrures du Pacifique, établie à Fort Okanogan sur la Columbia River, essaya d'atteindre le Puget Sound en remontant la Methow River ; à 150 mi/241 km de Fort Okanogan, à la limite de la Skagit, il dut renoncer. En 1882, le lieutenant Henry Pierce remonta la Stehekin River, franchit le Cascade Pass, atteignit la Skagit et établit un campement près du site actuel de Sedo Woolley. Les North Cascades étaient enfin franchies. Jusque dans les années 1890, des mineurs explorèrent en vain cette montagne inhospitalière. Quelques pionniers s'établirent au bord du lac Chelan à Stehekin, mais la région resta inhabitée jusqu'au début du xxᵉ s.

〰 PARCS NATIONAUX
À propos des conditions d'entrée et des forfaits, consultez la rubrique « Parcs nationaux », dans le chapitre Séjourner, p. 52.

❶ *North Cascades Visitors Center* à Newhalem, sur la WA 20, au cœur du parc ☎ 206/386-4495, ext. 11 ; ouv. du 30 avr. au 30 oct. 9 h-17 h, de juil. à sept. 9 h-18 h ; www.nps.gov/noca ou www.north.cascades.national-park.com • *Golden West Visitors Center* à Stehekin Landing ☎ 360/854-7365 ; ouv. t.l.j. 12 h 30-14 h.

❷ Snoqualmie Falls *(à 37 mi/59,5 km E. de Seattle, 5 mi/8 km N.-O. de North Bend • suivre l'I-90 jusqu'à North Bend).*

Ces chutes spectaculaires tombent le long d'une gorge profonde de plus de 80 m ; un sentier *(1 mi/1,6 km a.-r.)* descend au pied des chutes. À 20 mi/32 km, **Snoqualmie Pass** (917 m), sur la ligne de crête de la chaîne des Cascades, offre un beau point de vue sur le Mt Rainier au S. Toute cette région est réputée pour son domaine skiable (promenade en télésiège), en particulier autour de **Snoqualmie Mountain** (1 911 m).

❸ North Cascades National Park★ *(à 106 mi/170 km N.-E. de Seattle par l'I-5 N. et la WA 20 jusqu'à l'entrée du parc à Marblemount ; ensuite, la WA 20 se poursuit sur 56 mi/90 km jusqu'à Washington Pass Overlook).*

D'une superficie de plus de 2 000 km², étendu jusqu'à la frontière canadienne, ce parc offre glaciers, vallées d'altitude, cascades et lacs. À la différence des autres massifs de la Cascade Range (Mt Baker, Glacier Peak) situés en dehors du parc, ses cimes dentelées, qui ne dépassent pas 2 800 m, ne sont pas d'origine volcanique ; elles ont été taillées par l'érosion glaciaire dans une roche granitique, après les soulèvements des ères tertiaire et quaternaire. Les lacs et les cours d'eau y sont nombreux et une forêt particulièrement touffue abrite une faune variée : grizzlis, pumas, cervidés, loups, castors, aigles. Le versant oriental, plus sec, est couvert de conifères et d'arbrisseaux.

Combien de temps. Excursion d'une bonne journée si l'on se contente des nombreux points de vue qui jalonnent la route • au moins une journée supplémentaire pour les amateurs de randonnée.

Se repérer. Le parc comprend quatre régions formées de deux parcs, **North Unit** et **South Unit**, séparés par deux aires nationales de loisirs : **Ross Lake National Area**, dans la vallée de la Skagit, et **Lake Chelan National Area**.

Permis. *Northwest Forest Pass*, obligatoire pour se garer sur certains sites ou s'aventurer sur certains sentiers et bivouaquer hors des campings (emplacements réservés, ou à 1 mi/1,6 km des sentiers) ; disponible sur place dans les *ranger stations* ou au ☎ (1)800/270-7504.

La meilleure période. Les zones inférieures à 1 000 m sont accessibles de début avr. à mi-oct., les altitudes plus élevées de mi-juin à mi-sept. • la WA 20 est en partie fermée de nov. à avr. • prévoir chaussures de marche, vêtements chauds et imperméables.

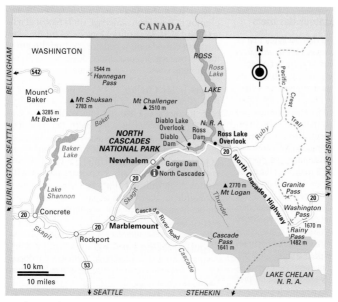

North Cascades National Park.

Randonnées. Très nombreux circuits, de 30 mn à 2 j., des chemins goudronnés accessibles aux handicapés jusqu'aux sentiers escarpés pour randonneurs expérimentés • liste et cartes dans les *Visitors Centers*.

Autres activités. Navigation, canoë et kayak sur les lacs et la Skagit River • pêche, avec permis • chasse interdite.

Hébergement. Quelques **gîtes**, dont *Ross Lake Resort* (d'août à oct. ☎ 206/386-4437) et *Stehekin Landing Resort* (t.a. ☎ (1)800/536-0745) • plusieurs **campings** (☎ 360/856-5700), notamment à *Newhalem Creek Campground* (mars-sept.) et *Colonial Creek Campground*, au bord de Diablo Lake (mars-sept.) • **en dehors du parc** : *Grace Heaven*, 9303 Dandy Place, Rockport ☎ 360/873-4106.

• **North Cascades Highway**★ (WA 20) suit la **vallée de la Skagit**, où, au printemps, fleurissent des champs de tulipes, de jonquilles et d'iris ; à partir de Marblemount, la vallée est bordée de forêts, de cascades, de falaises et de pics enneigés. À la sortie de Newhalem, le centre d'information de la Seattle City Light prépare à la découverte des trois barrages construits sur la Skagit : le premier, **Gorge Dam**, forme un lac de 85 ha qui retient les importantes chutes de **Gorge Creek** ; vient ensuite **Diablo Lake** (370 ha), aux surprenantes teintes turquoise, que l'on peut admirer depuis le barrage *(f. à partir de 16 h 30)*. Près de **Colonial Creek**, la route passe au-dessus du lac et atteint **Diablo Lake Overlook**, promontoire qui surplombe le lac.

De là, on aperçoit les cimes enneigées de Davis Peak et de Sourdough Mountain, situées sur la rive N. et escaladées pour la première fois en 1857 par une femme, Lucinda Davis. Sur la rive S., on aperçoit les crêtes de Pyramid Peak et de Colonial Peak, entre lesquelles se trouvent les deux glaciers Colonial et Neve.

Seattle

Prédateur des mers

Fascinante dans sa livrée noir et blanc, l'**orque** *(Orcinus orca)* évolue en groupe entre la Californie et l'Alaska, au large des côtes du Canada et, pour les plus sédentaires, de l'État de Washington. Ce cétacé à dents (odontocète) est le plus grand des dauphins. Le mâle peut atteindre 10 m de long, peser jusqu'à 9 tonnes et arborer une nageoire dorsale de près de 2 m de haut. Sa durée de vie est de 50 à 80 ans mais l'un d'eux, recensé à proximité des îles San Juan (WA), aurait déjà dépassé les 100 ans. Le répertoire vocal de l'orque est d'une infinie complexité. Elle utilise l'écholocalisation pour traquer sa proie. Les poissons constituent son ordinaire mais elle est aussi un prédateur naturel pour les mammifères marins (marsouins, otaries, phoques, lions de mer, etc.) et pour les manchots.

⊕ *Anacortes Chamber of Commerce*, 819 Commercial Ave. ☎ 360/293-7911.

• *San Juan Chamber of Commerce*, 135 Spring St., Friday Harbor ☎ 360/378-5240.

☞ FÊTES ET MANIFESTATIONS
Sur l'île San Juan, le dernier week-end de juillet, *Classic Jazz Festival*, à Friday Harbor et à Roche Harbor.

• **Ross Lake Overlook**, au bord de la WA 20, surplombe le Ross Dam, aménagé sur la Skagit et relié au **Ross Lake★**, lac artificiel long de 24 mi/38,5 km. Jusqu'au Canada, où il pénètre sur 1 mi/1,6 km, il traverse une région enrubannée de glaciers et découpée d'arêtes vives.

• **Vers le lac Chelan**. La WA 20 quitte ensuite le parc, pénètre dans la Granite Creek et escalade deux cols : **Rainy Pass** (1 482 m), puis **Washington Pass** (1 670 m), d'où l'on aperçoit Liberty Bell Mountain (2 380 m). Les randonneurs peuvent rejoindre un lac de retenue sur Stehekin River, le **Lake Chelan★** (3ᵉ lac le plus profond des États-Unis) par les **McAlester** et **Rainbow Creek Trails**, en passant par les belles chutes de **Rainbow Falls★**. Le lac est également accessible en bateau, au départ de **Chelan**, au S. du lac *(pour gagner Chelan, continuer sur la WA 20 jusqu'à Twisp, puis prendre la WA 153 • bateau d'avr. à mi-oct. t.l.j., hors saison lun., mer., ven. et dim.).*

Depuis **Stehekin Landing**, un sentier *(19 mi/30,5 km)* longe la vallée de la **Stehekin★**. La petite localité du même nom n'est accessible qu'à pied, en bateau ou en avion.

4 **San Juan Islands★** *(76 mi/122 km N. par l'I-5 jusqu'à Mt Vernon, puis les WA 536 et 20 • plusieurs ferries/j. au départ d'Anacortes • Washington State Ferries ☎ 206/464-6400.).*

Situé entre la côte N.-O. de l'État de Washington et l'île canadienne de Vancouver, l'archipel regroupe 172 îles, dont les trois plus grandes sont Lopez, Orcas et San Juan. Abritées des vents et de la pluie par l'Olympic Peninsula, baignées d'eaux peu polluées, elles bénéficient d'un microclimat.

Chère aux artistes, **Lopez** se prête aux randonnées à bicyclette. **Orcas** est la plus montagneuse. De Mt Constitution, dans **Moran State Park**, on domine toutes les îles et l'on aperçoit, à l'E., Cascade Mountains et, au N., le Canada. **San Juan** est l'île la plus importante sur le plan économique et touristique. Dans la ville principale, **Friday Harbor**, voisinent des galeries d'art ; découverte des baleines et des orques au **Whale Museum** *(62 1st St. N. • ouv. t.l.j. 9 h-18 h).*

Observation des orques. Depuis **Anacortes** : *Island Adventures Cruises* ☎ (1)800/465-4604 ; *Mystic Sea Charters* ☎ (1)800/308-9387 • depuis **Orcas Island** : *Orcas Island Eclipse Charters* ☎ (1)800/376-6566 • depuis **San Juan Island** : *San Juan Excursions* ☎ (1)800/809-4253.

Olympic Peninsula★ WA

Le centre d'Olympic Peninsula est occupé par un parc national de 3 628 km², situé à l'extrémité nord-ouest de l'État de Washington. La péninsule, bordée par l'océan Pacifique à l'ouest, par le détroit Juan de Fuca au nord, est séparée par le Hood Canal de la Kitsap Peninsula et du Puget Sound, à l'est. Un ensemble de montagnes couvertes de glaciers, de lacs et de forêts gravitent autour du mont Olympus (2 428 m). Les vallées tournées vers l'ouest sont tapissées de *rain forests*, qui rappellent la jungle subtropicale, où vivent ours, pumas et élans de Roosevelt (wapitis). Aucune route ne traverse ce parc, demeuré à l'état sauvage pour 95 %.

Une terre isolée du reste du continent

Découverte en 1774 par Juan Perez, la péninsule était occupée par les Quileutes le long de la côte pacifique, par les Nootkas au N. et par les Quinaults au N.-E. et au S. Excellents marins, les Indiens chassaient la baleine *(→ encadré p. 330)*. Dans les années 1850 vinrent s'établir des bûcherons, fermiers et pêcheurs sur la côte bordant le détroit de Juan de Fuca. Cependant, Olympic Peninsula ne fut vraiment explorée qu'en 1889, lorsque six journalistes de Seattle, partis de Port Angeles, suivirent la rivière Elwha jusqu'au lac Quinault, qu'ils atteignirent six mois plus tard. Aujourd'hui en relative régression, l'exploitation intensive des immenses forêts de conifères a rencontré l'opposition des défenseurs de l'environnement.

Olympic Peninsula mode d'emploi

Accès. Ferries toutes les 30 mn à Edmonds (15 mi/23 km N.-O. de Seattle) pour Kingston : *Washington State Ferries* (www.wsdot.com ; navigation 30 mn ; tickets vendus sur place).
En voiture, il est possible de faire des incursions dans le parc à partir de la Hwy 101, qui le longe par le N. en direction d'Aberdeen : à Port Angeles pour Hurricane Ridge, et à Forks pour Hoh Rain Forest.

Situation : pointe N.-O. de l'État de Washington, à l'O. de Seattle.

Itinéraire de 211 mi/340 km de Port Townsend à Aberdeen par l'US 101.

Fuseau horaire : Pacific Time (– 9 h par rapport à la France).

☞ Carte d'Olympic Peninsula et d'Olympic National Park p. 328-329.

❶ *Olympic Peninsula Gateway Visitors Center*, 93 Beaver Valley Rd, Port Ludlow (après le Hood Canal Bridge, à la jonction des Highways 104 et 19) ☎ 360/437-0120 ; ouv. t.l.j., mai-août 9 h-17 h, sept.-avr. 10 h-16 h.

Olympic Peninsula

Voir carte régionale p. 302

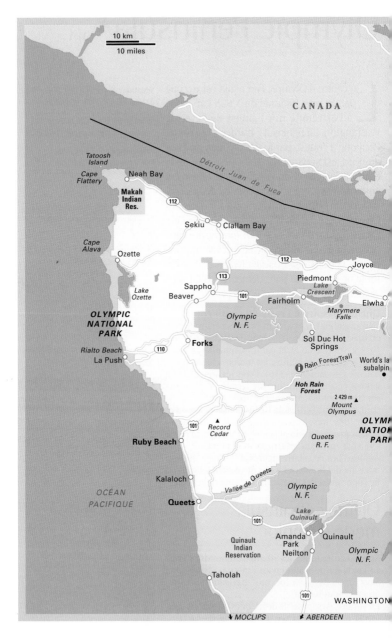

10 km

10 miles

Tatoosh Island

Cape Flattery

Neah Bay

CANADA

Détroit Juan de Fuca

Makah Indian Res.

112

Sekiu

Ciallam Bay

Cape Alava

Ozette

112

Joyce

113

Piedmont

Lake Crescent

Sappho

101

Fairholm

Elwha

Beaver

Lake Ozette

Marymere Falls

OLYMPIC NATIONAL PARK

Olympic N. F.

Rialto Beach

110

Forks

Sol Duc Hot Springs

La Push

Rain Forest Trail

World's la subalpin

Hoh Rain Forest

OLYMP NATIO PAR

2 429 m Mount Olympus

101

Record Cedar

Queets R. F.

Ruby Beach

Kalaloch

Vallée de Queets

Olympic N. F.

OCÉAN PACIFIQUE

Queets

101

Lake Quinault

Quinault Indian Reservation

Amanda Park

Quinault

Neilton

Olympic N. F.

Taholah

101

WASHINGTON

↓ MOCLIPS   ↙ ABERDEEN

Olympic Peninsula.

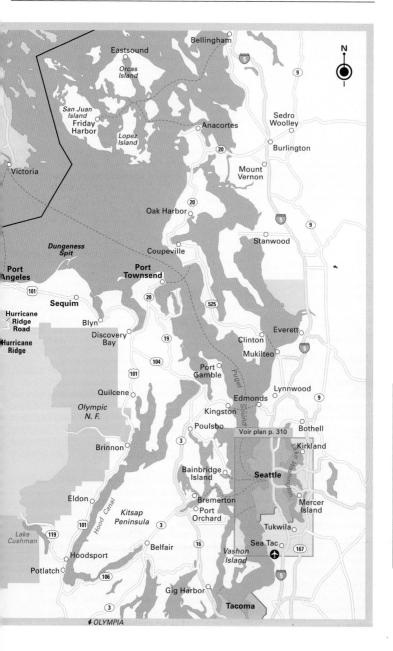

✐ OBSERVATION DES ORQUES
Captain Jack's Sea Charters,
2215 Washington St.,
Port Townsend ☎ 360/379-4033.

La meilleure période. L'hiver est la meilleure époque pour observer les **wapitis** ; la température descend rarement au-dessous de 0 °C • parfois de beaux **étés indiens** • **pluies** moins abondantes en juil., mais vêtements imperméables en toutes saisons.

Combien de temps. De 2 à 4 j. ; si l'on ne dispose que de 1 j., on peut se contenter de visiter Hurricane Ridge • **attention** : en hiver et en cas de conditions météorologiques défavorables, certains secteurs peuvent être interdits à la circulation.

⛰ PARCS NATIONAUX
À propos des conditions d'entrée et des forfaits, consultez la rubrique « Parcs nationaux », dans le chapitre Séjourner, p. 52.

Hébergement. À **Port Angeles** (pour Hurricane Ridge) et à **Forks** (pour Hoh Rain Forest) • **dans le parc**, nombreux campings et quatre auberges : *Kaladoch Lodge* (157151 Hwy 101 ☎ (1)866/962-2271), *Lake Crescent Lodge* (416 Lake Crescent Rd, à Port Angeles ☎ 360/928-3211), *Log Cabin Resort* (3183 E. Beach Rd ☎ 360/928-3325), *Sol Duc Hot Springs Resort* (à Port Angeles ☎ 360/327-3583).

Restauration. Au General Store de Port Gamble, sur la Hwy 104 (8 mi/13 km O. de Kingston).

Visiter Olympic Peninsula

■ **Port Townsend**★ *(à 58 mi/93 km N.-O. de Seattle par l'I-5, la WA 104, ferry à Edmonds pour Kingston, puis la WA 104, l'US 101 et la WA 20 • 9 000 hab.* ❶ *Visitors Center, 2437 E. Sims Way* ☎ *360/385-2722).* Baptisé par George Vancouver dès 1792, ce port naturel, alors habité par une tribu indienne, a vu 90 % de sa population décimée par les maladies apportées par les premiers colons, en 1851. Sa situation stratégique, à l'entrée du Puget Sound, a fait la prospérité de la ville, dont témoignent quelques belles demeures victoriennes construites sur les hauteurs (**Rothschild House**) et de beaux immeubles sur **Water Street**, la rue principale.

Dans le parc de la base militaire de Ford Worden, le phare de **Point Wilson** donne une belle vue sur le Puget Sound. Balade sur la **plage**.

■ **Sequim** (*prononcer « squim »* • *à 32 mi/51,5 km* • nombreuses fermes de lavande). En arrivant, par Sequim Bay Road, on peut suivre le **Dungeness Loop** (*40 mn* • *aires de pique-nique, emplacements pour mobile homes, pistes de randonnée*), qui réserve des **vues**★ superbes sur le détroit de Juan de Fuca.

● **Dungeness National Wildlife Refuge** (*à 8 mi/ 13 km N.-O. de Sequim : sur Hwy 101, suivre Kitchen-Dick Rd N. puis Lotzgesell Rd* ☎ *360/457-8451* • *ouv. t.l.j. de l'aube au coucher du soleil).* Ce banc de sable, formé il y a 20 000 ans, sert de refuge à des milliers

---

La chasse à la baleine

Les **Indiens Makahs** chassaient la baleine le long de la côte pacifique. Les chasseurs s'approchaient de l'animal sur un canoë manœuvré par plusieurs hommes puis, lorsqu'il n'était plus qu'à quelques mètres, ils le harponnaient profondément. Les pagayeurs se hâtaient alors d'éloigner le canoë pour le soustraire aux violents coups de queue de l'animal. À chaque harpon était attachée une outre gonflée d'air qui empêchait la baleine de plonger. Néanmoins, celle-ci pouvait se débattre pendant plusieurs jours. Une fois morte, l'énorme masse était alors remorquée vers le rivage. Commençait alors le travail des femmes : découpage de la chair et extraction de la graisse. Un Indien pouvait tuer une soixantaine de baleines dans sa vie.

d'oiseaux migrateurs. À marée basse, belle randonnée jusqu'au **phare**, le premier élevé sur le détroit de Juan de Fuca *(16 km a.-r. • compter 4 à 6 h • demander les horaires des marées • toilettes sur le parking seulement)*.

■ **Port Angeles** *(à 17 mi/27 km O. de Sequim • 22 500 hab.)*. Ce port de pêche industrielle, qui s'étire entre mer et montagne, est la porte d'entrée N. d'**Olympic National Park★** : sur Race St., suivre les flèches **Olympic Park Information Center** *(☎ 360/ 565-3100 et ☎ 360/565-3131 • ouv. t.l.j. 9 h-16 h)*. De là, Hurricane Ridge Road conduit à **Hurricane Ridge★★**, base des activités sportives selon la saison *(17 mi/27 km • route parfois f. l'hiver)*. Pour la vue panoramique, le **Hurricane Hill Trail** grimpe jusqu'au sommet *(5 km a.-r. • 2 h de balade)*.

■ **Lake Crescent★** *(à 18,5 mi/30 km O. de Port Angeles)*. En forme de croissant, c'est le plus grand lac du parc. La WA 101 longe sa rive S. (magnifiques points de vue). À 1 mi/1,6 km S. de Lake Crescent Lodge, un sentier conduit aux spectaculaires **Marymere Falls★** (cascade). À 1 mi/1,6 km de la pointe O. du lac et de Fairholm, une route forestière mène aux sources chaudes de **Sol Duc Hot Springs** *(camping possible)*.

■ **Makah Indian Reservation** *(à 68 mi/109 km N.-O. par l'US 101, puis la WA 112 W.)*. La réserve indienne englobe le **Cape Flattery**, limite entre le détroit de Juan de Fuca et le Pacifique, et point le plus à l'O. des États-Unis (en dehors d'Hawaï et de l'Alaska). Il fut colonisé par les Espagnols en 1792.

■ **Forks** *(à 38 mi/61 km O. de Lake Crescent • 3 200 hab.)*. Autre base pour découvrir **Olympic National Park★**, la petite ville vit essentiellement de l'industrie du bois, que présente le **Timber Museum** *(US 101, sortie S. de Forks • 1411 Forks Ave. S. ☎ 360/374-9663 • t.l.j. 10 h-16 h d'avr. à oct.)*.

● À 2 mi/3,2 km N., la WA 110 mène à **La Push**, village de pêcheurs à l'embouchure de la Quillayute. James Island, l'îlot rocheux au cœur de la baie, servait de refuge aux Indiens Quileutes lors des attaques.

■ **Hoh Rain Forest★** *(à 31 mi/50 km E. de Forks, 1 h de route • embranchement de l'Upper Hoh River Road ❶ Hoh Rain Visitors Center, à 19 mi/30 km de l'US 101)*. Les pistes de randonnée partent du *Visitors Center*. Le **Hall of Mosses Trail★★** *(1,2 km • 1 h a.-r.)* est jalonné d'arbres immenses, couverts de mousses *(mosses)* et de lichens. Le **Spruce Nature Trail** *(1,3 mi/2 km)* permet de découvrir la *rain forest*. Le **Hoh River Trail** conduit au Blue Glacier *(17 mi/ 27 km • pour alpinistes confirmés)* et au Mt Olympus.

☞ Carte d'Olympic Peninsula et d'Olympic National Park p. 328-329.

✐ **BON À SAVOIR**
Port Angeles est également le port d'embarquement pour les ferries vers Victoria, au Canada (Colombie-Britannique ; 2 h). *CoHo Ferry Terminal*, 101 E. Railroad Ave. ☎ 360/457-4491 ; www.cohoferry.com

---

La *rain forest*

Les forêts tempérées humides sont rares. Il en existe en Nouvelle-Zélande et sur la côte nord-ouest des États-Unis, dans les vallées des rivières Quinault, Queets et Hoh. À l'origine de cette surprenante végétation, les 3,68 m de précipitations qui s'abattent chaque année sur l'Olympic Peninsula, cinq fois plus qu'à Seattle.

C'est le domaine du pin Sitka (qui peut atteindre 90 m de haut et 7 m de circonférence), du pin Douglas, du cèdre et de l'érable rouges, du cotonnier noir. Les fougères disputent le sol aux lichens et aux mousses, qui envahissent aussi les branches. Un épais tapis recouvre le sol, rendant la germination difficile. De nouveaux arbres poussent sur les troncs morts des conifères géants, facilement abattus par le vent car enracinés, et s'en nourrissant avant que leurs racines atteignent le sol.

Quant aux plantes rampantes, elles font les délices des daims et des wapitis, qui contribuent à l'équilibre de la forêt.

Olympic Peninsula

▲ Dans la Hoh Rain Forest, sur le versant ouest d'Olympic National Park, vivent les élans de Roosevelt, ou wapitis.

■ **Ruby Beach** *(à 32,2 mi/51,5 km O. de Hoh Rain Forest)*. L'US 101 rejoint ici la mince bande côtière occupée par l'**Olympic National Park**★, puis la longe jusqu'à Queets. La côte offre le spectacle d'une nature violente et sauvage : les vagues les plus hautes et les plus fortes de toute la côte O., des plages de sable jonchées d'énormes troncs d'arbres blanchis par la mer, des rochers déchiquetés par le vent et la mer.

■ **Queets** *(13,5 mi/22 km)*. L'US 101 revient dans l'intérieur et pénètre dans la Quinault Indian Reservation. La **Queets River Road** *(à 7 mi/11 km de Queets)* longe Queets vers l'amont : bel aperçu de la *rain forest* et points de vue sur les crêtes enneigées des Olympic Mountains.

■ **Lake Quinault** *(à 27,5 mi/44 km E. de Queets)*. Deux routes longent le lac et mènent à la Quinault Rain Forest ; la route N. conduit à North Fork d'où part le **Skyline Ridge Trail** *(30 mi/48 km par les crêtes jusqu'aux lacs Mary et Margaret)*.

■ **Aberdeen** et **Hoquiam** *(à 43 mi/69 km S.)*. Ces villes jumelles sont les localités principales de la baie de Grays Harbor ; l'industrie du bois et la pêche sont leurs principales sources de revenus. Depuis Hoquiam, la WA 109 mène aux belles plages de **Copalis** et **Pacific Beach**.

■ **Au sud d'Olympic Peninsula : Long Beach Peninsula** *(Ilwaco, à 70,5 mi/ 113 km S. d'Aberdeen)*. Située à l'extrémité S.-O. de l'État de Washington, cette mince langue de terre sépare la Willapa Bay de l'océan Pacifique.

● **Cape Disappointment State Park** *(au S.-O. d'Ilwaco, 20 mi/32 km N. d'Astoria ● ouv. 6 h 30-16 h, en été 6 h 30-22 h)*. De cet ancien camp militaire subsistent quelques bunkers protégeant l'embouchure de la Columbia River. Perché sur une falaise, le **Lewis et Clark Interpretative Center**★ propose de suivre les étapes de l'expédition des deux explorateurs de l'Ouest américain *(→ théma p. 336-337)*. En hiver, le spectacle des vagues se brisant sur la barre de la Columbia est impressionnant. Observation des baleines. Pistes de randonnée.

Pour rejoindre la **côte de l'Oregon** *(→ p. suiv.) continuer sur l'US 101 vers le S., dir. Astoria, via l'Astoria-Megler Bridge ● pour retourner à* **Seattle**, *prendre la direction d'Olympia (US 101 et Hwy 8) puis suivre l'I-5 N. (170 mi/272 km).*

La côte de l'Oregon★★ OR

Entre Astoria et la frontière californienne, la route côtière US 101 devient Oregon Pacific Coast Scenic Byway, l'une des plus belles routes panoramiques des États-Unis. Promontoires escarpés, estuaires peuplés d'oiseaux, criques livrées aux mammifères marins, dunes et vastes baies se succèdent sur son parcours. Sur les plages immenses se nichent de paisibles stations dites balnéaires, car la violence et la fraîcheur du Pacifique inspirent moins la baignade que les balades à pied ou à cheval.

À l'écart

Approchée par des navigateurs européens en 1543, la côte de l'Oregon attire des colons à la fin du XVIIIe s. En 1780, on dénombrait 6 000 Indiens Yaquinas, Alseas, Siuslaws et Umpquas. Décimés par les maladies, ils ne sont plus qu'une vingtaine en 1910. Le commerce des fourrures de loutre et de castor puis l'exploitation d'immenses forêts de conifères suscitent la fondation de villages côtiers qui demeurent longtemps isolés.

La route US 101 n'est achevée que dans les années 1930 et le dernier des bacs et ferries franchissant les estuaires est remplacé, depuis 1966, par l'**Astoria-Megler Bridge**. Ce pont métallique *(4,1 mi/6,6 km)*, jeté sur l'embouchure de la Columbia River, fait de l'US 101 un ruban ininterrompu du Canada au Mexique ; Astoria se situe au mile 0.

Visiter la côte de l'Oregon

La meilleure période. L'été et l'automne pour une météo plus clémente • l'hiver et le printemps pour l'observation des baleines *(whale watching)* et des orages *(storm watching)*, toujours impressionnants.

Combien de temps. 3 j. et plus.

Hébergement. La plupart des hôtels, motels et B&B sont concentrés à Cannon Beach, Lincoln City, Depoe Bay, Newport et Florence • nombreux terrains de **camping** tout au long de la côte.

Urgences. Hôpitaux à Astoria, Seaside, Tillamook, Lincoln City, Newport, Florence.

Situation : de l'estuaire de la Columbia River à la frontière californienne (363 mi/584 km).

L'itinéraire permet d'explorer la partie N. et la partie centrale de la côte : 200 mi/320 km par l'US 10, d'Astoria au S. de Florence.

Fuseau horaire : Pacific Time (– 9 h par rapport à la France).

☞ Carte régionale p. 304-305.

ℹ *Oregon Coast Visitors Association,* 137 N.-E. 1st St., PO Box 74, Newport ☎ 541/574-2679 ; http://visittheoregoncoast.com

☞ CONSEIL
Suivre la côte du N. au S. permet de s'arrêter facilement sur les aires aménagées face à l'océan.

À ne pas manquer	
Ecola State Park★★★	334
Three Capes Scenic Loop★★	335
Sea Lions Caves★★	339

Voir carte régionale p. 304

La côte de l'Oregon

ⓘ *Astoria-Warrenton Chamber of Commerce*, 111 W. Marine Dr., Astoria ☎ 503/325-6311.

♥ HÔTELS À ASTORIA
• *Elliott*, 357 12th St. ☎ (1)877/378-1924. Le charme suranné d'un hôtel historique allié au confort moderne. Petit déjeuner inclus.
• *Cannery Pier Hotel*, 10 Basin St. ☎ (1)888/325-4996. Ancienne conserverie de poisson transformée en hôtel de luxe. Vues spectaculaires sur la Columbia River et sur l'Astoria-Megler Bridge.

✎ BON À SAVOIR
Un trolley de 1913 parcourt le Waterfront d'Astoria sur 4 mi/6,4 km : *Astoria Riverfront Trolley*, Old 300 (t.l.j. en été, ven.-dim. le reste de l'année).

♥ RESTAURANT À ASTORIA
Clemente's, 1198 Commercial St. ☎ 503/325-1067. Une bonne alternative au traditionnel *fish and chips*. Essayez l'excellent *cioppino* (mijoté de poisson et fruits de mer).

Les explorateurs Lewis et Clark (→ *théma p. 336-337*) terminèrent leur voyage de reconnaissance dans le Grand Ouest à Fort Clatsop (3 mi/4,8 km O. d'Astoria), où ils bravèrent l'hiver 1805-1806. C'est le plus ancien fort militaire de la côte O.

■ **Astoria★** *(à 97,5 mi/156 km N.-O. de Portland par l'I-5 N. puis US 30 W. • 10 000 hab.)*. À l'embouchure de la Columbia River, Astoria est le plus ancien établissement européen à l'O. des Rocheuses. Fondée en 1811, elle doit son nom à John Jacob Astor, créateur d'un comptoir de fourrures à partir duquel le site se développa. Scieries, chantiers navals et usines de conserve attirèrent des immigrants chinois, italiens et scandinaves.

Aujourd'hui, Astoria doit sa vitalité économique surtout au tourisme mais aussi à son activité portuaire : des navires transportant pétrole, bois, charbon ou potasse empruntent un chenal au large d'Astoria, en attente de la marée haute pour prendre la mer. Les tankers repartent chargés de grain, de produits congelés ou de bois.

● **Waterfront**. Suivez à pied le **Riverfront Trail** en guettant les ébats des lions de mer. **Vue** panoramique depuis le ponton situé au niveau de 6th St.

Le **Columbia River Maritime Museum★★** *(1792 Marine Dr. ☎ 503/325-2323 • t.l.j. 9 h 30-17 h)* est consacré à l'héritage maritime d'Astoria et de la région. Vie quotidienne des Indiens avant la colonisation, découverte et exploration de la Columbia River, écueils de la navigation à l'embouchure du fleuve, naufrages célèbres et sauvetages périlleux sont quelques-uns des thèmes abordés dans ce passionnant musée. Visite du phare flottant Columbia (1811).

● **Coxcomb Hill**. Au sommet, **Astoria Column** domine la ville depuis 1926 *(accès par 14th ou 16th St. • 2199 Coxcomb Dr. • parking gratuit • 164 marches)*. Ornée d'une frise en *sgraffito* qui retrace l'épopée des premiers colons, cette colonne donne une **vue★** spectaculaire sur l'estuaire de la Columbia River et les Coast Ranges.

Le quartier, résidentiel, abrite de belles maisons victoriennes telle **Flavel House★** *(441 8th St. et Duane St. ☎ 503/325-2203 • vis. t.l.j., de mai à sept. 10 h-17 h, d'oct. à avr. 11 h-16 h • entrée payante)*, maison de style Queen Ann élevée en 1885 par le navigateur George Flavel.

■ **Ecola State Park★★★** *(à 28 mi/45 km S. d'Astoria, 5,2 mi/8 km N. de Cannon Beach, sur Hwy 101)*. Du haut des falaises où nichent des milliers d'oiseaux, exceptionnel **point de vue★★★** sur Cannon Beach et Haystack Rock *(→ ci-après)*. Un sentier mène à **Tillamook Rock Lighthouse**, phare élevé en 1881 et abandonné en 1957. Un autre, l'**Indian Trail** *(1,5 mi/2,5 km)*, est aménagé au départ du *Visitors Center*.

■ **Cannon Beach★★** *(à 25,5 mi/41 km S. d'Astoria)*. La plus jolie station balnéaire de la côte, et aussi la plus chère, s'étire sur 4 mi/6,5 km. Le canon en question fut échoué sur la plage, lors du naufrage de la goélette *Shark*, en 1846. Magasins d'artisanat, galeries d'art et petits restaurants occupent d'élégants cottages en bois de cèdre.

On peut approcher **Haystack Rock★★**, monolithe haut de 71 m en forme de meule de foin *(haystack)*, où les macareux viennent nidifier entre avril et août *(1 mi/1,6 km S. de Cannon Beach, par S. Hemlock et Pacific Sts)*. Plus au S., **Tolovana Beach Wayside** offrira un autre point de vue sur le rocher.

À la sortie de Cannon Beach, la Hwy 101, étroite et sinueuse mais en bon état, surplombe le Pacifique à plus de 200 m jusqu'à **Tillamook** *(40,6 mi/65 km S. de Cannon Beach)*.

■ **Three Capes Scenic Loop★★** *(route de 10 mi/ 16 km à l'O. de Tillamook • compter 1 h 30 à 2 h)*. Cette boucle relie trois promontoires et offre des vues grandioses sur le Pacifique. Le **cap Meares★★** (phare de 1890) ferme la baie de Tillamook ; il abrite l'une des plus anciennes forêts côtières de pins Sitka *(octopus trees)*, refuge des aigles chauves. À l'O. de la péninsule, **Oceanside★** est un charmant port de pêche vivant dans un splendide isolement ; les macareux moines et les guillemots marmettes viennent y nidifier en masse. À **Cape Lookout★**, et son immense plage de sable, succèdent **Cape Kiwanda★** et ses curieuses formations de grès. Les vagues sont réputées spectaculaires ici ; belles vues depuis la pointe N. du cap.

On rejoint ensuite la US 101 à **Pacific City** *(89,4 mi/ 143 km S. d'Astoria)*, village de pêcheurs doté d'une belle plage.

■ **Siletz Bay**. Au S. de Pacific City, passé Lincoln City, la Hwy 101 longe cet estuaire qui attire des milliers d'oiseaux migrateurs. Les jeunes saumons s'y aventurent pour se nourrir d'insectes, de petits crustacés et d'invertébrés.

■ **Boiler Bay Viewpoint★** *(à 32 mi/51 km S. de Pacific City, 1 mi/1,6 km N. de Depoe Bay)*. Un promontoire idéal pour observer la migration des **baleines** grises **(❶** *Whale Watching Center, 119 S.-W. Hwy 101* ☎ *541/765-3304 • ouv. t.l.j. 10 h-16 h, en été 9 h-17 h)*. Des volées d'oiseaux regroupés au large peuvent signaler la présence d'une baleine : leur nourriture est la même.

■ **Depoe Bay★** *(à 34 mi/54,5 km S. de Pacific City)*. Charmant petit port dans lequel fut tourné le film de Milos Forman *Vol au-dessus d'un nid de coucou* ▶▶▶

☞ Carte régionale p. 304-305.

✎ BON À SAVOIR
Les plages de l'Oregon sont en accès libre (payant dans la plupart des autres États).

✎ À NOTER
Les vents forts qui soufflent sur cette partie de la côte attirent les amateurs de Deltaplane, que l'on voit parfois s'élancer du haut des promontoires rocheux.

La découverte de la Columbia River

Le 11 mai 1792, à 4 h du matin, le capitaine **Robert Gray** atteint l'embouchure d'un fleuve à bord de son navire, le *Columbia Rediviva*. Il souffle un fort vent d'ouest, une déferlante court d'un point du rivage à l'autre. Gray examine attentivement les marins, repère le point de passage le plus sûr et donne l'ordre de navigation. À 8 h, le bateau passe la barre et fait route au nord-est. Les marins voient s'approcher des canoës indigènes. À 13 h, ils peuvent accoster sur une plage de sable. Le capitaine Gray vient de découvrir le « grand fleuve de l'Ouest » dont parlaient les Indiens. Il le baptise du nom de son navire.

Jusqu'à nos jours, 2 000 navires ont coulé à l'embouchure de la Columbia River, surnommée « le cimetière marin du Pacifique » en raison de ses terribles bancs de sable *(bars)*. Le dernier naufrage, au large de Cape Disappointment *(→ p. 332)*, date de 2005.

Lewis et Clark

L'expédition Lewis et Clark (1804-1806) fut l'un des épisodes les plus importants de l'histoire des États-Unis. Aujourd'hui encore, cette aventure symbolise l'épopée mythique qui ouvrit les portes de l'Ouest, territoire inconnu peuplé de tribus indiennes farouches et d'animaux dangereux.

Un enjeu territorial

Sur les côtes du Pacifique, les Espagnols ont implanté, à partir de 1769, des missions, des *presidios* (forts militaires) et des *pueblos* (villages). Mais, à la suite du conflit de Nootka, en 1789, les Anglais remettent en cause leur suprématie au nord de San Francisco. De leur côté, depuis Sitka, en Alaska, les Russes étendent leurs activités vers le sud, à la recherche des précieuses fourrures de loutres de mer. Et, en 1792, un capitaine américain, Robert Gray, pénètre dans l'embouchure d'une rivière de la côte du Nord-Ouest, à laquelle il donne le nom de son navire, *Columbia*. Les États-Unis entrent dans la compétition internationale pour l'accès au Pacifique et à ses richesses, profitant des guerres qui opposent continuellement les puissances européennes.

Après la vente par Napoléon Bonaparte de la Louisiane occidentale aux États-Unis (1803), le président Thomas Jefferson, espérant découvrir le passage du Nord-Ouest qui permettra de traverser le continent par les voies d'eau et un court portage, organise une expédition d'exploration, commandée par Meriwether Lewis et William Clark. Ces deux officiers sont également chargés de faire reconnaître la nouvelle souveraineté américaine par les tribus indiennes.

Au-delà du Mississippi

Accompagnés d'une petite troupe de soldats et de solides gaillards élevés sur la Frontière, Lewis et Clark arrivent en décembre 1803 à Saint Louis, où ils collectent des renseignements auprès des Français et des métis se livrant au commerce de la fourrure avec les tribus indiennes. En mai 1804, commence la remontée du Missouri à travers des plaines où paissent

▲ William Clark (1770-1838) apporte à l'équipe ses compétences de cartographe et son expérience de la navigation, précieuse sur les cours du Missouri et de la Columbia.

▲ Meriwether Lewis (1774-1809) est le plus scientifique des deux officiers. Avant le départ, il étudie la botanique, la zoologie et l'astronomie. En effet, l'une des missions de l'expédition était le recensement de la faune et de la flore des territoires traversés.

des milliers de bisons et de cervidés. Mais la progression est lente et semée d'embûches. Avec l'arrivée des premières neiges, l'expédition s'installe près des villages Mandans, l'un des centres du commerce entre tribus des Hautes Plaines. Au printemps suivant, après avoir recruté comme interprètes le Français Toussaint Charbonneau et sa jeune épouse, une Indienne Shoshone (→ *encadré p. 405*), Lewis et Clark repartent vers les Rocheuses. La chaîne de montagnes se révèle plus haute et plus large que prévu et sa traversée, ponctuée de rencontres avec les Shoshones et les Nez-Percés, difficile.

■ Sur la côte pacifique

En octobre 1805, les explorateurs passent de l'autre côté de la ligne de partage des eaux et découvrent un monde très différent de la Louisiane : dans ces contrées, la vie des Indiens Chinooks, hardis navigateurs qui bravent les rapides et l'océan sur de frêles canots, s'organise autour du cycle du saumon. La descente de la Columbia et de ses affluents, ponctués de chutes terrifiantes, les mènent jusqu'à la côte pacifique, atteinte le 7 novembre. En mars 1806, les premiers signes du dégel donnent le signal du retour. Au terme d'un voyage émaillé de péripéties cocasses ou périlleuses (un des hommes de l'expédition sera tué par les Indiens), Lewis et Clark atteignent enfin Saint Louis le 23 septembre. En 28 mois, leur expédition a parcouru 12 800 km.

Les informations qu'ils auront rapportées sur les plantes, les animaux, les populations indiennes des terres de l'ouest du Mississippi seront autant d'encouragements pour leurs compatriotes à penser l'avenir de leur pays à la dimension d'un continent.

Itinéraire de l'expédition.

▶▶▶

♥ SHOPPING
Tangle Outlets,
Hwy 101 et S.-E. East Devils
Lake Rd. Plus de 60 magasins
de grandes marques américaines
à prix réduit. Taxe 0 %.

☞ Carte régionale p. 304-305.

❸ *Newport Chamber of Commerce,
555 S.-W. Coast Highway*
☎ 541/265-8801.

La plus grande des otaries

On trouve le **lion de mer de
Steller** (*Eumeutopias jubatus*, ou
Northern Sea Lion) dans les eaux
froides du Pacifique Nord et dans
la mer du Japon. Aux États-Unis,
on le rencontre surtout le long
des côtes de Californie et jusqu'en
Alaska. Carnivore, il se nourrit de
poissons et de céphalopodes.
Les mâles adultes mesurent, en
moyenne, 2,80 m de long et
pèsent plus d'une demi-tonne.
Volontiers agressifs et jaloux de
leur territoire, les plus dominants
peuvent régner sur un harem de
15 à 30 femelles. Plus petite, la
femelle, que l'on reconnaît à sa
fourrure plus sombre, ne pèse
« que » 260 kg. Chaque année au
printemps, elle donne naissance à
un petit de 1 m de long, qu'elle
nourrira toute l'année suivante.
Depuis 1990, le lion de mer de
Steller est sur la liste des espèces
en danger de disparition.

(1975, avec Jack Nicholson). Les formations
rocheuses escarpées (Spouting Horn), domaine de
nombreux phoques et otaries, où l'océan se brise
en impressionnantes gerbes, forment un spectacle
saisissant.

■ **Otter Crest Loop**. Au S. de Depoe Bay, cette route
ouvre des vues spectaculaires sur le cap Foulweather
et le Devils Punch Bowl, où la mer s'engouffre avec
force dans les anfractuosités de rochers. Depuis le
Rocky Creek Wayside, une belle balade conduit au
sommet du **cap Foulweather** *(alt. 152 m)*, qui fut
découvert par le capitaine Cook un jour de tempête
(mars 1778), ce qui lui valut son nom. Superbes
points de vue sur la côte.

Le phare le plus haut de la côte, **Yaquina Head
Historic Lighthouse**★ *(à 6 mi/9,6 km S. de Cape Foulweather • suivre Lighthouse Dr.)*, porte le nom d'une
tribu indienne du groupe des Yakonans, établie sur
le pourtour de la baie. Observation des otaries et des
macareux.

■ **Newport**★ *(à 12,8 mi/20,5 km S. de Depoe Bay •
10 500 hab.)*. De la ville industrieuse desservie par
l'US 101, on accède *(par Herbert St.)* à la station du
bord de mer : marché au poisson, maisons en bois
sur la dune et plages connues pour leurs fossiles et
leurs agates. **Oregon Coast Aquarium**★ *(2820 S.-E.
Ferry Slip Rd ☎ 541/867-3474 • ouv. t.l.j. 10 h-17 h,
juin-août 9 h-18 h)* présente la faune aquatique
du Pacifique dans son environnement naturel
reconstitué : otaries, phoques, loutres, méduses et
pieuvres, ainsi que tous les oiseaux côtiers.

Agate Beach *(1 mi/1,6 km N. • accès par Oceanview
Dr.)* est équipée de tables de pique-nique.

■ **Yachats** *(prononcer « yahots » • à 24 mi/38,5 km S.
de Newport • 700 hab.)*. Cette petite station balnéaire,
dont le nom signifie « le pied de la montagne »,
bénéficie d'une belle plage de sable entourée de
rochers et bordée par la **Siuslaw National Forest**,
qui longe ici la côte sur une cinquantaine de kilomètres.

■ **Cape Perpetua**★ *(à 3 mi/5 km S.* ❸ *Visitors Center)*. Pour explorer ce promontoire rocheux battu par
les flots, un sentier permet d'accéder, en contrebas,
au **Devil's Churn** (baratte du diable), étroit corridor entre les rochers où s'engouffre la mer par gros
temps. **Whispering Spruce Trail** *(2 mi/3,2 km)* part
à 400 m au-dessus du *Visitors Center* : belle **vue** panoramique et tables de pique-nique.

Plus loin, on double **Heceta Head**, le phare le plus
puissant de la côte (visible à 30 km à la ronde).

■ **Sea Lions Caves★★** *(à 13 mi/21 km S. de Yachats •*
91560 Hwy 101 ☎ *541/547-3111 • horaires variables*
• entrée payante • parking gratuit). Sous la falaise
basaltique *(ascenseur)*, on découvre la plus grande
fosse marine d'Amérique du Nord. Les grottes naturelles, découvertes en 1880, accueillent une colonie
de plus de 200 **lions de mer de Steller** *(→ encadré*
p. préc.). Les naissances surviennent presque toujours à l'extérieur de la grotte.

■ **Florence** *(à 25,4 mi/45 km S. de Yachats).* Petite
cité touristique située entre la côte N., rocheuse et
escarpée, et la côte S. aux plages interminables. On
s'attardera sur le vieux port, abrité sur la Siuslaw
River. À 3 mi/5 km S. commence le **Jessie M. Honey-
man State Park**, avec ses plages, ses dunes et ses
rhododendrons par milliers.

■ **Oregon Dunes National Recreation Area★**
(au S. de Florence • accès payant). 65 km de sable entre
l'océan et un chapelet de lacs. Ces dunes, qui atteignent 60 m de haut, peuvent être parcourues en jeep
ou à moto tout-terrain. Ne pas manquer le panorama
depuis **Oregon Dune Overlook** *(10 mi/16 km après*
Dunes City).

▲ Au sud de Florence s'étend
une plage sans fin.

♥ RESTAURANT À FLORENCE
Waterfront Depot,
1252 Bay St. ☎ 541/902-9100
(réserver absolument).
Cuisine savoureuse
et inventive, fruits de mer
et poisson. Vue sur la rivière
Siuslaw. Prix raisonnables.

✐ À NOTER
Location de véhicules motorisés
pour la balade sur les dunes :
Dune Frontier, 83960 Hwy 101 S.
(à 4 mi/6,4 km S. de Florence).

La côte de l'Oregon

Crater Lake
National Park★★ OR

Situation : à 243 mi/390 km S. de Portland, 364 mi/582 km N. de Sacramento (CA).

Fuseau horaire : Pacific Time (– 9 h par rapport à la France).

❶ *Rim Village Visitors Center* ☎ 541/594-2211, ext. 415 ; ouv. juin-sept. t.l.j. 9 h 30-17 h.
• *Steel Information Center* ☎ 541/594-2211, ext. 402 ; ouv. avr.-sept. t.l.j. 10 h-16 h ; www.nps.gov/crla ou www.crater.lake.national-park.com

C e parc est l'un des plus étonnants des États-Unis. Un immense lac d'effondrement occupe le centre d'un volcan éteint, écrin couvert presque toute l'année de neige se reflétant dans des eaux d'un bleu intense, en raison de leur pureté et de leur profondeur. La route qui en fait le tour permet de découvrir d'impressionnants paysages volcaniques. À l'intérieur du parc, les forêts de pins sont le refuge de nombreux animaux sauvages : ours, élans, renards roux, coyotes et quantité d'oiseaux.

Le mont Mazama

Le cratère du volcan

Le **Crater Lake** (lac du cratère) est constitué de la caldeira, remplie d'eau, du mont Mazama, volcan qui culminait à 3 650 m. La cime arrondie, évidée à la suite d'une éruption violente, s'est effondrée sous son propre poids, il y a 6 000 ans, formant une vaste cuvette presque ronde, aux bords abrupts. Lors d'éruptions ultérieures, un cône volcanique plus petit – **Wizard Island** – a surgi dans le cratère.

Quand le volcan s'est apaisé, il y a 1 000 à 2 000 ans, le cratère s'est peu à peu rempli des eaux de pluie et de la fonte des neiges, formant ainsi le lac le plus profond des États-Unis : 589 m, pour 10 km de diamètre. Un équilibre entre l'apport et la perte d'eau, par infiltration ou évaporation, a fini par s'établir, de sorte que le niveau reste constant.

Le parc national

Installés depuis plus de 10 000 ans autour du mont Mazama, les hommes ont probablement assisté à son éruption, et Crater Lake est entré dans la mythologie indienne. Découvert en 1853 par des chercheurs d'or, il est devenu parc national en 1902. N'étant alimenté par aucun cours d'eau, le lac n'abritait aucune faune aquatique. L'introduction de divers salmonidés est à ce jour peu concluante, la flore aquatique se révélant insuffisante.

☞ **CONSEIL**
Consultez la météo, car certaines routes peuvent être fermées.

Voir carte régionale p. 304

Seattle • • Tacoma WA MT
Portland • • Salem
OR ID
Roseburg • ■ *Crater Lake N. P.*
Jacksonville •
CA NV

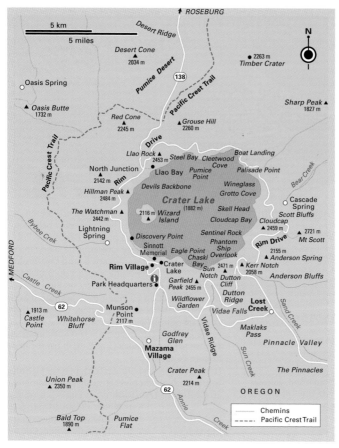

Crater Lake National Park.

Visiter Crater Lake National Park

Accès. Par l'OR 62 depuis Medford (77 mi/124 km S.-O.) ou Klamath Falls (47 mi/76 km S.) ; l'OR 62 traverse la partie S.-O. du parc • par l'OR 138 depuis Roseburg (76 mi/122 km O.) ; de l'OR 138, une route traverse le parc du N. au S. • accès par Munsom Valley Rd jusqu'à Rim Village.

Entrée. 10 $/véhicule, valable 7 j.

La meilleure période. Le parc est accessible t.a. par l'OR 62 • la **route N.-S.** est f. en hiver • la **Rim Drive**, qui fait le tour du parc, n'est ouv. qu'en été • enneigement quasi permanent : vêtements chauds t.a.

■ **En voiture.** À une courte distance du bord du cratère, **Rim Drive★** *(33 mi/53 km • ouv. en été seul.)* fait le tour du lac. Le circuit commence au *Steel Information Center*, où aboutit une route issue de l'OR 62 qui rejoint les entrées S. ou O.

Crater Lake en chiffres

- Profondeur maximale du lac
  589 m
- Profondeur moyenne 350 m
- Diamètre maximal 9,7 km
- Alt. surface du lac 1 881 m
- Alt. Wizard Island 2 116 m
  (234 m au-dessus de l'eau)
- Alt. Mt Scott (point culminant)
  2 721 m
- Alt. Watchman 2 442 m
- Superficie du parc 733 km²

▲ Wizard Island, au cœur
de Crater Lake ; le sommet
de l'île atteint 2 116 m.

☞ HÉBERGEMENT
- Campings à Mazama Village
et à Lost Creek.
- *Crater Lake Lodge*, 565
Rim Dr., au bord de la caldeira
☎ (1)888/774-2728 ; ouv.
de fin mai à mi-oct. 71 chambres,
rés. longtemps à l'avance.
- *Diamond Lake Resort*,
à 5 mi/8 km N. de Crater
Lake N. P., sur Hwy 138
☎ (1)800/733-7593 ;
www.diamondlake.net

du parc. Dans le sens des aiguilles d'une montre, on parvient au **Rim Village** *(3 mi/5 km)* et au **belvédère★** de **Sinnott Memorial**, puis au **Discovery Point** *(4 mi/6,5 km)* où une plaque rappelle la découverte du lac en 1853. Après **Wizard Island Overlook★★** *(5,5 mi/9 km)*, on rencontre le rocher du **Watchman**, puis **Hillman Peak**, le plus haut pic du Rim.

À North Junction *(9 mi/14 km)*, la route rejoint l'entrée N. du parc à travers **Pumice Desert★** (désert de pierre ponce). Rim Drive traverse une ancienne vallée glaciaire semée de rochers d'obsidienne en passant par le **Llao Rock** (2 452 m) et par le cap de **Pumice Point**.

Le circuit ménage ensuite des échappées sur **Mt Scott**, le plus haut pic du parc, et sur le lac, notamment au **Cloudcap Overlook** *(2 427 m • bifurcation à 21 mi/34 km)*. À **Kerr Notch** *(25 mi/40 km)*, à g., embranchement d'une route qui monte vers les **Pinnacles** *(6 mi/10 km)*, singulières aiguilles de tuf et de pierre ponce nées de l'érosion. En continuant Rim Drive, très belle vue depuis **Phantom Ship Overlook★★** et **Sun Notch★★** sur le Vaisseau fantôme, résidu volcanique dentelé émergeant du lac. Passé les belles chutes de **Vidae Falls★**, la route retrouve son point de départ.

■ **À pied**. Le parc propose plus de 160 km de sentiers. Depuis Rim Village, un chemin de crête mène à l'E. *(2 mi/3 km)* jusqu'au sommet du **Mt Garfield** (2 455 m), et à l'O. *(1,5 km • 30 mn a.-r.)* à celui du **Mt Watchman** (2 442 m), d'où la **vue★** porte par temps clair jusqu'au Mt Shasta (4 316 m) en Californie du Nord. Il se poursuit au-delà de North Junction et rejoint le **Pacific Crest National Scenic Trail**, qui traverse le parc du N. au S., en contournant le cratère par l'O. À l'embranchement du Cloudcap Overlook, un sentier grimpe les pentes du Mt Scott.

■ **En bateau**. Un peu après Pumice Point, le **Cleetwood Trail** mène à l'embarcadère *(descente à pied en 30 mn, remontée en 45 mn • départs toutes les heures de 10 h à 16 h • tickets délivrés 40 mn avant)*, pour une promenade commentée sur le lac *(durée 1 h 45)*. C'est le seul moyen d'approcher Phantom Ship et **Wizard Island**. Pour cette dernière, deux départs permettent d'y passer quelques heures.

〰 PARCS NATIONAUX
À propos des conditions d'entrée et des forfaits, consultez la rubrique « Parcs nationaux », dans le chapitre Séjourner, p. 52.

Environs de Crater Lake N. P.

1 North Umpqua River *(110 mi/177 km jusqu'à Roseburg par OR 138)*.

☞ Carte régionale p. 304-305.

Au N. de Crater Lake, l'OR 138 longe Diamond Lake, puis oblique à l'O. et suit le cours accidenté du bras N. de l'Umqua River, très apprécié des pêcheurs à la mouche. Plusieurs chutes, dont les **Clearwater Falls★**, qui polissent des rochers moussus, et les spectaculaires **Toketee Falls★★** *(sentier de 0,8 mi/1,3 km a.-r.)*, brisées en deux chutes successives flanquées de curieux rochers en tuyaux d'orgue.

2 Vallée de la Rogue River *(104 mi/166 km de Crater Lake à Grants Pass par OR 62 et 99)*.

La Rogue River prend sa source au S. de Cascade Range ; son cours sauvage traverse la région de Grants Pass avant de se jeter dans le Pacifique à Gold Beach. Le territoire qu'elle traverse ressemble plus au N. de la Californie qu'au reste de l'État ; le climat y est chaud et relativement sec en été, ce qui vaut à **Medford** *(76 mi/122 km)*, principale ville du S. de l'Oregon, d'être entourée de vergers (poiriers). **Jacksonville★** *(à 5 mi/8 km O. par l'OR 238)*, au pied des Siskiyou Mountains, est un authentique village du temps de la ruée vers l'or, qu'évoque le **Jacksonville Museum** *(206 N. 5th St. • juin-août t.l.j., h.-s. f. lun.)*, installé dans l'ancien tribunal du comté ; **California Street** pourrait servir de décor à un western.

Depuis **Grants Pass** *(104 mi/166 km • 17 500 hab.)*, excursions sur la Rogue River (pêche à la truite, rafting, canoë-kayak).

✎ À NOTER
Sur la Rogue River, on peut découvrir Hellgate Canyon en *jet boat*. Paysages spectaculaires et frissons garantis.
Embarquement à Grants Pass :
Hellgate, 966 S.-W. 6th St.,
Grants Pass ☎ (1)800/648-4874.

☻ à Jacksonville : *Chamber of Commerce* ☎ 541/899-8118.
• à Medford :
Visitors & Convention Bureau,
101 E. 8th St. ☎ 541/779-4847.
• *Grants Pass Siskiyou National Forest Service* ☎ 541/471-6500.

3 Oregon Caves National Monument★★ *(19000 Caves Hwy, Cave Junction ☎ 541/592-3400 • à 79 mi/126,5 km O. de Jacksonville par les I-5, US 199 et OR 46 • route étroite et sinueuse, inaccessible aux gros camping-cars • vis. guidées de 1 h 30, de mi-mars à fin oct. : printemps 10 h-16 h, été 9 h-18 h, automne 9 h-17 h • accès interdit aux enfants de moins de 1 m)*.

À 1 200 m d'alt., au cœur des Siskiyou Mountains, une superbe grotte nichée dans la verdure : stalactites, stalagmites, « pop-corn », « lait de lune » et autres concrétions.

✎ BON À SAVOIR
• Dans la grotte, le parcours est accidenté et la température ne dépasse pas 6 °C ; des chaussures antidérapantes et des vêtements chauds sont indispensables.

• Logement et restauration :
Oregon Caves Chateau, 20000 Caves Highway, Cave Junction ☎ 541/592-3400 ; mai-oct.

Mount Rainier★ et Mount Saint Helens★★ WA

Situation : Entre Portland et Seattle.

Fuseau horaire : Pacific Time (– 9 h par rapport à la France).

〰 PARCS NATIONAUX
À propos des conditions d'entrée et des forfaits, consultez la rubrique « Parcs nationaux », dans le chapitre Séjourner, p. 52.

Voir carte régionale p. 302

Lorsque George Vancouver découvre ces deux volcans, en 1792, il leur donne les noms de deux de ses amis, le contre-amiral Peter Rainier et le baron anglais Saint Helens. Le Mt Rainier est le plus haut sommet de la chaîne des Cascades, et le Mt Saint Helens compte parmi ses plus jeunes volcans. Parcouru par 480 km de sentiers, le Mt Rainier National Park abrite 41 glaciers et champs de névés, 34 chutes d'eau, une soixantaine de lacs, des forêts de conifères denses et humides, des prairies ensoleillées couvertes de fougères et de fleurs sauvages, ainsi qu'une faune abondante et diversifiée. Cette luxuriance contraste avec les pentes qui entourent le Mt Saint Helens, où la nature reprend ses droits lentement après l'éruption de 1980.

Mt Rainier et Mt Saint Helens dans l'histoire

Naissance d'un volcan

Le **Mt Rainier** est né à la fin de l'ère tertiaire, sur un plateau formé de lave et de cendre, secoué de violentes éruptions. L'époque glaciaire correspond à une longue période d'inactivité pendant laquelle se constitue l'actuel système de glaciers, le plus grand des États-Unis (l'Alaska mise à part). Au cours des derniers millénaires, l'accumulation des débris rocheux et des dépôts de moraines entraîne l'émergence de cônes ou sommets ; ceux-ci disparaissent du fait d'explosions successives et sont remplacés par de vastes cratères. Le cratère principal est aujourd'hui recouvert de glace ; au milieu se dresse le point le plus élevé du volcan, Columbia Crest.

Un réveil soudain

Si le Mt Rainier est en sommeil depuis 2 000 ans, le **Mt Saint Helens** s'est soudain réveillé en 1980 : pendant près de deux mois, il déversa des tonnes de lave et de cendres *(→ encadré p. 347)*. Fort heureusement, si une nouvelle éruption devait se produire, les prévisions des sismologues sont aujourd'hui assez précises pour faire évacuer la région à temps.

☞ Carte de Mount Rainier National Park p. 346.

Visiter Mount Rainier National Park★

Situation. À 80 mi/128 km S.-E. de Seattle, 144 mi/231 km N.-E. de Portland • 980 km² • alt. 4 392 m.

Accès. Le parc dispose de 4 entrées : depuis Seattle par les WA 169 et 410 (82 mi/131 km) et la **White River Entrance** (E.) • depuis Tacoma par les WA 7 et 706 (54 mi/86 km) et la **Nisqually Entrance** (S.-O.) • depuis Tacoma par les WA 167 et 165 (52 mi/84 km) et la **Carbon River Entrance** (N.-O.) • depuis Portland par l'I-5 et l'US 12 (146 mi/134 km) et la **Stevens Canyon Entrance** (S.-E.).

❶ ☎ 360/569-2211 ; www.nps.org/mora ou www.mount.rainier.national-park.com
• *Paradise Jackson Visitors Center,* à Paradise (19 mi/30 km E. de Nisqually Entrance) ; ouv. 10 h-19 h.
• Autres *Visitors Centers* à Longmire au S., Sunrise au N.-E. et Ohanapecosh au S.-E.

◄ La première ascension officielle du Mt Rainier eut lieu en 1870, sous la conduite de Philemon Van Trump et Hazard Stevens, que les émanations sulfureuses du cratère auraient empêchés de mourir de froid.

☎ NUMÉROS GRATUITS
Les numéros de téléphone qui commencent par ☎ 800, 855, 866, 877, 888 sont des numéros d'appel gratuits *(toll-free number)*. Faites-les précéder du ☎ 1 si vous appelez depuis un poste fixe (et non d'un portable). Dans ce guide, ces numéros sont notés ainsi : ☎ (1)800/000-0000.

☞ HÉBERGEMENT
• *Paradise Inn,* ☎ 360/569-2275 ; ouv. de mai à oct. ; 121 chambres. Construit en 1916 et récemment rénové.
• *National Park Inn*, à Longmire ☎ 360/569-2275 ; ouv. t.a. ; 25 chambres.

Mt Rainier et Mt Saint Helens

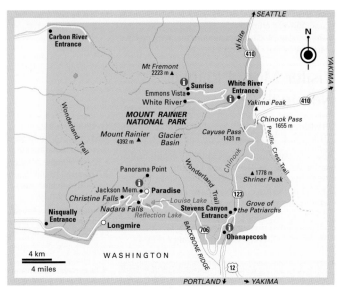

Mount Rainier National Park.

La meilleure période. De mai à sept. • les sentiers et une partie des routes sont f. en hiver • accès à Paradise t.a. par la Nisqually Entrance (S.-O.).

Combien de temps. Excursion d'au moins 1 journée depuis Seattle (compter 4 h de route a.-r.).

Activités. Ski alpin, ski de fond, raquettes, randonnée, alpinisme, descente sur chambres à air • pêche dans les lacs.

Les *Visitors Centers* proposent divers circuits aux **randonneurs**, depuis celui de 4 h du **Skyline Trail** (5 mi/8 km depuis *Paradise Visitors Center*), qui conduit au superbe Panorama Point, jusqu'au périple de 10 à 15 j. du **Wonderland Trail** (90 mi/144 km autour du mont ; mi-juin-sept. ; départ et approvisionnement à Longmire et Sunrise).

L'**ascension** du Mt Rainier (2 j. ; départ de Paradise) est réservée aux alpinistes expérimentés : risque de chutes de pierre et de glace • permis obligatoire.

■ De **Nisqually Entrance** *(au S.-O. du parc)*, une route conduit à **Longmire** (alt. 842 m) puis à **Narada Falls** : ces chutes dépassent celles du Niagara de 1 m. On arrive ensuite à **Paradise Valley★** (1 646 m), l'un des plus beaux sites du parc, d'où l'on découvre des forêts de sapins et des champs de fleurs sauvages.

Au-delà de Paradise, la route contourne **Reflection** et **Louise Lakes**, deux très beaux lacs de montagne dans lesquels se mire le Mt Rainier, puis atteint **Stevens Canyon**, dominé au S.-O. par la silhouette de la Tatoosh Range. Après avoir dépassé Backbone Ridge, on descend vers la Chinook River, non loin des **Silver Falls** qui ne sont qu'à quelques kilomètres de l'**Ohanapecosh Visitors Center** (alt. 609 m).

On retrouve alors la WA 123 qui, vers le N., remonte la vallée de la Chinook jusqu'au **Cayuse Pass** (1 439 m), où elle rejoint la WA 410. En chemin, embranchements pour **White River Entrance** (alt. 1 067 m) et **Sunrise Point★** (1 940 m), d'où l'on jouit d'un superbe panorama sur le **glacier Emmons**, le plus grand du parc (8 km de long).

Visiter Mount Saint Helens National Volcanic Monument★★

Situation. À 71 mi/114 km N. de Portland, 172 mi/275 km S. de Seattle • 440 km² • alt. 2 549 m.

Accès. Le parc dispose d'une entrée principale à l'O. ; 2 autres routes de moindre importance permettent également d'y accéder :
– **depuis Mt Rainier** : la WA 706 jusqu'à Elbe, puis la WA 7 jusqu'à Morton, rejoindre l'I-5 par l'US 12 jusqu'à la sortie 63, puis prendre la WA 505 pour rejoindre la WA 504 jusqu'à **Johnson Ridge Visitors Center & Volcanic Observatory** • ou bien rejoindre l'US 12 W. peu après Ohanapecosh jusqu'à Randle ; poursuivre vers Morton ou bien routes forestières 25 et 99 jusqu'à **Windy Ridge Viewpoint** ;
– **depuis Portland** : l'I-5 jusqu'à la sortie 21 (Woodland Exit), puis la WA 503 sur 35 mi/56 km ; ensuite routes forestières 90 et 83 (f. en hiver) ; ou l'I-5 jusqu'à la sortie 49 puis la WA 504.

Combien de temps. Une journée, plus pour les randonneurs.

■ La **WA 99**, au N.-E., offre de beaux points de vue sur le volcan : **Bear Meadows★★** ou **Windy Ridge★★**, au pied du cratère, où des centaines d'arbres furent abattus par la chaleur de l'éruption *(2 h de marche a.-r.* • *cul-de-sac)*. **Harmony Trail★★** *(1 h de marche a.-r.)* conduit au lac Spirit : vue spectaculaire sur le cratère.
Sur la **route 83**, au S., belle vue depuis le belvédère du **Lahar★★** sur un paysage entièrement façonné par les coulées boueuses *(nombreux sentiers)*. Plus au S., **Ape Cave★** est une grotte qui s'est formée sous la croûte solidifiée d'une coulée de lave *(1 h sur terrain plat* • *lampe de poche et vêtements chauds* • *claustrophobes s'abstenir)*.
La **WA 504**, à l'O., mène au **Johnston Ridge Volcanic Observatory★★**, face au cratère, à 1 300 m d'alt. Le *Visitors Center★★* présente un film saisissant sur l'éruption *(20 mn)*, avant de dévoiler une vue plongeante sur le cratère.

L'éruption du mont Saint Helens

Après 123 ans de silence, le mont s'est soudain réveillé, pendant deux mois. Le 27 mars 1980, une colonne de fumée s'élève du sommet de la montagne, laissant apparaître, vue d'avion, une ouverture de 75 m de diamètre. Le 22 avril, des craquements et des secousses entraînent l'apparition d'une « bosse » sur le versant nord. À la fin du mois, celle-ci atteint 160 m de long, 80 m de large et 97 m de haut.

En dépit d'importantes mesures de sécurité prises pour pallier les dangers d'une nouvelle éruption, celle-ci a pourtant lieu, le 18 mai. Son ampleur dépasse de loin les prévisions : un tremblement de terre précipite le versant nord de la montagne dans une avalanche, suivie d'une violente explosion. 396 m de montagne disparaissent, laissant place à un cratère de 2 km de large, 4 km de long et 609 m de profondeur. On retrouvera des cendres du volcan à plus de 1 000 km à l'est. Et on déplorera 57 victimes.

🛈 *Mount Saint Helens Visitors Center*, 3029 Spirit Lake Hwy, à 5 mi/8 km E. de Castle Rock ☎ 360/274-0962 (message enregistré).
• *Johnston Ridge Visitors Center*, au bout de la WA 504, à 53 mi/85 km E. de Castle Rock ; ouv. de mai à oct., t.l.j. 10 h-18 h ☎ 360/274-2143.
• *Information Station* : à Pine Creek, sur la route 90, au S. ; à Woods Creek, sur la route 25 ; à Iron Creek, à la jonction des routes 25 et 76, au N.-E.

Mt Rainier et Mt Saint Helens

Portland★ OR

Situation : à 174 mi/278 km S. de Seattle, 423 mi/677 km N. de Redding (CA).

Population : 569 000 hab.

Fuseau horaire : Pacific Time (– 9 h par rapport à la France).

❶ *Portland Oregon Visitors Information,* Pioneer Courthouse Square ☎ 503/275-8355 ; www.travelportland.com ; ouv. lun.-ven. 8 h 30-17 h 30, sam. 10 h-16 h, dim. (du 1er mai au 1er oct.) 10 h-14 h.

Ensemble de tours disparates, le centre-ville de Portland n'en constitue pas moins un superbe paysage urbain, reflétant ses lumières nocturnes dans l'eau de la Willamette River et dominé par le sommet enneigé du Mt Hood. Dès qu'on y pénètre, il est des plus accueillants : allées ombragées, rues bordées de boutiques et de cafés, et un verdoyant Waterfront où les Portlandais se promènent ou font leur jogging.

Pourvue d'une université réputée, de plusieurs théâtres, de nombreuses galeries d'art et de musées d'envergure internationale, la « cité des Roses » a su attirer artistes et intellectuels, tandis qu'une marina et la proximité de la Columbia River Gorge, du Mt Hood et de la côte de l'Oregon mettent à la portée de ses habitants la navigation de plaisance, la randonnée, les sports d'hiver et les agréments de la plage.

Portland mode d'emploi

Voir carte régionale p. 304

■ Arriver à Portland

En avion. Aéroport international (PDX) ☎ 503/460-4040 ; à 9 mi/14,5 km N. de Downtown, sur l'I-84.

Tramway direct pour Downtown (*red line* ; 40 mn ; 2,50 $) ● **MAX Light Rail** (Metropolitan Area Express ; station au niveau – 1 de l'aéroport) ● *Downtown Airport Express* (toutes les 30 mn ; 14 $) ● en **taxi**, compter 35 $ + pourboire (trajet 20-30 mn).

En train. Le *Cascades Train (Amtrak)* assure une liaison quotidienne avec Seattle (WA) et Vancouver, au Canada. Il dessert également San Francisco et Los Angeles (CA) ● *Union Station*, 800 N.-W. 6th Ave. (Chinatown) ☎ (1)800-USA-RAIL ; 503/248-1146.

Gare routière. Greyhound, 550 N.-W. 6th Ave. (Chinatown), entre N.-W. Hoyt et N.-W. Glisan Sts ☎ 503/243-2316.

En voiture. Depuis le N. et le S., accès par l'I-5 ; depuis l'E. et l'O., par l'I-84.

■ S'orienter

La ville est divisée en **quatre zones** par la Willamette River et par Burnside St. : S.-O., N.-O., S.-E, N.-E. Un 5ᵉ quartier, **North Portland**, est délimité par Williams Ave., les Willamette et Columbia Rivers. Le centre-ville (Downtown) est également appelé Central City. Les rues orientées N.-S. (parallèles à la Willamette) sont numérotées. Les rues orientées E.-O. (parallèles à Burnside St.) portent des noms.

■ Se déplacer

À pied. Le centre-ville est peu étendu : 30 mn suffisent pour le traverser à pied • les pâtés de maisons *(blocks)* sont de moitié plus petits que ceux de la plupart des villes américaines.

À vélo. Les **pistes cyclables** sont nombreuses et bien signalisées, les bus *TriMet* sont équipés pour accueillir les vélos • **Vera Katz Eastbank Esplanade** : 1,3 mi/2,4 km le long de la Willamette River (rive E.) • **Springwater Corridor** : 4,8 km entre le musée des Sciences (OMSI) et le Sellwood Bridge ; cette piste se poursuit jusqu'à Boring (34 km E.) et sera prolongée jusqu'à la Mt Hood National Forest • dans **Forest Park** (Leif Erikson Dr.), 18 km avec vues panoramiques sur la Columbia River, le Mt Hood et le Mt Saint Helens.

Voiture. Aux **parcmètres**, limités pour certains à 10 mn, préférer les parkings, comme le **Waterfront Parking** *(S.-W. Taylor St. et S.-W. 4th St.)*, à 3 *blocks* de Pioneer Courthouse Square • les **Smart Parkings** sont les moins onéreux : 1,50 $/h, puis de 3 à 5 $/h au-delà de 4 h, 15 $ au maximum, payables dans un Smart Meter (tarifs variables selon le quartier).

Bus et tramway. Tickets communs pour le réseau de bus *(Tri-Met)* et le *MAX* (Metropolitan Area Express) • à 1 *block* d'Union Station, **Portland Transit Mall** marque le terminus de nombreuses lignes de bus et de tram *(MAX Light Rail, green* et *yellow lines)* • transport gratuit *(Free Rail Zone)* dans le périmètre de Downtown (330 *blocks*) et au-delà de la Willamette River (Convention Center et Lloyd Center Shopping Mall).

■ Adresses utiles

Médecins de garde. ☎ 503/222-0156.

Consulat de France. Portland State University, 1721 S.-W. Broadway, Cramer Hall 141-F, Portland, OR 97207 ☎ 503/725-5298.

Argent, change. *Travelex*, 900 S.-W. 6th St. ☎ 503/222-7483.

Taxis. *Portland Taxi Co.* ☎ 503/256-5400 • *Broadway Cab* ☎ 503/227-1234 • *Radio Cab* ☎ 503/227-1212.

✎ VOIR PORTLAND AUTREMENT

• *Vintage Trolley* : un service de trolley « d'époque » est assuré le dimanche, de mars à déc. (toutes les 15 mn). Gratuit dans le périmètre de la Free Rail Zone ; à bord, vente du *Day Pass* (2 $ la journée).

• *Aerial Tramway* : le téléphérique offre la meilleure vue sur la ville, le Mt Hood, le Mt Saint Helens et la Willamette River. Départ du South Waterfront, près du Ross Island Bridge ; accès en 3 mn au sommet du Mt Marquam (vélos autorisés).

• *Portland Spirit River Cruises* : croisières sur la Willamette. Tickets au 110 S.-E. Caruthers St. (☎ 503/224-3900) ; embarquement au N. de Riverplace Marina.

✎ MARCHÉS

• Le Portland Saturday Market se tient au N. de la vieille ville, entre Ankeny St. et Burnside Bridge, de mars à Noël, sam. 10 h-17 h et dim. 11 h-16 h 30. Artisanat local ou « ethnique », produits exotiques, vêtements et gadgets.

• Un Farmer's Market (marché fermier) s'installe tous les samedis, de mi-mars à mi-déc., dans le quartier de South Blocks (Portland State University, S.-W. Park Ave. et S.-W. Montgomery St. ; 8 h 30-14 h).

• Sur Pioneer Courthouse Square, marché les lun., mar. et jeu. 10 h-14 h.

Portland

Location de voitures. À l'aéroport : *Hertz* ☎ 503/249-8216 ; *Avis* ☎ 503/249-4950 ; *Dollar* ☎ 503/249-4792 • en ville : *Enterprise Rent-A-Car*, 445 S.-W. Pine St. ☎ 503/275-5359.

Poste. 715 N.-W. Hoyt St. (et N.-W. Park Ave.) ☎ 503/525-5398.

Programme

■ Une journée
Le matin, prenez le pouls de la ville sur **Pioneer Courthouse Square** *(p. 351)* et découvrez les arts traditionnels des Indiens au **Portland Art Museum★★** *(p. 351)*. L'après-midi, explorez les rues de « Old Town », les galeries d'art et les magasins branchés de **Pearl District★** *(p. 353)* et du West End.

■ Deux jours
En voiture, explorez le **Washington Park★** *(p. 353)*. Balade dans le Japanese Garden★ et le Rose Garden, puis route vers Pittock Mansion★ pour une vue panoramique★★ sur la ville et le Mt Hood. L'après-midi, découverte de la **Columbia River★★** *(p. 355)* ou de la **Willamette River Valley★** *(p. 355)*, le plus beau vignoble de l'Oregon.

■ Trois jours et plus
Excursion d'une journée ou plus dans la gorge de la **Columbia River★★** *(p. 355)* jusqu'à Hood River. Suivez le « Fruit Loop » en direction du **Mt Hood★** *(p. 358)*, point culminant de l'Oregon.

Portland dans l'histoire

Un carrefour prospère...
En 1825, alors que l'Hudson Bay Company, qui contrôle le commerce des fourrures le long de la côte N.-O., s'est établie à Fort Vancouver, sur la rive N. de la Columbia, des colons s'installent dans une clairière, au confluent de la Willamette et de la Columbia : Portland est née. En 1843 arrive une nouvelle vague de colons, tandis que se développent l'industrie du bois et la construction navale. La ville voit sa population doubler en trois ans, et en 1848, la ruée vers l'or de Californie favorise encore son développement : elle fournit le bois nécessaire aux villes nouvelles et aux mines. Cependant, la même année, la création de l'État de l'Oregon exacerbe les conflits avec les Indiens, peu à peu chassés de la région.

... en dépit des crises et de la guerre
Le commerce fluvial sur la Columbia River se développe. En 1873, Portland figure sur le tracé de la Northern Pacific Railroad, mais la banqueroute de la compagnie et la crise économique retardent le projet, et la ligne n'est inaugurée que 10 ans plus tard.
En 1941, l'attaque de Pearl Harbor suscite une vive réaction antijaponaise. Quatre mille Japonais des comtés de Multnomah, Hood River et Washington sont placés dans des camps. Mais la ville connaît, au cours des deux années suivantes, un boom économique : l'effort de guerre provoque l'arrivée de nombreux travailleurs, et la population passe de 500 000 à 660 000 habitants.

Portland aujourd'hui
Aujourd'hui, l'agglomération de Portland dépasse les 2 millions d'hab. Outre une importante activité portuaire et commerciale, elle abrite des entreprises très diversifiées, de la technologie de pointe aux industries spécialisées et aux sociétés de

▲ Le Downtown de Portland.

services. Les gratte-ciel n'ont commencé à apparaître qu'à la fin des années 1960, et dès 1972, la municipalité a approuvé un plan d'urbanisation limitant la hauteur des immeubles afin de préserver la vue sur les montagnes environnantes.

❶ De Pioneer Courthouse Square à South Park Blocks

La visite de Downtown commence par Pioneer Courthouse Square, qui abrite le bureau d'information touristique. Puis on se dirigera vers le sud et Park Avenue, où le Portland Museum of Art permet de découvrir les artistes du Nord-Ouest et les arts traditionnels indiens.

Situation. Rive O. de la Willamette, entre Broadway Bridge et Marquam Bridge.

Combien de temps. 1/2 journée.

Où faire une pause. Dans le jardin de sculptures du Portland Art Museum, ou à l'ombre de South Park Blocks.

■ **Pioneer Courthouse Square** (*S.-W. Broadway et S.-W. Morrison Sts*). Cette sorte d'agora postmoderne (1984) a été financée par 64 000 Portlandais dont les noms sont gravés sur les briques du pavement. À l'angle N.-E. de la place, la sculpture métallique *Weather Machine* s'anime à midi. À l'E. s'élève le **palais de justice** néoclassique (1893), dominé par un clocheton octogonal.

■ **South Park Blocks** (*entre S.-W. 9th St., S.-W. Park Ave., S.-W. Salmon et S.-W. Market Sts*). L'ensemble forme une large avenue, fermée au S. par les bâtiments de la Portland State University, plantée d'ormes et ornée de sculptures des années 1920 à nos jours. Elle abrite le **Portland Art Museum★** (→ *ci-après*), l'un des plus intéressants musées de la ville.

■ **Portland Art Museum★★** (PAM • *1219 S.-W. Park Ave.* ☎ *503/226-2811* • *http://portlandartmuseum.org* • *ouv. mar.-sam. 10 h-17 h, jeu.-ven. 10 h-20 h, dim. 12 h-17 h* • *f. les j. fériés*). Le musée occupe un bâtiment en travertin et en brique de 1932, dû à l'architecte Pietro Belluschi (1899-1994).

♥ RESTAURANTS
* **Kincaid's Fish, Chop & Steakhouse**, 121 S.-W. 3rd Ave. ☎ 503/223-6200. Délicieux *T-Bones*.

* **Jake's Famous Crawfish**, 401 W. 12th Ave. (et Stark St.) ☎ 503/226-1419 ; f. le dim. Cuisine américaine traditionnelle, spécialités de fruits de mer. Décor et service à l'ancienne, la maison existe depuis 1892.

* **Clyde Common**, 1014 S.-W. Stark St. Restaurant branché de l'hôtel *Ace*, dans le West End. Nouvelle cuisine américaine à base d'ingrédients bio produits localement.

● **Native American Galleries★★**. À un fonds exceptionnel de masques et d'objets en bois sculpté et peint, de poteries, de textiles et de parures de perles des tribus Navajos, Kiowas, Crows, Tlingits, etc., s'ajoutent des créations d'artistes contemporains œuvrant dans la tradition des Indiens du N.-O.

● **European Galleries★**. Peintures européennes allant de la Renaissance aux mouvements de l'art des années 1920 (Rouault, Soutine), en passant par l'impressionnisme (Monet, Pissarro) ; sculptures des xixe et xxe s. (Rodin, Picasso, Brancusi).

● **American Galleries★**. Très nombreuses œuvres de deux peintres majeurs de la fin du xixe s. et du début du xxe s. : **Childe Hassam** (*Mount Hood*, 1908) et **Julian Alden Weir**. École américaine de la 2e moitié du xxe s., de l'abstraction au pop art. Créateurs contemporains du N.-O., de Dale Chihuly à Deborah Butterfield (*Dance Horse*, 1998-1999).

Prendre S.-W. Madison St. vers l'E.

② Historic Waterfront District

La Willamette est longée par le Tom McCall Waterfront Park, sur 1 mi/1,6 km, de la Riverplace Marina, au sud, jusqu'au Steel Bridge, au nord. À l'ouest de cette agréable promenade s'étend la vieille ville de Portland : squares, immeubles de la fin du xixe s., bistrots et boutiques, à découvrir en flânant.

Situation. Entre 5th Ave. et la Willamette River.

Combien de temps. 3 h.

Où faire une pause. Près de la fontaine de Salmon Street Plaza, sur le Waterfront.

■ **Portland Building** (*1120 S.-W. 5th Ave.*). Le nouvel hôtel de ville, élevé à côté de l'ancien par Michael Graves, fut le premier bâtiment postmoderne des États-Unis (1982). L'entrée est dominée par *Portlandia*, statue allégorique de Raymond Kaskey. La façade arrière donne sur 4th St., sur les **Chapman** et **Lownsdale Squares**, îlots de verdure séparés par un wapiti de bronze. Dans les années 1920, les dames se retrouvaient dans le premier, laissant le second aux messieurs.

■ **Yamhill National Historic District** (*entre S.-W. Taylor St., au S., et S.-W. Morrison St., au N.*). Seul le **Northrup & Blossom-Ficht Building** (1858) a survécu à l'incendie qui ravagea ce quartier en 1873. Les immeubles actuels, à ossature métallique, datent de 1878 à 1887.

■ **Skidmore Old Town National Historic District** *(entre S.-W. Oak et N.-W. Everett Sts)*. Le quartier doit son nom à l'un des premiers entrepreneurs de Portland. La **Skidmore Fountain** *(Ankeny St. et S.-W. 1st Ave.)*, de 1888, ornée de caryatides supportant une vasque de bronze, marque le centre de ce secteur où subsistent de beaux bâtiments des années 1870 et 1880. Aujourd'hui, boutiques et restaurants animent ces rues réputées « chaudes ».

❸ Northwest District

Montant à Washington Park, poumon vert qui domine la ville, West Burnside Street sépare Southwest et Northwest Portland. Enjambant la North-West 4th Avenue, la Chinatown Gate marque l'entrée du quartier chinois, voisin de Pearl District, devenu le quartier le plus tendance de la ville.

Situation. Au N. de Downtown, de N.-W. 4th Ave. à N.-W. 14th Ave.

Combien de temps. 2 h.

Où faire une pause. Dans l'un des cafés de Pearl District ou au *Tao of Tea Teahouse* du Lan Su Chinese Garden.

■ **Chinatown District** *(entre W. Burnside et N.-W. Everett Sts)*. Le quartier témoigne de la présence de l'une des plus importantes communautés chinoises des États-Unis ; restaurants, épiceries et boutiques de toute l'Asie. Le jardin chinois **Lan Su Chinese Garden** a été bâti sur un *block* en 2000, par une soixantaine d'artisans chinois sur le modèle des jardins traditionnels de Suzhou *(N.-W. 3rd et Everett Sts • ouv. 10 h-17 h, en été 10 h-18 h • entrée payante)*.

■ **Pearl District★** *(entre N.-W. Park Ave. et N.-W. 14th Ave.)*. Séparé de Chinatown par les **North Park Blocks**, ce quartier en pleine mutation voit ses anciens entrepôts accueillir peu à peu galeries d'art, boutiques de mode ou de design et magasins d'antiquités.

■ **Washington Park★** *(accès par Hwy 26 W. • MAX Light Rail, red et blue lines, arrêt Washington Park • bus TriMet n° 63 t.a. lun.-ven.)*. Ce beau parc paysagé domine le quartier résidentiel des West Hills. Il abrite l'Oregon Zoo, l'International Rose Test Garden, le Japanese Garden et Hoyt Arboretum.

● **Pittock Mansion★** *(3229 N.-W. Pittock Dr. • ouv. 11 h-16 h, en juil.-août 10 h-17 h, f. en janv.)*. À l'orée du parc se dresse ce manoir néo-Renaissance,

♥ LIBRAIRIE
Powell's City of Books, 1005 W. Burnside St. (et S.-W. 10th Ave.) ☎ 503/228-4651.
La plus grande librairie indépendante du monde occupe plusieurs pâtés de maisons.

♥ GALERIES
Nombreuses galeries d'art dans le Pearl District et le West End.
• *Augen Gallery*, 716 N.-W. Davis St. Œuvres d'artistes contemporains du N.-O. et quelques valeurs sûres.
• *PDX Contemporary Art*, 925 W. Flanders St.
Dans un bâtiment ancien réhabilité du Pearl District.

☏ NUMÉROS GRATUITS
Les numéros de téléphone qui commencent par ☎ 800, 855, 866, 877, 888 sont des numéros d'appel gratuits *(toll-free number)*. Faites-les précéder du ☎ 1 si vous appelez depuis un poste fixe (et non d'un portable). Dans ce guide, ces numéros sont notés ainsi : ☎ (1)800/000-0000.

�@ WASHINGTON PARK GRATUIT
• Une navette gratuite dessert l'Oregon Zoo, le Rose Test Garden et le Japanese Garden (t.l.j. ; en oct., le w.-e. slt).
• Un petit train (Zoo Railway) relie gratuitement l'Oregon Zoo au Rose Test Garden et au Japanese Garden.

▲ Le zoo est réputé pour sa pouponnière d'éléphanteaux : une trentaine sont nés ici.

construit en 1909 par le fondateur du journal *The Oregonian*. Mobilier d'origine et **vue panoramique**★★ sur la ville et la chaîne des Cascades.

● **Oregon Zoo** *(4001 S.-W. Canyon Rd* ☎ *503/ 226.1561 • ouv. t.l.j. : de juin à sept. 9 h-18 h, d'oct. à déc. et de mars à mai 9 h-16 h, en janv.-fév. 10 h-16 h • entrée et parking payants • tables de pique-nique).* Parmi les 260 espèces d'animaux présentées, voir en particulier la **faune originaire du Pacific Northwest**★ : aigles, ours, tortues, oiseaux des rivages, loutres et otaries. Également remarquable, l'habitat des **chauves-souris**★ *(bat cave)*, des castors, cougars, lynx, ours polaires.

● **International Rose Test Garden**★ *(400 S.-W. Kingston Ave • ouv. 7 h 30-21 h • entrée libre).* Créée en 1917, c'est la plus ancienne roseraie expérimentale des États-Unis. Elle a valu à Portland le surnom « Cité des roses ». Près de 10 000 **rosiers** représentent 590 variétés, qui fleurissent d'avr. à oct. Parmi les plus rares : Savoy Hotel, Livin'Easy, Climbing Ophelia ou Sweet Juliet. Au fil de la promenade, **vues** sur la chaîne des Cascades et le Mt Hood.

● **Japanese Garden**★★ *(611 S.-W. Kingston Ave.* ☎ *503/223-1321 • ouv. d'avr. à sept., lun. 12 h-19 h, mar.-dim. 10 h-19 h ; d'oct. à mars, lun. 12 h-16 h, mar.-dim. 10 h-16 h • entrée payante).* Un havre de beauté et de sérénité sur les hauteurs de la ville. Des cinq jardins qui le composent, l'un est un **jardin sec** (Sand and Stone Garden).

● **Hoyt Arboretum** *(4000 S.-W. Fairview Blvd).* Riche de plus de 1 100 espèces d'arbres et de plantes, ce jardin botanique abrite le plus bel ensemble de **conifères** des États-Unis. Avec ses 19 km de pistes, le parc est un paradis pour les randonneurs.

À voir encore

■ **Central Eastside District** *(entre Burnside St. et l'OMSI, et entre la Willamette River et S.-E. 12th St. • à 15 mn à pied de Downtown par les ponts Morrisson, Hawthorne et Burnside).* Situé à l'E. de la Willamette River, cet ancien quartier industriel est en pleine réhabilitation : nombreux restaurants et magasins sur Water Street.

■ **Oregon Museum of Science and Industry**★ (OMSI • *1945 S.-W. Water Ave., sur la rive E. de la Willamette* ☎ *503/797-4000 • ouv. mar.-dim. 9 h 30-17 h 30, en été 9 h 30-19 h).* Salle Omnimax, planétarium, aquarium et expériences scientifiques ; idéal pour les enfants.

Environs de Portland

1 **Fort Vancouver National Historic Site** (WA • *612 E. Reserve St. • à 7 mi/ 11 km N. par l'I-5 • sur la rive N. de la Columbia River à Vancouver* ❶ *Visitors Center* ☎ *360/816-6230).*

La ville de Vancouver est née en 1824, avec la construction de **Fort Vancouver** par la Compagnie anglaise de la Baie d'Hudson, détentrice du monopole du commerce de la fourrure avec le Canada. Le fort se trouvait au terminus de la piste de l'Oregon, par laquelle des milliers de colons traversèrent les Rocheuses avant de faire souche dans le Pacific Northwest (→ *théma p. 386-388*). À son apogée, il contrôlait 34 postes, 24 ports, 6 navires et 600 employés. Les activités de l'Hudson Bay Company déclinèrent à partir de la signature du traité de l'Oregon, en 1846. L'US Army prit possession du fort à partir de 1849.

Le siège de la Compagnie a été en partie reconstitué : maison du gouverneur, entrepôts, boulangerie et forge. À côté, **Officers' Row Historic District** regroupe 21 maisons construites entre 1850 et 1906 et occupées par des officiers en poste au fort, dont le futur président Ulysses S. Grant.

2 Willamette River Valley★ *(circuit de 80,5 mi/ 129 km au S. de Portland par l'OR 99 W.).*
Située à la même latitude que la Bourgogne, la vallée de la Willamette aligne plus de 300 vignobles (sur les 400 que compte l'Oregon). Son climat tempéré humide a favorisé cette activité encore récente. Pinot noir et chardonnay sont les vins les plus réputés, les vendanges ont lieu de la fin août au mois d'octobre. Les vignobles se cachent entre vergers, cultures maraîchères et horticoles et pâturages, car la région assure l'essentiel de la production agricole de l'Oregon (élevage, fruits, noisettes, fleurs, sapins de Noël…). L'accueil à la ferme, la gastronomie et les Spa élégants devraient aussi attirer les visiteurs.

● **Newberg** *(à 22 mi/35 km S.-O. de Portland)*, charmante ville de pionniers établie dans une boucle de la Willamette, conserve de belles maisons victoriennes. Certaines ont été transformées en maisons d'hôtes, en B&B avec Spa, en magasins ou en galeries permettant de découvrir l'art contemporain local.

● **Dundee** *(sur la Hwy 18, à 3 mi/5 km S.-O. de Newberg)*, important centre de production de noisettes (90 % des noisettes américaines), possède le plus ancien vignoble de pinot noir. **McMinnville** *(12 mi/19 km S.-O.)* est l'un des plus charmants bourgs vinicoles de la région. Nombreuses possibilités de dégustation à **Carlton**, au S. de la Yamhill Valley *(7,2 mi/12 km N.)*. Retour à Portland *(36 mi/57 km N.-O., en repassant par Newberg)*.

3 La Columbia River Gorge et le Mt Hood★★
(175 mi/280 km a.-r., sans compter les détours ● départ par l'I-84, sortie 17 ● comptez 1/2 j. pour découvrir la Columbia River Gorge, 1 j. au moins avec le Mt Hood via Hood River).

Aux portes de la ville s'écoule la majestueuse Columbia, l'un des fleuves les plus puissants du pays. En le remontant, on peut approcher du Mt Hood (3 424 m), capuchon blanc qui domine la région de Portland.   ▶▶▶

☞ Carte régionale p. 304-305.

✪ *Oregon Wine Board*
☎ 503/228-8336 ;
www.oregonwine.org
Rens. sur les vignobles de la vallée de la Willamette : événements, dégustations, visites.

♥ VIGNOBLES
Ils sont indiqués par des flèches bleues le long de la route.
● *Penner Ash Wine Cellars*, 15771 N.-E. Ribbon Ridge Rd, Newberg ☎ 503/554-5545 ; ouv. mer. 11 h-17 h, f. janv. Production de pinot noir.
● *Domaine Drouin*, 6750 N.-E. Orchard Rd Dayton, Dundee ☎ 503/864-2700 ; ouv. mer.-dim. 11 h-16 h, lun.-mar. vis. sur r.-v. Un Bourguignon dans l'Oregon. Pinot noir fin et élégant.

♥ BONNES ADRESSES
● *Allison Inn & Spa*, 2525 Allison Lane, Newberg ☎ 503/554-2525. Un bel hôtel agrémenté d'un Spa luxueux. Noisetiers et vignoble dans le parc.
● *The Horse Radish Wine and Cheese Bar*, 211 W. Main St., Carlton. Dégustation des meilleurs vins de la région. Musique *live* les ven. et sam. 19 h-22 h.

✐ À NOTER
En hiver, l'I-84 est souvent fermée en raison de la neige, abondante dans la région.

Portland

Les saumons du Pacifique

Tandis que le saumon de l'Atlantique, qui fréquente les côtes de l'Europe et de l'est de l'Amérique du Nord, peut remonter jusqu'à quatre fois les rivières pour se reproduire, le saumon du Pacifique, qui vit à proximité des côtes allant de l'Alaska à la Californie, meurt après le frai. Si la pollution et l'aménagement des cours d'eau ont pu entraîner la disparition de certaines frayères, les autorités nord-américaines, avec l'aide de nombreuses associations de pêcheurs, veillent désormais à préserver le cycle du saumon. Celui-ci constitue en effet un maillon essentiel de la chaîne écologique, et il joue un rôle économique considérable en Amérique du Nord, du point de vue tant de la grande pêche que de la pêche sportive.

▲ Saumon mâle en livrée nuptiale. Mâles et femelles sont moribonds lorsqu'ils déposent œufs et laitance dans leurs frayères.

■ Un épuisant voyage

Le saumon est à la fois un poisson « talassotrophe » (qui grandit en mer) et « potamotoque » (qui se reproduit en eau douce). Dans la mer, les saumons se nourrissent de petits poissons et de calmars, ainsi que de plancton. Après avoir engraissé pendant deux à cinq ans, les « saumons d'hiver » des deux sexes s'engagent dans les estuaires, puis dans les cours d'eau, vers leurs frayères d'origine qu'ils retrouveront grâce à une reconnaissance olfactive. On appelle « montaison » ce retour à contre-courant qu'effectuent les poissons migrateurs vers leur lieu de reproduction.

◄ Le saumon rouge est une vraie curiosité : les mâles arborent une spectaculaire livrée nuptiale écarlate qui, avec le nombre, donne aux torrents un aspect ensanglanté.

Dès que les saumons ont quitté l'eau salée, ils cessent de se nourrir malgré les formidables quantités d'énergie qu'ils vont devoir dépenser. Nombreux meurent d'épuisement, d'autres sont victimes des prédateurs. Leurs migrations ont parfois été empêchées par la création d'écluses ou de barrages, aussi a-t-on doublé ceux-ci d'« échelles à saumons ». Lorsque les saumons approchent de leurs frayères, les mâles changent de couleur pour attirer les femelles tandis que leur mâchoire se recourbe vers le haut et que leur denture se renforce afin d'affronter les autres mâles. Épuisés, ils trouvent encore la force d'effectuer leurs parades nuptiales, agitant de leurs frétillements l'eau des torrents.

marine, comme le phosphore, vers les écosystèmes terrestres. Seule une toute petite partie des œufs donnera naissance à des alevins, qui eux-mêmes devront échapper à l'appétit des poissons, des batraciens et des oiseaux. Après une première croissance en eau douce, les saumoneaux quittent leur livrée juvénile pour prendre une coloration argentée avant d'amorcer leur avalaison vers l'océan.

■ D'une espèce à l'autre

Le saumon du Pacifique (*Oncorhynchus*) compte plusieurs espèces. Le saumon royal (*king* ou *chinook salmon*) est apprécié des pêcheurs en quête de records : son poids moyen est d'une dizaine de kilos, mais certaines prises ont dépassé

▲ Les saumons rouges doivent parfois effectuer des bonds de plusieurs mètres pour franchir les rapides.

■ L'amour et la mort

La persévérance des mâles est récompensée par une fécondation… externe : agitant ses nageoires sur le gravier, la femelle y creuse un sillon où elle pond ; le mâle émet alors sa laitance sur les œufs, que la femelle recouvre de gravier. Bientôt, les rives des torrents sont jonchées de carcasses de saumons. Les rapaces et les coyotes les transportent à l'intérieur des terres, contribuant ainsi au passage d'éléments d'origine

les 60 kg ! Le saumon argenté (*coho* ou *silver salmon*) ne dépasse pas 6 kg, mais sa chair est plus prisée. Elle n'est cependant pas aussi fine que celle du saumon rouge (*sockeye* ou *red salmon*).

Les pêcheurs à la mouche apprécient aussi les **truites arc-en-ciel**, notamment les *steelheads* qui, comme les saumons, se nourrissent en mer et se reproduisent en eau douce, où leur livrée nuptiale diffère peu de leur teinte habituelle, marine argenté.

▶▶▶

Coyote, le créateur

Quand le dieu Coyote régnait sur la terre, le lac (la Columbia River) était séparé de l'océan par une montagne. Pour nourrir son peuple, il voulut ouvrir un passage au saumon et creusa la montagne. Alors, l'eau du lac s'échappa vers la mer : Nchi-a-wah-na, « le Grand Fleuve », était né. Mais une épidémie frappa le peuple de la vallée et, pour sauver les siens, la jeune Multnomah se jeta du haut d'une falaise : les **chutes Multnomah** rappellent ce sacrifice. Une jeune fille, à la merveilleuse chevelure, enflamma d'amour deux des fils de Coyote. Lassé de leurs querelles incessantes, celui-ci emprisonna l'objet de leur jalousie dans le creux d'une falaise, créant avec sa chevelure les **chutes Horsetail**.

Une autre légende indienne raconte comment Coyote créa les montagnes : la première, Tacoma (Mt Rainier), couverte de neige ; puis Law-we-lat-klah (Mt Saint Helens), arrondie au sommet. Voyant qu'elle était trop éloignée de la première, il créa, à mi-chemin, Patu (Mt Adams).

☞ MOUNT HOOD EXPRESS
Un raccourci permet d'avoir juste un aperçu du Fruit Loop : couper par Dethman Ridge Dr. puis suivre Odell Hwy 282, prendre enfin Hwy 281, dir. Hood River.

ⓘ *Mt Hood Information Center*, 65000 E. Hwy 26, Welches ☎ 503/622-4822.

• *Zigzag Ranger District*, 70220 E. Hwy 26, Zigzag ☎ 503/662-3191.

• À **Troutdale** *(à 16 mi/25,5 km E.)*, prendre l'US 30 (**Historic Columbia River Highway**), route secondaire dont il ne subsiste que deux tronçons : le 1er, de Troutdale à Oneonta Gorge *(22 mi/35 km)*, le 2e, de Mosier à The Dalles *(16 mi/26 km)*.

• Sur l'US 30, arrêt à **Chantecler Point★** puis superbe point de vue en hauteur à **Crown Point★★** *(à 10 mi/16 km de Troutdale)*, depuis la Vista House. Cette rotonde, élevée en 1918, est aujourd'hui un centre d'informations touristiques.

• La route longe ensuite 77 chutes d'eau et cascades qui se jettent du haut des falaises basaltiques, parmi lesquelles **Multnomah Falls★★** *(à 8,2 mi/13 km)*, haute de 189 m sur deux étages. Par un sentier on accède au **point de vue★** situé au sommet de la falaise et de la chute *(1 mi/1,6 km)*.

• Plus loin, **Horsetail Falls★** *(à 3 mi/5 km de Multnomah Falls)* est le départ d'un sentier menant à l'étroit canyon d'**Oneonta Gorge**, creusé par un torrent *(2,7 mi/4 km a.-r.)*. L'été, les randonneurs chevronnés se risquent à le remonter à pied.

• **Hood River** *(à 29,5 mi/47 km de Horsetail Falls, 46,8 mi/75 km depuis Troutdale)*, paradis pour les véliplanchistes, car le vent y souffle à plus de 48 km/h. Point de départ du **Fruit Loop★** *(I-84, sortie 64, dir. 35 S. Mt Hood • boucle de 35 mi/56 km)*, route panoramique qui serpente à travers vergers et vignobles.

• **Mount Hood★** *(Timberline Lodge, à 47 mi/75 km S. de Hood River • accès par l'OR 35 S., puis l'US 26 W., dir. Portland, puis Timberline Access Rd, dir. Timberline, sur 6 mi/9,5 km)*. Ce volcan éteint, aux neiges éternelles, est le point culminant de l'Oregon (3 424 m). On peut y pratiquer la randonnée, le cross-country, le ski (même nocturne) et l'escalade. L'immense **Mount Hood National Forest** possède de magnifiques sentiers de randonnée : **Timberline Trail** fait le tour du mont ; l'**Oregon Skyline Trail** est une section du Pacific Crest National Scenic Trail, qui traverse tout l'O. des États-Unis. Le village de **Government Camp** *(US 26)* dessert des stations de ski, dont certaines offrent des pistes ouvertes l'été. C'est le cas de **Timberline** (3 000 m), surtout connue pour son *Timberline Lodge★*, vaste chalet-hôtel des années 1930 qui servit de décor au film de Stanley Kubrick, *Shining* (1980). Les deux ailes sont occupées par les 60 chambres et seul le pavillon central se visite *(entrée libre)* : immense cheminée surplombée par une galerie en mezzanine.

Retour à Portland (61,4 mi/98 km O.) par l'US 26 W.

Le nord des Rocheuses

Au temps où cette région était une colonie française, elle était *terra incognita*, peuplée de tribus célestes et d'animaux sauvages mystérieux. D'elle, les Indiens disaient : « Le Grand Esprit y a tout mis à la bonne place… Il y a des montagnes enneigées et des plaines ensoleillées ; toutes sortes de climats et de bonnes choses pour chaque saison. Quand l'été brûle les prairies, vous pouvez vous reposer au pied des montagnes où l'air est frais et doux, l'herbe y est tendre et les clairs torrents dévalent en cascade des talus enneigés. »

La jeune nation américaine, qui l'acheta en 1803, y écrivit le dernier chapitre de l'histoire de la conquête de l'Ouest. La résistance à la colonisation fut plus forte dans cette région que partout ailleurs dans le continent. Elle mobilisa des armées commandées par les plus prestigieux officiers des États-Unis (Custer, Carrington, Chivington), fit entrer dans la légende les grands chefs indiens (Sitting Bull, Big Foot, Crazy Horse, Dull Knife, Red Cloud). Leurs ombres planent toujours dans la plaine vallonnée de la Little Big Horn, au Montana. Terre d'histoire, le nord des Rocheuses est aussi un ravissement pour les amoureux des territoires sauvages.

△△△ PARCS NATIONAUX
À propos des conditions d'entrée et des forfaits, consultez la rubrique « Parcs nationaux », dans le chapitre Séjourner, p. 52.

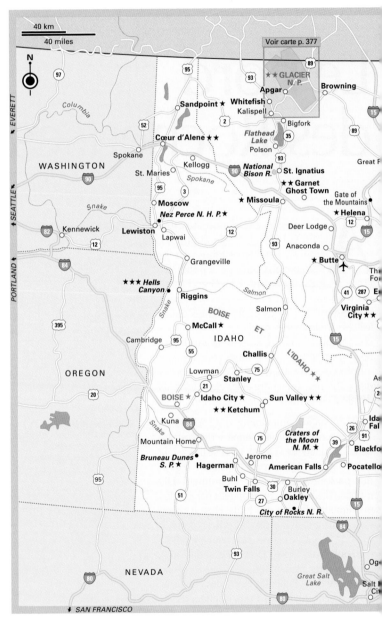

Que voir dans le nord des Rocheuses.

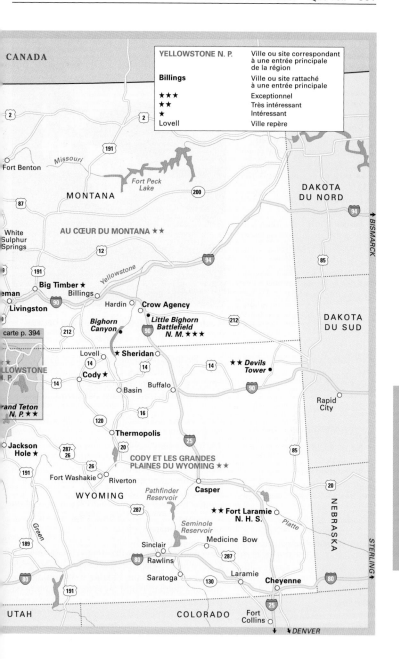

CANADA

Fort Benton

Missouri

MONTANA

Fort Peck
Lake

White
Sulphur
Springs

DAKOTA
DU NORD

→ BISMARCK

AU CŒUR DU MONTANA ★★

Yellowstone

Big Timber ★
Billings

Hardin   **Crow Agency**

DAKOTA
DU SUD

**Little Bighorn
Battlefield
N. M. ★★★**

*Bighorn
Canyon*

Lovell
★ **Sheridan**

★★ *Devils
Tower* •

Cody ★

Basin   Buffalo

Rapid
City

Thermopolis

Jackson
Hole ★

rand Teton
N. P. ★★

LOWSTONE
. P.

carte p. 394

Livingston

eman

**CODY ET LES GRANDES
PLAINES DU WYOMING ★★**

Fort Washakie   Riverton

WYOMING

*Pathfinder
Reservoir*

Casper

★★ **Fort Laramie**
N. H. S.

Platte

NEBRASKA

*Seminole
Reservoir*

Medicine Bow

Sinclair

Rawlins

Laramie   **Cheyenne**

Saratoga

Green

UTAH   COLORADO   Fort
Collins

↓ DENVER

STERLING →

Le nord des Rocheuses

Légende:

YELLOWSTONE N. P. — Ville ou site correspondant à une entrée principale de la région
Billings — Ville ou site rattaché à une entrée principale
★★★ — Exceptionnel
★★ — Très intéressant
★ — Intéressant
Lovell — Ville repère

L'Idaho en bref

- **Nom** : du shoshone *edah hoe*, « lumière des montagnes », ou *ida ho*, « mangeurs de saumon ».
- **Abréviation** : ID.
- **Surnom** : Gem State (l'État du joyau des montagnes).
- **Superficie** : 216 410 km².
- **Population** : 1 567 600 hab.
- **Villes principales** : Boise (capitale, 205 600 hab.) ; Pocatello (54 000 hab.) ; Idaho Falls (53 000 hab.).
- **Entrée dans l'Union** : 1890 (43ᵉ État).
- **Fuseaux horaires** : Mountain Time (– 8 h par rapport à la France) et Pacific Time (– 9 h).

► **Upper Mesa Falls**. Au cœur de la Targee National Forest, près d'Ashton (Idaho), les eaux de la Henry's Fork River, affluent de la Snake River, se précipitent dans une chute sur une hauteur de 35 m.

Le Montana en bref

- **Nom** : de l'espagnol *montana*, « montagneux ».
- **Abréviation** : MT.
- **Surnoms** : Treasure State (l'État du trésor), Big Sky Country (le pays du Grand Ciel).
- **Surface** : 381 087 km².
- **Population** : 989 400 hab.
- **Villes principales** : Helena (capitale, 30 000 hab.) ; Billings (101 000 hab.) ; Great Falls (56 200 hab.).
- **Entrée dans l'Union** : 1889 (41ᵉ État).
- **Fuseaux horaires** : Mountain Time (– 8 h par rapport à la France) et Pacific Time (– 9 h).

Wilderness, une définition des Rocheuses

Wilderness (territoire sauvage), idée promue par le naturaliste John Muir, est le terme le plus employé pour décrire la nature de cette région, géographie, faune et flore incluses. Des terres arides aux pics enneigés, des forêts denses aux prairies infinies, la *wilderness* définit l'Ouest des grands espaces. Au XIXᵉ s., John Muir, les écrivains George Perkins Marsh et Henry Thoreau prennent conscience du danger que la colonisation et les intérêts privés font courir à ces terres que l'on comparait à un Éden. Grâce à ces intellectuels, naissent les concepts de préservation et de conservatoires de la nature. En 1872, Yellowstone devient le premier parc national américain. La région nord des Rocheuses en compte aujourd'hui deux autres ; Grand Teton, au sud du Yellowstone, et Glacier National Park, dans le nord-ouest du Montana.

La surfréquentation touristique menace leurs environnements et les parcs, désormais classés « réserves de biosphère », adaptent de nouvelles méthodes de préservation. Pourtant, l'Idaho, le Wyoming et le Montana figurent parmi les États où la nature est la mieux préservée. La plupart des terres de ces trois États appartiennent au gouvernement fédéral, qui répartit leur gestion entre des différents organismes : le National Park Service, l'US Forest Service et le Bureau of Land Management.

◄ Les adeptes des sports nature éclipseront bientôt les cow-boys. Resteront leurs chevaux pour les grandes randonnées. La tendance générale est *outdoor*, « dehors » ! Tout est prévu pour satisfaire les amateurs, quels que soient leurs préférences et leurs niveaux. Activité très prisée dans cette région où truites et saumons abondent, la pêche est soumise à des règlements précis.

Des animaux et des hommes

L'hétérogénéité de la région permet l'existence de nombreux écosystèmes riches en faune et en flore variées. Symboles de la *wilderness*, les animaux sauvages des Rocheuses ont influencé l'histoire du continent. Les Indiens dépendaient d'eux (bisons, cerfs) pour se nourrir, s'habiller, se loger. Si les Européens ont exploré les Rocheuses dès 1700, ce sont les commerçants de la pelleterie et les trappeurs qui s'y sont établis. Les premiers pionniers ont dû compter sur le gros gibier (wapitis, élans, antilopes, chevreuils-mulets ou à queue blanche) pour survivre ; pourtant, ils ont éloigné les animaux en s'appropriant leurs territoires.

Plus tard sont arrivés les constructeurs des voies ferrées. Les bisons, dont ils se nourrissaient, furent bientôt décimés par les colons et les soldats transportés en train. Les grizzlis, les pumas et les loups ont failli disparaître quand il fallut domestiquer la Frontière pour les nouveaux venus. Cependant, la plupart des espèces ont survécu et représentent aujourd'hui des richesses nationales protégées. Le grizzli et la chèvre des montagnes sont les symboles des grands parcs nationaux, les loups ont été réintroduits au Yellowstone. Un temps déclaré espèce menacée, l'aigle à tête blanche, emblème de la nation américaine, voit croître à nouveau sa population.

Le Wyoming en bref

• **Nom** : du mot indien delaware *mecheweaemiing*, « alternance entre montagnes et vallées » ou « grandes plaines ».
• **Abréviation** : WY.
• **Surnoms** : Cowboy State (l'État des cow-boys) et Equality State (l'État de l'égalité : 1er « territoire » à donner le droit de vote aux femmes en 1869).
• **Superficie** : 253 000 km².
• **Population** : 563 600 hab.
• **Villes principales** : Cheyenne (capitale, 55 300 hab.) ; Casper (52 000 hab.).
• **Entrée dans l'Union** : 1890 (44e État).
• **Fuseau horaire** : Mountain Time (– 8 h par rapport à la France).

Le nord des Rocheuses

▲ Les plaines du Montana sont propices à la culture céréalière. L'État se place au 3ᵉ rang national des États producteurs de blé.

Des déserts aux rivières tumultueuses

Chacun des trois États, méritant souvent les superlatifs flatteurs qui décrivent ses paysages si divers, peut se vanter d'offrir aux voyageurs, en une journée de voiture, une grande diversité de paysages et d'activités : terres érodées, belles dans leur austérité (Makoshika Park, MT), dunes comme en plein Sahara (Bruneau Dunes State Park, ID), forêts denses où l'on peut se perdre (Beartooth Mountains, WY). Les lacs (2 000 dans l'Idaho) abondent, alimentés par un important réseau de fleuves et de rivières dont les noms font rêver les pêcheurs et les amateurs de sports nautiques : Salmon River et Snake River (ID), Yellowstone (MT et WY), Missouri (MT). Les cours d'eau, tumultueux ou calmes, dévalent dans des canyons (Big Horn Canyon, MT ; Hell's Canyon, ID ; Grand Canyon du Yellowstone, WY), qui n'ont rien à envier à celui de l'Arizona, ou paressent au milieu de vallées verdoyantes, tout en se déchaînant parfois en chutes d'eau (Shoshone Falls, ID) comparables à celles du Niagara.

L'empreinte humaine

L'économie de cette région repose essentiellement sur l'agriculture et l'élevage, qui marquent le paysage : méthodes intensives en Idaho, extensives au Montana et au Wyoming. Du reste, l'Idaho, le plus petit des trois États (216 410 km²), est le plus peuplé (1 567 600 hab.). Les deux autres États, qui couvrent 634 087 km², sont le territoire des cow-boys, personnages à part, entre mythe et réalité, auxquels s'attache un folklore resté très vivace. Mais il ne résume pas à lui seul la complexité de la population que l'on rencontre et qui fait la richesse humaine du nord des Rocheuses. Écrivains, artistes, cinéastes et habitants qui, sur place, vous accueillent chaleureusement, conservent encore aujourd'hui l'esprit des pionniers, attachés à la terre d'accueil sans renier la terre natale, souvent européenne, de leurs parents. L'exploitation minière et le tourisme constituent également des ressources importantes.

Les Indiens sont évidemment très présents, et leurs cultures, aujourd'hui célébrées, rendent à cette région son goût de terre des origines. Et si les sentiments amers qui résultèrent des conflits entre colonisateurs et Indiens se ressentent encore, ils ont tendance à se dissiper.

Boise et l'Idaho★★ ID

Faut-il résumer l'Idaho au slogan *« Famous Potatoes »*, qui orne les plaques d'immatriculation locales ? Certainement pas ! Le véritable caractère de cet immense État, réputé pour ses *scenic byways* (routes panoramiques), vient de ses vallées alpines et de ses immenses forêts, tressées de lacs bleus, de rivières aux eaux vives, de canyons majestueux.

Paisible et verte capitale de l'Idaho, Boise offre un bon point de départ pour découvrir les majestueuses vallées du Sawtooth Range, ponctuées de ranchs et de villages fantômes, la plaine fertile de la Snake River, où la pomme de terre est reine. On remonte ensuite vers le nord jusqu'à Coeur d'Alene, à travers la réserve des Indiens Nez-Percés.

Situation : Boise, à 314 mi/502 km E. de Bend (OR), 336 mi/538 km N.-O. de Salt Lake City (UT).

Boise : capitale de l'Idaho • population : 205 600 hab.

Fuseau horaire : Mountain Time (– 8 h par rapport à la France).

🛈 *Idaho Division of Tourism Development*, www.visitidaho.org

✎ CHASSE ET PÊCHE
Idaho Department of Fish and Game, 600 S. Walnut St., Boise, ID 83707 ☎ 208/334-3700 ; www.fishandgame.idaho.gov

① Boise★

Siège de l'université d'État, cette ville-jardin séduit aujourd'hui par son art de vivre décontracté, mêlant culture, nature et sport.

Accès par avion. Aéroport international à 30 mn au S., sur l'I-84.

Boise dans l'histoire

Au début du XIXe s., des explorateurs canadiens et français traversent une contrée recouverte de denses forêts : ils l'appellent « Les Bois », qui deviendra « Boise » avec le temps. Située sur la piste de l'Oregon, la petite ville est un poste militaire en 1863, puis se développe grâce à la richesse de son sous-sol : ses mines d'or et d'argent font la fortune de quelques aventuriers. Devenue capitale de l'Idaho en 1890, Boise a décroché le titre de « Silicon Valley du nord », grâce à ses industries high-tech.

■ **Downtown★**. À l'ombre de la banque *Wells Fargo*, le Grove est le cœur de la ville : de cette place ronde et ombragée, ornée de jets d'eau, part la **8th Street**, piétonnière en été, bordée de restaurants animés.

■ **Basque Museum and Cultural Center★** *(611 Grove St.* ☎ *208/343-2671 • www.basquemuseum.com*

À ne pas manquer	
Hells Canyon★★★	372
Ketchum et la Sun Valley★★	367
Coeur d'Alene★★	373
Basque Museum★ de Boise	365
Craters of the Moon N. M.★	368
Bruneau Dunes S. P.★	369
Nez Perce N. H. P.★	373

Voir carte régionale p. 360

ℹ *Boise Convention and Visitors Bureau*, 1199 Main St. ☎ 208/344-7777 ou (1)800/635-5240 ; www.boise.org

☞ FÊTES ET MANIFESTATIONS
Fête traditionnelle basque le dernier week-end de juillet, en l'honneur de saint Ignace de Loyola.

☞ SE RESTAURER
• À midi, au *Brick Oven Bistro* (8th St. Place, à l'angle de Main St.).
• Le soir, préférez le *Tablerock Brewpub & Grill* (705 W. Fulton St.), où l'on déguste grillades et bières maison.

D'Euskadi à l'Amérique

En 1848, la ruée vers l'or provoque une vague d'immigration basque en Amérique. Déjà établis comme bergers dans la pampa d'Amérique du Sud (Chili, Argentine), des **Basques** se joignent aux chercheurs d'or, bientôt suivis par des compatriotes originaires de la province de Biscaye, au nord de l'Espagne. Rares sont ceux qui font fortune. Mais leur réputation de solides travailleurs leur procure des emplois comme mineurs, bûcherons et, surtout, bergers.

De la Californie au sud de l'Idaho, notamment dans la région de Boise, les éleveurs basques pratiquent le système de la transhumance sur de vastes territoires d'élevage. Vivant souvent isolés, loin de leur famille et dans de rudes conditions, ils restent très attachés à leur patrie. Ce qui explique la vitalité culturelle de l'actuelle communauté basque de Boise.

• *ouv. mar.-ven. 10 h-16 h, sam. 11 h-15 h).* L'institution accueille des expositions sur l'histoire et la culture des Basques, fortement représentés en Idaho *(→ encadré ci-contre).* On y dispense aussi cours de langue, de cuisine et de danse.

■ **Julia Davis Park★** *(South Capitol Blvd).* Le parc fait partie de la fameuse **Green Belt**, ruban vert de 25 mi/40 km longeant la rivière Boise et sillonné de sentiers pédestres ou cyclables. On y trouve les principaux musées de la ville.
Idaho State Historical Museum *(610 N. Julia Davis Dr.* ☎ *208/334-2120 • www.history.idaho.gov • ouv. mar.-sam. 9 h-17 h, dim. 13 h-17 h)* présente l'histoire de l'Idaho par le biais de la vie des pionniers et des Indiens Shoshones.
Idaho Black History Museum *(508 Julia Davis Dr.* ☎ *208/433-0048 • www.ibhm.org • ouv. sam.-dim. 11 h-16 h)* retrace l'épopée des Afro-Américains dans l'Ouest. Leur histoire débute avec York, esclave et éclaireur qui participa à la mission Lewis et Clark *(→ théma p. 336-337).*

En suivant la rivière sur 0,9 mi/1,5 km vers l'O., on rejoint le quartier ancien de **Hyde Park** *(N. 13th St.),* semé de petits cafés et de boutiques d'antiquaires.

❷ À travers le Sawtooth Range★★★

Ce superbe itinéraire au pied des Rocheuses, à travers les monts Sawtooth (littéralement, « en dents de scie »), emprunte successivement les trois routes panoramiques Ponderosa Pine (ID 21), Sawtooth (ID 75) et Peaks to Craters (US 93).

Itinéraire. De Boise à Idaho Falls, 351 mi/562 km, sans les détours.

■ **Idaho City★** *(à 43 mi/69 km N.-E. de Boise par l'ID 21 • 430 hab).* Quelques pistes en terre, bordées de bâtisses vieillottes, de trottoirs en bois et de jardinets follets, une église et un cimetière : c'est tout ce qui reste de la turbulente cité minière d'Idaho City. En 1863-1864, après la découverte d'un filon d'or dans les montagnes environnantes, elle était pourtant la ville la plus importante de la région nord-ouest Pacifique, avec 35 000 habitants. On a extrait ici plus d'or que dans tout l'Alaska ! Aujourd'hui ville fantôme, Idaho City vivote entre ses boutiques de souvenirs, son petit théâtre en plein air *(duels à heures fixes en saison)* et ses saloons Old West, en espérant la réouverture de la mine (en projet). On va boire une

▲ La Sun Valley, en version sports d'hiver.

bière et faire un billard au *Hide Out* (anciennement la plus grosse épicerie de la ville). Installé dans l'ancienne poste, le **Boise Basin Museum** *(de juin à sept., t.l.j. 11 h-16 h)* retrace l'histoire de la ville.

■ **Stanley** *(à 91,6 mi/147 km N.-E. d'Idaho City par l'ID 21)*. À travers les forêts de pins, la **Ponderosa Pine Scenic Byway★★** grimpe vers les monts Sawtooth. Le petit village de Stanley se blottit entre pics enneigés et vertes prairies, sur le cours supérieur de la turbulente Salmon River. Lors de leur expédition de reconnaissance dans l'Ouest (1804-1806), Lewis et Clark la baptisèrent « Rivière sans retour », impressionnés par le nombre des rapides : plus de 40. Plusieurs agences, comme *Sawtooth Adventure Company*, proposent des descentes de la rivière en rafting *(1 j. ou plus* ☎ *(1)866/774-4644 • www.sawtoothadventure.com)*.

▶ Le village de **Challis** *(à 58 mi/93 km E. de Stanley par l'ID 75)*, niché au creux des gorges de la Salmon River, est le point de départ de belles randonnées dans les forêts environnantes. ◀

■ **Sawtooth Scenic Byway★★** *(ID 75)*. De Stanley, cette superbe route pique, au S., vers Ketchum, à travers la **Sawtooth National Recreation Area**. Cette vaste région sauvage, tissée de lacs alpins, rivières et torrents, est le territoire des ours, des wapitis et des antilopes. Le long de la route, on dépasse de pittoresques entrées de ranch, ornées de crânes de vache. Des panneaux indiquent les sites d'anciennes bourgades minières, aujourd'hui rayées de la carte.

■ **Ketchum et la Sun Valley★★** *(à 61,4 mi/98 km S. de Stanley par l'ID 75 S., 153 mi/ 245 km E. de Boise par l'I-84 E. et l'US 20 E.)*. En 1935, le comte autrichien Felix Schaffgotsch, mandaté par le magnat de la compagnie de chemins de fer Union Pacific, sillonne l'Ouest américain, en quête d'un site naturel pouvant accueillir une luxueuse **station de ski**, comparable à Saint-Moritz ou à Megève, en Europe. En découvrant la Sun Valley et l'ex-petite cité minière de Ketchum, alors menacée d'abandon, il est ébloui par ses montagnes et son climat doux. Les travaux débutent pour construire un vaste ranch d'hôtes, à 1 mi/1,6 km du village. Un an après l'arrivée du comte, des invitations sont lancées auprès des millionnaires de l'Est et des stars d'Hollywood : l'avenir touristique de la station est assuré.

Boise et l'Idaho

2

ℹ *Sun Valley Ketchum Visitors Center*, 491 Sun Valley Rd ☎ 208/726-3423 ; www.visitsunvalley.com

♥ RESTAURANT À KETCHUM
The Sawtooth Club, 231 N. Main St. ☎ 208/726-5233 ; www.sawtoothclub.com Spécialités de steak grillé au feu de bois, dans un chaleureux décor local : boiseries, cheminée en pierre, photos anciennes…

Le dernier chant d'Hemingway

En 1939, **Ernest Hemingway** s'installe à Sun Valley pour travailler sur son roman *Pour qui sonne le glas*. Dans cet environnement préservé, il trouve de quoi satisfaire ses passions pour la chasse, la pêche, le ski. Après des années riches en voyages et en aventures, l'écrivain revient à Ketchum avec son épouse Mary, en 1960. Grâce au prix Nobel remporté en 1954 pour *Le Vieil Homme et la mer*, il est au sommet de sa gloire. Mais c'est aussi un homme usé par l'alcool, la maladie, la dépression. Il se donne la mort en juillet 1961, dans sa maison de Ketchum.

Hemingway repose au cimetière local, à la sortie du village. Au départ de la Proctor Mountain Trail, un mémorial lui est dédié, portant cette épitaphe, extraite d'un poème écrit autrefois pour un ami : « Par-dessus tout, il aimait l'automne / Les feuilles jaunes des peupliers / Les feuilles flottant sur les rivières à truites / Et sur les collines / Les grands ciels bleus sans le moindre vent / Maintenant il fait partie d'eux à jamais. »

Toujours plébiscitée par les *peoples*, Ketchum a gardé son charme pionnier, avec ses rues bordées de maisons en bois peint, ses galeries d'art et ses restaurants chics. Grâce à un riche programme de **festivités** (*notamment le Sun Valley Summer Symphony, en juil.*), la station est animée toute l'année. En **hiver**, c'est le paradis du ski alpin et du ski de fond : les débutants adorent les pentes douces et ensoleillées de Dollar Mountain, les sportifs de haut niveau s'entraînent à Bald Mountain. En **été**, Ketchum est une excellente base pour les activités en plein air : randonnée, VTT, équitation, rafting, golf, pêche.

● **Proctor Mountain Trail★★** (*départ de Trail Creek Rd, à 1,5 mi/2,4 km de Ketchum • 3,7 mi/6 km • niveau modéré • 2 h*). Passé l'émouvant **Hemingway Memorial** (→ *encadré ci-contre*), le sentier enjambe la rivière Trail Creek et grimpe en pente douce vers la crête, à travers forêt de bouleaux et buissons de sauge. Au sommet, superbe **panorama★★** sur la Sun Valley et sur Ketchum.

■ Craters of the Moon National Monument★

(*à 70 mi/112 km S.-E. de Ketchum par l'ID 75 et l'US 93* **ℹ** *Visitors Center à l'entrée du parc, sur l'US 93, à 18 mi/29 km O. d'Arco* ☎ *208/527-3257 • www.nps.gov/crmo • ouv. t.l.j. 8 h-16 h 30, horaires étendus en été*). Immense plateau de **laves noires** refroidies, d'où émergent des cônes de cendre (et des buissons de sauge), on se croirait sur la Lune… Le site servit d'ailleurs de base d'entraînement aux premiers astronautes ! Les Indiens Shoshones connaissaient ce lieu, où ils trouvaient le tachylyte, un basalte noir, dense et coupant, idéal pour tailler des pointes de flèche. En 1862, à la suite d'affrontements avec eux dans la vallée de la Snake River, sur le parcours habituel de l'Oregon Trail, l'explorateur Tim Goodale proposa une piste alternative, par la lisière N. de Craters of the Moon. Plus de 1 000 pionniers empruntèrent ce Goodale's Cutoff (raccourci de Goodale), traversant les champs de lave coupante avec leurs chariots et leur bétail.

Ce paysage étrange est le résultat d'une série d'éruptions volcaniques de type hawaïen le long du Great Rift, une ligne de failles de 100 km, du N. au S. du parc. La plus ancienne éruption remonterait à 15 000 ans, la plus récente à 2 000 ans, et les géologues s'accordent à penser que ce ne sera pas la dernière.

Au départ du *Visitors Center*, une **route panoramique** en boucle (*7 mi/11 km*) permet de découvrir le décor aride et désolé du parc. Dans ce désert minéral, apparemment inanimé, une faune variée vit pourtant à l'abri des buissons de sauge et des cactus : perdrix, lapins pygmées, marmottes, pikas (mammifères de la famille des lapins mais de la taille d'un hamster). Nombreux sentiers, dont **Devils Orchard** (*0,5 mi/800 m • niveau facile*), où l'on marche au milieu des copeaux de lave, nageant comme des îles sur une mer de cendres.

■ **Idaho Falls** (*à 67 mi/107 km E. d'Arco par l'US 20 E., 156 mi/250 km E. de Ketchum ❶ Recreation Center* ☎ *208/612-8480 • www.idahofallschamber.com*). Cet ancien centre de prospection minière s'est développé près des rapides de la Snake River, que les premiers explorateurs appelaient « Rivière en folie ». Une fois les mines épuisées, Idaho Falls devint le cœur d'une zone agricole prospère à la production très diversifiée, allant de la pomme de terre au miel. Cette ville-étape permet de rejoindre les parcs de **Grand Teton★★** (*109 mi/174 km E. ; → p. 399*) et du **Yellowstone★★★** (*138 mi/221 km pour Old Faithful ; → p. 393*).

③ La vallée de la Snake River★

L'autoroute I-86 coupe à travers la plaine fertile de la Snake River Valley, ponctuée d'immenses champs de pommes de terre irrigués. Elle suit le tracé de l'ancienne Oregon Trail, piste empruntée au XIXᵉ s. par les pionniers venus des rives du Missouri pour franchir les Rocheuses (*→ théma p. 386-388*).

Itinéraire. De Boise à Idaho Falls, 281 mi/450 km par la voie directe.

La meilleure période. Pour visiter la Snake River Valley et ses chutes d'eau, le **début du printemps** est préférable. Plus tard, le niveau de l'eau baisse fortement.

■ **World Center for Birds of Prey★** (*à 12 mi/19 km S. de Boise par l'I-84, sortie 50B, 5668 W. Flying Hawk Lane* ☎ *208/362-8687 • www.peregrinefund. org • ouv. de mars à oct. t.l.j. 9 h-17 h, de nov. à fév. mar.-dim. 10 h-16 h*). Géré par le Peregrine Fund, ce passionnant centre de recherche étudie, recueille, élève et réintroduit dans la nature les espèces de **rapaces** les plus menacées, notamment le condor de Californie (*→ encadré p. 468*). On y découvre ces oiseaux de proie lors d'expositions interactives et de démonstrations de vol.

■ **Bruneau Dunes State Park★** (*à 65 mi/104 km S. de Boise par l'I-84 et l'ID 51 ; à Mountain Home, bifurquer sur l'ID 51, dir. Bruneau ❶* ☎ *208/366-7919 • www. parksandrecreation.idaho.gov*). Dans ce surprenant paysage de désert surgissent des dunes de 150 m de hauteur (*on peut y grimper*), qui dominent des lacs d'un bleu profond.

Plus au S. s'ouvre **Bruneau Canyon**, véritable brèche d'une centaine de kilomètres, pouvant atteindre 600 m de profondeur et par endroits si étroite que l'on peut sauter d'une rive à l'autre. Les Indiens Paiutes y ont gravé des dessins sur les roches. Au-delà, le désert se prolonge jusqu'au Nevada.

■ **Hagerman** (*à 96 mi/154 km S.-E. de Boise par l'I-84*). Des fossiles d'animaux préhistoriques, en particulier ceux d'équidés de la famille des zèbres, sont exposés au **Hagerman Valley Historical Society Museum** (*mer.-dim. 13 h-16 h*).

Passé Hagerman, l'I-30 vers Twin Falls prend le nom **Thousand Springs**. La Snake River devient un torrent impétueux se faufilant entre des à-pics de roches noires d'où jaillissent de multiples sources chaudes aménagées. À l'O., dans un ensemble de roches basaltiques aux formes tourmentées, se trouve le fameux **Balanced Rock**, rocher en forme de champignon de plus de 10 m de hauteur.

■ **Twin Falls** (*à 128 mi/204 km S.-E. de Boise par l'I-84 ❶ Twin Falls Country Park and Waterways* ☎ *208/734-9491*). Fondée en 1904 dans la prospère Magic Valley, cette ville agréable, un peu désuète, bénéficie de nombreux espaces verts.

▶ La Snake River prend sa source dans le Wyoming avant de traverser l'Idaho pour rejoindre l'océan Pacifique. Tour à tour rivière impétueuse et fleuve paisible, son cours a été maîtrisé, permettant l'irrigation et le développement de cultures prospères.

♥ RESTAURANT À TWIN FALLS
Crowley's Soda Fountain,
144 Main Ave. South.
☎ 208/733-1041. Le restaurant a gardé son décor de 1950. Skaï, milkshakes et hamburgers.

Le royaume de la pomme de terre

Arrivée de Nouvelle-Angleterre au XIXᵉ s., dans un sac de semences, la *Russet Burbank* a colonisé les rives volcaniques et fertiles de la Snake River. L'arrivée du chemin de fer et l'explosion de la population de mineurs ont permis le développement du marché. Aujourd'hui, les fermiers du sud de l'Idaho assurent un tiers de la production nationale, soit 7 millions de tonnes de pommes de terre par an. Bio ? Pas vraiment, puisque l'irrigation massive et la pulvérisation de pesticides par avion sont pratiques courantes.

Mise en terre début mai, la *Russet Burbank* est récoltée en octobre, avant les gelées, et stockée jusqu'à six mois dans d'immenses entrepôts. Au printemps, quand l'offre diminue sur le marché, la spéculation sur les prix commence…

■ **Au fil de la Snake River**. Au N. de Twinn Falls, la rivière glisse entre des rives escarpées et franchit deux cascades *(à 5 mi/8 km au N.-E. du centre-ville)* : **Shoshone Falls** (65 m de haut sur 300 m de large), exagérément appelées « Niagara de l'Ouest », et **Twin Falls** (40 m), presque aussi impressionnantes.

Après **Perrine Bridge** (populaire pour le saut à l'élastique), la pittoresque Golf Course Road *(dir. Jerome)* longe la Snake River au cœur d'une vallée paisible ponctuée de fermes laitières où d'immenses troupeaux de vaches sont élevés en stabulation.

■ **Oakley** *(quitter l'I-84 à Burley et suivre l'ID 27 vers le S. sur 17 mi/27 km)*. Dans ce petit village, construit par les pionniers au XIXᵉ s., d'anciennes maisons de bois sont encore visibles. Fin juin, le *Pioneer Days Rodeo* est l'un des plus fréquentés de l'État.

● **City of Rocks** *(au S. d'Oakley, prendre une piste sablonneuse de 25 mi/40 km)*. Sur 1 600 km², des roches érodées, imbriquées comme des maisons, évoquent une cité pétrifiée ; elles sont recouvertes d'une multitude d'inscriptions faites par les premiers colons qui se rendaient en Californie par l'Oregon Trail.

■ **American Falls** *(à 210 mi/336 km E. d'Oakley par l'I-84 puis l'I-86)*. Les chutes se situent à l'extrémité d'**American Falls Reservoir**, lac de barrage établi sur la Snake River. Grâce au barrage, les sols volcaniques, parfaitement irrigués, ont permis la culture de la fameuse pomme de terre de l'Idaho.

L'ID 39, qui longe la rive N. du lac de retenue, permet d'accéder à de nombreuses plages ou marinas. **Crystal Ice Cave** *(à 29 mi/46 km N.)* est une grotte contenant stalactites et stalagmites, établie dans une fissure d'origine volcanique *(température intérieure de 0 °C • vis. guidées déc.-mars)*.

■ **Pocatello★** *(à 25 mi/40 km E. d'American Falls par l'I-86)*. Carrefour routier et ferroviaire du S. de l'Idaho, Pocatello porte le nom d'un chef Shoshone respecté, qui accorda à l'Union Pacific Railroad le droit de passage sur son territoire, en 1870.

Cette petite cité universitaire, verte et proprette, distille une atmosphère surannée, avec sa vieille gare et ses immeubles en brique sur Main St. Le **Bannock County Historical Museum** *(3000 Alvord Loop* ☎ *208/233-0434 • ouv. mar.-sam. 10 h-14 h, de mai à oct. t.l.j. 9 h-18 h)* présente l'histoire de la région. Juste en face, on trouve la réplique de **Fort Hall** (1934), qui fut un poste militaire essentiel sur la piste de l'Oregon. L'original, bâti au bord de la Snake River, a été reconverti en école indienne.

■ **Blackfoot** *(à 25 mi/40 km N. de Pocatello par l'I-15).* « Capitale mondiale de la pomme de terre », à la lisière de la réserve indienne de Fort Hall (nation Shoshone-Bannock).

Potato Museum★ *(130 N.-W. Main St.* ☎ *208/785-2517 • www.potatoexpo.com • ouv. d'avr. à sept. lun.-sam. 9 h 30-17 h, d'oct. à mars lun.-ven. 9 h 30-15 h).* Image vedette du musée : Marilyn Monroe posant au milieu des champs de patates de l'Idaho, une robe sexy en toile de jute. Ici, on apprend tout sur la variété locale de **pomme de terre**, la *Russet Burbank* *(→ encadré p. préc.).*

■ **Idaho Falls** *(à 28,3 mi/45 km N. de Blackfoot par l'I-15)* : → p. 369.

4 Le nord de l'Idaho★★

De Boise, la Hwy 55 remonte vers le nord, découvrant forêts, rivières et lacs en cinémascope jusqu'à Coeur d'Alene. En point d'orgue, le vertigineux Hells Canyon, frontière naturelle entre l'Idaho et l'Oregon.

Itinéraire. De Boise à Coeur d'Alene, plus de 400 mi/650 km.

■ **McCall**★ *(à 107 mi/171 km N. de Boise par la Hwy 55).* Au début des années 1800, un trappeur franco-canadien, François Payette, établit ses quartiers ici, sur le territoire des Indiens Shoshones et Nez-Percés. Comme il n'y avait pas d'or dans le secteur, il fallut attendre 1891 pour que les premiers colons, la famille McCall, s'y installent. Ils « inventèrent » littéralement le village, en bâtissant une école, un hôtel, un saloon et une poste au bord du lac.

Au bout de la **Payette River Scenic Byway** *(Hwy 55),* McCall offre une halte agréable, sur la rive S. du lac Payette. Une petite marina remplie de voiliers, une plage blonde, des chalets en rondins blottis dans les

ⓘ à Pocatello : *Convention & Visitors Bureau*, 324 S. Main St. ☎ 208/235-7659 ; www.visitpocatello.com

☞ FÊTES ET MANIFESTATIONS
Indian Festival, le 2e week-end d'août, à Fort Hall (12,5 mi/20 km N. de Pocatello par l'US 91), organisé par la tribu Shoshone-Bannock : artisanat, *pow wow* et rodéo. Rens. : ☎ 208/238-0680 ; www.shoshonebannocktribes.com

♥ RESTAURANT À BLACKFOOT
Stockman's Restaurant, 340 W. Judicial St. ☎ 208/785-1377. Les meilleures frites de l'Idaho, dans un décor tout droit sorti des années 1960.

✐ À NOTER
D'Idaho Falls, on peut rallier aisément Yellowstone N. P. (→ p. 393). Autre option, enchaîner en boucle avec l'itinéraire du Sawtooth Range (→ p. 366) pour découvrir le sud de l'Idaho et regagner Boise.

ⓘ *McCall Area Chamber of Commerce*, 301 E. Lake St. ☎ 208/634-7631 ; www.mccallchamber.org

Boise et l'Idaho

4

On peut aussi rejoindre
le barrage de Hells Canyon
par Cambridge (à 61 mi/97 km
O. de McCall par la Hwy 71,
route ouv. t.a.). Sur place,
campings et parcours en raft.

🛈 *Hells Canyon Recreation Area*,
à l'entrée S. de Riggins, sur
Hwy 95 ☎ 208/628-3916 ; www.
fs.usda.gov/wallowa-whitman

Un peuple de résistants

En 1830, les Indiens **Nez-Percés**
envoient à Saint Louis des émis-
saires pour demander des livres et
des professeurs. Les missionnaires
seront bientôt suivis par les colons.
Les Nez-Percés doivent alors céder
une grande partie de leur territoire, et leur réserve est établie lors
du traité de Walla Walla, en 1855.
En 1863, sous la pression des
mineurs et des colons, la réserve
est encore réduite à 10 % de sa
superficie initiale. Une partie de
la tribu, vivant en Oregon, refuse
d'être déplacée.

Menacés par l'armée, ces résistants
décident de s'enfuir, avec femmes
et enfants, en juin 1877, conduits
par Chief Joseph. Rattrapés une
première fois dans le canyon de
White Bird, ils infligent une sévère
défaite à leurs poursuivants. Le
souvenir de la bataille de Little
Bighorn, un an auparavant,
galvanise l'esprit de revanche
de l'armée. S'engage alors une
héroïque course-poursuite de
1 700 miles à travers l'Ouest, qui
tient en haleine la presse américaine de l'époque. Trois mois plus
tard, en octobre 1877, les combattants Nez-Percés sont arrêtés
près de la frontière canadienne.

pins Ponderosa, un sentier de promenade aménagé :
l'été, elle se met au rythme balnéaire, avec un large
choix d'activités (randonnée, voile, ski nautique).
L'hiver, la station devient le paradis du ski de fond
(60 km de pistes balisées) et de la motoneige.

■ **Riggins** *(à 46,6 mi/75 km N. de McCall par Hwy 55
puis Hwy 95)*. Point de départ pour des parcours
en rafting sur la **Salmon River**, qui alterne rapides
impressionnants et passages calmes *(de 1/2 j. à plusieurs jours • www.rigginsidaho.com)*.

■ **Hells Canyon★★★**
Accès. Heaven's Gate, à 20 mi/32 km de Riggins
par la Forest Rd 517, qui prend sur Hwy 95 juste
avant le village • cette route de graviers est accessible
de mi-juil. à mi-oct., sf aux camping-cars

Campings. À Seven Devils et à Windy Saddle.

Ce « canyon de l'enfer » est le plus profond d'Amérique du Nord, avec un dénivelé allant jusqu'à
2 500 m. Longue de 64 km, la gorge a été sculptée
par la Snake River, dans des roches volcaniques
issues d'anciens volcans sous-marins. De nombreuses gravures dans la pierre (pétroglyphes) attestent d'une présence humaine depuis 15 000 ans.

● Côté Idaho, sur la rive E., le spectaculaire point
de vue de **Heaven's Gate★★★** domine la rivière de
2 450 m, soit plus que la North Rim du Grand
Canyon, en Arizona *(→ p. 467)*. Au S., la vue plonge
sur les pics enneigés des Seven Devils Mountains,
culminant à 2 700 m.

● Du camping de Windy Saddle *(à 3 mi/4,8 km de
Heaven's Gate Lookout, sur Forest Rd 517)*, on rejoint
la piste qui encercle les **Seven Devils Mountains**
(boucle de 27 mi/43 km), massif sauvage tissé de lacs
alpins et de forêts. Pour une balade à la journée,
grimpez jusqu'à **Bernard Lake** *(5 mi/8 km)*.

■ **White Bird** *(à 29 mi/46,5 km N. de Riggins, sur
l'US 95)*. Près de ce petit village, niché dans les collines aux herbes ondoyantes, les Indiens Nez-Percés
battirent à plate couture la cavalerie américaine,
en juin 1877, avant de prendre la fuite vers le N.
(→ encadré ci-contre). On découvre **White Bird
Battlefield★**, le site de la bataille, du sommet de la
colline *(point de vue aménagé sur l'US 95)*, puis un
sentier interprétatif retrace les épisodes du combat.

■ **Lewiston★** *(à 117 mi/187 km N. de Riggins sur
l'US 95)*. Située dans un environnement exceptionnel, à la confluence des fleuves Snake et Clearwater,
Lewiston est avant tout une ville portuaire, pièce
essentielle du réseau fluvial Columbia-Snake River,

qui permet de relier par cargo la côte pacifique à la frontière canadienne et au Midwest américain. Dès la fin du XIXᵉ s., elle accueillait sur ses rives de grands bateaux à vapeur. Son importance lui a valu d'être choisie comme première capitale de l'Idaho, en 1863, avant d'être détrônée par Boise.

● **Historic Downtown★** *(entre la Snake Rd et 9th St.)* commémore l'expédition Lewis et Clark *(→ théma p. 336-337)* par différentes œuvres d'art : **mur peint** *(au coin de 5th St. et D St.)*, fontaine à l'effigie de l'Indienne Sacajawea (**Pionner Park** • *5th St.* • *encadré p. 405*), sculpture évoquant la rencontre des explorateurs avec le chef Twisted Hair (**Lewis & Clark College** • *entre 7th Ave. et 11th Ave.*). Le **Confluence Center** *(à l'O. de D St., sur la levée)* offre un parcours interprétatif sur le voyage des explorateurs, avec reconstitution de leur canoë.

● **Lewiston Hill★★** *(sur l'US 95 N., à la sortie de la ville)* dévoile un **panorama** exceptionnel sur la confluence des fleuves Snake et Clearwater.

■ **Nez Perce National Historical Park★** *(à 12 mi/ 19 km E. de Lewiston, sur l'US 95)*. Au bord de la Clearwater River, au pied des collines vertes, le *Visitors Center* du parc retrace, au moyen de récits, photos et d'objets, l'histoire des Indiens Nez-Percés. Aujourd'hui, la réserve tire la plupart de ses revenus du **Clearwater River Casino**, qui en est le principal employeur.
Débordant largement les limites de l'actuelle réserve, le Nez Perce N. H. P. regroupe 38 sites historiques, répartis entre le N. de l'Idaho, le Montana, l'Oregon et l'État de Washington, le long de la **Nez Perce Historical Trail** : champs de bataille, anciennes missions, lieux reliés à la mythologie…

■ **Moscow** *(à 32 mi/51 km N. de Lewiston par l'US 95)*. La petite ville, fondée en 1871, se déploie dans la vallée de la rivière **Palouse**, au pied des monts Wallowa. Cette région aux riches pâturages, naturellement clos, est la terre d'accueil des fameux chevaux **appaloosa** (appellation dérivée de « a Palouse horse » ; → *encadré p. suiv.*) : plus de 600 000 chevaux de cette lignée tachetée sont officiellement enregistrés à l'**Appaloosa Horse Club★** *(2720 W. Pullman Rd* ☎ *208/882-5578 • www.appaloosamuseum.org • musée ouv. lun.-ven. 12 h-17 h, sam. 10 h-16 h)*.

■ **Coeur d'Alene★★** *(à 83 mi/132 km N. de Moscow par l'US 95)*. Cette station balnéaire, blottie sur la rive N. du pittoresque lac Coeur d'Alene (40 km de long) et entourée de forêts de sapins, est le paradis des activités nautiques en été : croisières en bateau, pêche, kayak, voile, jet-ski… Son nom bien français

Lewiston tient son nom de l'explorateur Meriwether Lewis, comme sa voisine Clarkston (WA), sur la rive O. de la Snake, tient le sien de William Clark…

❶ *Lewis & Clark Valley Chamber of Commerce, 502 Bridge St., Clarkston (WA)* ☎ *509/758-7712 ; www.lcvalleychamber.org*

❶ *Spalding Visitors Center (Nez Perce N. H. P.)* ☎ *208/843-7003 ; www.nps.gov/nepe ; ouv. t.l.j., de juin à sept. 8 h-17 h, au printemps et en automne 8 h-16 h 30, en hiver 8 h-16 h.*

Peuple des plaines

Experts dans l'élevage des chevaux appaloosa, les Indiens **Nez-Percés** régnèrent jusqu'au XIXᵉ s. sur les vastes prairies du Nord-Ouest, selon le mode de vie des Indiens des plaines. Ils s'appelaient eux-mêmes *Nimi'ipuu*, « le peuple ». En 1805, lorsqu'elle reçoit la visite de Lewis et de Clark, cette tribu nomade occupe une immense région comprise entre l'ouest de l'Idaho, le nord-est de l'Oregon et le sud-est de l'État de Washington.

Ses principales ressources étaient la chasse au bison, la pêche au saumon et la récolte de tubercules sauvages, comme le *camassia quamash*, au goût proche de la patate douce.

Parmi les différents *pow wow* (danses et chants traditionnels) que les Nez-Percés organisent au fil de l'année, deux dates estivales : *Chief Joseph & Warriors Memorial Powwow*, le 3ᵉ week-end de juin, à Lapwai (au sud de Spalding) ; *Looking Glass Powwow*, le 2ᵉ week-end d'août, à Kamiah (plus à l'est).

ⓘ *Coeur d'Alene Convention & Visitors Bureau,* 105 N. 1st St. ☎ 208/664-3194 ; http://coeurdalene.org

♥ AUBERGE À COEUR D'ALENE
The Beachhouse, 3204 Coeur d'Alene Lake Dr., I-90, sortie 15 ☎ 208/664-6464 ; www.cdaresort.com Ravissante auberge en bois sur pilotis, terrasse ouverte sur le lac. Inoubliable au coucher du soleil.

Montures des Nez-Percés

Les **chevaux appaloosa** sont une race équine d'origine perse, introduite par les Espagnols au Mexique vers 1660 et dispersée dans le territoire nord-américain grâce aux razzias et aux échanges entre tribus. Les récits de trappeurs attestent que, à la fin du XVIIe s., les Indiens Nez-Percés adoptèrent ces chevaux, prisés pour leur robe, leur endurance et leur intelligence. Des cartes retracent la chevauchée désespérée de la tribu sur la Lolo Trail, en 1877 (→ *encadré p. 372*). À l'issue de cette « guerre », l'armée américaine s'assura de la victoire en exécutant ou en dispersant les troupeaux d'appaloosa.

En 1937, l'éleveur Charles Thompson inventoria les survivants de la lignée et donna à la race son nom actuel. Depuis *L'Homme de la Sierra* (réal. : Sidney J. Furrie, avec Marlon Brando, 1966), l'image de l'appaloosa est associée aux plus grands westerns.

(une alêne est un poinçon servant à percer le cuir) remonterait au début du XIXe s. : lors d'une expédition dans les Rocheuses pour la Northwest Fur Trading Company, des trappeurs franco-canadiens rebaptisèrent ainsi la tribu locale des Indiens Schee-Chu-Umschs, qui refusaient de leur vendre des peaux à bas prix. « Cœurs-d'Alêne » s'entend donc dans le sens « durs en affaires » ! Dès 1870, les mines d'or et d'argent, puis les scieries, ont fait la prospérité de cette ville pionnière, alors installée sous la protection militaire du fort Sherman.

À l'angle de 1st Ave. et de Northwest Blvd, débute une superbe **promenade** sur les rives du lac. On suit d'abord le ponton flottant en bois, long de 1 km, qui encercle la luxueuse marina. De là, un sentier pédestre *(1,5 km)* traverse la colline boisée de **Tubb Hills★★** et rejoint la plage de sable de **Sanders Beach★★**, où on se baigne aux beaux jours. C'est le quartier le plus chic de Coeur d'Alene, avec ses villas en bois du XIXe s. et ses grands jardins ombragés.

■ **Cataldo Mission** (*à 26 mi/41,5 km E. de Coeur d'Alene, sortie 39 sur l'I-90 E.* **ⓘ** *Visitors Center ouv. 9 h-17 h*). Bâtie en 1850 sur une colline dominant la rivière Coeur d'Alene, cette ancienne mission évoque l'évangélisation de la tribu des Indiens Cœurs-d'Alêne par les missionnaires jésuites. Construite en bois et en torchis, avec des troncs assemblés sans clous, l'**église** à fronton a été entièrement restaurée. Chaque été à la mi-août (fête de l'Assomption), elle fait encore l'objet d'un pèlerinage indien. Le **musée** attenant accueille une intéressante exposition, intitulée « Le père De Smets et les Indiens des Rocheuses » (→ *encadré p. 381*).

■ **Sandpoint★** (*à 48 mi/77 km N. de Coeur d'Alene par l'US 95*). Cette station balnéaire huppée, plébiscitée par les artistes, se niche au bord du lac Pend-Oreille : agréable balade sur le ponton en bois de Sandcreek, semé de galeries d'art et de restaurants.

Accessible en télésiège, le sommet de **Schweitzer Mountain** offre de beaux panoramas en été et une bonne neige en hiver (ski, motoneige, pêche sur glace).

Glacier National Park★★ et le nord-ouest du Montana MT

Glacier National Park, au nord-ouest du Montana, est un univers sauvage à fort caractère : vallées encaissées, arêtes vives, moraines, lacs et cirques sont autant de témoignages d'une intense activité géologique commencée il y a 75 millions d'années. À côté de ce joyau, la région nord-ouest des Rocheuses recèle de nombreux attraits surprenants. Au Montana, à mesure que l'on s'éloigne des pics altiers, la Flathead Valley offre un doux paysage de vergers, avant d'entamer la traversée d'une large plaine cernée par les sauvages Mission Mountains ; la ville de Missoula sert de halte tranquille qui résonne de la verve des écrivains de l'Ouest.

Situation : N.-O. du Montana, à la frontière canadienne.

Superficie : 4 100 km².

Fuseau horaire : Mountain Time (– 8 h par rapport à la France).

🕽 *Glacier Country*
☎ (1)800/338-5072 ;
www.glaciermt.com

〰 PARCS NATIONAUX
À propos des conditions d'entrée et des forfaits, consultez la rubrique « Parcs nationaux », dans le chapitre Séjourner, p. 52.

Glacier N.P. mode d'emploi

Accès. Cinq entrées principales dans la partie américaine : • par **Polebridge**, au N.-O. • **West Entrance**, à West Glacier, sur l'US 2 quand on vient de Missoula (143 mi/230 km) ou, plus près, de Kalispell (32 mi/51,5 km) • **Two Medicine Entrance**, au N. de East Glacier Park, sur la State 49, en venant de Great Falls (147 mi/236,5 km) ou de Shelby (80 mi/129 km) • par **Saint Mary**, à l'E. • **Many Glacier Entrance**, après Babb, sur l'US 89.

Visite. Prix d'entrée 25 $/véhicule (valable 7 j.) • *pass America The Beautiful* accepté.

La meilleure période. De mi-juin à mi-sept. • les installations sont f. en **hiver** et les routes, le plus souvent, coupées par les neiges de mi-oct. à début juin • en **été**, les journées sont chaudes, les soirées fraîches et les températures, en altitude, assez basses • attention, le temps peut changer brusquement.

Hébergement. Glacier Park Inc. gère la plupart des *lodges* du parc, dont le très agréable **Lake McDonald Lodge** (rés. en juil.-août ☎ 406/892-2525 ; www.glacierparkinc.com) • 13 **campings** sont aménagés

À ne pas manquer	
Going-to-the-Sun Road★★	376
Hidden Lake Nature Trail★★	378
Flathead Lake★★ (Environ 2)	380

Voir carte régionale p. 360

❶ ☎ 406/888-7800 ;
www.nps.gov/glac
• *Apgar Visitors Center,*
West Entrance ;
ouv. de mai à mi-oct.
• *Saint Mary Visitors Center* ;
ouv. de mi-mai à sept.
• *Logan Pass Visitors Center,*
à l'intérieur du parc ;
ouv. en été, selon la météo.

☞ GLACIER N. P. EXPRESS
En 1 journée, un aller-retour par
la Going-to-the-Sun Road donne
un bon aperçu des différents
paysages du parc. En raison de
l'affluence des voitures, mieux
vaut partir tôt le matin.

✐ GLACIER N. P. AUTREMENT
• Les descentes en **rafting** de la
rivière Flathead (Middle, North et
South Fork) se font à l'extérieur
du parc, depuis West Glacier.
Rens. : *Glacier Raft Company*
☎ (1)800/235-6781 ou 406/888-
5454 ; www.glacierraft.com
Pour les deux attractions
suivantes, rens. *Glacier Park Inc.*
☎ 406/892-2525 ;
www.glacierparkinc.com
• **Croisières** sur les lacs
McDonald, Swiftcurrent,
Saint Mary et Two Medicine
(45 mn à 1 h 30)
• Excursions à bord des célèbres
bus rouges, en service depuis
1936, qui roulent désormais
au gaz propane (5 h).

dans le parc : pour les deux plus grands, *Fish Creek*
et *Saint Mary*, rés. National Recreation Reservation
Service **☎** (1)877/444-6777 ; www.recreation.gov

Circuler. Une seule route traverse le parc d'E. en O.,
sur 50 mi/80 km (compter 2 h 30 sans les arrêts) :
Going-to-the-Sun Road (Route qui va vers le
soleil) ; au cours de son tracé vertigineux, en montée
et en descente, elle franchit la ligne de partage des
eaux (Continental Divide) entre les océans Pacifique
et Atlantique, au col de Logan Pass • deux autres secteurs sont accessibles en voiture : **Many Glacier Area**
(uniquement si les conditions météo sont bonnes, en
été) et **Two Medicine Area**.

Navettes gratuites (*shuttle*, toutes les 15 à 30 mn), sur
Going-to-the-Sun Rd, entre Apgar et Saint Mary, *via*
Avalanche Creek et Logan Pass. Certains trajets sont
directs, d'autres multi-arrêts (horaires aux *Visitors*
Centers).

Activités. De Going-to-the-Sun Rd, ainsi que des
deux autres secteurs du parc, partent 1 200 km de
sentiers de **randonnée**, de niveaux et de durées
variables (cartes et rens. dans les *Visitors Centers*)
• autres activités de **plein air** à l'intérieur du parc
(pêche, baignade, excursions en bateau, randonnées,
concerts classiques) : *Glacier Park Inc.* **☎** 406/892-
2525 ; www.glacierparkinc.com

Glacier National Park dans l'histoire

La « **Couronne du Continent** »

Classé Patrimoine mondial depuis 1995, Glacier
National Park est le sanctuaire de l'Amérique originelle. Ses montagnes qui culminent à 3 200 m,
modelées par les glaciers quaternaires, ses 200 lacs
et ses nombreuses rivières lui ont valu le titre de
« Couronne du Continent ». Les plus anciennes
roches des États-Unis sont gratifiées d'une richesse
botanique et d'une faune exceptionnelles : grizzlis,
loups, pumas et étonnantes chèvres des montagnes
vivent dans leur milieu naturel. Le parc national fut
établi par un acte du Congrès en 1910. Fusionné en
1932 avec le Waterton Lake National Park, puis avec
son prolongement septentrional dans la province
canadienne d'Alberta, il fait désormais partie du
Waterton Glacier International Peace Park.

Le territoire des Blackfeet

Pour les Indiens Blackfeet (→ *encadré p. 380*), qui
occupaient la région avant l'arrivée des colons, les
hauts sommets des Rocheuses représentaient la

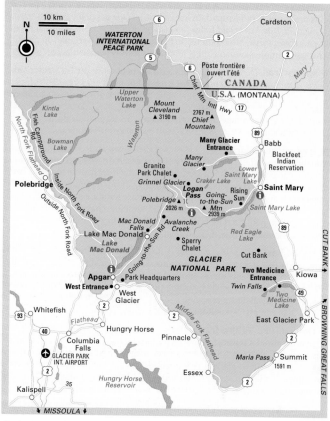

Glacier National Park.

colonne vertébrale du monde. Vivant dans les plaines à l'E., ils savaient tenir les cols contre les tribus rivales, protégeant leurs territoires de chasse aux bisons. Les trappeurs explorèrent la région dès 1800, suivis des prospecteurs d'or et d'argent. La voie ferrée qui traverse Maria Pass, tracée par la Great Northern Railway en 1892, ouvrit la région aux touristes. À cette époque, la tribu des Blackfeet, décimée par des épidémies successives de variole, n'était plus en mesure de défendre son territoire. Les routes et chemins pédestres ont été tracés sur les anciens sentiers qu'ils empruntaient, les centres d'accueil des visiteurs ont succédé à leurs tipis.

Visiter Glacier National Park★★

■ **Lake McDonald**. À l'intersection de Camas Rd et de Going-to-the-Sun Rd, **Apgar** est le premier village après West Glacier (*rens. et cartes* 🛈 *Visitors Center, ouv. de mai à oct. 8 h-17 h, en été 8 h-18 h*). De là, la route longe en panoramique le plus grand lac du parc, Lake McDonald, blotti entre les sapins, au pied des

Glacier N.P. et le nord-ouest du Montana

étincelants monts Stanton. En été, on croise fréquemment des **ours** noirs avec leurs petits, nés au printemps dans les parages... Étape populaire pour les activités de plein air, *Lake McDonald Lodge (→ Hébergement, p. 375 • arrêt shuttle)* évoque un gros chalet suisse. Arrêt conseillé au **McDonald Creek Overlook** : du promontoire, **vue**★★ impressionnante sur le torrent aux eaux vertes, dévalant les rochers.

■ **Sperry Trail**. De *Lake McDonald Lodge*, on peut rejoindre les **Snyder Lakes** *(7 km aller • dénivelé 650 m)* ou **Mt Brown Lookout** *(8,5 km aller • dénivelé 1 300 m)*. Si on dispose de 2 j., une belle randonnée grimpe jusqu'au **Sperry Glacier**★★ *(10 km aller • dénivelé 1 300 m • niveau sportif)* ; dans ce cas, passer la nuit dans le **chalet-refuge de Sperry**, bâti en 1913 au pied du glacier *(dîner sur place • rés. obligatoire ☎ (1)888/345-2649 • www.sperrychalet.com)*.

■ **Trail of the Cedars**★★ *(2,2 km en boucle • niveau facile • accès handicapés)*. **Avalanche Creek** *(arrêt shuttle)* est le point de départ de cette excursion magique. Sur une passerelle en bois, on s'enfonce dans une majestueuse forêt de cèdres, drapée de mousses et de fougères, exhalant des parfums d'humus. Certains arbres atteignent 2 m de diamètre et 30 m de haut. C'est le territoire des écureuils volants et de la martre des pins *(Martes americana)*, autrefois chassée pour sa fourrure. Arrêt photo au **petit pont de bois** qui enjambe la gorge d'Avalanche Creek, d'où l'on peut rejoindre les rives d'Avalanche Lake *(2 km plus loin)*.

■ **Logan Pass** *(alt. 2 026 m • arrêt shuttle)*. Pour atteindre ce **col**, posé sur la ligne de partage des eaux, la route grimpe à flanc de falaise, offrant des points de vue impressionnants sur les étroites vallées alpines, encadrées de pics enneigés. On remonte les vitres de la voiture pour longer le **Weeping Wall** (mur qui pleure), que dévalent les cascades. Arrêt conseillé à **Big Bend**, pour un panorama à 360° sur Mt Canon, Mt Oberlin et Heaven's Peak.

■ **Hidden Lake Nature Trail**★★ *(départ au Logan Pass)*. Une passerelle en bois serpente d'abord à travers les prairies alpines tapissées de fleurs sauvages (floraison en juil.-août) : à 1,5 mi/2,5 km, on atteint le point de vue sur le **Hidden Lake**, où se mirent les glaciers. Le sentier descend sur 3 mi/5 km vers les rives du lac : ouvrez l'œil pour repérer marmottes et chèvres des montagnes. Le lac est aussi un haut lieu de **pêche** à la truite *(remise à l'eau des prises obligatoire)*.

▲ Logan Pass. Plus de 1 200 espèces végétales ont été recensées dans le parc.

■ **Saint Mary** *(arrêt shuttle)*. De Logan Pass au **Saint Mary Lake**, la descente se poursuit sur 18 mi/29 km, dans un décor montagneux impressionnant, qui révèle les pentes enneigées du Jackson Glacier. En longeant le lac, admirez le photogénique îlot de Wild Goose, avec les montagnes en arrière-plan. Le **Visitors Center de Saint Mary**★★ *(ouv. de mai à sept. 8 h-17 h, jusqu'à 21 h de mi-juin à fin août)* propose une exposition interactive sur les **Indiens Blackfeet** *(→ encadré p. suiv.)*, les occupants originels de la région : photos anciennes, témoignages émouvants sur leur vie d'autrefois, les esprits-animaux, le langage, séances de contes et légendes en été.

■ **Many Glacier Area** *(à 41 mi/66 km N.-O. de Saint Mary par l'US 89 et Many Glacier Rd à partir de Babb)*. Cette zone sauvage, territoire des grizzlis, des chèvres des montagnes et des moutons *bighorn*, est sillonnée par plusieurs sentiers de randonnée, notamment celui qui mène au **Grinnell Glacier Viewpoint**★ *(5,5 mi/8,8 km • dénivelé 500 m • niveau sportif)*. L'historique *Many Glacier Hotel* a été bâti en 1915 dans le style chalet suisse, sur les rives du lac Swiftcurrent, site reculé offrant de merveilleux panoramas sur le glacier. Pour mesurer toute la majesté des montagnes, optez pour une excursion en bateau sur les **lacs Swiftcurrent** et **Josephine**★★.

■ **Two Medicine** *(à 38 mi/60 km S. de Saint Mary par l'US 89, bifurquer à Two Medicine Junction)*. Cette zone du parc regroupe en fait trois lacs en enfilade, reliés par la rivière Two Medicine, au pied du mont Rising Wolf. Autrefois, les Indiens Blackfeet s'y réunissaient pour les cérémonies rituelles. Le lac principal est le point de départ pour des excursions en bateau ou en kayak et d'agréables promenades à pied.

Running Eagle Falls Nature Trail★ *(0,3 mi/500 m aller • niveau facile)* mène à de pittoresques cascades, au bord de la rivière Two Medicine. Le site tient son nom d'une jeune femme indienne, autrefois vénérée par la tribu des Piegan-Blackfeet pour sa beauté et ses qualités de chasseuse et de cavalière : après un jeûne de quatre jours, elle eut une vision où elle volait tel un aigle au-dessus des cascades.

Environs de Glacier N. P.

1 Browning *(13 mi/21 km N.-E. de East Glacier Park par l'US 2)*.
C'est la capitale de la nation indienne Blackfeet *(→ encadré p. suiv.)*. Une ville peu attirante à première vue, avec ses mobile homes, ses églises et ses *trading posts* alignés sur l'US 2. Mais tout autour, les

✍ BON À SAVOIR
Les voyageurs souhaitant découvrir la partie canadienne du parc peuvent rejoindre l'entrée N. à Waterton Reception Center par l'US 89 N., puis la Chief Mountain International Hwy (MT 17, à 47 mi/75 km N. de Saint Mary). Passeport et formulaire I 94 (payant, à la frontière) obligatoires.

Attention grizzlis !

Même sur des sentiers très pratiqués, il est possible de croiser un ours noir ou un grizzli. Ce dernier, plus grand, est reconnaissable à sa bosse sur le haut du dos et à ses longues griffes (10 cm, contre 4 cm pour l'ours noir). Durant une randonnée, pour signaler sa présence aux ours, il est conseillé de faire du bruit en marchant, de crier ou de taper dans ses mains par intervalles.

En revanche, en présence de l'ours, parlez doucement, ne courez pas. Reculez, mais arrêtez si cela semble l'inquiéter. Ne le regardez pas dans les yeux, il risquerait de se sentir menacé. Jetez un objet par terre pour détourner son attention (pas de nourriture, ni votre sac à dos qui peut vous protéger !). Si vous êtes plusieurs, regroupez-vous. Faites-lui sentir que vous n'êtes pas des proies faciles. Les charges d'un ours sont souvent des intimidations. S'il est près de vous atteindre, allongez-vous sur le sol, face contre terre, en protégeant votre cou de vos mains.

ⓘ à Browning : 124, 2nd Ave.
☎ 406/338-2344 ;
www.browningmontana.com

Glacier N. P. et le nord-ouest du Montana

◄ Danse traditionnelle dans la réserve des Blackfeet de Browning lors des North American Indian Days, fêtés à la mi-juillet (rodéo, *pow wow*).

Une nation farouche

La nation **Blackfeet** compte 8 600 membres, appartenant aux tribus Blackfeet, Kainah et Peigan/Pikunis. Régnant autrefois sur un territoire étendu du nord du Montana au sud de l'Alberta, et qui englobe l'actuel Glacier N. P., les Blackfeet étaient perpétuellement en guerre avec leurs voisins Nez-Percés, Shoshones, Crows ou Crees. Leur culture reposait sur la chasse au bison. La nation connut son âge d'or au XVIIIe s., après l'introduction du cheval et des armes à feu par les Espagnols. L'arrivée des Blancs, vers 1800, signa progressivement sa perte : épidémie de variole en 1837, disparition des troupeaux de bisons, vers 1880.

Aujourd'hui encore, la nation Blackfeet conteste les traités de paix, signés en 1855 avec le gouvernement américain, puis en 1877 avec le Canada : ces traités, signés seulement pour 99 ans, ne concernaient pas la terre, mais les montagnes « au-dessus de la ligne des arbres ». De plus, les droits de chasse et de pêche, normalement garantis aux Indiens, ont été annulés par la création du parc national de Glacier.

grandes plaines du Montana ondulent sous le vent. Au **Plains Indian Museum** (*au croisement des US 2 et 89 • ouv. de juin à sept. t.l.j. 9 h-16 h 30, d'oct. à mai lun.-ven. 10 h-16 h 30 ☎ 406/338-2230 • www. browningmontana.com/museum*), un film documentaire et des vitrines thématiques présentent le travail des perles, le tannage des peaux, les jouets d'enfants, la musique, les rites des **Indiens des plaines**. Des dioramas reconstituent la vie au camp, les déplacements dans la prairie, la danse du soleil.

● **Lodgepole Tipi Village** (*à 2 mi/3 km O. de Browning sur l'US 89* ❶ ☎ *406/338-2787 • www. blackfeetculturecamp.com*). Pour entendre des récits liés aux traditions ancestrales, déguster de la cuisine blackfoot ou découvrir les chants traditionnels. On peut dormir sous des tipis installés dans la prairie.

2 Flathead Valley (*105 mi/168 km de West Glacier à Pablo*).
Au S. de Glacier N. P., la **rivière Flathead** court se jeter dans le lac du même nom, au pied des Mission Mountains. Sur l'ancien pays des Indiens Flatheads (Têtes-Plates) ont poussé villages de poupée, petites marinas, vergers de cerisiers et anciennes missions.

● **Whitefish** (*à 28 mi/45 km S.-O. de West Glacier par l'US 2 et l'US 93* ❶ ☎ *(1)877/862-3548 • www. explorewhitefish.com*). La ville cultive son atmosphère « western chic », avec sa Central Avenue bordée de trottoirs en bois et de maisons en brique, ses galeries d'artisanat et son **Farmer's Market** (*Downtown • tous les mar. soir, de mai à sept.*). L'attraction locale : le **Whitefish Lake** et sa plage de sable blond, où on se baigne en été. À cette saison, on peut aussi découvrir de l'intérieur la microbrasserie **Great Northern Brewery**, installée dans une étonnante bâtisse de verre et de métal (*2 Central Ave.* ☎ *406/863-1000 • www.greatnorthernbrewing.com • vis. guidées en été, lun.-ven. à 13 h et 15 h*).

● **Flathead Lake**★★ (*accès par Somers, à l'extrémité N. du lac, 25 mi/40 km S. de Whitefish, par l'US 93 S.*). Cet immense lac (40 km de long) se déploie entre les Mission Mountains et les Salish Mountains. Du charmant village de **Bigfork**, haut lieu de pêche à la truite, jusqu'à **Polson** (*à 43 mi/69 km S. de Somers*), on peut longer la rive O. (*US 93*), qui offre une vision panoramique sur les eaux bleues parsemées d'îlots et de marinas, avec la montagne en toile de fond ; ou la rive E. *(US 35)*, plus intimiste, qui serpente entre forêts de sapins et vergers de cerisiers.

● **The People's Center** *(à Pablo, 8,8 mi/14 km S. de Polson par l'US 93* ☎ *406/675-0160 • www. peoplescenter.org • vis. de juin à sept. lun.-sam. 9 h-17 h, d'oct. à mai lun.-ven. 9 h-17 h)*. Le musée présente l'histoire des **Indiens Flatheads** qui vivent aujourd'hui sur **Flathead Indian Reservation** (7 000 membres des tribus Salish, Kootenai et Pend-Oreille). Grâce à des témoignages, photos anciennes et objets du quotidien, on découvre leur mode de vie semi-nomade d'autrefois, fondé sur la pêche et la cueillette des tubercules en été, sur la chasse au bison en hiver. Évangélisés au XIXᵉ s. par les missionnaires jésuites, qui voulaient les transformer en agriculteurs et les assimiler par l'éducation, les Flatheads tentent aujourd'hui de sauver leur langue et leur culture.

3 Mission Saint Ignatius *(à 28 mi/45 km S. de Polson par l'US 93 S. • ouv. t.l.j. 9 h-17 h, en été 9 h-19 h • messe dim. à 9 h 15)*. Fondée en 1854 par le père Pierre-Jean De Smet *(→ encadré ci-contre)* sur les terres des Indiens Flatheads, cette mission a d'abord pris la forme d'une simple cabane en rondins (encore visible), assortie de bâtiments agricoles. L'**église** en briques rouges, de style Gothic Revival (1891), est ornée de deux tableaux de facture naïve, représentant une Vierge et un Christ indiens, portant mocassins et tuniques en peau. Elle est dédiée à **Kateri Tekakwitha** (1656-1680), première Indienne béatifiée, en 1980, et considérée comme la patronne de l'écologie. Née près de la rivière Mohawk (NY), cette jeune orpheline se convertit à la religion catholique contre l'avis de sa tribu et vécut en religieuse sur les bords du Saint-Laurent, au Canada.

4 National Bison Range *(à Moiese, 19 mi/30,5 km N.-O. de Saint Ignatius par l'US 93 S. et la MT 212 S.* ● *Visitors Center ouv. lun.-ven. 8 h-18 h, sam.-dim. 9 h-18 h, de nov. à avr. lun.-ven. 8 h-16 h, f. le w.-e.* ☎ *406/ 644-2211 • www.fws.gov/bisonrange/nbr)*. Créée en 1908 pour sauver les **bisons** de l'extinction, cette réserve en abrite le plus grand nombre d'Amérique du Nord (300 à 500 têtes), sur un territoire tissé de marais, de prairies et de forêts, au bord de la rivière Flathead. À l'entrée, le *Visitors Center* explique comment l'espèce a failli s'éteindre à la fin du XIXᵉ s. : on ne comptait alors plus que 100 bisons sauvages… L'actuel troupeau de la réserve descend de quatre petits, séparés de leurs mères durant l'hiver 1872 par l'Indien Flathead Samuel Walking Coyote. Il en commença l'élevage et, 20 ans plus tard, vendit une partie de son troupeau à l'American Bison Society.

♥ **HÔTEL À POLSON**

Best Western KwaTaqNuk Resort ☎ 406/883-3636 ou (1)800/882-6363 ; www.kwataqnuk.com Géré par les tribus de la réserve Flathead. Chambres avec vue sur le lac, casino, marina, excellente cuisine indienne.

✎ **CROISIÈRE**

Navigation sur le lac Flathead autour de **Wild Horse Island** : refuge des aigles pêcheurs, des éperviers, des aigrettes et des oies du Canada, l'île offrait un pâturage aux troupeaux de chevaux des Indiens Flatheads, à l'abri des razzias de tribus voisines.

KwaTaqNuk Princess, départ marina de Polson t.l.j. à 13 h 30 en été, durée 3 h ☎ 406/883-3636 ; www.kwataqnuk.com

Mon curé chez les Peaux-Rouges

Le père **Pierre-Jean De Smet** (1801-1873) a traversé neuf fois l'Atlantique dans sa vie ! Né en Belgique, il choisit de devenir missionnaire en Amérique du Nord et entre chez les Jésuites. La grande aventure commence en 1838, quand une délégation d'Indiens Flatheads vient à Saint Louis (Missouri) demander la présence des « robes noires » parmi eux. De Smet répond à l'appel, gagne leur confiance et explore les Rocheuses. Réputé « indigénophile », il sera souvent choisi par les autorités américaines comme médiateur auprès des chefs indiens Blackfeet, Cheyennes ou Sioux. Dans l'ouest de l'Idaho, entre Moscow et Coeur d'Alene, une ville porte le nom De Smet, ainsi que dans le Dakota du Sud.

Glacier N.P. et le nord-ouest du Montana

On peut observer les animaux en liberté, au fil de la **Red Sleep Mountain Scenic Drive** (*19 mi/30,5 km en boucle • compter 2 h • ouv. jusqu'à la tombée de la nuit*).

5 Missoula★ (*à 70 mi/112 km S. de Polson par l'US 93 S.* ❶ *Visitors Bureau, 101 E. Main St.* ☎ *406/532-3250 • www.missoulacvb.org*).

Siège de l'université du Montana, cette ville verte se blottit au pied des montagnes, dans une boucle de la Clark Fork River, nommée par les Indiens Flatheads *Nemissoolatakoo* (rivière de l'embuscade).

● Le **Downtown** historique est semé de galeries d'art, de pubs et de restaurants, où on croise de nombreux étudiants. Ici, on circule à vélo ou à rollers ! La **County Courthouse** (*200 W. Broadway • ouv. lun.-ven. 8 h-17 h*) abrite huit **fresques murales** évoquant l'histoire du Montana, exécutées par l'artiste ouest-américain Edgar S. Paxson en 1912.

● Sur la rive opposée, dans le campus de l'université, le **Montana Museum of Art & Culture** (*accès par 6th St., Main Hall 006* ☎ *406/243-2019 • www.umt.edu/montanamuseum • ouv. mar.-jeu. 11 h-15 h, ven.-sam. 16 h-20 h 30, de juin à août mer.-sam. 11 h-15 h • gratuit*) propose une remarquable collection de **peinture américaine** des XIXe et début du XXe s., notamment William Merritt Chase, Fra Dana, Joseph Henry Sharp ou Norman Rockwell.

L'université est aussi célèbre pour ses ateliers d'écriture, qui ont vu passer les plus grands **écrivains** de l'Ouest : Jim Harrison, James Welch, William Kittredge…

● À l'O. de la ville, à l'emplacement de l'ancien fort Missoula, l'**Historical Museum** (*sortie 101, sur l'I-90* ☎ *406/728-3476 • www.fortmissoulamuseum.org • ouv. mar.-dim. 12 h-17 h, de juin à sept. lun.-sam. 10 h-17 h, dim. 12 h-17 h*) retrace 250 ans de l'histoire du fort, qui vit notamment naître, en 1896, le 25e Infantry Corps, régiment exclusivement composé de soldats noirs à bicyclette, chargés de topographier la région jusqu'au Yellowstone N. P.

6 Garnet Ghost Town★★ (*à 40 mi/64 km E. de Missoula par la MT 200 E. et Garnet Range Rd ; autre accès par Bear Gulch Rd, sortie Drummond sur l'I-90 E.* ❶ ☎ *406/329-3914 • www.garnetghosttown.net*).

Une vraie **ville fantôme** ! Isolée dans les forêts de sapins des monts Garnet, la bourgade fut, à la fin du XIXe s., un prospère camp minier. Après l'épuisement des filons d'or, elle vivota jusqu'en 1947, fermeture définitive de l'épicerie. Restent aujourd'hui quelques puits de mines abandonnés et une vingtaine de bâtiments en bois (maisons, saloons, hôtel, prison, épicerie) restés en l'état, avec leurs tapisseries en lambeaux et leurs meubles couverts de poussière.

Une histoire de tipi

Le *tepee* (mot sioux) est l'habitat des Indiens des plaines. Les femmes en avaient l'entière responsabilité : confection, montage, entretien, décoration et transport. Des perches de 6 à 9 m de haut fichées en cercle dans le sol, liées en faisceau au sommet, en constituaient la charpente. Une dizaine de peaux de bison cousues composaient la « toile », dont les extrémités étaient jointes au-dessus de la porte (ouvrant vers l'est pour se protéger des vents dominants). Aujourd'hui, dans les réserves, la toile de coton a bien souvent remplacé le cuir. Au sommet, deux ouïes orientales modulaient l'aération et l'évacuation de la fumée.

À l'intérieur, l'espace (plus de 4 m de diamètre) était suffisant pour s'étendre et cuisiner : autour du foyer s'organisaient les couches et la réserve de bois ; les sacoches-armoires, les armes et les ustensiles étaient suspendus au pourtour. L'extérieur du tipi était décoré de motifs géométriques ou de scènes relatant les hauts faits de ses occupants.

Au cœur du Montana★★ MT

P our les Crows, les Sioux, les Cheyennes, le Montana était une terre sacrée, qui donnait la vie et méritait qu'on se batte pour la garder. La bataille de Little Bighorn en témoigne. Au pied des Rocheuses, le vent balaie toujours les plaines ondoyantes ; sous un ciel sans limite, les rivières coulent, les loups et les grizzlis hantent les forêts. Cet État des extrêmes, où la température varie de – 40 °C, en hiver, à + 40 °C, en été, n'a pas échappé à la civilisation. Arrivés par les pistes de l'Ouest, les pionniers y ont fait pousser des mines d'or, des ranchs grands comme des pays, et même des gratte-ciel. Mais le « Big Sky State » demeure l'un des États les moins peuplés des États-Unis (2,39 hab./km²).

Situation : Helena, à 114 mi/182 km E. de Missoula, 89,6 mi/143 km S. de Great Falls.

Fuseau horaire : Mountain Time (– 8 h par rapport à la France).

✏ PÊCHE ET CHASSE
Montana Departement of Fish, Wildlife and Parks, 1420 E. 6th Ave., Helena, MT 59620 ☎ 406/444-2535 ; http://fwp.mt.gov

1 Helena et le Gold West Country★

Accès par avion. *Helena Regional Airport,* 2850 Skyway Dr., sortie Washington Ave. sur l'I-90 ☎ 406/442-2821 ; www.helenaairport.com

■ **Helena★**. La capitale du Montana (30 000 hab.) est restée une ville à taille humaine. Comme de nombreuses cités de l'Ouest, elle est née en 1864, quand des prospecteurs, jusque-là malchanceux, découvrirent de l'or dans un ravin qu'ils baptisèrent Last Chance Gulch (ravin de la dernière chance). C'est aujourd'hui l'artère principale d'Helena (I-15).

● **Mansion District★**. Flâner dans le quartier historique, c'est revenir au XIXe s., au temps où la cité comptait la plus forte proportion de million-naires aux États-Unis. Autour de **Saint Helena Cathedral** *(Lawrence et Warren Aves)*, imposant édifice néogothique aux vitraux venus de Bavière, d'orgueilleuses demeures à colonnes, témoins de l'ère victorienne, s'alignent le long des avenues ombragées. Modèle du genre : la **Governor's Mansion** *(304 N. Ewing St.)*, de style Queen Ann, qui vit se succéder les 10 gouverneurs du Montana, de 1913 à 1959.

🛈 à Helena : *Visitors Center,* 225 Cruse Ave. ☎ 406/447-1530 ou (1)800/743-5362 ; www.gohelena.com

Voir carte régionale p. 360

Au cœur du Montana

1

⬢ HELENA EN FAMILLE
Rendez-vous au quartier piéton
de *Great Northern Town Center*
(924 Bicentennial Plaza).
Curiosité locale, le joli carrousel
1900 où tournent bisons, grizzlis
et chevaux, sculptés et peints à la
main. Tout près, on déguste une
glace au *Painted Pony*.

✆ NUMÉROS GRATUITS
Les numéros de téléphone qui
commencent par ☎ 800, 855,
866, 877, 888 sont des numéros
d'appel gratuits *(toll-free number)*.
Faites-les précéder du ☎ 1 si
vous appelez depuis un poste fixe
(et non d'un portable). Dans ce
guide, ces numéros sont notés
ainsi : ☎ (1)800/000-0000.

La fin d'une époque

Le **Grant-Kohrs Ranch** connut ses
plus belles années dans la 2e moitié du xixe s., grâce au système
de l'*open range* (pâture ouverte).
Les vastes prairies du Montana,
ouvertes et sans barrière, fournissaient l'herbage nécessaire au
bétail. Le commerce des bœufs
débuta avec les camps miniers, les
forts militaires et les pionniers de
l'Oregon Trail. L'arrivée du chemin
de fer dans la région, en 1870,
permit ensuite d'acheminer à bas
prix le bétail vers les grandes villes
de l'Est. Mais ce système n'était
pas éternel. Avec la multiplication des pionniers au Montana, les
clôtures apparurent, les cultures
remplacèrent les herbes indigènes.
Comme d'autres ranchers, Conrad
Kohrs dut apprendre à cultiver ses
terres, sélectionner les meilleures
races (*shorthorns, herefords*) et
diversifier ses affaires. Les cow-
boys avaient changé de vie.

● **Montana Historical Society Museum★** *(225
N. Roberts St. ☎ 406/444-2694 • ouv. lun.-sam.
10 h-17 h, de juin à août 9 h-17 h).* Dans le parc du
State Capitol, le musée accueille une vaste collection
de **Charles M. Russel** (1864-1926), un des grands
artistes de l'Ouest : peintures, dessins, sculptures,
lettres illustrées. Parmi ses tableaux les plus célèbres :
Waiting for a Chinook, qui dépeint la famine du bétail,
durant le froid hiver 1886-1887.

■ **Grant-Kohrs Ranch National Historic Site★★**
*(à 54,3 mi/87 km O. par l'US 12, juste après Deer
Lodge ❶ ☎ 406/846-2070 • www.nps.gov/grko •
ouv. 9 h-16 h 30, de juin à août 9 h-17 h).* Construit
en 1862 par Johnny Grant, négociant en bétail originaire du Canada, puis racheté en 1866 par Conrad
Kohrs, un immigré allemand boucher de profession,
ce **ranch** fut autrefois le plus grand du Montana
(→ *encadré ci-contre*) : son bétail pâturait librement
sur plus de 4 millions d'ha, soit à peu près la surface
de la Suisse. La visite permet de découvrir, de façon
très complète, la vie d'un ranch à la frontière canadienne pendant la 2e moitié du xixe s. Autour de la
maison principale, de style victorien, s'articulent les
anciens bâtiments de la ferme (sellerie, atelier du
forgeron, étables, dortoir des cow-boys, enclos, etc.),
animés par des ateliers pédagogiques en été.

■ **Butte★** *(à 38 mi/61 km S. par l'I-90 ❶ Butte
Montana Convention & Visitors Bureau, 1000 George
St. ☎ 406/723-3177 • www.buttecvb.com).* Pendant
120 ans, la ville édifia sa fortune avec ses mines de
cuivre (1/3 de la production des États-Unis), ses
gisements d'or, d'argent, de zinc et de manganèse.
Elle attira des milliers de prospecteurs qui se regrou-
pèrent en quartiers selon leur pays d'origine : Little
Italy, Chinatown, Dublin Gulch. Aujourd'hui endormie, Butte n'en reste pas moins un lieu mythique de
l'époque des chercheurs d'or.
On peut visiter une ancienne **mine** de cuivre et de
zinc ainsi que la reconstitution d'une petite **ville**
minière de la fin du xixe s au **World Museum of**
Mining *(155 Museum Way ☎ 406/723-7211 • ouv.
d'avr. à oct., t.l.j. 9 h-18 h).*
Témoin de la richesse de la ville, la **Copper King**
Mansion *(219 West Granite St. ☎ 406/782-7580 •
vis. guidées t.l.j. de mai à sept.),* demeure construite vers
1888, appartenait à William Andrews Clark, « roi du
cuivre » *(copper king)* et éminent politicien.

■ **Madison Valley** *(au S.-E. par l'I-90 puis l'I-287).*
Suivant le fil de la rivière Madison, l'I-287 taille son
chemin entre les montagnes : cette vallée, ponctuée de fermes et de grasses prairies où paissent les

▲ Pêche à la mouche, en automne, sur la Madison River.

fameux bœufs *hereford* et *black angus*, est un paradis de la nature. Capitale locale de la pêche à la mouche, **Ennis** *(à 76 mi/122 km S.-E. de Butte)* regorge de boutiques spécialisées : cartes des lacs et rivières à truites, cannes et collections de mouches.

■ **Virginia City★★ et Nevada City★★** *(à 14 mi/ 23 km O. d'Ennis par l'I-287* ❶ ☎ *(1)800/829-2969 • www.virginiacitymt.com)*. De l'or ! En mai 1863, six prospecteurs découvrent un filon prometteur, près de la Madison Valley. La nouvelle se répand comme une traînée de poudre : près de 10 000 personnes affluent vers la région pour faire fortune. La petite ville de **Virginia City** sort de terre en moins d'un an et devient la capitale du Montana. Dix ans plus tard, le filon étant partiellement épuisé, elle sombre dans l'oubli, restant figée à l'ère victorienne, comme sa voisine **Nevada City** *(à 1 mi/1,6 km à l'O.)*.

Au début des années 1940, un riche couple de passionnés, Charles et Sue Bovey, décide de faire des deux villes un écomusée, restaurant les bâtiments et les complétant par d'autres, récoltés dans tout l'Ouest. Aujourd'hui gérées par la Montana Heritage Commission, ces *ghost towns* sont revenues à la vie.

Au fil des rues, on découvre des dizaines de bâtiments du XIXe s. Certains bâtiments ne sont que des décors, d'autres sont en service, comme le **Rank's Mercantile**, spécialisé dans les costumes à la mode victorienne ou le **Well's Fargo Cafe**, qui sert d'excellents *T-Bone steaks*. À l'**Opera House**, se jouent même, en été, des mélodrames du XIXe s. Des intérieurs ont été reconstitués : l'atelier du forgeron, la boulangerie, le bureau de diligences, la poste… ▶▶▶

☞ FÊTES ET MANIFESTATIONS
Living History Week-Ends : de juin à septembre, chaque week-end, le Nevada City Museum prête son décor à des bénévoles, en costumes d'époque, qui animent l'école, jouent au poker, blanchissent le linge ou font des démonstrations de tir à la carabine.

♥ HÔTEL À NEVADA CITY
Nevada City Hotel & Cabins, à 1 mi/1,6 km O. de Virginia City, sur l'I-287 ☎ 406/843-5377 ; www.aldergulchaccommodations. com
L'ex-bureau des diligences de Twin Bridge abrite un adorable hôtel de 14 chambres et suites à la mode victorienne. Petit déjeuner à la porte à côté, dans le décor originel de la *Star Bakery*.

Au cœur du Montana

1

Les pistes de l'Ouest

Les pionniers qui ont peuplé l'Ouest au XIXᵉ siècle suivirent des chemins, d'abord tracés à travers les Grandes Plaines et les montagnes Rocheuses par de courageux explorateurs. Les pistes ouvertes sur la Frontière, empruntées par des milliers de migrants, ont permis de conquérir tout un continent et de perpétuer le rêve américain d'une vie meilleure, ailleurs, vers l'Ouest.

▲ Chariot utilisé par les migrants vers l'Ouest au XIXᵉ s. (Lyndon B. Johnson National Historic Park, Johnson City, près d'Austin, Texas).

▲ Les pionniers circulaient à cheval ou à pied, encadrant de lourdes charrettes et des chariots bâchés tirés par des bœufs (gravure de Pannemaker, 2ᵉ moitié du XIXᵉ s.).

■ Les pistes de la Frontière

Saint Louis fut le point de départ des principales pistes. C'est de là que partirent Lewis et Clark en 1804 (→ *théma p. 336-337*) pour découvrir une voie de passage vers le Pacifique à travers les Rocheuses. La piste qu'ils tracèrent ouvrit le Grand Ouest à une multitude d'explorateurs, trappeurs, marchands et fermiers émigrants dont le flot ne devait se tarir que près d'un siècle plus tard. Jusqu'aux années 1840, les pistes furent commerciales, livrées surtout aux négociants en fourrures. Puis elles servirent aux caravanes de pionniers qui colonisèrent l'Oregon et aux mormons, qui cherchaient un sanctuaire dans les déserts de l'Utah. Elles conduisirent vers la Californie une foule d'aventuriers,

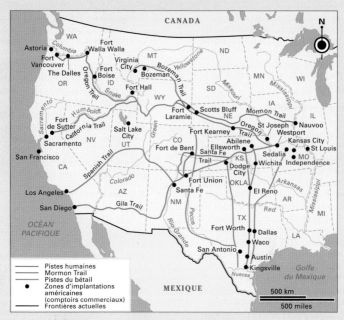

Les pistes de l'Ouest.

ce qui donna lieu à la ruée vers l'or de 1849 et ensuite aux percées vers le Colorado ou le Montana, au gré des découvertes minières.

Sur les 3 000 km de savanes arides et de pentes abruptes qui formaient, au nord, la piste de l'Oregon et celle de Californie, il fallait endurer la sécheresse ou le froid ; 35 000 personnes y trouvèrent la mort durant les grandes migrations du milieu du siècle. Au sud, sur la piste de Santa Fe qui menait à Los Angeles, le manque d'eau et les Apaches constituaient des dangers permanents pour les marchands, les pionniers et les prospecteurs attirés par les promesses de l'Ouest.

■ **Le Pony Express**

Ensuite ces chemins interminables virent passer des diligences qui reliaient entre elles les villes nouvelles de l'Ouest et les fringants cavaliers postiers du Pony Express, avant que le télégraphe et le chemin de fer ne sonnent le glas du transport à cheval.

L'acquisition, en 1848, par les États-Unis, du Sud-Ouest jusque-là mexicain est une occasion rêvée pour développer les échanges avec la côte ouest. Dès le printemps 1860, Alexander Majors, William H. Russell et William Bradford Waddell se lancent dans un projet fou : acheminer le courrier de Saint Joseph (MO) à San Francisco en un temps record, en faisant appel à des cavaliers téméraires et souvent orphelins. 200 fougueux coursiers vont ainsi marteler 1 300 km de pistes, annonçant leur arrivée à chacun des 190 relais établis sur leur route en sonnant le bugle. 500 montures se relaient pour garder la cadence et permettre l'acheminement des dépêches depuis le Mississippi jusqu'à leur destination californienne. Véritable tour de force qu'effectuent ces hommes en parcourant, en moyenne, 120 km par jour sur un parcours de 10 jours en été (12 à 16 jours en hiver).

Le 24 octobre 1861, l'envoi d'un premier message télégraphique « par les airs » signe la fin du Pony Express, aventure qui aura duré deux ans à peine. Qu'importe. Devenus des figures emblématiques de la marche en avant du pays, ces cavaliers auront eu le temps d'inscrire à tout jamais dans la mémoire des hommes l'histoire de leur folle chevauchée.

■ Les pistes du bétail

La migration vers l'Ouest, décuplée par la conquête de la Californie et du Texas (1848), s'accompagne d'une expansion des chemins de fer dans les Plaines. Dans les années 1850, le train atteint le Missouri : les marchés du Nord-Est captent les denrées de la Frontière et les Plaines attirent fermiers et éleveurs. La guerre de Sécession amplifie le mouvement. Les armées se nourrissent de viande texane et les grands *ranchers* cherchent de nouveaux débouchés. Les transhumances du Texas vers le Nord, qui avaient débuté avant la guerre, se multiplient.

En 1867, le train arrive à Abilene, dans l'est du Kansas. L'ancienne piste du Kansas, vers Kansas City, se dédouble : sous l'impulsion d'un jeune négociant dynamique, Joseph McCoy, s'ouvre, en 1868, la piste de Chisholm, qui relie la région de Dallas-Fort Worth à Abilene, en traversant les territoires indiens de l'Oklahoma. Là, on embarque le bétail dans des wagons en partance pour l'Est. Entre 1867 et 1871, ce sont plus de 2 millions de *longhorns* qui transiteront ainsi par Abilene.

Il faut plusieurs semaines de voyage harassant, dans la poussière ou la boue, pour rallier le Kansas, mais le bénéfice est inespéré : une bête achetée au Texas peut voir son prix décuplé à l'arrivée. Aussi les troupeaux grossissent-ils avec les années : de 500 têtes au début, on atteindra 2 500 vers 1870. Et des caravaniers professionnels remplacent les éleveurs pour accompagner le bétail.

■ La fin d'une époque

À mesure que le train avance et que l'Ouest se peuple, les pistes s'allongent : après 1870, le Colorado voit arriver des *longhorns* du Texas, puis, plus au nord, le Nebraska, le Wyoming et le Montana, où les grasses pâtures attirent les éleveurs texans. Un temps, la piste de l'Ouest leur permet, en trois mois et sur près de 4 000 km, de rallier les grands espaces du Wyoming, là où le bétail peut encore brouter librement. Vers 1880, sous l'effet cumulé du développement des chemins de fer transcontinentaux, de l'agriculture et des clôtures sur la prairie, les transhumances prennent fin et, avec elles, l'épopée des pistes du bétail.

◀ Troupeau de *longhorns*, dans le Dakota du Sud. Le cow-boy des westerns n'offre guère de ressemblance avec le véritable cow-boy de la piste qui, pour quelques misérables dollars, passe son temps en selle à diriger le troupeau, récupérer les bêtes égarées, empêcher les débandades et rassembler les bêtes le soir, avant de retrouver ses compagnons autour d'un feu de camp.

2 Bozeman et le Yellowstone Country★★

Au fil de l'I-90, le Yellowstone Country, aux frontières nord du Yellowstone N. P., égrène d'authentiques petites villes « western » : chaque étape est le point de départ vers des vallées vertes et sauvages, où abondent randonnées à pied ou à cheval.

■ **Bozeman** (à 66,3 mi/106 km N.-E. de Virginia City, 97,5 mi/156 km S.-E. d'Helena). Déployée dans la vallée de la Gallatin River, la ville universitaire fut, au XIXᵉ s., une étape incontournable sur le Bozeman Trail. Variante de l'Oregon Trail, cette piste protégée par une série de forts reliait les grandes plaines de la Platte River à la ville minière de Virginia City, à travers le territoire des Sioux.

Aujourd'hui, Bozeman est surtout réputée pour son **Museum of the Rockies★★**, qui abrite la plus grande collection de fossiles de **dinosaures** au monde (7 N. Ave. et Kagy Blvd ☎ 406/994-2251 • www.museumoftherockies.org • ouv. lun.-sam. 9 h-17 h, dim. 12 h 30-17 h, de juin à sept. t.l.j. 8 h-20 h). À l'entrée, la gigantesque statue en bronze représente un *Tyrannosaurus rex* retrouvé quasi entier dans les montagnes de Fort Peck Reservoir (MT) en 1988. Son squelette reconstitué est exposé dans le **Dinosaur Complex** avec d'autres fossiles de tyrannosaures, tricératops ou *Edmontosaurus*, tous retrouvés dans le Montana.

■ **Livingston** (à 27,5 mi/44 km E. par l'I-90 ❶ ☎ 406/222-0850 • www.livingston-chamber.com). Ce centre d'agriculture et d'élevage ovin allie subtilement l'esprit cow-boy et l'esprit artiste (plusieurs galeries). De nombreux peintres et écrivains y résident. **Depot Center** (Park St. et 2nd St. • vis. l'été t.l.j. sf dim. mat.), ancienne gare de marchandises transformée en musée, relate l'histoire de la région et du parc national du Yellowstone.

■ **Vers Yellowstone N. P.** (par l'US 89 S.).
● Livingston est la porte de la **Paradise Valley★**. On ne se lasse pas d'admirer les superbes paysages au milieu desquels coule la Yellowstone River, paradis des randonneurs et des pêcheurs.

● Au départ de **Chico Hot Springs Resort★★** (à 25 mi/40 km S. de Livingston), superbes randonnées à cheval dans les monts Absaroka (rens. : Diamond Outfitters ☎ 406/333-4933 • www.chicohotsprings. com).

● **Gardiner** (à 54 mi/87 km S. de Livingston). Entrée N. de Yellowstone N. P. (→ p. 393).

❶ à Bozeman : *Montana Area Chamber of Commerce*, 2000 Commerce Way ☎ 406/586-5421 ou (1)800/228-4224 ; www.bozemancvb.com ; ouv. lun.-ven. 8 h-17 h.

Le Museum of the Rockies est dirigé par l'équipe du paléontologue Jack Horner. Ce dernier fut conseiller scientifique pour les trois films *Jurassic Park*, de Steven Spielberg.

Vivre comme un cow-boy

Pays de cow-boys, le Montana peut aussi s'expérimenter à cheval, lors d'un séjour en **ranch d'hôtes**. Les *dude ranches* (de *dude*, « dandy », « improvisé ») sont des lieux où l'on travaille : on vient ici pour surveiller ou convoyer les troupeaux, assister au marquage du bétail, voire tenter un rodéo. Il en existe pour tous les goûts et toutes les bourses, du ranch rustique qui traite l'invité en cow-boy et l'initie à la tâche monté sur des *quarter horses*, jusqu'au *resort ranch* assorti d'hébergements luxueux, où les chevaux de randonnée sont habitués aux cavaliers débutants.

Attention, un séjour estival dans un ranch se programme à l'avance, pour 1 semaine au minimum. Rens. : www.montanadra.com

Au cœur du Montana

2

■ **Big Timber★** *(à 34,4 mi/55 km E. de Livingston* ❶ *Visitors Center, sortie 367 sur l'I-90 • ouv. en été lun.-sam. 10 h-16 h • www.bigtimber.com).* Ce paisible petit bourg d'éleveurs déroule ses façades historiques de briques rouges sur Main Street. Il connut son essor avec l'arrivée de la Northern Pacific Railroad, en 1883.
Le **Crazy Mountain Museum** *(Cemetary Rd* ☎ *406/930-1398 • ouv. en été mar.-dim. 10 h-16 h 30, sur rés. en hiver)* reconstitue l'histoire du Sweet Grass County, de l'arrivée de Lewis et Clark *(→ théma p. 336-337)* aux premiers pionniers.
Le **Grand Hotel** *(139 McLeod St.* ☎ *406/932-4459 • www.thegrand-hotel.com),* classé monument historique, a gardé intact son décor du XIXᵉ s. Il abriterait trois fantômes officiels ! Le **saloon**, orné d'un superbe comptoir en bois, propose une cuisine western inventive.

■ **Randonnées★**. Les montagnes et forêts alentour offrent d'inoubliables balades estivales, à pied ou à cheval. Pour une immersion en pleine nature, suivez la pittoresque vallée de Boulder River jusqu'aux cascades de **Natural Bridge★** *(à 25 mi/40 km S. de Big Timber par Hwy 298, puis E. Boulder Rd)* : c'est le point de départ de la **Green Mountain Trail** *(5,5 mi/9 km • niveau modéré)*. Du **Half Moon Park & Campground** *(à 27 mi/43 km N. de Big Timber par la Hwy 191, puis Wormser Rd et Big Timber Canyon Rd)*, un sentier mène aux chutes de **Halfmoon Falls★** *(0,5 mi/800 m • niveau facile)*.

③ De Billings à Little Bighorn★★

Aux portes de Billings, débute la réserve de la nation Crow, qui vivait originellement dans la vallée de la rivière Yellowstone et fut déplacée dans les Big Horn Mountains, aux frontières du Montana et du Wyoming. C'est la plus grande réserve indienne du Montana (8 000 hab.) : elle abrite plusieurs sites historiques, dont le champ de bataille de Little Bighorn.

Accès par avion. *Billings Logan International Airport*, à l'intersection d'Airport Road et de North 27th Ave. Rens. : 207 North Broadway, Billings ☎ 406/259-8609 ; www.ci.billings.mt.us

■ **Billings** *(à 81,3 mi/130 km E. de Big Timber, 143 mi/229 km E. de Bozeman).* Avec 101 000 hab., Billings est la plus grande ville du Montana, et son centre économique. Ici, les cow-boys en Stetson côtoient les hommes d'affaires en costume-cravate. Fondée en 1870, avec l'arrivée de la compagnie Northern Pacific Railroad, la « Big Sky City » déploie ses gratte-ciel modernes sur les rives de la Yellowstone River. Cette ville verte, tournée vers le sport et le plein air, est aussi le point de départ pour la réserve des Indiens Crows et la vallée de Little Bighorn, qu'on surnomme le Custer Country.

● **Yellowstone Art Museum** *(401 N. 27th St.* ☎ *406/256-6804 • www.artmuseum.org • ouv. mar., mer., sam. 10 h-17 h, jeu.-ven. 10 h-20 h, dim. 11 h-16 h, f. lun.).* Le musée est installé au cœur de Downtown, dans l'ancienne **Yellowstone County Jail**, prison où Calamity Jane fit quelques passages remarqués. Consacré à l'art moderne, il donne une occasion de découvrir un grand peintre de l'Ouest, **Joseph Henry Sharp** (1859-1953), qui s'est beaucoup intéressé aux Indiens. De ses toiles très composées, au trait précis, se dégage un monde serein.

● **Moss Mansion** *(sortie 450 sur I-90 vers 3rd Ave. N.* ☎ *406/256-1402 • www.mossmansion.org • vis. guidées en été t.l.j. sf lun. 10 h-15 h • durée : 1 h).* Cette orgueilleuse demeure de grès rose, dessinée par l'architecte new-yorkais Henry J. Hardenbergh, reflète bien le mode de vie des riches familles de l'Ouest : mobilier historique, objets d'art, tapis persans… La visite permet de découvrir les débuts de Billings à travers le destin de Preston Boyd Moss, l'homme d'affaires qui créa, dès 1872, le premier journal de la ville, la compagnie de téléphone, celle de l'eau et de l'électricité, l'institut local de polytechnique et même une usine de canne à sucre…

● **Riverfront Park★** *(accès par S. Billings Blvd • www. prpl.info)*. Au cœur de la ville et bordant la rivière Yellowstone, il offre aux citadins ses pistes de jogging et ses aires de pique-nique. Autrefois, c'est là que débarquaient les bateaux à vapeur…

■ **Chief Plenty Coups Park & Museum★** *(à 35 mi/ 56 km S. de Billings par la MT 416)*. Ce parc abrite la dernière demeure du chef Crow **Plenty Coups** (1814-1932), qui l'offrit en gage de paix aux peuples du monde à sa mort. Derrière cette simple cabane en rondins, coule une source où les Indiens viennent en pèlerinage.

Le petit **musée** attenant (photos et documents) retrace la biographie de ce chef respecté, qui s'allia aux Blancs pendant les guerres indiennes contre les Sioux et les Cheyennes, ennemis traditionnels des Crows. En effet, à la suite d'une « vision », Plenty Coups pensait que les pionniers prendraient, tôt ou tard, le contrôle du pays et qu'il valait mieux jouer la carte de la coopération. Il fut aussi l'ardent défenseur des droits de son peuple, qu'il incita à perpétuer ses traditions et ses rites.

■ **Crow Agency** *(à 59 mi/94,5 km E. de Billings par l'I-90* ☎ *406/638-3700 • www.crowtribe.com)*. Siège de la Crow Indian Reservation, qui borde la frontière du Wyoming, ce village un peu endormi se transforme en « capitale mondiale des tipis » pour accueillir la **Crow Fair & Rodeo★★★**, l'un des *pow wow* les plus grands et les plus impressionnants des États-Unis *(le 3ᵉ w.-e. d'août • rens.* ☎ *406/860-1440 • www.crow-fair.com)*.

❶ à Billings : *Visitors Information Center,* 815 S. 27th St. ☎ 406/252-4016 ; www.visitbillings.com ; ouv. lun.-sam. 8 h 30-17 h, dim. 12 h-16 h, d'oct. à mai lun.-ven. 8 h 30-17 h, f. le w.-e.

> *L'éducation est votre meilleure arme. Avec l'éducation, vous êtes l'égal de l'homme blanc. Sans l'éducation, vous êtes sa victime et il en sera ainsi toute votre vie. Étudiez, apprenez et entraidez-vous.*
>
> Chef Plenty Coups.

☎ NUMÉROS GRATUITS
Les numéros de téléphone qui commencent par ☎ 800, 855, 866, 877, 888 sont des numéros d'appel gratuits *(toll-free number)*. Faites-les précéder du ☎ 1 si vous appelez depuis un poste fixe (et non d'un portable). Dans ce guide, ces numéros sont notés ainsi : ☎ (1)800/000-0000.

◄ Indiens Crows lors de la Crow Fair, la plus importante célébration indienne du Montana.

Au cœur du Montana

3

Par une chaude journée de l'été 1876...

La **bataille de Little Bighorn** fascine par son intensité. Le 25 juin 1876, sur les rives de la Little Big Horn River, 7 000 Indiens Sioux Lakotas et Cheyennes fêtent la victoire remportée, huit jours plus tôt, par le chef Crazy Horse sur le général Crooke, à Rosebud Creek (au sud). Autour de l'immense camp de tipis, les enfants jouent, chacun vaque à ses occupations. Il y a là près de 2 000 guerriers, ayant tous refusé de signer le traité de Fort Laramie (1868), qui les engageait à rejoindre une réserve dans le sud du Dakota.

Peu avant midi, la poussière soulevée par les chevaux des troupes américaines, arrivant par le sud, met le camp en alerte. Le lieutenant-colonel Custer, lui, a aperçu les fumées du camp depuis les collines, mais il ne peut pas deviner son étendue. Il divise ses troupes en trois bataillons et lance l'attaque à midi. Séparé du reste de ses troupes à 14 h 30, **George Armstrong Custer**, qui rêvait de regagner ses galons de général dans les guerres indiennes, est mort à 16 h 30.

En 1991, le champ de bataille, jusqu'alors nommé Custer Battlefield N. M., a pris le nom de Little Bighorn Battlefield N. M. : un pas important dans la reconnaissance des Amérindiens.

Le dernier w.-e. de juin, **reconstitution historique** de la bataille, sur les lieux, avec de nombreux figurants (rens. ☎ 406/665-1672 • www.custerlaststand.org).

■ **Little Bighorn Battlefield National Monument**★★★ (à 68 mi/109 km E. de Billings par l'I-90 ❶ Visitors Center & Museum, à l'entrée du parc ☎ 406/638-3204 • www.nps.gov/libi). Sur les rives scintillantes de la rivière Little Big Horn, le cadre évocateur de ces douces collines vertes immortalise l'une des plus dramatiques batailles de l'histoire de l'Ouest. C'est là que, le 25 juin 1876, 2 000 guerriers sioux et cheyennes, menés par leurs chefs Sitting Bull, Crazy Horse et Gall, anéantirent le 7e régiment de cavalerie du lieutenant-colonel Custer (→ encadré). Aux côtés des Blancs, il y avait aussi les éclaireurs Crows, engagés par l'armée américaine.

Visite. Ouv. en juin-juil. 8 h-21 h, août 8 h-20 h, en avr.-mai et sept.-oct. 8 h-18 h, de nov. à mars 8 h-16 h 30 • entrée payante (10 $/véhicule) • **tours en minibus** guidés par des Amérindiens, sur le champ de bataille (payants ; durée 1 h ; Apsaalooke Tours, rés. au Visitors Center, départ toutes les heures de 10 h à 15 h).

● La visite du site, très émouvante, commence au Visitors Center, où un petit **musée** resitue le contexte historique de la bataille (sur place, projection d'un documentaire de 17 mn). En été, les rangers organisent des conférences (toutes les heures, de 8 h 30 à 18 h • en anglais uniquement • gratuit).

● De là, une route de 4,5 mi/7,2 km, en cul-de-sac, serpente à travers les collines semées de **stèles** qui signalent où sont tombés les combattants : marbre blanc pour les soldats américains, granit ocre pour les guerriers indiens. Pour revivre les temps forts de la bataille, il faut aller directement au bout, puis suivre dans l'ordre les panneaux illustrés (numérotés de 1 à 17).

● Le parcours s'achève sur **Last Stand Hill**, où tombèrent Custer et 41 de ses hommes, auprès de leurs chevaux abattus. Le tombeau dressé à proximité commémore les 260 soldats et civils américains morts à Little Bighorn – les restes de Custer ont été transférés en 1881 à l'académie militaire de West Point (NY). Tout proche, le **Weeping Wall**, érigé en 1991, symbolise les larmes du peuple indien sous la forme d'un monument en demi-cercle, ouvert sur les plaines : dessins naïfs, témoignages et messages de paix y sont gravés.

Yellowstone N. P.★★★ _{WY}

L e Yellowstone est un phénomène ! C'est aussi le doyen des parcs nationaux américains. Depuis 1872, date de sa fondation, les touristes accourent pour admirer cette merveille de la nature, posée sur l'épine dorsale des Rocheuses, aux frontières du Wyoming, du Montana et de l'Idaho. Ce plateau volcanique, perché à 2 400 m d'altitude, offre un spectacle sans cesse renouvelé : geysers par milliers, fumerolles et bassins abyssaux multicolores, chutes d'eau tonitruantes, forêts majestueuses, lacs aux rives peuplées d'oiseaux. L'importante présence des animaux renforce la fascination. Au fil de Grand Loop Rd, la route en forme de huit qui traverse le Yellowstone, s'étirent de grasses prairies où broutent les troupeaux de bisons, de wapitis, d'antilopes d'Amérique. Leurs prédateurs, les grizzlis et les loups, ne sont jamais loin. À vos jumelles !

Situation : à l'angle N.-O. du Wyoming, débordant sur l'Idaho et le Montana • West Yellowstone (MA), à 89 mi/142 km S. de Bozeman, 107 mi/171 km N.-E. d'Idaho Falls (ID).

Superficie : 8 900 km² (sensiblement égale à la Corse).

Fuseau horaire : Mountain Time (– 8 h par rapport à la France).

☞ Plan de Yellowstone N. P. p. 394.

❶ *Park Headquarters* ☎ 307/344-7381 ; www.nps.gov/yell

✐ AÉROPORT
Yellowstone Airport, à proximité de West Entrance.

Yellowstone National Park mode d'emploi

Accès. Le parc dispose de cinq entrées, où sont remis une carte et le *Yellowstone Today*, journal de renseignements pratiques. En partant du N., et dans le sens des aiguilles d'une montre :
● **North Entrance**, à Gardiner, sur l'US 89 en provenance de Bozeman (MT, 84 mi/135 km) ;
● **Northeast Entrance**, à Silver Gate, sur l'US 212 en provenance de Billings (MT, 160 mi/257 km) par le Colter Pass ;
● **East Entrance**, sur l'US 20 en provenance de Cody (WY, 79 mi/127 km) ;
● **South Entrance**, sur l'US 89 qui monte depuis Jackson (WY, 80 mi/129 km) à travers Grand Teton N. P. ;
● **West Entrance**, à West Yellowstone, par l'US 20 qui arrive d'Idaho Falls (ID, 107 mi/171 km).

Visite. Le billet d'entrée (25 \$/véhicule) reste valable 7 j. pour Yellowstone et Grand Teton N. P. • *pass America The Beautiful* accepté.

À ne pas manquer

Voir carte régionale p. 360

Yellowstone N. P.

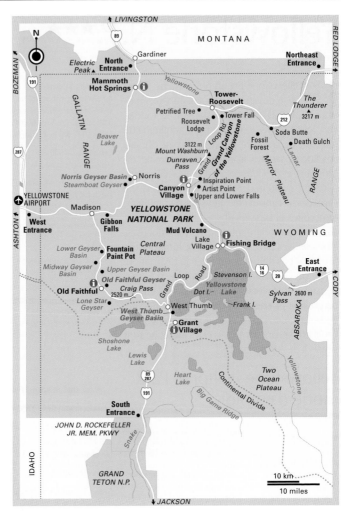

Yellowstone National Park.

Combien de temps. Compter 2 à 3 j. pour parcourir en voiture **Grand Loop Road★★**, longue de 147 mi/235 km, en s'arrêtant sur les principaux sites. Cette route, en forme de 8, conduit aux phénomènes naturels les plus intéressants • **vitesse maximale** autorisée : 45 mi/h, soit 60 km/h.

Se repérer. Le parc est divisé en 5 grands secteurs : **Mammoth Country**, **Roosevelt Country**, **Canyon Country**, **Lake Country** et **Geyser Country**. Tous sont équipés d'un « village » proposant les services indispensables : accueil des visiteurs, bureaux de *rangers*, station-service, poste, hôtels, campings, restaurants, boutiques.

La meilleure période. Le parc est ouv. t.a., mais il est préférable de s'y rendre de mai à oct., en sachant que les mois d'été sont très fréquentés • chutes de **neige** dès nov., parfois plus tôt • en **hiver**, seule reste ouv. North Entrance.

Se loger. Hébergement dans le parc (campings, chalets et *lodges*) : ☎ 307/344-7311 ; www.xanterra.com • rés. impérativement un an à l'avance • les hôtels sont généralement ouv. du 10 mai au 13 oct.

Dans **Mammoth Country** : *Mammoth Hot Springs Hotel* • dans **Roosevelt Country** : *Roosevelt Lodge & Cabins*, à l'ambiance Far West • dans **Canyon Country** : *Canyon Lodge & Cabins* • dans **Lake Country** : *Grant Village*, sur la rive O. du Yellowstone Lake, *Lake Lodge & Cabins* et *Lake Yellowstone Hotel & Cabins* • dans **Geyser Country** : *Old Faithful Inn*, près du fameux geyser.

Randonnées. L'été, les voitures se suivent le long de Grand Loop Road ; toutes s'arrêtent aux mêmes endroits et les parkings sont souvent complets. Bisons et wapitis attirent les foules : très vite, on a le sentiment d'être dans un parc d'attractions ! Pour rencontrer la nature, retrouver le silence et la beauté des grands espaces, mieux vaut partir à pied.

Plus de 1 210 mi/1 940 km de **sentiers** balisés sillonnent le parc, autant pour des excursions de courte durée que pour de grandes randonnées.

• Les *rangers* encadrent des promenades de quelques heures à une journée. Demandez les programmes dans les *Visitors Centers*.

• Si vous partez **seul**, planifiez votre parcours avec un *ranger* et achetez une bombe au poivre anti-ours *(bear pepper spray)*.

Yellowstone dans l'histoire

La vie agitée des geysers

Posée sur un immense volcan, dont la caldeira s'étend sur toute la partie S. du parc (45 x 75 km), la région du Yellowstone a connu sa dernière éruption il y a 650 000 ans. Recouverte par les laves, elle demeure le théâtre d'une intense activité souterraine, qui se manifeste sous toutes les formes : geysers, sources chaudes, fumerolles, terrasses de concrétions, forêts pétrifiées. Autant de manifestations dues à la nature du sous-sol : sous sa couche supérieure, à 600 mètres sous terre, d'énormes strates de calcaire percées de nombreuses failles reposent sur le magma en fusion. Chauffées à des températures extrêmes, les eaux souterraines ou d'infiltration remontent par ces failles, formant des sources chaudes *(hot springs)*.

✐ HÉBERGEMENT
Les petites villes périphériques au Yellowstone N. P. offrent une alternative pratique pour se loger, notamment l'été :

• West Yellowstone (MT), à l'O. : rens. au *Visitors Center*, Yellowstone Ave. ☎ 406/646-7701 ; www.destinationyellowstone.com

• Gardiner (MT), au N. : rens. *Gardiner Chamber of Commerce*, 222 Park St. ☎ 406/848-7971 ; www.gardinerchamber.com

❶ Les 5 principaux *Visitors Centers* fournissent cartes, documentations, itinéraires de randonnée, listes des *lodges* et campings, avec disponibilités immédiates :

• *Albright Visitors Center* de Mammoth ☎ 307/344-2263 ; ouv. t.a., en été t.l.j. 8 h-19 h. Exposition sur la découverte et l'histoire du parc.

• Canyon Village ☎ 307/344-2550 ; ouv. de mai à mi-oct., en été t.l.j. 8 h-20 h. Exposition sur les activités volcaniques du parc et projection du film *Yellowstone, Land to Life*.

• Fishing Bridge ☎ 307/344-2450 ; ouv. de juin à sept. t.l.j. 8 h-19 h. À ne pas manquer pour son exposition dédiée aux oiseaux, comme le rarissime cygne trompette.

• Grant Village ☎ 307/344-2650 ; ouv. de juin à sept. t.l.j. 8 h-19 h. Exposition sur les incendies de forêt.

• Old Faithful ☎ 307/344-2751 ; ouv. d'avr. à nov., en été t.l.j. 8 h-20 h. Prévisions des horaires d'éruption des geysers, exposition et film sur les phénomènes géothermiques.

☞ Plan de Yellowstone N. P.
p. 394.

Les parcs nationaux

Ils sont une cinquantaine à entrer dans cette catégorie, le premier, par ordre chronologique, étant Yellowstone (1872) et les plus récents ayant été créés en 1980, en Alaska notamment. Ils représentent plus de 4 millions d'ha de sites naturels.

Un parc national est d'abord un site remarquable, en raison de ses curiosités naturelles (Yellowstone, Grand Canyon, Yosemite…), d'épisodes historiques ou préhistoriques (Mesa Verde est le plus émouvant à cet égard) qui lui sont attachés, ou pour les deux ensemble. Ensuite, les parcs constituent des réserves de flore, de faune (ours, bisons, élans, oiseaux), de sol (arbres pétrifiés de Petrified Forest). Les parcs nationaux sont établis par un acte du Congrès pour préserver certains sites naturels et les soustraire aux spéculations des particuliers. Yellowstone a été protégé avant toute implantation humaine, tandis que les parcs les plus récents visent davantage à défendre l'environnement.

Dans ce domaine, les États-Unis se sont engagés, dès le XIXe s., dans une politique qui tente d'associer protection de la nature et tourisme de masse. Aujourd'hui, l'administration procède à une révision du concept des parcs nationaux et s'efforce de restaurer les écosystèmes naturels : réintroduction de prédateurs, transport des ours dans des zones éloignées, fermeture de certains équipements touristiques…

Les **geysers**, eux, sont des sources chaudes jaillissantes et intermittentes. Ils apparaissent quand les failles sont trop étroites pour permettre la libre circulation des eaux. Comme dans une Cocotte-Minute, la vapeur d'eau souterraine pousse l'eau en une colonne jaillissante vers la surface. Chaque expulsion libérant de la place dans la faille, le phénomène se reproduit à intervalles plus ou moins réguliers.

Une vaste réserve animalière

Pour observer la faune du parc *(→ encadré p. 398)*, il faut de la curiosité, de la patience, de la prudence et… des jumelles. Surveillez les attroupements au bord de la route : ils signalent généralement la présence d'animaux. La fin du printemps et le début de l'été sont les périodes les plus propices à l'observation des bisons, cervidés ou loups nouveau-nés. À l'automne, les brames des wapitis *(elks)* résonnent dans les prairies, à la lisière des bois, et les ours se gavent de myrtilles et de baies sauvages. Plusieurs troupeaux de bisons vivent dans Hayden Valley et Lamar Valley ; en hiver, ils se regroupent près des sources thermales. Les élans affectionnent les prairies inondables et les rives des lacs.

Indiens, trappeurs, touristes

Des fouilles archéologiques ayant mis au jour des armes, des ustensiles et des restes de foyers, permettent de conclure que, depuis la dernière glaciation, il y a 8 500 ans, des tribus indiennes ont régulièrement parcouru la région de la Yellowstone River pour y chasser. Au XIXe s., la seule tribu qui résidait encore dans la région était celle des **Sheepeaters**, branche des Shoshones. En 1871, ils furent déplacés dans la Wind River Indian Reservation.

Après avoir participé à l'expédition de Lewis et Clark en 1804-1806, le trappeur John Colter poursuivit seul l'exploration pendant l'hiver 1807-1808. Il ouvrit la voie aux trappeurs, qui établirent des relations avec les Indiens, puis aux mineurs installés sur les rives de la Yellowstone River et de la Lamar River. Du pays des geysers, les aventuriers revenaient avec des histoires de fontaines jaillissant à des centaines de mètres et de poissons tombant tout cuits dans les mains.

Le géologue Ferdinand V. Hayden (1829-1887), directeur de l'Institut géologique américain, organisa la première exploration officielle en 1871. Ses recherches furent complétées par les œuvres du photographe William Henry Jackson *(→ p. 115)* et du peintre Thomas Moran *(→ p. 112)*. Le travail des artistes et un rapport scientifique de 500 pages convainquirent le Gouvernement de déclarer la région « zone protégée ». Enfin, le 1er mars 1872, le premier parc national du monde fut créé.

⚕ PARCS NATIONAUX
À propos des conditions d'entrée
et des forfaits, consultez
la rubrique « Parcs nationaux »,
dans le chapitre Séjourner, p. 52.

◀ Les 300 geysers du Yellowstone
National Park sont les plus grands
du monde. Le phénomène
n'a d'équivalent qu'en Islande
et en Nouvelle-Zélande.

Un écosystème triomphant

En 1988, de fin juin à mi-septembre, un tiers du parc
du Yellowstone (soit 200 000 ha) fut dévasté par un
incendie d'une rare ampleur. Pourtant, les responsables du parc, les écologistes et les biologistes s'accordent à estimer que cet incendie s'est inscrit « dans
un processus de renouvellement des forêts » ; le feu
aurait « nettoyé » le parc, favorisant la régénérescence
de l'écosystème.

Le pin tordu (*Pinus contorta*) occupe 80 % des forêts
du Yellowstone. Sa hauteur peut atteindre 10 m. Les
Indiens l'utilisaient pour tailler les mâts de leurs tipis.
Au mois de juin, les prairies se couvrent de *Castilleja
linariifolia*, l'une des 200 espèces d'*indian paintbrush*
(pinceau indien) que l'on trouve en Amérique, et
aussi la fleur symbole de l'État du Wyoming.

Visiter Yellowstone N. P.

■ Geyser Basin Area

De West Thumb à Madison • accès South Entrance.

● Passé **Lewis Lake**, aux rives semées d'osier rouge
(observez les élans !), on rejoint **Grant Village** et son
Visitors Center, devenu **musée du Feu★** : intéressante
exposition sur l'incendie de l'été 1988, qui ravagea
3 000 km² de forêt dans le parc. Sa cause ? La foudre,
combinée aux tempêtes de vent chaud estivales.

● À **West Thumb Geyser Basin★**, une passerelle de
bois de 1 km, aménagée sur la rive du lac Yellowstone, permet d'observer différents phénomènes

✐ EN BATEAU
Navigation autorisée sur
Yellowstone Lake. Location de
bateaux et canoës à Bridge Bay
Marina et Grant Village Marina
☎ 307/344-7311.

☞ YELLOWSTONE EXPRESS
Si vous ne disposez que de 1 j.,
empruntez la moitié S. de Grand
Loop Rd, qui permet d'observer
les geysers les plus connus :
Old Faithful, Upper Geyser Basin,
Midway Geyser Basin, Lower
Geyser Basin et Norris Geyser
Basin. À Norris, prenez la route
transversale qui mène à Canyon
Village, puis, après avoir vu
le Grand Canyon du Yellowstone,
continuez en direction
de Yellowstone Lake.

Yellowstone N. P.

☞ Plan de Yellowstone N. P. p. 394.

géothermiques : *hot springs* aux couleurs spectaculaires, marmites de boue bouillonnantes, geysers.

• Au cœur d'**Upper Geyser Basin**, un amphithéâtre en bois permet d'admirer **Old Faithful★★**, geyser le plus célèbre du monde. Avec une ponctualité rarement mise en défaut, ce « vieux fidèle » se réveille toutes les 60 à 90 mn *(horaires au Visitors Center)*, projetant une colonne d'eau enveloppée de vapeurs à une hauteur de 30 à 50 m.

• Couvert d'arbres calcinés, **Black Sand Basin** abrite des bassins bleus aux parois multicolores, alimentés par des sources chaudes souterraines, comme **Emerald Pool★** ou **Saphir Pool★**. On les découvre depuis des passerelles en bois. Les couleurs spectaculaires de la roche (jaune, orange, vert) sont dues aux thermophiles, micro-organismes pigmentés mais invisibles à l'œil nu, capables de survivre à des températures extrêmes.

• À **Midway Geyser Basin**, voir aussi la très colorée **Grand Prismatic Spring★★**, la plus grande source d'eau chaude du parc (diamètre : 61 m, température : 70 °C).

• Avec des enfants, arrêt obligé à **Fountain Paint Pot★**, énorme mare de boue bouillonnante, alimentée par des sources chaudes et acides qui dissolvent la pierre : plus il fait chaud, plus les bulles ont du mal à se crever… Bruits suggestifs garantis.

• Sur la route de Madison, observez les bisons et les wapitis paissant en vastes troupeaux aux prairies de **Gibbon★★**, plateau d'altitude étendu.

■ Mammoth Area

De Norris à Tower-Roosevelt via Mammoth Hot Springs • accès West Entrance ou North Entrance.

• Au point le plus « chaud » du parc, le bassin désertique de **Norris Geyser Basin** déploie son décor lunaire, semé d'arbres calcinés. Suivez le sentier de **Porcelain Basin★★** *(0,5 mi/800 m)* pour approcher de près les sources acides, les fumerolles et les geysers. À sa dernière éruption, en 2005, **Steamboat Geyser**, le plus grand geyser du parc, a jailli sans interruption pendant 1 an et 172 jours, jusqu'à 91 m de haut. Aménagé dans une cabane en rondins, le **Museum of the National Park Ranger** retrace l'histoire des *rangers* depuis 1872. Grosse barbe, veste à franges, Winchester en bandoulière : le premier *ranger* de Yellowstone s'appelait Norris et il était seul pour surveiller un territoire grand comme la Corse…

• Pour découvrir les terrasses de **Mammoth Hot Springs★★**, suivre le **Terrace Loop Rd**, de préférence au petit matin ou en fin d'après-midi, quand les

---

Faune du Yellowstone

Les **animaux** sont omniprésents à Yellowstone, et on finit toujours par en croiser : 300 espèces d'oiseaux, 60 espèces de mammifères – bisons *(buffaloes)*, mouflons *(big horn sheeps)*, antilopes *(pronghorns)*, cerf-mulet *(mule deer)*, blaireaux *(badgers)*, porcs-épics *(porcupines)*, écureuils volants *(flying squirrels)*, pumas *(cougars* ou *mountain lions)* –, 18 variétés de poissons – dont les célèbres truites *cutthroat* –, 10 sortes de reptiles et d'amphibiens, et plus de 12 000 variétés d'insectes.

En 1995, 31 **loups**, mâles et femelles, venus de Colombie-Britannique (Canada), ont été introduits dans Lamar Valley. D'abord acclimatés en enclos puis relâchés en liberté, ils se sont multipliés : 10 ans plus tard, on recensait 136 individus répartis en 13 meutes se partageant les différents territoires de chasse du Yellowstone.

Yellowstone Association Institute propose des circuits et randonnées accompagnés par des guides naturalistes (uniquement en anglais) sur des thèmes variés : « Loups et grizzlis », « Sur la piste de l'élan », « Photographier la nature », etc. À Gardiner (MT), entrée nord du parc ☎ 406/344-2400 • www.yellowstoneassociation.org • à partir de 100 $/j. et par personne, hors hébergement.

couleurs sont les plus belles. Au fil des siècles, la soixantaine de sources chaudes et acides dévalant la falaise y ont sculpté de féeriques bassins de calcite blanche, remplis d'eau azur (température : entre 18 et 74 °C • *du parking du haut, départ du sentier-passerelle pour le site de Canary Spring*).

● Après Tower-Roosevelt, débute la mythique **Lamar Valley**, vallée glaciaire où d'immenses troupeaux de bisons, wapitis, daims et d'antilopes d'Amérique viennent pâturer, parfois chassés par les **loups** *(→ encadré p. préc.).*

■ **De Tower-Roosevelt au lac Yellowstone**

● Après la cascade de **Tower Fall**★ *(à 1 mi/1,6 km S. de Tower-Roosevelt)*, qui dévale sur 40 m les hautes parois rocheuses, la route se poursuit à travers le massif du Mt Washburn (point culminant : 3 122 m), parfois enneigé jusqu'en été. Ce secteur sauvage est le territoire des **grizzlis** *(→ encadré p. 379)*, qui seraient au nombre de 580 dans le parc.

● De Canyon Village, deux routes permettent de découvrir le **Grand Canyon de la Yellowstone River**★★★ : South Rim Drive *(rive S.)* conduit au point de vue d'**Artist Point**★★★ ; North Rim Drive *(rive N.)*, plus longue, donne accès aux points de vue de **Lookout, Grand View** et **Inspiration Point**★★. Dans cette gorge aux dimensions spectaculaires (32 km de long et 1,2 km de large, jusqu'à 360 m de profondeur), roulent les eaux furieuses de la Yellowstone River, la plus longue rivière sauvage des États-Unis. D'où qu'on l'admire, le spectacle est fabuleux sur les cascades en enfilade, qui mugissent entre les parois tapissées d'aiguilles rocheuses, aux somptueux dégradés jaune ocre. Les Lower Falls dégringolent sur 100 m, Upper Falls sur 30 m.

Depuis Lookout Point *(North Rim Drive)*, un court sentier rejoint **Brink of Lower Falls**, poste d'observation aménagé juste au-dessus de la plus grande chute : les eaux vertes de la Yellowstone s'écrasent 100 m plus bas, jouant avec la lumière dans un nuage d'embruns.

● Au fil de Grand Canyon Loop, au S. de Canyon Village, les verts pâturages de la **Hayden Valley**★★, déployés dans un ancien lac glaciaire, attirent une faune abondante : bisons, élans, cygnes, hérons, oies du Canada.

● Sur le secteur le plus actif du volcan géant de Yellowstone, on découvre ensuite **Mud Volcano**★ et **Sulphur Caldron**★, des bassins de boue bouillonnante, alimentés par des sources chargées de gaz sulfuriques, à la persistante odeur d'œuf pourri.

● Déployé comme une main géante au pied des monts Absaroka enneigés, le **Yellowstone Lake** est le refuge d'innombrables oiseaux aquatiques. Affichant une profondeur moyenne de 117 m, c'est le plus grand lac d'altitude au monde. Impossible de se baigner dans ses eaux glaciales, même en été.

Environs de Yellowstone National Park

1 Grand Teton National Park★★ *(au S. de Yellowstone N. P. • itinéraire N.-S. de 52 mi/83 km au fil de la Hwy 89 et de la Teton Park Rd, sans compter les détours • attention, Teton Park Rd ouv. seulement en été).*
Appendice du Yellowstone N. P. au sud, le parc national de Grand Teton, établi en 1929, se déploie dans la vallée de la Snake River, au pied des pics enneigés du massif de Grand Teton. Lacs scintillants, cascades aux eaux limpides, forêts de sapins, immenses prairies où broutent les troupeaux de bisons et de wapitis : ce parc aux paysages éblouissants réserve, à chaque arrêt, des balades de toute beauté…

✐ AÉROPORT
À 8 mi/13 km N. de Jackson Hole, sur Hwy 89.

À l'origine, la région était le fief des tribus indiennes Blackfeet, Crows, Shoshones et Gros-Ventre, qui y séjournaient l'été pour y trouver fraîcheur et gibier. Au début du XIXᵉ s., des trappeurs franco-canadiens s'y aventurèrent à la recherche de peaux de castors. Ils baptisèrent « Grands Tétons » les cimes granitiques culminant à près de 4 000 m. Quelques ranches s'implantèrent vers la fin des années 1880.

ⓘ ☎ 307/739-3300 ;
www.nps.gov/grte

ⓘ *Flagg Ranch Information Station*, à 2,5 mi/4 km de la sortie S. de Yellowstone N. P. ; ouv. de mi-juin à mi-sept. t.l.j. 9 h-15 h 30.

ⓘ *Colter Bay Visitors Center & Indian Arts Museum*, Colter Bay Jct, sur Hwy 89 ; ouv. de mai à mi-oct., en été t.l.j. 8 h-19 h.

ⓘ *Jenny Lake Visitors Center*, sur Teton Park Rd ; ouv. de mi-mai à mi-sept., en été t.l.j. 8 h-19 h.

ⓘ *Moose Visitors Center*, Moose Jct, sur Hwy 89 ; ouv. t.l.j. 8 h-19 h en été, 8 h-17 h au printemps et en automne, 9 h-17 h en hiver.

☞ ACTIVITÉS DE PLEIN AIR
Rens. dans les *Visitors Centers*.
• **Sentiers balisés** : 320 km.
• **À bicyclette** : randonnées guidées, itinéraires et location.
• **Promenades équestres** : à partir des *lodges* de Colter Bay et Jackson Lake (rive E. du lac).
• **Rafting** : sur la Snake River, idéal pour observer les élans ; de mi-mai à mi-sept.

♥ BONNE ADRESSE
Goosewing Ranch, à 37 mi/ 59 km E. de Jackson Hole ☎ 307/733-5251 ; www.goosewingranch.com Authentique ranch d'hôtes, blotti dans la vallée de la rivière Gros Ventre. Randonnées à cheval en été, motoneige en hiver : adresse idéale pour un séjour en famille.

Accès. Le parc dispose de trois entrées : au N., sur Hwy 89, à 8 mi/13 km S. de Yellowstone South Entrance • à l'E., à Moran Jct, sur US 89 • au S., à 12 mi/19 km N. de Jackson Hole.

Visite. Le billet d'entrée (25 $/véhicule) reste valable 7 j. pour Yellowstone et Grand Teton N. P. • *pass America The Beautiful* accepté.

Hébergement. *Grand Teton Lodge Company* gère tous les *lodges* et campings du parc, sf *Signal Mountain Lodge* et *Flagg Ranch Resort*. Rés. fortement recommandée en été ☎ 307/543-2811 ou (1)800/628-9988 ; www.gtlc.com/ab • *Signal Moutain Lodge* ☎ 307/ 543-2831 ; www.signalmountainlodge.com • *Flagg Ranch Resort* ☎ 307/543-2861 ; www.flaggranch.com

• L'**Indian Arts Museum** *(Colter Bay Visitors Center • sur Hwy 89, à 24 mi/39 km S. de Yellowstone N. P. South Entrance • ouv. de mai à mi-oct., en été t.l.j. 8 h-19 h)* raconte la vie des Indiens Shoshones autour d'une riche collection d'objets : parures en poils de porc-épic et griffes de grizzlis, calumets et sacs à pipe, mocassins brodés, porte-bébés et jouets d'enfants.

• La Hwy 89 rejoint ensuite le **Jackson Lake Lodge**, point de départ d'agréables balades à cheval vers Two Ocean Lake. Dans le secteur de **Willow Flat Overlook** *(juste après Jackson Lake Jct, sur la Hwy 89)*, on croise fréquemment des **ours bruns**, notamment au printemps, après la naissance des petits.

• **Oxbow Bend Turnout** *(à 1 mi/1,6 km E. de Jackson Jct, sur Hwy 89)*. Sur les rives marécageuses de la **Snake River**, on a toutes les chances d'observer, au petit matin, une abondante faune aquatique : nombreux oiseaux (hérons, cygnes, aigrettes et aigles d'Amérique), loutres et castors, élans.

De Jackson Lake Jct à Moose Jct, on emprunte la Teton Park Rd, ouv. seulement en été. Sinon, rester sur la Hwy 89.

• Au bord de Jackson Lake, l'ancien relais de pêche de **Signal Mountain Lodge** *(à 1,5 mi/2,4 km S. de Jackson Lake Jct, sur Teton Park Rd)*, bâti dans les années 1920, est un excellent point de départ pour des promenades en bateau à moteur ou en canoë sur les eaux glaciales du lac, où abondent les truites *(pêche possible en no-kill)*.

▲ Mormon Row avec, en arrière-plan, le décor grandiose de la chaîne des Teton.

• Après un crochet aux deux **lacs String** et **Leigh**, voisins *(accès au niveau de North Jenny Lake Jct, sur Teton Park Rd)*, blottis au pied du Mt Moran enneigé, on rejoint la marina de **Jenny Lake**, superbe lac glaciaire aux eaux bleues *(à 12 mi/19 km S. de Jackson Lake Jct)*.

• **Cascade Canyon Trail★★** *(2,2 mi/3,5 km AR • niveau facile à modéré • accès en shuttle-boat payant, départ toutes les 10 mn, 8 h-18 h en été)*. Le sentier débute sur la rive opposée à la marina de Jenny Lake : il traverse la forêt de sapins jusqu'à la cascade en voile de mariée de **Hidden Falls** puis grimpe à **Inspiration Point**, superbe panorama sur le lac.

• **Moose Visitors Center** *(à 8 mi/13 km S. de Jenny Lake Marina, sur Teton Park Rd)*. Vitrine du parc, cette superbe bâtisse contemporaine en bois de cèdre et en verre offre une **vue** époustouflante sur la chaîne des Teton, depuis sa gigantesque baie vitrée (9 m de haut).

• **Mormon Row Historic District★** *(à 8 mi/13 km S. de Jenny Lake • Antelope Flats Rd, à g. après Moose Jct, sur la Hwy 89)*. Fondé à la fin du XIXᵉ s. par des pionniers mormons, ce hameau a compté 17 fermes, une école et une église. Les lieux furent occupés jusque dans les années 1950. De ce passé subsistent de vieilles granges en bois, dressées devant les pics de Grand Teton. Site particulièrement photogénique le matin.

2 Jackson Hole★ *(à 22 km S. du Grand Teton N. P. par l'US 89 ❶ Jackson Hole & Greater Yellowstone Visitors Center, 532 N. Cache Dr. ☎ 307/733-3316 • www. jacksonholechamber.com • ouv. t.l.j. 9 h-17 h, en été 8 h-19 h)*.

Ses maisons en bois peintes de couleurs vives, et ses enseignes amusantes lui donnent un air de Far West. Institution locale, le **Silver Dollar Bar** *(50 N. Glenwood St.)* est célèbre pour son bar en S incrusté de plus de 2 000 pièces de 1 dollar. **National Museum of Wildlife Art** *(2820 Rungius Rd ☎ 307/733-5771 • t.l.j. 9 h-17 h)* est consacré à la vie sauvage dans l'Ouest américain.

À l'approche de Noël, les entrées de **Town Square**, arches monumentales faites de ramures de cervidés, prennent, sous des guirlandes d'ampoules, un aspect féerique. Symbole de la ville, elles signalent que, à quelques kilomètres au N.-E., s'étend **National Elk Refuge**, créé en 1912 pour sauvegarder les terres d'hibernation de milliers de **wapitis** *(Elk Refuge Visitors Center, 675 E. Broadway ☎ 307/733-9212 • ouv. de mi-déc. à mars)*.

Cody et les grandes plaines du Wyoming★★ WY

🛈 à Cody : *Chamber of Commerce,* 836 Sheridan Ave. ☎ 307/587-2777 ; www.codychamber.org et www.yellowstonecountry.org

☞ FÊTES ET MANIFESTATIONS
Cody Nite Rodeo, tous les soirs à 20 h, du 1er juin au 31 août, au Stampede Rodeo Grounds (West Cody) ☎ 307/527-9453 ; www.codystampederodeo.com

Voir carte régionale p. 360

Pour les nostalgiques du Far West, la ville de Cody est associée au célèbre Buffalo Bill (William F. Cody, de son vrai nom). Au cœur de cette petite cité architouristique, on découvre aujourd'hui le Buffalo Bill Historical Center, un des plus beaux musées dédiés à l'Ouest. Les grandes plaines arides et désertes du Wyoming vous attendent à la sortie. Durant la seconde moitié du XIXe s., des milliers de pionniers en chariots bâchés traversèrent cette région hostile, à la croisée de toutes les anciennes pistes : Oregon Trail, Bozeman et Mormon Trails. Le mythique Fort Laramie, au bord de la Platte River, témoigne encore de leur aventure.

① Cody★

Fondée en 1895 par un groupe de *ranchers* (dont William F. Cody), bien décidés à faire prospérer leurs affaires grâce aux visiteurs du parc de Yellowstone, Cody a gardé sa vocation touristique. Les boutiques de souvenirs s'alignent sur Sheridan Avenue et, sur les trottoirs, on croise des cow-boys de pacotille, éperons cliquetants et Stetson rutilants.

Accès. De Yellowstone East Entrance, on recommande plutôt d'emprunter, à partir de Cooke City, la spectaculaire **Chief Joseph Scenic Hwy★★** (US 296), qui suit les traces des Indiens Nez-Percés à travers les vallées et montagnes du Sunlight Basin.

■ **Buffalo Bill Historical Center★★** *(720 Sheridan Ave. ☎ 307/587-4771 • www.bbhc.org • ouv. t.l.j. de mai à mi-sept. 8 h-18 h, de mi-sept. à oct. 8 h-17 h, hiver 10 h-17 h • billet d'entrée valable 2 j.).* Véritable sanctuaire culturel du Far West.

● Le **Buffalo Bill Museum★** retrace la vie de William F. Cody et de son fameux *Wild West Show,* au moyen d'objets originaux : l'antique Winchester calibre 44 de Cody, de vieilles affiches, des costumes de scène, des diligences, etc.

• La remarquable section **Plains Indians★★**, agréablement scénographiée, regorge de trésors liés à la culture des Sioux Lakotas, Crows, Blackfeet, Cheyennes, Arapahos.

• La **Gallery of Western Art★★** présente une collection des peintres explorateurs de l'Ouest (Moran, Bierstadt, Remington), mais aussi d'artistes contemporains. Voir notamment l'immense fresque naïve *The Battle of Greasy Grass* (Allan Mardon, 1996), qui fait revivre la bataille de Little Bighorn.

• Quant au **Winchester Arms Museum**, il expose plus de 1 500 armes à feu, du XVIᵉ s. à nos jours.

■ **Irma Hotel** *(1192 Sheridan Ave. ☎ 307/587-4221 • www.irmahotel.com)*. Dans le centre-ville, on peut toujours loger et déjeuner dans cet hôtel, ouvert par Buffalo Bill en 1902. Bar en merisier, offert par la reine Victoria, et couverts en argent massif !

② De Cody à Devils Tower★★

Cet itinéraire de 314 mi/502 km suit la panoramique Alternate 14 East, à travers les splendides monts Bighorn, puis l'I-90 à partir de Sheridan.

■ **Bighorn Canyon National Recreation Area** *(entrée S. à Lovell, à 46 mi/73 km N.-E. de Cody, jonction des Alt 14 et Hwy 310 S. ✪ Lovell Visitors Center • ouv. t.l.j. 8 h-18 h en été ☎ 307/548-5406 • www.nps.gov/bica)*. Dans ce parc, étiré sur 70 mi/112 km entre Wyoming et Montana, au cœur de la réserve des Indiens Crows, la vedette est d'abord le **canyon**

Une légende vivante

Oui, **William Frederick Cody** (1846-1917) a bien existé. Mais son destin aurait-il été le même s'il n'avait rencontré, à l'âge de 23 ans, l'écrivain-journaliste Ned Buntline, auteur de romans à quatre sous un peu porté sur la bouteille ? Après l'immense succès populaire de *Buffalo Bill, the King of the Border Men* (500 épisodes, parus dès 1869 dans le *New York Weekly*), le jeune Cody n'eut plus qu'un souci : faire rimer sa vie avec sa légende.

Orphelin de père à 11 ans, soi-disant engagé comme coursier à cheval par le Pony Express à 15 ans, éclaireur pendant la guerre de Sécession, il est chargé par la Kansas Pacific Railroad d'abattre les bisons qui détruisent les lignes de chemin de fer. D'où son surnom, **Buffalo Bill** – et une réputation d'indianophile bien mise à mal. Devenu un héros, il organise des chasses pour les grands de ce monde, se lie d'amitié avec le président Theodore Roosevelt et crée, en 1883, le *Wild West Show*, spectacle itinérant où il interprète son propre rôle (→ encadré p. 108). Le mythe du Far West a de belles années devant lui !

◀ Buffalo Bill réprimant une révolte indienne (*Le Petit Journal*, 13 décembre 1890). À l'égard des Indiens, son attitude fut ambiguë : il revendiquait leur amitié mais ne leur pardonnait pas d'avoir écrasé Custer à Little Bighorn.

Cody et les grandes plaines du Wyoming

2

de la Big Horn River. Accessible par l'entrée S., la route scénique en cul-de-sac *(19 mi/30,5 km)* traverse les Pryor Moutains, refuge du dernier troupeau de chevaux sauvages aux États-Unis : selon des études génétiques, ces 120 à 160 mustangs seraient des copies conformes des chevaux espagnols, introduits par les conquistadors au XVIIᵉ s.

Le **Devil's Canyon Overlook★★** offre un panorama vertigineux sur la rivière coulant entre des falaises à pic de 300 m. Ce secteur du parc est aussi un poste idéal pour observer en vol les **rapaces** (aigles dorés, faucons pèlerins, éperviers) ou pour se baigner sur la **plage** surveillée de Horseshoe Bend.

De la marina de Horseshoe Bend, départs des **croisières** panoramiques au fil du Bighorn Canyon *(en été, à 10 h et 14 h ven.-dim. • durée 2 h • rens. Hidden Treasure Charters ☎ 307/899-1401 • www.hiddentreasurecharters.com)*.

■ **The Medicine Wheel National Historic Landmark★★** *(à 40 km E. de Lovell, sur la Hwy 14A, puis 3 mi/5 km sur une piste carrossable ❶ Ranger District ☎ 307/548-6541)*. Du parking, un sentier *(1,5 mi/2,5 km aller simple • niveau facile)* mène à ce mystérieux site archéologique, datant de 1200 à 1700 apr. J.-C. et vénéré par les Indiens des Bighorn Mountains. Il s'agit d'une gigantesque « roue » en pierres (diamètre : 24 m), rayonnant autour d'un cairn central, au sommet de Medicine Mountain. Lieu de prières ou site rituel pour la danse du Soleil, les interprétations diffèrent.

■ **Sheridan★** *(à 127 mi/203 km E. de Lovell par l'Alt 14 ❶ Visitors Center, E. 5th St. ☎ 307/673-7120 • www.sheridanwyoming.org)*. Le plan de la ville fut dessiné en 1882, au dos d'un papier d'emballage, par un soldat qui avait servi sous les ordres du général Sheridan, pendant la guerre de Sécession. La **Historic Main Street**, aujourd'hui classée, recèle encore de nombreux bâtiments en briques rouges datant de cette époque *(tours historiques en trolley • départ toutes les heures en été du Visitors Center, E. 5th St.)*.

● **King Saddlery Museum★** *(184 N. Main St. • ouv. lun.-sam. 8 h-17 h)* recèle une impressionnante collection de **selles de chevaux** et, dans l'atelier qui jouxte le musée, on peut suivre le travail des bourreliers et des selliers. La boutique est une caverne d'Ali Baba pour les cavaliers. La porte mitoyenne ouvre sur **Bozeman Trail Gallery** *(190 N. Main St.)*, belle galerie d'art de l'Ouest. Buffalo Bill, en homme d'affaires avisé, eut des parts dans l'*Historic Sheridan Inn* *(856 N. Broadway)*, à voir pour son **saloon** et son **bar**, construits en Angleterre.

● **Bradford Brinton Memorial Museum** *(239 Brinton Rd, Big Horn, à 13 mi/ 21 km S. de Sheridan ☎ 307/672-3173 • ouv. t.l.j. du 15 mai au 1ᵉʳ sept.)*, installé dans un ancien ranch, abrite plus de 600 œuvres d'artistes de l'Ouest, parmi lesquels Charles Marion Russell, Frederic Remington, John Muir.

■ **Devils Tower★★** *(à 165 mi/264 km E. de Sheridan par l'US 90 ❶ Devils Tower N. M. ☎ 307/467-5283, ext. 20 • www.nps.gov/deto)*. Visible à des dizaines de kilomètres à la ronde, ce cône volcanique dresse son étrange silhouette à près de 300 m de hauteur et résiste depuis des millions d'années à l'érosion des eaux de la rivière Belle Fourche. Devils Tower, que les Indiens des plaines appellent *Bear Lodge* (maison de l'Ours), demeure un puissant lieu de mémoire, rattaché à de nombreuses légendes. C'est ici, selon la mythologie, que le héros Sweet Medicine donna aux Cheyennes les quatre flèches sacrées, pour la guerre et pour la chasse au bison. Des colonies de *prairies dogs* (chiens de prairie), petits rongeurs peu farouches, se sont installées près du monument.

On peut rejoindre l'itinéraire suivant au niveau de Casper (186 mi/298 km S.-O.) ou de Fort Laramie (216 mi/346 km S.). Cheyenne se trouve à 292 mi/467 km S.

〰〰 PARCS NATIONAUX
À propos des conditions d'entrée
et des forfaits, consultez
la rubrique « Parcs nationaux »,
dans le chapitre Séjourner, p. 52.

◄ Depuis que le Congrès a voté
la loi sur la liberté des religions
indiennes, en 1978, Devils Tower
accueille à nouveau
des cérémonies rituelles (danse
du Soleil, offrandes et prières).

❸ De Cody à Cheyenne

Cet itinéraire de 393 mi/628 km à travers les
Grandes Plaines permet de rallier la rivière South
Platte et Fort Laramie, où s'arrêtaient autrefois les
pionniers de l'Oregon Trail.

■ **Thermopolis** *(à 84 mi/134,5 km S. de Cody par
l'US 120 E.* ❶ *Visitors Center : 220 Park St.* ☎ *(1)877/
864-3192 • www.thermopolis.com • ouv. en été lun.-ven.
8 h-17 h).* Dans cette station thermale réputée, le
Hot Spring State Park abrite de nombreuses sources
chaudes naturelles, dont les Indiens Shoshones et
Arapahos louaient autrefois les bienfaits. Bassins intérieurs ou en plein air sont accessibles à la baignade.

Le **Wyoming Dinosaur Center** *(110 Carter Ranch Rd
☎ 307/864-2997 • www.wyodino.org • ouv. t.l.j. 10 h-
17 h, en été 8 h-18 h)* présente une impressionnante
collection de dinosaures, dont le *Thermopolis speci-
ment,* unique archéoptéryx retrouvé aux États-Unis.

■ **Casper** *(à 131 mi/209 km E. de Thermopolis par
l'US 20 E.).* Entre 1840 et 1869, près de 500 000
émigrants sont passés par Casper, au bord de la
rivière Platte, à la croisée des pistes de l'Oregon, de
Bozeman, des Mormons et de Californie (→ *théma*
p. 386-388). Le **National Historic Trails Center★★**
(1501 N. Poplar St. ☎ *307/261-7700 • ouv. mar.-sam.
9 h-16 h 30, de mai à août t.l.j. 8 h-17 h)* raconte
l'aventure de ces hommes, femmes et enfants, partis
de l'Est pour un voyage périlleux, de quatre à six
mois, à travers les Grandes Plaines et les Rocheuses.

La femme-oiseau

L'expédition de Lewis et de Clark
(→ *théma p. 336-337)* passe
l'hiver 1804-1805 chez les Indiens
Mandans, dans le Dakota du
Nord. Là, ils rencontrent **Sacajawea,** Indienne Shoshone dont
le nom signifie « femme-oiseau »,
née vers 1790 et enlevée à sa
tribu à l'âge de 10 ans. Mariée
au trappeur français Toussaint
Charbonneau, chargé de guider
l'expédition vers les Rocheuses,
elle mettra au service de l'expédition ses relations privilégiées avec
les tribus et aussi sa connaissance
du terrain. Son courage et son
endurance seront loués par tous ;
enceinte, elle accouchera de son
fils Jean-Baptiste durant le périple,
le 11 février 1805.

Selon la tradition orale shoshone,
elle aurait fini sa vie en 1884, vénérée et membre influent de la tribu.
Un monument lui est érigé à **Fort
Washakie,** sur Wind River Reservation, l'unique réserve indienne du
Wyoming (à 86 mi/138 km S.-O.
de Thermopolis par WY 789 S. et
US 287 N.).

CHASSE ET PÊCHE
Wyoming Game and Fish Department, 5400 Bishop Blvd, Cheyenne, WY 82006 ☎ 307/777-4600 ; http://gf.state.wy.us

Le plus grand rodéo du monde

Depuis plus de cent années consécutives, durant la 2ᵉ quinzaine de juillet, les *Cheyenne Frontier Days* se déroulent autour du rodéo le plus ancien et le plus renommé des États-Unis. Mille six cents cow-boys professionnels, triés sur le volet, s'y affrontent au cours d'épreuves variées, qui rapportent un grand prestige aux éleveurs engagés : *bronc riding* (monte de chevaux sauvages), *roping* (capture de veau au lasso), *barrel racing* (épreuve de vitesse à cheval autour de tonneaux disposés en trèfle). Au cours du spectaculaire *bull riding*, le cavalier doit monter un taureau de race *brahma* et se tenir en selle avec une seule main pendant au moins huit secondes.

En marge du rodéo, l'Ouest revit à travers de nombreuses festivités : grandes parades dans le centre-ville, vente-expo d'artisanat, *pancake breakfasts*, élection de Miss Frontier Days, concerts de musique country.

Cheyenne Frontier Days Park, 4610 Carey Ave. (sortie 12 sur l-25) • Ticket Office : ☎ 307/778-7222 ou (1)800/227-6336 • www.cfdrodeo.com • budget par personne : 20 $/j. pour un fauteuil bien placé.

Vingt mille d'entre eux périrent en chemin, par noyade ou du choléra, mais très peu (2 %) tués par les Indiens. Au fil du parcours muséographique, des animations originales permettent de vivre virtuellement une traversée de rivière en chariot, un voyage en diligence ou de tester sa force au chariot à bras…

■ Fort Laramie National Historic Site★★

(à 123 mi/197 km S.-E. de Casper par l'I-25 S. puis WY 270 S. ❶ *Fort Museum et Visitors Center ouv. t.l.j. 8 h-16 h 30, jusqu'à 19 h en été* ☎ *307/837-2221 • www.nps.gov/fola • entrée valable 7 j. • pass America The Beautiful accepté).* Vedette d'innombrables westerns, ce fort mythique, construit en 1834 sur les rives de la Platte River, était autrefois le principal poste militaire des Grandes Plaines du Nord. Nombre de traités avec les Indiens y furent négociés.

Ne vous attendez pas à découvrir un fortin en rondins de bois : le site abrite des bâtiments en brique (baraquements des soldats, quartiers généraux des officiers, entrepôt d'armes, boulangerie, hôpital, etc.). Chaque jour en été, le personnel du parc s'habille en costumes d'époque pour raconter la vie du fort aux touristes. On visite même le **potager**, où, comme autrefois, poussent haricots, pommes de terre, citrouilles et pastèques : indispensable pour nourrir les 900 personnes (dont 25 officiers et leurs familles) qui vivaient en permanence dans le fort et pour échanger contre du café ou du sucre avec les marchands de passage.

■ Cheyenne

(à 110 mi/176 km S. de Fort Laramie, 178 mi/284 km S.-E. de Casper par l'I-25 S. ❶ *Cheyenne Visitors Bureau, 121 W. 15 th St., Suite 202* ☎ *307/778-3133 • www.cheyenne.org).* La capitale du Wyoming, située à proximité de la frontière du Colorado, a conservé une atmosphère de ville frontière, un air d'inachevé. Ancien carrefour ferroviaire fondé par l'Union Pacific Railroad en 1867, elle doit son nom aux Indiens Cheyennes qui occupaient la région avant l'arrivée des Blancs. Au centre d'un riche arrière-pays agricole et minier, elle tire ses principales ressources de l'élevage, du charbon et du pétrole.

La ville, célèbre pour ses **rodéos★★★** (→ *encadré ci-contre*), exalte l'esprit du Far West dans ses musées, notamment au **Cheyenne Frontier Days Old West Museum** *(4610 N. Carey Ave.* ☎ *307/778-7290 • www.oldwestmuseum.org • f. les j. fériés).* Pour voir (et manger) des **bisons** (il y en a 3 000), rendez-vous au **Terry Bison Ranch** *(à 11 km S. de Cheyenne sur l'I-25 • 51 I-25 Service Rd East* ☎ *307/634-4171).*

Le grand Sud-Ouest

Où est l'Amérique d'avant les États-Unis, la terre vierge de Geronimo, de Sitting Bull et de Cochise ? Au Far West, dans ces grands territoires révélés par le cinéma. La conquête de l'Ouest et l'aventure des pionniers, l'histoire de Buffalo Bill ou de Jeremiah Johnson, « les cow-boys et les Indiens » ont envahi l'imaginaire collectif grâce aux westerns et aux *cartoons*. Mais aucune de ces œuvres ne peut rendre toute la richesse de ces paysages dorés de lumière, de ces falaises de grès rouge piquetées de maisons d'adobe.

C'est la démesure qui définit le mieux cette entité, avec un Grand Canyon de plus de 300 km de long, le lac Powell et ses 3 100 km de littoral ou encore les 54 sommets de plus de 4 000 m qui font du Colorado le « toit de l'Amérique ». Ces immenses scènes naturelles abritent les fantaisies du Colorado, les draperies lisses du grès rouge.

Malgré les tentatives d'assimilation des Espagnols, des Mexicains puis des Anglo-Américains, les Indiens sont parvenus à préserver leur identité ethnique. Mais leur situation économique demeure précaire et les assauts de la civilisation moderne bien réels.

Le grand Sud-Ouest

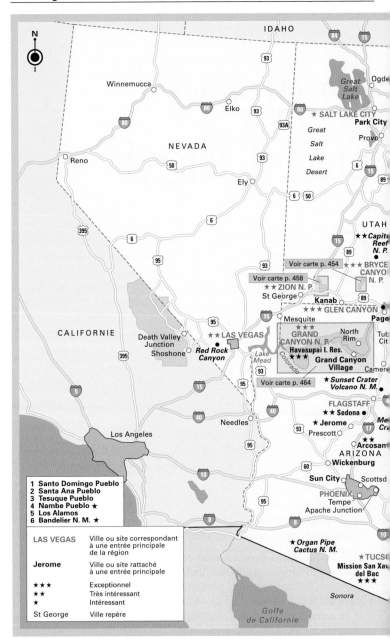

Que voir dans le grand Sud-Ouest.

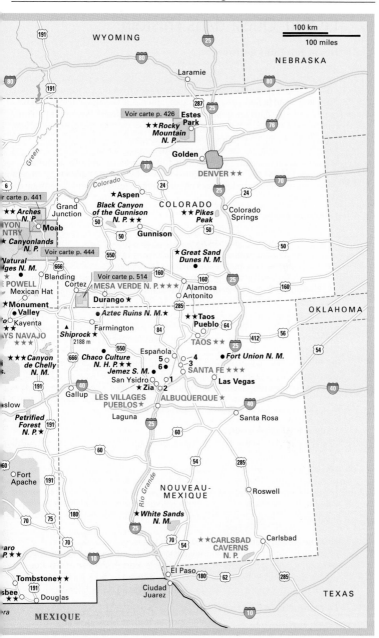

Le Sud-Ouest dans l'histoire

Des acquisitions décisives

Au début du XIXᵉ s., la frontière de l'Ouest américain passe par Saint Louis (Missouri). Sur les pas des Espagnols, qui étendent leurs conquêtes au nord du Mexique, des Européens s'installent sur les rives du Pacifique. En 1803, Napoléon vend la Louisiane au président américain Thomas Jefferson – la tractation est restée dans les annales sous le nom de *Louisiana Purchase*. La colonie française s'étirait de La Nouvelle-Orléans jusqu'au Canada, jouxtant, sur la ligne frontalière des Rocheuses, les possessions espagnoles. La France, en cédant aux États-Unis les terres situées à l'ouest du Mississippi, va leur permettre d'intégrer le Far West. En acquérant en une seule fois, et pour 23 millions de dollars, la moitié de l'Ouest américain, les États-Unis doublent leur superficie ; il ne leur reste plus qu'à explorer les terres encore vierges qui séparent l'Atlantique du Pacifique…

Le temps des pionniers

En 1804, sur ordre de Jefferson, les capitaines Lewis et Clark partent explorer les terres inconnues du Nord-Ouest, nouvellement acquises, « afin de découvrir la voie de communication la plus directe et la plus praticable, de la mer à la mer, pour les besoins du commerce » (→ *théma p. 336-337*). Il s'ensuivra un siècle tumultueux de migrations et de colonisation. Au-delà de la barrière des Rocheuses, les explorateurs découvrent les déserts du Nevada et de l'Utah, le Grand Lac Salé, les terres arides de l'Arizona et du Nouveau-Mexique, les sommets infranchissables de la sierra Nevada : plus de 600 km de déserts, de canyons et de fleuves impétueux.

En 1848, près de 600 000 prospecteurs abandonnent famille et travail pour affluer vers l'Ouest. En Californie, en Arizona, dans le Colorado, les villes poussent comme des champignons et disparaissent tout aussi rapidement lorsque les gisements sont épuisés. Moins âpres au gain que les chercheurs d'or, davantage désireux d'édifier une civilisation, les mormons (→ *encadré p. 412* ; *théma p. 434-435*) réussissent à convertir les déserts qui entouraient le Grand Lac Salé en terres agricoles et font de l'Utah leur terre d'accueil.

L'âge d'or du Colorado

Protégé par un vrai bouclier de montagnes, le Colorado ne sort de l'oubli qu'en 1858, lorsqu'on y découvre de l'or, puis du cuivre et de l'argent. Le XIXᵉ s. voit l'épopée des Buffalo Bill, Butch Kassidy, Kit Carson et autres aventuriers ; on prospecte gorges et forêts en bâtissant de bric et de broc des villes telles que Black Hawk, Central City, Telluride, Silverton, Cripple Creek… En 1806, le lieutenant Zebulon Pike est envoyé en mission par Jefferson pour explorer l'État et en dresser l'inventaire. Ébloui par une montagne qui lui paraît inaccessible, Zebulon lui donne son nom : Pikes Peak.

Soixante ans plus tard, le prospecteur Green Russell découvre des mines d'or près de l'actuelle Denver : métaux et minerais précieux vont désormais écrire l'histoire du Colorado. Pendant la guerre de Sécession, le général Sibley envoya même une expédition depuis le Texas pour se saisir des mines d'or, mais les mineurs attendaient de pied ferme les cavaliers et les repoussèrent au col de Glorieta.

La conquête de l'Arizona

Après l'acquisition de son indépendance en 1821, le Mexique voit son autorité s'affaiblir en Arizona ; en 1848, avec la guerre américano-mexicaine, ce territoire devient dépendant des États-Unis ; il sera peu touché par la guerre de Sécession.

▲ L'ancienne mine d'argent de Virginia City. Fondée en 1859 sur le filon de Comstock, cette ville typique de la ruée vers l'or fut en son temps la plus riche du Nevada, avec une population de 30 000 habitants. La fin de l'activité minière aurait pu la condamner à n'être plus qu'une ville fantôme, mais la proximité du lac Tahoe, celle de Carson City et de Reno lui ont permis de survivre.

L'or découvert dans la région attire les prospecteurs sur les terres apaches. S'ouvre alors une véritable guérilla menée par les grands chefs indiens : de la crête des buttes et des mesas, Cochise et Geronimo, à la tête de leurs tribus, attaquent les convois de chariots, opposant une résistance farouche à l'invasion de leurs terres par les Européens. Mais le combat est inégal ; peu à peu, les Apaches succombent. Ils obtiennent des réserves en Arizona et dans l'Oklahoma, tout comme les Navajos et les Pueblos (en Arizona et au Nouveau-Mexique). Les villes de Phoenix, Winslow et Hayden sortent de terre et, en 1912, l'Arizona apporte sa quarante-huitième étoile à la bannière américaine.

L'Utah, la terre des Utes

Malgré l'aridité de la majeure partie de son territoire, l'Utah est habité depuis des millénaires : on y a découvert des grottes préhistoriques occupées 9 000 ans av. J.-C. ainsi que des os fossilisés de dinosaures et particulièrement de brontosaures de l'ère secondaire. La région fut peuplée d'Indiens (notamment les Utes, qui donnèrent leur nom à l'État) entre 6000 av. J.-C. et le XVIIe s., date à laquelle les Espagnols firent leur apparition. Cependant, Indiens et trappeurs étaient les seuls habitants de l'Utah avant que les mormons ne choisissent de s'y installer en 1847 (→ *théma p. 434-435*).

Le trésor de la sierra Nevada

Lorsque l'or fut découvert en Californie, la sierra Nevada devint la barrière à franchir pour accéder à de nouveaux filons. Les cochers du Pony Express redoutaient particulièrement de traverser ces déserts hostiles. Jusqu'à la découverte de la mine de Comstock Lode en 1859, le vaste territoire du Nevada n'avait été exploré que par John C. Fremont, accompagné du célèbre éclaireur Kit Carson (→ *encadré p. 526*). Une centaine de villes fantômes (Gold Hill, Dayton, Eureka, Unionville, Belmont, Berlin, Rhyolite) témoignent aujourd'hui de l'afflux des prospecteurs. Moins restaurées qu'en Arizona, elles distillent davantage la mélancolie des rêves brisés.

Une terre choisie

L'Utah est incompréhensible sans les **mormons** : eux seuls pouvaient créer un État prospère dans ce désert impitoyable. Fondée par **Joseph Smith** qui avait eu, en 1823, la révélation du *Livre de Mormon*, l'Église de Jésus-Christ des saints des derniers jours faillit disparaître en 1844 après l'assassinat de son fondateur.

Victime de l'intolérance religieuse et du scandale causé par la pratique de la polygamie, la communauté s'enfuit vers l'ouest, conduite par un nouveau prophète nommé **Brigham Young**. Celui-ci, convaincu que le véritable danger qui menaçait les mormons était leur dispersion dans le monde des « gentils » (les non-mormons), résolut d'installer son Église dans un endroit dont personne ne voulait. Parvenu en 1847 dans le morne désert de l'Utah, il déclara : « *This is the place !* » (« Voici l'endroit »). Trois ans plus tard, l'impossible pari était gagné : Salt Lake City se dressait sur les rives du Grand Lac Salé.

Le Colorado en bref

• **Nom** : de l'espagnol *colorado*, « rouge, coloré ».
• **Abréviation** : CO.
• **Surnoms** : Centennial State, Silver State.
• **Superficie** : 270 000 km².
• **Population** : 5 000 000 hab.
• **Villes principales** : Denver (capitale, 600 000 hab.) ; Colorado Springs (369 800 hab.) ; Pueblo (103 500 hab.).
• **Entrée dans l'Union** : 1876 (38e État).
• **Fuseau horaire** : Mountain Time (– 8 h par rapport à la France).

Une province mexicaine

C'est à l'ère chrétienne que se développent deux civilisations d'agriculteurs importantes : les Anasazis et les Mogollons, en contact avec les Indiens du Mexique. À la fin du xvie s., les premiers conquistadores nomment ces peuples « Pueblos » car leurs villages leur rappellent les *pueblos* (villages) espagnols. La province mexicaine, négligée par le pouvoir espagnol, végète dans un dénuement qui ne fait que s'aggraver après l'indépendance du Mexique (1821). De nouveaux conquérants forcent alors la porte du Nouveau-Mexique : en enfreignant l'interdiction de commercer avec les étrangers, les marchands américains ouvrent l'un des chapitres les plus colorés de l'histoire de l'Ouest, celui de la piste de Santa Fe (Santa Fe Trail ; → *encadré p. 519*). En 1846, lors de la guerre hispano-américaine, le Nouveau-Mexique devient territoire américain (traités de Guadalupe Hidalgo en 1848 et de Gadsden Purchase en 1853).

Le Sud-Ouest aujourd'hui

Les contrastes du Colorado

Theodore Roosevelt dit un jour du Colorado qu'il « défiait les mots ». Situé au cœur des Rocheuses, le *Silver State* (« État de l'argent », surnom qu'il partage avec le Nevada) est le plus élevé de l'Union, ce qui lui vaut également le surnom de « Toit de la nation » – la plupart des pics dépassent les 3 000 m, et 54 d'entre eux (dont le Mount Elbert, 4 399 m), les 4 000 m. Le Rocky Mountains National Park renvoie l'image mythique du Colorado, avec ses monts grandioses, ses torrents et ses lacs. Au sud-ouest, à la frontière du Nouveau-Mexique, les canyons de Mesa Verde accueillirent, entre le ve et le viiie s., les Indiens Anasazis ; ceux-ci bâtirent leurs maisons dans la roche rouge qui donna son nom à l'État. Au centre, les monts Sangre de Cristo, chaos grandiose recouvert de forêts, côtoient les dunes de la San Luis Valley. À l'est, les montagnes descendent en steppes monotones vers le Kansas.

Colorado : sous le signe de l'or blanc

Bien que ses parcs naturels, ses témoignages du vieil Ouest et ses stations de ski en fassent un État très touristique, le Colorado vit prioritairement de ses ressources minières : il est le premier producteur mondial de molybdène et le premier producteur américain d'étain. On y extrait également du vanadium, du tungstène, de l'uranium, du charbon, du pétrole et du gaz naturel. L'« or blanc » a remplacé l'or jaune : les Rocheuses du Colorado sont célèbres pour la poudreuse des pistes les plus fréquentées des États-Unis, qu'elles soient chics comme Aspen ou familiales comme Copper Mountain.

Arizona : « terre aride » des Indiens

L'Arizona évoque toujours le Far West des grands espaces, mais ses hôtels-ranchs soignés ou la pléiade de golfs qui entourent Phoenix apportent une touche de sophistication. Après les Indiens Anasazis, l'Arizona ne fut plus jamais une région de cultivateurs : 306 jours de soleil par an et les températures les plus chaudes de l'Union (elles dépassent allègrement 40 °C en été) les ont dissuadés. Au sud de l'État, dans les vallées irriguées, on se livre cependant à la culture intensive du coton, des légumes, des agrumes et même de la vigne. L'industrialisation repose en grande partie sur les richesses minérales : l'or, l'argent, le cuivre (1er producteur des États-Unis), le manganèse, l'uranium. Les conditions météorologiques font de la région un terrain de recherches aéronautiques et spatiales. Après l'industrie, le tourisme est la 2e grande activité de l'État. L'Arizona héberge la plus grande tribu indienne des États-Unis, les Navajos, et l'une des plus anciennes, les Hopis, descendants des Anasazis.

Utah : les roches aux mille couleurs

Riche de cinq parcs nationaux, l'Utah est le paradis des marcheurs, des contemplatifs, des amoureux de la nature. Dans une parfaite tranquillité, loin des foules touristiques, on y trouve quelques-uns des paysages les plus saisissants des États-Unis. Bryce Canyon, immense amphithéâtre de pitons rougeoyants, ne possède pas d'équivalent. Capitol Reef, Canyonlands, Arches, Zion sont inoubliables. L'État est demeuré largement agricole. L'industrie, prospère, repose notamment sur les constructions mécaniques et la haute technologie. Dominée par l'épopée mormone (→ théma p. 434-435), l'histoire de l'État évolue avec le temps : aujourd'hui, les « lieux de la nuit » se sont multipliés à Salt Lake City.

Nevada : voile blanc et tapis vert

Lorsque, en 1931, les jeux furent autorisés sur le territoire du Nevada, on assista à une levée de boucliers dans tout le pays : le *Chicago Tribune* demanda même que le statut d'État soit retiré au Nevada ! Mais depuis, ce dernier reçoit des milliers de visiteurs attirés par les casinos et les machines à sous ou, dans un autre domaine, pressés de nouer ou de rompre les liens du mariage (c'est l'État le plus libéral dans ce domaine).

L'Arizona en bref

- **Nom** : de l'indien *arizonac*, « peu d'eau », ou de l'espagnol *arida zona*, « région aride ».
- **Abréviation** : AZ.
- **Surnom** : Grand Canyon State.
- **Superficie** : 293 990 km².
- **Population** : 6 600 000 hab.
- **Villes principales** : Phoenix (capitale, 1 567 900 hab.) ; Tucson (549 000 hab.) ; Mesa (456 300 hab.) ; Tempe (167 900 hab.).
- **Entrée dans l'Union** : 1912 (48e et dernier des États continentaux).
- **Fuseau horaire** : Mountain Time (– 8 h par rapport à la France).

L'Utah en bref

- **Nom** : d'après le nom de la tribu indienne des Utes.
- **Abréviation** : UT.
- **Surnom** : Beehive State (*beehive*, « ruche »)
- **Superficie** : 212 750 km²
- **Population** : 2 800 000 hab.
- **Villes principales** : Salt Lake City (capitale, 182 000 hab.) ; Provo (117 600 hab.) ; Ogden (82 700 hab.).
- **Entrée dans l'Union** : 1896 (45e État).
- **Fuseau horaire** : Mountain Time (– 8 h par rapport à la France).

Le grand Sud-Ouest

Le Nevada en bref

- **Nom** : de l'espagnol *nevada*, « enneigée ».
- **Abréviation** : NV.
- **Surnom** : Silver State.
- **Superficie** : 286 300 km².
- **Population** : 2 600 200 hab.
- **Villes principales** : Carson City (capitale, 55 000 hab.) ; Las Vegas (607 000 hab.) ; Reno (214 900 hab.).
- **Entrée dans l'Union** : 1864 (36e État).
- **Fuseau horaire** : Mountain Time (– 8 h par rapport à la France).

Le Nouveau-Mexique en bref

- **Abréviation** : NM.
- **Surnom** : Land of Enchantment.
- **Superficie** : 314 457 km².
- **Population** : 2 000 000 hab.
- **Villes principales** : Santa Fe (capitale, 71 800 hab.) ; Albuquerque (522 000 hab.).
- **Entrée dans l'Union** : 1912 (47e État).
- **Fuseau horaire** : Mountain Time (– 8 h par rapport à la France).

☞ CONSEIL

Attention ! Au Nouveau-Mexique, ne partez jamais sur les routes sans eau ni essence ; on peut rouler une journée ou davantage sans rencontrer personne.

L'extraction des minerais (cuivre, plomb, zinc, mercure, antimoine) ne représente plus qu'une faible partie de l'économie du Nevada, le tourisme étant devenu sa principale source de revenus. Las Vegas est bien sûr le pivot de ce tourisme : on y trouve des hôtels parmi les plus grands du monde, mais aussi les meilleurs spectacles de variétés et de music-hall. Depuis quelques années, cependant, se profile un nouveau visage pour cette cité clinquante : celui d'une ville plus respectable, désireuse d'attirer les familles, sa nouvelle cible.

Le bluff et l'esbroufe ne doivent pas pour autant faire oublier l'âpre beauté du reste de l'État. Traversé par la sierra Nevada, le Nevada est un grandiose chaos rocheux à tonalité gris et blanc, qui étire ses crêtes minérales sur une terre plantée de yuccas. Un univers inconnu en Europe, qui rappelle certains déserts montagneux de la péninsule arabique. Près de Reno, le lac Tahoe *(→ p. 299)* offre le contraste fascinant d'une eau bleu-vert et d'une montagne abrupte et nue.

Nouveau-Mexique : des cultures mixtes

Le territoire du Nouveau-Mexique dessine un carré parfait traversé par le Rio Grande qui prend sa source dans l'État du Colorado et sépare, plus au sud, le Texas du Mexique. Pays de grands espaces, le Nouveau-Mexique offre de hautes montagnes baignées de lacs au nord, s'ouvre sur de vastes plaines à l'est et, passé les grandes forêts du sud, pénètre dans le désert. Si le soleil brille toute l'année, l'hiver, le territoire se recouvre de neige, l'enneigement atteignant même plusieurs mètres dans les montagnes du nord.

Dans les vallées irriguées, le Nouveau-Mexique produit du coton, des céréales, de la betterave à sucre, des pommes de terre, des fruits. L'élevage y est aussi important. Les Navajos, comme la plupart des tribus indiennes, laissent leur bétail se promener dans les champs et sur les routes. Respectez les limitations de vitesse et veillez aux animaux, surtout à la tombée de la nuit.

D'importants gisements de pétrole et de gaz naturel (dans la région voisine du Texas), de cuivre et d'uranium, font également sa richesse. Le centre de recherche scientifique de Los Alamos, où fut conçue la 1re bombe atomique, a participé de façon plus sombre à sa renommée. Les cultures indiennes et espagnoles, quant à elles, ont su garder ici une forte identité. Elles confèrent à l'État une profonde originalité au sein de l'Union et sont pour beaucoup dans le développement et l'importance du tourisme.

Denver★★ CO

Capitale du Colorado, au carrefour des Rocheuses et des Grandes Plaines, Denver est une des rares villes grandes et jeunes de l'Ouest. Née au milieu du XIXᵉ s., après la découverte d'or dans la région, la « Queen City of the Plains » cultive une atmosphère à part : au cœur du Downtown, à l'ombre des gratte-ciel, se dresse un superbe quartier historique liseré de façades de brique. Ici passa Jack Kerouac ! Des musées de qualité, de nombreux parcs et jardins, un climat sec et ensoleillé, l'air pur des montagnes toutes proches font de Denver une escale incontournable. C'est aussi un rendez-vous majeur pour les amateurs de bière…

Situation : à 102 mi/163 km S. de Cheyenne (WY), 287 mi/459 km N. de Taos (NM), 535 mi/856 km E. de Salt Lake City (UT).

Population : 600 300 hab. (2,5 millions d'hab. pour l'agglomération).

Altitude : 1 609 m.

Fuseau horaire : Mountain Time (– 8 h par rapport à la France).

Capitale du Colorado.

☞ Plan de Denver p. 417.

ℹ *Visitors Center* : 1600 California St. (angle 16th St. ; plan A2) ☎ 303/892-1505 ou (1)800/233-6837 ; www.denver.org

Denver mode d'emploi

■ Arriver à Denver

En avion. *Denver International Airport*, à 22 mi/35 km N.-E. de la ville, 8500 Pena Blvd ☎ 303/342-2000 ; www.flydenver.com • un métro souterrain relie les terminaux A, B, C au terminal principal.

Pour se rendre à Downtown :
● en **voiture** : 30 à 40 mn par l'I-70, puis l'I-25, sortie Colfax Ave.
● en **bus** (durée 1 h) : 1 départ/h, entre 8 h 45 et 0 h 45, de l'îlot 5 de l'aéroport • 1 départ/30 mn dans l'autre sens • arrêts : Downing Street Rail Station, Denver Bus Center, Market Street Station. *RTD Skyride* ☎ 303/299-6000 ; www.rtd-denver.com
● en **minibus** privé : parmi d'autres, *Blue Sky Airport Shuttle* ☎ 303/300-2626 ; www.blueskyshuttle.com

En train et en bus. La gare *Union Station* A1 et la gare routière *Greyhound* A1 se trouvent dans le quartier de LoDo, au N.-O. de Downtown.

En voiture. La ville est traversée par l'I-25 du N. au S. et par l'I-70 d'E. en O. • l'I-76, au N.-O., rejoint le Nebraska.

■ S'orienter

Broadway Avenue B1-3 est l'artère principale du N. au S. ; au N. se trouve Lower Downtown (LoDo).

Denver

Voir carte régionale p. 408

☞ FÊTES ET MANIFESTATIONS

• En janvier, *National Western Stock Show & Rodeo*, le plus grand rodéo de la ville (www.nationalwestern.com).

• En mars, *Denver March Pow Wow*, le rendez-vous des tribus indiennes (www.denvermarchpowwow.org).

• En septembre-octobre, *Beer Festival* et *Oktoberfest* (www.beertown.org).

La ville reine de la bière

En 1873, un jeune Allemand du nom d'Adolph Coors, arrivé clandestinement par bateau en Amérique, fonde la **brasserie Coors** à Golden, près de Denver *(Environ 1, p. 424)*. Sa concoction ambrée, brassée avec les eaux de source des Rocheuses, est adoptée par les mineurs locaux, qui la surnomment *« miner's banquet »*. Pendant les années de la Prohibition, l'entreprise se reconvertit momentanément dans la fabrication de lait malté. Même à cette époque, on peut toujours déguster une bière en toute discrétion au *Grahan's Saloon*, au 1401 Larimer Street !

Aujourd'hui, Denver brasse plus de bière que n'importe quelle autre ville des États-Unis : outre la légendaire Coors, elle accueille 15 microbrasseries (Wynkoop, Rock Bottom, etc.) fabriquant *ales, stouts* et autres *lagers* « maison ». Le festival de la Bière, en septembre, a acquis une renommée internationale.

■ Se déplacer

Bus. La **RTD** *(Regional Transportation District)* gère les différentes lignes de bus de la ville ☎ 303/299-6000 ; www.rtd-denver.com Une navette gratuite circule sur 16th St.

Tramway. Les deux lignes du *RTD Light Rail* traversent la ville du N. au S. La ligne D dessert plusieurs stations dans Downtown sur Stout St., California St. et Welton St.

Vélo. Avec *Denver B-Cycle* (http://denverbcycle.com), premier système de vélos « à partager » aux États-Unis • *pass* 24 h à 6 $ (payables aux bornes, par CB) • pas de supplément pour trajets inférieurs à 30 mn.

■ Adresses utiles

Urgences. *St Joseph Hospital*, 1835 Franklin St. ☎ 303/837-7111.

Gare ferroviaire. *Union Station*, 1701 Wynkoop St. A1 ☎ 303/322-3320.

Gare routière. *Greyhound Terminal*, 1055 19th St. A1 ☎ 303/293-6555, ouv. de 5 h 30 à 23 h 45.

Taxis. *Yellow Cab*, 7500 E. 41st Ave. ☎ 303/399-6464 • *Metro Taxi* ☎ 303/336-9108.

Locations de voiture. *Alamo*, 24530 E. 78th Ave. ☎ 303/342-7373 • *Avis*, 25500 E. 78th Ave. ☎ 303/342-5500 • *Enterprise*, 4175 E. Warren Ave. ☎ 303/757-3475 • *Hertz*, 24890 E. 78th Ave. ☎ 303/342-3800.

Poste. 951, 20th St. B1 ☎ 303/296-4692.

■ La meilleure période

Le printemps et l'automne sont les saisons les plus agréables ; l'été est généralement assez chaud (températures autour de 30 °C).

Denver dans l'histoire

Une ville de la ruée vers l'or

Au cours de l'été 1858, un petit groupe de prospecteurs découvre de l'or dans les eaux de la Platte River, au pied de Pikes Peak, dans les Rocheuses. C'est la ruée : de tout le pays, les pionniers traversent les Grandes Plaines à pied, en chariot, à cheval pour installer leur campement au bord de la Platte. Les plus malins se font commerçants et vendent aux nouveaux arrivants lots de terrain et matériel de forage. Le général William Larimer jette les bases d'une petite ville au lieu-dit Cherry Creek : il la nomme Denver, du nom du gouverneur du Kansas, dont il espère s'attirer les faveurs. Il ignore

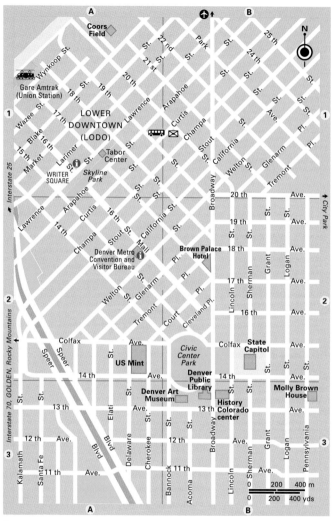

Denver.

alors que James Denver est mort ! Au gré des découvertes des nouveaux filons, Denver, favorisée par son climat doux, devient un carrefour commercial vital pour les prospecteurs des Rocheuses.

Le sens des affaires

Forte d'une armée de volontaires, la ville parvient à repousser les troupes des Confédérés et à gagner ainsi la place du Colorado dans l'Union. Après l'incendie de 1863, qui ravage le quartier des affaires, les habitants de Denver choisissent de financer leur propre chemin de fer jusqu'à Cheyenne (WY) pour faire la jonction

☞ Plan de Denver p. 417.

avec l'Union Pacific Railroad. Désormais, la ville se bâtit dans le style victorien, autour de Larimer Street. Son université voit le jour en 1864. Dynamisée par des hommes d'affaires audacieux, Denver prospère. Important centre d'armement pendant la Seconde Guerre mondiale, la cité s'enrichit grâce à la prospection pétrolière dans les Rocheuses, commencée en 1973. Après la chute des cours du pétrole, elle se lance dans les technologies de pointe (télécommunications, informatique) et profite de son statut de capitale fédérale pour développer le secteur tertiaire. Son image est associée à la bière Coors, brassée depuis 1873 dans la proche petite ville de Golden…

Downtown

Du Civic Center, où se dresse le State Capitol, au quartier historique de LoDo (Lower Downtown), le centre de Denver offre un parcours agréable, sous le signe de l'architecture et de la culture.

Combien de temps. Comptez 1 journée.

Se déplacer. Cette promenade peut aisément s'effectuer à pied ; en cas de fatigue, profitez de la navette gratuite *RDT* qui circule sur 16th St.

■ **Colorado State Capitol★** B2 (*à l'E. de Civic Center Plaza* ☎ *303/866-2604 • ouv. lun.-ven. 7 h-17 h 30*). « Modèle réduit » du Capitole de Washington, le siège du gouvernement fédéral domine le Civic Center Park et ses pelouses soignées. Pas moins de 60 kg d'or (évidemment extrait des mines du Colorado) recouvrent son dôme haut de 76 m. En montant au sommet de la rotonde, on a une jolie vue sur la ville et les Rocheuses.

Face au Capitole, le **City and County Building** (1932) rassemble les services administratifs de la ville et du comté.

Du Civic Center, prendre vers l'E. la Colfax Ave. jusqu'à Pennsylvania St., que l'on prendra à dr.

■ **Molly Brown House★** B3 (*1340 Pennsylvania St.* ☎ *303/832-4092 • ouv. mar.-sam. 10 h-15 h 30, dim. 12 h-15 h 30 • vis. guidée obligatoire, en anglais, toutes les 30 mn • durée 45 mn • www.mollybrown.org*). Cette petite maison victorienne était celle de la fameuse Molly Brown, l'une des rares rescapées du naufrage du *Titanic*. La visite, guidée par une dame en tenue d'époque, permet de découvrir un intérieur bourgeois du début du XXᵉ s. joliment meublé d'éléments Art déco. On remarquera dans le salon un curieux symphonion, sorte de boîte à musique géante dans laquelle on plaçait de grands disques en acier.

♥ BRASSERIE
Rock Bottom Brewery, 1001 16th St., angle Curtis St. (plan A1/2) ☎ 303/534-7616 ; www.rockbottom.com ; ouv. lun.-jeu. 11 h-23 h, ven.-sam. jusqu'à minuit. Une des microbrasseries les plus en vogue de Denver : 10 bières « maison », hamburgers et grillades, clientèle jeune.

Sur la 13ᵉ marche du Colorado State Capitol, côté O., une plaque indique l'altitude : 5 280 pieds, c'est-à-dire 1 609 m, soit très précisément 1 mile – d'où le surnom de Denver : « Mile High City ».

Lors du naufrage du *Titanic*, **Molly Brown** se distingua par son courage. Évacuée du paquebot, elle prit le commandement du canot et, ordonnant à une autre femme de l'aider, rama avec énergie pour sauver sa vie et celle de ses 14 compagnes. Cet épisode est à l'image de la vie de cette femme, de condition modeste, qui fit fortune avec son mari dans les mines d'or de Leadville.

Poursuivre sur Pennsylvania St. et prendre à dr. la 13th Ave. jusqu'à Broadway.

■ **History Colorado Center** B3 *(12th Ave. et Broadway ☎ 303/447-8679 • www.historycolorado.org • ouv. annoncée printemps 2012)*. Particulièrement adaptée aux familles, la visite de ce nouveau centre, à l'architecture contemporaine, permet d'expérimenter la riche histoire du Colorado et de ses habitants sur le mode interactif, au moyen d'expositions mêlant technologie pointue, objets archéologiques et anecdotes historiques. Les plus jeunes apprécieront notamment la machine à remonter le temps, la traversée des Grandes Plaines en Ford T de 1920, la descente au fond d'une mine avec lampe frontale ou la simulation de saut à ski.

Reprendre la 13th Ave. vers l'O., puis Broadway St. à dr.

■ **Denver Public Library** B3 *(10 W. 14th Ave. ☎ 720/865-1111 • ouv. lun.-mar. 10 h-20 h, mer.-ven. 10 h-18 h, sam.-dim. 13 h-17 h • www.denverlibrary.org)*. La plus grande bibliothèque de l'Ouest américain se déploie sur 10 niveaux, dans une bâtisse de style postmoderne signée par l'architecte Michael Graves : pierre, bois et lumière.

Poursuivre Broadway St. et prendre à g. la 14th Ave. qui longe le Civic Center.

■ **Denver Art Museum**★★ B3 *(100 W. 14th Ave. ☎ 720/865-502 • www. denverartmuseum.org • ouv. mar.-sam. 10 h-17 h, jusqu'à 22 h le ven., dim. 12 h-17 h • gratuit pour les – 5 ans • compter 2 h)*. Le musée se compose de deux vastes bâtiments aux entrées indépendantes, reliés par une passerelle : le **North Building**, réalisé par l'architecte Giò Ponti en 1970, évoque une forteresse aux tours de céramique blanche. Le **Hamilton Building**, nouvelle aile créée en 2006 par Daniel Libeskind *(→ encadré p. suiv.)*, a permis de doubler la surface d'exposition. Son architecture étonnante, tout en angles déstructurés, symbolise les montagnes Rocheuses. Dans la tradition des grands musées d'art, les collections du DAM embrassent de nombreuses périodes artistiques et civilisations.

North Building

● **Architecture, design et arts graphiques** *(2e et 6e étages)*. Le 2e étage est plus spécifiquement consacré au XXe s. et aux œuvres contemporaines.

● **Art amérindien** *(2e et 3e étages)*. Une collection extrêmement complète, à la fois par la variété des objets et la diversité des cultures.

● **Art précolombien, art colonial espagnol**★★ *(4e étage)*. La section couvre toutes les grandes civilisations d'Amérique centrale et d'Amérique du Sud. Une large place est laissée également aux civilisations méconnues d'Amérique centrale : statuettes de Bahia (500 av. J.-C.-500 apr. J.-C.), rares céramiques de la culture cocle (côte pacifique du Panamá), témoignages de la culture manteno (côte équatorienne), superbes **céramiques**★★ de la culture Greater Nicoya, du Costa Rica et du Nicaragua, bijoux en or du Costa Rica.

Dans la partie consacrée à l'art colonial espagnol, deux somptueux **meubles d'angle équatoriens**★★ ornés de placages représentant une cité ; citons également des portes polychromes provenant de Quito (Équateur, XVIIIe s.).

● **Art asiatique**★★ *(5e étage)*. La partie consacrée à l'Inde possède de magnifiques représentations de divinités datant de la dynastie Chola (XIIe s.). Parmi les autres splendeurs, on ne manquera pas une très belle **porte en bois ouvragé**★★ (1835) issue du palais de Sayyed Akbar Shah au Pakistan, une armure en soie, argent et fer (Japon, XVIIIe s.), un fragment de bas-relief figurant une divinité à tête d'oiseau provenant d'un palais de Nemrod (Irak, 885 av. J.-C.).

▶ Devant la nouvelle aile du Denver Art Museum (Hamilton Building), est installée la sculpture en acier *Lao Tzu*, de Mark Di Suvero, que les habitants appellent affectueusement « *the big orange thing* ».

Un défi à la géométrie

Né en Pologne en 1946, **Daniel Libeskind** vient d'une famille décimée dans les camps de concentration nazis. Cet héritage douloureux a sans conteste influencé son parcours d'artiste. Accordéoniste virtuose émigré en Israël, il rejoint les États-Unis dans les années 1960 et y entreprend des études d'architecture. Il révèle assez tôt son penchant pour les théories déconstructivistes du philosophe Jacques Derrida.

Appréhender l'espace en refusant de s'enfermer dans des formes géométriques « raisonnables », tel semble être le fil conducteur de son œuvre. Ainsi, le Musée juif de Berlin, auquel il doit sa notoriété, révèle par son aspect accidenté les plaies et les ruptures destructrices de l'histoire. Enseignant dans de nombreuses universités du monde, Libeskind établit son studio dans des villes aussi différentes que Milan, Los Angeles ou New York. C'est à Berlin que naîtront les projets d'agrandissement du musée d'Art de Denver et celui de reconstruction du World Trade Center, à New York – l'occasion pour lui de se mesurer à nouveau à la folie humaine tout en apprivoisant le travail de deuil…

● **Arts américain et européen** *(6ᵉ étage).* On verra ici quelques pièces exceptionnelles, notamment des peintres de la Renaissance (Arcimboldo, Lotto) ; du XIXᵉ s. français, on retiendra Géricault, Corot, Degas, Monet (**Le Pont de Waterloo**★★, 1903). La peinture américaine est également bien représentée (Georgia O'Keeffe, Andy Warhol, Roy Lichtenstein).

● **Section du textile** *(6ᵉ étage).* Vaste sélection de tissus anciens et contemporains, parmi lesquels de nombreux exemples de courtepointes américaines, la collection de coupons de Juli Wolf Glasser et celle des costumes et accessoires de la cour chinoise de Charlotte Hill Grant.

● **Art de l'Ouest américain** *(7ᵉ étage).* Après la guerre de Sécession (1861-1865), de nombreux peintres américains, comme Albert Bierstadt, Thomas Hill ou Thomas Moran, recherchent dans les puissants paysages de l'Ouest de nouveaux symboles de l'unité nationale. Leurs toiles dramatiques et théâtrales, aux dimensions imposantes, contribueront à nourrir le mythe de l'Ouest. D'autres artistes évoquent la conquête de l'Ouest et l'Amérique des origines : Charles Russell, George Catlin, Alfred Jacob Miller, Frederic Remington (à voir, notamment, son bronze *The Cheyenne*★★ ; → *encadré p. suiv.*)…

Hamilton Building

Les 1ᵉʳ et 2ᵉ étages accueillent des expositions temporaires.

● **Art de l'Ouest américain** *(2ᵉ étage).* Les dons de la collection Bill et Dorothy Harmsen montrent comment l'esprit de l'Ouest a été préservé au XXᵉ s. On admire, notamment, les portraits sensibles du peintre John Henry Sharp ou les eaux-fortes de Tony Foster, qui raconte son expédition en rafting sur le Colorado au moyen d'objets collectés sur le terrain (cartes, fossiles, os…).

● **Arts moderne et contemporain** *(3ᵉ et 4ᵉ étages)*. Cette section compte plus de 4 500 œuvres appartenant à une grande variété de formes d'expression, notamment la photographie, dont le musée possède une large collection. Une partie importante est consacrée à **Herbert Bayer**, peintre, typographe et architecte autrichien, qui passa 28 ans de sa vie au Colorado.

● **Arts océanique et africain** *(3ᵉ et 4ᵉ étages)*. Le 3ᵉ étage abrite également une section consacrée aux formes d'art du Pacifique Sud, avec de nombreux exemples de la Mélanésie et de la Polynésie. La collection d'Art africain compte un millier de tableaux, sculptures et d'autres objets et formes d'art, anciens et contemporains, provenant de différentes régions du continent africain.

Prendre à g. la 14th Ave., puis, à dr., remonter Bannock St. pour rejoindre Colfax Ave.

■ **US Mint★** A2 *(320 W. Colfax Ave. ☎ 303/405-4761 • derrière l'hôtel de ville • vis. guidée gratuite toutes les heures, lun.-ven. 8 h-14 h • réserv. obligatoire • www.usmint.gov • photos et film interdits).* C'est le 2ᵉ dépôt d'or du pays après le célèbre Fort Knox. On y bat monnaie depuis 1862 – les trois quarts des pièces américaines (*quarters*, *dimes*, *nickels* et *pennies*) sortent de ce bâtiment italianisant, élevé en 1904. Faut-il préciser que l'entrée est hautement surveillée ?

Passé la 1ʳᵉ salle, sorte de petit musée évoquant la monnaie, se situent les **ateliers de fabrication**, protégés par des vitres : découpage et poinçonnage (impression) des pièces, triage et élimination des pièces mal façonnées et emballage des bonnes. Toutes ces étapes, notamment celle du triage, effectué dans d'énormes machines, se font dans un bruit d'enfer de « monnaie sonnante et trébuchante » !

De l'US Mint, prendre la Colfax Ave. sur la dr. pour rejoindre Cleveland Pl. qui croise la 16th St.

■ **16th Street Mall★** A1-B2. Cœur battant de la cité, cette rue piétonnière bordée d'arbres est l'occasion de s'imprégner de l'ambiance de « Downtown Denver ». En été, des pianos peints de couleurs joyeuses sont laissés à la libre disposition des joueurs amateurs. Au fil des boutiques de mode et des terrasses de café, on s'arrêtera, à l'angle de Glanarm Pl., sous les gargouilles qui ornent la façade du **Kittredge Building** (1891) puis, à l'angle d'Arapahoe St., à la **D & F Tower**, inspirée en 1910 du campanile de Venise.

En descendant la 16th St. Mall vers Lower Downtown, prendre Tremont Pl. sur la dr., puis encore à dr., 17th St.

☞ Plan de Denver p. 417.

L'œil de l'Ouest

Durant son enfance, dans l'État de New York, **Frederic Remington** (1861-1909) se passionne pour la vie en plein air : il aime chasser, monter à cheval, mais aussi dessiner… Devenu homme d'affaires à Kansas City (MO), il effectue plusieurs voyages dans l'Ouest et en revient avec de nombreux croquis, qu'il publie dans *Harper's Magazine*. Il acquiert bientôt une célébrité mondiale comme peintre « de l'Ouest », puisant son inspiration dans la lutte entre l'homme et la nature. De 1895 à sa mort, il produit également 22 sculptures de bronze majeures, fondues en une seule pièce.

Modèle du genre : *The Cheyenne*, statue équestre représentant un Indien et un poney jetés en pleine course. Pour avoir longuement observé les chevaux et leur anatomie, Remington a trouvé le moyen d'accentuer l'impression de vitesse : il triche et rassemble en une seule pose les différents temps du galop, saisissant la monture en suspens, quand ses sabots ne touchent plus le sol. Le résultat est saisissant de vie et de vigueur.

Denver

1

■ **Brown Palace Hotel** B2 *(321 17th St.* ☎ *303/297-3111 • vis. guidées mer. et sam. à 14 h • gratuit • compter 1 h).* Édifié en 1892 dans le style néo-Renaissance, ce palace historique s'ordonne autour d'un élégant atrium, bordé à chaque étage de galeries en fer forgé. Dans son luxueux lobby se croisaient autrefois célébrités du show-biz et présidents américains. Un passage souterrain reliait, dit la rumeur, l'hôtel au Navarre, la maison de passe la plus chic de Denver.

Revenir sur la 16th St. pour continuer vers LoDo.

■ **Larimer Street★** A1 *(croise 16th St. sur la g., juste après le Tabor Center).* L'une des plus anciennes rues de Denver est devenue un centre commercial « haut de gamme » à ciel ouvert où s'alignent boutiques élégantes, galeries d'art, cafés et restaurants chics. Ses maisons victoriennes des années 1860-1880 lui confèrent son charme.

À l'intersection avec 20th St., prendre à g.

■ **Coors Field** A1 *(à l'angle de 20th St. et Blake St. • saison des matchs d'avr. à sept. • www.colorado.rockies.mlb.com).* Ce stade a été financé par le brasseur Coors. En plein Downtown, il accueille l'équipe locale de base-ball, les Colorado Rockies. La façade de brique, dont le style rétro évoque les stades urbains des années 1920, cache un complexe ultramoderne qui comprend même une véritable brasserie de bière (sponsor oblige).

② City Park

Situé à 3 mi/5 km E. de Downtown, cet immense parc est le véritable poumon vert de Denver. Les citadins viennent y pique-niquer, faire du sport, canoter sur les lacs ou profiter en famille des attractions locales.

Accès. Depuis le centre-ville, par la ligne de bus n° 20.

■ **Denver Museum of Nature and Science★★** h. pl. par B1 *(2001 Colorado Blvd, au S.-E. de City Park, à 3 mi/5 km E. de Downtown* ☎ *303/322-7009 • www. dmns.org • ouv. t.l.j. 9 h-17 h).* Au cœur de City Park, ce remarquable musée d'histoire naturelle tranche par la richesse de ses collections, mises en valeur par de nombreux programmes interactifs. Le **Hall of Life** met en scène la génétique, au fil d'une passionnante découverte du corps humain. **Prehistoric Journey** transporte le visiteur aux origines du monde, relatant son évolution jusqu'à nos jours. Conçue comme un voyage à travers l'espace, **Space Odyssey** permet d'expérimenter les technologies de l'exploration spatiale. Ne pas manquer la collection de minéraux et pierres précieuses (dont le fameux Tom's Baby, la plus grosse pépite d'or découverte au Colorado).

■ **Denver Zoo★** h. pl. par B1 *(entrée sur 23rd Ave., angle Colorado Blvd et York St., au N.-O. de City Park* ☎ *303/376-4800 • www.denverzoo.org • ouv. t.l.j. de mars à oct. 9 h-17 h, de nov. à fév. 10 h-16 h).* Placé sous le signe du développement durable, ce zoo « modèle » abrite plus de 4 000 animaux, la plupart évoluant dans des habitats naturels reconstitués. La nouvelle attraction phare : l'espace dédié à l'**Asie tropicale**, qui offre un parcours étonnant dans la jungle sur une passerelle en bois (éléphants d'Asie, rhinocéros indiens, tapirs, gibbons) et la reconstitution d'un village rural dont les occupants cohabitent avec les éléphants.

Quitter City Park par York St., qui longe le parc à l'O., et la suivre vers le S.

■ **Denver Botanic Gardens**★ h. pl. par B1 *(York St. ☎ 720/865-3500 • www.botanicgardens.org • ouv. t.l.j. 9 h-21 h, d'oct. à avr. 9 h-17 h).* Rendez-vous incontournable des botanistes amateurs, ce superbe jardin invite à découvrir des plantes du monde entier, par zones thématiques : iris, lilas, roses, orchidées... Un accent particulier est mis sur la flore de l'Ouest américain, adaptée à la sécheresse. Ne pas manquer l'étonnant **jardin de cactées**, aménagé sur le toit végétalisé du bâtiment principal.

♥ FAIRE UNE PAUSE

***Offshoots at the Garden**, dans le bâtiment principal des Denver Botanic Gardens ; ouv. t.l.j. 9 h-20 h. Un agréable petit café pour la pause déjeuner (salades, sandwiches, plats végétariens), avec vue sur le jardin tropical.*

À voir encore

■ **Black American West Museum and Heritage Center**★ h. pl. *(3091 California St. ☎ 303/292-2566 • www.blackamericanwestmuseum.com • au N.-O. de Downtown • ouv. jeu.-sam. 10 h-14 h, dim. 13 h-16 h).* Ce musée inédit est aménagé dans une maison victorienne ayant appartenu à Justina Ford, première femme médecin noire du Colorado. Par le biais de photos, d'objets et de documents, il évoque le rôle que jouèrent les Noirs américains durant la conquête de l'Ouest. Près d'un tiers des pionniers étaient en effet issus de l'esclavage. Après la guerre de Sécession, beaucoup migrèrent vers l'Ouest pour tenter une nouvelle vie comme cow-boys, cultivateurs, mineurs, trappeurs ou même bandits ! D'autres rejoignirent les rangs des fameux *Buffalo Soldiers (→ encadré ci-contre)*, chantés par Bob Marley.

Un film documentaire retrace l'épopée de Dearfield, village fondé par la communauté noire en 1934 *(sur la Hwy 34, près de Greeley, à 90 km N. de Denver)*, qui a aujourd'hui rejoint la cohorte des villes fantômes de l'Ouest.

■ **Forney Museum of Transportation** h. pl. *(4303 Brighton Blvd ☎ 303/297-1113 • accès par l'I-25, sortie 214A • www.forneymuseum.com • ouv. lun.-sam. 10 h-16 h).* Dans ce musée dédié à l'histoire des transports, les nostalgiques découvriront une collection de 500 véhicules de tous styles, comme la **Big Boy**, l'une des plus grosses locomotives à vapeur au monde, mise en service en 1936 par l'Union Pacific pour grimper les Wasatch Mountains, en Utah, ou la **Detroit Electric** de 1914, une des premières automobiles, aux allures de carrosse.

■ **Cherry Creek Shopping Center** h. pl. *(3000 E. 1st Ave. ☎ 303/388-3900 • www.shopcherrycreek. com • ouv. lun. 10 h-18 h, mar.-sam. 10 h-21 h, dim. 11 h-18 h).* Il se targue d'être le plus grand *mall* des montagnes Rocheuses : 160 boutiques et restaurants sur deux niveaux, des enseignes internationales de

Buffalo Soldiers, une épopée noire

Qui se souvient que, en 1866, après la guerre de Sécession, l'US Army avait créé deux régiments de cavalerie entièrement composés d'« hommes de couleur » ? Pendant 20 ans, ces soldats, stationnés notamment à Denver, participèrent aux guerres indiennes aux frontières de l'Ouest, bâtirent forts et routes, installèrent des lignes de télégraphe ou des citernes, escortèrent trains et diligences et donnèrent la chasse aux renégats de tout poil. Les Indiens les avaient surnommés *Buffalo Soldiers* en raison de leurs cheveux crépus, qui évoquaient la toison frisée des bisons.

Denver

Au bonheur des dameuses

Accessibles depuis Denver par la route I-70 W., les **stations de ski** du Colorado s'égrènent au fil des vallées des Rocheuses. Breckenbridge, Vail, Beaver Creek, Aspen/ Snowmass, Steamboat Springs, Telluride : réputées les meilleures des États-Unis, toutes ont à offrir des panoramas splendides, semés de forêts de bouleaux, une neige poudreuse à souhait et un accueil VIP, dans de luxueuses résidences en bois. En hiver, les pistes sont damées jusqu'à 20 fois par jour ! Rens. : www.coloradoski.com

☎ NUMÉROS GRATUITS
Les numéros de téléphone qui commencent par ☎ 800, 855, 866, 877, 888 sont des numéros d'appel gratuits *(toll-free number)*. Faites-les précéder du ☎ 1 si vous appelez depuis un poste fixe (et non d'un portable). Dans ce guide, ces numéros sont notés ainsi : ☎ (1)800/000-0000.

☞ Carte du Rocky Mountain National Park p. 426.

❶ *Visitors Centers* ☎ 970/586-1206 ; www.nps.gov/romo • *Alpine* (au N.-O.), ouv. de mi-août à mi-oct. • *Fall River* (au N.-E.). • *Beaver Meadows* (à l'E., à 3 mi/ 5 km d'Estes Park). • *Moraine Park* (à l'E.). • *Kawuneeche* (au S.-O.).

prêt-à-porter, décoration, accessoires. Plus qu'un centre commercial, c'est un lieu de rencontres et de divertissement incontournable, témoin d'un certain mode vie américain.

Environs de Denver

Denver est un point de départ idéal pour des excursions « nature » dans les montagnes Rocheuses. Randonnée, VTT et pêche en été, ski en hiver : chaque saison a ses plaisirs.

❶ Golden *(à 5 mi/8 km O. par l'I-70, sortie 256).*
Cette petite ville de la grande banlieue de Denver abrite deux célébrités : Buffalo Bill (enterré ici) et la bière Coors (inventée ici).

● **Buffalo Bill's Grave & Museum★** *(Lookout Mountain Rd • www.buffalobill.org • ouv. de mai à oct. t.l.j. 9 h-17 h, de nov. à avr. mer.-dim. 9 h-16 h).* Immortalisé dans l'imaginaire collectif comme le cow-boy téméraire et élégant, William Frederic Cody, *alias* Buffalo Bill *(→ encadré p. 108)*, mourut à Denver en 1917. Il repose au sommet de la Lookout Mountain Road, qui offre une belle **vue** sur Denver et ses environs. Le musée-mémorial évoque la vie de l'aventurier grâce à divers documents d'époque (photos, **affiches★**, journaux…), en prenant soin d'éviter les sujets qui fâchent : massacres de troupeaux entiers de bisons, mépris pour les populations indiennes…

● **Coors Brewing Company** *(13th St. et Ford St. ☎ 303/277-2337 • www.millercoors.com • vis. guidées gratuites lun.-sam. 10 h-16 h • durée 1 h 30).* Désormais propriété de la compagnie nord-américaine Molson-Coors, la plus grande brasserie du monde produit 2 milliards de litres de bière par an. La visite guidée permet de découvrir l'histoire de sa fondation, en 1873 *(→ encadré p. 416)*, et tout le processus de fabrication, le maltage, le brassage, l'empaquetage. Dégustation en fin de parcours.

❷ Rocky Mountain National Park★★
Pics déchiquetés, canyons effilés, vallées glaciaires, lacs étincelants forgent ce parc spectaculaire qui se prête à de multiples activités : randonnée, équitation, ski de fond, raquettes, alpinisme et VTT.

Accès. Le parc possède deux entrées principales : **Estes Park**, à 63 mi/100 km au N.-O. de Denver par l'US 36 • **Grand Lake Entrance**, au S.-O., à 88 mi/ 140 km par l'US 34.

Entrée. 20 $ /véhicule, valable 7 j. • *pass America The Beautiful* accepté.

La meilleure période. Le parc est ouv. t.a. • attention, risques fréquents d'enneigement d'oct. à mai • les meilleures saisons sont l'été et l'automne.

Hébergement. Campings à Aspenglen, Glacier Basin, Longs Peak, Moraine Park et Timber Creek (rens. ☎ (1)877/444-6777) • on peut également séjourner à **Estes Park** • la région regorge aussi de charmants B&B en rondins de bois, blottis sur les berges de la Fall River : Aspen Winds, Riverwood, Boulder Brook…

Activités. 575 km de **sentiers** permettent de s'aventurer jusque dans les endroits les plus reculés du parc, (rens. dans les *Visitors Centers*) • janvier et février sont les meilleurs mois pour pratiquer le **ski de fond** : plusieurs pistes balisées pour tous niveaux, au départ de Glacier Gorge Junction et de Bear Lake.

● **Estes Park** (❶ *Visitors Center, 500 Big Thompson Ave.* ☎ *970/577-9900 • www.estesparkcvb.com*). Aux portes de Rocky Mountain National Park, la station offre une halte agréable, avec sa « Main Street » bordée de galeries d'art et de boutiques western et sa promenade aménagée le long de la Fall River. Son site d'escalade de **Lumpy Ridge** est réputé pour ses voies, accessibles aux grimpeurs de tous niveaux *(4 km N. • stages et location d'équipement : Colorado Mountain School* ☎ *970/586-5758).*

● **Trail Ridge Road**★★ *(US 34, 50 mi/80 km • ouv. de mi-mai à oct. suivant la météo • compter 2 à 3 h pour la parcourir).* Cette route, la plus haute d'Amérique du Nord, traverse le parc d'E. en O., puis descend le long de la partie O. En la prenant depuis Fall River, on verra les prairies de Horseshoe Park, en bordure des rivières et des Sheep Lakes, où il n'est pas rare d'apercevoir des mouflons.

● **Fall River Road** *(bifurquer à dr. après les lacs • ouv. en été seul. • accès interdit aux caravanes et aux véhicules lourds).* La piste carrossable monte en sens unique ; son parcours est moins panoramique que la Trail Ridge Road mais plus sauvage ; en chemin, on ne manquera pas de s'arrêter aux **chutes de Chasm**. À Fall River Pass (alt. 3 595 m), on rejoint la Trail Ridge Road.

Au-delà de Deer Ridge Junction, la Trail Ridge Road file à plus de 3 500 m d'altitude en ménageant de beaux panoramas sur les sommets.

● Dépassant Many Park Curves et la station de sports d'hiver de Hidden Valley, on arrive à **Rainbow Curve**★ où l'on s'arrêtera pour admirer Endovalley.

Un paradis naturel

Les pics enneigés du **Rocky Mountain National Park** s'élèvent au-dessus des Grandes Plaines, culminant à 4 341 m au Longs Peak ; dans les vallées, l'altitude moyenne est de 2 400 m. Les glaciers, disparus il y a 25 000 ans, ont façonné le parc en créant des dépôts de moraines, des cirques glaciaires et des chutes d'eau.

La végétation, étagée des vallées aux sommets, donne au paysage un caractère contrasté : dans les zones les moins élevées, des forêts de sapins et de genévriers se mêlent à des bois de trembles et d'épicéas bleus, alternant avec des prairies de fleurs sauvages aux multiples essences. Au-dessus commencent la toundra et son abondante flore alpine.

〰 PARCS NATIONAUX
À propos des conditions d'entrée et des forfaits, consultez la rubrique « Parcs nationaux », dans le chapitre Séjourner, p. 52.

✐ TRANSPORTS
• Une navette relie *Estes Park Visitors Center* à *Park & Ride*, toutes les 30 mn de 10 h à 18 h.

• De *Park & Ride* (parking) à Bear Lake, navettes toutes les 15 mn de 7 h à 19 h.

• De *Park & Ride* à Fern Lake Bus Stop, navettes toutes les 30 mn de 7 h à 19 h.

• L'été, un service de bus gratuits circule dans le parc sur Bear Lake Rd et Moraine Park Rd.

Denver

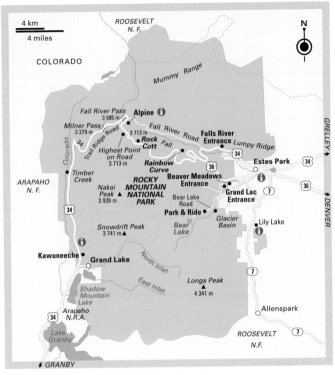

Rocky Mountain National Park.

Un peu plus loin, on atteint Forest Canyon Overlook, qui domine de 750 m le fond du canyon où coule la Big Thompson River. À **Rock Cutt★★**, point de vue suivant, on aperçoit la superbe Mummy Range.

▶ De Rock Cut, part le **Toundra Trail**, petit sentier facile *(800 m • 1/2 h a.-r.)*, qui permet de se familiariser avec cette végétation particulière. ◀

● La route atteint son point le plus élevé (3 713 m) au S. de l'**Alpine Visitors Center**, où débouche la Fall River Road. Elle se dirige vers Milner Pass (3 279 m), sur le *Continental Divide*, ligne de partage des eaux continentales, descend dans Kawuneeche Valley et aboutit à **Grand Lake**, dont on longe alors la rive dr. Alimenté par le Colorado, ce lac glaciaire est le plus grand de l'État.

● On peut ensuite suivre la vallée du Colorado, qui continue à l'extérieur du parc à travers l'**Arapaho National Recreational Area** et ses deux bassins de retenue, le Shadow Mountain Lake et le Lake Granby.

● **Bear Lake Road★** *(9 mi/14 km • accessible depuis l'US 36 au niveau de Beaver Meadows)*. Cette route traverse le Moraine Park où viennent chasser les coyotes, suit ensuite le Glacier Basin, passe non loin du petit lac artificiel de Sprague Lake et se termine à **Bear Lake★** (lac de l'Ours). De Bear Lake partent un chemin d'observation qui fait le tour du lac et plusieurs sentiers de randonnée vers les lacs Emerald *(3 km)*, Dream *(1,6 km)*, Nymph *(800 m)* et Haiyaha *(3,2 km)*.

3 Aspen★ *(à 174 mi/320 km S.-O. de Denver par l'I-70, l'US 24 et la CO 82).*

Aujourd'hui station de ski fort prisée par la jet-set, cette petite ville a une histoire. L'exploitation de ses mines d'argent, qui connut son apogée dans les années 1880, l'a dotée de belles demeures victoriennes : de 1887 à 1893, Aspen aurait même été la ville qui s'enrichissait le plus aux États-Unis ! Le Wheeler Opera et l'hôtel *Jerome* furent bâtis par le richissime prospecteur Jerome Wheeler.

La station se divise en quatre parties : Aspen Mountain (2 410 m), la principale, où la moindre maison vaut plus d'un million de dollars ; Snowmass Village (2 622 m), la plus élevée ; enfin, Aspen Highlands et Buttermilk. Une vingtaine de kilomètres les séparent les unes des autres. Chaque hiver, les skieurs chevronnés dévalent et arpentent les pistes de ski alpin ou de fond ; en été, c'est le point de départ des balades dans la Roaring Fork Valley.

4 Black Canyon of the Gunnison National Park★★ *(à 247 mi/398 km S.-O. de Denver par l'US 285, l'US 50 et la CO 92).*

● On pourra faire une halte à **Gunnison**, jolie petite ville entourée de torrents et de lacs, très appréciée des randonneurs et des pêcheurs, qui propose un grand nombre d'activités sportives et de plein air.

Aux environs de Gunnison, plusieurs villes fantômes rappellent que la cité a été fondée en 1874 dans un riche bassin minier : ainsi, **Tincup** *(à 40 mi/64 km N.-E. par la CO 135 et une petite route carrossable)*, **Pittsburgh**, **Change** et **Iris**.

● Le **Black Canyon**, isolé sur un haut plateau, est sans doute l'une des gorges les plus sauvages et les plus spectaculaires des États-Unis. Creusée par la Gunnison River qui a lentement érodé des roches dures (schiste, gneiss, granite) déposées à la fin de l'ère primaire, elle offre un paysage d'une rare beauté. Par endroits, la hauteur des falaises dépasse 800 m ; aux passages les plus étroits, les deux lignes de crête ne sont distantes que de 335 m.

● La **South Rim Road** longe le bord S. du canyon, offrant de fabuleux points de vue et quelques sentiers de randonnée ; ses 10 km se parcourent aussi à bicyclette. La partie N. du canyon est accessible par une piste carrossable qui part de la CO 92.

5 Vers le sud, au fil de la route I-25★ *(233 mi/373 km jusqu'à Alamosa, 383 mi/613 km jusqu'à Durango).*

● **Pikes Peak★★** *(à 100 mi/160 km S. de Denver par l'I-25 jusqu'à Colorado Springs, puis la CO 24 jusqu'à Manitou Springs).* Cette excursion compte

---

✆ www.aspenchamber.org

☞ FÊTES ET MANIFESTATIONS
De juin à août se déroule à Aspen un festival de Musique réputé (classique et jazz). Rens.
Aspen Music Festival and School, 2 Music School Rd ;
www.aspenmusicfestival.com

✆ ☏ 970/641-2337 ;
www.nps.gov/blca

✐ BON À SAVOIR
Les environs de Gunnison, parcourus par plus de 1 000 km de rivières à truites, sont un paradis pour les pêcheurs.

Encore préservé des afflux massifs de visiteurs, le parc de Black Canyon abrite toutes sortes d'animaux : écureuils, belettes, marmottes, ours bruns, pumas…

☖ PARCS NATIONAUX
À propos des conditions d'entrée et des forfaits, consultez la rubrique « Parcs nationaux », dans le chapitre Séjourner, p. 52.

✐ BON À SAVOIR
Pour faire l'ascension sans effort : Pikes Peak Cog Railway (d'avr. à déc. suivant le temps ; rés. obligatoire ☏ 719/685-5401 ; www.cograilway.com ; se présenter 1/2 h avant le départ).

Denver

parmi les plus belles de la région. Dans un paysage absolument magnifique, les trains à crémaillère de la Pikes Peak Cog Railway vous conduisent au sommet en 3 h 10, avec une halte de 30 à 40 mn à l'arrivée pour profiter du **panorama** grandiose.

ⓘ ☎ 719/378-6399 ; www.nps.gov/grsa ; ouv. 9 h 30-18 h 30 en été, 9 h-17 h au printemps et en automne, 9 h-16 h 30 en hiver.

☞ HÉBERGEMENT
• *Camping Pinyon Flats*, ouv. t.a.
• On peut loger à **Alamosa** (à 35 mi/56 km S.-O. du parc) **ⓘ** 719/589-4840 ; www.alamosa.org

✎ BON À SAVOIR
En été à Great Sand Dunes, la température oscille entre 20 et 27 °C, mais le sable peut atteindre 60 °C : équipez-vous de bonnes chaussures pour escalader les dunes.

Pas si désert

Great Sand Dunes, c'est le Sahara du Far West, mais, paradoxalement, l'eau est partout présente dans ce désert. Chaque printemps, les rives de Medano Creek et Sand Creek, qui ont fait leur lit au pied des dunes, reverdissent, offrant leur refuge aux oiseaux locaux (pélicans, hérons, avocettes). À cette saison, les touristes viennent même se baigner et bronzer sur la plage de Medano Creek. En été, quand les rivières sont à sec, le sport national consiste à dévaler les pentes des dunes sur des planches de plastique !

● **Great Sand Dunes National Park★** *(à 245 mi/392 km S. de Denver, 174 mi/278 km S.-O. de Colorado Springs, par l'I-25 S, l'US 160 puis la CO 150 ouv. t.l.j.).* Au pied des Rocheuses enneigées, et à 2 500 m au-dessus du niveau de la mer, se dressent les plus hautes **dunes** d'Amérique du Nord. Emporté par les eaux, poussé par les vents dominants du S.-O., tout ce sable s'est accumulé contre la paroi des monts Sangre de Cristo. Le vent l'a ensuite sculpté en dunes spectaculaires. Pour profiter des paysages, mieux vaut découvrir le parc tôt le matin ou en soirée, sous la lumière rasante.

Du *Visitors Center*, une route carrossable rejoint le camping de **Pinyon Flats**, d'où on accède à la « plage » de **Medano Creek** *(encadré → ci-contre)* ; on peut aussi gagner librement les crêtes des dunes : **High Dune** (198 m) offre une vue à 360° sur le désert de sable et sur Star Dune, la plus haute d'Amérique du Nord (229 m).

● **Cumbres & Toltec Scenic Railroad★★** *(train touristique en service de fin mai à mi-oct. • Antonito est à 262 mi/422 km S.-O. de Denver par l'I-25, l'US 160 et l'US 285 ; et à 56 mi/89 km S. de Great Sand Dunes ☎ (1)888/286-2737 • www.cumbrestoltec.com).* De 1880 aux années 1920, ce **chemin de fer** a servi à transporter l'argent extrait des montagnes de San Juan, au S.-O. du Colorado. Tombée en désuétude, la ligne a été rétablie entre Antonito et Chama pour les touristes et offre un parcours à travers de somptueux paysages de forêts, de montagnes, de gorges et de rivières. On voyage à bord de vieux wagons restaurés dans le style victorien, tirés par une locomotive à vapeur. À ne pas manquer à l'automne, dans les ors de l'été indien…

En saison, départs t.l.j. à 8 h 30 et à 10 h d'Antonito (CO) ou de Chama (NM), avec aller en train et retour en bus, ou vice versa • compter 8 h a.-r., incluant une pause déjeuner à Osier • dans les deux sens, possibilité d'effectuer seulement la moitié du parcours jusqu'à Osier • tarif réduit pour les enfants de 2 à 11 ans.

● Possibilité de rejoindre **Durango★** *(à 149 mi/238 km O. d'Alamosa, 157 mi/251 km O. d'Antonito, 337 mi/539 km S.-O. de Denver) : → p. 517.*

Salt Lake City★ UT

Fondée en 1847 par le prophète mormon Brigham Young, l'actuelle capitale de l'Utah abrite le siège de l'Église des saints des derniers jours, quatrième religion aux États-Unis par le nombre de fidèles. Poussée au milieu du désert, entre le Grand Lac Salé et les Wasatch Mountains, Salt Lake City a gagné au fil du temps une réputation de ville tranquille et verte. Sa population, comprenant 45 % de mormons, s'est étoffée de nombreux Américains qui plébiscitent son cadre de vie soigné, sa vie culturelle de qualité et la proximité des montagnes. Randonnée, escalade ou VTT en été, ski en hiver, c'est le rendez-vous des sportifs !

Situation : à 534 mi/854 km O. de Denver (CO).

Population : 182 000 hab.

Altitude : 1 315 m.

Fuseau horaire : Mountain Time (– 8 h par rapport à la France).

Capitale de l'Utah.

☞ Plan de la ville p. 431.

❶ 90 S. West Temple St. (A2) ☎ 801/534-4900 ; www.visitsaltlake.com ; ouv. mar.-ven. 9 h-18 h, sam.-dim. 9 h-17 h.
❶ Office de tourisme de l'Utah, Council Hall, 300 North State St. (B1) ; ☎ 801/538-1900 ; www.utah.travel ; ouv. lun.-ven. 8 h-17 h, sam. dim. 10 h-17 h.

Salt Lake City mode d'emploi

■ Arriver à Salt Lake City

En avion. L'aéroport (☎ 801/575-2400) est à 7 mi/ 11 km du centre-ville par l'I-80.

Pour rejoindre le centre-ville, empruntez les **navettes** *Express Shuttle* (☎ (1)800/397-0773) ou le **bus** n° 50 (*Utah Transit Authority* ☎ 801/287-4636). Des navettes *Greyhound Bus* (☎ (1)800/231-2222) et *Amtrak* (☎ (1)800/872-7245) desservent respectivement les gares routière et ferroviaire.

Les comptoirs des compagnies de **location de voiture** sont situés au r.-de-ch. du parking « short-term ».

En train et en bus. La gare ferroviaire *Amtrak* (340 S./ 600 W. Sts) et la gare routière *Greyhound* (300 S./600 W. Sts ☎ 801/355-9579) sont situées à l'O. du centre-ville.

En voiture. L'I-15 et l'US 89 traversent la ville du N. au S. ; l'I-80, d'E. en O.

■ S'orienter

La majorité des rues sont nommées selon leur situation par rapport au Temple : South Temple St. est ainsi la 1re rue au S. du Temple, 100 South Temple St., la 2e au S., 200 South Temple St., la 3e au S. Ce principe s'applique en direction des quatre points cardinaux.

Voir carte régionale p. 408

Salt Lake City

La 3ᵉ semaine d'août, une fameuse course automobile se déroule à Bonneville Salt Flats (à 100 mi/160 km O. de Salt Lake City par l'I-80), sur la surface salée du Great Salt Lake Desert. Le reste du temps, la piste de 14 km, plate et dure comme le béton, sert à tester toutes sortes de bolides. Rens. ☎ 801/539-4001.

♥ BRASSERIE
Squatters Brewpub, 147 W. Broadway/300 South St. (plan B3) ☎ 801/363-2730 ; www.squatters.com ; ouv. dim.-jeu. 11 h-minuit, ven.-sam. 11 h-1 h. La plus célèbre microbrasserie de Salt Lake : sélection de bières maison dans un chaleureux décor de brique et de bois, restaurant-grill à l'étage.

Deseret, le premier nom de l'Utah, signifie « abeille du désert » dans la langue du *Livre de Mormon*, ce qui explique le symbole de l'Utah, la ruche. Les mormons se définissent comme un peuple industrieux et une communauté solidaire.

■ Se déplacer

Bus et tramways. Les trajets sont **gratuits** dans le centre-ville pour la zone comprise entre North Temple St., 600 W. St., 200 E. St., avec deux extensions jusqu'au State Capitol et à la Library Station • les **bus** circulent de 6 h (7 h le sam.) à minuit, les **tramways** *(TRAX)* de 5 h 30 à 23 h (1 h le sam.) • pas de service les **j. fériés** • pour des trajets hors du centre, il existe un *pass* pour la journée. Rens. ☎ 801/287-4636.

Taxis. *City Cab* ☎ 801/363-5550 • *Ute Cab* ☎ 801/359-7788 • *Yellow Cab* ☎ 801/521-2100.

■ Adresses utiles

Police. *Salt Lake City Police Department*, Public Safety Complex, 315 E. 200 South Temple St. ☎ 801/799-3000.

Locations de voiture. *Avis*, 150 W. 500 South Temple St. ☎ 801/359-2177 • *Hertz*, 75 S. West Temple St. ☎ 801/355-8427.

Poste. 36 S. Main St. A2.

Salt Lake City dans l'histoire

La longue marche des mormons

Après le lynchage de Joseph Smith en 1844 (→ *théma p. 434-435)*, Brigham Young, charpentier originaire de l'État de New York, prend la tête de la communauté mormone. En 1846, fuyant la persécution des « gentils » (les non-mormons), il se met en route vers l'O. avec 150 fidèles. Après une marche de plus de 2 000 km à travers des contrées sauvages et désertiques, l'expédition atteint, un an et demi après son départ, la plaine du Grand Lac Salé. La communauté s'installe là en 1847 et commence à cultiver la terre avec acharnement. Quand, en 1848, le Mexique cède aux États-Unis le territoire correspondant à l'Utah, les mormons fondent leur propre État, « Deseret ».

Le *casus belli* de la polygamie

Sur la piste des caravanes vers la Californie, Salt Lake City s'enrichit grâce au commerce. Mais les pratiques polygames de certains mormons provoquent un scandale dans le reste du pays et retardent la reconnaissance du nouvel État par Washington. L'Église mormone a beau excommunier les adeptes du mariage plural, le gouvernement américain envoie une expédition militaire en 1857-1858. La polygamie est officiellement interdite, les biens de l'Église sont saisis et, en 1890, le président Woodruff proclame l'obligation d'obéir aux lois fédérales. C'est le retour

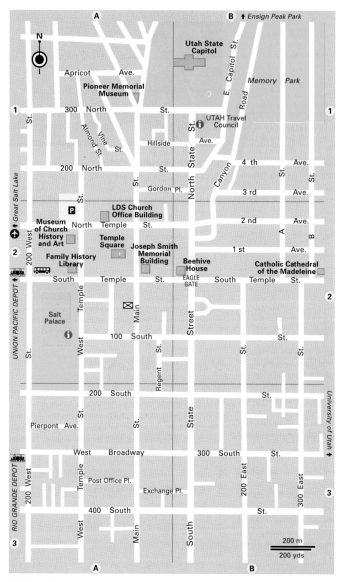

Salt Lake City.

à l'apaisement. En 1896, l'État mormon est admis sous le nom d'Utah, avec ses propres lois. Entre-temps, la première ligne de chemin de fer transcontinentale a fait sa jonction, au N. du Grand Lac Salé.

☞ Plan de la ville p. 431.

▶ Au Tabernacle (Temple Square), ne manquez pas d'aller écouter le fameux chœur mormon (dim. à 9 h 30, répétition jeu. à 20 h), ou un concert d'orgue (t.l.j. à 12 h, dim. à 14 h). Entrée gratuite.

☎ NUMÉROS GRATUITS

Les numéros de téléphone qui commencent par ☎ 800, 855, 866, 877, 888 sont des numéros d'appel gratuits *(toll-free number)*. Faites-les précéder du ☎ 1 si vous appelez depuis un poste fixe (et non d'un portable). Dans ce guide, ces numéros sont notés ainsi : ☎ (1)800/000-0000.

Baptêmes à la chaîne

La famille mormone ne se retrouve dans l'au-delà que si elle est réunie par une bénédiction religieuse spéciale, le baptême par procuration des ancêtres « gentils ». Ce souci de sauver l'âme de leurs ancêtres est à l'origine de la passion des mormons pour la généalogie. Ils achètent ainsi dans le monde entier des fichiers, qu'ils soient d'état civil, militaires ou autres. Cette démarche a provoqué, dans les années 1990, l'indignation de la communauté juive, les mormons ayant pris la liberté de baptiser des victimes de la Shoah.

Aujourd'hui, Salt Lake City possède la plus grande bibliothèque généalogique du monde. Plus de 3 milliards de personnes décédées y sont enregistrées, les documents les plus anciens remontant à l'année 1500 pour l'Europe et à 300 av. J.-C. pour la Chine.

Salt Lake City aujourd'hui

Depuis cette époque, Salt Lake City s'est affirmée comme le siège de l'Église mormone, qui s'est répandue à travers le monde grâce à une fervente activité missionnaire. C'est une ville à l'économie prospère. L'agriculture et l'élevage sont à la base d'une importante industrie alimentaire ; la métallurgie s'appuie sur l'exploitation minière de la région, notamment les mines de cuivre de Bingham. L'agglomération compte également des raffineries de pétrole et des usines chimiques qui exploitent le sel du Grand Lac Salé : plus de 1,5 million de tonnes sont ainsi extraites chaque année. Le tourisme joue aussi un grand rôle, notamment grâce aux montagnes environnantes et à leur domaine skiable exceptionnel.

Visiter Salt Lake City

■ **Temple Square★★** A2 *(entrée et Visitors Centers sur South Temple ou North Temple ☎ 801/240-2534 • www.visittemplesquare.com • ouv. t.l.j. 9 h-21 h • vis. guidées toutes les 15 mn).* Le lieu saint des mormons constitue à lui seul le centre-ville. Sur ces 4 ha se dressent le Temple, le Tabernacle et l'Assembly Hall. La visite guidée, qui permet d'appréhender la « philosophie » mormone, se fait sous la houlette d'une jeune missionnaire, au départ de l'un des deux *Visitors Centers.*

● À dire vrai, il n'y a pratiquement rien à voir, le seul bâtiment digne d'intérêt, le **Temple**, étant interdit aux non-mormons. Cette imposante construction en granit, édifiée de 1853 à 1893, est typique de l'architecture mormone. La plus haute de ses trois tours pointues est couronnée d'une statue dorée de l'ange Moroni (4 m) par Cyrus D. Dallin. L'été, on y célèbre plus de 100 mariages par jour !

● Le **Tabernacle★** (1864-1867), vaste construction ovale, peut accueillir plus de 6 000 personnes. On le repère à son dôme recouvert d'aluminium, qui, à l'intérieur, révèle l'une des plus grandes portées de voûte du monde. Cet édifice est connu pour son acoustique exceptionnelle, et, surtout, pour ses orgues, qui comptent plus de 11 600 tuyaux.

● Bâti en 1882, l'**Assembly Hall** accueille les offices et des réunions, des conférences et des concerts.

● Situé en face de l'Assembly Hall, le **Seagull Monument** (1913), colonne en pierre couronnée de deux mouettes *(seagull)*, a été élevé en souvenir du miracle qui eut lieu en 1848, lorsque les oiseaux exterminèrent les sauterelles venues ravager les cultures des mormons fraîchement installés. Ils sauvèrent ainsi les colons de la famine et de la ruine. À côté, un bronze évoque la longue marche accomplie par les pionniers d'Iowa City à Salt Lake City ; il représente un homme et son épouse tirant une charrette sur laquelle est monté un enfant.

■ **LDS** (Latter Day Saints) **Church Office Building** A2 *(50 W. North Temple St. ☎ 801/240-2534 • accès au 26ᵉ étage • lun.-ven. 9 h-16 h 45)*. Ces tours rassemblent les services administratifs de l'Église et les organes du pouvoir mormon. Sur le parvis, trois sculptures de **Dennis Smith** indiquent sans ambiguïté le rôle de la femme dans la société mormone : à dr., une femme, tête baissée, tient son fils par les épaules *(L'Éducation du fils)* ; au centre, elle danse une ronde avec ses trois enfants *(Moment joyeux)* ; à g., une jeune fille lève les yeux vers sa mère qui berce un enfant *(Sur les pas de sa mère)*… Du 26ᵉ étage, on a une bonne **vue** d'ensemble de la ville.

Par North Temple St., rejoindre West St.

■ **Museum of Church History and Art**★ A2 *(45 N. West Temple St. ☎ 801/240-3310 • ouv. lun.-ven. 9 h-21 h, w.-e. et j. fériés 10 h-19 h • entrée gratuite)*. Fort intéressant, ce musée moderne présente des souvenirs de l'épopée mormone au temps des pionniers, leur exode et les persécutions qu'ils subirent. Joseph Smith et Brigham Young, les deux « piliers » du mouvement, sont largement évoqués dans divers documents : manuscrit du *Livre de Mormon*, pièces de monnaie, cartes, maquette de Salt Lake City en 1870, presse ayant servi à imprimer le *Livre de Mormon*… Au 1ᵉʳ étage sont exposés les portraits de tous les prophètes de l'Église : au fil des années, ils ressemblent de plus en plus à des *businessmen* !

■ **Family History Library**★ A2 (Centre de recherche généalogique • *35 N. West Temple St. ☎ 801/240-22584 • lun. 8 h-17 h, mar.-sam. 8 h-21 h • accès et consultation gratuits)*. Cette bibliothèque généalogique, la plus grande au monde, emmagasine sur quatre niveaux des millions de microfilms, actuellement en cours de numérisation pour permettre une consultation en ligne. Une fois trouvées les références nécessaires au Family Search Center, c'est ici que l'on vient consulter les archives qui révèlent si, oui ou non, vos ancêtres ont été rebaptisés. Conformément à la légalité, les archives consultables datent d'au moins un siècle. Une recherche efficace doit donc porter d'abord sur les dates et lieux de naissance (ou de mariage, ou de décès) des grands-parents, voire des arrière-grands-parents.

Poursuivre West Temple St., vers South Temple St. que l'on prendra vers la g. jusqu'au croisement avec Main St.

■ **Joseph Smith Memorial Building**★ A2 *(15 E. South Temple St.)*. Verrière Art déco, balcons en fer forgé et colonnes en faux marbre : l'ancien hôtel *Utah*, ouvert de 1911 à 1987, abrite désormais un cinéma, des restaurants et salles de réception appartenant à l'Église mormone. Au Legacy Theater est projeté le film *Joseph Smith : the Prophet of the Restoration (lun.-sam. 9 h-19 h 30 • projection gratuite)*. Du 10ᵉ étage, **vue**★ panoramique sur la ville. ▶▶▶

Salt Lake City

Les mormons,

▲ Adeptes mormons durant le Hill Cumorrah Pageant, manifestation annuelle célébrant le *Livre de Mormon* et Joseph Smith, premier « prophète » de l'Église mormone.

En 1830, le « prophète » Joseph Smith fonde l'Église de Jésus-Christ des saints des derniers jours. Teinté de croyances populaires et de magie, un nouveau mouvement religieux millénariste est né, dans le sillage du méthodisme, du « réveil » de la foi religieuse *(revival)* propre à cette époque en Amérique. Détestés pour leur prosélytisme exacerbé, leur esprit d'entreprise et la pratique de la polygamie, les mormons sont repoussés, et parfois persécutés. Fuyant l'Est, puis le Missouri et l'Illinois, ils s'arrêtent enfin près du Grand Lac Salé, leur terre promise.

■ Mysticisme et prosélytisme

Le jeune **Joseph Smith** (1805-1844) est méthodiste. Sujet aux visions, il reçoit ainsi la révélation de l'existence d'un texte sacré lors d'une apparition de l'ange Moroni. Déchiffré, le *Livre de Mormon* est publié en 1830 et devient la bible de la secte *(→ encadré p. 436)*. Smith baptise ses premiers disciples dans l'État de New York, puis la jeune communauté s'installe en 1831 à Kirkland (Ohio), d'où elle rejoindra Independence (Missouri). Fuyant les persécutions, elle émigre en 1839 à Nauvoo (Illinois) où elle crée une colonie florissante. Très tôt, Smith envoie des missionnaires de par le monde et le nombre de fidèles augmente rapidement.

■ Les persécutions

Moqués à leurs débuts, les mormons finissent par inquiéter : leur économie fondée sur le principe de la communauté et surtout la pratique de la polygamie déchaînent les foules qui les chassent d'État en État, persécution religieuse sans précédent en Amérique. Mis en accusation en 1844 par le gouverneur de l'Illinois Thomas Ford, Joseph Smith (qui s'était porté candidat à la présidence de la République cette même année) et son frère Hyrum finissent par se rendre dans la petite ville de Carthage, où ils sont littéralement lynchés, la foule ayant pris d'assaut la prison.

■ Les fondations d'une Église nouvelle

En 1846, **Brigham Young** (1801-1877) prend la relève et conduit l'exode de 150 mormons vers leur « terre promise » *(→ Salt Lake City, p. 430)*. Là, ils entreprennent d'organiser une nouvelle société reflétant leurs aspirations religieuses. S'ils croient en la Trinité et pratiquent le baptême (plus initiatique que purificateur), ils ne reconnaissent pas le péché originel et veulent fonder une nouvelle Église, car l'ancienne est corrompue depuis la mort des apôtres. Pour eux, l'homme peut devenir ange, Dieu, ou se réincarner pour se purifier. Ils se nomment eux-mêmes « saints ».

■ Une communauté travailleuse et soudée

Animés d'une foi solide et dévoués à la cause de leur Église, les mormons se montrent des pionniers courageux. Ils travaillent sans relâche, construisant des fermes, des forges, des moulins, des scieries. Bientôt, un remarquable réseau

une secte entreprenante

d'irrigation transforme le désert salé en plaine fertile capable, à la fin du XIXe s., de nourrir 200 000 habitants. L'arrivée du chemin de fer contribue au développement des industries ; le sel et le sous-sol sont exploités. Les mormons se montrent des hommes d'affaires avisés, et l'idéal communautaire des débuts va peu à peu s'estomper au profit du libéralisme à l'américaine.

Ayant renoncé officiellement à la polygamie (mais il y aurait encore 50 000 à 100 000 cas de polygamie clandestine), l'État mormon est accepté dans l'Union, en 1896, sous le nom d'Utah. Il est devenu un modèle de prospérité.

■ Une vie de principes

Le repos dominical, que l'on passe en famille, est scrupuleusement respecté : on ne doit se livrer à aucune activité, même sportive. Lorsqu'ils se rendent au temple, dont l'accès est interdit aux « gentils » (non-mormons), les fidèles portent souvent une mallette contenant les vêtements qu'ils endosseront à l'intérieur. Le corps étant considéré comme un réceptacle divin, les mormons doivent renoncer à l'alcool, au tabac, au café, au thé et autres drogues. Les relations hors mariage sont proscrites, on est uni à son conjoint – et à ses parents – « pour l'éternité ».

La vie mormone est fondée sur la devise : « La religion doit sauver temporellement, rendre prospère et heureux. »

■ Une Église puissante, des adeptes actifs

L'Église mormone est administrée par un conseil de douze « apôtres » dirigé par un « prophète » assisté de deux conseillers. À la mort du prophète, le conseil des apôtres propose un successeur. Ce choix doit être avalisé par les mormons du monde entier (jusqu'à présent, il l'a toujours été). Dès l'âge de 12 ans, les fidèles consacrent plus de 10 h par semaine à la vie communautaire (offices, étude des dogmes, activités diverses). Chaque année, près de 60 000 jeunes, hommes et femmes, s'en vont par le monde exercer une activité de missionnaire pendant deux ans, à leurs frais.

On estime à plus de 13 millions le nombre de mormons, dont plus de la moitié hors des États-Unis. L'Église mormone est présente dans 162 pays et possède 100 temples. Très riche – les fidèles lui versent chaque année plus de 10 % de leurs revenus –, l'Église possède de nombreux biens immobiliers, des banques, des compagnies d'assurances, des écoles, des médias et la plus importante bibliothèque généalogique du monde *(→ p. 433).*

▲ Vue générale de Salt Lake City. À gauche, le Capitol de l'Utah ; au centre, le QG des mormons.

☞ Plan de la ville p. 431.

Un livre controversé

Fondateur de la religion mormone, **Joseph Smith** était le fils d'un fermier pauvre de Nouvelle-Angleterre. Un jour de 1823, l'ange Moroni lui apparaît pour lui révéler l'existence de tablettes en or sur lesquelles est gravé l'Évangile éternel, message de Dieu aux peuples d'Amérique. À cette époque, Smith affirme avoir découvert les tablettes, enterrées sur une colline de l'Illinois, et les avoir déchiffrées grâce à deux pierres magiques, l'Urim et le Thummim.

Ainsi naquit le *Livre de Mormon*, du nom de son compilateur qui, au IVe s.apr. J.-C., y conte le périple de ses ancêtres, les Lamanites. Cette tribu perdue d'Israël aurait atteint l'Amérique au VIe s. av. J.-C., après avoir traversé l'Atlantique (les Indiens sont donc leurs descendants). Leur mission, ordonnée par le Christ après sa résurrection : établir le royaume de Sion sur leur nouvelle Terre promise.

L'ouvrage fut abondamment critiqué lors de sa parution, en 1830. Mark Twain le qualifie alors de « chloroforme imprimé ». Pire : certains affirment qu'il s'agit du plagiat d'un roman, jamais publié, de Solomon Spaulding. Ce clergyman américain, à l'imagination fertile, aurait écrit vers 1820 *Le Manuscrit trouvé*, qui disparut non loin de l'endroit où vivait Joseph Smith...

▶▶▶ Au sous-sol, le **Family Search Center** (☎ 801/240-4085 • *recherche gratuite*) constitue la 1re étape pour effectuer des recherches généalogiques, avant de se rendre à la bibliothèque où sont conservées toutes les archives.

■ **Beehive House★** B2 (*67 E. South Temple St.* ☎ *801/240-2671 • vis. guidées lun.-sam. 9 h-21 h • entrée gratuite*). Baptisée « La Ruche » en référence à l'emblème des mormons et de l'Utah (sur la petite tour, une ruche évoque le zèle des membres de la communauté), cette maison fut construite en 1854-1855 pour le prophète polygame **Brigham Young** et sa nombreuse famille. Il eut en effet 27 épouses, qui lui donnèrent 53 enfants. À vrai dire, seule son épouse « en titre », Lucy Decker, vécut dans cette demeure cossue, meublée dans le style Nouvelle-Angleterre. Mais la famille au grand complet se retrouvait parfois pour prier et jouer de la musique dans le salon ou dîner dans la salle à manger. La visite guidée est aujourd'hui assurée par de jeunes et jolies sœurs missionnaires.

À l'étage, un long couloir reliait la demeure à la communautaire Lion House (*pas de vis.*), où chaque étage avait sa fonction bien définie : au rez-de-chaussée, les offices (cuisine, crémerie, atelier de tissage, classe d'école) ; au 1er étage, les appartements pour les épouses avec enfants ; au 2e, les logements, plus rustiques, des épouses sans enfants.

Au S.-O. de Beehive House, l'**Eagle Gate**, porte en bronze couronnée d'un aigle, fut érigée en 1859 pour marquer l'entrée de la propriété de Brigham Young.

Continuer sur South Temple St. vers l'E.

■ **Catholic Cathedral of the Madeleine★** B2 (*331 E. South Temple St. • ouv. lun.-ven. 7 h 30-21 h 30, jusqu'à 19 h 30 le w.-e.*). Cette cathédrale catholique fut édifiée entre 1900 et 1909 dans le style gothique. À l'intérieur, ne pas manquer le très inhabituel chemin de croix : de son Christ émane une humanité très touchante. Les vitraux sont assez beaux.

■ **The Avenues** h. pl. par B2 (*au N. de South Temple, entre 300 E. et 700 E. Sts*). Blotti au pied du capitole, le quartier résidentiel historique abrite d'orgueilleux manoirs, bâtis dans les années 1900 par de riches familles mormones. Modèle du genre : **Kearns Mansion** (*603 E. South Temple St.*), érigée pour l'ancien directeur des mines avant de devenir la résidence officielle du gouverneur de l'Utah. Aujourd'hui, certaines de ces bâtisses sont devenues des B&B de charme...

Revenir à Temple Square et poursuivre au N. sur Main St.

■ **Utah State Capitol** B1 *(400 State St., Capitol Hill ☎ 801/538-1563 • vis. guidées toutes les 1/2 h, lun.-ven. 9 h-16 h).* Inspiré de celui de Washington, construit en 1915-1916, cet édifice de style *revival* (c'est-à-dire néo-Renaissance) abrite la Chambre des représentants, le Sénat et la Cour suprême de l'Utah. Outre les portraits des différents gouverneurs, on y admire l'extraordinaire *Mormon Meteore III*, voiture-fusée bleu et orange qui a remporté, en 1940, le record de distance parcourue en 24 h : 3 868 mi/6 189 km.

■ **Pioneer Memorial Museum**⋆⋆ A1 *(300 N. Main St. ☎ 801/538-1050 • ouv. lun.-sam. 9 h-17 h, en été également dim. 13 h-17 h • entrée gratuite).* Ce musée, amusant et émouvant, n'abrite aucun chef-d'œuvre, mais des centaines d'objets hétéroclites évoquant parfaitement l'aventure de ces pionniers qui découvraient un pays rude. Sur quatre niveaux se succèdent des carrioles, des lampes, de la dentelle, des jouets – parmi lesquels un nombre impressionnant de poupées –, une incroyable collection de chaises, chacune portant encore le nom de son propriétaire. La salle consacrée aux **souvenirs de Brigham Young** (son bureau, ses chaussures, les gants qu'il reçut pour ses trois ans…) révèle le culte dont il fait l'objet.

■ **Ensign Peak Park** h. pl. par B1 *(au N. d'Utah State Capitol, via N.-E. Capitol Blvd et Ensign Vista Dr. • accès au sommet par un sentier pentu et balisé • 30 mn à pied).* Le 26 juillet 1847, deux jours après leur arrivée, Brigham Young et huit de ses compagnons grimpèrent au sommet de cette colline, qui offre une **vue**⋆ spectaculaire sur la vallée, les Wasatch Mountains et le Grand Lac Salé. C'est là, après des heures de prière, qu'il aurait conçu les plans de la nouvelle Sion…

■ **University of Utah** h. pl. par B3 *(à 2,5 mi/4 km S.-E. de Temple Square par 2nd S. St.).* Fondée en 1850, l'université a connu son heure de gloire en 2002, lorsqu'elle accueillit le village olympique et offrit le cadre de son campus aux cérémonies d'ouverture et de clôture des Jeux d'hiver.

● **Museum of Fine Arts**⋆ *(☎ 801/581-7332 • ouv. mar.-ven. 10 h-17 h, mer. 10 h-20 h, sam.-dim. 11 h-17 h • entrée gratuite).* Ce musée aux collections particulièrement variées (peintures, sculptures, meubles et objets anciens du monde entier) vaut le détour pour quelques chefs-d'œuvre, parmi lesquels *Danse autour de l'arbre de Mai*⋆⋆ (vers 1620-1625) de Bruegel le Jeune, *La Danse des nymphes* de Corot, un *Portrait of Mrs Casberd* par Gainsborough. Les collections **d'art asiatique** sont parmi les plus intéressantes.

● **Natural History Museum of Utah** *(Rio Tinto Center, 301 Wakara Way ☎ 801/581-4303 et 6927 • www.nhmu.utah.edu • ouv. t.l.j. 10 h-17 h, mer. 10 h-21 h).* Le tout nouveau bâtiment, qui joue du cuivre, du béton et du verre pour s'intégrer dans le paysage, abrite un vrai musée de sciences naturelles : entre autres, la paléontologie (qui fait la réputation du musée), la géologie, la botanique et l'anthropologie.

Environs de Salt Lake City

1 **Antelope Island**⋆ **et le Great Salt Lake** *(à 35 mi/56 km N. par l'I-15 N., sortie 332 sur Syracuse Rd • entrée payante • accès 7 h-22 h ❶ Visitors Center à la sortie de la route-digue).*
Aux portes de Salt Lake City, le **Grand Lac Salé** déploie son décor biblique. 113 km de long, 56 km de large, c'est le plus grand lac intérieur de l'ouest des États-Unis, mais il est peu profond : 4 m d'eau en moyenne. Résultat de l'effondrement du désert du Grand Bassin à l'ère glaciaire, il se remplit chaque

année à la fonte des neiges. Ses eaux chargées en minéraux ne s'échappant que par évaporation, le lac affiche une salinité exceptionnelle : jusqu'à 27 %, soit 8 fois plus que les mers libres. On comprend que les mormons aient fait le parallèle avec la mer Morte…

Parmi les huit îles qu'abrite le Grand Lac Salé, seule **Antelope Island★** (24 x 6 km) est reliée au continent par une longue digue. Au pied du *Visitors Center*, on peut s'amuser à flotter comme un bouchon dans l'eau, sur la plage de **Bridger Bay** *(douches sur place)*. De la route traversant les savanes herbues de l'île, on découvre la faune locale : bisons en liberté (700 en tout), antilopes *pronghorn*, oiseaux par milliers… Aux mouettes résidentes, viennent s'ajouter, d'avril à octobre, les faucons pèlerins et les migrateurs : pélicans, grèbes, avocettes, attirés par les bancs d'**artémias**. Ce minuscule crustacé, le seul à survivre dans les eaux du Grand Lac Salé, se nourrit d'algues microscopiques et produit des œufs (ou cystes) qui, séchés, servent de nourriture aux poissons d'aquarium. Deux mille tonnes en sont pêchées chaque année dans le lac.

Ski and the City

À moins d'une heure de route de Salt Lake City, les Wasatch Mountains abritent une dizaine de **stations de ski** (navettes régulières en hiver depuis l'aéroport), réputées pour leurs superbes domaines skiables et leur architecture western. Les plus connues ? Alta/Bird, Park City, Snowbasin ou Sundance, propriété de Robert Redford, qui accueille en janvier le festival de Cinéma américain indépendant Sundance. Les sportifs peuvent même séjourner à Salt Lake et changer de station tous les jours. Jusqu'à fin avril, tous les plaisirs de la neige sont au rendez-vous : ski, raquettes, motoneige, pêche blanche.

2 Park City *(à 33 mi/53 km E. de Salt Lake City par l'US 80, puis l'UT 224* ❶ *Visitors Center : 1910 Prospector Ave.* ☎ *435/658-9613 • www.parkcityinfo. com).*

Blotti dans les Wasatch Mountains, ce village a gardé son cachet de petite cité minière du XIXe s. Sur sa « Main Street », s'alignent maisons en bois peint, saloons à la mode victorienne, galeries d'art et boutiques western. *No Name Saloon & Grill (447 Historic Main St.* ☎ *435/649-6667 • www.nonamesaloon. net • ouv. t.l.j. 10 h-2 h),* un saloon à l'ancienne, est réputé pour ses *buffalo burgers* et ses bières locales. Le **musée de la Mine** évoque la découverte des premiers filons d'argent et l'arrivée des prospecteurs dans la région.

L'hiver, le village dessert trois grands domaines skiables : Park City, Deer Valley et The Canyons. L'été, il est le point de départ pour des balades dans les montagnes, à pied, à VTT ou à cheval.

Canyon Country★★ UT

Au sud-est de l'Utah, la région incarne à elle seule le miracle géologique de l'Ouest. Son histoire commence il y a 17 millions d'années, quand le plateau du Colorado se soulève. L'eau, le vent et le fleuve, qui taille son chemin à travers la roche, peuvent entamer leur lent travail d'érosion. Ainsi vont naître les fabuleuses arches naturelles d'Arches National Park, les canyons à pic, les pitons, mesas ou rochers suspendus de Canyonlands ou de Dead Horse Point. Base idéale pour découvrir ces paysages sublimes, la petite ville de Moab, Mecque des randonneurs.

Situation : Moab, à 235 mi/376 km S.-E. de Salt Lake City, 355 mi/568 km O. de Denver (CO).

Fuseau horaire : Mountain Time (– 8 h par rapport à la France).

❶ *Visitors Center*, à l'angle de Center et de Main Sts ☎ 435/259-8825 ; www.discovermoab.com Rens. sur les parcs d'Arches et Canyonlands, réservations de logements, d'activités, brochures thématiques.

❶ Moab

Blottie sur les rives du fleuve Colorado, au pied des La Sal Mountains, cette petite ville est la porte d'entrée des parcs nationaux d'Arches et Canyonlands. Fondée par une poignée de ranchers en 1800, Moab a connu un boom provisoire dans les années 1950, dû à la découverte d'uranium dans les environs. Reconvertie dans l'écotourisme, elle aligne aujourd'hui sur la Hwy 91 ses motels et ses boutiques de sport.

Accès. Aéroport à Canyonfield (16 mi/26 km sur l'US 191 ☎ 435/259-7421) • liaisons en navettes depuis l'aéroport de Salt Lake City (→ p. 429).

Transports. *Roadrunners Shuttle* (197 W. Center St. ☎ 435/259-9402 • www.roadrunnershuttle.com) assure les navettes avec les parcs nationaux d'Arches et Canyonlands. Réserv. uniquement par téléphone.

■ **La descente du Colorado★★**. Une aventure à la portée de tous, même en famille, à faire en un ou plusieurs jours, dans ce cas avec bivouac sur les rives du fleuve. Entre Moab et Confluence (64 mi/102 km), on peut naviguer en **kayak**. Pour poursuivre au-delà, à travers les rapides de Cataract Canyon et jusqu'au lac Powell (→ p. 447), le **rafting** est indispensable. Plusieurs agences à Moab ; entre autres adresses, *Tag-A-Long Expeditions* (452 N. Main St. ☎ 435/259-8946 • www. tagalong.com).

Canyon Country

1

Voir carte régionale p. 408

■ Environs de Moab

● **Scenic Byway 18 et Castle Valley**★ (*accès à 2,5 mi/4 km N. de Moab, depuis la Hwy 191*). Longeant les rives du fleuve Colorado, cette **route panoramique** est émaillée de sites de camping et d'aires de baignade. Au mi 17, elle bifurque vers la photogénique Castle Valley★, semée de spectaculaires formations rocheuses, comme le piton de Castle Rock, haut de 600 m.

● **Potash Road** (*à 23 mi/36 km O. de Moab, sur la route 279*). Longeant le Colorado jusqu'au débarcadère de Potash, cette route serpente entre de hautes falaises de grès, rendez-vous des grimpeurs. Les parois sont couvertes de centaines de **pétroglyphes indiens**.

● **Dead Horse Point State Park**★★★ (*à 32 mi/51 km S.-O. de Moab par l'US 191, puis la 313 S.*). À la frontière du parc national de Canyonlands (→ p. 443), sur la route d'Island in the Sky, ce petit parc d'État offre un **panorama** quasiment digne du Grand Canyon. De ce fantastique promontoire rocheux, la vue embrasse les boucles du Colorado, qui serpente 600 m plus bas, et tout le réseau des canyons creusés par ses affluents. Autrefois, les cow-boys utilisaient le site comme un corral naturel, pour trier les mustangs. Une sinistre légende raconte qu'une bande de chevaux s'y retrouva piégée et y mourut de soif, d'où le nom Dead Horse.

🕭 Sur l'I-191, à l'entrée du parc, 5 mi/8 km N. de Moab ☎ 435/719-2299 ; www.nps.gov/arch

La vie sous les arches

Adaptés aux températures élevées, la plupart des animaux qui habitent le désert sont nocturnes ou crépusculaires, ce qui explique la rareté des rencontres. Les visiteurs les plus chanceux verront peut-être un coyote, un puma ou encore un cerf-mulet, qui doit son nom à ses longues oreilles... Le programme de sauvegarde mené par les parcs nationaux a réussi à réintroduire le mouflon du désert, un moment menacé d'extinction, mais il reste cependant exceptionnel d'en apercevoir.

② Arches National Park★★★

Delicate Arch parade sur toutes les plaques de voitures immatriculées en Utah. Ce n'est pourtant qu'une des 2 000 arches naturelles recensées (et portant chacune un nom !) dans ce parc à taille humaine (296 km²), qui a prêté son décor fantastique à de nombreux films. Souvenez-vous : *Thelma et Louise* roulant, la nuit, entre les falaises de Park Avenue... La route scénique reliant le *Visitors Center* à Devil's Garden donne un bel aperçu des lieux, mais pour admirer les arches de près, mieux vaut s'inviter à pied sur les sentiers.

De la forêt au désert

Il y a 10 000 ans, à la période glaciaire, les arches existaient déjà, mais elles se dressaient au cœur de forêts et de prairies où les Paléo-Indiens pistaient le mammouth... Les peuples qui leur succédèrent (Indiens Fremonts et Anasazis, puis Utes et Paiutes) durent, eux, affronter l'hostilité du désert et les sécheresses récurrentes. Les pétroglyphes indiens retrouvés dans le parc, près de Wolfe Ranch, et montrant des hommes à cheval, dateraient de la fin

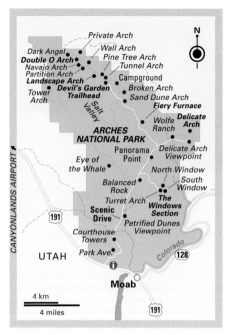

Arches National Park.

☞ CONSEILS
• L'ombre est rare et la chaleur écrasante : ne jamais oublier d'emporter de l'eau, 4 litres par jour et par personne.
• Ne pas s'éloigner des sentiers pour préserver le sol cryptogamique : cette fine couche de terre permet à la végétation de survivre ; abîmée, elle met 50 ans à se reconstituer.
• Le parc compte quelques espèces dangereuses (scorpions, serpents à sonnette). Elles ne viennent pas au-devant des visiteurs, mais restez vigilant. Ne donnez pas à manger aux animaux.

〰 PARCS NATIONAUX
À propos des conditions d'entrée et des forfaits, consultez la rubrique « Parcs nationaux », dans le chapitre Séjourner, p. 52.

du XVIIIᵉ s., à l'arrivée des premiers explorateurs espagnols. Les Indiens Paiutes occupent encore le terrain à la fin du XIXᵉ s., quand les pionniers mormons fondent Moab et découvrent les arches… Arches devient National Monument en 1929, sur décision du président Hoover, puis National Park, en 1971.

Accès. Depuis Moab par l'US 191 (5 mi/8 km) ; depuis Salt Lake City par l'I-15, l'US 6 et l'US 191 ; depuis Denver (CO) par l'I-70 puis l'US 191.

Entrée. 10 $/véhicule • *pass America The Beautiful* accepté.

La meilleure période. Accessible t.a. • attention, en été, la température peut dépasser 40 °C. Les meilleures saisons sont le printemps et l'automne.

Combien de temps. 1/2 j. suffit pour voir les principaux centres d'intérêt, 1 j. si l'on prévoit des randonnées • pour voir les plus belles arches, emprunter les sentiers qui partent de Devil's Garden : les visiteurs pressés s'y rendront directement.

Camping. À Devil's Garden : s'inscrire dès 7 h 30 au *Visitors Center* • réserv. groupes ☎ 435/259-4351.

Naissance d'une arche

L'*Entrada sandstone*, ce grès rose dans lequel sont formées les arches, fut déposé et enfoui au fond d'une ancienne mer intérieure il y a 150 millions d'années, à la période du jurassique. Par suite du soulèvement du plateau du Colorado, des dômes de grès réapparurent en surface. L'érosion les a d'abord transformés en fines tranches de pierre. Puis, hiver après hiver, l'eau gelant au cœur de la roche a ouvert des « fenêtres » dans le grès.

Pour qu'une arche soit officielle, son ouverture doit afficher un diamètre d'au moins un mètre.

Canyon Country

2

▲ Delicate Arch, symbole du parc, a connu des qualificatifs moins poétiques :
« culotte d'institutrice », puis « de vieille fille », enfin « jambières de cow-boy » !

■ **Scenic Drive** *(100 km a.-r.)*. Depuis le *Visitors Center*, la route dessert les principaux points de vue. Elle s'élève sur le plateau jusqu'à **Park Avenue**, puis offre une belle vue sur **Courthouse Towers**. On longe ensuite une succession de tours et de falaises, entre des mamelons aux allures de gigantesques taupinières, en fait des dunes pétrifiées.

■ **Windows Section★** *(9,2 mi/14,8 km après le Visitors Center sur la Scenic Drive, puis 2,5 mi/4 km jusqu'au parking)*. **Balanced Rock**, énorme rocher en équilibre sur un piton, annonce la bifurcation à dr. pour Windows Section, qui abrite les plus grandes arches du parc : Turret Arch, Double Arch, **North et South Windows**, qui évoquent des yeux béants dans un crâne *(on peut s'en approcher par une piste en boucle de 1 mi/1,6 km)*. Sur la route, **Garden of Eden** déroule son labyrinthe d'aiguilles de pierre, au pied des La Sal Mountains.

■ **Delicate Arch★★★** *(11,7 mi/19 km après le Visitors Center sur la Scenic Drive, puis 1,2 mi/2 km jusqu'au parking de Wolfe Ranch)*. Pour voir de près la star du parc, emprunter la piste balisée au départ du parking *(3 mi/4,8 km a.-r. • niveau facile)*. C'est au coucher du soleil que le spectacle est le plus beau. L'arche de grès rose, haute de 14 m, trône dans une sorte d'amphithéâtre naturel en pierre. Dans sa « fenêtre », se découpent les La Sal Mountains. Durant l'hiver 2002, la flamme olympique est passée dessous.

■ **Fiery Furnace★★** *(à 14,2 mi/22 km du Visitors Center, sur la Scenic Drive • vis. guidées obligatoires, sauf dérogation à demander au Visitors Center • payant • 2 fois/j. • durée 2 h 30)*. Ce labyrinthe minéral offre un parcours ludique entre canyons étroits, « doigts » de pierre érodés et alcôves en grès.

■ **Devil's Garden★★** *(à 18 mi/27,7 km du Visitors Center, au bout de la Scenic Drive • départ d'une piste en boucle de 7,2 mi/11,6 km • compter 4 h pour le parcours complet • chaussures de marche recommandées • prévoir eau et provisions)*. Dans ce secteur du parc se concentrent le plus grand nombre d'arches, neuf en tout. Tôt le matin ou en fin d'après-midi, balade superbe au fil du sentier sablonneux qui serpente entre les roches et les genévriers.

Landscape Arch★★ *(1 h 30 a.-r.)* est la plus grande arche naturelle du monde : elle étire sa fine passerelle de grès sur 89 m, à 32 m du sol. Mais elle se désagrège lentement et, depuis 1991, plusieurs blocs de pierre colossaux s'en sont détachés, là où l'arche est la plus fine.

Au-delà, la piste se poursuit à flanc de falaise vers **Double O Arch** et ses deux arches superposées en forme de 8, vers Dark Angel, Navajo Arch et Partition Arch.

☞ Carte du Canyonlands National Park p. 444.

③ Canyonlands National Park★★★

Au cœur du parc national, le fleuve Colorado et la Green River se rejoignent en un Y géant : dévalant le Cataract Canyon, leurs eaux vont se jeter, 23 km plus loin, dans le lac Powell. La manière la plus simple d'aborder ce parc immense et sauvage est de rallier la route scénique d'Island in the Sky : ce plateau herbu, arrimé à 1 830 m d'altitude, permet de contempler d'en haut le spectacle de la confluence. La découverte du parc se poursuit de l'intérieur, dans le dédale d'aiguilles de pierre des Needles ou au pied des falaises peintes de Horseshoe Canyon.

Des Anasazis aux éleveurs

Il y a 10 000 ans déjà, des groupes de chasseurs-cueilleurs nomades ont traversé l'actuelle région de Canyonlands. Témoins incarnés ? les immenses personnages peints de Horseshoe Canyon, dans The Maze District. Plus près de nous, les Indiens Anasazis se sont installés plus durablement dans la contrée, chassant le daim et le bouquetin, cultivant le maïs et les haricots. Apparentés aux bâtisseurs de Mesa Verde *(→ p. 513)*, ils ont laissé à Canyonlands de mystérieux pétroglyphes et les ruines de villages troglodytiques.

Par la suite, peu d'hommes s'aventurèrent dans la région : en 1869, le major Powell parvient à descendre la Green River, puis le Colorado jusqu'au Grand Canyon *(→ encadré p. 445)*, mais il faut attendre la fin du XIXᵉ s. pour que, de nouveau, des éleveurs s'installent sur ces immenses territoires.

Ressources nucléaires

Dans les années 1950, la guerre froide et le développement du programme nucléaire entraînent une demande croissante d'uranium, présent en abondance dans le sous-sol du parc. La Commission à l'énergie atomique encourage la construction de

⊕ *Visitors Information*
☎ 435/719-2313 ;
www.nps.gov/cany
• À Island in the Sky, sur l'UT 313 ; ouv. t.l.j. 9 h-16 h 30.
• À The Needles, sur Hwy 211 ; ouv. t.l.j. 9 h-16 h 30.
• À Maze District, *Hans Flat Ranger Station*, sur la Lower San Rafael Rd ; ouv. t.l.j. 8 h-16 h 30.

✐ BON À SAVOIR
Les distances à parcourir sont longues et les stations-service rares : pensez à faire le plein d'essence avant de partir.

Des canyons pour longtemps

Canyonlands National Park se trouve dans le vaste triangle formé par la confluence du Colorado et de la Green River. Cette région, occupée il y a 300 millions d'années par une mer peu profonde, a été hissée en altitude quand le plateau du Colorado s'est soulevé. Avec une puissance accrue, les fleuves ont taillé leur chemin dans la roche et mis à nu les couches superposées des sédiments. Les scientifiques estiment que, à la vitesse actuelle d'érosion du plateau (50 cm tous les 1 000 ans), le parc de Canyonlands n'existera plus dans quelques millions d'années…

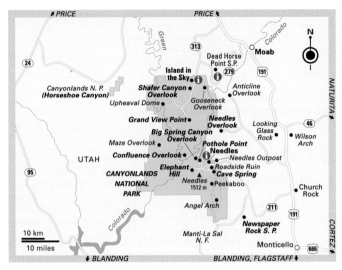

Canyonlands National Park.

1 600 km de routes pour accéder aux gisements. La White Rim Road, dans Island in the Sky, date de cette époque. La prospection et l'exploitation se sont arrêtées en 1964, date de classement des 1 366 km² du parc.

Accès. Depuis Moab, on rejoint Island in the Sky au N. par l'UT 191 puis l'UT 313 (31 mi/50 km), ou Needles District par l'UT 191 puis l'UT 211 (75 mi/120 km).

Entrée. 10 $/véhicule • *pass America The Beautiful* accepté.

Les meilleures périodes. Le printemps et l'automne, mais le parc est accessible t.a.

Combien de temps. Comptez une journée pour Island in the Sky, une autre pour The Needles.

Se déplacer. Les randonnées les plus agréables se font dans Needles District • plusieurs agences de Moab proposent aussi des découvertes du parc en 4 x 4, en raft ou en kayak • The Maze, difficile d'accès, demande du temps et de l'entraînement.

Campings. *Willow Flat Campground*, à Island in the Sky (10 $/nuit) • *Squaw Flat Campground*, à The Needles (15 $/nuit).

■ **Island in the Sky★★★**. La **Scenic Drive**, longue de 34 mi/54 km au départ du *Visitors Center*, permet de découvrir les plus beaux points de vue.

● **Shafer Canyon Overlook★** *(juste après le Visitors Center)*. Les Indiens, puis les ranchers, comme John Sog Shafer, utilisaient la **Shafer Trail**, taillée au bord de la falaise, pour déplacer leur bétail vers les pâturages d'hiver du Maze et des Needles. Les cow-boys partaient pour de longs mois, en convoi avec des mules. Les vaches tombaient parfois dans le précipice, car la piste était plus étroite qu'aujourd'hui. En 4 x 4 ou à VTT, on peut rallier la **White Rim Road**, piste de 160 km qui desservait les anciens gisements d'uranium.

• **Mesa Arch★★** *(parking à 6 mi/10 km du Visitors Center)*. Un sentier en boucle *(800 m • 30 mn a.-r. • niveau facile)* se faufile entre les pins et les genévriers jusqu'à cette fenêtre de pierre de 27 m de large. Posée au bord du précipice, elle ouvre sur le décor grandiose du canyon du Colorado et sur les sommets enneigés des montagnes La Sal. Le site est prisé des photographes au lever du soleil, quand la lumière souligne l'arche à contre-jour.

• **Green River Overlook★★** *(après Mesa Arch, tourner à dr. sur 0,5 mi/800 m)*. Le panorama révèle la Green River et ses canyons adjacents : vus d'en haut, ils évoquent une main géante moulée dans la glaise. C'est par la Green River que l'expédition du major Powell atteignit la confluence avec le Colorado, en 1869.

• **Grand View Point★★★** *(à 12 mi/20 km du Visitors Center)*. À l'extrémité S. d'Island in the Sky, ce promontoire perché à 1 853 m d'altitude domine tout Canyonlands : on ne voit pas la confluence de la Green River et du Colorado (à 12 km à vol d'oiseau), mais on contemple, d'en haut, les plateaux entaillés par les canyons. Au premier niveau, à 300 m sous vos pieds, le gradin intermédiaire de White Rim ; 300 m encore plus bas, les rivières, cachées dans l'ombre des falaises. Et au loin, les forêts de *pinacles* (pitons) du Maze et des Needles.

■ **The Needles★★**. Ces « aiguilles », drôles de totems blanc et rouge, sont le résultat de l'érosion de la roche saline et du grès *(exposé complet sur leur formation au Visitors Center)*.

• **Needles Overlook** *(à 32 mi/51 km S. de Moab par l'US 191, puis 22 mi/35 km après l'embranchement)*. Avant de partir randonner dans le secteur, un arrêt s'impose à ce point de vue. Là, à 2 000 m d'altitude, la vue embrasse à 360° le bassin de Lockart, où le Colorado coule entre canyons, buttes et *pinacles* à perte de vue. Dans les années 1930, les cow-boys de la Somerville Cattle Co. venaient faire paître ici 4 000 têtes de bétail.

• **Newspaper Rock★★** *(à 37 mi/59 km S. de Moab par l'US 191, puis 19 mi/30 km par l'US 211)*. Sur la route des Needles, dans un véritable décor de western, se dresse un monumental rocher plat couvert de **pétroglyphes**. Les Navajos le surnomment *Tse Hane* (le rocher qui raconte une histoire). Entre le début du christianisme et l'an 1300, différentes civilisations, probablement Pueblos ancestraux et Fremont, y ont gravé des centaines de signes représentant des animaux, des hommes, des objets : symboles de clans, rites propices à la chasse ou simples graffitis ? Les archéologues s'interrogent encore.

Le père de la géographie

En 1869, **John Wesley Powell** (1834-1902), major de l'armée américaine et autodidacte passionné de géologie, est mandaté par le gouvernement pour une mission hors norme : explorer les terres inconnues de l'Ouest, en descendant la Green River, puis le Colorado jusqu'au Grand Canyon. À la tête d'une équipe de dix hommes, il embarque à Green River (WY) à bord de simples canots en bois chargés de provisions, d'armes, d'outils et d'instruments de mesure. 99 jours, 1 000 miles et presque 500 rapides plus tard, six rescapés, dont le major Powell, débouchent à Grand Wash, sortie ouest du Grand Canyon. Les données amassées en chemin ouvriront la voie à la géographie contemporaine.

ⓘ *Visitors Center*, à l'entrée proprement dite du parc, sur l'UT 211, à 80 mi/128 km S.-O. de Moab. Le *Visitors Center* est relié au Big Spring Canyon Overlook (→ *p. 446*) par une route de 10 mi/16 km.

〰 PARCS NATIONAUX
À propos des conditions d'entrée et des forfaits, consultez la rubrique « Parcs nationaux », dans le chapitre Séjourner, p. 52.

Canyon Country

3

● **Roadside Ruin Trail** *(parking près du Visitors Center • 0,3 mi/0,5 km en boucle • niveau facile)*. Cette promenade mène à un grenier à grains bien préservé, aménagé dans une cavité naturelle par les Indiens Anasazis ou Fremonts.

● **Cave Spring Trail★** *(parking à 2 mi/3,2 km du Visitors Center • 0,6 mi/1 km en boucle • niveau facile)*. Serpentant entre de gros totems rouge et blanc, ce sentier conduit à une cavité naturelle, qui servait autrefois de campement aux cow-boys de la Somerville Cattle Co.

En 4 x 4 *(permis obligatoire)*, depuis le parking de Cave Spring, on peut s'aventurer sur la piste de **Salt Creek Canyon** *(13,5 mi/21,6 km)* à travers des formations rocheuses, aux allures de champignons géants, jusqu'à Angel Arch.

● **Elephant Hill Trailhead★★** *(parking à 7 mi/11,2 km du Visitors Center • 6,2 mi/ 10 km • 3 à 4 h a.-r. • niveau modéré)*. C'est la piste la plus emblématique des Needles. À travers un chaos minéral de *pinacles*, elle mène jusqu'au **Chesler Park Viewpoint**, qui évoque un échiquier géant, aux personnages changés en pierre. En chemin, beaux exemples de sol cryptobiotique (pellicule organique permettant la végétation) et cactus aux fleurs multicolores.

● **Pothole Point★** *(parking à 8 mi/12,8 km du Visitors Center • 0,6 mi/1 km en boucle • niveau facile)*. Ce sentier conduit sur la mesa, où les eaux de pluie et de la fonte des neiges ont creusé des petites mares (les fameux *potholes*) dans le grès poreux. Ces écosystèmes abritent une faune miniature, adaptée aux climats extrêmes du désert : à la première pluie, des œufs microscopiques éclosent, donnant vie à des crustacés ou à des insectes.

● **Big Spring Canyon Overlook et Confluence Overlook** *(à 10 mi/16 km du Visitors Center, au bout de la Scenic Road)*. Le point de vue sur le Big Spring Canyon, au pourtour hérissé de pitons *(pinacles)*, est un peu décevant. Mais c'est d'ici que part la piste de 11 mi/18 km *(réservée aux 4 x 4)* vers **Confluence Overlook**, d'où l'on domine le point mythique où se rejoignent Green River et Colorado. Cette zone du parc, desservie par 96 km de sentiers tous niveaux, est surtout prisée des randonneurs.

■ **The Maze et Horsehoe Canyon** *(à 96 mi/150 km O. de Moab par l'US 191, puis l'I-70 et l'UT 24 ; de là, suivre la piste carrossable de 32 mi/51 km qui rejoint la rive O. du Horseshoe Canyon • camping primitif sur place : pas d'eau)*. Intégré depuis 1971 au parc national de Canyonlands, le secteur du **Maze** (le Labyrinthe) est un véritable dédale de canyons et de roches, parmi les endroits les plus sauvages et les plus perdus des États-Unis. La plupart des pistes ne sont accessibles qu'en 4 x 4. S'il ne pleut pas, on peut cependant rejoindre en voiture normale la rive O. du Horseshoe Canyon par une piste carrossable.

● **Horseshoe Canyon Trail★★** *(depuis le camping de la rive O. • 7 mi/11,2 km a.-r. • 5 h • niveau sportif)*. Accessible uniquement aux randonneurs confirmés, ce canyon déploie, sur ses hautes parois de grès rouge, la « Grande Galerie », une série de **peintures rupestres** remarquablement préservées : corps sans bras ni jambes, représentés à taille réelle et ornés de motifs complexes. Datés de 3 000 ans, ces pictographes seraient l'œuvre de chasseurs-cueilleurs antérieurs aux anciens Pueblos et aux Fremonts dans la région.

Lake Powell et Glen Canyon★★★ AZ, UT

Immense lac artificiel au sud de l'Utah et à cheval sur l'Arizona, le lac Powell doit son existence au barrage de Glen Canyon, achevé en 1963 pour produire de l'électricité et endiguer le flot du Colorado. S'immisçant dans le canyon et ses innombrables ramifications, les eaux turquoise bordées de falaises de grès rose, d'arches, de pitons et de baies sablonneuses offrent désormais un des plus beaux paysages du Far West. En bateau, au départ des marinas semées sur les rives, on parcourt le lac, en quête d'anses secrètes pour se baigner ou camper : au total, 3 150 km de rivages à explorer, soit plus que toute la côte ouest !

Situation : Page, à 134 mi/214,5 km N. de Flagstaff (AZ), 276 mi/441,5 km E. de Las Vegas (NV).

Longueur du lac : 298 km.

Fuseau horaire : Mountain Time (– 8 h par rapport à la France).

🛈 *Carl Hayden Visitors Center,* Hwy 89, à Glen Canyon Dam ☎ 928/608-6404 ; ouv. 8 h-17 h, en été 8 h-18 h. Le principal des *Visitors Centers* gérés par Glen Canyon National Recreation Area, dont dépend le lac Powell.

🛈 *Chamber of Commerce,* 644 N. Navajo Dr., Dam Plaza, à Page ☎ 928/645-2741 ; www.pagelakepowellchamber.org

Lake Powell et Glen Canyon mode d'emploi

Accès. Trois accès routiers : au S., depuis **Page** (Wahweap Marina et Antelope Point Marina) *via* l'US 89 ou l'AZ 98 • au centre du lac, depuis **Bullfrog** et **Halls Crossing** (reliés par des ferries) *via* l'UT 276 • attention, au N., la marina de Hite est fermée en raison du faible niveau des eaux.

Aéroports. Vols depuis Salt Lake City pour Page et Bullfrog ; *Cal Black Memorial Airport* est situé à 10 mi/16 km E. de Halls Crossing.

La meilleure période. De juin à sept. : en plein été, lorsque la température grimpe jusqu'à 38 °C, le lac, bien que très fréquenté, offre une véritable oasis de fraîcheur.

Entrée. 15 $/véhicule ou 16 $/bateau, valable 7 j. • *pass America The Beautiful* accepté.

Visite. Le **bateau** est à peu près l'unique façon d'explorer les méandres du lac et d'accéder aux sentiers de randonnée qui partent des rives • toutes les **croisières** organisées (*boat tours*) partent de Wahweap Marina, près de Page (excursions de 1 h 30, 3 h ou 1 j., si on veut voir Rainbow Bridge) •

À ne pas manquer

Rainbow Bridge N. M.*	450
Antelope Canyon Navajo Tribal Park** (Environ 1)	450

☞ URGENCES MÉDICALES ☎ 928/608-6300 ou (1)800/582-4351.

Voir carte régionale p. 408

les quatre **marinas** du lac proposent locations de hors-bord, scooters des mers et kayaks à l'heure ou à la journée (tarifs selon la période ; retour des bateaux à 16 h au plus tard) • la formule la plus agréable consiste à louer un **bateau habitable** *(house-boat)*, avec ou sans pilote ; de mi-juin à mi-août, compter 1 400 $ les 3 j. pour 6 à 8 personnes.

Hébergement. Campings et resorts aux marinas de Wahweap, Bullfrog et Halls Crossing. Rens. : *Aramar* ☎ (1)800/528-6144 ; www.lakepowell.com • on peut aussi loger à Page : *Visitors Center* ☎ 928/660-3405 ou (1)888/261-7243 ; www.pagelakepowelltourism.com

De Glen Canyon à Lake Powell

Sur la terre des Navajos
Cité pour la première fois en 1776, dans le récit de voyage des prêtres espagnols Escalante et Dominguez, puis exploré en 1869 par le major Powell *(→ encadré p. 445)*, le **Glen Canyon** est à l'origine un long canyon profond, creusé dans le plateau par la rivière Colorado. Les Indiens Navajos, qui occupent alors la région, connaissent l'endroit de longue date et y honorent plusieurs sites sacrés. En 1956, le président Eisenhower et le Congrès décident la construction d'un barrage sur le canyon, pour réguler le débit du Colorado. Après négociation, les Navajos acceptent d'échanger leur territoire contre une superficie équivalente, dans le S. de l'Utah.

Sept ans pour le finir, dix-sept ans pour le remplir
Le projet, qui va provoquer l'inondation d'un immense territoire désertique, suscite une controverse nationale. Ses principaux opposants argüent des problèmes écologiques générés à long terme par la construction du barrage : l'ensablement du Colorado en amont, notamment. À cette époque, il est donc convenu que

▲ Le lac Powell, dans le Glen Canyon, est alimenté par les rivières Colorado, San Juan, Escalante et Dirty Devil. Rempli, il est profond de 170 m et couvre 65 000 ha. Avant la construction de Glen Canyon Bridge, à la fin des années 1960, il fallait parcourir plus de 300 km pour passer d'une rive à l'autre du Colorado.

le barrage sera créé pour une durée limitée (300 ans au maximum). L'ouvrage est opérationnel en 1963, mais **Lake Powell**, alimenté par plusieurs rivières, ne sera rempli qu'en 1980. Personne n'imagine alors son formidable potentiel touristique.

Visiter Lake Powell et Glen Canyon

■ **Page** *(à 6 mi/10 km du lac, sur la rive S.).* En 1956, c'était un simple campement, qui abritait les milliers d'ouvriers travaillant à la construction du barrage. Aujourd'hui, cette petite ville agréable est réputée pour son « avenue de la Piété », bordée d'une kyrielle d'églises et de chapelles.

John W. Powell Museum★ *(6 N. Lake Powell Blvd et N. Navajo Dr. ☎ 928/645-9496 • www.powellmuseum. org • ouv. lun.-ven. 9 h-17 h)* rend hommage au fameux major qui mena la première expédition sur le Colorado en 1869 *(→ encadré p. 445).*

■ **Environs de Page**. Pour admirer le lac depuis la terre ferme, on a le choix entre trois superbes **points de vue**, aménagés au fil de la Hwy 89 : **Scenic View** *(2 mi/3,2 km O.)*, **Lone Rock** *(4 mi/6,4 km O.)* et surtout **Horseshoe Bend★** *(4,6 mi/7,3 km S.).* Du haut d'une immense falaise, le regard embrasse le fleuve Colorado, de couleur vert émeraude, venant encercler un piton de grès rouge.

■ **Glen Canyon Dam** *(à 2 mi/3,2 km N. de Page par l'US 89 ☎ 928/608-6404 • vis. guidées gratuites).* Le **barrage** proprement dit était la plus importante réalisation d'un plan appelé Colorado River Storage Project, qui visait à stabiliser le cours erratique du fleuve en créant l'un des plus grands lacs artificiels du monde. La construction, entamée en 1956, dura 10 ans. La visite guidée permet de descendre dans les entrailles du barrage et offre une **vue** saisissante sur le Colorado, qui coule 200 m en dessous.

■ **Wahweap Marina** *(à 7 mi/11,2 km N. de Page sur la Hwy 89).* La plus vaste marina du lac, très fréquentée en été, offre une base idéale pour explorer la partie S. du lac. C'est d'ici que partent toutes les croisières organisées, notamment vers Rainbow Bridge. Parmi les sites favoris des plaisanciers : **West Canyon★**, **Antelope Canyon★** et **Navajo Canyon★**, canyons inondés particulièrement photogéniques, avec leurs hautes parois sculptées par l'érosion et leurs baies ciselées dans les falaises.

Les 4 marinas du lac Powell sont gérées par des concessionnaires privés qui proposent au prix fort locations de bateaux et services.
• *Aramark* : marinas de Wahweap, Halls Crossing et Bullfrog ☎ (1)888/896-3829 ; www.lakepowell.com
• *Antelope Point Holdings* : marina d'Antelope Point ☎ 928/645-5900 ; www. antelopepointlakepowell.com

♥ RESTAURANT
À Antelope Point Marina, cuisine soignée avec vue sur le lac et la marina *(à 12 mi/19 km N.-E. de Page par l'US 98, sur Navajo Route 22B* ☎ 928/645-5900 ; ouv. t.l.j. jusqu'à 22 h).

✏ À NOTER
On peut survoler Lake Powell en hélicoptère avec *Classic Helicopter Tours* (Page Airport ☎ 928/645-5356).

Près de 200 espèces d'oiseaux fréquentent les bords du lac Powell : aigles, hirondelles, oies et canards migrateurs, et, surtout, le fameux condor de Californie *(→ encadré p. 468).* Les eaux regorgent de perches, truites et silures.

✏ LOCATION DE BATEAUX
• *Boat Rental Office*, ☎ (1)888/896-3829 ; www.lakepowell.com ; ouv. t.l.j. 8 h-17 h, de mi-mai à sept. 7 h-19 h.
• Avant de partir en croisière, procurez-vous absolument une carte détaillée du lac *(Stan Jones Map, South Lake Powell Map...)*, en vente aux points de location.

Pour plus d'intimité, on peut louer un bateau à la marina d'**Antelope Point**, située juste à l'embouchure d'Antelope Creek. La balade est sublime en kayak…

■ **Rainbow Bridge National Monument★** *(excursions en bateau au départ de Wahweap Marina • également accessible à pied depuis la réserve navajo)*. Entre Page et Halls Crossing, sur la rive E. du lac, se dresse le plus grand pont naturel du monde : une passerelle de 82 m de long jetée au-dessus d'une faille profonde. Les Navajos le nomment « Arc-en-ciel transformé en pierre » et le considèrent comme un lieu sacré en raison de sa beauté, mais aussi parce que, au cours de la campagne de Kit Carson *(→ encadré p. 526)*, ils furent nombreux à s'y réfugier.

■ **Halls Crossing et Bullfrog** *(à 87 mi/139 km O. de Blanding par l'UT 95 N. et la 276 • ferries réguliers entre les deux stations : 25 mn de trajet)*. Blotties dans un splendide environnement montagneux, ces deux marinas se prêtent bien à la découverte en bateau de la partie centrale du lac. Dans le bras formé par la rivière Escalante, voir notamment la **Gorce Arch★** et la somptueuse **Cathedral in the Desert★★**, une chambre de grès aux mille nuances rosées.

Environs de Lake Powell

1 **Antelope Canyon Navajo Tribal Park★★** *(à 5 mi/8 km E. de Page par l'AZ 98 • compter 1 h de vis. • permis spécial à acquitter, valable pour Upper et Lower Canyon • entrée payante pour chacun des deux sites • ouv. t.l.j., de mai à oct. 8 h-17 h, de nov. à avr. 9 h-15 h • Antelope Canyon Tours, rens. et réserv. ☎ 928/645-9102)*.

Situé sur la réserve des Navajos et sacré pour les Indiens, ce canyon profond et effilé est une des merveilles de l'Arizona. Les parois de grès rouge *(→ encadré ci-contre)* ont été modelées en courbes sculpturales, durant des milliers d'années, par la pluie et par le vent. Des puits de lumière, percés dans la roche, viennent sublimer les couleurs. Entre 10 h et 14 h (selon les saisons), quand les rayons sont au zénith, on a le sentiment de pénétrer dans une cathédrale…

Le canyon comprend deux sites distincts, spectaculaires l'un comme l'autre : très facile d'accès, l'**Upper Canyon** se découvre en marchant sur le fond plat de la gorge ; on accède au **Lower Canyon**, beaucoup plus étroit, par le haut, *via* une succession d'échelles.

⬥ BON À SAVOIR
• C'est vers midi que la lumière sur le Rainbow Bridge est la plus belle, et qu'il y a le moins de zones d'ombre.
• Face au Rainbow Bridge, station de *rangers*, ravitaillement en carburant à la marina de Dangling Rope.

⏷ PARCS NATIONAUX
À propos des conditions d'entrée et des forfaits, consultez la rubrique « Parcs nationaux », dans le chapitre Séjourner, p. 52.

Les couleurs du grès

Le **grès navajo** confère toute leur splendeur aux paysages du lac Powell. Formée de dunes de sable solidifiées, cette roche datant du jurassique prend avec l'érosion des formes sculpturales, aux nuances ocre rouge-gris, sublimées par les oxydes de fer. Dans les canyons de grès, la végétation se limite à des espèces typiques du désert : cactus, yucca, sauge…

L'excursion de Page à Lees Ferry donne l'occasion de découvrir les falaises de grès du pays navajo, qui se dressent à plus de 400 m au-dessus du fleuve : 1 journée, aller en bateau, retour en car.

Rens. et réserv. : *Wilderness River Adventures* ☎ (1)800/992-8022.

2 Lees Ferry *(à 42 mi/67 km S.-O. de Page : prendre l'US 89 en direction de Flagstaff sur 23 mi/37 km puis, à Bitter Springs, remonter par l'US 89A vers Marble Canyon ; de là part une petite route qui mène à Lees Ferry).*
C'est l'un des endroits les plus calmes de la Glen Canyon Recreational Area. Il doit son nom au mormon John D. Lee, envoyé en 1870 par son Église pour faire fonctionner un transbordeur, seul moyen alors de franchir le Colorado. Du ponton partent aujourd'hui les excursions en bateau dans le Grand Canyon.

3 Natural Bridges National Monument★
(à 61 mi/98 km E. de Hite par les UT 95 et 275, 47 mi/ 75 km O. de Blanding par l'US 191 puis les UT 95 et 275 • l'UT 275 conduit au Visitors Center • comptez au moins 2 h pour une vis. rapide • entrée valable 7 j.).
Sur ce site, blotti au calme, dans une forêt de pins et de genévriers, se découpent trois canyons abritant chacun un spectaculaire pont naturel. La **Bridge View Drive** *(9 mi/14,4 km en boucle)* dessert les différents promontoires, d'où partent des sentiers, courts mais assez pentus, vers les ponts Sipapu (72 m de haut), Kachina (69 m de haut) et Owachomo (35 m de haut). Une piste en boucle de 5 km permet aussi de les découvrir tous les trois successivement. Près de l'arche gracieuse de Sipapu Bridge, le point de vue de **Horsecollar Ruin** permet de voir un ancien grenier à grain anasazi.

☎ **NUMÉROS GRATUITS**
Les numéros de téléphone qui commencent par ☎ 800, 855, 866, 877, 888 sont des numéros d'appel gratuits *(toll-free number)*. Faites-les précéder du ☎ 1 si vous appelez depuis un poste fixe (et non d'un portable). Dans ce guide, ces numéros sont notés ainsi : ☎ (1)800/000-0000.

ℹ ☎ 435/692-1234 ; www.nps.gov/nabr. ; ouv. t.a. 8 h-17 h.

☞ HÉBERGEMENT
• Hôtels à Blanding ou à Mexican Hat (au S., par l'UT 261), où se trouvent également stations-service et épiceries.
• Camping dans le parc ouv. t.a.

✐ BON À SAVOIR
Attention : il est interdit de monter sur les ponts, de quitter les sentiers, de toucher aux rochers.

Des ponts de légende

Les ponts naturels naissent de l'action érosive de l'eau, à la différence des arches qui ne surplombent pas toujours un cours d'eau. Deux petites rivières ont ainsi creusé les White et Armstrong Canyons dans la roche de la région, le Cedar Mesa Sandstone, un grès vieux de 225 millions d'années. Une roche recelant joints et fractures, un cours d'eau de type désertique : les conditions étaient réunies pour qu'apparaisse un pont naturel.

Le prospecteur Cass Hite découvrit les ponts en 1883, mais le *National Geographic Magazine* les révèle aux Américains en 1904. Lorsque le président Theodore Roosevelt proclama « monument national » le site de Natural Bridges, en 1908, il fut décidé de leur donner des noms indiens. Consultés, les Indiens déclarèrent ne connaître qu'un seul terme pour désigner un pont, naturel ou pas : *Ma-Vah-Talk-Tump*, qui signifie « sous le ventre du cheval ». Il était établi à l'époque que les populations préhistoriques du sud de l'Utah étaient les ancêtres des Indiens Hopis ; des noms hopis furent donc choisis. Ainsi, *Owachomo* signifie « butte rocheuse », *Kachina* est le nom des poupées hopies et *Sipapu*, celui du trou par lequel les ancêtres émergent des ténèbres.

Bryce Canyon National Park★★★ UT

Situation : à 250 mi/400 km N.-E. de Las Vegas (NV), 270 mi/432 km S. de Salt Lake City (UT) • superficie : 146 km² • alt. : de 2 438 à 2 743 m.

Fuseau horaire : Mountain Time (– 8 h par rapport à la France).

☞ Carte du parc p. 454.

🚹 sur la route principale qui traverse le parc (UT 63) juste après l'entrée ☎ 435/834-5322 ; www.nps.gov/brca ; ouv. t.l.j., de mai à sept. 8 h-20 h, automne et printemps 8 h-18 h, hiver 8 h-16 h 30.

Bryce Canyon est le plus surprenant et probablement le plus beau de tous les parcs américains. Difficile d'imaginer, lorsqu'on entre dans la Dixie Forest – où se cachent chiens de prairie, marmottes, cerfs, ours et pumas –, la beauté qui vous attend. Elle surgit brutalement : à la lisière de la forêt, une cité de pierres se dresse au sein d'un vaste amphithéâtre, des centaines de pitons s'élèvent vers le ciel. Rose, orange, sanguine, rouge, leurs nuances varient tout au long du jour. À Bryce, la nature a réalisé un chef-d'œuvre.

Bryce Canyon National Park mode d'emploi

Accès. Depuis Cedar City à l'O. par l'UT 14, l'US 89 et l'UT 12 (77 mi/123 km) • *Bryce Canyon Airport* se trouve non loin de l'UT 12, avant l'intersection avec l'UT 63 ☎ 435/834-5239.

Entrée. 25 $/véhicule, 12 $/piéton, moto ou vélo, (gratuit pour les – de 15 ans), valable 7 j. • *pass America The Beautiful* accepté.

La meilleure période. Entre mai et sept., pour la faune et la flore • attention, fréquents orages en été • d'oct. à avr., les chutes de neige peuvent entraîner la fermeture de certaines routes.

Combien de temps. 1/2 j. au minimum pour avoir, en voiture, un bon aperçu de l'amphithéâtre • des sentiers pentus permettent d'y pénétrer • les visiteurs pressés se contenteront des points de vue qui se succèdent entre Fairyland et Bryce Point.

Bryce Canyon dans l'histoire

Rouge fer, bleu manganèse
Au N. du plateau du Paunsaugunt, recouvert de calcaire, des sédiments se sont déposés au fond des lacs pendant des millions d'années. Peu à peu,

Voir carte régionale p. 408

ces sédiments se sont transformés en une roche friable, la « formation limoneuse de Wasach », qui commença à s'éroder il y a 13 millions d'années. Sous les pressions tectoniques, la région se souleva, faisant apparaître de nombreuses failles. L'érosion s'attaqua d'abord à la ligne de cassure du plateau, créant dans des combes en arc de cercle des paysages fantastiques de roches brillantes, en forme de colonnes (les *hoodoos*), de tours et de gradins. Leur étonnante gamme chromatique s'étend de l'orange au brun et au rouge profond (présence d'oxydes de fer) jusqu'au bleu et même au violet (manganèse).

Ebenezer Bryce, le pionnier

Les Indiens Paiutes avaient baptisé le lieu « Angka-ku-wass-a-witts », littéralement « les pierres rouges se tenant comme des hommes ». Dans leurs légendes, les *hoodoos* de Bryce Canyon étaient les représentants du peuple animal, changés en pierre par le puissant dieu Coyote (→ *encadré p. 358*).

Même si, auparavant, quelques chasseurs passaient de temps à autre dans le canyon, le pionnier Ebenezer Bryce fut le premier à s'y installer, avec son épouse. Moins sensible que les Paiutes au pouvoir évocateur des reliefs environnants, il décrivit l'endroit comme « un sacré coin pour y perdre une vache ». Les Bryce, qui cultivaient des champs et élevaient un peu de bétail, construisirent une route le long du canyon pour transporter le bois de charpente. Ils quittèrent la région pour l'Arizona en 1880, laissant leur nom au site, devenu parc national en 1923.

Visiter Bryce Canyon N. P.

La corniche du canyon est bordée par une route en cul-de-sac, Rim Drive *(18 mi/29 km),* **qui dessert les principaux points de vue jusqu'à Rainbow Point et Yovimpa Point.**

■ **Fairyland Point*,** juste avant l'entrée du parc, offre un premier aperçu sur l'amphithéâtre et la Navajo Mountain. Deux départs de sentiers :

● **Rim Trail**** *(5,5 mi/8,8 km • 2-3 h)* longe la falaise de Fairyland Point à Bryce Point. Ce chemin sur terrain plat ne présente aucune difficulté et passe successivement par Sunrise Point, Sunset Point et Inspiration Point, d'où l'on peut également choisir de partir.

● **Fairyland Loop Trail** *(13 km • 4-5 h a.-r.)* suit un itinéraire un peu difficile en raison du vallonnement du terrain. La boucle descend dans l'amphithéâtre, passe devant Tower Bridge et rejoint le Rim Trail à Sunrise Point.

☞ **CONSEIL**
Le parc a l'altitude des plus beaux domaines skiables des Alpes : pensez à vous hydrater et à vous protéger du soleil.

⌂ **PARCS NATIONAUX**
À propos des conditions d'entrée et des forfaits, consultez la rubrique « Parcs nationaux », dans le chapitre Séjourner, p. 52.

☞ **HÉBERGEMENT**
● Les deux campings, *North* et *Sunset Campground,* affichent vite complet. Pas de réserv. : s'y rendre très tôt pour avoir une place.
● Le *Bryce Canyon Lodge* propose 114 chambres, dont des *cabins* familiales blotties dans la forêt ☎ 435/834-8700 ; www.brycecanyonforever.com ; ouv. début avr.-fin oct.

✎ **BON À SAVOIR**
De mi-mai à fin sept., des navettes gratuites parcourent la Rim Drive toutes les 10 mn. On peut ainsi garer son véhicule à l'entrée du parc et prendre la navette entre les points de vue.

♥ **BONNE ADRESSE**
Bryce Canyon Pines, à 6 mi/9,6 km du parc, sur la Bwy Scenic 12 ☎ 435/834-5441 ; www.brycecanyonmotel.com Petit motel familial (53 chambres ou bungalows). Le restaurant, de style western, est réputé pour ses viandes grillées et ses tartes aux myrtilles.

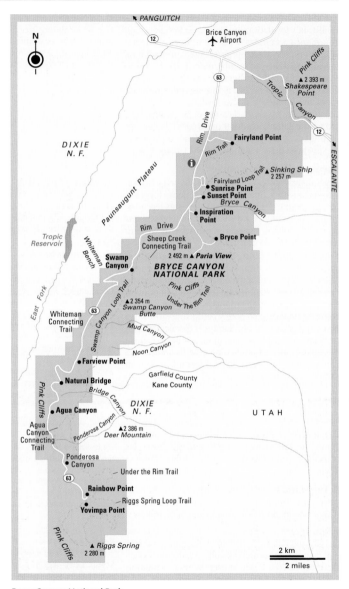

Bryce Canyon National Park.

■ **Sunrise Point**★★ et **Sunset Point**★★ se succèdent. De l'un et l'autre, la vue sur les aiguilles et les tours de pierre de l'amphithéâtre est magnifique – plus encore au lever et au coucher du soleil.

• Depuis Sunrise Point, deux magnifiques promenades s'offrent à vous : **Queens Garden★** *(1,8 mi/ 2,9 km • 1 h)* permet de se promener dans l'amphithéâtre aux tons blancs, roses, orangés ; la descente jusqu'à **Tower Bridge★** exige une bonne condition physique *(3 mi/4,8 km • 3 h)*.

• Depuis Sunset Point, **Navajo Loop Trail★** *(1 h)* est aussi agréable mais plus fatigant que Queens Garden. Il est possible d'effectuer une boucle *(2,9 mi/ 4,6 km • 2 h)* en combinant ces deux itinéraires.

Peu après Sunset Point, la route forme une patte-d'oie. Emprunter la bifurcation qui part vers la g., dir. Bryce Point.

■ **Inspiration Point★★**. Trois observatoires ont été aménagés là. Du dernier, on embrasse l'ensemble du parc : très beau point de vue sur les pitons rocheux, de plus en plus denses.

■ **Bryce Point★★** est un vertigineux promontoire en à-pic au-dessus de l'amphithéâtre d'où l'on aperçoit les grottes qui minent la falaise. De là, on jouit d'une vision panoramique sur l'ensemble du canyon. Spectacle à couper le souffle au lever du soleil.

• Depuis Bryce Point, **Under the Rim Trail★** permet d'avoir un aperçu de tous les aspects du parc *(itinéraire sur plusieurs j. • 35 km)*.

■ **Paria View**, par son orientation, offre une vue sur une série de *hoodoos* (aiguilles) particulièrement photogéniques au coucher du soleil.

Revenir sur la Rim Drive, prendre l'embranchement à dr. en direction de Swamp Canyon.

■ **Swamp Canyon** est un petit canyon rose où s'infiltre la forêt, créant de jolis contrastes de couleurs.

• Le **Swamp Canyon Loop Trail** *(4,3 mi/7,2 km • 2-3 h)* trace une boucle dans ce canyon miniature parcouru par deux ruisseaux. Cette relative humidité permet le développement d'espèces que l'on ne retrouve pas dans les zones arides du parc, comme la salamandre tigrée et l'iris du Missouri.

■ **Farview Point**, beau panorama dégagé de la vallée qui s'étend bien au-delà du canyon.

■ **Natural Bridge★**, superbe arche naturelle, se détache sur la forêt, au fond du canyon.

■ **Agua Canyon** donne l'occasion de découvrir toutes les nuances de la couleur orange et de photographier deux des plus célèbres *hoodoos* surnommées *The Hunter (à g.)* et *The Rabbit (à dr.)*.

■ **Rainbow Point** et **Yovimpa Point★** offrent, par temps clair, une vue qui porte jusqu'à l'Arizona et au Nouveau-Mexique. D'ici, on peut admirer

⊘ BRYCE CANYON N. P. AUTREMENT
• Des balades à **cheval** de 2 h ou 1/2 j. sont organisées sur la Peek-a-Boo Trail par des guides du parc (d'avr. à oct.). Nul besoin d'être un cavalier émérite, et l'on évite la fatigue de l'ascension. Rens. ☎ 435/679-8665 ; www.canyonrides.com

• Attention : le parc est souvent enneigé jusqu'en avril. En hiver, Fairyland Point et Paria View sont f. aux voitures et deviennent des pistes de ski de fond. Le *Visitors Center* prête alors des **raquettes** aux amateurs.

• *Bryce Canyon Airlines* (Ruby's Inn, Hwy 63 ☎ 435/834-5341) propose des survols du parc en **avion** ou en **hélicoptère**.

La symphonie florale

La roche est trop tendre et les pentes trop raides pour permettre une végétation régulière à l'intérieur de l'amphithéâtre. Seuls de rares genévriers, des pins et de l'herbe à lapin rythment la symphonie rose orangé de Bryce Canyon. Une forêt variée s'étend, en revanche, à la limite de la faille. En s'élevant, on rencontrera successivement des genévriers, des pins noyers, puis des pitchpins, enfin une belle forêt de trembles, de sapins et d'épicéas, entrecoupée de prairies dans lesquelles iris sauvages, clématites, onagres, asters et autres variétés de fleurs s'épanouissent tout au long du printemps et de l'été.

〰 PARCS NATIONAUX
À propos des conditions d'entrée et des forfaits, consultez la rubrique « Parcs nationaux », dans le chapitre Séjourner, p. 52.

la succession de strates multicolores nommée Grand Staircase. Voici 8 à 15 millions d'années, ce formidable « escalier géologique » a divisé le plateau du Colorado en trois niveaux qui correspondent, de haut en bas, à Bryce Canyon, Zion et au Grand Canyon. Vous êtes sur les Pink Cliffs, la plus haute marche du plateau. En dessous, vous apercevez les Grey, White et Vermilion Cliffs. Les collines boisées à l'horizon annoncent la rive N. du Grand Canyon.

Environs de Bryce Canyon

☞ CAPITOL REEF EXPRESS
Les voyageurs pressés découvrent le parc au fil de la Hwy 24 et de la Scenic Drive, en cul-de-sac (20 mi/32 km a.-r.), qui traverse l'oasis de Fruita et longe, plein S., le Waterpocket Fold. Ce gigantesque plissement rocheux est apparu au N. du lac Powell, lors du soulèvement du plateau du Colorado.

■ **Capitol Reef National Park**★★ *(à 65 mi/104 km N.-E. de Bryce Canyon, par la Hwy 24 • entrée payante pour la Scenic Drive uniquement • pass America The Beautiful accepté).*

C'est le plus sauvage et le moins connu des parcs de l'Ouest américain. Créé en 1971, près de la petite ville de **Torrey** (UT), il doit son nom à ses dômes de grès blanc, qui évoquèrent aux pionniers mormons le Capitole de Washington. Les Indiens Paiutes, eux, avaient baptisé la région « le pays de l'arc-en-ciel endormi », en référence aux couleurs extraordinaires des roches. Sur ce territoire, l'érosion a façonné des paysages titanesques : falaises façon mille-feuilles, ponts, arches et aiguilles effilées, dômes griffés de vagues et forêts pétrifiées.

➊ *Visitors Center*, à 8 mi/12,8 km E. de Torrey, près de l'oasis de Fruita
☎ 435/425-3791 ; nps.gov/care ; ouv. 8 h-16 h 30, en été 8 h-18 h.

● **Pétroglyphes indiens**★ *(à 1,5 mi/2,4 km du Visitors Center, sur la Hwy 24).* Les Indiens Fremonts, qui occupèrent le site de 700 à 1300 apr. J.-C., ont couvert les falaises rouges de nombreux pictographes (peints) et pétroglyphes (gravés). Parmi les motifs les plus symboliques, des personnages « en trapèze », aux têtes ornées de coiffes, colliers et boucles d'oreilles.

● **Oasis de Fruita**★★ *(juste après le Visitors Center, sur la Scenic Drive).* Au début du xxe s., une petite communauté de mormons vivait ici, sur les berges de la rivière Fremont. Grâce à ces eaux, les colons cultivaient des arbres fruitiers. Aujourd'hui le village, l'école et le verger sont toujours là. Émouvant petit écomusée, la **ferme Gifford** permet de se faire une idée de la vie des fermiers de l'Ouest dans les années 1930. Et on peut cueillir soi-même les fruits *(gratuits si on les consomme sur place)*, côté verger.

☞ HÉBERGEMENT
• *Fruita Campground*, à l'entrée du parc, près du *Visitors Center* ; ouv. t.a. Un camping idyllique et ombragé, au bord de la rivière Fremont (10 $/emplacement).
• *Muley Twist Inn*, 249 W./125 S. Sts, Teasdale ☎ 435/425-3640 ; www.muleytwistinn.com À 10 mn en voiture du parc, ce B&B offre 5 chambres à la mode western dans une confortable maison en bois.

● **Capitol Gorge**★ *(à 15 mi/24 km du Visitors Center, au bout de la Scenic Drive).* À la fin du xixe s., les chariots bâchés des premiers colons ont emprunté ce défilé étroit. Avant de s'y aventurer, ces mormons gravaient leur nom sur la roche, à un endroit connu sous le nom **Pioneer Register**. La plus ancienne inscription, toujours visible, date de 1871.

Zion National Park★★ UT

L e long de la Virgin River se dressent des falaises vertigineuses où des pins *ponderosa* s'accrochent au moindre escarpement de la roche rougeoyante ; au fond du canyon, sureaux, frênes et peupliers s'épanouissent le long de la rivière. Cette oasis, longue d'une quinzaine de kilomètres et large de quelques centaines de mètres, est la partie la plus visitée du parc, au détriment de Kolob Canyon au nord, plus sauvage car moins desservi par le réseau routier.

Situation : à 140 mi/225 km N.-E. de Las Vegas (NV), 309 mi/494 km S. de Salt Lake City.

Superficie : 595 km^2 ● alt. de 1 200 à 2 400 m.

Fuseau horaire : Mountain Time (– 8 h par rapport à la France).

☞ Carte du parc p. 458.

❶ *Zion Canyon Visitors Center,* à l'entrée S. ☎ 435/772-3256.
● *Kolob Canyon Visitors Center,* à la sortie 40 de l'I-15, 17 mi/27,3 km S. de Cedar City ☎ 435/586-9548 ; www.nps.gov/zion

☞ HÉBERGEMENT
Zion Lodge, ☎ (1)888/297-2757 ou 435/772-7700 ; www.zionlodge.com

À ne pas manquer	
Zion Canyon★★	459
Mount Carmel Highway★	459
Kolob Arch Trail★	460
Kanab★ (Environ 2)	460

Zion N.P.

▲ Il y a 13 millions d'années, une poussée géologique souleva la région, brisant le plateau de Markagunt, constitué de solides couches de grès, de calcaire et de schiste. Au fil des siècles, les flots impétueux de la Virgin River, affluent du Colorado, ont creusé des parois abruptes (jusqu'à 900 m d'à-pic), formées de monolithes, de mesas, de dômes rocheux... L'oxyde de fer leur a donné cette teinte rougeoyante dont les nuances varient selon les heures.

Voir carte régionale p. 408

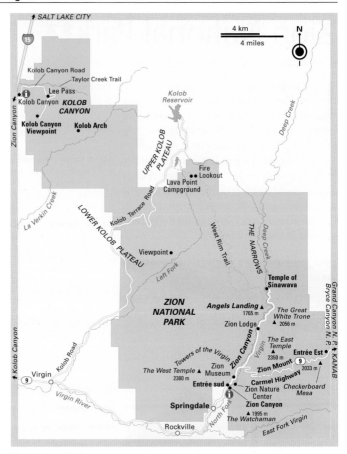

Zion National Park.

Indiens et mormons

Plusieurs civilisations indiennes (notamment les Anasazis et les Païutes) ont laissé des traces dans la vallée de Mukuntuweap, nom indien du canyon de Zion. Les Anasazis y chassaient et y cultivaient des champs de maïs et de riz. En 1858, le mormon Nephi Johnson fut le premier explorateur à s'aventurer dans ces gorges. Il fut bientôt suivi, en 1860, des premières communautés agricoles qui vinrent s'installer à proximité du canyon, dans le village de Springdale.

Visiter Zion National Park

Accès. De **Kanab**, au S.-E., par l'US 89 puis l'UT 9 (37 mi/59 km ; entrée E.) • de **Cedar City**, au N., par l'I-15 et l'UT 9 jusqu'à Springdale (59 mi/94 km ; entrée S.).

Entrée. 25 $/véhicule, 12 $/piéton, moto ou vélo, valable 7 j. • pass *America The Beautiful* accepté.

La meilleure période. Le parc est ouv. t.a. • l'automne est très agréable, avec de magnifiques couleurs • en été, les températures montent souvent au-dessus de 37 °C, avec de violents orages • l'hiver est plutôt froid, avec des chutes de neige.

Combien de temps. Le parc se divise en deux parties : au N.-O., la **Kolob Section**, très belle région sauvage *(→ p. suiv.)* ; au S., le **Zion Canyon**, plus spectaculaire et plus propice aux excursions *(→ ci-après)* • la visite en voiture de ces deux parties demande une bonne 1/2 j.

Visite. D'avr. à oct., la Scenic Drive est interdite aux véhicules privés : des **navettes** gratuites la parcourent sur 10 km, desservant 8 arrêts, du *Visitors Center* au temple de Sinawava (départ toutes les 6 mn) • les *rangers* organisent des promenades à pied accompagnées.

■ **Zion Canyon★★.** Pour découvrir les paysages le plus spectaculaires du parc, il faut marcher, voire grimper. La plupart des sentiers, desservis par la navette, partent en effet du bas pour remonter vers le haut du canyon, livrant de superbes points de vue sur la Virgin River.

Attention : même si les chemins sont pavés, les dénivelés sont parfois sportifs et certains passages, même équipés de rampes de sécurité, peuvent donner le vertige.

● **Emerald Pools** *(arrêt Zion Lodge de la navette • niveau facile à moyen • 1 à 2 h a.-r.)*. Grimpant le long du canyon, un chemin court mais pentu mène aux **cascades** *(1,2 mi/1,9 km a.-r. pour les Lower et Middle, 2 mi/3,2 km a.-r. pour les Upper)*. Autour de la grande cascade, des roches plates invitent à prendre le soleil. Lors de la descente, on passe devant des « **jardins suspendus** » à flanc de falaise : dans des alcôves naturelles creusées par l'érosion, les plantes sont hydratées grâce à l'eau, chargée en minéraux, contenue dans le grès poreux.

● **Angels Landing** *(arrêt The Grotto • niveau modéré à sportif • 8 km • 4 h a.-r.)*. Cette randonnée, la plus spectaculaire de Zion, exige une bonne forme physique. La piste bitumée grimpe d'abord en lacet serré vers la crête, livrant de magnifiques points de vue. Aux deux tiers du parcours, un promontoire rocheux, où s'agrippent pins et genévriers, offre une vue vertigineuse sur la boucle scintillante de la Virgin River, coulant 600 m plus bas. *Si on est sujet au vertige, mieux vaut s'arrêter là.* Passé l'étroit chemin de pierre suspendu entre deux à-pics, l'ascension se poursuit par des marches grossièrement taillées dans le roc. Terminus au promontoire d'Angels Landing (littéralement, « débarcadère des anges »).

● **Weeping Rock** *(arrêt Weeping Rock)*. Au début des années 1900, les mormons avaient installé au-dessus de ce « rocher en pleurs » un ingénieux système de câbles sur poulies, pour faire descendre vers la vallée les pins coupés sur le plateau : les paniers remplis de bois glissaient vers le bas, propulsant les paniers vides vers le haut. Deux belles balades : **Weeping Rock Trail** *(0,8 km • 30 mn a.-r. • niveau modéré)* permet de rejoindre une jolie chute d'eau ; le spectaculaire **Hidden Canyon Trail** *(3,2 km • 3 h a.-r. • niveau modéré)* se plaque à flanc de falaise et s'achève sur un canyon très étroit, aux murs de grès lissés par l'érosion.

● **Temple of Sinawava** *(arrêt Temple of Sinawava)*. Tout au bout de la Scenic Drive, le *shuttle* dépose les passagers au pied d'un monolithe de grès aux parois verticales. C'est le point de départ d'une agréable promenade *(2 mi/3,2 km • 1 h)*, aménagée au bord de la Virgin River. Superbe à l'automne, quand les peupliers *cottonwoods* prennent des teintes or.

■ **Mount Carmel Highway★** *(prendre la Zion Canyon Scenic Drive jusqu'à Canyon Junction, où l'on bifurque à dr. sur l'UT 9)*. Longtemps considérée comme un projet irréalisable, cette superbe route de montagne relie le bas de Zion

✐ ESCALADE
• Le canyon de Zion est réputé dans le monde entier pour ses *big walls*, parois en grès vertigineuses aux lignes pures.
• Pour les débutants, initiation et location de matériel : ***Zion Rock & Mountain Guides***, à Springdale ☎ 435/772-3303 ; www.zionrockguides.com

〰 PARCS NATIONAUX
À propos des conditions d'entrée et des forfaits, consultez la rubrique « Parcs nationaux », dans le chapitre Séjourner, p. 52.

♥ HÔTEL À SPRINGDALE
Majestic View Lodge, 2400 Zion Park Blvd ☎ 435/772-0665 ; www.majesticviewlodge.com Dans ce *lodge* en rondins, 69 chambres spacieuses à la déco western, avec vue sur les falaises rouges de Zion. Sur place, piscine, *trading post* et musée d'animaux empaillés.

❶ à Kanab : *Visitors Bureau*, 78 S./100 E. Sts ☎ 435/644-5033 ; www.kaneutah.com

▼ RESTAURANT À KANAB
Houston's Trails End Restaurant, E. Center St. ☎ 435/644-2488. Spécialité de *fried chicken* depuis trois générations.

☞ MANIFESTATION À KANAB
La dernière semaine d'août, *Western Legends Round Up* : parade de cow-boys avec bœufs *longhorns*, rodéos, musique country, concours de cuisine… (☎ 435/644-3444 ; www.westernlegendsroundup.com).

Canyon aux hauts plateaux de l'E., traversant de superbes formations géologiques : la **grande arche de Zion** et les dunes de sable pétrifiées de **Checkerboard Mesa**. Le tunnel du mont Carmel *(1,5 km)*, percé en 1930, était à l'époque le plus long des États-Unis *(interdit aux piétons et aux cyclistes)*.

■ **Kolob Canyon★** *(N.-O. du parc • accès par la sortie 40 de l'I-15)*. Très prisé des randonneurs, il représente 90 % de la surface du parc, mais est moins spectaculaire que Zion Canyon. La route de 10 km qui traverse cette partie du parc, à flanc de montagne, ménage deux jolis points de vue : **Lee Pass** et **Kolob Canyon Viewpoints**.

• **Kolob Arch Trail★** *(22 km • 8 h a.-r.)* : départ de Lee Pass. En suivant les rivières Timber Creek et La Verkin Creek, par un chemin long et parfois délicat on rejoint une arche de 94 m (l'une des plus longues au monde après Landscape Arch ; → *Arches N. P., p. 443)*.

Environs de Zion N.P.

❶ **Springdale** *(à l'entrée S. de Zion N. P., sur la route 9)*. Porte d'accès principale au parc, ce village fut fondé par les pionniers mormons en 1862, tout juste quatre ans après l'expédition de reconnaissance menée par le missionnaire Nephi Johnson. Aujourd'hui, cette petite bourgade a surtout vocation touristique, avec ses motels, hôtels, restaurants et boutiques western.

Au **Giant Screen Theater** *(sortie S. de Springdale • ouv. t.l.j. 11 h-20 h en saison • entrée payante)*, projection sur écran géant IMAX du spectaculaire film *Treasure of the Gods*, qui retrace l'aventure humaine du parc.

❷ **Kanab★** *(à 45 mi/72 km E. de Springdale, sur la Hwy 89)*. À mi-chemin du parc national de Bryce Canyon, cette bourgade offre une halte sympathique, avec ses motels des *fifties*, ses boutiques western et son petit musée **Frontier Movie Town** *(gratuit)*, alignés sur la Main Street. Tout autour du village, les cow-boys font pâturer les bœufs *hereford* et *black angus*.

Kanab est aussi la capitale du Kane Country, « Little Hollywood » de l'Utah, où furent tournés les westerns les plus mythiques des années 1930-1960. Leurs décors naturels sont encore là, dans le ravissant **Angel Canyon★** *(à 5 mi/8 km N. sur la Hwy 89)* et au **Coral Pink Sand Dunes State Park★** *(à 12 mi/19 km N. de Kanab, Hwy 89)*.

Grand Canyon National Park★★★ AZ

Avec près de cinq millions de visiteurs par an, le Grand Canyon est le site le plus fréquenté des États-Unis. C'est aussi un phénomène géologique unique au monde : qui n'a rêvé, un jour, de contempler les archives de la terre depuis cette gigantesque faille, que le fleuve Colorado a sculptée sans répit, depuis cinq à six millions d'années ? Pourtant, la conservation du Grand Canyon pose aujourd'hui un réel problème, en raison, notamment, de la surfréquentation de sa rive sud, qui reçoit 90 % des touristes. Certains soirs, au coucher du soleil, on se bouscule à Grand View alors que, une vingtaine de kilomètres en face, à vol d'oiseau, la rive nord offre une vision tout aussi grandiose…

Grand Canyon mode d'emploi

Accès. Le parc dispose de trois entrées : Desert View, **à l'E.** : à 87 mi/140 km de Flagstaff par l'US 89 puis l'AZ 64 • **au S. du parc** : à 81 mi/130 km de Flagstaff par l'US 180 puis l'AZ 64 • **au N. du parc** : à 207 mi/333 km de Flagstaff par l'US 89, l'US Alt 89 et l'AZ 67, et à 122 mi/195 km S. de Zion N. P. par la Hwy 89 et l'AZ 67 S.
Par **avion**, des vols relient Las Vegas, Phoenix, Flagstaff et Grand Canyon Airport à Tusayan, au S. du parc.

Entrée. 25 \$/véhicule, 12 \$/piéton ou vélo, valable 7 j. • *pass America The Beautiful* accepté.

La meilleure période. La rive S. (South Rim) est accessible t.a., la rive N. (North Rim) de mi-mai à mi-oct. • attention, il fait extrêmement chaud l'été et il n'est pas rare que des orages surviennent en fin d'a.-m. • en hiver, la neige est fréquente.

S'organiser. South Rim et North Rim ne sont distantes que de 15 à 25 km, mais il faut parcourir 215 mi/335 km en voiture (5 h de route) pour passer de l'une à l'autre • **South Rim**, plus accessible,

Situation : Grand Canyon Village, à 80 mi/128 km N.-O. de Flagstaff, 277 mi/443 km E. de Las Vegas (NV).

Superficie : 4 860 km².

Fuseau horaire : en été, – 9 h par rapport à la France ; en hiver, – 8 h.

☞ Carte du Grand Canyon p. 464.

❶ ☎ 928/638-7888 ; www.nps.gov/grca
• *South Rim Visitors Center*, à Grand Canyon Village, sur la Hwy 64, à 6 mi/9,6 km N. de Tusayan ; ouv. t.l.j. 8 h-17 h, en été 8 h-18 h.
• *North Rim Visitors Center*, au bout de la route 67, à 25 mi/40 km S. de Jacob Lake (UT) ; ouv. de mi-mai à mi-oct. 8 h-18 h.

Voir carte régionale p. 408

☞ Carte du Grand Canyon
p. 464.

☞ Carte du Grand Canyon
p. 464.

✐ BON À SAVOIR

En été, le *Transcanyon Shuttle* opère un service quotidien de navettes entre la rive S. et la rive N., très pratique si on veut traverser le canyon à pied (☎ 928/663-2820 ; réserv. obligatoire ; départ à 7 h dans le sens N.-S., à 13 h 30 dans le sens S.-N. ; durée 5 h).

✐ À NOTER

À Eagle Point, dans la partie O. de Grand Canyon N. P., un pont de verre a été suspendu à 1 219 m au-dessus du canyon. Accès payant (cher) : www.grandcanyonskywalk.com

Le train du Grand Canyon

Theodore Roosevelt, Clark Gable, Bill Gates : bien des passagers prestigieux ont rejoint le Grand Canyon à bord du mythique **Grand Canyon Railway**, train mis en service dès 1901 au départ de la petite gare de Williams pour transporter les touristes. Un temps interrompue, la ligne a repris du service en 1989 : 2 h 15 de voyage pour seulement 65 mi/ 104 km, mais à bord des wagons, l'ambiance est d'époque et on traverse des paysages sublimes.

Le train fonctionne toute l'année, au départ de Williams (30 mi/ 48 km O. de Flagstaff par l'I-40). Dans le sens Williams-Grand Canyon Village, départ à 9 h 30, arrivée à 11 h 45. Pour le retour, départ à 15 h 30, arrivée à 17 h 45 ☎ (1)800/843-8724 ; www. thetrain.com

est ouv. t.a. et attire 90 % des visiteurs • l'idéal est de séjourner 2 ou 3 j. près du site • les amateurs de **randonnées** doivent prévoir au moins 2 j. pour descendre au fond des gorges • des **promenades à thèmes** géologiques ou écologiques sont organisées par les *rangers* : départ de Yavapai Observation Station, programme journalier ☎ 520/638-7888.
État des routes : Grand Canyon ☎ 928/638-7888.

Hébergement. Si vous voyagez en été, il est indispensable de réserver plusieurs mois à l'avance • *Xanterra Parks & Resorts* propose différentes formules d'hébergement sur les deux versants et à Phantom Ranch, au fond du canyon ☎ 303/297-2757 ; www.grandcanyonlodges.com • **campings** (réserv. ☎ (1)877/444-6777) : *Desert View Campground* (South Rim), ouv. de mi-mai à mi-oct. ; *Mather Campground* (South Rim), ouv. t.a., réserv. conseillée d'avr. à nov. ; *North Rim Campground*, ouv. de mi-mai à mi-oct.

Pour camper dans le parc hors de ces campings, un **permis** est nécessaire (10 $, plus 5 $ par personne et par nuit) : fournir un itinéraire détaillé de l'excursion prévue au *Backcountry Information Center*, à Canyon Village (derrière le *Maswik Lodge*) ☎ 928/638-7275 ; ouv. de 13 h à 17 h.

Préparer sa randonnée. Les **descentes au fond du canyon**, qui exigent de passer la nuit sur place, peuvent se faire sans guide, mais elles sont réservées aux personnes en bonne condition physique : le dénivelé est important (de 2 000 m à 600 m) et la température en été peut atteindre 46 °C • prévoir au moins 4 litres d'eau par personne, un chapeau et une protection solaire maximale, de solides chaussures de randonnée et une trousse de premier secours.

Grand Canyon National Park dans l'histoire

Une difficile conquête...

Envoyé en reconnaissance en 1540 lors de l'expédition de Francisco Vasquez de Coronado, Garcia Lopez de Cardenas fut le premier homme blanc à découvrir le canyon. Avec sa troupe, il tenta en vain, trois jours durant, de descendre jusqu'au fleuve. Deux siècles plus tard, en 1776, le franciscain Tomas Garces descendit l'un des affluents du Colorado et fut accueilli par les Havasupaïs. C'est lui qui baptisa le fleuve rouge « Colorado ». Jusqu'au XIXᵉ s., aventuriers, chasseurs et chercheurs d'or explorèrent la gorge. Enfin, en 1869, au cours d'une expédition téméraire, le major Wesley Powell, géologue et cartographe, reconnut les vallées quasi inaccessibles de la Green River et du Colorado *(→ encadré p. 445).*

… mais une exploitation touristique rapide

Dès 1885, John Hance propose des visites guidées. Ce personnage pittoresque, qui avait perdu un doigt lors d'un accident, racontait qu'il l'avait usé à force de montrer le paysage ! En 1892, un 1er hôtel s'élève à Grand View Point et, en 1901, la liaison ferroviaire avec la rive S. (aujourd'hui abandonnée) est établie. Fred Harvey, qui a ouvert plusieurs cafés le long de la Kansas Pacific Railroad, s'établit au Grand Canyon en 1905, le magasin *Verkamp* en 1906. En 1909, des sportifs commencent à descendre dans la gorge, et en 1938 sont organisées les premières descentes commerciales en bateau.

La bataille du rail

À peine descendus des wagons, les premiers admirateurs du Grand Canyon devaient passer sur les terres de Ralph Henry Cameron pour emprunter le Bright Angel Trail, passage pour lequel celui-ci se faisait payer grassement. Sa cupidité le perdit : pour échapper à ses griffes, la Santa Fe Railway construisit la West Rim Road et soutint Fred Harvey en 1920 pour qu'il soit agréé par le National Park Service comme principal concessionnaire de la rive S. Dès 1922, Harvey fit construire le Phantom Ranch, au fond du canyon.

À pas lents vers la protection

Les premières tentatives de protection du Grand Canyon remontent à 1887. En 1893, une Forest Preserve (zone forestière protégée) est mise en place, ce statut n'excluant aucunement l'exploitation économique et minière du site. Theodore Roosevelt se révèle un ardent défenseur du parc ; lors de sa visite en 1903, il est choqué (déjà) par le non-respect de l'environnement. En 1908, la section du canyon située entre le confluent de la Little Colorado River et celui du Prospect Creek est déclarée National Monument. Grand Canyon ne devient National Park que le 26 février 1919, 47 ans après Yellowstone.

❶ Grand Canyon South Rim★★★

La rive sud rassemble les points de vue les plus célèbres sur le Grand Canyon.

Accès. Par les entrées E. ou S.

Se déplacer. On peut circuler en voiture de Desert View, à l'E., à Grand Canyon Village, d'où partent

---

Grand Canyon : longueur 320 km • profondeur jusqu'à 1 800 m • largeur de 1,8 à 25 km • dénivelé 610 m • 160 rapides.

Colorado : long de 2 240 km, le fleuve draine près de 12 % du territoire des États-Unis • il coule en moyenne à 7 km/h • avant la construction du barrage de Glen Canyon *(→ p. 447),* il transportait un demi-million de tonnes de vase et de sable par 24 h.

De nombreuses habitations troglodytiques, des villages et des dessins rupestres témoignent d'une occupation indienne ancienne. Cinq nations sont toujours implantées dans la région : Hopis, Navajos, Havasupaïs, Paiutes et Hualapaïs.

Le Grand Canyon autrement

• **À dos de mule**. C'est cher, inconfortable et pas plus rapide qu'à pied, mais l'expédition fait couleur locale. Attention : il faut peser moins de 92 kg, mesurer plus de 1,38 m et parler l'anglais. La balade classique de 2 j. au fond du canyon inclut la nuit à Phantom Ranch. Rens. ☎ 303/297-2757 ; www.grandcanyonlodges.com

• En **avion** ou en **hélicoptère**. L'aérodrome se trouve à Tusayan, au sud du parc. Survols en avion à partir de 120 \$/adulte, en hélicoptère à partir de 180 \$/adulte. L'hélicoptère est aussi le moyen le plus rapide de rejoindre la réserve des Indiens Havasupaïs *(→ Environs, p. 468).* Entre autres compagnies : *Papillon Grand Canyon* ☎ 928/638-2419 ; www.papillon.com

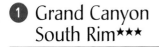

Grand Canyon N. P.

1

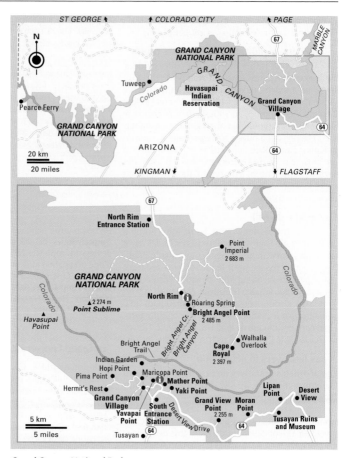

Grand Canyon National Park.

les trois lignes de **navettes** gratuites : la rouge dessert Hermit Rd (interdite aux voitures, sf de déc. à fév.), la bleue circule dans le village, la verte relie le *Visitors Center* à Yaki Point, sur Kaibab Trail Route.

L'itinéraire se fait en suivant la Desert View Drive, jusqu'à Grand Canyon Village.

■ **Desert View Watchtower★★**. Haute de 21 m et bâtie au bord du précipice, cette tour d'observation offre une vue d'ensemble impressionnante sur le canyon, le fleuve et les **Vermilion Cliffs**, au N. Conçue par l'architecte Mary Jane Colter, elle évoque les tours de guet des Indiens Anasazis, avec ses murs en pierre et ses fenêtres destructurées. Des fresques amérindiennes décorent l'intérieur.

■ **Lipan Point★**. Depuis ce point de vue, le fleuve, qui semble tout petit, est en fait à cet endroit large de 90 m et profond de 15 m ; le canyon, lui, est large de 13 km et profond de 1 800 m.

■ **Tusayan Ruins and Museum** *(ouv. 9 h-17 h •* *entrée libre)*. Restes d'un village anasazi et petit musée consacré à cette civilisation.

■ **Moran Point** et surtout **Grand View Point** offrent de belles vues d'ensemble ; à Grand View, notamment, les couchers de soleil sont splendides.

• **Grand View Trail** *(départ de Grand View Point •* *9,6 km a.-r. • compter 7 h • randonneurs expérimentés)*. Ce sentier descend à Horseshoe Mesa (« plateau du fer à cheval ») en passant par la « mine de la dernière chance », qui fonctionna de 1883 à 1907.

■ **Yaki Point**. Point de vue sur l'ensemble du canyon, notamment sur le tracé du South Kaibab Trail, dans le canyon. Parmi les montagnes, **Zoroaster Temple** se distingue par sa forme originale : une pyramide à base carrée surmontée d'un cône.

• **South Kaibab Trail** *(départ à proximité de Yaki* *Point • 4,8 km a.-r. jusqu'à Cedar Bridge • 3 h • dénivel-* *lation : 420 m • randonneurs expérimentés)*. Ce sentier, abrupt et dépourvu de points d'eau, offre d'excellents points de vue. On peut le suivre jusqu'au fond du canyon, passer une nuit ou plus au campement de Phantom Ranch, puis remonter par la Bright Angel Trail *(→ ci-après)*, plus longue mais moins pentue, et ponctuée de points d'eau.

■ **Mather Point★**. Du haut de ce nid d'aigle, le Colorado semble n'être qu'une petite échancrure entre deux falaises. L'endroit porte le nom de Stephen Tyng Mather (1867-1930), qui dirigea la création du parc national.

■ **Yavapai Point** *(non loin du Visitors Center)*. On peut approcher sans peur le bord du canyon, protégé par une barrière.

■ **Grand Canyon Village★** *(alt. 2 090 m)*. Le site s'est développé autour des deux plus vieux hôtels du parc (et les plus beaux) : *Bright Angel Lodge*, construit par Mary Jane Colter en 1935, et *El Tovar Hotel*, bâti en gros rondins de chêne par des artisans indiens au début du XXe s.

Kolb Studio (1913 • du nom des frères Kolb, pho-tographes « pionniers » du Grand Canyon • *ouv.* *8 h-17 h • entrée libre*) accueille des expositions artis-tiques ; dans l'auditorium sont projetés des films spectaculaires sur le Grand Canyon.

• **Bright Angel Trail★★** *(départ du Bright Angel* *Lodge, près de Kolb Studio • 9 mi/14,5 km jusqu'au fond* *du canyon • niveau sportif)*. Ce sentier escarpé est le plus populaire du parc. Il descend en lacet jusqu'au fond du canyon, mais on peut rebrousser chemin

Le ciel du Grand Canyon est saturé de vols commerciaux permettant de découvrir le site « d'en haut » – à tel point que, à la demande du Congrès, une altitude minimale et des corridors aériens ont été établis, ainsi que des zones interdites de survol, afin de préserver au mieux la tranquillité des lieux.

☎ NUMÉROS GRATUITS
Les numéros de téléphone qui commencent par ☎ 800, 855, 866, 877, 888 sont des numéros d'appel gratuits *(toll-free number)*. Faites-les précéder du ☎ 1 si vous appelez depuis un poste fixe (et non d'un portable). Dans ce guide, ces numéros sont notés ainsi : ☎ (1)800/000-0000.

Une architecture très « nature »

En 1920, la Fred Harvey Com-pany est le principal concession-naire du parc. Son fondateur charge **Mary Jane Colter**, une des premières femmes archi-tectes des États-Unis, de conce-voir des installations touristiques en harmonie avec la nature. C'est à elle, notamment, que l'on doit Bright Angel Lodge, gros chalet rustique de style « pion-nier », la Desert View Watch-tower, inspirée des techniques de construction des Indiens Ana-sazis, ou les cabanons en bois de Phantom Ranch, blottis au fond du canyon. À l'époque, tous les matériaux ont été transportés à dos de mule. Aujourd'hui, ces architectures de pierre et bois, aux formes variées, se fondent avec humilité dans le paysage.

Grand Canyon N.P.

1

▲ Le Grand Canyon
vu depuis la rive sud.

si on ne veut pas passer la nuit en bas. Deux stations de repos *(eau potable • toilettes)* jalonnent le parcours jusqu'à l'oasis d'**Indian Gardens** *(à 4,5 mi/7,2 km)*, où les Indiens Havasupaïs cultivaient autrefois courges et haricots. De là, un sentier en cul-de-sac *(niveau facile • 1,5 mi/2,5 km)* rejoint **Plateau Point** : vue sublime sur le Colorado.

Un arc-en-ciel géologique

Les gorges déchiquetées du Grand Canyon sont faites de strates aux couleurs variées qui correspondent à tous les stades de la formation géologique : du précambrien (il y a plus de 3 milliards d'années) jusqu'à l'ère tertiaire (65 millions d'années). La couche supérieure est constituée d'un calcaire gris-blanc sous lequel se superposent des couches alternées de grès rouge et blanc, de calcaire rouge foncé et gris, de schiste argileux vert mat, de gneiss très dur brun foncé, et de granite rouge. Pendant près de 6 millions d'années, le Colorado a érodé le plateau de Kaibab jusqu'à créer ce spectacle fabuleux de buttes et de tumulus.

■ **Hermit Road**★★★ *(départ des navettes gratuites, ligne rouge, toutes les 15 mn, derrière le Bright Angel Lodge • les 8 arrêts aux différents points de vue sont aussi reliés par un sentier pédestre)*. Longue de 8 mi/13 km, cette route panoramique est interdite aux véhicules privés, sauf en hiver. En navette ou à pied, ou en alternant les deux, on découvre une collection de points de vue vraiment vertigineux.

Au 1er arrêt, à **Maricopa Point**, une arête rocheuse s'avance au-dessus d'Indian Gardens (→ *ci-avant*). **Hopi Point** (alt. 2 147 m) offre une vue plongeante sur le fleuve Colorado. De **Mohave Point**, on devine les Granite Rapids non loin des Abyss, grande muraille de 1 000 m surplombant le plateau de Tonto. De **Pima Point**, on aperçoit les pistes de Tonto et le camp de l'Hermit, construit en 1911 par la Santa Fe Railroad pour abriter les touristes venus à dos de mule. L'excursion se termine à **Hermit's Rest**, où se dresse une photogénique cabane en rondins de bois *(snack, boutique)*. Au début du xxe s., elle servait de camp de base à Louis Boucher, un chercheur d'or canadien.

• **Rim Trail★★**. Accessible à tous et superbe au coucher du soleil, ce sentier de randonnée longe le bord du canyon sur 13 mi/21 km, de Hermit Rd, à l'O., jusqu'à Pipe Creek Vista, à l'E. Il est jalonné de formidables points de vue, comme Mather Point (→ p. 465), et traverse une partie plus sauvage, entre Hopi House et Yavapai Point.

✐ BON À SAVOIR
Pour les sportifs, Hermit Trail (17 mi/27 km a.-r.) descend jusqu'au fleuve par un sentier très pentu et difficile, mais spectaculaire. Prévoir 2 j.
Au km 4,2, on atteint les sources de Santa Maria.

❷ Grand Canyon North Rim★★★

Entre 15 et 25 km à vol d'oiseau de la rive sud (mais entre 230 et 330 km par la route !), la rive nord du Grand Canyon est plus sauvage. Ici, pas de route en corniche : pour atteindre les points de vue, indépendants les uns des autres, on traverse une magnifique forêt de sapins. Seuls 10 % des touristes choisissent ce versant du canyon : une aubaine pour les amateurs de calme et de camping.

☞ Carte du Grand Canyon p. 464.

Accès. Depuis North Rim Entrance, la route aboutit au *Visitors Center*.

■ **Grand Canyon Lodge★★** *(au bout de la route 67)*. Posé à flanc de falaise, à 2 400 m d'altitude, ce superbe *lodge* en pierres et en bois date de 1928 : il offre une vue impressionnante sur le canyon, particulièrement au lever et au coucher du soleil. À l'intérieur, restaurant panoramique et *lounge* aux larges baies vitrées.

■ **Bright Angel Point★★** *(derrière Grand Canyon Lodge)*. Un sentier étroit, mais facile *(800 m a.-r. • 30 mn)*, mène à ce spectaculaire point d'observation, perché à 2 485 m. L'élévation permet une vue plongeante sur la rive S., qui souligne encore l'immensité du canyon.

Revenez sur vos pas sur 1,5 mi/2,4 km depuis le Visitors Center, jusqu'au départ du North Kaibab Trail, sur la dr.

■ **North Kaibab Trail★★** *(départ à 1,5 mi/2,4 km du Visitors Center • 23 km a.-r. • niveau sportif)*. C'est le seul sentier qui descend au fond du canyon depuis la North Rim. La plupart des randonneurs se contentent d'une portion du parcours, jusqu'à **Coconico Overlook** *(1,5 mi/2,4 km a.-r.)* ou **Supai Overlook** *(4 mi/6,4 km)*. Suivant la vallée du Bright Angel Creek, la piste rallie ensuite les sources de Roaring Springs, les chutes de Ribbon Falls et rejoint le Colorado à Phantom Ranch. De là, on peut remonter sur la rive S. par South Kaibab Trail (→ p. 465).

En revenant sur vos pas, empruntez la piste sur la g.

Une variété climatique exceptionnelle

Six des sept grandes zones climatiques sont présentes le long de Grand Canyon : entre 600 m et 1 200 m d'altitude, à l'intérieur de la gorge, poussent des cactées et d'autres plantes du désert. Le climat subtropical y favorise la présence d'iguanes, de crotales et de scorpions. Entre 1 200 m et 2 100 m prédomine un climat sec et chaud, avec une végétation de genévriers et de pins pignons. Sur la rive sud, le plateau du Coconino, au climat tempéré, est couvert de forêts de pins *ponderosa*. Le plateau de Kaibab (alt. 2 440-2 740 m) se caractérise par une zone climatique de type canadien, avec une luxuriante forêt mixte où dominent les trembles, les pins Douglas et *ponderosa*.

Le retour du condor

Une tête et un cou nus, de couleur rouge orangé, un plumage noir, des ailes immenses allant jusqu'à 3 m d'envergure : le condor de Californie n'est certes pas l'animal le plus gracieux du Grand Canyon. Mais c'est le plus rare. Et c'est aussi le plus gros oiseau d'Amérique du Nord. Menacé d'extinction, ce rapace géant, de la famille des vautours, a été réintroduit dans l'Ouest américain grâce à un long programme de sauvegarde, débuté dans les années 1980. En 2011, on en comptait 70 dans tout l'État d'Arizona, dont quelques-uns dans le Grand Canyon. Si vous trouvez un œuf dans un trou de falaise, prévenez les *rangers* : le condor ne construit pas de nid, et la femelle ne pond qu'un œuf par an.

(i) *Havasupai Tourist Office*, à Supai ☎ 928/448-2121 ou 2141 ; www.havasupai-nsn.gov

☞ HÉBERGEMENT À SUPAI
Un hôtel (☎ 928/448-2111) et un camping (☎ 928/448-2141) à prix très raisonnables.

■ **Point Sublime**★★ (*alt. 2 274 m • également accessible depuis l'entrée du parc, par un chemin carrossable non revêtu de 17 mi/27 km au S.-O.*). Le site révèle une vue splendide sur Inner Gorge et le « Shiva Temple ».

Revenir sur l'AZ 67, pour prendre à dr. la route goudronnée qui parcourt le plateau du Walhalla et dessert les principaux sites.

■ **Cape Royal**★★ (*au bout de Cape Royal Rd, longue de 22 mi/35 km*). Ce point d'observation (alt. 2 397 m), prisé au lever et au coucher du soleil, offre un panorama illimité sur le canyon et le méandre du Colorado s'encadrant dans l'arche naturelle d'**Angels Window**. De là part un court sentier pavé ponctué de panneaux sur la flore environnante.

Environs de Grand Canyon National Park

■ **Havasupai Indian Reservation**★★ (*le village de Supai est accessible en hélicoptère depuis l'aéroport de Tusayan • en voiture, compter 191 mi/308 km au départ de Grand Canyon Village, via Peach Springs, pour rejoindre Hualapai Hilltop, d'où part la piste pour Supai : 8 mi/13 km • 3 h*).

Dans la merveilleuse gorge de Havasu Creek vivent, depuis le XVIᵉ s., les Havasupaïs, Indiens « des eaux bleu-vert ». Ils y pratiquent l'élevage des fameux petits chevaux mustangs appaloosa (→ *encadré p. 374*). La réserve est traversée par la rivière de Havasu, que longe le sentier menant au village de **Supai** ; le paysage est enchanteur, avec des cascades se déversant dans des piscines naturelles de travertin et des panoramas magnifiques. Ce lieu hors du temps demeure miraculeusement préservé du grand tourisme ; d'ailleurs, les structures n'y sont pas adaptées.

Flagstaff AZ

E ntourée par la Coconico National Forest, la plus grande forêt de pins *ponderosa* d'Amérique du Nord, Flagstaff occupe une position stratégique sur la carte de l'Arizona, à proximité du Grand Canyon, du lac Powell et des territoires indiens. Plus qu'une étape sur la mythique Route 66 (rebaptisée I-40), elle offre une halte agréable, avec son climat doux, son ambiance animée, son Downtown mêlant habitations en bois et immeubles des années 1930.

Visiter Flagstaff

Flagstaff, qui abrita l'une des dernières colonies de peuplement de l'Ouest, fut d'abord, vers 1880, le campement des bâtisseurs de la Santa Fe Railroad. Ce n'est qu'après 1888, en raison des incendies, que les constructions furent réalisées en maçonnerie.

■ **Downtown** (*quadrilatère formé par Agassiz St., Birch Ave. et Leroux St. • l'artère principale est San Francisco St.*). Plusieurs bâtiments intéressants dans ce quartier historique : au coin de Leroux St., le **dépôt de la Santa Fe Railroad**, construit en 1926 dans le style Revival Tudor ; au coin d'Aspen Ave. et de Leroux St. s'élève le **Weatherford Hotel** (1898) et derrière, sur Aspen Ave., l'**Orpheum Theatre** (1911).

De San Francisco St., rejoindre l'US 66 vers l'O. jusqu'à Sitgrave St., puis poursuivre sur Santa Fe Ave.

■ **Lowell Observatory★** (*1400 W. Mars Hill Rd* ☎ *928/774-3358 • ouv. t.l.j., en été 9 h-22 h ; de mars à oct. 9 h-17 h, 4 j./sem. 9 h-21 h 30 ; de nov. à fév., 12 h-17 h, 4 j./sem. 12 h-21 h 30 • www.lowell. edu*). Dans ce centre dédié à l'astronomie, le mathématicien Percival Lowell effectua, à la fin du XIXe s., d'importantes recherches sur Mars et eut l'intuition qui permit de découvrir Pluton, la 9e planète. Après la visite du musée, moderne et bien conçu, on s'invite dans la salle du **grand télescope**, où tous les réglages se font encore manuellement. Au cours des séances nocturnes, on peut observer la Lune et les planètes.

Situation : à 142 mi/228 km N. de Phoenix, 254 mi/406 km S.-E. de Las Vegas (NV).

Population : 66 000 hab.

Fuseau horaire : en été, – 9 h par rapport à la France ; en hiver, – 8 h.

🛈 *Flagstaff Convention & Visitors Bureau*, 1 E. Rte 66 (dans la gare ferroviaire, en face de Leroux St.) ☎ 928/774-9541 ; www.flagstaffarizona.org ; ouv. lun.-sam. 8 h-17 h, dim. 9 h-16 h.

✏ ADRESSES UTILES
• Aéroport : *Flagstaff Pulliam Airport*, 6200 S. Pulliam Dr. ☎ 928/556-1234.
• Urgences : *Flagstaff Medical Center*, 1200 N. Beaver St. ☎ 928/779-3366.

Voir carte régionale p. 408

Flagstaff

☞ FÊTES ET MANIFESTATIONS
• La 1ʳᵉ semaine de juillet, *Southwest Indian Pow Wow* : rodéos, parades, danses traditionnelles.
• Le 2ᵉ week-end de septembre, *Route 66 Days* : parade de voitures de collection, stands *vintage* (www.flagstaffroute66days.com).

♥ PUB
Charly's, 23 N. Leroux St. (dans le *Weatherford Hotel*) ☎ 928/779-1919 ; ouv. t.l.j. jusqu'à 2 h. Vieux pub à l'américaine, célèbre pour ses soirées blues, en saison.

☎ NUMÉROS GRATUITS
Les numéros de téléphone qui commencent par ☎ 800, 855, 866, 877, 888 sont des numéros d'appel gratuits *(toll-free number)*. Faites-les précéder du ☎ 1 si vous appelez depuis un poste fixe (et non d'un portable). Dans ce guide, ces numéros sont notés ainsi : ☎ (1)800/000-0000.

Revenez sur Santa Fe Ave., prenez à dr. l'I-40, poursuivez sur S. Milton Rd vers le S. puis à g. W. Riordan Rd.

■ **Riordan Mansion State Historic Park** *(409 W. Riordan Rd* ☎ *928/779-4395 • ouv. de mai à oct., t.l.j. 8 h 30-17 h, de nov. à avr. 10 h 30-17 h).* Cette gracieuse maison en rondins et pierres volcaniques fut construite en 1904 par Charles Whittlesey, l'architecte du *El Tovar Hotel* à Grand Canyon, pour les Riordan, une riche famille de Flagstaff. Elle est doublement remarquable, par son architecture et par sa décoration. Une quarantaine de pièces abritent une superbe collection de **meubles** dessinés par Gustav Stickley, père du mouvement Arts and Crafts *(→ encadré p. 175).*

Revenir vers le centre par l'I-40 et poursuivre vers le N. sur l'US 180.

■ **Pioneer Museum** *(2340 N. Fort Valley Rd* ☎ *928/774-6272 • t.l.j. 9 h-17 h, f. dim.).* C'est l'un de ces petits musées tenus par des érudits férus d'histoire locale et rassemblant des curiosités données par les anciens des environs. Dans cet ancien hôpital des indigents, on saura tout sur la manière dont une ville du Far West s'est construite en 100 ans.

Poursuivre sur l'US 180 vers le N.

■ **Museum of Northern Arizona★** *(à 5 km N. de Flagstaff, sur l'US 180* ☎ *928/774-5213 • www. musnaz.org • t.l.j. 9 h-17 h).* Cette institution fondée en 1928 est, avec le Heard Museum de Phoenix *(→ p. 486),* l'un des hauts lieux dédiés à l'ethnologie et à l'archéologie de l'Arizona. Riche de près de 5 millions d'objets, le musée est réputé, notamment, pour sa collection de **poteries anasazies**. À noter, une collection de poteries miniatures, sortes de modèles réduits trouvés fréquemment à côté des objets traditionnels et dont on ne connaît pas le rôle. Ne pas manquer non plus les *katchinas*, poupées fabriquées et vénérées par les Hopis, ainsi que les bijoux et tissus des cultures hopi, navajo et zuni.

Environs de Flagstaff

❶ *Sunset Crater Volcano National Monument Visitors Center* ☎ 928/526-0502 ; www.nps.gov/sucr

☞ HÉBERGEMENT
Camping ouv. de fin mai à mi-oct. ; rens. *U.S. Forest Service* ☎ 928/526-0866.

1 **Sunset Crater Volcano National Monument★** *(à 12 mi/19 km au N.-E. de Flagstaff par l'US 89 • ouv. de nov. à avr. 9 h-17 h, de mai à oct. 8 h-17 h • entrée : 5 $, valable 7 j.).*

Sunset Crater est le plus jeune des 400 volcans de la région. Sa dernière éruption date de 1064 ; il continua à émettre durant deux siècles, recouvrant le sol environnant de cendres volcaniques, ce qui fertilisa le terrain. Le volcan doit son nom aux scories de fer rouge qui se déversèrent autour de son sommet lors de son ultime éruption. Le **Lenox Crater Trail** permet de gravir un cône de cendre *(1,6 km • soyez prudent en marchant sur la lave car le sol est instable et peut être cassant, voire tranchant)*.

2 Oak Creek Canyon★★ *(point de vue à 20 mi/32 km S. de Flagstaff par l'US Alt 89).*

Reliant en partie Flagstaff à Sedona, cette gorge dresse ses tours de grès, de granit et de calcaire aux parois multicolores parmi les noisetiers et les érables d'une magnifique forêt. Oak Creek symbolise, en Arizona, un certain idéal campagnard : des chalets de bois de style suisse et de charmants B&B bordent la rivière où l'on peut pêcher à la ligne et se baigner. L'été, le **Slide Rock State Park** *(au S.)*, apprécié pour ses piscines et ses toboggans naturels *(on peut se baigner)*, est aussi fréquenté qu'une plage de Floride.

3 Sedona★★ *(à 27 mi/42 km S. de Flagstaff par l'US Alt 89).*

Plus que la ville elle-même, c'est le paysage hallucinant de roches rougeoyantes et de falaises cramoisies qui lui sert d'écrin, qui vaut le détour. Max Ernst, qui y résida de 1946 à 1953, aurait confié à ses amis : « Il y a seulement deux endroits où je peux vivre : Paris et Sedona. » Les rochers de Red Rock, Cathedral Rock, Devil's Kitchen ou Coffee Pot sont fréquentés par les amateurs d'expériences mystiques, voire surnaturelles.

Tlaquepaque★ est un quartier d'artistes, bâti en 1973 dans un style mexicain pittoresque. Pour concevoir ses patios, fontaines et jardins, l'homme d'affaires Abe Miller s'est inspiré du village mexicain du même nom, près de Guadalajara. Le résultat reflète assez fidèlement les *pueblos*, version « luxe »…

The Chapel of the Holy Cross★, blottie entre deux rochers de grès rouge à la sortie de la ville, est une saisissante composition de béton et de verre. Achevée en 1956, elle a été construite à l'initiative de la sculpteur locale Marguerite Brunswig Staude, élève de Frank Lloyd Wright.

4 Meteor Crater *(à 35 mi/56 km S.-E. de Flagstaff par l'I-40, sortie 233 ☏ 928/ 289-2362 • www.meteorcrater.com • ouv. t.l.j. 8 h-17 h, en été 7 h-18 h).*

Formé il y a 50 000 ans lors de la collision de la Terre et d'une météorite, il s'agit du plus grand cratère météoritique connu (diamètre : 1 260 m ; profondeur : 175 m). Sa configuration lunaire l'a fait élire centre d'entraînement pour les astronautes d'Apollo – une capsule de la fusée Apollo y est d'ailleurs exposée. Un sentier de 1,3 km en fait le tour.

Le site appartient à la famille Barringer, descendante du découvreur du cratère. Même si une partie des bénéfices est réinvestie dans des programmes éducatifs, l'exploitation commerciale qui en est faite peut provoquer un certain agacement.

5 Jerome★ *(à 58 mi/93 km S.-O. de Flagstaff par l'US Alt 89 ❶ 310 Hull Ave. ☏ 928/624-2900 • www.jeromechamber.com).*

Aujourd'hui classée monument historique, la ville fut fondée en 1879 et prospéra grâce à l'exploitation des mines de cuivre alentour. Leur fermeture, en 1953, la vida de ses habitants, et Jerome doit son salut à la vague d'artistes qui, dans les années 1960, sont venus y ouvrir galeries, restaurants et B&B

Au **Jerome State Historic Park** *(Douglas Mansion Rd • ouv. jeu.-lun. 8 h 30-17 h)*, l'orgueilleuse Douglas Mansion abrite un musée d'histoire de la ville. À deux pas, au **Headframe Park** *(ouv. t.l.j. 8 h-17 h)*, se dressent un ancien puits de mine et sa tourelle restaurée. Une plate-forme en verre permet de plonger le regard dans l'ancien puits, profond de presque 600 m…

Flagstaff

ⓘ Aux deux entrées, N. et S., de Petrified Forest N. P.
☎ 928/524-6228 ;
www.nps.gov/pefo ; ouv. t.l.j. 8 h-17 h, en été 7 h-19 h.

✐ BON À SAVOIR
• L'été est particulièrement chaud, et les changements de temps peuvent être brusques.
• Attention, il est interdit d'emporter des pièces pétrifiées ; des magasins de souvenirs vendent du bois pétrifié qui provient de l'extérieur du parc.
• Emportez à boire car il n'existe aucun point d'eau dans le parc.
• Une longue randonnée doit être signalé aux *rangers*.

Une forêt de pierre

Petrified Forest N. P. n'a pas toujours été ce haut plateau aride, couvert d'arbres fossilisés. Il y a 225 millions d'années, une vaste plaine alluviale recouvrait cette région. Près des nombreux cours d'eau, se dressaient majoritairement des araucarias, sorte de conifères pouvant atteindre 60 m de haut. Quand ils tombaient, emportés par les eaux, ces arbres étaient enfouis sous une couche épaisse de sédiments qui, les protégeant de l'air, leur a évité de pourrir. S'infiltrant peu à peu dans le bois, les eaux riches en silice sont venues modifier sa composition : la silice a remplacé la fibre, puis s'est cristallisée en différents types de quartz, jaspe, agate, améthyste…

Mis au jour par l'érosion, les troncs d'arbres pétrifiés offrent ainsi au regard un arc-en-ciel de couleurs, selon les minéraux contenus. Ils voisinent avec l'une des plus grandes concentrations de fossiles du monde. ▶

⑥ Petrified Forest National Park★ *(entrée N. : à 115 mi/185 km E. de Flagstaff par l'I-40, sortie 311 • entrée S. : 109 mi/175 km par l'I-40 et l'US 180).*
Le pillage de la Crystal Forest, particulièrement riche en pierres semi-précieuses, par les collectionneurs et les marchands, fut à l'origine de l'aménagement du parc national. Il est traversé sur 43 km par une route. Le S. possède davantage de spécimens de bois pétrifiés *(→ encadré ci-contre)* ; la partie centrale est intéressante pour ses ruines indiennes ; la partie N., la plus étendue, contient une partie du Painted Desert. Des sentiers partent de chaque point de vue.

• Le **Rainbow Forest Museum** *(à l'entrée S.)* expose des spécimens de fossiles. • Près des **Flattops**, éminences rocheuses résiduelles de la couche de grès qui recouvrait la plaine, la **Rainbow Forest** (« forêt arc-en-ciel ») présente des restes d'arbres particulièrement grands ; un court sentier mène au groupe des **Long Logs**, grands troncs encore en partie enfouis, et à **Agate House**, *pueblo* indien partiellement restauré • Le **Jasper Forest Overlook** offre un point de vue impressionnant sur la **Jasper Forest** (« forêt de jaspe »), vallée comblée de troncs fossilisés.

• Sur le plateau du **Blue Mesa★**, un chemin *(1 mi/ 1,6 km)* permet d'observer nettement comment les arbres pétrifiés ont été libérés par l'érosion : le contraste des couleurs est magique. • **Newspaper Rock** *(au S.)* est un bloc de grès massif gravé de pétroglyphes anasazis. • Les ruines de **Puerco Pueblo** témoignent d'une présence humaine antérieure au XVᵉ s., plusieurs bâtiments y ont été mis au jour et partiellement restaurés.

• Lors de la traversée du **Painted Desert★** *(entrée N.)*, la route serpente entre les collines érodées aux infinies variations de couleur : Kachina Point, Chinde Point *(aires de pique-nique)*, Pintado Point, Nizhoni Point, Whipple Point et Lacey Point.

Las Vegas★★ NV

L as Vegas, c'est un mirage poussé en plein désert du Nevada, un paradis artificiel où tout sonne un peu faux mais dont les lumières et les paillettes attirent les visiteurs du monde entier comme des papillons de nuit. Rien n'est trop fou sur le Strip, ruban de lumière où se succèdent les plus grands hôtels-casinos conçus comme des parcs d'attractions. Étonnants pastiches d'architecture, machines à sous rutilantes à perte de vue, spectacles magiques et luxueuses galeries marchandes offrent une parenthèse enchantée où la notion de temps n'existe plus. Et si les salles de jeu se ressemblent toutes, leurs attractions créent vraiment la surprise : reconstitutions historiques et shows à grand spectacle, zoos et aquariums, galeries d'art, piscines immenses et tables gastronomiques… Ici, on fait le tour du monde sans quitter la ville.

Situation : à 272 mi/435 km N.-E. de Los Angeles (CA), 287 mi/459 km N.-O. de Phoenix (AZ).

Population : 584 000 hab.
• Clark County : 2 millions d'hab.

Visiteurs annuels : 37 millions
• budget moyen par visiteur : 466 \$.

Fuseau horaire : Pacific Time
(– 9 h par rapport à la France).

✆ *Visitors Center,*
3150 Paradise Rd
☎ 702/892-0711 ;
www.visitlasvegas.com

Las Vegas mode d'emploi

■ Arriver à Las Vegas
En avion. Aéroport international *Mc Carran* : 5757 Wayne Newton Blvd (à 1 mi/1,6 km E. du Strip) ☎ 702/261-5211 ; rens. vols ☎ 702/261-4636 ; www.mccarran.com
Certains hôtels proposent un service de **navettes** gratuites • en **taxi**, comptez 15 à 25 \$ selon la destination.

En voiture. De Los Angeles, 237,5 mi/380 km à travers un paysage désertique par l'I-5 N. • de San Francisco, 425 mi/680 km par l'I-80 E. puis l'US 95 S. ; si vous n'êtes pas pressé, traversez le **Yosemite Park** et **Death Valley**.

■ Combien de temps
Une journée… et deux nuits donneront une bonne idée de la fièvre continuelle qui embrase la ville • prévoir une journée supplémentaire pour découvrir les environs : barrage Hoover, Red Rock Canyon ou Death Valley (→ *p. 280*) et, pourquoi pas, un saut de puce en avion au Grand Canyon (→ *p. 461*).

Las Vegas

Voir carte régionale p. 408

La règle du jeu

Les machines représentent 70 % des bénéfices des casinos, mais le ruissellement des pièces dans les coupelles de métal des machines à sous *(slot machines)* et les piles de billets sur les tables de jeu ne sont plus qu'un souvenir. L'argent circule partout mais il est invisible.

La première **machine à sous** mécanique a été inventée par Charles Fey, immigrant bavarois de San Francisco, en 1895. Les premières machines distribuaient des chewing-gums, d'où les fameux symboles de fruits (cerise, citron, orange, etc.). La mention « BAR » figurait alors sur l'emballage de ces douceurs. Les icônes de fruits servirent longtemps à tromper la police, avant la légalisation du jeu en 1931.

Aujourd'hui, on peut miser de 1 cent à 100 $ en une fois. Avec les « Progressive » et les « Megabucks », vous êtes en compétition avec tout le Nevada pour toucher le gros lot. Fatigué d'actionner le bras du bandit manchot ? Appuyez sur le bouton *Spin Reels* et la machine misera toute seule. Pour toucher votre gain *(pay off)*, appuyez sur *Cash Credits* : un ticket vous sera délivré, à échanger dans l'un des distributeurs du casino *(redeem cash machine)*.

■ Se déplacer

Las Vegas comprend deux secteurs, dans le prolongement l'un de l'autre : le **Strip** (Las Vegas Blvd) et **Downtown**, qui gravite autour de Fremont St.

À pied. Le Strip, long de 6 km, peut se parcourir à pied, mais bus, monorails, trams et passerelles permettent de rallier les différents hôtels-casinos en un temps record.

En bus. Le bus *Deuce* dessert les principaux hôtels du Strip et Downtown (ticket à l'unité ou *pass* de 1 journée • faire l'appoint).

■ Se restaurer

Des chefs célèbres ont ouvert un *sister restaurant* à Las Vegas, mais on peut aussi se restaurer sans se ruiner : les hôtels-casinos sont réputés pour leurs **buffets** plantureux à prix fixe • en sem., **forfaits** pour les 3 repas de la journée.

■ Spectacles

Visiter Las Vegas, c'est l'occasion d'assister à de magnifiques spectacles : concerts, comédies musicales, cirque… • billets vendus à moitié prix le jour même dans les kiosques TIX4 : affichage à partir de 9 h 30, vente à partir de 10 h.

La compagnie *Le Cirque du Soleil* propose, à elle seule, sept spectacles éblouissants, dont *Kâ* au MGM, *Ô* au Bellagio, *Mistery* au Treasure Island et *The Beatles « Love »* au Mirage.

Las Vegas dans l'histoire

Fondée par les mormons

Située entre le lac Mead, à l'E., et les Spring Mountains, à l'O., Las Vegas forme une oasis au cœur d'une contrée désertique. Naturellement irriguée par des nappes phréatiques, peuplée d'Indiens Paiutes, cette région est découverte en 1829 par le Mexicain Rafael Riviera, qui la baptise Las Vegas (« les prairies », en espagnol). En 1849, un filon d'or et d'argent est mis au jour et les prospecteurs affluent. Des mormons y établissent un fort en 1855 pour protéger la route reliant Salt Lake City à Los Angeles, mais l'exploitation des mines d'or et d'argent ne tient pas ses promesses et le campement mormon, harcelé par les raids indiens, est abandonné trois ans plus tard.

Aujourd'hui encore, la communauté mormone est bien présente et, malgré des règles de vie très puritaines, beaucoup sont employés dans les casinos.

Du tripot au casino

En 1904, la construction du chemin de fer par l'Union Pacific Railroad amorce le développement

▲ Le Strip vu depuis son extrémité nord. Au premier plan, l'hôtel-casino *Stratosphere* intègre la plus haute tour d'observation des États-Unis (1996) : de son étage panoramique (275 m), vue sur la ville et le désert alentour.

de cette bourgade en plein désert. Les terrains en bordure de voie sont vendus aux enchères à des spéculateurs et à des aventuriers. Autour du chantier surgissent des tentes de fortune pour héberger les ouvriers, des cantines pour les nourrir et des tripots dans lesquels on joue déjà pour de l'argent.

La construction du **barrage Hoover** (1931-1935), à 50 km au N., apporte une nouvelle manne : les ouvriers se laissent tenter par le jeu, seule distraction dans la région. Le jeu est légalisé au Nevada en 1931 et la ville prend ses aises au S. de Downtown, le long du Las Vegas Blvd. Durant la Seconde Guerre mondiale, l'établissement de la grande base aérienne de Nellis, au N.-E., contribue encore à son essor. Elle compte déjà près de 25 000 hab. en 1950 et les hôtels-casinos poussent sur le sable comme des champignons.

Aux mains de la Mafia

L'hôtel *El Cortez* (1941) est le premier d'une longue liste d'établissements construit à Downtown Las Vegas par le syndicat du crime. En 1946, l'ouverture sur le Strip du 1er grand casino, le *Flamingo*, par le gangster Benjamin Siegel, dit « Bugsy », contribue à sa réputation sulfureuse. Bugsy, qui avait fait appel à Cosa Nostra pour financer ses investissements, sera mystérieusement exécuté dans une villa de Los Angeles. Désormais, la Mafia et le syndicat des camionneurs (Teamsters) investissent massivement dans le jeu. Ces histoires de bandits sur fond de tapis vert fascinent le public et la fréquentation des casinos s'emballe.

L'ouverture du *Caesar's Palace*, en 1966, fait de Las Vegas la capitale mondiale de la boxe et du show-business. La même année, une enquête publique révèle que 95 % des casinos sont financés par la Mafia. Le milliardaire Howard Hugues rendra, en quelque sorte, sa respectabilité à la ville en rachetant une demi-douzaine d'hôtels-casinos.

Las Vegas aujourd'hui

Dans les années 1980, Las Vegas perd le monopole du jeu : d'autres États obtiennent à leur tour l'autorisation d'ouvrir des casinos, qui font même leur apparition dans les réserves indiennes en 1998 *(→ encadré p. 66)*. Les légendaires *Stardust*,

☎ NUMÉROS GRATUITS
Les numéros de téléphone qui commencent par ☎ 800, 855, 866, 877, 888 sont des numéros d'appel gratuits *(toll-free number)*. Faites-les précéder du ☎ 1 si vous appelez depuis un poste fixe (et non d'un portable). Dans ce guide, ces numéros sont notés ainsi : ☎ (1)800/000-0000.

Sands, Desert Inn ou *Sahara* sont dynamités et remplacés par des mégacomplexes hôteliers au luxe ostentatoire, aux décors et aux attractions toujours plus extravagants. Car il faut toujours surprendre pour faire revenir les visiteurs encore et encore.

Las Vegas ne cesse de grignoter le désert : sa population double à peu près tous les 10 ans et 2 500 personnes s'y installent chaque mois. À l'écart du Strip, il existe bel et bien une vraie ville avec ses écoles, ses hôpitaux et ses supermarchés.

① Le Strip★★

La section sud du Las Vegas Boulevard, qui s'étend du nord-est au sud-ouest de la ville, peut se parcourir à pied, mais n'hésitez pas à emprunter bus, monorails et trams pour rallier sans faiblir les plus beaux hôtels-casinos. À faire en soirée pour une vue féerique sur la ville.

*Un **tram** gratuit dessert les hôtels Mandalay Bay, Luxor et Excalibur (9 h-23 h 30).*

Le Strip, c'est chic

Apparues à Las Vegas dans les années 1950 avec les premiers hôtels-casinos, les enseignes au **néon** ont fait l'identité de la ville. Mais sur le Strip, il ne demeure pratiquement rien des vestiges du passé, mis à part le gigantesque clown multicolore de l'hôtel *Circus-Circus* (1968), le bouquet rose de l'hôtel *Flamingo* (1976) et quelques enseignes des années 1970, vouées à disparaître.

À l'initiative d'une association locale, le **Neon Museum** *(821 Las Vegas Blvd N. et Mac William Ave. • conditions de vis. ☎ 702/387-6366 • www.neonmuseum.org)* a organisé le sauvetage de 150 enseignes d'hôtels et de motels des années 1930 à 1990, débarrassées de leur rôle commercial et exposées en plein air. La plupart appartiennent au style Googie, courant architectural apparu en Californie dans les années 1940, puisant son inspiration dans l'Art nouveau, le pop art et la BD. Quasiment inconnus du public, les grands designers de néon (Hermon Boernge, Jack Larsen, Kermit Wayne) ont pourtant largement contribué au mythe de Las Vegas.

■ **Mandalay Bay** *(3950 Las Vegas Blvd ☎ 702/632-7777 • www.mandalaybay.com)*. La façade, plutôt sobre, cache un décor au raffinement exotique avec son lagon tropical aux piscines turquoise bordées de sable blanc et ses bungalows privés. Un long tunnel en verre permet de découvrir le **Shark Reef**, aquarium géant où évoluent requins, raies et méduses *(ouv. dim.-jeu. 10 h-20 h, ven.-sam. 10 h-22 h • entrée payante)*.

■ **Luxor★** *(3900 Las Vegas Blvd ☎ 702/262-4444 • www.luxor.com)*. Dès l'aéroport, on repère cette pyramide, réplique grandeur nature de celle de Gizeh, et le sphinx qui la précède... Le jour, elle brille comme un lingot d'or ; la nuit, son faisceau lumineux est visible depuis l'espace ! Atrium gigantesque, allée bordée de sphinx, reconstitution de la tombe de Toutankhamon, vaste piscine et Spa. Exposition sur les trésors du *Titanic (entrée payante)*.

■ **Excalibur★** *(3850 Las Vegas Blvd ☎ 702/597-7700 • www.excalibur.com)*. Les chevaliers de la Table ronde revus et corrigés par Walt Disney ! Une fantaisie médiévale aux donjons multicolores où les employés circulent en pourpoint et où l'immense casino est orné d'armoiries, de lances et d'armures. On se marie en costume d'époque (loué par l'hôtel) dans la **Canterbury Wedding Chapel**, on se perd dans la fête foraine et on fait son shopping dans le **Castle Walk**, reconstitution d'un marché médiéval.

◄ Derrière la *skyline* qui sert de façade à l'hôtel *New York-New York*, une soixantaine de tables de jeu et plus de 1 500 machines à sous…

*Une **passerelle** relie les hôtels Excalibur et MGM Grand (→ ci-après).*

■ **New York-New York**★ *(3790 Las Vegas Blvd* ☎ *702/740-6969 • www.newyorknewyork.com).* Manhattan et ses gratte-ciel, la statue de la Liberté ou le pont de Brooklyn, en plein désert ! Le décor intérieur restitue l'ambiance des quartiers emblématiques de Big Apple, comme Little Italy ou Greenwich Village. L'attraction phare : **The Roller Coaster**, des montagnes russes vraiment renversantes, qui traversent le casino et culminent à 62 m *(dim.-jeu. 11 h-23 h, ven.-sam. 10 h 30-minuit • entrée payante)* !

*Un **tram** (gratuit) circule entre l'hôtel Monte Carlo, voisin du New York-New York, et le Bellagio, via le Crystals Shopping Mall.*

■ **MGM Grand**★★ *(3799 Las Vegas Blvd* ☎ *702/891-1111 • www.mgmgrand.com).* Un lion imposant, icône de la Metro Goldwyn Meyer, trône à l'entrée du plus grand hôtel-casino du monde. Il a rouvert ses portes après un terrible incendie, en 1980, le pire désastre dans l'histoire de la ville. À l'instar du *Caesar's Palace (→ p. suiv.)*, le *MGM Grand* accueille des championnats de **boxe** ainsi que des shows à grand spectacle. Dans le casino, le **Rain Forest Café**★ déploie son décor de (fausse) forêt tropicale peuplée de (vrais) lions *(11 h-22 h • entrée libre).*

Just married

Plus de 100 000 **mariages** sont célébrés à Las Vegas chaque année. Dans cette ville où toutes les folies sont permises, on peut épouser l'élu(e) de son cœur au volant d'une voiture, au sommet de la tour Eiffel, à bord d'un hélicoptère ou d'une montgolfière. Le succès de Las Vegas tient avant tout à la rapidité des formalités : pour convoler en justes noces, il suffit de se rendre au bureau des mariages du tribunal (Clark County Court House) muni de son passeport et de 60 $ en espèces. On opte ensuite pour une cérémonie civile ou religieuse, célébrée dans l'une des innombrables chapelles de la ville. À l'issue de la cérémonie, les époux reçoivent un certificat de mariage à faire valider par courrier auprès de leur consulat.

Des regrets ? Un divorce à Reno, à l'autre extrémité de l'État, est si vite prononcé…

Las Vegas

1

*Un **monorail** circule sur le côté E. du Strip, entre le MGM Grand et Sahara Ave., avec plusieurs arrêts desservant les principaux casinos (lun.-jeu. 7 h-2 h, ven.-dim. 7 h-3 h • billet au trajet ou à la journée).*

■ **Paris–Las Vegas★** *(3655 Las Vegas Blvd ☎ 702/946-7000 • www.paris-lv. com)*. Paname vue par les Américains… L'opéra Garnier, la tour Eiffel (170 m), le Louvre et l'Arc de triomphe sont réunis sur le Strip. À l'intérieur, ambiance béret, baguette et accordéon. **Eiffel Tower Experience★★** : belle vue la nuit du haut de la tour *(9 h-minuit • entrée payante)*.

■ **Bellagio★★** *(3600 Las Vegas Blvd ☎ 702/693-7111 • www.bellagio.com)*. Architecture et décor s'inspirent du raffinement classique d'un *palazzo* italien. Devant l'hôtel, les **fontaines★★** s'animent pour un spectacle musical grandiose *(gratuit • 15 h-20 h toutes les 30 mn, 20 h-minuit toutes les 15 mn ; sam.-dim., 12 h-20 h toutes les 30 mn, 20 h-minuit toutes les 15 mn)*.

La **Gallery of Fine Art★★** *(☎ (1)877/957-9777 ou 702/693-7871 • ouv. dim., mar., jeu. 10 h-18 h, mer., ven., sam. 10 h-19 h, f. lun.)* présente une cinquantaine d'œuvres provenant de la collection personnelle du propriétaire de l'hôtel : Rembrandt, Van Gogh, Manet, Matisse, De Kooning, Pollock… Les murs du restaurant *Picasso* (chic et cher) sont ornés d'authentiques œuvres du maître catalan, dont un portrait de Dora Maar (1942).

■ **Caesar's Palace★★★** *(3570 Las Vegas Blvd ☎ 702/731-7110 • www. caesarspalace.com)*. Inspiré de la Rome antique, il joue la démesure avec sa splendide **piscine★★** en marbre de Carrare, sa reproduction du David de Michel-Ange, son bar flottant *(Cleopatra's Barge)* peuplé de centurions et de vestales, et ses incroyables galeries marchandes, les **Forum Shoppes★★**, qui recréent l'ambiance d'un forum antique où les nuages défilent sur un ciel en trompe l'œil. Spectacle pyrotechnique **Fall of Atlantis Fountain & Aquarium** *(gratuit • t.l.j. toutes les heures, 11 h-22 h)*.

■ **Flamingo★** *(3355 Las Vegas Blvd ☎ 702/733-3111 • www.flamingolasvegas. com)*. Sans Bugsy Siegel, gangster visionnaire qui eut le premier l'idée de bâtir ce casino en plein désert, Las Vegas ne serait pas ce qu'elle est aujourd'hui. Le *Flamingo*, c'est donc un peu de l'histoire de la ville. Son nom (flamant) aurait été inspiré par les longues jambes de la petite amie du gangster. Derrière le gigantesque bouquet rose bonbon de l'enseigne, le casino a été refait à neuf avec son **jardin tropical** peuplé de flamants roses, sa piscine et ses cascades *(24 h/24 • entrée libre)*.

■ **Imperial Palace Auto Collection★** *(3535 Las Vegas Blvd ☎ 702/794-3174 • www.autocollections.com • ouv. t.l.j. 10 h-22 h)*. Ce musée, situé au 5ᵉ étage, séduira les amateurs d'automobiles. Parmi les 250 pièces exposées, remarquer les luxueux **cabriolets Duesenberg**, dont le musée possède la plus importante collection. À voir aussi : la Mercedes 770K (1936) dans laquelle Hitler parada au côté de Mussolini le 18 juin 1940, la Cadillac V16 d'Al Capone (1930), l'Eldorado bleue d'Elvis Presley (1976), sept voitures ayant appartenu à des présidents américains, dont la Lincoln Continental de JFK (1962). Quant à la Chrysler d'Howard Hugues (1954), elle est équipée d'un purificateur d'air qui coûta plus cher que la voiture elle-même, car le milliardaire avait la phobie des microbes !

■ **The Venetian★★★** *(3355 Las Vegas Blvd ☎ 702/414-1000 • www.venetian. com)*. La Sérénissime a été reconstituée ici, pigeons compris avec vols programmés, gondoles et gondoliers, dans un saisissant décor de pierre et de marbre importés d'Italie. **Grand Canal Shoppes★★**, la galerie marchande, suit un canal

◀ Au *Venetian*, les gondoles sont prêtes à naviguer sur le Grand Canal.

long de 365 m qui serpente à travers une Venise reconstituée à l'échelle. Avec ses cafés en terrasse et ses pigeons, la place Saint-Marc est plus vraie que nature.

■ **The Mirage★★** *(3400 Las Vegas Blvd ☎ 702/791-7111 • www.mirage.com)*. Effectivement, on croit rêver : jardin tropical (les palmiers poussent à l'intérieur du casino), piscines immenses, décor de lagon, tout est paradisiaque ! Devant l'hôtel, un **volcan★★** explose à heures fixes *(toutes les 15 mn 17 h-23 h)*. Dans le **Siegfried & Roy's Secret Garden** *(ouv. 11 h-19 h, les w.-e. et vacances scolaires 10 h-19 h • entrée payante)* évoluent tigres blancs, panthères des neiges, léopards, lions blancs et un éléphant. Les enfants apprécieront la visite du **Dolphin Habitat**, aquarium géant où évoluent les dauphins *(mêmes horaires • vente des tickets dès 10 h)*.

Un tram gratuit circule entre les hôtels Mirage et Treasure Island (toutes les 15 mn, dim.-jeu. 9 h-1 h, ven.-sam. 9 h-3 h.

■ **Treasure Island★** *(3300 Las Vegas Blvd ☎ 702/894-7111 • www.treasureisland.com)*. Tous les soirs devant l'hôtel, le spectacle **Sirens of TI** met aux prises, sur un galion grandeur nature, des sirènes et des pirates en un combat sans merci *(gratuit • t.l.j. à 19 h, 20 h 30, 22 h • séances supplémentaires à 17 h 30 l'hiver et à 23 h 30 l'été • arriver assez tôt car il y a foule)*.

■ **Wynn** *(3131 Las Vegas Blvd ☎ 702/894-7100 • www.wynnlasvegas.com)*. Baptisé du nom de son propriétaire, Steve Wynn, à qui l'on doit également les hôtels *Mirage*, *Bellagio* et *Encore*, le *Wynn* est un temple du luxe et l'un des casinos les plus récents. Suites au confort extrême, décor opulent, jardin tropical, terrain de **golf** (le seul à Las Vegas), boutiques de grands couturiers et chefs étoilés.

L'envers du décor

La capitale mondiale du jeu et du divertissement a été rudement touchée pendant la crise des *subprimes*. Licenciements massifs, saisies et expulsions… La ville a perdu plus de 140 000 emplois, principalement dans l'industrie hôtelière. Actuellement, le chômage (14 %) est largement supérieur à la moyenne nationale. Les prêteurs sur gages, dont les officines *(pawn shops)* pullulent sur Paradise Blvd, rachètent les bijoux, les clubs de golf et même les voitures, mais lunettes et dents en or ne peuvent être gagées.

Autre défi pour l'avenir : Las Vegas est devenue une aberration écologique. Le Colorado, qui alimente la région en eau, s'assèche progressivement, pompé par sept États de l'Ouest américain. La ville pourrait manquer d'eau dès 2021. La solution tient peut-être dans le projet de pipeline qui acheminerait vers Las Vegas l'eau souterraine pompée dans les bassins de la région de Baker, à 500 km plus au nord. Pour l'heure, la ville recycle l'eau des fontaines, traque la moindre fuite, contrôle les piscines et loue les vertus de la pelouse artificielle.

Las Vegas

1

■ **Circus Circus** *(2280 Las Vegas Blvd, à mi-chemin entre le Strip et Downtown* ☎ *702/734-0410 • www.circuscircus.com).* L'un des plus anciens établissements du Strip (1968). Des familles entières viennent voir évoluer acrobates et trapézistes au-dessus des machines à sous dans **Circus Acts** *(t.l.j. 10 h-minuit • gratuit).* The **Adventuredome** *(* ☎ *702/794-3939 • entrée payante)* abrite un parc d'attractions *indoor.*

② Downtown★★

Loin du luxe tapageur et surdimensionné du Strip, le cœur historique de Las Vegas brasse une population moins fortunée, mais tout aussi motivée pour s'adonner au démon du jeu… Les premiers tripots sont apparus ici, le long de la voie ferrée masquée aujourd'hui par l'hôtel *Plaza.*

■ **Fremont Street★★**. Les casinos les plus anciens de la ville conservent la faveur des habitués et des nostalgiques qui n'apprécient pas le clinquant des nouvelles salles de jeu. Devenue piétonnne, Fremont Street ne déploie vraiment ses sortilèges que la nuit venue : à heure fixe, la voûte de 450 m de long qui recouvre la rue offre un spectacle lumineux hors normes, assuré par des milliers de lasers et 14 millions d'ampoules LED : **Fremont Street Experience★** *(projection toutes les heures 20 h-23 h).*

■ **Golden Nugget★★** *(129 E. Fremont St.* ☎ *702/385-7111 • www.goldennugget. com).* C'est l'un des casinos les plus appréciés de la ville. On peut y voir une collection de **pépites**, dont celle réputée la plus grosse du monde (30 kg, découverte en Australie en 1980). On peut même acheter de l'or en barre et des pièces d'or 24 carats au distributeur *(Gold to Go ATM)* !

■ **Binion's Horseshoe Casino★** *(128 Fremont St.* ☎ *702/382-1600 • www. binions.com).* Arrivé de son Texas natal avec une valise bourrée de dollars, Benny Binion fit construire ce casino en 1947. Pour attirer les joueurs, cette figure légendaire de la ville eut l'idée d'exposer dans le casino un million de dollars en petites coupures *(au fond de la salle à dr. • ouv. t.l.j. 10 h-22 h • pour les + de 21 ans).* Le casino organise d'importants championnats de **poker**, comme les World Series, ainsi que quatre tournois chaque jour *(inscription 1 h avant le début).*

■ **Main Street Station** *(200 N. Main St.).* Un des hauts lieux de la flambe dans Downtown. À mi-chemin entre l'hôtel *Plaza* et la gare, on croise un authentique wagon datant de 1903, **Blackhawk Rail Car★**, où Buffalo Bill et son épouse Annie Oakley ont voyagé. La **salle d'attente★** de l'ancienne gare victorienne a été conservée.

Environs de Las Vegas

■ **Red Rock Canyon★** *(à 15 mi/24 km O. • partir par Charleston Blvd, qui croise Las Vegas Blvd au niveau du n° 1000* ❶ *Visitors Center à la sortie de l'Hwy 159* ☎ *702/515-5350 • www.redrockcanyonlv.org).*
La **Red Rock Canyon National Conservation Area** s'étend sur 780 km², dans un paysage dominé par le fameux grès navajo *(→ encadré p. 450)* ; de nombreux sentiers et sites d'escalade sont accessibles aux visiteurs. La route panoramique **13 Mile Loop★** est ouverte à des heures différentes suivant les saisons *(printemps et automne 6 h-19 h, été : 6 h-20 h, hiver : 6 h-17 h).*

Phoenix AZ

Capitale de l'Arizona et cinquième ville des États-Unis, Phoenix a poussé au cœur du brûlant désert de Sonora. Sans la construction du barrage Roosevelt sur la Salt River, qui assure l'approvisionnement de la ville en eau depuis 1911, le pari aurait été impossible. Trois autres ingrédients ont présidé à la croissance spectaculaire de cette cité-oasis artificielle : la voiture, la climatisation et le Code du travail de l'Arizona, réputé souple, qui a séduit de nombreuses entreprises de pointe.

Phoenix ne possède pas vraiment de centre historique, ses banlieues pavillonnaires et ses innombrables terrains de golf s'étirent sur des kilomètres de *freeways*. La pollution atmosphérique et la consommation en eau (1 000 litres par personne et par jour) atteignent des taux impressionnants… Mais sous ses cieux éternellement bleus, tout semble possible – Frank Llyod Wright ou Paolo Soleri y ont d'ailleurs largement exprimé leur créativité.

Situation : à 117 mi/187 km N.-O. de Tucson, 301 mi/481 km S.-E. de Las Vegas (NE).

Population : 1 568 000 hab. • agglomération : près de 4,3 millions.

Fuseau horaire : en été, – 9 h par rapport à la France ; en hiver, – 8 h.

Capitale de l'Arizona.

☞ Plan de la ville p. 482-483.

❶ *Visitors Bureau,* 400 E. Van Buren Rd, Suite 600 (plan B/C2 ; dans l'*Arizona Center*) ☎ 602/254-6500 ; www.visitphoenix.com

Phoenix mode d'emploi

■ Arriver à Phoenix

En avion. Le *Sky Harbor International Airport* se situe à 3 mi/5 km S.-E. de Phoenix ☎ 602/273-3300 • www.phxskyharbor.com

Pour rejoindre le centre-ville en bus, ligne n° 13 ou *Red Line*. Un service de navettes, *Supershuttle*, fonctionne 24 h/24 (☎ 602/244-9000 • www.supershuttle.com). Plusieurs compagnies de taxis sont également présentes à l'aéroport.

Les comptoirs des compagnies de location de voitures sont situés au niveau des tapis à bagages.

En bus. *Greyhound Terminal* est situé à côté de l'aéroport, à 5,1 mi/8 km au S.-E. de la ville. Pour rejoindre le centre, emprunter la ligne n° 13 des bus urbain *ValleyMetro*.

En voiture. Phoenix est traversée par l'I-10, d'O. en E. Au N., l'I-17 rejoint Flagstaff *(137 mi/186 km)*.

Voir carte régionale p. 408

Phoenix

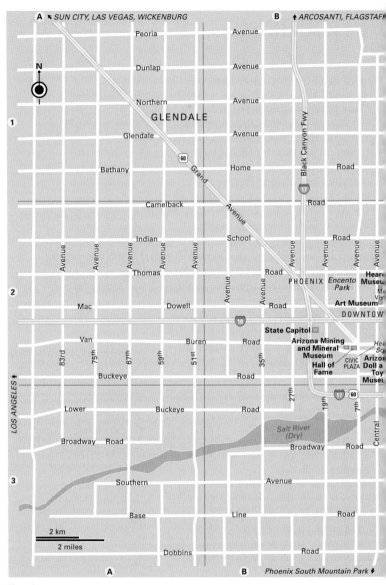

Phoenix.

■ **Combien de temps**
Comptez 1 journée pour Phoenix, 2 ou 3 jours si vous poussez jusqu'à Scottsdale *(prom.* ❸ *)* ou Tempe *(prom.* ❷ *)*.

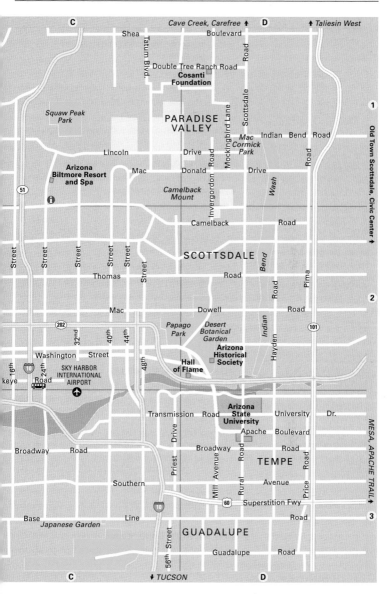

Cave Creek, Carefree ↑ | ↑ Taliesin West

Shea | Boulevard

Double Tree Ranch Road
**Cosanti
Foundation**

Squaw Peak
Park

**PARADISE
VALLEY**

*Mac
Cormick
Park*

Lincoln | Drive | Indian Bend Road

**Arizona
Biltmore Resort
and Spa**

Mac | Donald | Drive

*Camelback
Mount*

Camelback | Road

SCOTTSDALE

Thomas | Road

Street | Street | Street | Street | Street | Street

Mac | Dowell | Road

Papago
Park | *Desert
Botanical
Garden*

32nd | 40th | 44th | 48th

Washington | Street | **Arizona
Historical
Society**

16th | 24th | **SKY HARBOR
INTERNATIONAL
AIRPORT** | **Hall
of Flame**

keye | Road

Transmission | Road | **Arizona
State
University** | University | Dr.

Apache | Boulevard

Broadway | Road | Broadway | Road

TEMPE

Drive | Mill Avenue | Rural | Priest

Southern | Avenue

Base | Line | Road

Japanese Garden

GUADALUPE

56th Street | Guadalupe | Road

↓ *TUCSON*

Old Town Scottsdale, Civic Center ↓

MESA, APACHE TRAIL ↑

Phoenix

■ **S'orienter**

Phoenix est divisée selon un axe N.-S. par Washington St. et un axe E.-O. par Central Ave. Les rues sont numérotées dans un ordre croissant à partir de ces

✎ **À NOTER**
Les principaux bâtiments historiques de la ville se trouvent autour du croisement de Central Ave. et de Van Buren St.

☞ Plan de la ville p. 482-483.

☞ Plan de la ville p. 482-483.

✐ **ADRESSES UTILES**
• Police : informations
☎ 602/262-7626.
• Gare routière : *Greyhound Terminal*, 2115 E. Buckeye Rd (plan C2) ☎ 602/389-4200 (ouv. 24 h/24). Desservie par la ligne n° 13 des bus publics.
• Poste : 301 W. Jefferson St. (B/C2) ☎ 602/306-7312.

☞ **FÊTES ET MANIFESTATIONS**
Au printemps, *Indian Fair and Market*, l'une des manifestations les plus prestigieuses du Sud-Ouest américain : plus de 700 artistes indiens présentent leurs œuvres : poteries, peintures, bijoux, poupées *katchinas*...
Rens. : www.heard.org

✐ **BON À SAVOIR**
Phoenix convient spécialement au séjour hivernal (moyenne de 10 à 12 °C) • l'été est très chaud, mais l'air conditionné rend supportables les températures de plus de 30 °C.

À l'apogée de la civilisation hohokam, la longueur des canaux d'irrigation dépassait les 400 km.

♥ **SE RESTAURER**
Arcadia Farms, ouv. t.l.j. 9 h 30-15 h. Le petit café du Heard Museum (plan B2) propose salades et plats bio dans l'esprit Southwest, sur la terrasse ombragée ou dans la salle climatisée.

deux axes et précédées de « N. » ou « S. » selon leur situation par rapport à Washington St. Les rues à l'E. de Central Ave. sont désignées par *Street*, les rues à l'O. par *Avenue*.

■ Se déplacer

Il n'est pas envisageable de visiter la ville à pied : au vu des distances à parcourir, la voiture reste le meilleur moyen de se déplacer.

Stationnement. De très nombreux **parkings** dans la ville, parfois très chers : *Plaza East Garage*, entrée sur Washington St., entre S. 6th St. et S. 7th St. • *Heritage Science Park and Garage*, entrée sur N. 5th St. • *Civic Plaza Garage*, entrée sur Monroe St. • *Phoenix City Hall Garage*, entrée sur 4th Ave. ou Jefferson St.

Bus. Il existe un service de bus publics, *ValleyMetro*, 302 N. 1st Ave. ☎ 602/253-5000 • le *DASH* est un service de navettes gratuites qui parcourent Washington St. et Jefferson St. *(lun.-ven. 5 h 30-23 h et sam.-dim. 11 h-23 h)*.

Taxis. *Discount Cab* ☎ 602/200-2000 • *AAA Yellow Cab* ☎ 480/252-5252 • *Allstate* ☎ 602/275-8888.

Location de voitures. *Avis/Rent-a-Car* ☎ (1)800/331-1212 • *National Car Rental* ☎ 602/275-4771.

Phoenix dans l'histoire

Des Indiens cultivateurs

L'occupation humaine de la région de Phoenix remonte aux IIIe-IIe s. av. J.-C., lorsque des populations indiennes de tradition cochise connues sous le nom de Hohokams s'établirent sur les rives des Salt et Gila Rivers. Entre les VIe et VIIIe s. de notre ère, les **Hohokams** tracèrent les premiers chenaux pour développer les cultures irriguées, notamment de maïs et de coton. Il est possible qu'ils aient été les ancêtres des Pimas pour qui le terme *hohokam* signifie « ceux qui sont partis ». Quoi qu'il en soit, ce peuple a complètement disparu de la région vers le XVe s. au profit des Anasazis, qui s'établirent au S. de l'Arizona.

Le Salt River Valley Canal

L'implantation des Européens se fit à partir des années 1860 ; les premiers colons creusèrent sur les rives de la Salt River le chenal du Salt River Valley Canal. L'arrivée du chemin de fer en 1887 puis la désignation de Phoenix comme capitale du territoire de l'Arizona, deux ans plus tard, favorisèrent l'immigration ; suivirent la réalisation du barrage Theodore Roosevelt en 1911 et le passage de la ville au rang de capitale d'État, lors de l'entrée de l'Arizona dans l'Union en 1912. Au cours de la Première Guerre mondiale, la culture du coton et l'élevage s'intensifièrent, mais c'est surtout au lendemain de la Seconde Guerre mondiale que la ville prit son essor.

Une croissance sans limites

Phoenix est aujourd'hui une place commerciale de première importance, spécialisée dans les industries de pointe (aéronautique, électronique…) et la plus grande cité de l'Ouest entre Houston et la côte californienne. La ville s'est développée en largeur et sa traversée paraît interminable. Si l'on tient compte des communes périphériques – Glendale, Tempe, Mesa ou Scottsdale –, 80 km séparent les points extrêmes de l'agglomération. Cette explosion urbaine a fait de Phoenix un laboratoire de l'architecture moderne : c'est ici que les architectes les plus renommés, Frank Lloyd Wright ou Paolo Soleri, ont inventé les habitations du futur.

① Downtown

■ **Civic Plaza** B2 *(intersection Washington St. et Central Ave.)*. Cette place fut construite en 1972 dans l'espoir – déçu – de donner un centre à la ville. À défaut, elle est devenue son cœur culturel : au S. se trouve le Phoenix Symphony Hall ; à l'O., l'Herberger Theater Center, et un peu plus loin, à l'E., le quartier d'Heritage Square abrite le musée des Sciences de l'Arizona et le musée d'Histoire.

En poursuivant sur Washington St. vers l'O.

■ **Hall of Fame** B2 *(1101 W. Washington St.* ☎ *602/255-2110 • ouv. lun.-ven. 8 h-17 h, mar. jusqu'à 20 h de janv. à avr. • entrée gratuite)*. La *Carnegie Public Library* héberge un Hall of Fame centré sur les femmes célèbres d'Arizona. Est aussi évoquée la vie des pionniers au début du XXᵉ s. (cabinets de dentistes et de médecins).

■ **Arizona Experience Museum** B2 *(15th St. et Washington St • ouv. annoncée fin 2012 • rens. : www.az100years.org)*. Ce nouveau grand espace culturel, inauguré pour les 100 ans de l'État, est dédié à « l'ensemble des forces qui ont façonné l'Arizona ». Du passé géologique (riche collection de pierres précieuses) au boom technologique de l'après-Deuxième Guerre mondiale, il revisite l'histoire de l'Arizona, sa culture et ses paysages au gré d'expositions interactives. Autour d'une thématique centrale *(Frontiers)*, on pourra découvrir les points forts de l'économie de l'État : le coton, le bétail, le cuivre, le climat et les agrumes.

■ **Arizona State Capitol Museum** B2 *(1700 W. Washington St.* ☎ *602/926-3620 • ouv. lun.-ven. 9 h-16 h • entrée gratuite)* fut construit en 1899 pour abriter le gouvernement de l'Arizona. À l'étage supérieur, on peut visiter le bureau du gouverneur et la bibliothèque au plafond raffiné.

Depuis Civic Plaza, suivre Washington St. vers l'E. puis la 6th St. sur la g.

■ **Heritage Square★** B2 *(6th St. et 7th St., Monroe et Adam Sts • mer.-sam. 10 h-15 h 30, dim. 12 h-15 h 30)*. C'est le seul quartier qui subsiste de la Phoenix originelle, bâti selon le style en vogue dans les années 1890. Plusieurs demeures ont été restaurées, comme Silva House ou **Rosson House**, charmant exemple de style victorien.

L'**Arizona Doll & Toy Museum** *(602 E. Adams St.* ☎ *602/253-9337 • ouv. mar.-sam. 10 h-16 h, dim. 12 h-16 h)* enchantera les nostalgiques, ou simplement les amateurs de **jouets**… on y verra un Armand Marseille, plusieurs Jules Steiner, mais aussi des Shirley Temple des années 1940, des Mickey anciens et la reconstitution d'une salle de classe de 1912.

Remonter la 7th St. vers le N. jusqu'à McDowell Rd que l'on prendra à g.

▲ Downtown et *skyline* de Phoenix, cité mangeuse de désert.

■ **Phoenix Art Museum**★ B2 *(1625 N. Central Ave., à l'angle de Mc Dowell Rd* ☎ *602/257-1222 • ouv. mer. 10 h-21 h, jeu.-sam. 10 h-17 h, dim. 12 h-17 h • www. phxart.org • gratuit mer. 15 h-21 h).* Agrandi d'une nouvelle aile en 2006, le musée présente une collection éclectique de 18 000 œuvres dans de vastes espaces éclairés en lumière naturelle : art européen et ouest-américain, art d'Amérique latine, art oriental, art contemporain…

Les salles dédiées à l'art européen, particulièrement riches, exposent des **primitifs italiens et flamands**, comme une *Vierge en majesté* de Taddeo Gaddi, peintre et mosaïste de l'école florentine. Une large place est aussi accordée à la **peinture** et à la **sculpture françaises des** XVIIIe **et** XIXe **s.** : *Madame Victoire* de Vigée-Lebrun, *Deux Amours* et *Leçon de lecture* de François Boucher, *Autoportrait* de Jean-Baptiste Greuze, peintres de l'école de Barbizon (Millet, Courbet) et du courant impressionniste (Boudin, Pissarro).

Dans la section **Art de l'Ouest américain**, un bel ensemble de peintures exaltant la nature sauvage et la conquête de l'Ouest : *The Buffalo Hunt* d'Alfred Miller, tableaux de la vie paysanne par John Ward Lockwood, scènes de chasse de Winslow Homer, toiles de Henry Cheever Pratt, contant les débuts de l'exploration de l'Arizona. La première génération de peintres de Taos (→ *encadré p. 527*) est représentée par Walter Ufer, Robert Henri, Ernest Martin Henning.

Dans le département **Amérique latine** (œuvres du XVIIIe au XXe s.), on sera saisi par *Le Suicide de Dorothy Hale*★★ (Frida Kahlo, 1939), peint à la manière d'un retable. L'artiste rend hommage à son amie, ancienne show-girl qui connut l'échec en tant que comédienne et se donna la mort en 1938 par défenestration à New York.

Remonter Central Ave. vers le N., puis prendre à dr. la Monte Vista Rd.

■ **Heard Museum**★★ B2 *(2301 N. Central Ave., à 4 blocs N. de Mc Dowell Rd* ☎ *602/252-8848 • ouv. lun.-sam. 9 h 30-17 h, dim. 11 h-17 h • www.heard.org).* Installées dans un superbe bâtiment de style espagnol organisé autour d'un patio, les collections rassemblent 35 000 objets des cultures des tribus du Sud-Ouest : Apaches, Zunis, Hopis, Navajos… C'est le musée le plus complet sur la question indienne en Arizona. Avant de commencer la visite, le mieux est sans doute de voir l'excellent documentaire *Our Voices, Our Land*★★, qui présente ces civilisations.

La collection permanente *Native Peoples of the Southwest* permet de saisir les différences et les spécificités des cultures amérindiennes. Les Indiens des Hautes Terres, ceux du désert puis ceux du plateau du Colorado, sont présentés dans leur environnement quotidien – l'un des témoignages les plus significatifs reste la reconstitution d'une *pit house* (demeure semi-souterraine des Hohokams). À ne pas manquer, la fabuleuse collection de **poupées** *katchinas*******, d'origine hopie pour la plupart : ces figurines, symbolisant les esprits, étaient offertes aux enfants pour les initier à la culture de leur tribu.

Les archives du musée sont riches de milliers de **photographies** provenant des collections du photographe R. Brownell McGrew ou de la famille de Fred Harvey, l'hôtelier du Grand Canyon *(→ p. 463)*.

❷ Autour du Papago Park et à Tempe

Le Papago Park, grand espace vert à 6 miles du centre de Phoenix (10 km vers l'est), accueille sur 480 ha plusieurs musées, un jardin botanique, un zoo et un terrain de golf. À quelques rues au sud débute le pèlerinage sur les pas de l'architecte Frank Lloyd Wright, dans la ville étudiante de Tempe.

Accès. Depuis Downtown, suivre Washington St. ou l'I-10 en direction de l'E. sur 6 mi/10 km.

Informations. *Tempe Convention & Visitors Bureau, 51 W. 3rd St.* ☎ 480/894-8158 ou (1)800/283-6734.

■ **Desert Botanical Garden*** D2 *(1201 N. Galvin Pwy* ☎ *480/941-1225 • www.dbg.org • ouv. t.l.j. 7 h-20 h • petit guide en français à l'entrée et aux aires de pique-nique)*. Au fil de sentiers serpentant à flanc de collines, ce jardin botanique offre une balade dépaysante à la rencontre de 20 000 plantes originaires du désert de Sonora et des quatre coins du monde. Toutes les familles de cactus et de succulentes sont représentées. Tôt le matin ou en soirée, on peut aussi observer la faune occupant ce désert miniature : colibris butinant les fleurs, couples d'écureuils, pics Gila creusant leur nid dans la pulpe du saguaro…

Juste à côté, le **zoo** de Phoenix *(*☎ *480/941-1225 • www.phoenixzoo.org • ouv. t.l.j. 9 h-17 h, en été 7 h-14 h)*, élu parmi les cinq plus beaux des États-Unis, héberge une faune variée (fourmiliers, kangourous, girafes, éléphants…) dans des paysages habilement scénographiés. Animations pour les familles (safaris, déjeuner des animaux) en matinée.

■ **Hall of Flame**** D2 *(6101 E. Van Buren St.* ☎ *602/275-3473 • ouv. lun.-sam. 9 h-17 h, dim. 12 h-16 h • www.hallofflame.org)*. Voici sans doute le plus grand rassemblement au monde de voitures de pompiers et d'équipement de lutte contre le feu. En 1955, George F. Getz Jr reçoit en cadeau de Noël un camion de pompiers (échelle 1/1 !) : c'est le début d'une fabuleuse collection, qu'il installera en 1974 dans ces hangars situés à l'orée de Papago Park. Quelque 130 véhicules sont rassemblés ici, dont le plus ancien est une voiture anglaise de 1725. On verra aussi des pompes à incendie japonaises « portées à bras », une voiture du Rhode Island de 1844 décorée de fresques, des pompes à traîneaux pour temps de neige du Michigan, les premières pompes munies d'échelles pour atteindre les gratte-ciel… sans compter les 10 000 modèles réduits !

■ **Arizona Historical Society**** D2 *(1300 N. College Ave. à Tempe* ☎ *480/929-0292 • ouv. mar.-sam. 10 h-16 h, dim. 12 h-16 h • www.arizonahistoricalsociety.org)*. Le musée idéal pour explorer l'histoire de l'État, parmi les ambiances d'époque

▲ Le Mill Avenue Bridge, tendu sur la Salt River, relie le quartier de Tempe.

recréées. Passionnants documents, notamment, sur les ressources en eau de Phoenix, les grandes foires au coton, le recrutement des **Navajo Code Talkers** (Indiens chargés de coder les messages radio dans leur langue) pendant la Seconde Guerre mondiale… On se balade aussi dans une rue reconstituée des années 1950, avec ses intérieurs typiques.

■ **Arizona State University & Gammage Auditorium★** D3 *(angle de Mill Ave. et d'Apache Blvd à Tempe • Gammage Auditorium : ouv. lun.-ven. 13 h-16 h ☎ 480/965-4050 • www.asugammage.com)*. À quelques rues au S. du Papago Park, l'université d'Arizona, fondée en 1885, abrite la dernière grande œuvre de l'architecte Frank Lloyd Wright : le **Gammage Auditorium★**. Construite de 1962 à 1964 et réputée pour son acoustique, cette étonnante salle de spectacles toute en rondeurs est décorée de motifs géométriques reprenant la forme stylisée du cactus saguaro.

③ Scottsdale

Née à la fin du XIXᵉ s. grâce à une communauté de fermiers, Scottsdale (238 000 hab.) est devenue la banlieue résidentielle chic de Phoenix. Une sorte de « cité idéale », semée d'œuvres d'art en plein air et entourée de terrains de golf. On vient y découvrir les œuvres de l'architecte Frank Lloyd Wright.

Accès. À l'E. de Downtown Phoenix par la SR 51 puis Indian School Rd ou Camelback Rd.

Informations. *Scottsdale Convention & Visitors Bureau*, 4343 N. Scottsdale Rd ☎ 480/421-1004 ou (1)800/782-1117 • www.scottsdalecvb.com • ouv. lun.-ven. 8 h-17 h.

■ **Old Town Scottsdale** h. pl. par D2 *(angle de Main et Brown Sts)*. À la fin du XIXᵉ s., les frères Scott installaient ici leur ferme, cultivant citronniers, figuiers et amandiers en plein désert. Revendues par un banquier, ces terres ont vu naître une petite ville western, demeurée intacte avec trottoirs en bois, devantures peintes, boutiques d'artisanat indien.

■ **Art Walking Tour★★** h. pl. par D2 *(promenade de 1 h à pied • dépliant disponible au Scottsdale Visitors Center)*. À partir du Waterfront *(angle Scottsdale et Camelback Rd)*, un parcours pédestre permet de découvrir les sculptures contemporaines semées dans la ville : le kaléidoscope géant *The Doors* de Donald Lipski, le Soleri Bridge & Plaza de Paolo Soleri, orné de carillons à vent, les grosses lettres rouges du mot LOVE de Robert Indiana… Terminus sur la place du **Civic Center Mall**, construit en adobe et agrémenté de fontaines et de jardins.

Revenir sur vos pas sur 1st Ave. en direction de l'O., pour rejoindre, à dr. la SR 51 ou N. Scottsdale Rd puis sur la g. E. Doubletree Ranch Rd.

■ **Cosanti Foundation** D1 *(6433 Doubletree Ranch Rd* ☎ *(1)800/752-3187)*. Dans le bureau d'études de l'architecte italien Paolo Soleri sont exposés différents projets de villes futuristes, dont la maquette d'Arcosanti *(→ Environ 3 et encadré p. suiv.)*. C'est aussi ici que sont fabriqués et vendus ses poétiques *windbells*, carillons à vent écologiques en bronze ou en céramique.

Revenir sur N. Scottdale Rd, poursuivre vers le N. jusqu'à Shea Blvd sur la dr. et enfin Frank Lloyd Wright Blvd à g.

■ **Taliesin West**★★ h. pl. par D1 *(12621 Frank Lloyd Wright Blvd, entrée au croisement de Cactus Rd et Frank Lloyd Wright Blvd* • *vis. guidées de 1 h à 3 h* • *rens. et réserv.* ☎ *480/627-5340 ou (1)855/860-2700* • *www.franklloydwright.org)*. C'est au N.-E. de Scottsdale, au pied des montagnes rouges, que **Frank Llyod Wright** construisit sa résidence et son studio. De 1937 à sa mort, en 1959, il passa chaque hiver à Taliesin West. Il y créa aussi une école d'architecture hors norme, où il enseignait à ses élèves les quatre grands concepts de l'architecture organique : le milieu, les méthodes, le matériau et la « destruction de la boîte ». Taliesin West est désormais le siège de la Fondation Wright, propriétaire des archives du maître et qui anime sur place un bureau et une école d'architecture.

Selon Wright, « une maison ne consiste pas en murs et en toits, mais en un espace où vivre ». Taliesin West illustre parfaitement son idéal. Divisée en plusieurs constructions de plain-pied, cette « maison du désert » surprend par son intégration parfaite à l'environnement et par sa dimension humaine. Les matériaux employés sont simples : « ni marbre, ni cristal, mais du bois et de la pierre ». Une attention particulière a été accordée aux détails : auvents rétractables, planchers qui s'éclairent, meubles multiusages, ouvertures permettant la circulation de l'air… Au cours de la visite intitulée « Insights Tours », on découvre le bureau de Wright, le petit théâtre où il se faisait projeter des films, la « chambre de pierre », animée par des concerts de musique de chambre, et le Garden Room.

☎ **NUMÉROS GRATUITS**
Les numéros de téléphone qui commencent par ☎ 800, 855, 866, 877, 888 sont des numéros d'appel gratuits *(toll-free number)*. Faites-les précéder du ☎ 1 si vous appelez depuis un poste fixe (et non d'un portable). Dans ce guide, ces numéros sont notés ainsi : ☎ (1)800/000-0000.

Bienvenue à l'*Arizona Biltmore*

Dissimulé à l'écart de Camelback Rd et Missouri St., cet hôtel au splendide décor Art déco, dessiné par **Frank Lloyd Wright**, est l'un des plus luxueux de Phoenix. Lors de la construction du palace, dans les années 1925-1927, son premier propriétaire, le milliardaire du chewing-gum William Wrigley, n'hésita pas à doubler le budget initialement prévu pour achever cette oasis.

Depuis, de Clark Gable à Kim Basinger en passant par George Clooney, son succès ne s'est jamais démenti auprès de la jet-set. Tout au long de son existence, le complexe a reçu de nombreux ajouts qui se sont efforcés de respecter « l'esprit Wright ». Le *Biltmore* offre aujourd'hui toutes les facilités permettant à sa clientèle de supporter la fournaise de l'Arizona : des piscines, un somptueux Spa, un centre de fitness et un golf 18 trous.

The Arizona Biltmore Resort and Spa, 2400 E. Missouri Ave. C1, *au N. de Phoenix par la SR 51* ☎ *602/955-6600 ou (1)800/ 950-2575* • *www.arizonabiltmore. com* • *depuis Downtown, poursuivre Central Ave. vers le N. et prendre à dr. Camelback Rd jusqu'à 24th St.*

Phoenix

3

Environs de Phoenix

❶ Sun City visitors Center, 16824 N. 99th Ave. ☎ 623/977-5000 ; www.suncityaz.org

1 Sun City *(à 10 mi/16 km N.-O. par l'US 60).*
Des maisons toutes identiques entourant un golf, l'ensemble cerné d'un mur : vous êtes dans une *gated community*, enclave résidentielle privée et gardée. Ce prototype de village pour retraités aisés (moyenne d'âge actuelle de la population : 73 ans) fut fondé dans les années 1960.

❶ Chamber of Commerce de Wickenburg, 216 N. Frontier St. ☎ 928/684-5479 ; www.outwickenburgway.com

2 Wickenburg *(à 48 mi/77 km N.-O. sur l'US 60).*
Cette typique ville « Far West » fut fondée en 1879 par l'aventurier allemand Henry Wickenburg, qui avait découvert le filon d'or de la Mine Vulture. Dépôt du chemin de fer de Santa Fe, vieil hôtel de ville flanqué d'une prison, poste en brique et étables de bois, tout y est, même la poussière…

Le **Desert Caballeros Western Museum★** *(21 N. Frontier St. ☎ 928/684-2272 • www.westernmuseum. org • ouv. lun.-sam. 10 h-17 h, dim. 12 h-16 h)* est consacré à la vie de l'Ouest américain ; la rue d'une petite ville a été recréée, avec le saloon, la poste, la boutique de l'opticien, celle de l'armurier et surtout l'extraordinaire épicerie de la Brayton Commercial Company. Le musée présente aussi une remarquable collection de selles et d'objets de cow-boys.

Vers la ville écologique

Après un séjour dans l'atelier de Frank Lloyd Wright de 1946 à 1948, **Paolo Soleri** s'installe en Arizona. Très marqué par le travail de Wright sur l'accord entre les matériaux et leur environnement, il oriente ses recherches vers la symbiose de l'architecture et de l'écologie dans de nouveaux types d'habitat urbain. Ainsi naît l'« arcologie », dont **Arcosanti** est désormais le symbole.

Les principes de cette théorie urbanistique sont à l'opposé de la ville américaine telle qu'on la connaît ; l'économie en est le maître mot : économie de surface au sol, de déplacement dans la ville, d'énergie, de matériaux. Atypique, l'expérience l'est également par son financement : les recettes des cloches et mobiles de céramiques créés par Soleri et vendues à la Cosanti Foundation *(→ p. 489)*, fournissent les fonds de la contruction d'Arcosanti.

3 Arcosanti★★ *(à 65 mi/104 km N. de Phoenix par l'I-17, sortie 262 ☎ 928/632-7135 • www.arcosanti. org • ouv. lun.-sam. 9 h-17 h, dim. 11 h-17 h • entrée gratuite mais participation recommandée • possibilité de loger sur place, pour partager la vie de la communauté, réserv. avant 17 h).*
Avec cette cité idéale, en construction depuis 1970, l'architecte italien **Paolo Soleri** s'est donné pour mission de réconcilier vie moderne et respect de la nature *(→ encadré ci-contre)*. Destinée à accueillir 5 000 personnes, elle est devenue un centre touristique attirant des milliers de visiteurs.

4 Apache Trail★★ *(à 36 mi/58 km E. de Phoenix).*
Aménagée dans les années 1900 pour la construction du barrage Roosevelt, la route offre une inoubliable balade en voiture au fil de la vallée de la Salt River. Au menu, désert de cactus, villes fantômes, canyons profonds et lacs de montagne.

Accès. Par l'US 60, sortie **Apache Junction** • suivre ensuite la AZ 88 sur 107 mi/170 km (dont 15 km de piste carrossable).

Information. Chamber of Commerce d'Apache Junction, 567 W. Apache Trail ☎ 480/982-3234 • www.apachejunctioncoc.com

● **Goldfield Ghost Town** *(à 5 mi/8 km d'Apache Jctn • ouv. t.l.j. 10-17 h)*. Cette petite **cité minière**, blottie au pied des Superstition Mountains, compta jusqu'à 1 500 âmes en 1896. Abandonnée quand les mines d'or se tarirent, Goldfield est revenue à la vie grâce à un passionné, qui l'a reconstituée pièce par pièce, à l'emplacement de l'ancien moulin : puits de mine, saloon, prison, bordel et acteurs costumés, scènes de fusillades dans la rue.

● **Lost Dutchman State Park** *(à 6,3 mi/10 km d'Apache Jctn ☎ 480/982-4485 • ouv. t.l.j. 8 h-16 h • camping sur place)*. Divers **sentiers de randonnée**, comme la **Treasure Loop Trail** *(4 km en boucle • niveau modéré)* permettent d'explorer les Superstition Mountains et la Tonto National Forest. La légendaire mine d'or de Dutchman se trouverait encore cachée dans la région…

● **Canyon Lake Marina** *(à 15,2 mi/24 km d'Apache Jctn ☎ 480/288-9233 • ouv. t.l.j. • www.canyonlakemarina.com)*. Créée lors de la construction du Mormon Flat Dam, en 1925, ce **lac artificiel**, agrémenté d'une plage, d'une marina et d'un camping, offre une oasis de fraîcheur, au cœur des Superstition Mountains. Le *Dolly Steamboat* propose des balades commentées sur le lac, pour découvrir les formations rocheuses.

● **Tortilla Flat** *(à 17 mi/27 km d'Apache Jctn)*. Ancien relais de diligence, ce hameau abrite encore le fameux *Superstition Saloon*, aux murs tapissés de billets de banque venus des quatre coins du monde. On s'assoit au bar dans des fauteuils en forme de selles de cheval. Au-delà, la piste s'étire encore sur 20 mi/32 km jusqu'à **Apache Lake**, encadré de montagnes rouges.

● **Roosevelt Dam** *(à 81 mi/130 km d'Apache Jctn)*. Construit entre 1904 et 1911 au confluent de la Salt River et du Tonto Creek et rehaussé de 119 m en 1996, c'est le plus grand **barrage** en maçonnerie du monde. Un impressionnant pont bleu de 360 m le traverse, offrant une vue sur le lac de retenue.

● **Tonto National Monument** *(à 83 mi/133 km d'Apache Jctn ☎ 928/467-2241 • www.nps.gov/tont • ouv. t.l.j. 8 h-17 h • entrée payante)*. Ce site est réputé pour ses **habitations troglodytiques**, occupées du XIIIe au XVe s. par les Indiens Salados. Un petit musée expose les résultats des fouilles archéologiques : poteries polychromes, étoffes de coton tissé, etc. Un sentier de 800 m permet d'atteindre les **Lower Ruins**, perchées à flanc de colline, en surplomb du lac Roosevelt.

*L'Apache Trail prend fin à **Claypool**, à la jonction avec la Hwy 60 qui relie Phoenix en 83 mi/133 km.*

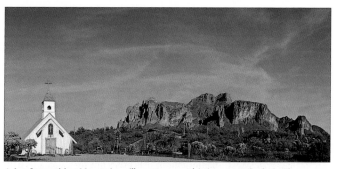

▲ Les Superstition Mountains, silhouette caractéristique en toile de fond de l'Apache Trail, ont leur musée, installé dans une ancienne église.

Phoenix

Tucson★ AZ

Situation : à 117 mi/187 km S.-E. de Phoenix.

Population : 549 000 hab.

Fuseau horaire : en été, – 9 h par rapport à la France ; en hiver, – 8 h.

❶ *Visitors Center*, 110 S. Church St. ☎ 520/624-1817 ; www.visittucson.org

À ne pas manquer

✐ ADRESSE UTILE
Aéroport : à 12 mi/19 km au S. de la ville par l'Old Nogales Hwy ; rens. ☎ 520/573-8000.

Voir carte régionale p. 408

Deuxième ville de l'Arizona, Tucson n'est qu'à 70 km de la frontière du Mexique. Fondée en 1776, cette ville du désert, entourée de montagnes, a gardé de son passé colonial une atmosphère particulière. Son Old Pueblo a vu passer conquistadores, missionnaires et *vaqueros*. Résultat : on y parle aussi bien l'anglais que l'espagnol. Dynamisée par son université, la plus ancienne de l'État, la ville mérite aussi la visite pour son très beau musée du désert et pour le parc national de Saguaro, tout proche.

Tucson dans l'histoire

Une ville universitaire

En 1687, le père Eusebio Kino effectue sa première visite sur le site que les Indiens Pimas appelaient Chukson, terme signifiant « le printemps au pied de la montagne noire ». Mais il faut attendre le 20 août 1776 pour que la ville de Tucson soit fondée par un Irlandais, Hugh O'Connor. En 1821, la cité passe sous le contrôle du Mexique avant d'être rattachée à l'Union et d'épouser la cause des États confédérés. En 1867, elle devient, pour peu de temps, la capitale de l'Arizona. Lorsque sa rivale Phoenix la supplante en 1912, Tucson conserve l'université qui lui avait été accordée en 1891. Jusque dans les années 1960, elle sera la seule grande ville universitaire d'Arizona. Aujourd'hui, l'université reste le principal employeur de la ville.

Tucson aujourd'hui

Proche de la frontière mexicaine, Tucson attire depuis toujours de nombreux immigrants et l'on y parle indifféremment anglais ou espagnol. Elle demeure malgré tout une ville américaine : très étendue, construite pour l'automobile, elle ne propose guère de centre piétonnier. La vie nocturne y est quasi inexistante – sans doute les barbecues dans les riches haciendas des montagnes environnantes sont-ils plus prisés que les restaurants d'un *downtown* introuvable –, mais l'ambiance générale n'est pas désagréable.

Visiter Tucson

Combien de temps. 1 j. suffit pour visiter la ville, 3 j. si l'on veut profiter de la région environnante.

Visite. Une promenade historique, à suivre en voiture, permet de faire le tour des quelques bâtiments espagnols et mexicains qui ont survécu à la modernisation.

La meilleure période. L'été est très chaud (38 °C en juil.), mais l'hiver assez doux (20 °C en fév.).

■ **El Presidio★.** C'est le quartier historique de la ville, bâti à partir de 1775 autour du fort espagnol. Si le fort et les remparts ont aujourd'hui disparu, les rues ont gardé leur atmosphère coloniale : on y découvre quelques belles demeures en adobe, des jardins paisibles, les boutiques d'artisanat de **Old Town Artisans Complex** *(201 N. Court Ave.).*

■ **Tucson Museum of Art★** *(140 N. Main Ave.* ☎ *520/624-2333 • www. tucsonmuseumofart.org • ouv. mar.-sam. 10 h-17 h, dim. 12 h-17 h).* Au cœur d'El Presidio, ce vaste musée est surtout réputé pour ses collections d'art précolombien, de mobilier colonial et d'artisanat mexicain en papier mâché. L'entrée donne aussi accès à deux vieilles demeures joliment restaurées, où sont évoquées les origines du quartier : la **Casa Cordova** (1850-1880), construite en adobe, et **Corbett House** (1907), de style Mission Revival.

■ **Saint Augustine Cathedral.** Construite à la fin du XIXᵉ s., sur le modèle de la cathédrale de Queretaro, au Mexique, St. Augustine séduit par son architecture coloniale. Tous les dimanches matin, à 8 h, la messe est animée par des mariachis en costumes traditionnels.

■ **Sosa Carillo Fremont House** *(151 S. Granada Ave., dans le Convention Center* ☎ *520/622-0956 • mar.-sam. 10 h-16 h).* L'ancienne résidence du gouverneur John C. Fremont fut construite en adobe en 1850. Décorée de meubles d'époque, elle est la propriété de l'Arizona Historical Society.

On rejoindra le quartier de l'université en reprenant Congress St. vers le centre, puis à g. 6th Ave. Prendre ensuite à dr. 6th St.

■ **University of Arizona★★** (**UA** • *N. Park Ave. et E. University Blvd*). En 1891, quand « University of A » ouvrit ses portes, ses élèves s'y rendaient à cheval et une loi leur interdisait le port d'armes à feu. Accueillant aujourd'hui plus de 36 000 étudiants, son vaste campus offre un remarquable aperçu de la vie culturelle locale, avec ses jardins ombragés de jacarandas et d'eucalyptus et ses beaux musées.

● **Arizona History Museum★★** *(949 E. 2nd St.* ☎ *502/628-5774 • www. arizonahistoricalsociety.org • lun.-ven. 10 h-16 h).* Retraçant l'histoire de l'Arizona, de la conquête espagnole jusqu'à nos jours, ce vaste musée fourmille d'objets et d'anecdotes insolites. Chaque section (habitat, transport, agriculture, exploitation minière) propose des reconstitutions vivantes : un ranch de 1870, une galerie de mine de cuivre ou l'antique Studebaker 1929 du shérif de Pima County.

● **UA Museum of Art★★** *(angle de Speedway Blvd et Park Ave.* ☎ *520/621-7567 • www.artmuseum.arizona.edu • ouv. mar.-ven. 9 h-17 h, sam.-dim. 12 h-16 h ; f. lun. et vacances universitaires • entrée gratuite).* Tourné vers l'art européen et américain, ce petit musée a hérité de collections particulières de grande qualité. Parmi ses pièces maîtresses, un superbe **retable espagnol★** du XVᵉ s., originaire de Salamanque (collection Kress), des toiles du mouvement expressionnisme abstrait, en vogue dans la New York des années 1940 (Jackson Pollock, Mark Rothko, etc.) et surtout une série complète de **moulages et sculptures★★** de **Jacques Lipchitz** (1891-1973), une des plus grandes figures de l'Art déco, qui fut ami de Picasso et de Diego Rivera.

Photographe novateur, **Ansel Adams** (1902-1984) a participé à la fondation du Center for Creative Photography. Il s'intéresse à l'aspect technique de cet art et fonde avec Edward Weston le *Group f. 64*, qui se fixe pour contrainte une distance focale (f) à f. 64. Adams, écologiste convaincu, a consacré plusieurs recueils aux parcs de l'Ouest américain. C'est grâce à ses clichés envoyés au président Roosevelt que fut créé le parc national du Kings Canyon (→ *p. 275*).

● **Center for Creative Photography★** *(juste en face du Museum of Art* ☎ *520/621-7968 • www.ccp.uair.arizona.edu • ouv. lun.-ven. 9 h-17 h, sam.-dim. 12 h-17 h • entrée gratuite).* Ce beau bâtiment moderne abrite un des plus grands centres de recherche photographique au monde. On y découvre les archives complètes de 50 grands photographes américains, parmi lesquels W. Eugene Smith, Richard Avedon ou Ansel Adams.

● **UA Science Center et UA Mineral Museum★★** *(angle de Cherry Ave. et E. University Blvd* ☎ *520/621-7827 • www.flandrau.org • ouv. lun.-ven. 10 h-15 h, sam. 10 h-21 h, dim. 13 h-16 h • observatoire ouv. mer.-sam. 19 h-22 h).* Au cœur du désert de Sonora, Tucson attire de nombreux passionnés d'astronomie. Outre son puissant télescope d'observation, braqué sur le ciel clair du désert, le Science Center propose des animations interactives autour de la physique et de l'astronomie, un planétarium et des laser shows en soirée *(jeu. 19 h 30, ven. 20 h, sam. 17 h 30 et 20 h, dim. 14 h 30).* Il accueille aussi le Mineral Museum, riche d'une vaste collection de météorites et de fossiles.

● **Arizona State Museum★** *(1013 E. University Blvd* ☎ *520/621-6302 • www.statemuseum.arizona.edu • ouv. lun.-sam. 10 h-17 h • entrée gratuite, participation suggérée).* L'exposition permanente *The Paths of Life,* consacrée aux peuples indiens de la région (le Sud-Ouest américain et le nord du Mexique), particulièrement passionnante, offre l'occasion de découvrir la vie de différentes tribus passées et présentes, et de percevoir l'identité propre à chacune.

De l'université, prendre la Campbell Ave. vers le N., puis à g. Fort Lowell Rd et sortir de Tucson par Oracle Rd.

■ **Tohono Chul Park★** *(7366 N. Paseo del Norte* ☎ *520/742-6455 • www.tohonochulpark.org • t.l.j. 8 h-17 h).* Ce vaste parc est composé de jardins et de sentiers thématiques (jardin botanique, colonial espagnol, sentier-découverte des cactus saguaros…) généralement « renouvelés » tous les deux ans. De nombreuses activités culturelles sont également proposées aux visiteurs : expositions, ateliers, concerts…

Bip-Bip !

Rendu célèbre par les dessins animés de la Warner Bros., le *road-runner* appartient à la famille des coucous. Avec sa crête bouffante, son plumage rayé gris et brun, son immense queue dressée et ses pattes grêles qui laissent dans le sable une empreinte caractéristique en X, il a intrigué les pionniers qui traversaient les régions désertiques du Sud-Ouest. Cet étrange bolide des terres semi-arides pourrait parfaitement voler, mais il préfère courir ; sur terrain plat, il peut atteindre 32 km/h et virer de bord avec une vélocité déconcertante. Hardi et rusé, il se nourrit de petits crotales très venimeux qu'il feinte jusqu'à ce qu'ils aient craché tout leur venin ; il les achève alors de son bec long et puissant ou en les cognant sur une grosse pierre. Au Mexique, on l'appelle *chaparral* ou *paisano* (pays) tant il fait partie du paysage.

■ **Arizona–Sonora Desert Museum**★★ *(2021 N. Kinney Rd* ☎ *520/883-2702* • *www.desertmuseum. org* • *sortir de Tucson par Speedway Blvd puis Gates Pass Rd* • *ouv. t.l.j. d'oct. à fév. 8 h 30-17 h, de mars à mai 7 h 30-17 h, de juin à août dim.-ven. 7 h-16 h 30, sam. 7 h-22 h).* Saviez-vous que la peau d'un serpent est douce comme de la soie ? Que les tarentules aiment la solitude ? Voilà un musée qui réconcilie les habitants du désert de Sonora avec leur environnement. Sous les arbres de Josué, à l'ombre rare des *ocotillos*, on pourra observer (plutôt le matin) reptiles, coyotes, rats-kangourous, souris-daims et souris-sauterelles… Une galerie souterraine permet de voir les animaux qui creusent leur tanière dans le sol. En tout, plus de 100 mammifères, près de 250 oiseaux, des poissons, des reptiles… sans oublier 1 300 espèces de plantes.

Environs de Tucson

1 **Mission San Xavier del Bac**★★★ *(à 9 mi/15 km S. de Tucson par l'I-19, sortie 92 sur San Xavier Rd* ☎ *520/ 294-2624* • *www.sanxaviermission.org* • *t.l.j. 8 h-17 h).*
Surnommée « la colombe blanche du désert » et située sur la réserve indienne des Tohonos O'Odham (autrefois appelés Papago), San Xavier del Bac est l'un des plus beaux exemples de l'architecture missionnaire aux États-Unis. Elle fut fondée en 1692 par le père jésuite **Eusebio Kino**, parti dans le désert de Sonora pour évangéliser les Indiens et leur enseigner agriculture et élevage. Après l'expulsion des jésuites, en 1768, les franciscains reprirent la mission et construisirent les bâtiments actuels, de 1783 à 1787, avec l'aide de la communauté indienne. D'où le motif de corde nouée, symbole des franciscains, visible sur la façade et dans l'église.

L'**architecture** en adobe, qui mêle les influences byzantines, mauresque et Renaissance, offre une unité harmonieuse. L'**intérieur** est richement décoré : chœur sculpté en bois doré, veillé par deux lions offerts au XVIIIe s. par une famille espagnole, fresques de style vif dans les chapelles du transept, statues de saints vêtues de riches habits, dont un saint François Xavier gisant sur lequel les fidèles déposent des ex-voto. Le petit **musée** attenant relate l'histoire de la mission et de sa restauration.

2 **Old Tucson Studios**★ *(201 S. Kinney Rd* ☎ *520/ 883-2702* • *www.oldtucson.com* • *à 12 mi/19 km O. de Tucson, dir. Saguaro N. P.* • *ouv. de juin à sept., ven.-dim. 10 h-18 h* • *entrée 17 $/adulte* • *à l'entrée, se procurer la brochure avec horaires des shows).* ▶▶▶

Le désert de Sonora

Toute la région située entre l'Arizona et la Californie, en bordure de la frontière mexicaine, fait partie du désert de Sonora, l'une des plus vastes étendues désertiques d'Amérique du Nord. La plus grande partie de ce territoire se trouve au Mexique. Les paysages sont saisissants, surtout au printemps lorsque la végétation commence à s'épanouir. On y rencontre principalement des cactus (→ *théma p. 496-497*), les plus connus étant le saguaro, le tuyau-d'orgue et l'arbre de Josué. La faune y est abondante (mammifères, rongeurs, serpents) et les amateurs d'ornithologie pourront y observer toutes sortes d'oiseaux : chasse-mouches, *roadrunners*, geais, etc. Attention : les meilleurs mois de l'année pour visiter le désert sont mars, avril ou mai ; l'été, la chaleur est quasi insupportable.

Né à Segno, petite ville des Alpes tyroliennes, le père **Eusebio Kino** (1645-1711) fut le premier missionnaire à explorer le désert de Sonora, en 1687. Entretenant des rapports pacifiques avec les Indiens Pimas et Papagos, ce jésuite ne se contenta pas de fonder des missions religieuses : passionné de mathématiques et de géographie, il s'appliqua aussi à cartographier systématiquement la région. Son travail permit de développer des endroits auparavant inaccessibles.

☞ FÊTES ET MANIFESTATIONS
En avril, une grande fête commémore la fondation de la mission San Xavier del Bac • en octobre et en décembre, célébrations en l'honneur de saint François.

La vie secrète des déserts

De l'ouest du Texas au sud de la Californie et de l'Oregon au Mexique s'étendent des régions de broussailles hérissées de *mesquites*, ainsi que des déserts où règnent les cactus. Écrasés de chaleur, ces déserts de pierres ou de lave forment des dunes mouvantes ou ont pris la place d'anciens lacs de sel ou de gypse. Ils occupent les hauts plateaux (Grand Bassin), les profondes dépressions des canyons (Arizona, Utah) ou sont entourés de sierras (vallée de la Mort, Gila, Sonora). Au premier abord vides et hostiles, ils débordent en réalité d'une vie fertile et insolite.

▲ Cactus-boule.

◼ Le roi cactus

Le cactus, représenté par plus de 1 500 espèces, se décline en infinies variantes, de la taille d'un bouton à celle d'un arbre : il se fait boule *(Echinocactus)* ou bouquet (tuyau-d'orgue), porte des raquettes (oponces) ou se dresse tel un cierge (saguaro).

Prêt à absorber la moindre trace d'humidité grâce à un immense réseau de fines racines courant à fleur de terre, il peut emmagasiner de l'eau pour deux ans. Il limite l'évaporation par sa peau cireuse et ses épines, qui le protègent aussi de la chaleur et éloignent les affamés. Le cactus se couvre une fois par an de belles fleurs et produit des fruits comestibles.

D'autres végétaux se sont adaptés, tels le yucca – dont l'arbre de Josué est une variété –, l'agave, qui affectionne les lieux rocheux et montagneux, ou les buissons épineux d'*ocotillos* (chandelier). Certains sont de vrais arbres, comme le bois de fer, l'arbre de Judée, différents acacias (*Huizache chino*, « griffe-de-chat ») et l'envahissant *mesquite* aux fèves sucrées très nourrissantes.

◼ Les hôtes des déserts

Les reptiles sont les mieux adaptés car leur température interne varie avec celle du milieu. Nombre d'entre eux sont inoffensifs (tortue, iguane, gecko, etc.) et se nourrissent d'insectes et de végétaux. Les plus venimeux sont les crotales

◀ Imposante colonne striée de cannelures verticales, le saguaro dépasse 15 m à sa maturité. Il peut vivre jusqu'à 200 ans mais sa croissance est très lente : 40 ans pour atteindre 3 m de hauteur. Au bout de 75 ans, des bras lui poussent, auxquels il doit son nom de « chandelier ».

Les fleurs du saguaro s'ouvrent la nuit et attirent une petite chauve-souris qui, en se nourrissant de nectar, assure 60 % de la fécondation.

(serpents à sonnette) et l'héloderme suspect ou monstre de Gila, gros lézard dont la morsure peut être mortelle. Des nuées d'insectes bruissent dans la nuit, entourant scorpions, mygales et autres arachnides. Les lapins pullulent, avec d'autres petits rongeurs friands de bulbes et de graines qui sont la proie des lynx, pumas, renards, moufettes ou coatis. On voit aussi de petites biches tandis que le mouflon s'isole en altitude. Des quantités de chauves-souris hantent ces lieux, et nombre d'oiseaux aussi, bien que peu y soient spécialement adaptés.

■ Des plantes utiles

Du désert, les Indiens (Navajos, Hopis, Anasazis) savaient tirer toutes les ressources nécessaires à l'existence. Fruits, baies et piments, graines, maïs et haricots divers, fleurs et jeunes pousses de cactus mangées en salade ou en légumes, pulpe bouillie ou réduite en farine, les plantes du désert apportaient en suffisance vitamines, protéines, minéraux et sucres assimilables. De nombreuses baies et herbes (*Ephedra*, armoise) offraient leurs vertus médicinales.

▲ Le crotale est le plus venimeux des serpents du désert.

L'agave produit un sirop abondant qui, fermenté, devient le pulque, et, distillé, la tequila. Avec sa pulpe douce, on faisait des gâteaux ou on la conservait séchée. Le yucca donnait ses fleurs (délicieuses) et ses fruits, mangés crus ou cuits et séchés en biscuits. Comme celles de l'agave, ses fibres étaient tressées en cordes ou tissées.

▲ Le cactus sert de refuge à de nombreux animaux : la chouette-elfe et le pic de Gila habitent le tronc du cierge, d'autres tressent leur nid entre ses bras ou s'y réfugient pour échapper aux prédateurs ; la chauve-souris à long museau butine ses fleurs.

■ Un milieu fragile et protégé

Depuis le début de la colonisation, les milieux naturels de l'Ouest ont été profondément transformés par les cultures, l'extermination de nombreuses espèces, l'urbanisation, le développement du tourisme. Les parcs nationaux préservent plantes et bêtes menacées de disparition. Pour admirer et comprendre la richesse des régions arides, il faut visiter (aux environs de Tulsa) le Saguaro N. M. et l'Organ Pipe Cactus N. M., et surtout l'Arizona-Sonora Desert Museum, qui présente un excellent panorama de la vie de ce milieu mal connu : la plupart des habitants du désert y sont représentés, entourés des plantes dont ils dépendent. Au Texas, on verra la serre du Chihuahua Desert pour ses 200 espèces de cactus.

▶▶▶ Construits en 1939 par la Columbia, ces studios reconstituant une petite ville de l'Ouest de la fin du XIXᵉ s. ont prêté leur décor à plus de 200 westerns, dont *Rio Bravo* (1958), *Juge et hors-la-loi* (1972) ou, plus récemment, *Wild Wild West* (1998). Ils fonctionnent désormais comme un parc d'attractions, avec animations à heures fixes : duels au pistolet en pleine rue, french cancan au saloon, (fausses) pendaisons, rodéo, petit train… Dans le musée racontant l'histoire des studios, on retrouve les costumes de la série TV *La Petite Maison dans la prairie*.

❸ Saguaro National Park★★

Dédié au cactus saguaro (*Carnegica gigantea*), symbole de l'Arizona, ce parc se compose de deux parties, séparées par la ville de Tucson. Plusieurs sentiers permettent de découvrir une flore étonnante.

Accès. Tucson Mountain District, à 15 mi/24 km O. de Tucson par l'AZ 86 puis Kinney Rd, entrée gratuite • **Rincon Mountain District**, à 10 mi/16 km E. de Tucson par l'Old Spanish Trail,

Entrée. 10 $/véhicule, valable 7 j., ou 5 $/personne (piétons, cyclistes) • *pass America The Beautiful* accepté.

La meilleure période. Mai-juin, pour admirer la floraison des cactus.

À perte de vue, des centaines de cactus-chandeliers, pouvant atteindre 15 m de haut et peser 6 t, dressent leurs branches vers le ciel ; en arrière-plan, les Tucson ou les Rincon Mountains parachèvent ce décor magnifique. Au printemps, les cactus-chandeliers, à la croissance extrêmement lente (ils mesurent quelques centimètres à 5 ans et fleurissent au bout de 50 ans), se couvrent de pétales blancs et jaunes. Le cactus saguaro ne pousse que dans le désert de Sonora, à cheval entre l'Arizona et le N. du Mexique ; de fait, il constitue une espèce protégée.

❹ Organ Pipe Cactus National Monument★

(à 106 mi/170 km O. de Tucson par l'AZ 86 • ouv. t.l.j. 8 h-17 h • ☎ 520/387-6849 • www.nps.gov/orpi • entrée 8 $/véhicule • floraison des cactus au printemps).
Classé Réserve internationale de biosphère par l'Unesco en 1976, ce parc offre la vision insolite de milliers de cactus « tuyaux-d'orgue ». Depuis le *Visitors Center*, deux routes non asphaltées en boucle permettent de découvrir les plus belles vues : l'**Ajo Moutain Drive** *(21,5 mi/34 km • 2 h)* conduit au pied du mont Ajo, livrant d'impressionnantes vues sur le désert ; le **Puerto Blanco Drive** *(53 mi/85 km • 4 h)* contourne les montagnes de Puerto Blanco et longe la frontière du Mexique, avec escale à Quitobaquito pour observer les oiseaux.

---

❶ Visitors Center : www.nps.gov/sagu
• *Tucson Mountain District*, ☎ 520/733-5158 ;
• *Rincon Mountain District*, ☎ 520/733-5153

☞ RANDONNÉES
• Brochures et cartes des sentiers dans les *Visitors Centers*.
• En été, emportez de l'eau avant de vous aventurer dans le désert (4 à 5 l par personne) ; portez un chapeau, des chaussures confortables et prenez garde aux serpents à sonnette.

〽 PARCS NATIONAUX
À propos des conditions d'entrée et des forfaits, consultez la rubrique « Parcs nationaux », dans le chapitre Séjourner, p. 52.

✍ BON À SAVOIR
Veillez à respecter les plantes et à ne pas cueillir les fleurs ; il est interdit d'emporter le moindre cactus hors des parcs.

À pied, au départ du *Visitors Center*, le **Victoria Mine Trail** (*7,2 km a.-r.* • *3 h*) mène, à travers les cactus, aux ruines d'une ancienne mine d'or et d'argent, exploitée dans les années 1900. Autrefois, ce territoire faisait partie du Mexique…

5 Tombstone★★ (*à 62 mi/100 km S.-E. de Tucson* ❶ *Visitors Center à l'angle d'Allen St. et 4th St.* ☎ *520/ 457-3929* • *www.cityoftombstone.com*).

Cette minuscule bourgade, posée à 30 mi/48 km de la frontière mexicaine, incarne à elle seule la légende du Wild West. Ici, tout est certifié historique : les cow-boys à stetson, les trottoirs en bois, les saloons… Un pèlerinage indispensable pour les nostalgiques du fameux duel d'O.K. Corral (→ *encadré ci-contre*).

En 1877, un certain Ed Schieffelin décide de prospecter les collines dans l'extrême S.-E. de l'Arizona. Ses amis lui prédisent qu'il ne gagnera là-bas qu'une pierre tombale. Ils se trompent : Schieffelin va découvrir un énorme filon d'argent et devenir riche à millions. Il baptise la ville Tombstone (« la pierre tombale ») et la gazette locale *Tombstone Epitaph*. Après l'inondation des mines, en 1886, la ville sombre dans l'oubli. Le tourisme lui a donné une seconde vie…

• **Historama & O.K. Corral★★** (*Allen St., entre 3rd St. et 4th St.* ☎ *520/457-3456* • *www.ok-corral. com* • *ouv. t.l.j. 9 h-17 h, séances toutes les 30 mn* • *entrée payante*). Ce show de 30 mn (en anglais) retrace l'histoire de la ville. À l'aide d'une maquette tournante, les spectateurs découvrent tour à tour le site d'O.K. Corral, une maison de prostituées du Red Light District, le corbillard qui transporta les corps des frères Clanton…

• **Boothill Cemetery★** (*à l'entrée N. du village* • *ouv. t.l.j. 7 h 30-18 h 30*). Le nom du cimetière, « colline des Bottes », rappelle l'époque où l'on enterrait les morts sans les déchausser. La visite vaut pour les fameuses épitaphes : « Pendu par erreur », « Tué par les Indiens », « Suicidé en 1882 »…

• **Tombstone Court House** (*Toughnut St. et 3rd St.* • *ouv. t.l.j. 8 h-17 h*). Symbole de la loi et de l'ordre dans les temps troublés qui firent la légende de la ville, l'édifice abrite un petit musée consacré au règlement de comptes d'O.K. Corral. Ne pas manquer la salle de tribunal (d'époque) et la potence dans la cour.

• **Bird Cage Theatre★★** (*6th St. et Allen St.* ☎ *520/ 457-3421* • *t.l.j. 8 h-18 h* • *entrée : 10 \$*). Conservé en son état d'origine, cet extraordinaire théâtre en bois était en réalité une salle de jeu, animée de spectacles

☞ CAMPING

AU ORGAN PIPE CACTUS N.M.

Twin Peaks, au S. du *Visitors Center*. Emplacements en pleine nature pour tentes et camping-cars. Sur place, eau potable, toilettes et douches. Premiers arrivés, premiers servis.

O.K. Corral, une histoire vraie

En 1881, les **frères Earp** font la loi dans la petite ville de Tombstone. Ils sont trois : Virgil, marshall adjoint ; Morgan, barman ; et Wyatt, ex-chasseur de bisons reconverti en homme d'affaires douteux, amateur de poker. Wyatt est inséparable de son ami Doc Holliday, dentiste porté sur la bouteille… Ensemble, ils ont pris des parts dans le prospère *Oriental Saloon* et spéculent sur les mines d'argent. Cette réussite irrite les éleveurs comme le clan Clanton. Le 25 octobre, Ike Clanton descend en ville et, sous l'emprise de l'alcool, menace de tuer les Earp. En représentant de l'ordre, Virgil Earp l'assomme et le désarme. Le lendemain, les **frères Clanton** reviennent en force. Le règlement de comptes va se transformer en bataille rangée, près d'une écurie nommée O.K. Corral. En 30 secondes, la fusillade fait deux morts chez les Clanton et des blessés parmi les Earp.

Parmi les westerns qui ont immortalisé l'épisode : *La Poursuite infernale* (John Ford, 1946), *Règlement de comptes à O.K. Corral* (John Sturges, 1957), *Wyatt Earp* (Lawrence Kasdan, 1994).

Chaque jour à 14 h, au *Helldorado Amphitheater*, reconstitution en *live* de la fusillade.

On raconte que le Bird Cage Theatre reçut tous les soirs, pendant deux ans, la visite du fameux **Russian Bill**. Ce personnage hors du commun voulait désespérément devenir bandit, mais aucun hors-la-loi ne l'accepta à ses côtés. En désespoir de cause, il vola un cheval mais se fit pincer rapidement, fut jugé et pendu. On apprit plus tard qu'il s'agissait d'un aristocrate russe nommé William Tattenbaum.

légers. Les « belles de nuit » étaient exposées aux clients dans les 14 loges suspendues au plafond. Photographies anciennes, machines à écrire mécaniques, traces des balles tirées lors de soirées animées rappellent l'histoire des lieux.

● **Crystal Palace** *(5th St. et Allen St.)*. Bien loin de son homonyme londonien, le *Crystal Palace* était simplement l'un des saloons les plus fréquentés de la ville, en activité jusqu'en 1963. Il a été soigneusement restauré pour restituer l'atmosphère d'origine.

● **Rose Tree Inn Museum** *(4th St. et Toughnut St. ☎ 520/457-3326 • t.l.j. 9 h-17 h)*. Dans cette maison, la plus ancienne de Tombstone (1880), on voit de beaux meubles d'époque et des curiosités, comme cette pétition demandant que les Sino-Américains puissent continuer à fumer l'opium. Dans le patio, admirer le plus grand **rosier** du monde, un Lady Banksia envoyé d'Écosse en 1885.

● *Copper Queen Hotel*, 11 Howell St. ☎ 520/432-2216, www.copperqueen.com Construit en 1902 pour loger les cadres de la Phelps Dodge Mining Co., l'établissement offre 40 chambres dans le style de l'époque.
● *Stock Exchange Bar*, 15 Brewery Gulch ☎ 520/432-9924 ; ouv. t.l.j. jusqu'à 1 h, musique folk et danses western les ven. et sam. soir. Dans l'ancienne Bourse aux mines, on commande sa bière au comptoir, sous le tableau noir où étaient inscrites les valeurs minières.

✎ BON À SAVOIR
Le *Bisbee Passport* donne accès au musée de la Mine, au Queen Mine Tour et offre des réductions sur l'hébergement, la restauration et les autres attractions de la ville.

6 Bisbee★★ *(à 24 mi/38 km S. de Tombstone ❶ Visitors Center, 2 Copper Queen Plaza ☎ 520/432-3554 • www.discoverbisbee.com)*.
Après la ville des cow-boys, celle des mineurs. Enrichie par un important filon de cuivre, découvert en 1877, Bisbee se blottit dans la vallée verdoyante de San Pedro. Au fil des rues étroites, étagées à flanc de colline, on découvre de pittoresques demeures, telle la **Muheim Heritage House**, de style Queen Ann, et des édifices publics, comme la vieille prison ou le théâtre lyrique. Bien sûr, les mines se visitent aussi, même si la dernière a fermé ses portes en 1975.
Le **Queen Mine Tour★** *(réserv. recommandée ☎ 520/432-2071 ou (1)866/432-2071 • www.queenminetour.com • prévoir des vêtements chauds)* vous emmène dans les galeries d'une ancienne mine à bord d'un wagonnet.
Un circuit en bus de 1 h 30 dessert, entre autres sites, la **Lavender Pit Mine**, immense mine de cuivre à ciel ouvert.
Le **Bisbee Mining and Historical Museum★** *(5 Copper Queen Plaza ☎ 520/432-7071 • t.l.j. 10 h-16 h)*, installé dans une maison de 1895, raconte l'histoire des mines et des mineurs par des photographies, des outils et des reconstitutions.

Monument Valley et le pays navajo★★★ AZ

Au cœur du plateau du Colorado, le pays navajo s'étend sur un territoire plus grand que la Suisse, incluant le quart nord-ouest de l'Arizona et débordant sur les États d'Utah et du Nouveau-Mexique. Cette immense réserve abrite la plus grande tribu indienne des États-Unis : la Navajo Nation, forte d'une population estimée à 250 000 personnes. Si leur capitale administrative est située à Window Rock, les Navajos sont également très présents dans les villes frontalières de Gallup, Flagstaff et Farmington. De Monument Valley, où John Ford tourna ses plus célèbres westerns, au canyon de Chelly, la région est émaillée de sites majeurs. Les Indiens tentent d'y perpétuer leurs traditions, entre grandeur et misère.

Le pays navajo dans l'histoire

Des immigrants récents

À l'origine guerriers mi-nomades, les Navajos ou Navahos sont arrivés relativement tard dans le S.-O. : on date du XVe s. leur migration depuis le N. du Canada, longtemps après que les habitants précédents eurent abandonné leurs habitations des falaises. Les Navajos appelèrent ceux-ci Anasazis, ce qui signifie « ancêtres » mais aussi « anciens ennemis ». Des conquérants espagnols, les Navajos apprirent à se servir des armes à feu et du cheval, mais aussi à élever bœufs, moutons et chèvres. S'ils dominèrent les Indiens Pueblos qui occupaient la région, ils leur empruntèrent la technique du tissage, dans une moindre mesure, la culture du maïs et des légumineuses. Leur habileté, leur travail et leur faculté d'adaptation leur permirent d'accéder à un certain niveau de vie et de se défendre énergiquement contre « l'avancée de l'homme blanc ».

Retour à Navajoland

Menés par leurs chefs Manuelito et Barboncito, ils durent cependant cesser la résistance en 1864, après

Situation : N.-E. de l'Arizona.

Superficie : 64 700 km².

Fuseau horaire : Mountain Time (– 8 h par rapport à la France) • attention, la réserve navajo adopte l'heure d'été d'avril à octobre (– 1 h par rapport au reste de l'Arizona).

🕓 www.discovernavajo.com

🕓 À Window Rock :
• *Navajo Tourism*
☎ 928/871-6436
• *Navajo Nation Parks and Recreation Department*
☎ 928/871-6647 ;
www.navajonationparks.org

🕓 À Kayenta :
Navajo Cultural Center,
sur l'US 160 ☎ 520/697-3170.

Voir carte régionale p. 408

Monument Valley et le pays navajo

Dans leur propre langue, les Navajos se nomment *Dineh* (« le Peuple ») et habitent le *Dinehtah* (« Chez le Peuple »). Ce sont les Espagnols qui, au XVIIe s., ont utilisé pour les désigner le terme *navajo*, dérivé d'un mot de la langue indienne tewa qui signifie « champs » ou « terre ».

La **flore** de la réserve est très différente sur les plateaux ou dans les canyons : au N.-E. s'étend une forêt de pins pignons et de genévriers qui dépassent rarement 1,20 m ; plus au S. poussent la sauge et les *prickly pears* (cactus) ; dans les canyons prolifèrent le *cliffrose*, à partir duquel les Hopis fabriquaient leurs flèches, et le yucca, dont on tirait un savon.

☞ FÊTES ET MANIFESTATIONS
• D'avril à octobre, rodéos indiens à Shiprock, Chinle, Round Rock : www.cnrarodeo.com
• Début septembre, Window Rock accueille la *Navajo Nation Fair*, le grand événement culturel de la réserve : www.navajonationfair.com

☞ CONSEILS
• Les Indiens tolèrent les touristes, mais les photographes s'abstiendront dans la réserve hopie et à Monument Valley.
• Il est formellement interdit d'introduire de l'alcool dans les réserves indiennes.
• Suivre un guide est sans doute la meilleure façon de comprendre cette culture.
• Abstenez-vous d'escalader les formations rocheuses ou les vestiges archéologiques, d'emporter plantes, rochers ou animaux.

que Kit Carson (→ *encadré p. 526*), fuyant le combat ouvert, eut réduit en cendres leurs pâturages, leurs cultures et leurs habitations… Théâtre de l'ultime épisode de ce triste affrontement, les parois rouges du canyon de Chelly virent la défaite d'un peuple. La population, réduite à 9 000 personnes, fut déportée et maintenue en captivité à Bosque Redondo, près de Fort Summer, au Nouveau-Mexique, où 2 000 Indiens moururent encore, de pneumonie et de dysenterie.

Finalement, une délégation menée par le général William Sherman (qui s'était illustré durant la guerre de Sécession) vint leur proposer un arrangement ; en 1868, le droit de se réinstaller sur le territoire de la réserve actuelle leur fut accordé, à la condition qu'ils se comportent pacifiquement à l'avenir.

Une économie précaire

Le raccordement de la région au réseau ferré en 1880 a entraîné son essor commercial et industriel ; les Navajos ont alors développé une activité économique exceptionnelle : exploitation forestière et minière, scieries, artisanat d'art et même entreprises industrielles et de transport. Aujourd'hui, l'essentiel du territoire reste dédié aux paturages, mais à côté de cette activité traditionnelle fleurissent des maisons modernes, affublées d'antennes paraboliques qui trahissent l'avancée inexorable de la société de consommation. En revanche, les Navajos refusent l'installation de casinos sur leur réserve.

 Navajoland★★

Sur les terres rouges de la réserve navajo, s'étirent canyons profonds et vertes vallées ponctuées de ruines de villages troglodytiques. Chaque site sacré renvoie à la mythologie. Les traditions indiennes, encore bien vivantes, résistent à la civilisation américaine par l'élevage de moutons, les *pow wow*, la gastronomie, les rodéos indiens ou l'artisanat.

Accès. À l'O. et au N.-O. : Flagstaff, à 77 mi/124 km de Tuba City et à 150 mi/242 km de Kayenta par l'US 89 puis l'US 160 • **au N.-E.** : Santa Fe, à 222 mi/357 km de Farmington par l'US 84 puis l'US 64 ; Mesa Verde N. P., à 95 mi/153 km de Farmington par l'US 160 et l'US 666 • **au S.-E.** : Albuquerque, à 133 mi/214 km de Gallup par l'I-40.

La meilleure période. De mi-mai à mi-oct. ; entre juil. et sept., de violents orages peuvent éclater.

Combien de temps. Compte tenu des distances, la découverte de la réserve requiert au moins 2 ou 3 j.

Navajoland.

Visite. **Farmington**, au Nouveau-Mexique, est un bon point de départ pour des excursions vers les anciens villages des Indiens Pueblos, Chaco Canyon ou Aztec Ruins • si votre temps est compté, visitez en priorité **Monument Valley** (→ p. 508) et le **canyon de Chelly** (→ p. 504).

Se déplacer. Dans la **partie N.** de la réserve, l'US 160, dite « Navajo Trail », relie Tuba City à Kayenta (72 mi/116 km) en longeant le Navajo National Monument ; à Teec Nos Pos, elle croise l'US 64, que l'on empruntera pour rejoindre Farmington (127 mi/203 km de Kayenta).

Dans la **partie S.**, l'AZ 264 (interdite aux caravanes) conduit de Tuba City à Window Rock (157 mi/251 km) en passant par la Hopi Indian Reservation.

Des routes secondaires desservent les différents sites éparpillés autour de ces deux axes principaux ; un réseau ramifié de chemins permet d'atteindre les différentes communautés indiennes, mais nombre de ces routes, non revêtues, ne sont praticables que par temps sec.

■ **Window Rock** *(à 27 mi/42 km O. de Gallup par l'US 666 et la NM 264)*. Choisie en 1936 pour accueillir le siège du gouvernement navajo, la capitale de la nation navajo doit son nom à un rocher de grès rouge percé d'une sorte de hublot gigantesque, au pied duquel se déroulaient autrefois des cérémonies sacrées.

● Le **Veteran's Memorial**, au pied du rocher, a été élevé en mémoire des Indiens Navajos qui servirent dans l'armée américaine au cours de la Seconde Guerre mondiale – et participèrent notamment à l'élaboration d'un langage codé (→ encadré p. 510).

Les tissages navajos

Le tissage, pratiqué par les hommes chez les Indiens Pueblos, fut imité par les femmes navajos, qui accompagnaient leur nouvelle activité de chants rituels.

Dès la fin du XVIIIe s., la couverture tissée à motifs s'impose comme l'objet préféré des Navajos : vêtement, couvre-lit, porte de *hogan* (→ *encadré p. 508*) ou décoration murale, ses motifs géométriques abstraits, rarement répétés, racontent de façon allégorique l'histoire de la tribu et ses démêlés avec l'homme blanc. Les simples rayures horizontales *(chief patern)* du début furent complétées plus tard par des carrés, des losanges et des lignes en zigzag *(eye dazzler)* ; les couleurs (surtout des tons bruns) étaient obtenues avec des jus de plantes. Quand, vers la fin du XIXe s., des fils furent importés de Saxe et que se répandit l'usage des colorants synthétiques, les couleurs devinrent plus vives et les motifs s'uniformisèrent.

L'effet optique *eye dazzler*, dû à l'étroite juxtaposition de motifs et de bandeaux de couleurs répétées, inspirera, dans les années 1960, le courant de l'op art mené par Victor Vasarely.

• La **Navajo Nation Council Chamber**, de forme octogonale, accueille les assemblées des 88 membres du conseil de tribu.

• Le **Navajo Nation Museum** *(Hwy 264 et Loop Road* ☎ *928/871-7941 • ouv. lun. 8 h-17 h, mar.-ven. 8 h-18 h, sam. 9 h-17 h • entrée gratuite mais dons appréciés)* offre une approche de l'art, de l'histoire et de la culture navajos.

• Le **Navajo Nation Zoological and Botanical Park** *(☎ 928/871-6573 • entrée libre)* rassemble des animaux et des plantes de la région et de la tradition navajo.

■ Canyon de Chelly National Monument★★★

(AZ • à 122 mi/196 km N.-O. de Gallup par l'AZ 264 puis l'US 191 vers le N. • compter 1 j. ❶ à Chinle, 3 mi/5 km de l'US 191 ☎ *928/674-5500 • www.nps. gov/cach).* Habité et cultivé depuis près de 5 000 ans, le site abrite les ruines de plus d'une centaine d'**habitations troglodytiques**, pour la plupart inaccessibles, occupées de 350 à 1300 apr. J.-C. env. par des tribus d'Indiens Pueblos. De nombreux murs et parois sont couverts de peintures ou de signes rupestres datant pour certains du VIIe s.

Les deux rives du canyon (canyon de Chelly au S. et canyon del Muerto au N.) offrent des vues plongeantes sur la vallée verdoyante, 300 m plus bas. Pour découvrir le fond du canyon, vous devrez faire appel à un guide navajo *(rens. au Visitors Center • inscription à l'avance indispensable)* et être équipé d'un véhicule tout-terrain.

Depuis le Visitors Center, prendre la South Rim Drive (34 mi/54 km • 3 h), pour suivre la rive du canyon de Chelly.

• **Le canyon de Chelly**, tapissé de parois abruptes de grès rouge, abrite le spectaculaire **Spider Rock**, une aiguille de près de 300 m de hauteur : selon la légende navajo, la déesse Femme Araignée, qui connaît les secrets du tissage, vécut ici. **White House**, ancien village qui se détache de la vergineuse falaise du canyon, a été construit au XIe s. sur deux niveaux. De là part le **White House Ruins Trail**, sentier que l'on peut suivre sans guide *(3,5 km, 2 h • s'équiper pour traverser le tumultueux Rio de Chelly).*

Revenir au Visitors Center pour emprunter la North Rim Drive (32 mi/51 km • 3 h).

• **Le canyon del Muerto★**, haut lieu de la résistance indienne, garde le souvenir des Indiens Navajos qui s'y retranchèrent en 1864 pour échapper aux soldats de Kit Carson – en vain : celui-ci conquit la place en les affamant. **Antelope House** doit son nom aux animaux peints sur une paroi à proximité. Plus loin, **Mummy Cave** présente l'exceptionnelle particularité d'avoir été habité pendant près de mille ans ; des fouilles y ont révélé deux corps momifiés conservés dans leurs enveloppes en fibres de yucca.

Navajo Fortress, l'éperon rocheux qui fut le dernier bastion de la résistance indienne contre Carson, est désormais un lieu sacré ; il est interdit aux Blancs d'y pénétrer.

■ **Navajo National Monument★★** *(à 32 mi/ 51 km O. de Kayenta par l'US 160, 74,5 mi/119 km N. de Tuba City par l'US 160 puis l'AZ 564 • on ne peut approcher les ruines qu'accompagné de rangers, et seulement de mai à sept. • permis de randonnée obligatoire).*

Les ensembles de Betatakin, Keet Seel, bâtis au flanc des immenses falaises de grès, sont parmi les habitations anasazies les mieux conservées du plateau du Colorado. Splendidement situés dans le canyon du Betatakin, les deux villages *(accès à pied)* constituent une formidable récompense au terme d'une ascension parfois difficile.

Découvertes par les Navajos (d'où leur nom), les ruines magnifiques de Navajo National Monument constituent en réalité l'un des plus beaux témoignages de la civilisation **anasazie** (de « ancien » en navajo). Installés à 80 km de là, les Indiens Hopis pensent que leurs ancêtres anasazis errèrent de nombreuses années avant de s'installer sur les mesas ; dans leur mythologie, la région Kawestima (« le village du Nord ») qui entoure Betatakin, Keet Seel et Inscription House *(f. au public)*, fut l'une des dernières haltes avant les mesas hopies. Les habitants de ces villages cultivaient le maïs, les haricots, les courges, probablement le coton, et pratiquaient également la vannerie.

● **Betatakin Ruin** *(« maison de la corniche » • tours gratuits de 8 km organisés par les rangers, 25 personnes au maximum • départs à 10 h, en été à 8 h 15 et 10 h • compter 5 h a.-r.).* Ce n'est qu'en août 1909, cinq mois après l'ouverture du Navajo National Monument, que les archéologues découvrirent Betatakin, village de grès rouge bien caché au fond d'une immense anfractuosité ; paradoxalement, c'est aujourd'hui le plus accessible des deux villages. Construit en 1250 dans un décor impressionnant, Betatakin ne fut occupé qu'une cinquantaine d'années. Ses 135 pièces, parfaitement abritées dans une cavité de 140 m de hauteur, durent accueillir jusqu'à 125 personnes.

● **Keet Seel Ruin** *(excursion de 26 km a.-r. organisée par les rangers, 20 personnes au maximum, terrain difficile • rens. et réserv. auprès du Visitors Center).* Découvert en 1894, Keet Seel (poterie cassée) ▶▶▶

Le Canyon del Muerto est un lieu de sinistre mémoire. Déjà avant Carson, en 1805, une expédition espagnole s'y aventura afin de soumettre les Navajos. Les Indiens, retranchés dans une grotte (Massacre Cave), furent surpris par les Espagnols : 115 Navajos furent tués, 33 faits prisonniers. Le nom Canyon del Muerto (gorge des Morts) ne provient pourtant pas de ces massacres : il a été donné en 1882 par une expédition de la Smithsonian Institution, en raison des sépultures trouvées en ce lieu.

ꔹ près de Betatakin Ruin, à la jonction de l'US 160 et de l'AZ 564 ☎ 928/672-2700 ; www.nps.gov/nava.

Les **peintures de sable**, propres aux Navajos, font partie d'un rituel animiste pendant lequel le *medicine man* (chaman) dessine, avec des sables de couleurs issus des montagnes sacrées, des symboles magiques qui seront effacés après la cérémonie.

☞ CONSEILS
• Permis de randonnée gratuits, à rés. au moins 2 mois à l'avance.
• Des familles navajos organisent des excursions à cheval jusqu'à Keet Seel (rens. au *Visitors Center*, réserv. 1 sem. avant au moins).

☞ HÉBERGEMENT
• Camping derrière le *Visitors Center* (ouv. t.a.).
• Motel *Anasazi Inn*, US 160 (à l'E. de Betatakin Ruin) ☎ 928/697-3793.

☞ Carte de la région p. 503
• Monument Valley, p. 509.

Les Américains oubliés

Surnommés par le président Lyndon B. Johnson les « Américains oubliés », les Indiens sont aujourd'hui 2,5 millions. Seulement un tiers d'entre eux habitent dans des réserves bénéficiant d'une autonomie politique mais placées sous la tutelle du gouvernement fédéral. Les autres vivent dans les grandes agglomérations de l'ouest du pays, en par-

ticulier à Los Angeles et San Francisco. D'autres villes comme Tulsa, Oklahoma City ou Phoenix ne comptent pas moins de 10 000 Indiens chacune. Terre d'exil où furent déportées de nombreuses tribus au cours des années 1830, l'Oklahoma est aussi devenu terre d'adoption pour des groupes aussi divers que les Cherokees, les Choctaws, les Kiowas et les Comanches.

▲ Une jeune fille crow lors d'un *pow wow*. Les Crows furent surnommés par les Français les « Seigneurs des Plaines ».

■ Les nations indiennes aujourd'hui

Les Indiens qui possèdent le meilleur potentiel de développement sont les **Navajos** (Nouveau-Mexique, Arizona, Utah). Avec une population de 250 000 habitants, une réserve plus grande que la Belgique formant un territoire riche en ressources minérales, ils sont partagés entre traditionalisme et désir de progrès. Leur spiritualité est encore très vivante.

◄ Sur une affiche de 1970, Sitting Bull domine les présidents du mont Rushmore.

Les Indiens **Pueblos**, implantés dans la région depuis plus d'un millénaire, ont su conserver leur architecture en pisé, leurs structures sociales et leur artisanat. Bien que convertis au catholicisme par les Espagnols, ils ont perpétué leurs traditions religieuses dans la clandestinité et le secret des *kivas*.

D'autres communautés du Sud-Ouest, notamment les **Apaches** (Nouveau-Mexique, Arizona), ont su maintenir des structures tribales très fortes et perpétuer certains rites fondateurs de leur identité tout en négociant au mieux les contrats d'exploitation de leurs ressources minérales.

Parmi les communautés indiennes les plus emblématiques figurent les **Sioux**, répartis entre plusieurs réserves des deux Dakotas. Leurs rituels religieux traditionnels, longtemps demeurés interdits,

Smoke Signals (distribué en France sous le titre *Phoenix, Arizona*, 1998) fut écrit, tourné et joué par des Indiens. ▶

sont redevenus importants dans l'affirmation d'une identité collective. Les Sioux, qui connaissent des problèmes économiques graves, ont compté parmi les éléments les plus militants du Red Power (→ *théma p. 97-99*).

D'autres Indiens appartenant également à la culture des Plaines vivent dans le Montana, notamment les **Cheyennes** du nord, les **Crows** et les **Blackfeet**. Ces derniers sont la plus importante tribu indienne du Montana (20 000 membres).

■ La *Red Road*

Pour lutter contre certaines difficultés sociales – pauvreté, chômage, alcoolisme, drogue –, les chefs spirituels, les hommes-médecine, favorisent la Route rouge : ils tentent d'aider les jeunes à redécouvrir des valeurs ancestrales telles que la bravoure, la spiritualité, la générosité et le respect des Anciens.

Si les Indiens sont nombreux à vivre en ville, ils demeurent en contact avec leur communauté d'origine en participant aux *pow wow* et aux rituels traditionnels. La plupart ont été christianisés mais on assiste à un retour à la spiritualité ancestrale, favorisée par l'adoption, en 1978, d'une loi sur la liberté religieuse.

▲ Sculpture contemporaine au Wheelwright Museum (Santa Fe), consacré à la culture des Indiens Navajos.

La terre est aussi au cœur de l'affirmation identitaire. Entre 1946 et 1978, la Commission des revendications indiennes a attribué des indemnisations pour les terres illégalement saisies au cours de l'histoire. Des dizaines de requêtes ont été réglées, mais certaines nations indiennes ont repoussé les offres d'indemnisation et réclamé la restitution de leurs terres. En 1980, les Sioux ont ainsi refusé 100 millions de dollars pour les Black Hills au cri de : « Nos terres sacrées ne sont pas à vendre. »

■ Créativité amérindienne

Depuis les années 1970, des mesures ont été prises pour encourager la création artistique et l'artisanat. Créé à Santa Fe en 1962, l'Institute of American Indian Arts (IAIA) a formé des jeunes artistes de tous horizons à l'art contemporain. L'intérêt pour l'art indien s'est accru, sur le plan national, avec la création, en 1989, du National Museum of American Indian (NMAI). Ce musée, qui regroupe les collections de l'ancien Heye Museum de New York, est conçu comme un centre d'exposition des cultures vivantes et un symbole de la présence indienne au cœur de la capitale.

Les Indiens ont aussi pris la plume. En 1969, l'attribution du prix Pulitzer à Scott Momaday pour son roman *La Maison de l'aube* a ouvert la voie à d'autres écrivains talentueux. Tous expriment la douleur de leur histoire et l'espoir de reconnaissance qui les porte, plus de 500 ans après la Conquête.

Un habitat symbolique

Toute la vie de la famille navajo se déroule dans le *hogan* (« la maison »). De plan hexagonal ou octogonal, chaque habitat est conçu sur le même modèle : la structure, faite de rondins de bois scellés avec de l'essence de cyprès, est recouverte de 30 cm de terre, qui joue un rôle isolant et protège de la pluie. Il en existe en pierre.

Dans cette construction, on retrouve la préoccupation qu'ont les Navajos d'entretenir une harmonie avec la nature sacrée. La forme du *hogan*, obligatoirement ronde, reflète leur vision du monde : circulaire, comme le Soleil et la Lune, et cyclique, comme le mouvement des saisons. La porte s'ouvre toujours à l'est, laissant pénétrer les premières lueurs du jour. À midi, la lumière du zénith inonde l'intérieur par la cheminée qui troue le sommet de la hutte ; la nuit l'âtre, au centre, tient symboliquement la place du Soleil. Tout *hogan* est béni avant d'être habité.

ⓘ *Monument Valley Navajo Tribal Park* ☏ 435/727-5874 ; www.navajonationparks.org
• *Visitors Center,* à 4 mi/6,5 km E. de l'US 163, sur la route de Monument Valley.

♥ HÔTEL-RESTAURANT
Hampton Inn, Hwy 160, à Kayenta, près du *Burger King* ☏ 928/697-3170 ; www. hamptoninn.com Le plus agréable de la ville, dans le style adobe. Piscine, et restaurant chaleureux.

☞ CONSEIL
Si vous restez la nuit, ne manquez pas le coucher de soleil sur les Mitten Buttes depuis le *Visitors Center.*

▶▶▶ est le plus grand habitat de falaises d'Arizona. Il fut sans doute occupé de 950 à 1300, puis progressivement abandonné. Le dernier village, Inscription House Ruin, à l'O. de Betatakin, est fermé au public. Depuis le *Visitors Center*, partent deux courts sentiers. Le **Sandal Trail** *(boucle de 1 mi/1,6 km • compter 1/2 h de marche • accessible aux personnes handicapées)* mène à un promontoire qui surplombe Betatakin et offre une vue splendide sur le canyon. Le parcours est balisé d'informations sur la végétation environnante. L'**Aspen Forest Overlook Trail** *(boucle de 1 mi/ 1,4 km • 1/2 h)* permet de voir les inhabituels pins d'Aspen, ainsi qu'un petit *hogan*, autrefois utilisé comme sauna : on plaçait des pierres chauffées à l'intérieur puis on se frottait à l'extérieur avec de l'eau ou du sable.

② Monument Valley Navajo Tribal Park★★★

Géré par la nation navajo, et non par l'État américain, Monument Valley demeure avant tout le territoire des Indiens. Génération après génération, ils élèvent leurs troupeaux de moutons autour des *hogans* en rondins de bois. Le parc a aussi prêté son décor grandiose à des westerns mythiques, dont *La Chevauchée fantastique*, de John Ford (1939).

Accès. L'entrée du parc se trouve en Utah, sur l'US 163, à mi-chemin entre Kayenta (23,5 mi/38 km S.-O.) et Mexican Hat (25 mi/40 km N.-O.) • route goudronnée (4 mi/6 km) jusqu'au *Visitors Center.*

Combien de temps. 1/2 j. en comptant les arrêts.

La meilleure période. On peut s'y rendre t.a., mais certaines installations sont f. en hiver.

Visite. Ouv. t.l.j. mai-sept. 6 h-20 h, oct.-avr. 8 h-17 h • entrée : 5 \$ • l'itinéraire en boucle sur la Valley Drive (17 mi/27 km) peut se faire sans guide, avec son propre véhicule.

■ **Valley Drive** *(itinéraire de 17 mi/27 km).* La naissance de Monument Valley remonte à 70 millions d'années, alors qu'un bras de l'actuel golfe du Mexique recouvrait la région. L'élévation progressive du terrain refoula l'eau, qui laissa derrière elle une vaste plaine schisteuse entaillée de failles et de crevasses. Un léger plissement de l'écorce terrestre provoqua l'apparition des mesas, transformés par l'érosion en buttes monumentales.
La Valley Drive serpente dans la vallée et permet d'observer les différentes formations géologiques :

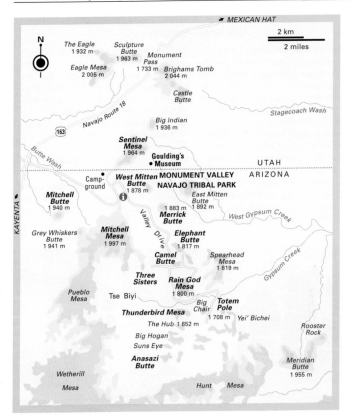

Monument Valley Navajo Tribal Park.

la petite **Mitchell Butte**, du nom d'un chercheur d'or tué par les Indiens Utes, puis **Sentinel Mesa**, **Mitchell Mesa** et **West Mitten Butte**, sans doute la plus connue, avec son doigt pointé vers le ciel. **Merrick Butte** doit son nom à un aventurier qui découvrit une mine d'argent avant d'être, lui aussi, tué par les Indiens. On passe ensuite devant **Elephant** et **Camel Buttes**, puis **The Three Sisters**, une formation sacrée qui fait l'objet de pèlerinages rituels. On se faufile entre **Rain God Mesa** et **Thunderbird Mesa** pour découvrir **Totem Pole**. De là, des sentiers conduisent vers **Anasazi Butte**.

■ **Goulding's Museum** *(sur la route 42, à 2 mi/3,2 km O. de l'entrée de Monument Valley* ☎ *435/727-3231 • ouv. t.l.j. 8 h-17 h, en été 8 h-20 h)*. L'ancien comptoir des Goulding, créé dans les années 1920, abrite aujourd'hui un petit musée dédié au **cinéma** à Monument Valley : photos de tournage, accessoires, anecdotes.

■ **Shiprock★** *(à 29 mi/45 km O. de Farmington par l'US 64)*. Sacré pour les Indiens, le mont Shiprock se dresse, solitaire, au-dessus de la prairie herbue. Ce piton volcanique culminant à 568 m et prolongé de deux ailes de basalte noir

Une langue complexe

La **langue navajo**, désormais enseignée à l'école, est parlée couramment par les trois quarts de la population. À l'intérieur du groupe Na-Dene, elle constitue une branche de la famille des idiomes athapascans. L'histoire de son élaboration est due aux missionnaires franciscains venus en 1898 sur la réserve et à certains linguistes et anthropologues du début du XXᵉ s. La langue se caractérise par une extraordinaire richesse de formes et déconcerte par des concepts insolites (comme la quatrième personne), ainsi que par une très grande irrégularité.

Pendant la Seconde Guerre mondiale, **Philip Johnston**, fils d'un missionnaire élevé dans la réserve navajo, eut l'idée d'adapter cette langue aux besoins des services de communication des États-Unis dans le Pacifique. Quittant leurs mesas, 29 volontaires choisirent certains mots pour coder divers équipements et opérations militaires. C'est ainsi que *ch'al* (grenouille) signifiait « amphibies » et *chahligia* (chapeaux blancs) « marins » ; les pommes de terre désignaient les grenades et les œufs, des bombes. L'Amérique, enfin, fut nommée *nihimà* (notre mère)…

Au plus fort de la guerre, les services secrets employaient 400 *Navajo Code Talkers*, tous accompagnés d'un garde du corps personnel.

▲ Harry Goulding et son épouse Mike furent parmi les premiers Blancs à s'installer à Monument Valley, en 1923, créant un *trading post* et, plus tard, une auberge. Ils convainquirent John Ford de venir y tourner *Fort Apache* (1948), *Rio Grande* (1950), *La Prisonnière du désert* (1956), *Les Cheyennes* (1963). Des dizaines de réalisateurs suivirent l'exemple…

☞ Carte de la région p. 503.

◑ *Hopi Cultural Center*, à Second Mesa (Hwy 264) ☎ 928/734-2401 ; www.hopiculturalcenter.com

symbolise, dans la mythologie navajo, le redoutable monstre Yetso. Coupable d'avoir dévoré « ceux de Dineh » (le Peuple, les Navajos), ce dragon ailé fut tué par les Héros jumeaux, Fils-du-Soleil et Fils-de-l'Eau, armés de flèches-éclairs. Shiprock accueille chaque année la *Northern Navajo Fair*, grande fête traditionnelle qui débute le 1ᵉʳ jeudi d'octobre.

③ Hopi Indian Reservation

Les Hopis (en indien *moki* : « gens paisibles ») ont choisi comme terre d'élection trois plateaux ou mesas, de superficie assez réduite, enchâssés dans la région navajo, sur lesquels ils ont bâti des villages qui se confondent avec les crêtes : argile ocre, rochers bruns, cahutes de pierre. Les Indiens Hopis ont baptisé leur région *Tuuwana-savi*, c'est-à-dire « le centre de la Terre ».

Accès. Enclavées dans le territoire navajo, les trois mesas hopies sont accessibles depuis la Hwy 264 qui relie Tuba City à Window Rock.

Une organisation particulière

Les Hopis appartiennent au groupe des Indiens Pueblos sédentaires (Shoshones), et vivent isolés dans des *pueblos* depuis plus de 1 000 ans. Après leur révolte en 1680, ils furent les seuls à ne pas être reconquis par les Espagnols en 1692. Les mesas possèdent un conseil tribal commun, mais la vie de chaque village est d'abord contrôlée par le chef du village *(kikmongwi)* et par le chef des cérémonies. Chaque *pueblo* possède ses danses, ses rites et ses traditions ; chaque mesa parle son propre dialecte.

Le différend hopi-navajo

Les principales sources de discorde sont la conséquence de la situation de la réserve hopie, enclavée dans la réserve navajo. Les Hopis doivent bien souvent se défendre de leurs voisins en quête de nouveaux pâturages pour leurs troupeaux, principalement dans la zone commune aux deux tribus. À côté de leur activité agricole, les Hopis sont également des artisans accomplis (tressage de corbeilles, orfèvrerie, poterie…) ; mais ils sont surtout renommés pour leurs poupées *katchinas* sculptées et peintes à la main *(en vente partout dans la réserve)*.

Depuis quelques années, des fabriques industrielles établies au Nouveau-Mexique et employant des ouvriers navajos produisent des *katchinas* moins chères, qui concurrencent et dévalorisent l'artisanat authentique hopi – la loi stipule en effet que les objets vendus sous un label « indien » doivent avoir été fabriqués par des Indiens, sans préciser lesquels.

■ **First Mesa**. Le plus beau village hopi, **Walpi** (XIIIᵉ s.), est inaccessible en voiture. L'ancien village, groupe de maisonnettes en équilibre sur un promontoire rocheux, ne se visite qu'avec un guide *(rens. à l'office du tourisme, à l'entrée du village)*. On pourra également visiter **Sichomovi**, construit au milieu du XVIIᵉ s., et **Hano-Tewa**, établi par la tribu Tewa qui rejoignit les Hopis au début du XVIIIᵉ s.

■ **Second Mesa**. Là se trouvent les villages de **Mishongnovi**, **Sipaulovi** et **Shungopavi**, ainsi que le **Hopi Cultural Center** *(centre d'artisanat, musée, hôtel et restaurant)*.

■ **Third Mesa**. Fondé vers 1160, **Old Oraibi** serait le plus ancien village continûment habité des États-Unis ; ses habitants fondèrent ensuite Hotevilla et Bacavi.

☞ **FÊTES ET MANIFESTATIONS**
Essayez de vous rendre dans la réserve hopie le w.-e., lorsque ont lieu des danses auxquelles sont parfois admis les visiteurs (elles sont, suivant la coutume, annoncées une semaine à l'avance). Émergent des terres arides et des modestes maisons une foule fabuleuse de danseurs portant des masques d'animaux – coyotes, renards – menés par le *Katchina Father*.

✐ **BON À SAVOIR**
Attention ! sur le territoire hopi, il est absolument interdit de photographier, de filmer, d'enregistrer, de dessiner et même de prendre des notes.

▲ Les poupées *katchinas* sont des représentations symboliques de la vie animale ou végétale, messagères de divinités auxquelles les Hopis portent une grande vénération. Lors de cérémonies, les hommes offraient les poupées aux jeunes enfants.

Monument Valley et le pays navajo

3

☞ Carte de la région p. 503.

Environs du pays navajo

🛈 *Visitors Center*
☎ 505/334-6174 ;
www.nps.gov/azru

1 Aztec Ruins National Monument★ (NM • *à 14 mi/22 km N.-E. de Farmington par l'US 550 • t.l.j. 8 h-17 h, jusqu'à 18 h en été*).

En fait, ces ruines ne doivent rien à la civilisation aztèque ; elles sont les vestiges d'un village occupé par les Indiens Pueblos vers le xiie s. La proximité de l'Animas River explique la présence de ces habitations dans une région où il ne tombe que 25 cm d'eau par an. Une population de 400 à 700 personnes a vécu dans ce village satellite de Chaco Canyon, auquel le reliait d'ailleurs une route. Vers 1200, certains habitants d'Aztec émigrèrent vers Mesa Verde, d'altitude plus élevée, donc plus arrosée. Malgré la répugnance des Indiens à réinvestir des lieux abandonnés, le site fut à nouveau occupé en 1225 : le village s'agrandit autour de la place et à la grande *kiva* (salle de cérémonie) furent ajoutées des chambres périphériques. Nouvel abandon entre 1276 et 1299, où certains membres d'Aztec émigrèrent vers le Rio Grande et San Jose. On peut aujourd'hui voir une grande *kiva*, dont la restauration relève plus de l'imaginaire américain que de la réalité indienne !

C'est l'étude des anneaux de croissance effectuée sur les *viga*, ces rondins de bois qui soutenaient les toits des habitations et sont restés intacts, qui a permis la datation du village d'Aztec Ruins.

🛈 *Visitors Center*
☎ 505/786-7014 ;
www.nps.gov/chcu

2 Chaco Culture National Historical Park★★ (NM • *à 67 mi/108 km S. de Farmington par la NM 371, puis route non goudronnée jusqu'au Visitors Center • entrée [valable 7 j.] : 4 $/personne, 8 $/véhicule • ruines, sentiers et parking ouv. du lever au coucher du soleil • compter 1 j.*).

Ce vaste site archéologique témoigne de l'importante civilisation pueblo autour de **Chaco Canyon**. Situé dans un désert aux étés brûlants et aux hivers très rigoureux, cet ensemble social, culturel et commercial était le centre d'un réseau routier de 650 km reliant 70 « satellites » dispersés dans un rayon de 150 km.

✎ BON À SAVOIR
• Attention, les routes menant à Chaco Culture N. H. P., non goudronnées, sont quasi impraticables en cas de fortes pluies ou chutes de neige.
• Promeneurs, prenez garde aux serpents.

Une route en boucle de 9 mi/14,5 km, d'où partent de courtes pistes, permet de découvrir les six grands *pueblos* de Chaco, construits entre le xie et le xiie s. : Pueblo Bonito, Chetro Ketl, Una Vida, Penasco Blanco, Hungo Pavi et Kin Bineola. De 2 000 à 5 000 personnes ont dû vivre dans ces véritables complexes d'habitations, qui comptaient des centaines de pièces ; leur déclin coïncide avec la grande sécheresse qui sévit dans le bassin de San Juan entre 1130 et 1180 ; malgré des systèmes d'irrigation particulièrement astucieux, les populations auraient été chassées par le manque d'eau.

⌂ PARCS NATIONAUX
À propos des conditions d'entrée et des forfaits, consultez la rubrique « Parcs nationaux », dans le chapitre Séjourner, p. 52.

3 Cumbres & Toltec Scenic Railroad (NM • *à Chama, 112 mi/179 km E. de Farmington*) : → p. 428.

Mesa Verde National Park★★★ co

E n 1888, deux cow-boys partis à la recherche de vaches égarées découvrent, sur le haut plateau qui couvre le sud-ouest du Colorado, un ensemble fabuleux d'étranges demeures : plus de 4 000 habitations en ruines dont 600 sur les falaises, réparties sur deux grands secteurs, Chapin Mesa et Wetherill Mesa. Pour l'exceptionnel témoignage qu'il constitue d'une civilisation disparue, Mesa Verde National Park a été classé en 1978 au Patrimoine mondial de l'humanité par l'Unesco.

Situation : au S.-O. du Colorado, à 35 mi/56 km O. de Durango.

Alt. : 2 200 à 2 900 m.

Superficie : 240 km².

Fuseau horaire : Mountain Time (– 8 h par rapport à la France).

🛈 ☎ 970/529-4465 ;
www.nps.gov/meve
• *Far View Visitors Center*, à 15 mi/24 km de l'entrée du parc ; f. en hiver.
• Également, au *Visitors Center* de Durango (→ p. 517).

Mesa Verde mode d'emploi

Accès. L'entrée du parc est située sur l'US 160, entre Durango et Cortez.

Entrée. 10 $/véhicule, 15 $ en été ; valable 7 j.

La meilleure période. Le parc est ouvert en totalité entre juin et août, de 5 h au coucher du soleil ; de nombreuses sections sont fermées le reste de l'année • l'hiver, la neige est fréquente.

Combien de temps. 1 ou 2 j.

Visite. Les visites de Cliff Palace, Balcony House et Long House sont obligatoirement guidées par un *ranger* (billet en vente au *Visitors Center*) • *Aramark*, concessionnaire du parc, propose aussi une vis. guidée en bus (1/2 j.).

Mesa Verde dans l'histoire

Anasazis, mode de vie
Les premiers habitants de Mesa Verde apparurent aux environs du Vᵉ s. Ces hauts plateaux, exposés au S.-O., offraient l'altitude idéale pour pratiquer l'agriculture (maïs, courges, haricots) et pour surveiller les nouveaux arrivants. Les Anasazis, ou Pueblos ancestraux, bâtirent d'abord des demeures semi-enterrées en argile *(pit houses)*, puis des villages accrochés aux parois des falaises *(cliff dwellings)*. Ils utilisaient les canyons comme voies de communication entre

Voir carte régionale p. 408

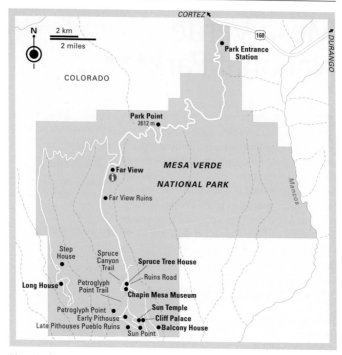

Mesa Verde National Park.

les villages et transportaient à dos d'homme toutes les marchandises, sur de vertigineuses échelles en bois. Ils chassaient l'ours et le cerf, élevaient de petits animaux et fabriquaient de nombreux objets utilitaires : poteries, paniers, tissages, bijoux, qui servaient de monnaie d'échange avec les autres tribus. Une route commerciale reliait Mesa Verde et Chaco Canyon, au Nouveau-Mexique.

Anasazis, de mère en fille

La société des Anasazis fonctionnait sur un mode matriarcal : les femmes construisaient et possédaient l'habitation, le patrimoine familial, et les domaines se transmettaient de mère en fille. Un Anasazi moyen devait mesurer entre 1,64 et 1,67 m, une femme entre 1,52 et 1,55 m (ce qui ne diffère guère des Européens de la même époque), leur espérance de vie est estimée entre 32 et 34 ans, leur mortalité infantile à 50 %.

Après son apogée, au XIIᵉ s., le site de Mesa Verde fut abandonné vers 1300. Querelles entre tribus ou pénurie d'eau ? Pour les archéologues, les Anasazis migrèrent probablement vers le S. Les Indiens Pueblos contemporains (Grande Pueblos, Zunis, Hopis) seraient leurs descendants.

Visiter Mesa Verde National Park

La route principale conduit de l'entrée du parc à Chapin Mesa. À Far View, une bifurcation (à dr.) part en direction de Wetherill Mesa.

■ **Park Point★**. Au point culminant du parc (2 612 m), vue magnifique et très étendue sur toute la région des Four Corners (point de rencontre du Colorado, du Nouveau-Mexique, de l'Arizona et de l'Utah) et sur la formation spectaculaire de **Shiprock**. De là partent les deux routes qui permettent de visiter Chapin Mesa et Wetherhill Mesa (*f. en hiver*).

■ **Far View★**. Le site de Far View offre une excellente introduction à l'histoire du parc, avec un ensemble précolombien d'une cinquantaine d'habitations en argile semi-enterrées, datées du IXe s. Plus tard, ce type d'architecture inspirera aux Anasazis les *kivas* cérémonielles des villages troglodytiques de Mesa Verde. Le réservoir artificiel de **Mummy Lake** (où l'on a découvert des momies) fournissait l'eau nécessaire aux occupants du site.

▲ Les *kivas* (ici, à Far View), de forme circulaire, étaient protégées par un toit d'argile percé d'un trou qui permettait l'accès par une échelle. Dans ces salles se déroulaient les cérémonies rituelles qui rythmaient la vie des Indiens Anasazis.

■ **Chapin Mesa Museum★★** (*ouv. t.l.j. avr.-oct. 8 h-18 h 30, jusqu'à 17 h le reste de l'année*). Ce passionnant musée, complément indispensable à la visite du parc, présente des collections archéologiques regroupées par vitrines thématiques : agriculture, tissage, teinture, poterie, outils et cordes, etc. On y découvre des objets étonnants, comme des sandales en fibre de yucca, des couvertures en plumes de dinde ou des ceintures en poil de chien. Cinq dioramas retracent de manière pédagogique l'évolution de l'habitat des Pueblos ancestraux.

■ **Spruce Tree House★** (*accès par un chemin depuis le musée • 30 mn a.-r. à pied*). Bâti sous une voûte naturelle de 66 m de long et 27 m de profondeur située au fond d'un canyon, ce site comprend 14 pièces et 8 *kivas* remarquablement conservées. Le climat et la protection des voûtes naturelles ont même permis de retrouver des graines et des peaux de courges dans les décharges de ces villages – ces dernières ont aussi servi de cimetière.

De retour au musée, la Ruins Rd forme deux boucles : l'une conduit à Cliff Palace, l'autre à Sun Point.

■ **Cliff Palace★★★** (*sur Cliff Palace Loop, à 7,1 mi/ 11,5 km du Visitors Center • vis. accompagnée • billets en vente au Visitors Center • distance totale : 400 m • durée 1 h*). Ce site, le plus spectaculaire de Mesa Verde, est aussi le plus grand complexe précolombien sous rochers d'Amérique du Nord. Niché au fond d'une immense alcôve (88 m de long, 27 m de profondeur, 18 m de hauteur) et dominant le caynon depuis sa terrasse, le village troglodytique compte 150 pièces et 23 *kivas*. Vers 1200 apr. J.-C., il abritait jusqu'à 120 personnes. Superbe **vue★★** depuis Cliff Palace Overlook.

✐ BON À SAVOIR
Le long du sentier de Spruce Tree House, des panneaux indiquent les plantes connues des Indiens et l'incroyable variété d'usages qu'offrent racines, écorce, suc et feuilles d'une même plante.

☞ HÉBERGEMENT
Le groupe *Aramark* gère tous les hébergements et restaurants du parc ☎ (1)800/449-2288 ou 602/331-5210 ; www.visitmesaverde.com

• *Far View Lodge*, conçu comme un motel, avec chambres *kivas* décorées de bois et de tapis.

• *Morefield Campground*, à 4 mi/6,5 km de l'entrée du parc ; ouv. de mai à mi-oct. Avec douches, laverie, épicerie, café.

Mesa Verde N. P.

► L'ensemble de Long House
a été déserté vers la fin du XIVᵉ s.
Les descendants des Anasazis
vivent aujourd'hui dans les *pueblos*
du Nouveau-Mexique.

Un archéologue visionnaire

Poussé par son goût de l'aventure et sa passion pour l'archéologie, le jeune aristocrate suédois **Gustaf Nordenskiöld** (1868-1895) arrive à Mesa Verde à cheval durant l'été 1891. Armé d'instruments scientifiques, il photographie les ruines (150 clichés en tout) et les date grâce à la stratigraphie (étude des strates géologiques) et à la dendrochronologie (étude de la croissance des arbres). Ce visionnaire sera aussi le premier à proposer un comparatif entre les Pueblos ancestraux et les Pueblos contemporains dans son ouvrage *The Cliff Dwellers of Mesa Verde*, paru en 1893.

Les maisons-tours, ajustées comme des appartements et percées de rares fenêtres, étaient accessibles par des échelles de bois, comme dans certains villages pueblos aujourd'hui. Les portes en forme de T, petites et étroites, étaient fermées par une pierre en hiver et par une simple natte tressée en été. Les activités quotidiennes (cuisine, vannerie, poterie, jeux, élevage des animaux) se déroulaient sur la terrasse, ouverte sur le canyon. Les *kivas*, à usage collectif, abritaient les cérémonies. On stockait les provisions au frais, dans des jarres et des sacs, aux étages supérieurs du village, pratiquement collés au plafond de la grotte.

■ **Balcony House★** (*1,7 mi/2,8 km après Cliff Palace, sur Cliff Palace Loop • vis. accompagnée • billets en vente au Visitors Center • durée 1 h • déconseillé aux personnes sujettes au vertige*). La visite nécessite de grimper plusieurs échelles (dont une de 10 m) et de ramper sous la roche. Plus petit que Cliff Palace ou Long House, ce village troglodytique logeait une cinquantaine de personnes dans ses 40 pièces. La beauté du site, ouvert sur le sauvage Soda Canyon, compense sa taille modeste. Sur la 1ʳᵉ cour, une maison ornée d'un balcon de bois parfaitement préservé.

Revenez sur vos pas pour emprunter l'autre boucle de Ruins Rd.

■ **Sun Temple★**. Le circuit passe par une série de sites datant de la fin du VIᵉ s. et se termine dans un décor naturel magnifique. La construction de cet immense complexe religieux a débuté à la fin du XIIᵉ s., peu avant l'abandon du site par les Anasazis. L'absence dans les ruines de bois et matériaux de couvrage donne à penser que les bâtiments n'ont jamais été achevés.

Pour accéder à Wetherrill Mesa (site de Long House), l'autre secteur, revenir au Far View Visitors Center et prendre l'embranchement à g.

■ **Long House★** *(à 12 mi/19,3 km du Visitors Center, sur Wetherill Mesa Rd • vis. accompagnée slt, du 30 mai au 6 sept. • ticket au Visitors Center • départ en petit train à l'Information Kiosk de Wetherill Mesa • durée 1 h 30).* Deuxième plus grand village troglodytique de Mesa Verde, après Cliff Palace, ce site comprend 150 pièces et 21 *kivas.* Exposé plein S., il bénéficiait d'un ensoleillement maximal et disposait d'une source, coulant de la falaise. Au cours de la visite *(1,2 km à pied, avec 3 échelles à passer),* on découvre notamment la vaste place de cérémonie, où les Anasazis dansaient et chantaient autour du feu.

Environs de Mesa Verde National Park

■ **Durango★** *(à 35 mi/56 km E. du parc national de Mesa Verde par l'US 160).*
Née à la fin du XIXᵉ s., avec l'arrivée du Rio Grande Rail, Durango a conservé son décor de petite ville western chic. Tous les souvenirs de cette époque se concentrent sur l'Historic Main : le saloon, où virevoltent des serveuses en bas résille, le luxueux Strater Hotel et son orgueilleuse façade de briques rouges, la vieille gare… Pour revivre le mythe, on peut embarquer à bord du légendaire **train à vapeur** Durango & Silverton Narrow Gauge Railroad jusqu'à la petite cité minière de Silverton *(☎ 970/259-0274 • www. durangotrain.com • 4 h 30 a.-r.).*

De Durango, il est possible de rejoindre **Gunnison** *(→ p. 427)* à travers les San Juan Mountains *(à 171 mi/273 km N.-E. par l'US 550 N. et l'US 50 E.).*

〰 **PARCS NATIONAUX**
À propos des conditions d'entrée et des forfaits, consultez la rubrique « Parcs nationaux », dans le chapitre Séjourner, p. 52.

☞ Carte de la région p. 514.

ℹ *Visitors Center*, 111 S. Camino del Rio ☎ 970/247-3500 ; www.durango.org Informations sur la ville et sur Mesa Verde N. P.

♥ SALOON
Diamond Belle Saloon, 699 Main Ave. ☎ 970/247-4431 ; ouv. t.l.j. 11 h-minuit, pas de repas après 21 h. Un vrai saloon à la mode Lucky Luke, avec son comptoir astiqué, son piano ragtime et ses rideaux de velours rouge. Concerts de country le w.-e.

Santa Fe★★★ NM

Situation : à 61 mi/98 km N.-E. d'Albuquerque, 67 mi/107 km S.-O. de Taos.

Population : 72 000 hab.

Altitude : 2 339 m.

Fuseau horaire : Mountain Time (– 8 h par rapport à la France).

Capitale du Nouveau-Mexique.

☞ Plan de la ville p. 520.

---

❶ 201 W. Marcy St. (plan B2) ; ouv. lun.-ven. 8 h-17 h ☎ 505/955-6200 ou (1)800/777-2489 ; www.santafe.org
• *Visitors Center of New Mexico*, 491 Old Santa Fe Trail (B1) ; ouv. t.l.j. 8 h-17 h ☎ 505/827-7400 ; www.newmexico.org

Voir carte régionale p. 408

Santa Fe ne ressemble à aucune autre ville américaine. Située sur un haut plateau, au pied de la chaîne de Sangre de Cristo, c'est une cité multiséculaire aux tonalités ocre et roses, aux maisons basses, ordonnées autour de sa *plaza* centrale, et dont le charme pittoresque paraît intemporel. Fondée par Don Pedro de Peralta, elle fut tour à tour capitale provinciale espagnole (1609-1821) puis mexicaine (1821-1846) ; américaine depuis un siècle et demi, elle est demeurée cosmopolite. Elle a toujours attiré les écrivains, les exilés et les artistes, séduits par l'intensité de sa lumière et l'agrément d'une vie quotidienne rythmée par les expositions et les fêtes qui font son rayonnement culturel.

Santa Fe, mode d'emploi

Combien de temps. Compter au minimum une journée.

Aéroports. *Santa Fe Municipal Airport*, à 9 mi/15 km S.-O. de la ville ☎ 505/955-2908. Vols quotidiens pour Albuquerque, Durango, Farmington, Taos… Navette de minibus avec le centre, *Roadrunner Shuttle Service* ☎ 505/424-3367. La ligne n° 1 des bus publics dessert l'aéroport depuis City Plaza dans le centre.

Albuquerque International Sunport ☎ 505/244-7700. Service de navette avec Santa Fe : *Roadrunner Shuttle* ☎ 505/424-3367 ; *Sandia Shuttle Express* ☎ (1)888/775-5696 et 505/242-0302.

La meilleure période. Le printemps et l'automne sont des saisons assez douces ; l'été, les températures atteignent facilement 30 °C.

S'orienter. Le centre-ville s'organise autour de la Plaza et compte les monuments les plus anciens. Au-delà de la Plaza, les rues deviennent très longues et il faut marcher un bon moment pour atteindre les musées les plus récents, situés près du Camino.

Se déplacer. C'est à pied que l'on découvre vraiment Santa Fe. La ville est cependant bien desservie par le réseau de bus du *Santa Fe Trails* ☎ 505/955-2001.

Santa Fe dans l'histoire

La ville a été édifiée sur le site d'un *pueblo* indien exploré par l'Espagnol Coronado en 1542, dans le style traditionnel des maisons d'adobe à terrasses. En 1680, les Indiens se rebellent contre les missionnaires et brûlent leurs archives, leurs livres et les églises, mettant en fuite les colons. Douze ans plus tard, Diego de Vargas reprend possession de la région. Une cohabitation troublée par des révoltes sporadiques s'établit alors entre les Indiens Pueblos et les colons espagnols. En 1821, lors de l'indépendance du Mexique, Santa Fe s'ouvre au commerce avec les « Anglos » et les Indiens des Plaines grâce à la Santa Fe Trail (→ *encadré ci-contre*) ; les échanges vont se développer à partir de 1880 grâce au chemin de fer (le Santa Fe Railway). En 1846, lorsque les États-Unis annexent la région, le général Kearny occupe la ville « sans tirer un coup de fusil ».

Santa Fe devient capitale du territoire du Nouveau-Mexique en 1851, puis de l'État du même nom en 1912. Depuis lors, en dépit de sa modernisation, elle a toujours défendu sa tradition architecturale et multiculturelle.

Visiter Santa Fe

■ **La Plaza** B1. Cœur de la ville, elle fut de tous les combats et de tous les moments historiques depuis son aménagement en 1610. Sur le côté S., une plaque rappelle le passage de la Santa Fe Trail (→ *encadré ci-contre*). C'est le point de départ idéal pour découvrir le centre et ses richesses architecturales et culturelles.

■ **Palace of the Governors★** B1 (*105 W. Palace Ave., sur le côté N. de la Plaza* ☎ *505/476-5100 • ouv. 10 h-17 h, jusqu'à 20 h le ven., f. lun. en hiver • gratuit ven. 17 h-20 h*). Construit de 1610 à 1614, c'est l'un des plus anciens édifices publics des États-Unis. En partie détruit lors de la révolte indienne de 1680, il fut tour à tour la résidence des gouverneurs d'Espagne, du Mexique et des États-Unis – le gouverneur Lewis Wallace y écrivit une partie de son roman *Ben Hur*. La chapelle, très belle, a été conservée.

Le **Museum of New Mexico** y a élu domicile, avec ses impressionnantes collections archéologique et historique sur la ville et les Indiens du Sud-Ouest.

■ **New Mexico Museum of Fine Arts★** B1 (*107 W. Palace Ave. • ouv. 10 h-17 h, de sept. à mai f. lun. • gratuit ven. 17 h-20 h* ☎ *505/476-5072 • www.nmartmuseum.org*). Construit en adobe dans le style des missions espagnoles, ce musée est consacré

La Santa Fe Trail

En 1821, le Mexique devient indépendant. Les Américains voient là un nouveau débouché pour leurs marchandises. Pour rejoindre le Sud-Ouest à travers les grandes plaines indiennes, les chariots empruntent la Santa Fe Trail, qui relie Saint Louis (Missouri) à Santa Fe sur 1 250 km et se prolonge jusqu'au Pacifique par l'Old Spanish Trail, vers Los Angeles, et par la piste de Gila vers San Diego.

Le voyage, émaillé de dangers (tempêtes, crues, attaques des Indiens), dure huit semaines mais attire toujours plus nombreux les pionniers. Des comptoirs fleurissent le long de la piste et des forts sont bâtis pour protéger hommes et marchandises. La voie est tracée pour l'armée américaine, qui prend possession du Nouveau-Mexique, de l'Arizona et de la Californie à l'issue de la guerre du Mexique, en 1848. La Santa Fe Trail, prise d'assaut pendant la ruée vers l'or en Californie, tombe en désuétude dans les années 1880, avec l'arrivée du chemin de fer.

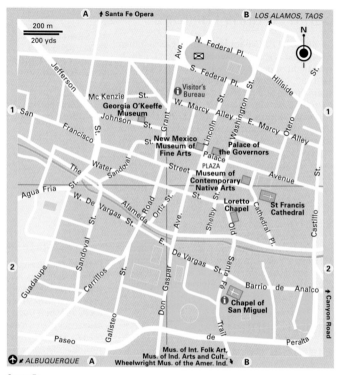

Santa Fe.

à l'art du Nouveau-Mexique depuis la fin du XIXᵉ s. (peintures, photographies, sculptures) ; le r.-de-ch. accueille des expositions temporaires. Belle collection de photographies du XXᵉ s.

En sortant du musée, poursuivre la W. Palace Ave., puis tourner à dr. sur Grant Ave. et prendre Johnson St. sur la g.

■ **Georgia O'Keeffe Museum**★ A1 *(217 Johnson St. ☎ 505/946-1000 • ouv. dim.-mer. 10 h-17 h, jeu.-sam. 10 h-19 h • gratuit 1ᵉʳ ven. du mois 17 h-19 h)*. Cette institution privée conserve la plus importante collection d'œuvres de l'artiste (→ encadré p. suiv.) : aussi bien des peintures que des pastels ou des sculptures. Au-delà des fleurs et des grandes toiles évoquant l'immensité des paysages du Nouveau-Mexique, on découvrira les autres facettes de son art : l'abstraction, des vues architecturales ou encore des nus.

Revenir sur vos pas jusqu'à la Plaza et prendre Lincoln St. sur la dr., puis San Francisco St. sur la g., vers la cathédrale.

■ **Museum of Contemporary Native Arts** B1 *(IAIA • 108 Cathedral Pl. ☎ 505/983-1666 • ouv. lun.-sam. 9 h-17 h, dim. 10 h-17 h)*. Ce musée expose les œuvres des élèves de l'Institute of American Indian Arts, une école très renommée, créée à Santa Fe dans les années 1960 pour stimuler les traditions artistiques indiennes. Ses collections contemporaines de grande qualité prouvent que l'art indien est bien vivant.

■ **Saint Francis Cathedral** B2 *(131 Cathedral Pl.)*. C'est sous l'impulsion de Jean-Baptiste Lamy, archevêque originaire d'Auvergne et fondateur du diocèse de Santa Fe, que fut élevée cette cathédrale d'inspiration romane, de 1869 à 1884. Dans la chapelle N., la statue en bois de la « **Conquistadora** », apportée par les Espagnols en 1692, serait la plus ancienne représentation de la Vierge aux États-Unis. La tradition lui attribue le succès de la reconquête de la ville par don Diego de Vargas.

De la place de la cathédrale, reprendre Water St. jusqu'au croisement avec Old Santa Fe Trail où se trouve la chapelle.

■ **Loretto Chapel** B2 *(211, Old Santa Fe Trail • ouv. dim. 10 h 30-17 h, lun.-sam. 9 h-18 h, en hiver f. à 17 h)*. Construite en 1878 sur le modèle de la Sainte-Chapelle de Paris, ce charmant petit édifice néogothique abrite un **escalier en colimaçon★** sans clous ni support central – d'où son nom, *Miraculous staircase*. On ne sait rien du charpentier qui l'a réalisé, ce qui contribue au mystère de cette prouesse architecturale.

▶ À l'E. de la ville, partant du Paseo de Peralta, **Canyon Road** h. pl. par B2 est la rue des galeries et des ateliers d'artistes. Au n° 1120, l'**église Cristo Rey** (le Christ-Roi), construite en 1940, serait le plus grand édifice en adobe du pays. ◀

Au S.-E. du centre en suivant l'Old Santa Fe Trail, on arrive au Camino Lejo où sont regroupés bon nombre des musées de la ville, desservis par la ligne M des Santa Fe Trails.

■ **Museum of Indian Arts and Culture★** h. pl. par B2 *(710 Camino Lejo ☎ 505/476-1250 • ouv. 10 h-17 h, f. lun. de sept. à mai • www. indianartsandculture.org)*. Ce musée d'art et d'artisanat indien permet, avec ses riches collections de poteries, textiles, bijoux, de découvrir les civilisations indiennes. L'exposition permanente, *Here, Now and Always* a été mise en place avec la participation active des communautés navajos, pueblos et apaches de la région. Elle aborde des thèmes chers aux Indiens : leurs origines, la vie de l'enfance à la vieillesse, la communion avec la nature, l'éternité…

■ **Museum of International Folk Art★★★** h. pl. par B2 *(706 Camino Lejo, sur Museum Hill ☎ 505/ 476-1200 • ouv. 10 h-17 h, ven. 10 h-20 h • gratuit ven. 17 h-20 h • www.internationalfolkart.org)*. Les arts et traditions populaires de plus de 100 pays des

☞ FÊTES ET MANIFESTATIONS
• En août, le Santa Fe Indian Market accueille plus de 1 000 artistes sur la Plaza.

• Début septembre, Santa Fe commémore l'arrivée de Diego de Vargas dans la cité, en 1692 : défilés costumés à la mode de l'époque, mariachis et danses traditionnelles, cérémonies religieuses.

O'Keeffe, icône de la peinture américaine

« Je déteste les fleurs. Je les peins uniquement parce qu'elles sont moins chères que des mannequins et qu'elles ne bougent pas. » Pionnière de l'art abstrait américain, **Georgia O'Keeffe** (1887-1986) rencontre, à New York, le photographe et galeriste Alfred Stieglitz en 1916. Séduit par son travail sur la simplification des motifs, ce dernier expose ses aquarelles. Ils se marieront en 1924. Jusqu'à sa mort en 1946, Stieglitz s'acharnera à faire connaître et reconnaître l'œuvre de son épouse.

Aujourd'hui célèbre pour ses peintures de fleurs sensuelles et troublantes, qui envahissent souvent la toile à la manière d'un cliché pris en très gros plan, Georgia O'Keeffe s'installe en 1949 au Nouveau-Mexique, où elle passait déjà l'hiver depuis une dizaine d'années. Son art s'oriente alors vers les paysages désertiques, peuplés de crânes et de squelettes. Au milieu des années 1970, sa vue diminuant, elle abandonne la peinture à l'huile pour revenir au dessin et à l'aquarelle.

Santa Fe

☞ Plan de la ville p. 520.

cinq continents sont ici à l'honneur, dans un foisonnement étourdissant : des milliers d'objets de tous genres et de toutes origines – des jouets aux santons en passant par des ex-voto et des talismans. C'est l'exceptionnelle collection Girard qui donna à ce lieu son aura en réussissant le rapprochement de ces objets du quotidien, mobilier, vêtements, outils issus de temps et de cultures si différents. Les passionnés ne manqueront pas la salle des trains miniatures, la reconstitution de villes, ou, dans un autre style, celle de l'art religieux espagnol.

Réputée pour ses galeries d'art et ses ventes aux enchères d'objets d'artisanat indien qui attirent les collectionneurs californiens et texans, Santa Fe a fait connaître des artistes indiens comme Frank Howell, Allan Houser, R. C. Gorman ou Helen Hardin.

■ **Wheelwright Museum of the American Indian**★ h. pl. par B2 *(704 Camino Lejo ☎ 505/982-4636 • ouv. lun.-sam. 10 h-17 h, dim. 13 h-17 h • entrée gratuite)*. Installé dans un bâtiment des années 1920 s'inspirant des *hogans*, habitations traditionnelles navajos, ce musée privé vient compléter l'évocation de la culture indienne dans ses différentes formes d'art (expositions temporaires et thématiques). Respectant la tradition indienne, la porte s'ouvre au levant.

■ **Santa Fe Opera** h. pl. par A1*(à 7 mi/11 km N. du centre-ville ☎ 505/986-5900 ou (1)800/280-4654 • www.santafeopera.org • en juil.-août, représentations t.l.j. à 20 h ou 21 h)*. On ne peut évoquer Santa Fe et ignorer son Opéra en plein air, qui, pour nombre d'amateurs éclairés, est le 2e des États-Unis après celui

▶ Sur Old Santa Fe Trail s'élève la chapelle San Miguel. Bâtie entre 1610 et 1636, c'est la plus ancienne église des États-Unis. Dans la ruelle à g. de l'église, Oldest House, construite en torchis sans doute vers 1200, semble être, pour sa part, la plus ancienne maison du pays.

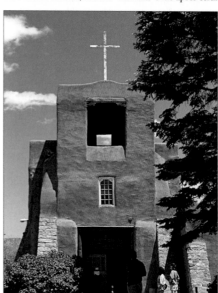

☎ NUMÉROS GRATUITS
Les numéros de téléphone qui commencent par ☎ 800, 855, 866, 877, 888 sont des numéros d'appel gratuits *(toll-free number)*. Faites-les précéder du ☎ 1 si vous appelez depuis un poste fixe (et non d'un portable). Dans ce guide, ces numéros sont notés ainsi : ☎ (1)800/000-0000.

de New York. Créé en 1957, il accueille chaque saison les plus grands chefs d'orchestre et artistes lyriques. Reconstruit après un incendie en 1967, il offre une salle de plus de 2 000 places ouverte sur l'extérieur et protégée du sable par un toit.

Environs de Santa Fe

1 Los Alamos (*à 35 mi/56 km N.-O. de Santa Fe par l'US 84 et la NM 502*).
Construite pendant la Seconde Guerre mondiale dans un site isolé pour abriter le centre de recherches nucléaires américain (→ *encadré ci-contre*), Los Alamos fut d'abord une *secret city*, sans existence officielle. Elle doit son nom aux peupliers de Virginie (*alamos*) qui bordent les canyons environnants.

● **Bradbury Science Museum** (*1350 Central Ave.* ☎ *505/667-4444* • *www.lanl.gov/museum* • *ouv. mar.-sam. 10 h-17 h, dim.-lun. 13 h-17 h* • *entrée gratuite*).
Ce musée lève partiellement le voile sur le fameux Projet Y, plus connu sous le nom de Manhattan Project (→ *encadré ci-contre*), sur lequel travaillèrent dans le plus grand secret des milliers d'hommes et de femmes, dès 1942, pour aboutir à la première bombe atomique, élaborée en moins de trois ans. On évoque son histoire, les travaux et les recherches effectués depuis, la sécurité nationale, mais bien peu les victimes. Le musée s'est diversifié avec des sections thématiques comme l'environnement ou les sciences de la vie (biotechnologie, recherches sur le génome humain…).

2 Bandelier National Monument★ (*à 11 mi/17 km S. de Los Alamos par l'US 501 et la NM 4* • *ouv. t.a.*).
Établi au fond du Frijoles Canyon (« gorge des haricots »), creusé par un affluent du Rio Grande, le site doit son nom à l'ethnologue d'origine suisse Adolph Francis Bandelier (1840-1914), qui fouilla de 1880 à 1886 cette ancienne zone de peuplement des Indiens Pueblos. Ceux-ci creusèrent vers 1200, dans le tuf de la paroi N. du canyon, des maisons troglodytiques et établirent plusieurs villages avec leurs *kivas* au fond de la vallée ; ils abandonnèrent les lieux, probablement à cause du manque de nourriture, entre 1550 et 1580. On remarquera les ouvertures en hauteur qui permettaient de défendre efficacement les habitations une fois les échelles retirées.
Le *pueblo* rond **Tyuonyi** (*à 500 m N.-O. du Visitors Center*) comptait 3 étages, 400 pièces et 3 *kivas* encore visibles aujourd'hui. Un peu plus loin, on verra les ruines de **Long House** qui contenait autrefois plus de 300 pièces.

Le Manhattan Project

En août 1939, une lettre d'Albert Einstein alerte le président Roosevelt sur les travaux de savants allemands, portant sur une arme nucléaire. En réaction, dès 1940, les États-Unis lancent le Manhattan Project, premier programme américain visant à la réalisation d'une bombe atomique.

Sous la direction de J. Robert Oppenheimer, les laboratoires de Los Alamos conçoivent deux bombes : « Little Boy », dont l'explosion est provoquée par la collision de deux atomes d'uranium, et « Fat Man », qui utilise l'implosion de noyaux de plutonium. Le premier essai d'explosion atomique a lieu le 16 juillet 1945 sur la base d'Alamogordo, dans le désert du Nouveau-Mexique. Trois semaines plus tard, le 6 août 1945, l'armée américaine lâche « Little Boy » sur Hiroshima, siège du commandement du Japon impérial (500 000 hab.). Le 9 août, Nagasaki est à son tour anéantie, par « Fat Man ».

ℹ *Visitors Center*
☎ 505/672-3861, ext. 517 ;
www.nps.gov/band ;
ouv. t.l.j., été 8 h-18 h,
printemps et automne
9 h-17 h 30, hiver 9 h-16 h 30.

〰 PARCS NATIONAUX
À propos des conditions d'entrée et des forfaits, consultez la rubrique « Parcs nationaux », dans le chapitre Séjourner, p. 52.

À 1 km, la **Ceremonial Cave**, spectaculaire *kiva* située dans une grotte à 46 m au-dessus de la vallée, n'est accessible que par des échelles (*déconseillé aux personnes sujettes au vertige*).

❸ Au fil de la Santa Fe Trail

À l'E. de Santa Fe, l'I-25 longe le tracé de l'ancienne Santa Fe Trail (→ *encadré p. 519*), jalonnée de sites historiques commémorant l'épopée des pionniers du xixe s.

ⓘ *Visitors Informations*
☎ 505/757-7200 ;
www.nps.gov/peco

• **Pecos National Historical Park** (*à 25 mi/ 40 km E. de Santa Fe par l'I-25 puis la NM 63 • ouv. t.l.j. 8 h-18 h, jusqu'à 17 h en hiver*). Quelque 2 500 Indiens agriculteurs ont habité ce *pueblo* du début du xve s. jusqu'en 1838. Dans les années 1620 fut fondée **Nuestra Señora de Los Angeles de Porciuncula**, mission franciscaine incendiée 60 ans plus tard lors de la révolte des Indiens, reconstruite puis définitivement abandonnée au xixe s. Un sentier (*1,25 mi/2 km*) permet de découvrir les ruines de l'église et de son monastère, ainsi que des vestiges de l'occupation indienne.

Revenir vers l'I-25 que l'on prend en direction de Colorado Springs et Denver.

ⓘ *Chamber of Commerce*
☎ 505/425-8631 ;
www.lasvegasnewmexico.com

• **Las Vegas** (NM • *à 58 mi/93 km E. de Santa Fe par l'I-25*). Ce centre d'élevage est aujourd'hui une ville historique, témoignage vivant de ce qu'était autrefois le Nouveau-Mexique – avec notamment de nombreux édifices de l'époque victorienne. Billy The Kid et Jesse James y séjournaient régulièrement, appréciant les montagnes alentour. Des scènes du film *Easy Rider* (Dennis Hopper, 1969) y ont été tournées.

En poursuivant sur l'I-25 vers Colorado Springs, on prendra à g. la NM 61.

ⓘ *Visitors Informations*
☎ 505/425-8025 ;
www.nps.gov/foun ; ouv. t.l.j.
8 h-16 h, en été 8 h-18 h.

• **Fort Union National Monument** (*à 86 mi/ 138,5 km N.-E. de Santa Fe par l'I-25 puis l'I-61*). De 1851 à 1891, ce fort fut le plus grand du sud-ouest des États-Unis ; de là partirent la plupart des attaques contre les tribus indiennes alors établies dans la région. Étape sur la piste de Santa Fe, Fort Union perd de son importance avec l'apparition du chemin de fer et finit par être abandonné en 1891. On peut visiter ses ruines d'adobe et de brique.

Taos★★ NM

S ur un plateau dominé par les monts Sangre de Cristo, à quelques encablures du canyon du Rio Grande, Taos a gardé le style des petits villages de l'époque mexicaine, avec ses maisons basses en adobe, blotties autour de la *plaza*. Fondée au début du XVIIᵉ s., cette cité au charme historique a vu défiler Indiens, conquistadores, trappeurs et pionniers. Sa terre dorée et ses grands ciels bleus, irradiés d'une lumière intense, attirent depuis toujours peintres et voyageurs. Les nombreuses galeries d'art semées dans la ville témoignent de son rayonnement culturel. Les paysages alentour ont aussi prêté leur décor à de nombreux films et westerns.

Visiter Taos

Combien de temps. La visite en elle-même se fait assez rapidement, mais on peut rester quelques jours pour rayonner dans la région et découvrir, notamment, les villages pueblos *(→ p. 528)*.

La meilleure période. Comme pour Santa Fe, printemps et automne sont les saisons les plus agréables.

Visite. Un billet combiné donne accès à cinq musées (25 $, valable un an, en vente dans tous les musées).

■ **Governor Bent House Museum and Gallery** *(au N. de la plaza)*. La demeure du premier gouverneur du Nouveau-Mexique, Charles Bent, tué par les Indiens en 1847, abrite aujourd'hui un musée du Sud-Ouest américain.

■ **Kit Carson Home and Museum** *(à l'E. de la Plaza ☎ 505/758-4945 • ouv. t.l.j. 11 h-17 h)*. Kit Carson *(→ encadré p. suiv.)* vécut près de 25 ans dans cette demeure du XIXᵉ s. où l'on peut voir les armes, la canne, la tabatière et le testament de l'illustre éclaireur. Sa tombe se trouve dans le **Kit Carson Memorial State Park** *(au N.-E. de la ville)*.

■ **Ernest L. Blumenschein Home and Museum★** *(222 Ledoux St. ☎ 505/758-0505 • ouv. lun.-sam. 9 h-17 h, dim. 12 h-17 h, horaires réduits en hiver)*.

Situation : À 67 mi/107 km N.-E. de Santa Fe, 132 mi/213 km N.-E. d'Albuquerque.

Population : 5 550 hab.

Altitude : 1 834 m.

Fuseau horaire : Mountain Time (– 8 h par rapport à la France).

ⓘ 1139 paseo del Pueblo Sur ☎ 505/758-3873 ou (1)800/348-0696, www.taos.org

☞ URGENCES
Holy Cross Hospital, 1397 Weimer Rd ☎ 575/758-8883.

⌂ HÉBERGEMENT
Association of Taos Bed & Breakfast Inns ☎ (1)800/939-2215, www.taos-bandb-inns.com

♥ RESTAURANT
Apple Tree, 123 Bent St., près de la *plaza* de Taos ☎ 575/758-1900 ; ouv. jusqu'à 21 h, f. dim. et lun. soir. Cuisine néomexicaine de qualité dans une maison-jardin en adobe.

Voir carte régionale p. 408

Taos

Un héros du Far West

Tour à tour trappeur, éclaireur, fermier, soldat, colonel de la guerre de Sécession, extermina- teur d'Indiens, **Kit Carson** eut une existence tumultueuse, qui résume l'histoire de l'Ouest. Arrivé en 1826, à 17 ans, dans les mon- tagnes du Nouveau-Mexique, le jeune homme se taille vite une réputation d'excellent trappeur. Intrépide, il s'engage comme éclaireur auprès de l'explorateur John Charles Fremont. Lorsque la guerre éclate contre le Mexique, Carson conduit les troupes du général Kearney jusqu'en Califor- nie pour défendre Los Angeles. Revenu à Taos pour exploiter sa ferme, il assume la tâche d'agent fédéral des Indiens.

La guerre de Sécession lui donne l'occasion de nouveaux exploits : il organise et commande, depuis le Nouveau-Mexique, un bataillon d'infanterie de volontaires. Les campagnes indiennes marquent le sommet de la carrière militaire de Carson. Habile, il utilise les rivalités entre tribus pour vaincre les Navajos. Cruel, il écrase la résistance indienne en détruisant les récoltes, en décimant le bétail jusqu'à la complète reddition et à la déportation de 9 000 Navajos à Bosque Redondo.

☞ CONSEILS
• Respectez bien les consignes, notamment celles concernant les cérémonies et les zones non ouvertes à la visite.
• Ne photographiez pas les habitants sans leur autorisation.
• Ne vous baignez pas dans la rivière.

À la fin du XIXᵉ s., le peintre Ernest Blumenschein s'installe avec sa famille dans cette maison en adobe, désormais transformée en petit musée. Dans un décor original, mêlant style pueblo et mobilier européen, on découvre une collection de tableaux des peintres de la Taos Society of Artists (→ *encadré p. suiv.*), qu'il cofonda en 1912.

■ **Harwood Museum of Art** *(238 Ledoux St.* ☎ *505/758-9826 • ouv. mar.-sam. 10 h-17 h, dim. 12 h-17 h).* On retrouve ici des œuvres des artistes de Taos d'hier et d'aujourd'hui : peintures, gravures, photos… À l'étage est présentée une belle collection de retables espagnols du XIXᵉ s.

■ **Taos Art Museum at Fechin Institute★** *(227 Paseo del Pueblo Norte* ☎ *505/758-2690 • www. taosartmuseum.org • ouv. mer.-dim. 10 h-17 h).* Cette demeure en adobe, l'une des plus belles de Taos, accueillit le peintre russe **Nikolai Fechin** (1881- 1955) en 1928. Il en imagina la décoration, dans un mariage harmonieux de styles russe, indien et espagnol. Outre les œuvres de Fechin, le musée pré- sente celles du **groupe de Taos** *(→ encadré p. suiv.)* et anime des classes artistiques.

■ **Martinez Hacienda** *(708 Hacienda Rd, à 2 mi/ 3 km O. de la plaza* ☎ *505/758-1000 • ouv. d'avr. à oct. lun.-sam. 10 h-17 h, dim. 12 h-17 h).* C'est l'une des rares demeures coloniales espagnoles du Nouveau-Mexique qui soient ouvertes au public. Ancienne propriété du marchand Severino Martinez, enrichi grâce au commerce sur la piste de Santa Fe, cette vaste ferme fortifiée en adobe raconte la vie quo- tidienne dans la région au début du XIXᵉ s. Elle servait alors de refuge lors des raids comanches ou apaches.

Environs de Taos

1 Taos Pueblo★★ *(à 2,5 mi/5 km N.-E. par la NM 150 en passant devant le Kit Carson Memorial State Park* ☎ *505/758-1028 • www.taospueblo.com • ouv. t.l.j. 8 h-16 h, f. en fév.-mars et lors des fêtes rituelles).* Autrefois centre d'échanges entre les Pueblos, les Apaches et les Comanches, le site serait habité depuis plus d'un millénaire. Ce *pueblo*, inscrit depuis 1992 au Patrimoine mondial de l'Unesco, est peut- être celui qui a le mieux conservé sa spécificité et ses traditions. Les maisons fortifiées en adobe se dressent autour de la *plaza*, traversée par une rivière. Le temps paraît ne pas avoir prise ici : les 150 villageois vivent sans électricité ni eau courante, cuisant leur pain dans des fours ronds en terre ; les chevaux vivent dans des corrals autour du village.

Le conseil de la tribu, formé de 50 hommes, élit un gouverneur de tribu qui est aussi « chef de guerre ». Chargé de l'organisation du *pueblo* et des « relations extérieures », il veille au respect des terres indiennes au-delà de l'enceinte du village. Les Indiens parlent toujours leur langue, le tewa, mais pratiquent aussi l'anglais et l'espagnol.

La **chapelle** actuelle fut construite en 1850 pour remplacer l'église San Geronimo. Ses fresques naïves témoignent du mélange spirituel que l'on remarque dans plusieurs tribus : en effet, s'ils sont à 90 % catholiques, les Indiens pratiquent toujours en même temps les rites de leurs ancêtres. *Kiva* et église se partagent les fidèles, qui vivent en bonne intelligence.

De la **mission San Geronimo**, à l'O. du village, on ne verra que des ruines : fondée à la fin du xvıᵉ s., elle fut brûlée en 1680 lors de la révolte des Pueblos, puis reconstruite, pour être à nouveau détruite par l'armée américaine en 1847.

2 Millicent Rogers Museum★★ *(1504 Millicent Rogers Rd, à 4 mi/6 km N. de Taos par l'US 64 et la NM 522 ☎ 505/758-2462 • www.millicentrogers.org • ouv. t.l.j. 10 h-17 h, f. lun. de nov. à mars).*
Ces superbes collections privées d'art indien et d'art colonial ont été constituées avec passion par Millicent Rogers, héritière de la Standard Oil, qui se plut à Taos et s'y installa en 1947 : on y verra de très beaux bijoux, des textiles, des cartes anciennes, ou encore de nombreuses œuvres de Maria Martinez, qui redonna à la poterie indienne ses lettres de noblesse.

3 San Francisco de Asis Church★ *(à Ranchos de Taos, 4 mi/6 km S. par la NM 68 ☎ 505/758-2754 • ouv. lun.-sam.).*
Chef-d'œuvre d'architecture pueblo, cette église massive et sans fenêtres, édifiée entre 1710 et 1755, semble faire corps avec la terre. Elle a inspiré de nombreux peintres ; Georgia O'Keeffe y a consacré une série de tableaux.

4 Gorge Bridge *(pont du Rio Grande, à 12 mi/19 km N.-O. de Taos).*
Ce pont métallique à arche unique, construit en 1965 pour le passage de la nouvelle route, surplombe le canyon du Rio Grande. Au lever du soleil, **vue★** vertigineuse sur le rio, 198 m plus bas, et sur les montgolfières qui passent sous le pont.

☞ **FÊTES ET MANIFESTATIONS**
Plusieurs fêtes rythment les saisons et sont l'occasion, pour les visiteurs, de découvrir un pan de la culture indienne. On assiste souvent à des danses extraordinaires. Rens. ☎ 505/758-1028.

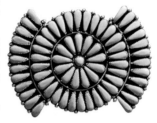

▲ Considérée comme une pierre médiumnique, la turquoise permettrait d'entrer en contact avec les autres habitants de l'univers (bijoux visibles au Millicent Rogers Museum).

Le groupe de Taos

En 1898, les peintres Bert Phillips et Ernest L. Blumenschein cassent la roue de leur chariot non loin de Taos. Immédiatement séduits par cette charmante cité, ils décident de s'y établir. En 1912, ils fondent la Taos Society of Artists, ancêtre de l'actuelle Taos Art Association. Aujourd'hui, la ville compte 80 galeries d'art – plus d'une centaine dans le comté. Des artistes comme Georgia O'Keeffe, Mabel Dodge, Millicent Rogers, Dorothy Brett, et D. H. Lawrence ou le Russe Fechin ont vécu à Taos ou dans les environs.

Taos

Les villages pueblos★ NM

Situation : au S.-O. du Nouveau-Mexique aux environs de Santa Fe.

Fuseau horaire : Mountain Time (– 8 h par rapport à la France).

❶ Une visite préalable à l'*Indian Pueblo Cultural Center* d'Albuquerque (→ p. 536) constitue une première approche de la culture et du mode de vie des villages pueblos.

P artir à la rencontre des villages pueblos constitue une expérience particulière, sorte de parenthèse hors du temps. Émaillant la région de Santa Fe, ces villages dressent à l'écart des grandes routes leurs architectures épurées, leurs églises fortifiées ornées de saints chamarrés. Leurs habitants ont choisi de vivre comme leurs ancêtres, perpétuant les traditions culturelles, religieuses, artistiques. Les fêtes rituelles émaillent le calendrier. Le respect de l'héritage indien n'empêche pas les intrusions de la vie moderne : nombre d'habitants travaillent dans les villes voisines, d'autres vendent aux touristes poteries, tissages et bijoux. La dernière décennie a aussi vu l'explosion des casinos dans les réserves.

Quand *pueblo* rime avec casino

Avec 19 *pueblos*, 2 réserves apaches et une partie du pays navajo, le Nouveau-Mexique s'enorgueillit de sa forte communauté de *Native Americans*. Depuis le vote de l'*Indian Gaming Regulatory Act*, en 1988, les casinos se sont multipliés aux abords des villages *pueblos* du Nouveau-Mexique. Atteinte à la spiritualité, perte d'identité ? Ces infrastructures assurent aussi le développement économique des réserves, en permettant la création d'emplois et d'équipements sociaux, éducatifs ou sanitaires.

❶ Les *pueblos* de l'Ouest

Itinéraire. 170 mi/272 km en boucle au départ de Santa Fe ● compter une journée.

La meilleure période. Printemps et automne restent les saisons les plus agréables.

Informations. Manifestations et périodes de visite : www.santafe.org

Rejoindre l'I-25 au S.-O. sur 29 mi/46 km, prendre sur la dr. la NM 22 (sortie « Santo Domingo Pueblo »).

■ **Santo Domingo Pueblo** (*à 33,3 mi/53 km S.-O. de Santa Fe ● rens.* ☎ *505/465-2214*). Très attaché à ses traditions, le village perpétue la fabrication

Voir carte régionale p. 408

de céramiques, tissus et bijoux ornés de turquoises ou de fins coquillages polis (*heishis*). Le 4 août, jour de la Saint-Dominique, la danse des Moissons rassemble des centaines de danseurs.

De Santo Domingo, une piste descend la vallée du Rio Grande et rejoint San Felipe.

■ **San Felipe Pueblo** (*à 8,8 mi/14 km S.-O. • rens.* ☎ *505/867-3381*). C'est l'un des plus anciens *pueblos* de paysans et d'artisans d'art. Les visiteurs sont admis aux fêtes annuelles du 1er mai, pendant lesquelles on exécute la danse du Maïs vert. Le village a conservé sa très belle église du XVIIIe s. Un casino flambant neuf y a aussi poussé, riche de 600 machines à sous.

Rejoindre Bernalillo vers le S. où l'on prendra la NM 44 vers le N., puis une petite route à la dr. sur 1 mi/1,6 km.

■ **Santa Ana Pueblo** (*à 9,5 mi/15 km S.-O. • rens.* ☎ *505/867-3301*). Établi sur le rio Salado, Santa Ana est un village de tradition agricole depuis le XVIe s. ; à l'agriculture traditionnelle s'est ajoutée celle de plantes locales connues pour leurs vertus, notamment cosmétiques – la marque The Body Shop s'approvisionne en grande partie ici. En 1994, l'ouverture d'un casino a amené une nouvelle prospérité à ce *pueblo*, qui a conservé son église en adobe de 1692. Des artisans fabriquent toujours de belles poteries polychromes (coopérative dans le nouveau village).

Reprendre la NM 44 vers le N. et emprunter une petite route à dr. sur 1 mi/1,6 km.

■ **Zia Pueblo★** (*à 21,5 mi/34 km N.-O. • rens.* ☎ *505/867-3304*). Construit sur une colline (très belle vue sur les alentours), ce charmant village a lui aussi sa production de poteries, caractérisées par des motifs stylisés d'oiseaux bruns et noirs sur fond beige. En 1692 y fut fondée la mission de Nuestra Señora de Asuncion.

Revenir sur la NM 44 vers le N. jusqu'à San Ysidro, où l'on prendra à dr. la NM 4.

■ **Jemez Pueblo** (*à 12 mi/19 km N. • rens.* ☎ *505/834-7235*). Il fait partie des villages qui ont résisté le plus longtemps aux Espagnols. En août, on peut assister à la danse du Taureau (*Pecos Bull Dance*) en l'honneur des Indiens Pecos qui ont rejoint les Indiens Jemez au XIXe s.

En poursuivant sur la NM 4, on atteint l'accueillant village de Jemez Springs que l'on traverse.

■ **Jemez State Monument** (*à 13 mi/21 km N. • rens.* ☎ *505/829-3530 • ouv. t.l.j. sf mar. 8 h 30-17 h*). Il y a 600 ans, des habitants de Jemez s'installèrent

☞ FÊTES ET MANIFESTATIONS
Chaque *pueblo* organise de nombreuses fêtes ; nous indiquons les principales : n'hésitez pas à vous renseigner.

☎ NUMÉROS GRATUITS
Les numéros de téléphone qui commencent par ☎ 800, 855, 866, 877, 888 sont des numéros d'appel gratuits (*toll-free number*). Faites-les précéder du ☎ 1 si vous appelez depuis un poste fixe (et non d'un portable). Dans ce guide, ces numéros sont notés ainsi : ☎ (1)800/000-0000.

Pueblos mode d'emploi

• Se rendre dans les *pueblos* peut se révéler frustrant pour un voyageur non averti. Si certains villages sont ouverts et chaleureux, d'autres sont plus farouches ou légitimement indifférents à votre présence.

• Chaque *pueblo* a son gouvernement souverain et ses lois propres. Ils ne se visitent pas tous les jours, pensez à vous renseigner au préalable. La discrétion est de rigueur : photos, films ou parfois même dessins sont souvent interdits. Alcool, drogue, armes et animaux domestiques sont prohibés.

• Si vous assistez à une fête, ne vous approchez pas des danseurs, ne leur parlez pas, même s'ils cèdent leur place à d'autres ou si la célébration semble sur le point de se terminer. L'espace autour des danseurs est sacré, et la danse est une prière, c'est-à-dire un moment très intense que l'on se doit de respecter.

▲ Désormais abandonnée, la mission de Giusewa, bâtie vers 1620, déroule ses ruines près d'une source, dans le canyon de San Diego, une centaine de kilomètres au nord d'Albuquerque.

dans ce site magnifique et fondèrent le village de Giusewa, nom qui fait référence aux sources chaudes de la région. Au début du XVIIe s. (vers 1620), l'arrivée des colons espagnols et la construction de la mission San Jose (dont on peut visiter les ruines) sont venues bousculer la vie paisible du lieu.

La route NM 4 remonte le Jemez Canyon et gagne la crête des **Jemez Mountains**, qui forment le rebord de l'un des plus vastes cratères volcaniques connus (453 km²) ; la région a conservé de nombreux témoignages géologiques d'une activité volcanique aujourd'hui révolue.

Retour direct à Santa Fe (à 71,7 mi/115 km E.) par la NM 4.

② Les *pueblos* du Nord★

Les *pueblos* du Nord, de langue tewa, reflètent l'alliance typique des civilisations *pueblo* et hispanique. La plupart des maisons sont dépourvues d'eau et d'électricité ; ce mode de vie n'est pas toujours une contrainte, mais parfois un choix.

Itinéraire. Circuit de 132 mi/212 km au départ de Santa Fe ; rejoindre l'US 84/285 au N.-O. de la ville • compter une journée.

■ **Tesuque Pueblo** *(à 10,7 mi/17 km N. de Santa Fe par l'US 84/285 • rens. ☎ 505/983-2667)*. Occupé par les Indiens depuis le XIIIe s., Tesuque a vu naître la révolte des Pueblos en 1680 (commémoration le 10 août). De nombreux artisans font aujourd'hui sa réputation : broderies, bijoux et poteries. La fête annuelle du village a lieu le 12 novembre (jour de la San Diego) ; le 1er w.-e. de juin, danse du Maïs.

Poursuivre l'US 84/285 vers le N., prendre à dr. la NM 502.

■ **San Ildefonso Pueblo** *(à 13,7 mi/22 km N.-O. • rens. ☎ 505/455-3549 • vis. t.l.j. 9 h-17 h sf pendant les cérémonies • permis de photographier à demander au Visitors Center)*. Voici sans doute l'un des plus célèbres *pueblos* du Nouveau-Mexique.

Ses 700 hab. ont pour ancêtres les Anasazis de Mesa Verde, au S.-O. du Colorado (→ *p. 513*). Après avoir construit les maisons de Bandelier National Monument (→ *p. 523*), ils se sont installés vers 1300 dans la vallée du Rio Grande. De nombreuses fêtes rythment l'année *(rens. au Visitors Center)*. San Ildefonso perpétue la tradition des fameuses **poteries noires**, remises à l'honneur par Maria et Julian Martinez dans les années 1920 ; elles sont présentées et vendues dans les galeries et les boutiques.

Poursuivre la NM 502 vers l'O. et prendre la NM 30 à dr., dir. Española.

■ **Santa Clara Pueblo** *(à 11,6 mi/18,5 km N. • rens.* ☎ *505/753-7326)*. S'il a conservé ses caractéristiques traditionnelles – division des familles en deux « moitiés » (familles de l'hiver et familles de l'été), fortes structures de pouvoir locales, double obédience religieuse –, le *pueblo* de Santa Clara ne tourne pas le dos au monde actuel et sait faire des affaires avec ses voisins non indiens. Témoins, le casino ou le golf 18 trous gérés par des Indiens du village… Après de longues années de négociation, en 2000, le *pueblo* a récupéré une partie de ses terres ancestrales.

*Poursuivre sur la NM 30 pour rejoindre **Española**. De là, prendre la NM 68 en direction de Taos.*

■ **San Juan Pueblo**★ *(à 8,2 mi/13 km N. • rens.* ☎ *505/852-4400)* fut choisi en 1598 comme première capitale du Nouveau-Mexique par Don Juan de Oñate, colonisateur de la région pour la couronne espagnole (le gouvernement de la province sera transféré à Santa Fe en 1609). La ville doit aujourd'hui une grande partie de ses ressources à ses casinos (→ *encadré p. 66)*.

À Embudo, un peu plus au N., prendre la NM 75 vers l'E. pour rejoindre Picuris Pueblo.

■ **Picuris Pueblo** *(à 31,3 mi/50 km N. • rens.* ☎ *505/587-2519)*. Les premiers Indiens s'y établirent en 1250. Le village doit son nom à ses voisins qui baptisèrent ses habitants *pikuria* (« ceux qui peignent »). De fait, nombre d'artistes y sont établis. Picuris est le plus petit mais aussi le plus élevé des *pueblos* ; il a pourtant souvent essuyé les attaques des Indiens des Grandes Plaines, dont il intègre certaines traditions, tel l'élevage des bisons, toujours pratiqué aujourd'hui. Le 10 août ont lieu les fêtes de la Saint-Laurent (danses, procession).

Revenir sur la NM 75. À Penasco, prendre la NM 76 et redescendre vers le S. en passant par Las Trampas (belle église San Jose, datant de la colonisation espagnole) et Truchas.

☞ FÊTES ET MANIFESTATIONS
Santa Clara est réputé pour ses danses et ses costumes hauts en couleur : fête annuelle pour la Sainte-Claire (12 août), danses à Noël et le jour des Saints-Innocents (28 décembre).

☞ FÊTES ET MANIFESTATIONS
La fête de San Juan Pueblo, célébrée par la danse des Blés, a lieu le 24 juin ; à Noël, danses des Matachines, adaptations de contes moraux espagnols.

✎ BON À SAVOIR
• Si vous avez le temps de flâner, à 23 mi/37 km N.-O. d'Española, sur l'US 84, se trouve **Abiquiu**, joli village situé sur un coude du Rio Chama ; Georgia O'Keeffe y possédait une maison.
• En poursuivant la NM 68 vers le N., on arrive à **Dixon** (à 58 mi/93 km N.-O. de San Juan Pueblo), départ des descentes en raft sur le Rio Grande.

Les villages pueblos

2

▲ Fondé à la fin du XVIIᵉ s. par des colons espagnols, à 30 mn au nord de Sante Fe, le village de Chimayo abrite un superbe sanctuaire en adobe.

♥ RESTAURANT
Rancho de Chimayo,
ouv. 11 h 30-21 h, f. lun. en hiver
☎ 505/351-4444.
Réputé dans tout l'État pour son excellente cuisine mexicaine, ce restaurant de Chimayo est tenu par les descendants de la famille Jaramillo, qui s'installa dans la ville en 1680.

☞ FÊTES ET MANIFESTATIONS
Tout au long de l'année, de nombreuses fêtes ponctuent la vie des habitants de Nambe : fête du *pueblo* le 4 octobre, en l'honneur de saint François d'Assise, danses à Pâques et à Noël...

■ **Chimayo** *(à 24 mi/38 km S.-O.).* En langue tewa, *tsimajo* signifie « pierre qui s'effrite » ; ce nom est dû à la présence importante de mica aux alentours.
Cette petite ville vit au rythme de son **sanctuaire** *(rens.* ☎ *505/351-4889),* très fréquenté par les pèlerins, qui viennent chercher une pincée de sable réputé miraculeux dans un trou aménagé dans une salle secondaire. Construit en adobe entre 1816 et 1819, l'édifice est également réputé pour son crucifix aux propriétés magiques : il serait revenu trois fois à Chimayo malgré tous les efforts déployés pour l'éloigner. Ces caractéristiques ont valu au sanctuaire d'être surnommé dans la région le « Lourdes américain » ! Les peintures, quant à elles, mélangent éléments naïfs, indiens et catholiques.
On pourra aussi faire un tour sur la *plaza* fortifiée et voir le **Chimayo Trading Post**, belle maison en adobe restaurée.

Prendre en direction du S. la NM 520 puis la NM 503.

■ **Nambe Pueblo★** *(à 11 mi/17,5 km S.* • *rens.* ☎ *505/455-2036).* Cet intéressant petit village rassemble, depuis la conquête espagnole, les habitants autrefois répartis le long de l'étroite Nambe Valley. L'église de l'ancienne mission, imposante et bien conservée, est la principale curiosité, mais le site, surtout, est magnifique : on ne manquera pas d'aller voir le lac et les fameuses cascades, les **Nambe Falls**.

Retour à Santa Fe par l'US 84/285 (22 mi/35,5 km S.).

Albuquerque★ NM

Fondée en 1706, Albuquerque se déploie dans le désert, au pied des Sandia Mountains. Réputée pour ses technologies de pointe, son centre universitaire et son remarquable ensoleillement (310 jours par an), cette grande ville moderne, la plus importante du Nouveau-Mexique, attire une population toujours plus nombreuse. Chaque année en octobre, le ciel se couvre de montgolfières lors de la *Balloon Fiesta*. De son passé colonial, Albuquerque a aussi gardé un quartier historique au charme manucuré.

Situation : à 458 mi/733 km E. de Phoenix (AZ).

Population : 546 000 hab.

Fuseau horaire : Mountain Time (– 8 h par rapport à la France).

❶ *Visitors Centers* : plaza Don Luis, dans Old Town. • à l'aéroport ☎ 505/842-9918 ou (1)800/284-2282 ; www.itsatrip.org

☞ URGENCES
• *Pediatric Urgent Care*, 1100 Central Ave. SE ☎ 505/841-1819.
• *Presbyterian Healthcare Services*, 3901 Ahisco NW ; 5901 Harper NE ; 3436 Isleta Blvd SW ☎ 505/841-1234.

L'aubaine du rail

La petite colonie espagnole, établie en 1706 au bord du Rio Grande par quelques fermiers intrépides, fut baptisée en l'honneur du duc d'Albuquerque, vice-roi d'Espagne. La cité ne commença à se développer qu'en 1880, avec l'arrivée du chemin de fer. Devenue depuis la plus grande ville du Nouveau-Mexique, elle n'a cessé de croître, bénéficiant de l'installation des bases atomiques de Los Alamos et d'Alamogordo, pourtant distantes, respectivement, de 155 et 335 km. Ville d'affaires moderne et dynamique, Albuquerque est aussi un important foyer culturel doté d'une université, de nombreux théâtres et galeries d'art.

Visiter Albuquerque

La meilleure période. L'automne est ici un véritable « été indien », et les températures sont plus agréables qu'en plein été.

Combien de temps. Une journée suffit pour voir l'essentiel (Old Town et l'Indian Pueblo Cultural Center), mais si l'on veut découvrir les villages pueblos des alentours, 2 ou 3 j. sont nécessaires.

■ **Old Town★** (*à l'E. du Rio Grande, entre Central Ave., Rio Grande Blvd et Mountain Rd*). Commencer la visite d'Albuquerque par ce quartier qui date pour l'essentiel de 1706 permet de s'imprégner de l'ambiance de cette ville aux multiples facettes. On retrouve le modèle d'un village espagnol traditionnel groupé autour d'une place centrale flanquée de son église et des bâtiments du gouverneur. Aux belles

Albuquerque

Voir carte régionale p. 408

• Aéroport : *Albuquerque International Sunport*, à 15 mn au S. du centre-ville
☎ 505/244-7700.
• *City Bus* ☎ 505/843-9200.

☞ FÊTES ET MANIFESTATIONS
• Procession de Las Posadas à Noël.
• *Old Town Fiesta* en juin.
• *Albuquerque International Balloon Fiesta*, 1re quinzaine d'octobre (rens. : www.balloonfiesta.com).

♥ RESTAURANT
66 Diner, 1405 Central Ave. N.-E. ☎ 505/247-1421 ; ouv. lun.-ven. 11 h-23 h, sam. 8 h-23 h, dim. 8 h-22 h. Un authentique *diner* américain de la route 66, au décor tout droit sorti des *sixties* : tabourets chromés, néons colorés, juke-box et photos de pin-up. On vient déguster hamburgers et milk-shakes.

☏ NUMÉROS GRATUITS
Les numéros de téléphone qui commencent par ☎ 800, 855, 866, 877, 888 sont des numéros d'appel gratuits *(toll-free number)*. Faites-les précéder du ☎ 1 si vous appelez depuis un poste fixe (et non d'un portable). Dans ce guide, ces numéros sont notés ainsi : ☎ (1)800/000-0000.

demeures du XVIIIe s. sont venues s'ajouter de façon plutôt heureuse des maisons de style néopueblo. Les touristes aiment particulièrement flâner dans les boutiques d'artisanat qui s'y sont multipliées. **Old Town Plaza** est dominée par l'église **San Felipe Neri** (1706, remaniée en 1793) où les fêtes traditionnelles sont toujours célébrées avec faste.

Emprunter la San Felipe St. qui longe l'église. Prendre à dr. dans Mountain Rd puis encore à dr. dans 19th St.

■ **Albuquerque Museum of Art and History★** *(2000 Mountain Rd ☎ 505/243-7255 • www.cabq. gov/museum • ouv. mar.-dim. 9 h-17 h • entrée gratuite dim. 9 h-13 h et 1er mer. du mois)*. Agréablement scénographié, ce musée s'attache principalement à l'histoire de la ville depuis sa fondation ; les collections, très riches en art colonial espagnol, évoquent la conquête du Nouveau Monde en présentant cartes anciennes, épées et armures de conquistadores, documents sur le duc d'Albuquerque… Projection de films documentaires.
On ne manquera pas de flâner dans le **Sculpture Garden**, où sont exposées 40 œuvres d'artistes contemporains, ni de découvrir la section consacrée à la construction de la fameuse Route 66.

■ **National Museum of Nuclear Science & History** *(601 Eubank Blvd ☎ 505/245-2137 • ouv. t.l.j. 9 h-17 h)*. Consacré à l'histoire des armes atomiques, ce musée expose en détail le développement du Manhattan Project à Los Alamos (mise au point de la bombe, techniques de lancement ; → *encadré p. 523*), mais aussi de la bombe à hydrogène. Pour contrebalancer le malaise que peuvent provoquer ces sujets effrayants, le stockage des déchets, la médecine nucléaire ou l'expérimentation et le contrôle des armes sont également traités.

■ **New Mexico Museum of Natural History and Science★** *(1801 Mountain Rd ☎ 505/841-2800 • ouv. t.l.j. 9 h-17 h)*. Assorti d'un planétarium, ce magnifique musée (le plus visité de l'État) aborde, de façon vivante et ludique, les milliards d'années de l'histoire de la Terre. L'impressionnante galerie de dinosaures a fait son succès, mais les autres sections sont tout aussi intéressantes, notamment le jardin botanique ou le **Lodestar Astronomy Center**, où des voyages virtuels dans l'espace sont proposés. D'autres activités permettent de « remonter le temps » et de se retrouver à l'intérieur d'un volcan ou au fond d'une caverne… La **Startup Gallery** retrace les débuts de Microsoft à Albuquerque, avec Bill Gates et Paul G. Allen. Enfin, le **Dyna Theater** présente des documentaires sur écran géant.

◀ Albuquerque s'enorgueillit d'être la capitale mondiale de l'aérostatique. Chaque année, l'*International Balloon Fiesta* réunit plus de 600 montgolfières dans le ciel du Nouveau-Mexique. Durant ce rassemblement, le plus grand du monde, des vols sont proposés au public.

En quittant Old Town par le S., Central Ave., artère principale de la ville, permet de rejoindre Downtown puis l'université.

■ **University of New Mexico** *(à 3 km E. d'Old Town, à l'angle de Central et University Ave.* ❶ *Visitors Center* ☎ *505/277-1989 ou 9100* • *www.unm.edu* • *ouv lun.-ven. 8 h-17 h).* Près de 25 000 étudiants fréquentent aujourd'hui cette faculté fondée en 1889, dont la plupart des bâtiments ont été édifiés au début du XXᵉ s. dans le style *pueblo revival.* Sa renommée doit beaucoup aux musées établis sur son campus.

● **Maxwell Museum of Anthropology** *(*☎ *505/ 277-4405* • *ouv. mar.-sam. 10 h-16 h, sam. 10 h-16 h* • *entrée gratuite* • *les photos sans flash sont autorisées).* Les collections s'attachent à présenter les cultures du monde, avec un « penchant » pour l'Amérique latine et le Sud-Ouest américain. En outre, les départements consacrés à l'Afrique et à l'Asie sont réputés.

● **University Art Museum★** *(*☎ *505/277-4001* • *ouv. mar. 10 h-20 h, mer.-ven. 10 h-16 h, sam.-dim. 13 h-16 h).* Riche de 30 000 objets répartis en différentes sections, ce musée touche un large public.

L'**art colonial** est représenté par des miniatures et des sculptures du XVIIᵉ s. ou encore des pièces d'orfèvrerie des XVIIᵉ-XVIIIᵉ s.

Mais, surtout, ne pas manquer les collections de **photographies★★** (près de 10 000 documents, des daguerréotypes aux images digitales), parmi lesquels des photogrammes de László Moholy-Nagy, produits en posant directement des objets sur du papier photographique, des clichés réalistes de Walker Evans, le Mexique vu par Manuel Alvarez-Bravo ou les instants décisifs captés par Henri Cartier-Bresson.

Sur la route et dans les airs

Albuquerque bénéficie du label « 66 ». La ville est en effet une étape sur la **Route 66**, qui connut son heure de gloire dans les années 1940 et 1950, et fait toujours rêver nombre d'aventuriers. Reliant Los Angeles à Chicago en passant par huit États, longue de 3 960 km, elle reste pour beaucoup la meilleure façon de plonger dans le mythe.

Avec son climat sec et ensoleillé et ses 300 pilotes résidents, Albuquerque offre les conditions idéales pour une balade en **montgolfière**. Le grand classique des compagnies locales : le survol de la vallée du Rio Grande (3 h). Départ au lever du soleil et toasts au champagne dans les airs *(à partir de 160 $/adulte* • *rens. : www.itsatrip.org).*

Albuquerque

Le département d'**art moderne** possède d'intéressantes œuvres du début du XXᵉ s. : on peut citer une *Tête d'homme*★★ (1912), eau-forte de Pablo Picasso, des lithographies des années 1920 de Vassily Kandinsky ou Fernand Léger et un surprenant dessin de Jackson Pollock (*Untitled*★★, 1939) aux accents cubistes. Georgia O'Keeffe est aussi représentée.

● **Northrop Hall** *(Meteorite Museum : ☎ 505/277-1644 • ouv. lun.-ven. 9 h-12 h, 13 h-16 h 30 • entrée gratuite • Geology Museum : ☎ 505/277-4204 • ouv. lun.-ven. 7 h 30-12 h, 13 h-16 h 30)*. Situé sur le Yale Blvd, le Northrop Hall abrite deux musées de poche : le **Meteorite Museum**, où les passionnés ne manqueront pas d'aller voir l'une des plus grosses météorites découvertes au monde, et le **Geology Museum**, qui présente les collections de minéraux de l'université.

● **Museum of Southwestern Biology** *(☎ 505/277-1360 • ouv. lun.-ven. 8 h-17 h)*. Ce musée, essentiellement consacré à l'étude de la faune et de la flore du Sud-Ouest américain, s'organise en de nombreux départements – amphibiens et reptiles, oiseaux, mammifères, monde de la mer… ; le Natural Heritage New Mexico s'attache plus spécifiquement au territoire du Nouveau-Mexique.

Regagner Central Ave. que l'on prendra vers l'O. ; dans Downtown, prendre à g. la 4th St. SW.

■ **National Hispanic Center★** *(1701 4th St. S.-W., au S. du centre-ville ☎ 505/246-2261 • ouv. mar.-dim. 10 h-17 h • gratuit pour les moins de 16 ans)*. Ce centre est dédié à la culture hispanique sous toutes ses formes, au Nouveau-Mexique et dans le reste du monde : des « arts vivants » (danse, théâtre…) à l'art culinaire en passant par la peinture, la littérature et l'univers des médias.

Reprendre la 4th St. vers le N. jusqu'à l'I-40 à g. Puis à dr. la 12th St. N.-W.

■ **The Indian Pueblo Cultural Center★** *(2401 12th St. N.-W., à 2 mi/3 km N. du Civic Center ☎ 505/843-7270 • www.indianpueblo.org • ouv. t.l.j. 9 h-17 h)*. Ce centre culturel, géré par les tribus locales, offre une remarquable introduction à la visite des 19 *pueblos* de la région *(→ p. 528)*. Inspiré du plan de Pueblo Bonito à Chaco Canyon *(→ p. 512)*, le bâtiment compte des boutiques d'artisanat, une librairie et, surtout, un **musée** (au sous-sol) évoquant la civilisation indienne de sa préhistoire à l'époque moderne. Au 1ᵉʳ étage sont exposées les spécificités culturelles des *pueblos* par le biais d'objets tels que poteries anciennes et modernes, instruments de musique, tissus et bijoux.
La cour centrale, ornée de **fresques** colorées, accueille des démonstrations de danses indiennes *(les w.-e. à 11 h et à 14 h • gratuit)*.

Revenir sur vos pas, pour prendre à dr. l'I-40 qui franchit le Rio Grande, tourner ensuite à dr. dans Coors Blvd.

■ **Petroglyph National Monument★** *(à 9 mi/14 km N.-O. par Coors Blvd et Atrisco Dr. • rens. ☎ 505/899-0205 • ouv. t.l.j. 8 h-17 h)*. Plusieurs sites, accessibles par des sentiers, ont conservé des figures rupestres gravées sur des rochers de lave par les anciens Indiens Pueblos, entre les XIIᵉ et XVIᵉ s. : personnages, animaux ou scènes rituelles donnent une idée de la vie des premiers Amérindiens.

■ **Sandia Peak Aerial Tramway** *(à 7 mi/11 km N.-E. par l'I-25 et Tramway Rd • rens. ☎ 505/856-7325 • ouv. 9 h-21 h en été, jusqu'à 20 h en hiver, mar. 17 h-20 h • entrée : 17,50 $ a.-r., tarifs réduits : 15 $ et 10 $ a.-r.)*. En un quart d'heure, ce **téléphérique**, réputé le plus long du monde (plus de 4 km), vous transporte de l'ambiance animée d'Albuquerque au sommet du Sandia Peak. À 3 000 m d'altitude, très belle **vue★** sur la vallée du Rio Grande et les montagnes environnantes.

Carlsbad Caverns National Park★★ NM

Situé dans les montagnes de Guadalupe, à 20 miles de Carlsbad, ce parc national n'abrite à première vue qu'un austère désert, semé de canyons et de cactus. Rien ne laisse soupçonner son trésor : un fabuleux ensemble de grottes, le plus vaste connu au monde. Ces cavernes, drapées de concrétions calcaires, forment un labyrinthe jusqu'à plus de 300 mètres sous terre. Contrairement à d'autres grottes dans le monde, elles n'ont pas été creusées par les rivières souterraines : c'est l'acide sulfurique présent dans le sous-sol qui a littéralement dissous le calcaire et l'a sculpté en formes étranges.

D'une beauté impressionnante, les grottes abritent des milliers de chauves-souris migratrices, qui viennent s'y reproduire chaque été.

Un secret bien gardé

Très tôt, les immigrants qui s'installaient dans la région remarquèrent les vols des chauves-souris quittant les grottes les soirs d'été, en quête de nourriture. Mais l'exploration systématique ne commença qu'en 1901 avec James L. White, le jeune « cow-boy » qui découvrit les cavernes. De 1902 à 1923, c'est la couche de guano déposée par ces animaux dans les premières salles qui suscita l'intérêt et fut utilisée comme engrais. En 1924, une expédition spéléologique organisée par la National Geographic Society révéla réellement la splendeur et l'étendue du domaine souterrain. Depuis, les grottes et leurs environs sont protégés.

Carlsbad Caverns National Park mode d'emploi

Accès. À 23 mi/37 km S.-O. de Carlsbad par l'US 285 ; à 318 mi/512 km S.-E. d'Albuquerque par l'I-25, l'US 380, l'US 70 et l'US 285.

Situation : Carlsbad, à 277 mi/443 km S.-E. d'Albuquerque, 461 mi/737 km O. de Dallas (TX), 480 mi/768 km E. de Tucson (AZ).

Superficie : 189 km².

Fuseau horaire : Mountain Time (– 8 h par rapport à la France).

ⓘ *Visitors Center,* Cavern Entrance ☎ 505/785-2232 ; www.nps.gov/cave ; ouv. t.l.j., 8 h-17 h, jusqu'à 19 h de fin mai à début sept. Expositions sur l'histoire et la formation des cavernes ; s'y rendre avant d'entreprendre toute visite, guidée ou non.

À ne pas manquer	
Big Room*	539
Bat Cave*	539
White Sands N. M.* (Environ)	539

Carlsbad Caverns N. P.

Voir carte régionale p. 408

▲ Avec sa forêt de concrétions calcaires, la Big Room est la plus spectaculaire des grottes de Carslbad National Park, refuge des chauve-souris.

Visite. Le parc répertorie 117 grottes connues, seules certaines sont ouv. au public ● on peut découvrir par soi-même la salle **Big Room** ou le parcours au départ de **Natural Entrance** ● pour explorer les autres grottes, les *rangers* proposent différentes visites guidées (→ *ci-après*).

Horaire. Dernière entrée dans la grotte : 15 h 30 par la Natural Entrance (14 h en hiver), 16 h par l'ascenseur (15 h 30 en hiver).

Tarif. Le billet (6 $) est valable 3 j., gratuit pour les moins de 15 ans ● *pass America The Beautiful* accepté ● vis. guidées en option.

Durée et conditions. La descente est fatigante (durée 1 h), sur un sentier étroit et parfois abrupt ● les personnes ayant des difficultés respiratoires peuvent emprunter l'**ascenseur** ● prévoir des chaussures à semelles antidérapantes et un pull : il fait frais (13 °C) dans les grottes ● les serpents à sonnette abondent dans la région et, comme toutes les espèces du parc, ils sont protégés ; soyez prudents !

Visites guidées. La plus accessible est le **King's Palace Tour** (8 $, tarif réduit 4 $; durée 1 h 30), qui permet d'explorer l'étonnante Queen's Chamber ● les autres visites guidées, comme **Hall of White Giant** ou **Lower Cavern**, prennent 3 à 4 h (âge minimal : 12 ans) et exigent de bonnes conditions physiques.

Rés. fortement recommandées ☎ (1)877/444-6777, www.recreation.gov

☞ HÉBERGEMENT
● La ville de **Carlsbad** (à 23 mi/37 km N.-E. du parc sur la Hwy 62) est sans doute le meilleur point de chute : *Carlsbad Chamber of Commerce* ☎ 575/887-6516, www.carlsbadchamber.com ● Pour camper dans le parc, un permis est obligatoire : s'adresser au *Visitors Center*.

✐ BON À SAVOIR
Les visites guidées (*tours*) ne sont pas accessibles aux enfants de moins de 4 ans, certaines aux moins de 12 ans.

Visiter Carlsbad Caverns N.P.

■ **Big Room★** *(accès libre avec audioguide • niveau facile • 1,6 km • durée 1 h 30)*. Un sentier fait le tour de cette immense grotte, l'une des plus spectaculaires du parc. Dimensions : 610 m de long et 335 m de large, sous des plafonds de 30 à 60 m de hauteur. Dans cette salle se concentre la plus grande formation de concrétions encore « actives » : les Twin Domes, Fairyland, les colonnes spectaculaires de Sun Temple, le Giant Pole (19 m de haut), le Crystal Spring Dome et le Rock of Ages.

■ **Natural Entrance et Bat Cave★** *(accès libre avec audioguide • niveau moyen • durée 2 h • photos au flash interdites, mais caméras vidéo autorisées dans Bat Cave)*. Le parcours libre **Natural Entrance** suit les traces des explorateurs de la grotte. Descendant progressivement vers Big Room, il permet de découvrir en plus Devil's Spring, Green Lake Overlook et, surtout, **Bat Cave★**. En été, cette grotte devient le repaire d'une immense colonie de **chauves-souris** mexicaines à queue libre (*Brasiliensis tadaria* ; → encadré ci-contre). Au coucher du soleil, elles sortent pour chasser des insectes. En une minute, un nuage noir de 50 000 chauves-souris s'échappe de la grotte, par la Natural Entrance. Le retour de la colonie à l'aube est tout aussi spectaculaire : les animaux plongent dans la grotte à des vitesses avoisinant les 40 km/h…

■ **King's Palace Tour★★** *(vis. guidée obligatoire • niveau moyen • durée 1 h 30)*. Vous descendez au point le plus bas de Carlsbad Caverns et découvrez en chemin quatre salles richement ornées de fines concrétions calcaires, dont le King's Palace et la somptueuse Queen's Chamber, où stalactites et stalagmites forment des masses translucides, teintées de rose. Le *ranger* éteint parfois toutes les lumières pour vous mettre dans l'ambiance.

Environs de Carlsbad Caverns National Park

■ **White Sands National Monument★** *(à 188 mi/ 302 km O. de Carlsbad par l'US 82, 15 mi/24 km S.-O. d'Alamogordo par l'US 70 • entrée gratuite pour les moins de 15 ans.)*.
À l'extrémité N. du désert de Chihuahua, comme surgies de nulle part, les dunes de White Sands fascinent par leur blanc éblouissant. Elles ne se composent pas de sable, mais d'un gypse très pur (ou sulfate de calcium, dont on tire le plâtre), issu d'un

Le peuple des cavernes

Dans les années 1930, 8 millions de **chauves-souris** *Brasiliensis tadaria* (poids : 10 à 15 g) occupaient les Carlsbad Caverns. Décimée par les pesticides, leur population s'est aujourd'hui fixée autour d'un million d'individus. Elles passent l'hiver dans l'est du Mexique et reviennent l'été à Carlsbad pour donner naissance à leurs petits.

De juin à septembre, les *rangers* proposent des séances d'observation gratuites, le soir au crépuscule et chaque matin, de 5 à 7 h, dans le petit amphithéâtre aménagé devant Natural Entrance. Possibilité de petit déjeuner au restaurant du *Visitors Center*.

〽️ PARCS NATIONAUX
À propos des conditions d'entrée et des forfaits, consultez la rubrique « Parcs nationaux », dans le chapitre Séjourner, p. 52.

✆ *Visitors Center* ☎ 505/679-2599 ; www.nps.gov/whsa ; ouv. t.l.j. 8 h-19 h en été, 9 h-17 h en hiver, 9 h-18 h au printemps et en automne.

✏️ BON À SAVOIR
Le site et la Hwy 70/82 peuvent être f. lors des essais de missiles dans les zones militaires voisines.

Nocturnes pour la plupart, les animaux vivant à White Sands se sont adaptés pour survivre dans ce désert brûlant, aux eaux à forte teneur minérale. Ainsi, le renard du désert *(Vulpes macrotis)* régule sa température grâce à ses grandes oreilles et le lézard *Holbrookia maculata* arbore une tenue de camouflage blanche, ton sur ton sur le gypse.

lac « éphémère » à haute teneur en minéraux. Quand l'eau du lac s'évapore à la chaleur, les vents transportent les dépôts de minéraux, qui s'accumulent en dunes mouvantes. Certaines se déplacent de 9 m par an ! Encerclé de zones militaires (c'est non loin de là, à Trinity Site, qu'eurent lieu les premiers essais nucléaires, en juil. 1945), le site est partiellement ouvert au public.

Au départ du *Visitors Center*, la **Dunes Drive** *(accessible de 7 h au coucher du soleil)*, une route scénique de 16 mi/25 km a.-r., s'enfonce au cœur des dunes, où sont aménagés plusieurs sentiers.

Au fil d'une passerelle en bois, l'**Interdune Boardwalk** *(départ à 4,5 mi/7,2 km du Visitors Center • 500 m en boucle)* grimpe au sommet des dunes. Nombreux panneaux explicatifs sur les plantes dunaires, comme le yucca elata, dit « arbre à savon », à la tige riche en saponine.

Le Texas

econd État de l'Union, après l'Alaska, pour sa superficie, sa population et son PIB, le Texas frappe d'abord par son immensité. Douze bonnes heures de route sont nécessaires pour relier la frontière de l'Oklahoma, au nord, à celle du Mexique, au sud, et presque autant pour une traversée d'est en ouest, de Houston à El Paso. Ses paysages naturels sont d'une étonnante diversité : bayous indolents, déserts torrides, forêts luxuriantes, collines boisées et canyons spectaculaires, plaines humides et sables chauds.

Six drapeaux ont flotté sur le Texas au cours de son histoire. En 1845, des colons américains arrachent de haute lutte ces terres au Mexique, déclarent l'indépendance de l'État du Texas puis son rattachement à l'Union. Fort de sa puissance économique, amorcée en 1901 avec la découverte de pétrole, l'État de l'étoile solitaire constitue aujourd'hui la zone de transition la plus dynamique entre les deux parties du continent américain.

Individualisme résolu, profond sentiment religieux, conservatisme, matérialisme et esprit d'entreprise pourraient définir l'esprit texan. Mais le Texas ne se réduit pas à ses cow-boys, ses ranches et ses rodéos : Houston, Dallas, Fort Worth et San Antonio comptent parmi les foyers de culture en Amérique du Nord.

Le Texas en bref

- **Abréviation** : TX.
- **Surnom** : Lone Star State.
- **Superficie** : 676 588 km^2 (7,4 % du territoire américain).
- **Population** : 25 300 000 hab.
- **Villes principales** : Austin (capitale, 790 500 hab.), Houston (2 100 000 hab.), San Antonio (1 327 500 hab.), Dallas (1 200 000 hab.), Fort Worth (741 000 hab.).
- **Entrée dans l'Union** : 1845 (28e État).
- **Fuseaux horaires** : Central Time (– 7 h par rapport à la France) et Mountain Time (extrême ouest).

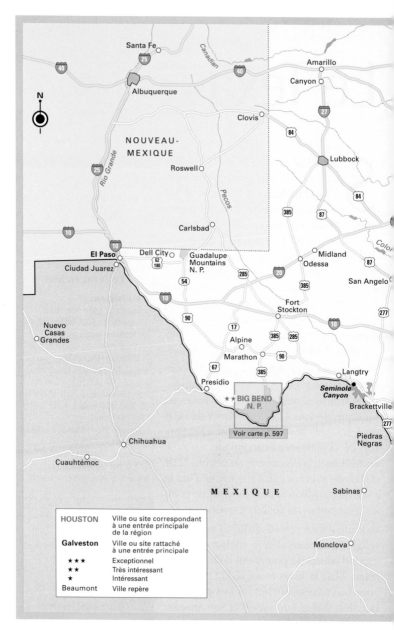

Que voir au Texas.

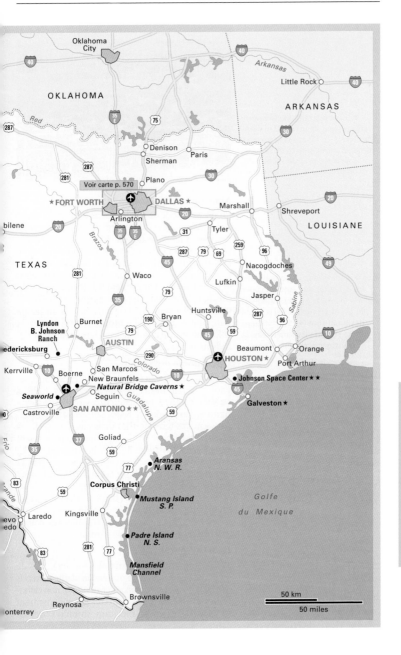

▶ Bénéficiant d'une immense surface agricole utile (52 millions d'hectares), le Texas est le premier producteur de bovins de l'Union. Ce ranch, près de Wildorado, compte 26 000 têtes de bétail.

Les Indiens Caddos s'accueillaient en usant du mot *taychas* (pour « allié » ou « ami ») ; les Espagnols en firent un nom, « Tejas », qui désignait tous les bons Indiens de la région ; les Américains le transformèrent en « Texas ».

L'État aux six drapeaux

En quatre siècles d'histoire, les Texans ont vu flotter sur leur terre six drapeaux *(six flags)* :
• celui de l'**Espagne**, entre la visite d'Alvarez de Piñeda en 1519 et l'indépendance mexicaine de 1821 ;
• brièvement, celui de la **France**, avec Cavelier de La Salle (1685-1690) ;
• celui du **Mexique** jusqu'à la révolte des colons américains de 1836 ;
• celui de la **République du Texas**, portant une seule étoile (1836-1845) ;
• celui des **États-Unis**, en devenant le 28e État de l'Union (1845) ;
• enfin, celui de la **Confédération du Sud** (1861-1865), pendant la guerre de Sécession.

Mais où sont passés les Indiens ?

Origine et mode de vie des tribus indiennes étaient très diverses : les Caddos, agriculteurs sédentaires, occupaient les forêts de l'est ; les Wichitas, les hautes plaines centrales. Les Comanches et les Apaches, chasseurs nomades et guerriers, les déserts et les montagnes de l'ouest. Tandis que, au sud, Tonkawas et Karankawas se partageaient le littoral du golfe du Mexique. Plus tard, au cours du XIXe s., Cherokees et Seminoles venus de l'est chercheront un refuge temporaire au Texas. En moins de trois siècles, la colonisation a eu raison de la présence millénaire des Indiens au Texas.

Une colonie espagnole

Le premier drapeau à flotter sur le Texas fut espagnol : Alonzo Alvarez de Piñeda, en 1519, Cabeza de Vaca, en 1528, puis Francisco Vásquez de Coronado et Fernando De Soto, entre 1540 et 1543, trouvent des terres fertiles mais pas d'or. Le Texas reste alors délaissé par l'Empire espagnol pendant deux siècles. En 1684, René Robert Cavelier de La Salle, découvreur du Mississippi, tente d'implanter une colonie française pour Louis XIV, mais l'entreprise échoue. L'Espagne reprend alors tous ses droits et ne les abandonne qu'à l'heure de l'indépendance mexicaine, en 1821. Au préalable, elle cède des terres, à des prix dérisoires, à 300 familles de colons américains menés par Moses Austin.

Le Texas américain

Les immigrants anglo-saxons sont déjà plus de 30 000 en 1836 (dont de nombreux planteurs venus des États du Sud avec leurs esclaves noirs), non catholiques et peu enclins à respecter le gouvernement de Mexico. Le général mexicain Antonio López de Santa Anna lance ses troupes vers le nord pour soumettre les rebelles texans. Après le massacre de Fort Alamo, en avril 1836 (où périt Davy Crockett), les

◄ Depuis la découverte,
le 28 décembre 1930,
d'un gisement de pétrole dans la
maison de Lou Della Crim, Kilgore,
au nord-est du Texas, compta
jusqu'à 1 200 derricks. La première
tour de forage est encore debout.

Américains, menés par Sam Houston, prennent leur revanche à San Jacinto et proclament l'indépendance du Texas. La nouvelle République, au drapeau orné d'une unique étoile, fait son entrée officielle dans l'Union en 1845. L'immigration venue du sud-est porte sa population à plus de 600 000 habitants en 1860, dont un tiers de Noirs.

Contre l'avis de Sam Houston, le Texas se place, pendant la guerre de Sécession, sous la bannière de la Confédération du Sud. Il en gardera longtemps les cicatrices, économiques et politiques, avant de devenir, pour longtemps, l'un des États les plus puissants de la nation réunifiée.

✐ BON À SAVOIR
Au Texas, il est possible de récupérer la taxe (8,25 %) en présentant ses factures dans l'un des aéroports internationaux de l'État.

Or vert

Le Texas vaut par sa terre : 75 % de sa surface est agricole (cultures de coton ou de riz à l'E. et le long du Golfe, élevage intensif dans les plaines de l'ouest et du sud-ouest). Aujourd'hui, le Texas est le premier producteur national de bovins, de moutons et de coton. À l'E., dès la fin de la guerre de Sécession, les forêts denses ont permis le développement d'une industrie qui a exporté longtemps des milliers de tonnes de bois. Mais, dans les années 1930, l'épuisement des forêts mit un terme à ce boom de l'or vert, grâce auquel se sont bâties des fortunes colossales dont témoignent encore certaines vieilles demeures victoriennes de Beaumont, Port Arthur ou Galveston.

Dans les ranches texans, on élève 14 millions d'animaux, soit 15 % du cheptel national, sur d'immenses domaines dont les plus vastes, tel le King Ranch, ont la taille du Luxembourg.

Or noir

Le 10 janvier 1901, le pétrole jaillit du puits Spindeltop, au sud de Beaumont, inaugurant une nouvelle ère pour le Texas. La fièvre de l'or noir ne cesse de monter ; entre 1911 et 1928, les forages s'étendent vers l'ouest. Texaco, Gulf Oil et Standard Oil (Esso) s'installent du Panhandle au sud de Houston. Les dollars affluent plus vite que le pétrole et les milliardaires ne se comptent plus. Le Texas demeure

Les autres ressources minérales (charbon, lignite, soufre, sel, mercure, graphite, zinc, cuivre, gypse, magnésium, manganèse et uranium) sont loin d'être négligeables : leur exploitation fait du Texas le premier pollueur du pays !

Le Texas

aujourd'hui le premier producteur de pétrole (1/4 des réserves américaines) et de gaz naturel du pays. Il compte 26 raffineries. Les principaux ports pétroliers sont Galveston, Corpus Christi, Port Arthur, Texas City, Freeport et Port Lavaca.

Une économie diversifiée

À la suite de l'effondrement des cours du pétrole en 1986, le Texas se tourne vers les hautes technologies et les services. Grâce à la solidité de son secteur tertiaire et de son agriculture, l'État parvient à éviter la récession sévère des années 1990 et maintient un volume d'emplois supérieur à la moyenne nationale. Quelques-unes des plus grandes firmes du pays sont installées au Texas comme American Airlines, Continental, Southwest, Dell ou Texas Instruments. Houston, Dallas-Fort Worth et San Antonio comptent parmi les 10 plus grandes villes du pays. Autre facteur de développement : l'absence d'impôt sur le revenu et la faible taxation.

Le sud de l'État, notamment la basse vallée du Rio Grande, connaît une croissance démographique exponentielle, due en grande partie à l'immigration mexicaine. La population hispanique devrait d'ailleurs être majoritaire au Texas dès 2020.

Le pays des *longhorns*

Les Espagnols ont laissé en héritage les chevaux sauvages appelés mustangs et une race de bovins robustes, les *longhorns*, dont l'envergure de cornes peut dépasser 2 m. Longtemps laissés à l'état sauvage, ils furent récupérés par les premiers *ranchers*. Les gigantesques troupeaux, constitués il y a 150 ans par des pionniers comme Richard King ou Charles Goodnight, ont définitivement fait du Texas le royaume du bétail. Encore aujourd'hui, les deux tiers des terres agricoles de l'État sont des pâtures. La vie des cow-boys a bien changé : la libre pâture, les belles chevauchées et les grandes transhumances ont disparu depuis longtemps. Le 4 x 4 climatisé et l'hélicoptère effacent les distances, la rudesse du climat et les inconforts du métier. Quelques vestiges du cow-boy texan d'autrefois demeurent, comme le stetson vissé sur la tête ou les bottes rutilantes, si peu faites pour la marche à pied. Et parfois, dans les petites villes, au détour d'une foire au bétail, d'une kermesse ou d'un rodéo, on voit revivre, à grands renforts de barbecues et de *country music*, le temps des *cattlemen*.

▲ Bar de Del Rio, non loin de la frontière mexicaine. La proportion d'Hispaniques est très forte au Texas. Ici, on a une image du melting-pot texan : derrière le comptoir, une Hispanique et, assis, un Texan au stetson traditionnel !

La culture « tex-mex »

Le Texas est au carrefour de plusieurs cultures : en plus des Américains, il a connu, au XIXᵉ s., une forte immigration allemande, tchèque et polonaise. Sa frontière de 1 430 km avec le Mexique en fait aussi un lieu d'entrée privilégié pour les immigrants venus du sud. Si les « Anglos » conservent la plupart des pouvoirs politiques et économiques, les Hispaniques représentent aujourd'hui 32 % de la population totale, avec, pour certaines villes, une majorité, comme 76 % à El Paso, ou encore 59 % à San Antonio. La culture « tex-mex » a reconquis une partie du Texas, à commencer par la cuisine et la musique ; ses fêtes hispaniques sont grandioses et colorées.

Dans ce coin des États-Unis où le bilinguisme s'impose, un certain art de vivre méridional est venu briser l'austérité des paysages et la sévérité du protestantisme anglo-saxon. De ce mélange complexe devrait naître un Texas culturel et social encore plus fascinant.

Houston★ TX

Première ville du Texas par sa population (et quatrième des États-Unis), Houston s'étale démesurément sur la plaine côtière autour de son bouquet de gratte-ciel, incarnations orgueilleuses d'une prospérité acquise à la suite de la découverte de pétrole à Spindletop, en 1901. L'énergie demeure son principal atout mais ses activités portuaires, le siège de la Nasa et le Texas Medical Center assurent aussi sa stabilité économique. Au cœur de ce paysage urbain éclaté, au gigantisme déconcertant, où la voiture demeure indispensable, la vie quotidienne s'organise plutôt agréablement au sein d'îlots urbains enfouis dans une végétation luxuriante que favorise un climat chaud et humide. Si les immenses galeries marchandes au luxe tapageur reflètent un évident matérialisme, la vie culturelle surprend par sa richesse et sa diversité. La Fondation De Menil, la chapelle de Rothko, la chapelle byzantine et le musée des Beaux-Arts justifient pleinement un séjour à Houston.

Situation : à 165 mi/265 km E. d'Austin, 197 mi/316 km E. de San Antonio, 238 mi/382 km S.-E. de Dallas.

Population : 2 100 000 hab. • 4e ville des États-Unis.

Fuseau horaire : Central Time (– 7 h par rapport à la France).

☞ Plan I (Downtown), p. 549 • plan II (le Loop), p. 553.

✪ *Visitors Center*, City Hall, r.-d.-c., 901 Bagby et Walker Sts (I A1) ☎ 713/437-5556 ; t.l.j. 9 h-16 h (parking gratuit 1 h sur Walker St.).

Houston mode d'emploi

■ Arriver à Houston

En avion. L'**aéroport international** George Bush (IAH) est situé à 35 km N. • la liaison *Airport Direct*, par **bus**, dessert plusieurs hôtels de Downtown (toutes les 30 mn ; durée 45 mn ; 4,50 $) • compter 45 $ en taxi et 19 $ pour les **navettes**.
L'aéroport Hobby (HOU) assure les **vols intérieurs** : il est situé à 17 km S.-E. • **bus** n° 88 • en **taxi**, compter 25 $.

En train. La ligne de la compagnie *Amtrak*, reliant Orlando (Floride) à Los Angeles (Californie), fait un arrêt à Houston.

■ Se déplacer

À pied. Houston n'est pas une ville pour les piétons. Son gigantisme (l'agglomération couvre 22 700 km², c'est-à-dire la superficie du Massachusetts) impose

À ne pas manquer	
The Menil Collection**	553
Museum of Fine Arts**	556
Bayou Bend Museum**	558
Rothko Chapel*	555
Johnson Space Center** (Environ 1)	559

Voir carte régionale p. 542

Houston

✐ BON À SAVOIR
• **Stationnement** urbain difficile et onéreux : privilégier les multiples parcs de stationnement couverts en centre-ville.
• La course en **taxi** dans le périmètre de Downtown Houston coûte 6 $, quelle que soit la distance parcourue.

♥ SHOPPING
• ***Macy's***, 1100 Main St. (I A2 ; Lamar et Dallas Sts, Downtown) : seul grand magasin en centre-ville.
• ***The Galleria***, 5075 Westheimer Blvd (h. pl. II ; Uptown ; parking gratuit). Un *mall* gigantesque plutôt haut de gamme : plus de 375 magasins et restaurants, il y a même une patinoire où ont lieu des compétitions.
• ***Highland Village***, Westheimer Blvd (plan II ; Uptown). Une cinquantaine de magasins et restaurants à la mode.
• ***Premium Outlets***, à 30 mi/48 km N.-O. par la Hwy 290 (sortie Fairfield Place Drive à Cypress). Vêtements de marque à prix doux.

▲ Le marquage systématique au fer a été introduit au Texas par les Espagnols. Dès 1537, la couronne a imposé le marquage aux éleveurs de la Nouvelle-Espagne (auj. Mexique) et créé une organisation (La Mesta) pour en assurer le contrôle.

qu'on s'y déplace soit en voiture, soit en transports en commun. Les plus sportifs découvriront à pied certaines artères du centre-ville, avec leurs gratte-ciel futuristes – fiertés locales, le quartier historique (partie N. de Downtown), ou encore le quartier des théâtres. De nombreuses galeries piétonnes climatisées, souterraines ou aériennes, permettent de se déplacer en évitant la circulation, les intempéries ou la chaleur.

En bus. Le réseau d'autobus urbains *METRO* (☎ 713/635-4000), avec sa flotte de 1 200 véhicules, dessert aussi bien le centre-ville que les quartiers d'affaires ou les centres commerciaux dans le périmètre du Loop 610 (périphérique).

■ **Adresses utiles**

Consulats. **France**, 777 Post Oak Blvd, Suite 600 ☎ 713/572-2799 ; www.consulfrance-houston.org • **Belgique**, 2009 Lubbock St. ☎ 713/426-3933 • **Suisse**, 11922 Taylorcrest Road ☎ 713/467-9887 • **Canada**, 5847 San Felipe St., Suite 1700 ☎ 713/821-1611.

Gare ferroviaire. 902 Washington Ave. I A1 ☎ (1)800/872-7245 ; www.amtrak.com

Argent, change. *Bank of America*, 700 Louisiana St. I A1 ☎ 713/247-6033 • *Thomas Cook Currency Services*, 10777 Westheimer St. h. pl. II ☎ 713/782-8092.

Taxis. *Yellow Cabs*, ☎ 713/236-1111.

Location de voitures. À George Bush Airport : *Hertz* ☎ 281/209-6700 et (1)800/654-3131 • *Avis*, ☎ 281/443-5800 et (1)800/331-1212 • *Alamo* ☎ 281/590-5100 et (1)800/327-9633 • *National* ☎ 281/443-8850 et (1)800/227-7368.

Poste. 401 Franklin St. I A/B1, 700 Smith St. I A1.

■ **Fêtes et manifestations**

Février-mars. **Houston Livestock Show and Rodeo**, à la fois marché au bétail traditionnel (au Reliant Astrodome ; pl. II) et défilé chatoyant de cow-boys à travers la ville ; rodéos ponctués de shows musicaux à Memorial Park pl. II. Rens. ☎ 832/667-1000 ; www.rodeohouston.com

Avril. **Houston International Festival** célèbre chaque année un pays ou une région. Dans une atmosphère de kermesse, les stands de produits artisanaux voisinent avec les spectacles folkloriques et les expositions multiculturelles (☎ 713/654-8808 ; www.ifest.org).

Mai. **Cinco de Mayo**. Les célébrations commémorèrent la victoire des Mexicains (commandés par un

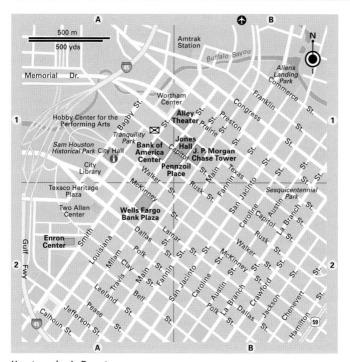

Houston, plan I : Downtown.

général texan) sur les Français, en 1862. Miller Outdoor Theatre, Hermann Park. Festivités hispaniques chaleureuses et colorées, animations folkloriques, défilés de mariachis et de danseurs, cuisine ethnique, etc. (☎ 713/695-5980).

En été. Concerts gratuits au théâtre de plein air Miller, dans Hermann Park pl. II.

Août. **Houston International Jazz Festival** accueille les plus grands musiciens et orchestres de jazz régionaux, nationaux ou étrangers. Concerts en plein air sur les pelouses du City Hall (☎ 713/839-7000 ; www.jazzeducation.org).

■ **Vie nocturne**

Théâtres et music-halls. Au N. de Downtown, dans un quadrilatère délimité par Milam, Bagby, Preston et Rusk Sts pl. I, sont concentrées les grandes salles de spectacle de la ville. Houston est une des rares cités américaines à posséder sa propre compagnie théâtrale, son propre corps de ballet, un orchestre symphonique et un opéra (www.houstontheaterdistrict.org).

Wortham Theater Center (501 Texas Ave. ☎ 713/237-1439) abrite le Houston Ballet, fondé en 1955 (☎ 713/227-2787), et le Houston Grand Opera, de réputation internationale (☎ 713/228-6737).

Hobby Center for the Performing Arts (800 Bagby St. I A1 ☎ 713/315-2525). Cette construction remarquable, dessinée par Robert A. M. Stern en 2002, dresse sa silhouette futuriste et son immense façade en verre à l'orée de Sam Houston Park. On y reprend les spectacles venus directement de Broadway

Houston

(Broadway in Houston Series ☎ (1)800/952-6560) et on y produit les revues de music-hall de la compagnie Theatre Under the Stars (TUTS), créée en 1968 (☎ 713/558-2600).

Jones Hall (615 Louisiana St. I A/B1 ☎ 713/224-7575), salle de concert du Houston Symphony Orchestra, fondé en 1913.

Alley Theater (615 Texas Ave. I A1 ☎ 713/220-5700), l'une des plus anciennes compagnies théâtrales des États-Unis (1947). Elle joue depuis 1996 dans un complexe moderne composé de deux salles, alternant productions classiques et contemporaines.

Houston dans l'histoire

Fondée en 1836, capitale originelle de la République du Texas, la ville porte le nom du général Samuel Houston, vainqueur à San Jacinto et libérateur de l'État. En 1839, la capitale est transférée à Austin, où elle demeurera après le rattachement du Texas aux États-Unis, en 1845. C'est avec la construction du chemin de fer (1856), puis du canal maritime (1873-1914), que Houston commence véritablement à se développer. Depuis la découverte du gisement pétrolier de Spindletop, sa croissance a reposé sur l'exploitation de l'or noir et du gaz naturel, ainsi que sur la pétrochimie. Le port, relié au golfe du Mexique par un canal accessible aux navires de haute mer (élargi et recreusé en 1960), exporte les produits de l'arrière-pays.

Houston est aussi le siège du Texas Medical Center, réputé pour ses transplantations cardiaques et ses recherches sur le cancer, et du Johnson Space Center, le centre de la Nasa qui contrôle les vols spatiaux. Mais la ville, profondément atteinte par la crise pétrolière, a vu son activité ralentir. Au cœur de Downtown, les gratte-ciel rivalisent de hauteur, mais nombre d'entre eux sont inoccupés.

▲ Houston dans la seconde moitié du XIXᵉ s. En 1858, le chemin de fer relie Houston au port de Galveston, lui offrant un accès au golfe du Mexique.

① Downtown★

☞ Plan I (Downtown), p. 549.

Le centre de Houston offre un mélange assez curieux de grands immeubles et d'espaces verts. Les réalisations immobilières pharaoniques des années 1970 et 1980, du temps où la ville passait pour la capitale mondiale du pétrole, ont produit un ensemble architectural unique, qui, de loin, frappe par son élégance. Mais, au pied des gratte-ciel, la chaleur et les courants d'air rendent difficile la vie des piétons.

Se déplacer. *Metro Rail* dessert en **train** l'axe N.-E. - S.-O., entre l'université de Houston et Fannin S. ; la ligne traverse Downtown *via* Main St. • de nombreuses lignes de **bus** desservent les quartiers plus excentrés (☎ 713/635-4000 ; www.ridemetro.org).

Combien de temps. Compter 1/2 j. pour explorer le quartier des gratte-ciel et reprendre contact avec la nature au Sesquicentennial Park.

■ **Autour de Louisiana Street** pl. I. À l'intérieur du rectangle formé par Main, Pease, Bagby et Texas, quelques grands immeubles modernes méritent le coup d'œil.

● **Bank of America Center** I A1 (*700 Louisiana St., entre Rusk et Capitol Sts*), datant de 1983, donne un cachet très particulier au paysage. Ses trois pignons de granit rouge sont directement inspirés des maisons hollandaises situées au bord des canaux. Presque en face, **Pennzoil Place** I A-B1 (*711 Louisiana St.*), construit en 1976, date de l'époque faste des pétrodollars. Ses deux tours, presque accolées, s'élèvent sur une base pyramidale de verre.

● **J. P. Morgan Chase Tower★** I B1 (*600 Travis et Capitol Sts*). Cette tour à cinq faces, de 305 m et 75 étages, est la plus haute du Texas (I. M. Pei, 1981). Au 60ᵉ étage, le promenoir vitré du **Sky Lobby★★** (*lun.-ven. 8 h-17 h* • *entrée libre*) permet d'apprécier le plus beau panorama sur la ville. Le parvis est orné d'une sculpture monumentale de Joan Miró, *Personnage avec oiseaux*.

● **Wells Fargo Bank Plaza** I A2 (*1000 Louisiana St., entre McKinney et Lamar Sts*), de 1983, dresse ses 296 m de verre émeraude au-dessus d'un lacis souterrain de galeries et de centres commerciaux. Conçu pour symboliser l'argent, sa forme en « S » rappelle le symbole du dollar.

De l'autre côté de Lamar St., devant le *1100 Louisiana St.* (ex-Interfirst Building) se trouve une **sculpture de Jean Dubuffet**, *Monument au fantôme* (1977).

✐ CHASSEURS D'IMAGES
Les meilleures perspectives sur la ligne de crête des gratte-ciel peuvent être saisies à partir du pont de Sabine St. (à 1 km O. du centre, par Memorial Dr.), ou bien à l'angle de Washington et Houston Sts (à 1 km O. du centre, par Memorial, à dr. dans Houston St. qui coupe Washington St. 500 m plus loin), ou encore depuis le cimetière de Glenwood (à 3 km O., par Washington ou Memorial).

La faillite d'Enron

Fondée en 1995, cette société de courtage en matières premières est devenue, en l'espace de sept ans, leader en *trading* d'énergie et septième capitalisation boursière mondiale. De quoi faire la fierté de Houston et du Texas tout entier. En 2000, son insolente réussite dépasse toutes les prévisions, l'action Enron a presque doublé. La firme lance alors la construction d'une nouvelle tour à Houston et Ken Lay, son P-DG, finance la campagne présidentielle de son ami George W. Bush.

Mais en octobre 2001, l'entreprise annonce soudain des pertes abyssales : 1,2 milliard de dollars ! L'enquête révèle un scandale financier sans précédent, les dirigeants ayant maquillé les résultats. Deux mois plus tard, le groupe (dont la devise était « Intégrité et Excellence ») est mis en faillite. Bâtie sur une stupéfiante supercherie financière, dont la facture s'élèvera à 50 milliards de dollars, Enron employait 22 000 personnes dans plus de 40 pays.

Houston

①

▲ Depuis 1995, Houston a investi près de 3 milliards de dollars en programmes immobiliers : 50 projets ont déjà abouti ; 25 autres sont en cours de réalisation.

● **Texaco Heritage Plaza** | A2 *(1111 Bagby St., entre Lamar et Dallas Sts)*, le siège de Texaco.

● **Enron Center North★** | A2 *(1400 Smith St.)*. Construit en 1983, ce pilastre oblong en verre bleu et en aluminium semble récuser, par ses rondeurs majestueuses, la faillite pitoyable de la compagnie dont il porte le nom *(→ encadré p. préc.)*.

● **Enron Center South** | A2 *(1501 Smith St.)*. Ce bel immeuble de forme oblongue (Cesar Pelli, 1999-2002) était en cours de construction quand la faillite d'Enron fut annoncée, en octobre 2001. Il fut revendu avant même que les travaux terminés.

■ Les trois parcs

● **Tranquility Park** | A1 *(à côté du City Hall, entre Walker et Capitol Sts)* commémore les vols Apollo vers la Lune. Cinq tours en forme de fusée émergent d'un dédale de cascades et de fontaines.

● **Sesquicentennial Park** | A/B1 *(contigu au Wortham Center)* borde le quartier des théâtres et le Buffalo Bayou, petite rivière capricieuse qui serpente aux confins du centre-ville. Pour ses promenades au bord de l'eau, ses cascades, ses ponts et sa verdure impeccable, l'endroit mérite que l'on s'y attarde. Beau point de vue sur les grands immeubles.

● Fondé en 1910, **Sam Houston Historical Park** | A1, qui marque l'extrémité de Downtown à l'O., fut le premier parc public de la ville (1899). Plusieurs édifices du XIXe s. y ont été reconstruits, évoquant Long Row, l'ancienne rue commerçante ; un bel ensemble de huit maisons datant des années 1850 est conservé, avec le mobilier d'origine *(vis. organisées par l'**Heritage Society Museum** • 1100 Bagby et Lamar Sts | A1 ☎ 713/655-1912 • www.heritagesociety.org)*.

② Le Loop★★

L'I-610 délimite le Loop, boucle qui enserre les quartiers de Montrose et Rivers Oaks, Rice University, le Texas Medical Center et le port. Quartier des musées (Museum District), Montrose surprend agréablement par la sérénité

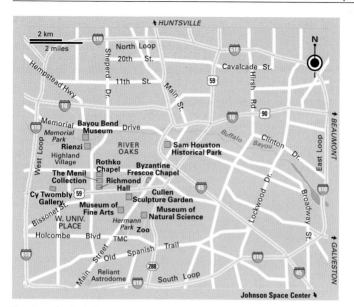

Houston, plan II : le Loop.

de ses rues bordées de bungalows bâtis dans les années 1920-1930 à l'ombre des chênes et des magnolias. Cette enclave de verdure, véritable oasis urbaine, abrite les institutions culturelles les plus remarquables de la ville, créées à l'instigation d'un couple de collectionneurs d'art d'origine française, Jean et Dominique De Menil.

Se déplacer. Même si le réseau de bus est très pratique, la voiture reste le meilleur moyen.

Combien de temps. Houston mérite qu'on accorde 2 j. à la visite de ses musées.

■ **The Menil Collection★★** pl. II *(1515 Sul Ross Ave.* ☎ *713/525-9400 • www. menil.org • mer.-dim. 11 h-19 h • entrée libre • parking sur Alabama St. entre Mandell et Mulberry Sts • librairie De Menil au 1520 Sul Ross Ave.).* Le bâtiment, situé dans un quartier ombragé parmi des petits bungalows des années 1920, est dû à l'Italien **Renzo Piano** (1987), dont c'est la première réalisation américaine. Les murs, revêtus de lattes en cyprès, sont couronnés de feuilles incurvées en Fibrociment, dont les ondulations laissent pénétrer la lumière du soleil tout en filtrant les rayons ultraviolets, fatals aux œuvres d'art.

La **Menil Collection,** gérée par la Fondation De Menil, est ouverte au public depuis juin 1987. Elle rassemble 15 000 œuvres, du paléolithique à nos jours, exposées par roulement, dont le choix révèle les goûts très sûrs et éclectiques du couple De Menil.

Art ancien

● **Antiquité.** Choix d'œuvres allant du paléolithique jusqu'aux débuts de l'ère chrétienne : culture du bronze, art des Cyclades, Grèce archaïque, ainsi qu'art égyptien, d'Asie Mineure, hellénistique et romain.

Houston

2

• Byzance et Moyen Âge. On s'arrêtera devant les tapisseries coptes du Ve s., les sculptures d'Anatolie et divers objets d'art byzantin du XIe s. Depuis dix ans, le fonds s'est enrichi de nombreuses icônes provenant de Méditerranée orientale et de Russie ; belle collection d'**icônes russes★** des XVe et XVIe s.

Arts tribaux

Familiers du cubisme et du surréalisme, les De Menil ont acquis nombre d'objets remarquables (figurines, masques, instruments cérémoniels et quotidiens) provenant en particulier d'Afrique, d'Océanie et d'Amérique du Nord. La collection permet la confrontation entre les œuvres modernes du XXe s. et des objets qui ont inspiré ces mêmes artistes.

• Art africain. Les statues et les masques proviennent essentiellement de Guinée, du Mali et du Nigeria.

• Art océanien★★ *(Pacific Island Galleries)*. Parfois proche de l'abstraction, souvent fougueuse dans son traitement, exubérante dans ses arabesques, la statuaire d'Océanie est un art de l'imagination qui a séduit les expressionnistes allemands bien avant de plaire aux surréalistes.

• Art des Indiens de la côte nord-ouest. L'art des Haïdas, Tsimshians, Nootkas, Inuits, Tlingits *(→ encadré p. 321)* est abondamment illustré par des masques, chapeaux, couteaux, hochets, figurines, etc. La richesse de l'ornementation s'exprime dans des imbrications de visages, de mains, de becs, de formes géométriques, gravés dans le bois, l'ivoire ou l'os, et incrustés de nacre.

Art moderne et contemporain

Les grands mouvements picturaux du XXe s. sont ici représentés, en particulier le modernisme européen, le surréalisme et l'art américain d'après-guerre.

• L'abstraction et l'**expressionnisme abstrait** règnent dans les salles suivantes : Jackson Pollock, Clyfford Still, **Jasper Johns** *(Voice, 1964-1967)*, Archille Gorky, Franz Kline, Barnett Newman, De Kooning, Juan Miró, Paul Klee, Giacometti…

• Le pop art s'impose avec les redites lancinantes d'**Andy Warhol** *(Big Campbell Soup Can, 1962 ; Ten Foot Flowers, 1967-1968)*, les compositions touffues de Robert Rauschenberg, les drôles de machines de Jean Tinguely.

• Une salle est entièrement dédiée à **Mark Rothko**. Les dimensions et la composition des six **toiles★** présentées sont comparables à celles qui ornent la Rothko Chapel (→ *ci-après*). Dans la salle suivante, *Be I* (1949) de **Barnett Newman**.

☞ Plan II (le Loop), p. 553.

● Des toiles de **Picasso** (*Femme au fauteuil rouge*, 1929) et de **Fernand Léger** voisinent avec les œuvres obsédantes de Max Ernst, dont les sculptures s'inspirent des mâts totémiques des Indiens de la côte N.-O. (*L'Esprit de la Bastille*, 1960) ou de l'art des tribus du S.-O. (*Capricorne*, bronze, 1948, aux têtes cornues rappelant les poupées *katchinas*, → *p. 511*). Plus envoûtants encore, les **trompe-l'œil** (et trompe-pensée) de **Magritte** : *Le Viol* (1934), *Golconde*★★ (1953), *La Folie des grandeurs*★ (1962). Des œuvres d'Yves Tanguy et de **Giorgio De Chirico** (*Melancholia*★, 1916 ; *Hector et Andromaque*★, 1918) complètent cette collection.

● **Witnesses to a Surrealist Vision**★ (Témoins d'une vision surréaliste). Reconstitution d'une sorte de cabinet de curiosités rassemblant quantité d'objets hétéroclites (masques tribaux, coquillages, bois sculptés, poupées...), la plupart ayant appartenu aux surréalistes.

■ **Cy Twombly Gallery**★ pl. II (*1501 Branard St.* • *conditions de vis. identiques à The Menil Collection*). Ce bel édifice aux lignes pures a été conçu par Renzo Piano en 1995 pour accueillir, dans de vastes espaces lumineux, les toiles immenses de l'Américain **Cy Twombly** (1928-2011). Il s'agit d'une véritable rétrospective de ses œuvres, peinture, sculpture, dessins, esquisses.

■ **Richmond Hall** pl. II (*1500 Richmond Ave.* • *conditions de vis. identiques à The Menil Collection*). On gagne à pied le bâtiment situé non loin de la Fondation De Menil qui abrite une fascinante composition lumineuse du sculpteur minimaliste **Dan Flavin** (→ *encadré ci-contre*).

■ **Rothko Chapel**★ pl. II (*3900 Yupon St.* • *ouv. t.l.j. 10 h-18 h* • *entrée libre*). Bâtie en 1971 à l'instigation des De Menil, d'après des plans de Philip Johnson, cette chapelle octogonale est un lieu œcuménique, propice au recueillement et à la méditation. Elle est sobrement ornée de 14 **toiles monumentales**★★ (1964-1967) considérées comme le testament artistique du peintre américain **Mark Rothko** (1903-1970). Face à l'entrée, la sculpture de Barnett Newman *Broken Obelisk*★ rend hommage à Martin Luther King Jr.

■ **Byzantine Frescoe Chapel**★ pl. II (*4011 Yupon St.* • *entrée libre*). En 1983, la Fondation De Menil acquiert un ensemble de fresques byzantines du XIIIe s. provenant d'une chapelle chypriote : le décor

Dan Flavin et les minimalistes

Contre les démesures de l'abstraction lyrique et la figuration envahissante du pop art, l'art minimal se veut anti-expressionniste, simple dans ses lignes, pur dans son concept. Avec Carl Andre et Robert Morris, l'artiste new-yorkais Dan Flavin (1933-1996) fonde le mouvement « minimaliste ». Dès 1963, il utilise dans ses compositions des tubes fluorescents colorés, ce qui transforme résolument les limites architecturales des œuvres. En 1966, il participe à la première exposition d'art minimal, « Primary Structures », au Jewish Museum of New York. L'essentiel de son travail reflète une vraie passion pour la lumière diaphane et incertaine des néons.

Tout le charme de ses œuvres réside dans l'agencement, la position et la combinaison des tubes dans les galeries d'exposition. Héritier avoué des constructivistes russes (Vladimir Tatline), il pense que l'art ne possède pas de sens caché et s'adresse directement au spectateur.

Houston

2

RDG + Bar Annie, 1800 Post Oak Blvd, à l'O. du West Loop ☎ 713/840-1111 ; www.rdgbarannie.com. Cuisine américaine raffinée, dans un établissement chic au décor contemporain. Musique *live*.

qui ornait l'abside et la coupole allait être dispersé en 38 fragments. Une chapelle de métal et de verre accueille aujourd'hui ces fresques polychromes, leur restituant pleinement leur fonction religieuse.

Par West Alabama St. revenir vers Main St. et prendre à dr. (en voiture).

■ **Museum of Fine Arts★★** pl. II *(1001 Bissonnet Ave. et 5601 Main St. ☎ 713/639-7300 • mar.-mer. 10 h-17 h, jeu. 10 h-21 h, ven.-sam. 10 h-19 h, dim. 12 h 15-17 h • gratuit le jeu. • parc de stationnement extérieur gratuit).* Le musée occupe deux bâtiments principaux : **Caroline Wiess Law Building** *(1001 Bissonnet Ave.)*, de style néoclassique (W. W. Watkin, 1924), agrandi en 1958 par Mies van der Rohe (Brown Pavilion et Cullinan Hall), et **Audrey Jones Beck Building** *(5601 Main St.)*, construit en 2000 par Rafael Moneo. Plus de 60 000 œuvres offrent un bel aperçu de l'art du monde entier, depuis l'Antiquité jusqu'à la période contemporaine.

Audrey Jones Beck Building

● **Sous-sol**. Expositions temporaires et cafétéria.

● **Rez-de-chaussée** *(1st floor).* **Art américain (1800-1970).** Toiles remarquables de John Singer Sargent, Mary Cassatt, George Bellows (école Ashcan), Thomas Hart Benton et Georgia O'Keeffe. Beaux exemples de paysages du XIXe s. (Thomas Cole, Frederick Edwin Church). À voir aussi, la série de **scènes de l'Ouest★** peintes par **Frederic Remington** (1861-1906 ; *The Blanket Signal*, 1896). Des arts décoratifs, on retiendra un magnifique vitrail en triptyque (1905) de **Louis C. Tiffany** représentant un sous-bois.

Expressionnisme abstrait : œuvres de Jackson Pollock, de son épouse Lee Krasner, Franz Kline, Robert Motherwell, Mark Rothko. **Pop art** : Claes Oldenburg, Andy Warhol, James Rosenquist, Jasper Johns. **Minimalisme** ; Donald Judd, Joe Bae, Carl Andre.

Le musée possède l'une des collections de **photographies** les plus importantes des États-Unis : 16 000 clichés, datant du milieu du XIXe s. à nos jours. Le fonds est exposé par roulement.

● **1er étage** *(2nd floor).* **Art européen (1200-1940).** Au fonds original du musée s'est ajouté, en 1993, l'essentiel de la collection **Sarah Campbell Blaffer**. On peut ainsi admirer un large éventail d'œuvres italiennes (atelier de Fra Angelico, école de Ferrare, école florentine des XIVe-XVe s., école de Sienne du XVe s., école vénitienne du XVIIe s.), flamande et hollandaise des XVe-XVIIe s. (Cranach, Van der Weyden,

---

Mies van der Rohe, le bâtisseur

Fils d'un tailleur de pierres, **Ludwig Mies van der Rohe** a le goût de la qualité et des beaux matériaux, le sens de l'espace et une prédilection pour les lignes simples et pures, à l'élégance un peu austère. C'est en Allemagne, dans les années 1920, qu'il acquiert sa renommée. Il dirige le Bauhaus de 1930 à 1933. En 1938, il émigre aux États-Unis ; il y impose ses formes, à Chicago notamment, où il enseigne, mais aussi à New York et à Mexico. À Houston, il travaille à l'agrandissement du Museum of Fine Arts. Il a parfois collaboré avec Philip Johnson (Seagram Building à New York, par exemple) qui signera de prestigieux édifices à Dallas et Houston entre 1970 et 1980.

Van Dyck), française (Corneille de Lyon, Philippe de Champaigne, Natoire, Chardin, Lorrain), ainsi qu'une imposante collection d'impressionnistes, de postimpressionnistes, de cubistes et de modernistes, enrichie par la donation (1975-1998) de John A. et d'Audrey Jones Beck : aux toiles de Corot, Renoir, Cézanne, **Monet** (*Nymphéas,* 1907), Sérusier ou Degas, se sont ainsi ajoutées des œuvres de Manet, Pissarro, Caillebotte, Van Gogh, Seurat, Signac, Derain, **Bonnard** (*Table dressée et miroir,* 1913), Kandinsky, Braque et Matisse.

Accès au Caroline Wiess Law Building par le tunnel de liaison au sous-sol (éclairé par l'artiste **James Turrell,** *The Light Inside,* 1999), où l'on admire quelques belles toiles cubistes de Picasso et de Fernand Léger ou des compositions de Mondrian et de Matisse.

Caroline Wiess Law Building

Espace idéal aux galeries immenses et aérées, où les œuvres des xxᵉ-xxiᵉ s. côtoient une étonnante collection pluriethnique.

● **Rez-de-chaussée** *(1st floor).* Exemples remarquables d'art océanien (Mélanésie, Australie). La **Glassell Collection of Indonesian Gold**★★ réunit bijoux et objets cérémoniels en or de toute beauté venus d'Indonésie.

● **1ᵉʳ étage.** Arts d'Afrique, d'Asie et d'Amérique précolombienne. La **Glassell Collection of African Gold**★★ rassemble des bijoux et des ornements africains en or d'une qualité exceptionnelle en une collection unique au monde.

Quarante siècles d'**art asiatique** sont réunis ici : jarres funéraires, ustensiles rituels, tombe de la dynastie Tang voisinent avec les sculptures funéraires japonaises et des statues indiennes prébouddhiques, des soies peintes et des miniatures.

Art précolombien. Sculptures, bijoux, tissus, poteries d'Amérique centrale et des Andes.

Indiens d'Amérique. Avec 700 objets, la collection permet d'appréhender mieux les cultures indiennes : céramiques anciennes noir sur blanc (culture des Mimbres du Nouveau-Mexique, iiᵉ s. av. J.-C. - xivᵉ s.), poupées *katchinas* des Indiens Zunis et Hopis, poteries, peintures, aquarelles et vanneries, bijoux navajos.

■ **Cullen Sculpture Garden**★ *(à l'angle de Montrose Blvd et Bissonnet St.* • *t.l.j. 9 h-22 h).* Inauguré en 1986, ce jardin, créé par l'artiste japonais Isamu Noguchi, met en scène un bel ensemble de sculptures des xixᵉ et xxᵉ s. (Giacometti, Marini, Smith, Louise Bourgeois, etc.). De fréquentes expositions temporaires ajoutent au plaisir de la visite.

Rejoindre Hermann Dr., qui borde Hermann Park.

■ **Hermann Park** pl. II *(à l'angle de Montrose Blvd, Main St. et Hermann Dr.).* Ce vaste parc agrémenté d'un étang comprend le **Garden Center** (roseraie, plantes du Texas, jardin japonais, jardin odorant pour aveugles), un théâtre de verdure, le **Miller Outdoor Theatre,** un golf et le **Houston Zoo**★, qui héberge le plus grand nombre d'espèces au Texas *(6200 Hermann Park Dr.* ☎ *713/533-6500* • *t.l.j. 9 h-18 h, jusqu'à 19 h de mi-mars à oct.* • *guichets f. 1 h avant* • *entrée payante).*

■ **Museum of Natural Science**★ pl. II *(1 Hermann Circle Dr., dans Hermann Park* ☎ *713/639-4629* • *lun.-sam. 9 h-17 h, mar. jusqu'à 20 h).* Cette vaste institution, fondée en 1909, regroupe un musée d'Histoire naturelle, une serre à papillons, un planétarium et une salle de cinéma. La construction de la plus grande galerie de paléontologie du monde est en cours.

● Le **Wiess Energy Hall** rappelle la formation et l'exploitation du pétrole et du gaz. La section de paléontologie retrace 3,5 millions d'années de vie terrestre grâce à des expositions de fossiles, des vitrines éducatives et des squelettes de

Le **Texas Medical Center** de Houston (TMC, au S. de Hermann Park, **pl. II**) est le plus vaste complexe médical au monde. Composée d'une cinquantaine d'unités de recherche, de laboratoires et de centres de soins, l'institution emploie 52 000 personnes. La première transplantation cardiaque de l'histoire a été réalisée à Houston en 1968, par le Dr Denton Cooley.

Complexes cosmiques

Le **Reliant Astrodome** pl. II *(8400 Kirby et Loop 610)*, gigantesque stade couvert d'un dôme de 70 m, a été créé en 1965 pour les Houston Astros, l'équipe de base-ball de la ville, qui joue à présent au centre-ville dans Minute Maid Park *(ex-Astro Field, 501 Crawford)*. L'Astrodome accueille aujourd'hui expositions et rodéos *(Houston Livestock Show and Rodeo)*.

Juste à côté du dôme, le nouveau **Reliant Stadium** (69 500 places), merveille technologique à toit rétractable en fibre de verre et Teflon, est une installation polyvalente capable d'accueillir l'équipe de football (Houston Texans), des réunions d'athlétisme, des rodéos, des congrès ou de grands concerts. Avec l'Astrohall et l'Astroarena voisins, ces hôtels et des magasins, ce stade constitue un complexe tout à fait exceptionnel, l'Astrodomain.

mastodontes préhistoriques. Au passage, un beau pendule de Foucault (20 m de haut) illustrant la rotation de la Terre. Dans le **Strake Hall of Malacology**, à l'étage, vaste collection de mollusques et de coquillages. Les vitrines savamment éclairées du **Cullen Hall**★★ montrent une splendide exposition de gemmes et de minéraux. Une partie du musée est consacrée aux **Indiens des plaines et du Sud-Ouest**, depuis 12000 av. J.-C. jusqu'au XXᵉ s. : ouvrages en perles, tissages, poteries (traditionnelles et modernes), vannerie.

● **Cockrell Butterfly Center**★★ *(entrée payante)* est une immense serre conique (20 m de haut, 35 m de diamètre à la base), dans laquelle croît une forêt tropicale comprenant grottes, falaises et cascades ; une centaine d'espèces de **papillons** (jusqu'à 2 000 individus) circulent là en totale liberté. La température constante (entre 25 °C et 30 °C), 80 % d'humidité et un ensoleillement maximal favorisent leur épanouissement et celui de 150 espèces de plantes qui s'y trouvent ; un espace est réservé à l'éclosion des chrysalides. En complément, les vitrines du **Brown Hall of Entomology** présentent des milliers d'insectes naturalisés issus de la riche collection du musée (100 000 spécimens).

● **Burke Baker Planetarium** *(séances entre 11 h 30 et 17 h)* propose un spectacle entièrement informatisé reproduisant, sur un dôme intégral, un voyage virtuel en trois dimensions dans l'espace, au milieu des étoiles et des planètes, ou au sein des trous noirs. Le programme sert d'entraînement aux astronautes de la Nasa pour simuler les conditions d'un vol interplanétaire.

● **Wortham IMAX Theatre** *(séance toutes les heures)* présente des aventures vertigineuses projetées sur écran géant : en ballon au-dessus du Grand Canyon, au cœur d'un volcan, dans l'espace, à la rencontre des requins, etc.

Quitter Downtown par Memorial Dr. vers l'O. jusqu'à Westcott St.

■ **River Oaks** pl. II. Ce luxueux quartier, niché dans une boucle du bayou, entre Downtown et le Memorial Park, cache les plus belles demeures de la ville. Flânez en voiture sur Kirby Drive et Allen Parkway pour admirer ces immenses villas aux jardins éclatants de couleurs à la saison des azalées.

■ **Bayou Bend Museum**★★ pl. II *(6003 Memorial Dr. et Westcott St. ☎ 713/639-7750 • vis. guidées de la maison, sur rés., mar.-jeu. à 10 h, 11 h 30, 13 h, 14 h 45, ven.-sam. à 10 h, 11 h 15 • vis. libre mar.-sam.*

10 h-17 h, dim. 13 h-17 h, dernière entrée à 16 h • accès aux jardins mar.-sam. 10 h-17 h, dim. 13 h-17 h). On accède à la propriété, nichée dans une boucle de Buffalo Bayou, par une passerelle en bois surplombant la rivière. La philanthrope texane Ima Hogg mandata l'architecte John Franz Staub pour construire cette maison de 28 pièces en 1927-1928, en partie pour héberger sa collection d'objets rares, témoins de la culture bourgeoise du début du XVIIᵉ s. à la fin du XIXᵉ s. : riches meubles coloniaux de Nouvelle-Angleterre, argenterie signée **Paul Revere**, horloges anciennes, broderies et importante collection de tableaux de la famille Peale. Elle a fait don de sa collection au Museum of Fine Arts en 1957.

Une longue promenade s'impose, parmi les massifs et les fleurs des huit magnifiques **jardins★** (7 ha).

Poursuivre sur Memorial Dr.

■ **Memorial Park** pl. II *(4501 Woodway Dr. • à 4 mi/ 7 km O. de Downtown par Memorial Dr.).* Ce parc de 80 ha, oasis de verdure en pleine ville, abrite le site naturel protégé du **Houston Arboretum and Nature Center** *(t.l.j. 9 h-17 h. • entrée gratuite • vis. guidées les sam. et dim. a.-m.).* Flore régionale abondante et nombreuses espèces animales protégées.

Passer sur l'autre rive de Buffalo Bayou en revenant via Memorial Dr., jusqu'à Shepherd Dr. à dr., puis Kirby Dr. encore à dr.

■ **Rienzi★** pl. II *(1406 Kirby Dr. ☎ 713/639-7800 • vis. guidées mer.-sam. 10 h-15 h 30, dim. 13 h-17 h ; f. en août).* Construite en 1952 par John Franz Staub, l'architecte de Bayou Bend, cette vaste villa de style néopalladien dépend du Museum of Fine Arts et abrite une belle collection d'art décoratif européen des XVIIIᵉ et XIXᵉ s. Des fontaines et une piscine agrémentent le jardin fleuri.

Environs de Houston

■ **Johnson Space Center★★** *(à 23 mi/37 km S.-E. • 1601 Nasa Parkway ☎ 281/244-2100 • www.spacecenter. org • prendre le Loop 610 East vers le S. et rejoindre l'I-45 dir. Galveston • horaires variables).*

Créé en 1962 par la Nasa, le centre de contrôle des vols spatiaux habités forme et entraîne les astronautes. Il emploie 14 000 personnes sur un site de 800 ha.

Le **Houston Space Center** accueille les visiteurs dans un atrium imposant qui ouvre sur toutes les attractions : cinémas, présentations interactives, expositions, etc. Deux salles (dont une équipée pour

☞ Plan I (Downtown), p. 549 • plan II (le Loop), p. 553.

La Nasa

L'agence fédérale (National Aeronautics and Space Administration) a été créée en 1958 pour répondre au défi que représentait le lancement du *Spoutnik* soviétique la même année. Elle est chargée des programmes spatiaux américains, ainsi que de certains programmes scientifiques liés à l'aéronautique (avions-fusées, drones, etc.). Si ses premiers projets, *Mercury* et *Gemini*, ont été couronnés de succès, c'est la mission *Apollo* qui a rendu la Nasa célèbre avec les premiers pas de l'homme sur la Lune (1969, *Apollo 11*). Le projet *Skylab* et la coopération avec les Soviétiques sur la station orbitale *Soyouz* ont ralenti la cadence des vols habités.

La Nasa s'est alors tournée vers l'espace lointain, envoyant des sondes automatiques vers les planètes du système solaire : *Pioneer*, *Voyager*, *Viking*. Elle a également mis en orbite un grand nombre de satellites tel le fameux télescope spatial Hubble (1990). En 2011, la Nasa a mis fin à son programme de navettes lancé en 1981.

Nouvelle mission, en préparation pour 2016 : un vaisseau spatial embarquera le robot *OSIRIS-Rex*, équipé d'un bras pour prélever des fragments de l'astéroïde RQ 36 afin de mieux comprendre les origines de notre système solaire.

Houston

Dans les couloirs de la mort

Si la peine capitale *(death penalty)* est toujours officiellement en vigueur dans 34 États américains, seule une minorité parmi les plus conservateurs l'applique réellement, en particulier la Géorgie, l'Alabama et le Texas. En tête de liste, le Texas, avec 477 exécutions entre 1976 et 2011. À lui seul, Rick Perry, gouverneur de l'État élu en 2000, a approuvé 234 condamnations. 321 prisonniers patientent aujourd'hui dans le couloir de la mort *(death row)* au quartier de haute sécurité de Polunsky (à Livingston, 70 km à l'est de Huntsville). L'attente y est d'une dizaine d'années en moyenne.

Mais dans d'autres États, ce délai peut être beaucoup plus long en raison des subtilités juridiques propres au système américain. En Californie, où aucun condamné n'a été exécuté depuis 2005, la peine capitale, réintroduite en 1978, est finalement peu susceptible d'être appliquée. Aujourd'hui, de nombreuses voix s'élèvent aux États-Unis pour qu'elle soit commuée en prison à vie *(life without parole)*. Après le Nouveau-Mexique, l'Illinois est, depuis mars 2011, le 16e État américain à avoir aboli la peine de mort.

◑ Visitors Center, 2328 Broadway St. ☎ 409/797-5144 ; ouv. sam.-dim. Installé dans Ashton Villa (1859), demeure victorienne sauvée de justesse de la démolition.

✐ BON À SAVOIR
Galveston Island Trolley (toutes les 20 mn ; 1,50 $) permet de faire le tour du centre-ville : la ligne dessert le Strand, 25th St. et Seawall Blvd.

IMAX 3D) projettent des films sur la conquête spatiale et le travail des astronautes. On peut voir et visiter des capsules *Mercury*, *Gemini* et *Apollo* et le module d'entraînement Skylab. **Starship Gallery★★**, unique au monde, expose en permanence des roches lunaires. Le **Kids Space Place** et le **Martian Matrix** offrent une réplique de programme spatial, sur un mode ludique spécialement conçu pour les enfants.

Ne pas manquer la visite guidée, en minitrain *(durée 1 h)*, du centre de contrôle **Mission Control★★**, qui passe par les hangars où étaient assemblées les navettes et les reconstitutions grandeur réelles de la navette spatiale et de la Station internationale. Le **Simulation and Training Facility Building** présente différents appareils d'entraînement : des simulateurs et la fameuse « piscine » où se prépare le travail en apesanteur. Entre les bâtiments sont exposés différents modèles de fusées retraçant l'épopée de l'espace, des premières *Mercury* à la *Saturn V* des missions lunaires.

② Galveston★ *(à 50 mi/80 km S.-E. de Houston, 1 h de route par l'I-45 S. ; 30 mi/48 km du Johnson Space Center – Nasa –, 30 mn de route par l'I-45 S.)*.
Galveston occupe la pointe E. d'une île-barrière de 50 km de long et 800 m de large en moyenne (3,2 km au maximum), offerte à tous les vents sur le golfe du Mexique. En 1817, Jean Lafitte, un authentique pirate, y fonda la petite colonie de Campeche, jusque-là peuplée d'Indiens Karankawas, et en fut chassé en 1821 par le schooner *USS Enterprise*. D'opulentes demeures victoriennes, un bel **opéra** construit en 1894 *(2020 Post Office St.)* témoignent de la prospérité de Galveston à partir des années 1830. Elle vécut longtemps au rythme des paquebots qui déversaient les passagers par centaines sur le Strand, la rue principale du centre-ville.
En 1900, 6 000 personnes (sur une population de 37 000 hab.) disparaissaient et un tiers des maisons victoriennes étaient détruites par un terrible ouragan. Une digue longue de 16 km (**Seawall** • *entre 9th St. et 89th St.*) fut érigée mais Galveston ne retrouva jamais sa prospérité et perdit encore de l'importance avec la création du Houston Canal en 1917. Pendant la Prohibition, la ville misa sur ses établissements de nuit et ses salles de jeu, que les Texas Rangers feront définitivement fermer en 1957. Aujourd'hui, elle se relève à peine du passage dévastateur de l'ouragan Ike qui, le 8 septembre 2008, ravagea l'île et endommagea la plupart de ses maisons victoriennes.

• Le Strand★ *(entre 19th St. et 25th St.)*. L'artère principale du Downtown, autrefois appelée « Wall Street

du Sud-Ouest », est bordée de beaux **immeubles victoriens** en brique transformés en magasins de souvenirs, galeries d'art et d'artisanat, antiquaires et restaurants.

● **Texas Seaport Museum** (*Pier 21* ☎ *409/763-1877 • ouv. 10 h-17 h, f. j. fériés*). Un petit musée consacré à l'héritage maritime de Galveston. Visiter en particulier le *Tall Ship Elissa*★, trois-mâts à coque d'acier construit en 1877 à Aberdeen, en Écosse.

● **Galveston Historic District**★ s'étend sur 36 *blocks*. Une balade en voiture permet d'explorer Broadway Ave., Sealy Sts et Ave. O, où s'élèvent la plupart des belles **maisons victoriennes**. Certaines sont ouvertes à la visite, comme **Moody Mansion Museum** (*2618 Broadway et 26th St.* ☎ *409/762-7668*), la mieux conservée de la ville, bâtie en 1895 pour Narcissa Willis et acquise par la riche famille Moody au lendemain du grand ouragan de 1900. Leur fortune provenait du commerce du coton, de la finance, de l'élevage, des assurances et de l'industrie hôtelière naissante.

● **Bishop's Palace**★ (*1402 Broadway et 14th St.* ☎ *409/762-2475 • vis. guidées t.l.j. 12 h-16 h • entrée payante*). Cette demeure, bâtie en 1892 pour le magnat du chemin de fer Walter Gresham et sa famille, servit de résidence à l'archevêque du diocèse de Galveston, entre 1921 et 1960. Mobilier d'époque.

● À voir aussi, **Powhatan House** (*1847 • 3427 Ave. O*) et **Garten Verein** (*1880 • 2704 Ave. O*) ainsi que les maisons victoriennes du **East End Historic**

▲ **Tout le long du golfe du Mexique, de Galveston (photo) à Brownsville, un cordon presque ininterrompu d'îles s'étire à quelques milles de la côte. Cette zone, située sur les grandes routes de migration, du Grand Nord au Mexique, est riche en oiseaux de mer, de rivages et de marécages, en rapaces et en gibier d'eau.**

🖉 GALVESTON EN FAMILLE
● *Moody Gardens*, 1 Hope Blvd ☎ (1)800/582-4673 ; ouv. t.l.j. 10 h-18 h ; entrée payante. Trois pyramides abritent un aquarium, une forêt tropicale peuplée d'oiseaux, de papillons et de reptiles, un musée et une plage artificielle à eau douce. Salle de projection IMAX.

● *Schlitterbahn Galveston Island Waterpark*, 2026 Lockheed Dr. ☎ 409/770-7283 ; www.schlitterbahn.com Adjacent au précédent, ce parc d'amusement aquatique propose piscines, bains à remous, cascades, rapides et trois rivières de descente en chambre à air.

Houston

La King, 2323 The Strand. Une pâtisserie américaine à l'ancienne. Glaces merveilleuses : c'est l'occasion de goûter à la fameuse *Blue Bell Ice Cream*, incontournable au Texas. Le palais des douceurs à Galveston.

Un ferry gratuit permet de gagner Point Bolivar, autre point d'observation des oiseaux et des dauphins.

District *(entre Broadway au S., 10th St. à l'E., Mechanic Ave. au N., et 19th St. à l'O.).*

● Galveston Island est bordée, à l'E. et à l'O., de longues **plages** de sable fin, familiales et populaires. L'accès à Seawall Beach, Stewart Beach et East Beach est payant.

● **Galveston Island State Park** *(à 10 mi/16,6 km O. de 61st St. [I-45] ● ouv. t.l.j. 7 h-22 h ● entrée payante).* Très endommagé par le passage de l'ouragan Ike (septembre 2008), le parc a perdu la plupart de ses infrastructures d'accueil. Des sentiers aménagés à travers prairies et marais salants permettent l'observation de quantité d'oiseaux migrateurs : spatules rosées, grands hérons bleus, aigrettes neigeuses, canards bruns et colverts.

Bluebonnets

La fleur emblématique du Texas est la centaurée bleue *(Lupinus texensis),* dont les grappes, d'un bleu profond, recouvrent les plaines et les collines du centre de l'État au printemps. La floraison commence début mars sur le littoral du Golfe et se poursuit, en se déplaçant vers le nord, jusqu'aux premières gelées de novembre. Mais c'est début avril qu'il faut parcourir les petites routes de campagne, dans un triangle formé par Austin, Houston et Dallas, et admirer les immenses tapis bleus de *bluebonnets* auxquels se mêlent parfois le jaune pâle des primevères, le rouge vif des coquelicots ou l'or des renoncules.

Le 24 avril est déclaré fête des Fleurs sauvages au Texas et donne lieu à de multiples manifestations champêtres dans les petites villes. De mars à mai, le ministère des Transports met à disposition un numéro libre indiquant où les *bluebonnets* sont en fleur ☎ *(1)800/452-9292.*

Dallas et Fort Worth★ ᴛx

Couvrant 110 km d'est en ouest, Dallas et Fort Worth forment le complexe urbain le plus vaste du sud-ouest des États-Unis ; cette conurbation, appelée par les autochtones *metroplex*, regroupe près de 6,5 millions d'habitants. Inséparables voisines, les deux villes sont néanmoins très différentes. Cité bâtie par les pionniers au milieu de la plaine texane, Dallas a hérité de l'énergie de ses pères : ville moderne et dynamique, résolument tournée vers l'avenir, elle se transforme sans cesse et sait s'adapter aux nécessités de son temps. Profondément attachée à la terre, née de l'élevage et de l'agriculture, Fort Worth semble plus provinciale. Malgré cette apparence, musées et gratte-ciel y abondent et les activités économiques et culturelles ne sont pas moins dynamiques qu'à Dallas.

Situation : Dallas, à 35 mi/56 km E. de Fort Worth, 203 mi/326 km N.-E. d'Austin, 245 mi/394 km N.-O. de Houston.

Population : Dallas, 1 200 000 hab. L'agglomération Dallas-Fort Worth compte 6 372 000 hab.

Fuseau horaire : Central Time (– 7 h par rapport à la France).

☞ Plan I (Dallas Downtown), p. 564 • plan II (Dallas et Fort Worth), p. 570.

🛈 *Dallas Tourist Information Center*, Old Red Courthouse (I A2), 100 S. Houston St., Downtown Dallas ☎ 214/571-1301 ; www.visitdallas.com ; 9 h-17 h, f. les j. fériés.

1 Dallas★

■ Arriver à Dallas

En avion. L'aéroport international *Dallas-Fort Worth* (DFW) est à 18 mi/29 km N.-O. de Dallas (☎ 972/973-8888).

Pour se rendre au centre-ville : en **voiture**, emprunter le SR 183E vers l'E., puis l'I-35 E. vers le S. (25 mn de trajet) • en **train**, utiliser le *Trinity Railway Express* (TRE) jusqu'à Union Station • en **bus**, ligne *Express Line 202* (t.l.j. 6 h-23 h, toutes les heures) du Dart (*Dallas Area Rapid Transport*), qui va jusqu'au centre • **navettes** *Super-Shuttle* et **taxis** • compter 45 $ en taxi, 20 $ en navette, 2 $ en train ou en bus.

En train. La compagnie *Amtrak* (☎ 214/653-1101 ; www.amtrak.com) dessert Union Station (400 S. Houston St.) • liaisons avec Chicago (correspondances vers Boston et New York) et San Antonio (correspondances vers Miami et Los Angeles).

■ Se déplacer

La ville de Dallas s'étend sur près de 1 000 km² et ne cesse de croître. Il vaut mieux disposer d'une voiture, mais le stationnement est payant (parcmètres).

À ne pas manquer à Dallas	
The Sixth Floor Museum★★	567
Dallas Museum of Art★★	568
Thanksgiving Square★	566
West End Historic District★	567
Nasher Sculpture Center★	569

Voir carte régionale p. 542

En tramway. Les trois lignes du *Dart Light Rail* (☎ 214/979-1111) desservent Downtown, les centres commerciaux d'Uptown au N., le quartier historique à l'O., Old City Park, le centre des Congrès et le zoo (t.l.j. 5 h 30-0 h 30 ; forfaits journée) • des **trolleybus** à l'ancienne, les *McKinney Ave. Trolleys*, sillonnent le quartier des Arts, au N. de Downtown ; ils sont gratuits.

■ **Adresses utiles**

Argent, change. *American Express*, 8317 Preston Center Plaza ☎ 214/363-0214 ; lun.-ven. 9 h-18 h • *Thomas Cook Foreign Exchange*, 2911 Turtle Creek Blvd, au N.-O. du centre-ville ☎ 214/559-3564.

Taxis. *Yellow Cabs*, ☎ 214/426-6262.

Location de voitures. *Budget* ☎ (1)800/527-0700 • *Avis* ☎ 972/571-9290 et (1)800/331-1212 • *Dollar* ☎ (1)800/800-4000.

Poste principale. 400 North Ervay St. ; lun.-sam. 8 h 30-17 h ☎ (1)800/275-8777 ou 214/468-8270.

L'énergie farouche des pionniers

En 1841, John Neely Bryan, avocat du Tennessee, fonde un comptoir commercial près du gué de la Trinity River, sur le territoire des Indiens Caddos et Cherokees. En 1856, ce comptoir est annexé au Dallas County, constitué dans le voisinage depuis 1846. La petite bourgade de 300 hab. prend alors le nom du vice-président

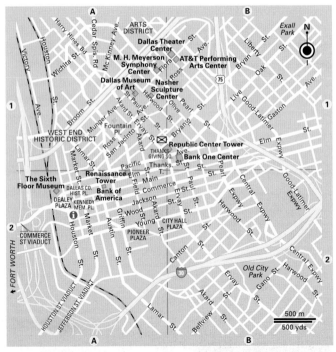

Plan I : Dallas Downtown.

George Mifflin Dallas (1792-1864). L'arrivée massive de colons et de planteurs de coton, puis celle du train, en 1870, accélèrent la croissance de la ville.

Dallas aux mille ressources

La culture des céréales et du coton, à laquelle s'ajoutera, dans les années 1930, l'exploitation du pétrole, constitue la base de son économie. À partir de 1940, la construction aéronautique et spatiale donne une impulsion décisive à son essor. Menacée de déclin au début des années 1980, Dallas réoriente ses activités et devient l'une des premières places financières de l'Ouest. Plaque tournante du commerce vers l'intérieur du pays, le secteur tertiaire se développe rapidement (banques, compagnies d'assurances et sociétés pétrolières) ; l'électronique, la pétrochimie et l'agroalimentaire contribuent également à son dynamisme économique. Exxon Mobil, AT&T, Texas Instruments, Southwest Airlines sont basées à Dallas. Elle est aujourd'hui la 2e ville du Texas après Houston.

➤ Downtown

Se déplacer. Le meilleur moyen d'observer les gratte-ciel du centre-ville est d'emprunter les tramways de la M-Line, à partir de la station *West End*, à l'angle de Pacific et Lamar Sts.

■ Main Street I A2-B1
● **Bank of America Plaza★** I A2 *(901 Main St.)*, construit en 1985, est, avec ses 281 m, l'immeuble le plus haut de Dallas et l'un des plus impressionnants. La nuit, ses arêtes éclairées par un mince filet d'argon vert se reflètent sur les bâtiments environnants, créant de saisissants effets de lumière.

Le philosophe et économiste français **Victor Considérant** (1808-1893), en exil, établit en 1854 la Réunion (tout près de Dallas), une colonie agricole d'inspiration socialiste, composée d'hommes de science, d'artistes et d'écrivains. Elle périclite rapidement, mais la plupart de ses membres restent à Dallas, formant le creuset d'une solide tradition culturelle.

☎ NUMÉROS GRATUITS
Les numéros de téléphone qui commencent par ☎ 800, 855, 866, 877, 888 sont des numéros d'appel gratuits *(toll-free number)*. Faites-les précéder du ☎ 1 si vous appelez depuis un poste fixe (et non d'un portable). Dans ce guide, ces numéros sont notés ainsi : ☎ (1)800/000-0000.

▼ La « ligne de crête » du centre-ville est dominée par le Bank of America Plaza. Sur la droite, reconnaissable à sa tour d'observation, la Reunion Tower (170 m), dont le dernier étage abrite l'un des restaurants de l'*Hyatt Regency Dallas Hotel*.

Gylley's Dallas,
1135 S. Lamar St. (I A2 ; station
DART Cedars) ☎ 214/421-2021.
Le plus grand bastringue
de la ville : musique et danse
country, taureau mécanique
et courses de tatous…
Une véritable expérience texane.

La sérénité de Thanksgiving
Square contraste avec les
gratte-ciel qui l'entourent :
Republic Center Tower I (1954),
Thanksgiving Tower (1983),
habillée de verre noir, et Energy
Plaza (1983), dû à Ieoh Ming Pei.

Y.O. Ranch Steackhouse,
702 Ross Ave. et Market St.
(I A1/2) ☎ 214/744-3287. Une
steackhouse traditionnelle :
viande d'excellente qualité, prix
raisonnables.

Wild Bill's Western Wear, 311
N. Market et Ross Sts (I A1)
☎ 214/954-1050. Un choix
impressionnant de santiags,
stetsons sur mesure, ceintures
et selles, pour un vrai look
de cow-boy texan.

• Sur la g., à hauteur de Field St., on aperçoit **Renaissance Tower** I A1/2 *(1201 Elm et Field Sts)*, tour de verre de 56 étages, agrémentée d'une double croix sur chaque face. Sa pyramide intérieure haute de 8 étages (Crystal Court) protège un patio paysager. Renaissance Tower a été rendue célèbre par la série télévisée *Dallas* : l'immeuble a été choisi pour abriter les bureaux de l'ignoble J. R. !

• **Bank One Center** I B1 *(1717 Main St.)*, datant de 1987, est un bel ensemble postmoderne conçu par Philip Johnson et John Burgee. Le porche monumental, à l'esthétique « années 1930 », est surmonté d'un haut building de plan cruciforme ; galerie commerciale au sous-sol.

Depuis Main St., on rejoint Thanksgiving Square par Ervay St. qui croise Pacific Ave. à la hauteur du parc.

■ **Thanksgiving Square**★ I A/B1 *(1627 Pacific Ave., Ervay et Bryan Sts. • square ouv. lun.-ven. 9 h-17 h, sam. 10 h-17 h, dim. 13 h-17 h • Hall of Thanksgiving, lun.-ven. 11 h 30-13 h 30, sam. 10 h-17 h, dim. 13 h-17 h • accès libre).* Cet ensemble réalisé par Philip Johnson (1976) s'inscrit dans un petit triangle, en plein cœur du quartier des affaires. Il a été conçu comme un lieu de recueillement œcuménique où exprimer la gratitude envers Dieu : le **Hall of Thanksgiving** est consacré à l'histoire de cette tradition américaine qui remonte à 1775. La chapelle, à laquelle on accède par une passerelle extérieure, s'élève en spirale comme une métaphore de la vie. Une **croix en vitrail**★ s'inscrit à la coupole, œuvre du maître verrier français Gabriel Loire.
En traversant le **Garden of Meditation**, on gagne **The Court of All Nations**, orné d'une mosaïque d'après Norman Rockwell : *Golden Rule*. Tous les jours à 12 h, les trois cloches du carillon font un instant oublier le vacarme ambiant.

Poursuivre Ervay St. jusqu'à son intersection avec Ross Ave.

■ **Ross Avenue** I A–B1. On y voit quelques-uns des gratte-ciel les plus audacieux de Downtown. **Trammell Crow Center**★ I A1 (N. Foster, 1985 • *2001 Ross Ave.*) est entouré d'un petit jardin de sculptures où sont rassemblées des œuvres de Rodin, Maillol et Bourdelle. **J. P. Morgan Chase Tower**★ I A/B1 *(2200 Ross Ave.)*, une tour de 225 m (1987), présente une façade percée d'une immense fenêtre haute de 75 m destinée à réduire la pression du vent au sommet.

Plus loin, se trouve **Fountain Place**★ I A1 *(1445 Ross Ave. et Field St.)*, de 1985, dessinée par I. M. Pei. Ce prisme de verre vert se démarque par ses formes

▲ L'Old Red Courthouse a été construite en grès et en pierre pour résister aux incendies qui avaient détruit les cinq précédentes cours de justice. Elle abrite aujourd'hui le *Visitors Center* et un petit musée consacré à l'histoire de la ville.

complexes et ses pans coupés. Au pied de Fountain Place s'étend un **square** paysager traversé d'allées piétonnes, où l'on pourra faire une pause auprès des nombreuses fontaines et des plans d'eau, et aussi se restaurer.

■ **Dallas County Historical Plaza** I A2 *(dans un rectangle délimité par Market, Elm, Commerce et Houston Sts).*

● **Old Red Courthouse** (1892), l'ancienne cour de justice en grès rouge de style néoroman, abrite aujourd'hui le *Visitors Center.*

● La **John Neely Bryan Cabin** (1841). Perdue au milieu de la ville, cette **cabane en rondins** est une réplique de celle qu'habitait le fondateur de la ville, au bord de la Trinity River, en 1841.

● L'agencement du **John F. Kennedy Memorial Park★** *(Market et Main Sts)* est dû à Philip Johnson, architecte et ami personnel des Kennedy. Au centre se dresse le cénotaphe, élevé en 1970 à la mémoire du président assassiné à 200 m de là.

Elm, Main et Commerce Sts aboutissent à Dealey Plaza, ombragée de grands arbres.

■ **The Sixth Floor Museum★★** I A2 *(411 Elm St., Suite 120 ; à l'angle N.-O. de Dealey Plaza ☎ 214/747-6660 • lun. 12 h-18 h, mar.-dim. 10 h-18 h • café-librairie face au musée).* C'est de là, au 5e étage de l'ancien Texas Book Depository Building, que furent tirés les coups de feu qui tuèrent **John Kennedy** le 22 novembre 1963. L'endroit est aussi émouvant que sinistre : photographies, vidéos et animations interactives retracent la vie, l'œuvre et l'héritage du président ; objets personnels, pièces relatives à l'enquête (caméra du vidéaste amateur Abraham Zapruder, dont les images ont fait le tour du monde, modèle réduit des lieux du crime fabriqué par le FBI pour la commission Warren, etc.).

À l'endroit même où le président John F. Kennedy perdit la vie (venu de Houston St., le cortège présidentiel s'engageait dans Elm St.), l'asphalte est marqué d'une croix blanche.

■ **West End Historic District★** I A1 *(entre San Jacinto, Field, Lamar Sts et Mc Kinney Ave.).* Ce quartier d'entrepôts s'est développé à proximité de la gare de chemin de fer (Union Station) à partir des années 1870. La première prison

☞ Plan I (Dallas Downtown),
p. 564 • plan II (Dallas et Fort
Worth), p. 570.

de la ville y fut établie en 1906 : on peut encore voir
les barreaux au 703 Ross Ave. Transformés en magasins et restaurants, les immeubles du West End ont
été sauvés *in extremis* de la démolition en 1975. Le
quartier est toujours animé le soir, en particulier sur
Ross Ave. et N. Market St.

➤ Arts District★★

♥ RESTAURANT
Truluck's, 2401 Mc Kinney Ave.
(I A1) ☎ 214/220-2401. Un
« diner » élégant, spécialités de
fruits de mer finement cuisinées.

Ce quartier, qui s'étend autour du Dallas Museum
of Art, concentre dans un espace piétonnier différents espaces culturels : musées, école d'art, opéra,
salles de spectacle, etc.

■ **Dallas Museum of Art★★** I A1 (*1717 N.
Harwood St.* ☎ *214/922-1200 • www.dm-art.org •
mar.-mer. 11 h-17 h, jeu. 11 h-21 h, ven.-dim. 11 h-17 h
• gratuit jeu. 17 h-21 h et le 1ᵉʳ mar. du mois*) est installé depuis 1984 dans un bâtiment construit par
E. Larrabee Barnes auquel fut ajouté, en 1993, le
Hamon Building. On y accède, à l'angle de Ross et
Harwood Sts, par un **jardin de sculptures**, ombragé
et agrémenté de fontaines, où sont installées des
œuvres du XXᵉ s., dont une immense composition
en acier d'Ellsworth Kelly, et des pièces originales de
Mark Di Suvero et Richard Serra.

✐ BON À SAVOIR
À côté du Dallas Museum of
Art, sur St Paul St., on peut
gratuitement emprunter
un charmant trolley d'époque
pour gagner Uptown
via Mc Kinney Ave. (nombreux
hôtels et restaurants).

● **Art contemporain★.** La peinture contemporaine
est bien représentée, avec notamment la célèbre
Cathedral (1950) de **Jackson Pollock**, *The Barcelona
Elegy* (1960) de **Robert Motherwell**, *Ocean Park
N. 29* (1970) de **Richard Diebenkorn**, et des toiles
de Mark Rothko, Sam Francis, Jasper Johns, Frank
Stella et d'Andy Warhol.

● **Art européen★★.** La collection ras-
semble un choix raffiné de tableaux, de
sculptures et de travaux sur papier
datant du XVIIIᵉ au XXᵉ s. **Claude Monet**
(*La Seine à Lavacourt★★*, 1880), **Édouard
Manet** (*Le Clairon*, 1882), **Paul Gauguin**
(*I Raro te Oviri*, 1891), **René Magritte**
(*La Lumière des coïncidences★*, 1933), **Piet
Mondrian** (*Place de la Concorde*, 1938-
1943).

▲ Les trolleys de McKinney Ave.
sont de véritables *streetcars*
originaux. Le vénérable n° 186,
surnommé « Green Dragon »,
a circulé à Dallas de 1913 à 1956,
date à laquelle le réseau de trolleys
a été abandonné. Restauré,
il a repris du service en 1989.

● **Art antique.** Le musée possède des œuvres
couvrant toutes les périodes de l'histoire méditerranéenne, du IIIᵉ millénaire av. J.-C. jusqu'à la chute
de l'Empire romain. Arts égyptien, grec, étrusque ou
romain y sont représentés. Quelques objets funéraires exceptionnels valent à eux seuls le déplacement ; à voir également, les mosaïques étrusques,
les sculptures romaines en marbre, ainsi que la collection de **bijoux★** en or grecs, romains et étrusques.

• **Art africain*.** La collection regroupe d'anciens fonds privés, acquis par le musée vers 1970 (**collection Schindler** et **collection Stillman**), centrés sur l'Afrique subsaharienne, notamment le Congo, le Nigeria et le Zaïre. On peut admirer une magnifique série de **masques** et de **statuettes** cérémonielles. La plupart des grandes traditions artistiques de ces régions (Luba, Kuba, Kongo, Tshokwé, Suku, Yaka, etc.) sont représentées. Aux exceptionnelles figurines (femmes Luba, Igbo, Senufo ou Djenennenke) s'ajoutent des objets usuels (boîtes, coupes, bâtons, etc.) originaires du bassin du Congo, décorés avec raffinement.

• **Arts d'Asie et d'Océanie.** Très variées, ces collections rassemblent objets décoratifs, sculptures, céramiques, tapis, peintures, en provenance d'Inde, d'Indochine, de l'Himalaya, de Chine et du Japon. Elles embrassent près de 20 siècles d'art, de l'école bouddhique indienne du Gandhara (IIe s.) à l'art moghol (XVe s.-XIXe s.), parfois davantage, avec des céramiques préhistoriques japonaises de l'ère Jomon. À noter aussi, de beaux bronzes Meiji et des faïences Tang originales.

• **Wendy & Emery Reves Collection**.** Cette exposition permanente, inaugurée en 1985, reconstitue la décoration intérieure de la villa La Pausa, propriété des donateurs à Roquebrune-Cap-Martin : meubles et objets d'art européens, porcelaines chinoises, tapis espagnols et orientaux, verreries antiques, argenterie anglaise, **toiles impressionnistes**** (Manet, Pissarro, Monet, Renoir, Degas, Van Gogh, Cézanne, Toulouse-Lautrec, Redon, etc.).

• **Art des Amériques*.** **Objets antiques**, sacrés ou usuels, issus des cultures olmèque, maya, aztèque, nasca et anasazie (parures en or, sculptures, céramiques, textiles), argenterie, mobilier et vaisselle datant de l'époque coloniale et des siècles suivants, jusqu'en 1940.

À voir aussi les œuvres d'artistes américains du XIXe s. et du début du XXe s. : Thomas Hart Benton, Georgia O'Keeffe, Charles Demuth, Frederic Edwin Church, **John Singer Sargent** (*Dorothy**, 1900), **Edward Hopper** (*Lighthouse Hill***, 1927), **Franck Duveneck** (*Lady with a Red Hat*, 1904), vitrail de **Louis Comfort Tiffany** (*4 Seasons Under the Sea*, vers 1885-1895).

■ **Nasher Sculpture Center*** I A1 (*2001 Flora et N. Harwood Sts* ☎ *214/242-5100 • ouv. mar.-dim. 10 h-17 h • entrée payante*). En face du musée, de l'autre côté de Harwood St., s'élève cette toute nouvelle structure, élégante et aérienne, voulue par le collectionneur et philanthrope Raymon Nasher qui a choisi Renzo Piano pour concevoir l'ensemble et Peter Walker, architecte paysagiste. Cette institution se veut un « lieu où apprendre la sculpture et aussi une oasis dans la ville ». Elle regroupe 300 œuvres, dont une quarantaine de sculptures de Calder, Di Suvero, Hepworth, Kelly, Miró, Moore, Rodin, Serra.

■ **AT&T Performing Arts Center*** I A/B1 (*entre Crockett St., Flora St., Ross Ave., Jack Evans St., Ross Ave. et Woodhall Rodgers Fwy*). Cet impressionnant complexe culturel a été inauguré en 2009. Plusieurs bâtiments sont l'œuvre d'architectes prestigieux : **M&B Winspear Opera House*** (N. Foster), le D&C Wily Theatre (R. Koolhaas) et le A. Strauss Artists Square (N. Forster). Le **Sammon's Park** (M. Desvigne & JJR) assure le lien entre le centre culturel et l'Arts District.

▶ Plus au N., **Morton Meyerson Symphony Center** I A–B1 (*2301 Flora et N. Pearl Sts*), opéra à l'acoustique remarquable, œuvre de Ieoh Ming Pei, et **Dallas Theater Center** (*2401 Flora St. et Ross Ave.*), théâtre conçu par Frank Lloyd Wright (1959). ◀

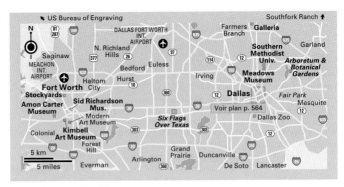

Plan II : Dallas et Fort Worth.

➤ La périphérie de Dallas

■ **Old City Park** I **B2** (*1515 S. Harwood St.* ☎ *214/421-5141 • entrée payante • mar.-sam. 10 h-16 h, dim. 12 h-16 h • vis. guidées possibles*). Le plus ancien parc public de la ville abrite le **Dallas Heritage Village**, où sont rassemblés une quarantaine d'édifices des années 1840 à 1910 : anciens hôtels, magasins, granges et moulins, cabane en rondins (1847), école, plusieurs maisons victoriennes (1880-1900), petite église en bois (1894).

■ **State Fair Park★** plan II (*à 2 mi/3 km E. de Downtown, au S. de l'I-30 par Commerce St.*). Cet immense parc d'exposition réunit de nombreux musées. En octobre, à l'occasion de la *Texas State Fair*, il reçoit 3,5 millions de visiteurs. La vaste esplanade, ensemble important de style Art déco avec bassin central, bordée par Centennial Bldg et Automobile Bldg, conduit au Hall of State.

● **Dallas Aquarium** (*1801 N. Griffin St.* ☎ *214/720-2224 • ouv. t.l.j. 10 h-17 h • repas des loutres à 10 h 30 et 15 h 30 • entrée payante*) réunit plus de 5 000 espèces de poissons d'eau douce et marins, dont certaines sont rarissimes ; reconstitution d'un récif corallien ; immense bassin reproduisant l'écosystème sous-marin du fleuve Amazone.

● **Museum of Nature and Science** (*3535 Grand Ave.* ☎ *214/428-5555 • ouv. lun.-sam. 10 h-17 h, dim. 12 h-17 h ; de fin mai à début sept., lun.-sam. 9 h 30-18 h, dim. 12 h-18 h*). Installé depuis 1936 dans un bâtiment Art déco, le **Nature Building** présente fossiles, squelettes, empreintes des grands vertébrés et principaux écosystèmes du Texas dans des vitrines où les animaux naturalisés sont replacés dans leur environnement ; outils taillés dans le silex, témoins des civilisations indiennes vieilles de 10 000 ans.

Le **Science Building** (*1318 S. 2nd Ave.*) propose 200 attractions interactives afin d'initier les visiteurs aux mystères de l'astronomie, de la géologie, de la physique ou de la robotique.

● **The Women's Museum** (*3800 Parry Ave., au N. de Downtown, par l'US 75* ☎ *214/915-0860 • mar.-dim. 12 h-17 h • entrée libre le mar. 17 h-21 h*). Construit en 1910 pour servir de salle de ventes et de concerts, le bâtiment reçut une façade Art déco en 1936. Il accueille un musée consacré à la vie des Américaines et à leur influence sur la culture nationale. Trois mille femmes se trouvent ainsi mises à l'honneur, dans tous les domaines (sciences, métiers, arts, sports…), grâce à des présentations interactives.

■ **Southern Methodist University** plan II *(Bishop Blvd, à 5 mi/8 km N. de Downtown par Hwy 75, sortie Mockingbird Lane)*. Vaste campus (10 000 étudiants) fondé en 1911, dont les édifices, pour la plupart de style géorgien, s'élèvent dans un environnement boisé et verdoyant.

● **Meadows Museum★** *(5900 Bishop Blvd* ☎ *214/ 768-2516 • vis. mar., mer., ven. et sam. 10 h-17 h, jeu. 10 h-21 h, dim. 12 h-17 h, f. lun. • entrée libre jeu. à partir de 17 h • parking gratuit),* ouvert en 1965, offre aujourd'hui, dans un bâtiment neuf, une magnifique collection d'**art espagnol**, du Xᵉ au XXᵉ s. : objets de l'époque médiévale (Espagne islamique et chrétienne) ; toiles du Greco, de Velázquez et de Goya ; œuvres de Picasso, Juan Gris et Joan Miró (dont *Le Cirque*, 1937).
À côté de la boutique du musée, voir la sculpture en plomb de Maillol, *Les Trois Grâces* (1937-1939).

■ **Arboretum et Botanical Gardens** plan II *(8525 Garland Rd, sur White Rock Lake, à 5 mi/ 8 km N.-E. • t.l.j. 9 h-17 h).* Superbe jardin vallonné, divisé en sections à thème, et situé au bord du White Rock Lake où l'on peut canoter ou se baigner.

Entre Dallas et Fort Worth sur l'US 30.

■ **Six Flags over Texas** plan II *(à Arlington, 16 mi/ 28 km S.-O. sur l'US 30, dir. Fort Worth, sortie TX 360 • www.sixflags.com • ouv. de mars à déc. à partir de 10 h, f. en hiver).* Grand parc d'attractions à thème (le Texas dans l'histoire, des Espagnols à nos jours) ; tour d'observation, télécabines, promenades en bateau, spectacles et parades, etc., sur 60 ha. Le grand huit culmine à 80 m de haut : sensations garanties !

● De l'autre côté de l'autoroute, le parc **Hurricane Harbor** *(1800 East Lamar Blvd)* propose des attractions aquatiques variées, de l'aventure pirate au surf sur vagues artificielles, et la reconstitution saisissante d'un ouragan.

② Fort Worth★

■ **Arrivée**

En avion. L'aéroport international Dallas-Fort Worth est à 17,5 mi/28 km N.-E. de Fort Worth.
Compter 30 mn pour aller au centre-ville *via* Hwy 183, Loop 820 et I-35 W. • le *Trinity Railway Express* relie le Centerport de l'aéroport (navettes depuis les terminaux) à la gare centrale ITC (Inter-

La première **Texas State Fair** date de 1886. C'était alors une vaste kermesse où se mêlaient concours de bestiaux, attractions foraines, bateleurs et feux d'artifice. Aujourd'hui, elle rassemble des pavillons à thème, des spectacles en plein air, une ferme vivante, un salon de l'Automobile, des défilés, des loteries et même un cirque avec sa ménagerie. Les festivités durent trois semaines.

♥ SHOPPING
Galleria Dallas, 13350 Dallas Pkwy (prendre I-35 E., sortie Dallas Parkway N. – 22 D) ; ouv. lun.-sam. 10 h-21 h, dim. 12 h-18 h. Une gigantesque galerie marchande, des centaines de magasins.

✐ LIAISONS DALLAS-FORT WORTH
● Des nombreuses routes, la Dallas-Fort Worth Turnpike (US 30 ; péage) est la plus directe : quitter Dallas vers l'O. par Commerce St. et le viaduc qui enjambe la Trinity River.
● Le *Trinity Railway Express* (TRE) relie Dallas et Fort Worth, trains toutes les 5-10 mn, t.l.j. sf dim.

Situation : à 35 mi/56 km O. de Dallas, 187 mi/300 km N. d'Austin. 259 mi/415 km N.-O. de Houston.

Population : 741 000 hab.

Fuseau horaire : Central Time (– 7 h par rapport à la France).

❶ *Visitors Information Center,*
508 Main St., Sundance Square
☎ 817/698-3300 ;
lun.-sam. 10 h-18 h ;
www.fortworth.com

Antimoderniste ?

Originaire de Los Angeles, diplômé de l'école des Beaux-Arts de Yale, **David Schwarz** est l'architecte fétiche de la métropole Dallas-Fort Worth, où il a dessiné de nombreux bâtiments publics, des cinémas, des banques ou des cliniques. Son style Art déco, délibérément antimoderniste, tranche sur les gratte-ciel de verre et d'acier qui caractérisent les centres-villes du Texas.

Très éclectique, il varie souvent son design, empruntant ici et là des éléments décoratifs à de nombreux styles anciens, au gré des commandes et de son inspiration, si bien que ses détracteurs le taxent de faire de l'architecture « au rabais », du « Disneyland ». Son National Cowgirl Museum (*p. 577*) s'intègre cependant parfaitement aux constructions environnantes, même s'il combine avec hardiesse la brique, la pierre recomposée, la terre cuite et l'aluminium.

modal Transportation Center, 1000 Jones St.) • en navette : le service *Airporter* (assuré par *Yellow Checker Shuttle Co.*), accessible au niveau supérieur de chaque terminal, dessert les principaux hôtels (17 $; rens. : ☎ 817/267-5150).

En train. Fort Worth est à la jonction de deux lignes *Amtrak*, le *Texas Eagle* (Chicago, Los Angeles) et le *Heartland Flyer* (Oklahoma City).

■ Se déplacer

En trolley. Un réseau de trolleys à l'ancienne dessert la plupart des quartiers touristiques • **bus verts** appelés *Longhorn Trolleys* : ligne 1 (ligne 15 le sam.) pour aller aux Stockyards ; ligne 2 (O.) vers les musées • des **trolleys rouges** (gratuits) circulent en boucle dans le centre (Houston St., ITC, Commerce St.). Rens. : *Fort Worth Transportation Authority* (☎ 817/215-8600)

■ Adresses utiles

Urgences. Commissariat, 350 West Belknap St., à l'angle de Taylor St. ☎ 817/392-4200.

Gare ferroviaire. À l'E. du centre près du *Convention Center* ☎ 214/653-1101 ; www.amtrak. com

Argent, change. *Bank of America,* 500 West 7th St., 13th floor ☎ 817/390-6161 • *Chase Bank of Texas,* 201 Main St. ☎ 800/935-9935 • *American Express,* 6952 Ridgmar Meadow Rd ☎ 817/738-5441.

Poste centrale. 251 West Lancaster St. ☎ 817/348-0565 ; lun.-ven. 7 h 30-19 h.

Aux sources du Far West

Fort Worth est l'une des dernières « villes-frontières » avant les étendues fertiles du Panhandle et des Grandes Plaines. Fondée quelques années après Dallas, elle connaît une évolution plus conforme à l'histoire de l'Ouest : garnison protégeant les premiers colons, son développement se confirme au lendemain de la guerre de Sécession, lorsque les immenses troupeaux cheminent vers les gares du Kansas. Les lignes ferroviaires tardant à l'atteindre, c'est la ville tout entière qui s'étend vers l'E. à la rencontre de la voie ferrée ! Aujourd'hui, l'industrie y joue un rôle plus important qu'à Dallas. Son expansion repose sur le marché du bétail et des céréales, mais l'équipement automobile et aérospatial, la fabrication de matériel chirurgical et la construction de *motor-homes* prennent une importance croissante.

■ Sid Richardson Collection★ (*309 Main St.* ☎ *817/332-6554* • *ouv. lun.-jeu. 9 h-17 h, ven.-sam. 9 h-20 h, dim. 12 h-17 h* • *entrée libre*). Sid Richardson a fait fortune dans les années 1940 grâce au

pétrole et à l'élevage. Sa passion des chevaux l'a naturellement conduit à s'intéresser aux œuvres de **Remington** et de **Russell** (→ *encadré p. 575*).

À retenir, pour **Remington** l'autoportrait *Self-Portrait on a Horse*★ (1890), *Among the Led Horses* (1909) et *The Luckless Hunter*★ (1909). On retrouve dans certaines toiles de **Charles Marion Russell**, *The Ambush* (1896), *Returning to Camp* (1901) ou *Deer in Forest* (1917) par exemple, des arrière-plans grandioses dignes de Bierstadt ou de Cole. On s'arrêtera devant *Buffalo Bill's Duel with Yellowhand*★ (1917), épisode légendaire de la vie du fameux éclaireur (1876) au cours duquel il tua le chef cheyenne Yellowhand et, disait-il, le scalpa pour venger la mort de Custer.

Plusieurs superbes **selles** de cuir ouvragées d'argent exposées dans le musée sont l'œuvre d'un immigrant suédois, **Edward H. Bohlin** (1895-1980), devenu le meilleur sellier du Wyoming ; il travailla pour ce même Buffalo Bill et son *Wild West Show*, puis plus tard pour les plus grandes stars de western hollywoodiennes, de Tom Mix à Gary Cooper.

Gagner le S.-O. de la ville par 7th St. et Camp Bowie Blvd.

■ **Kimbell Art Museum**★★ (*3333 Camp Bowie Blvd* ☎ *817/332-8451 • mar.-jeu. 10 h-17 h, ven. 12 h-20 h, sam. 10 h-17 h, dim. 12 h-17 h • entrée libre sf expositions temporaires*). L'ensemble de longs bâtiments aux toits arrondis (Louis Kahn, 1972) évoque des hangars pour avions ; à l'intérieur, la lumière naturelle est diffusée grâce aux éléments coulissants des toits. Sans cesse enrichies, les collections du Kimbell Art Museum sont de très grande qualité et prétendent davantage à l'excellence qu'à l'exhaustivité. La présentation intelligente mêle styles, genres, époques et régions, permettant rapprochements et comparaisons. Périodiquement, les toiles et les sculptures exposées sont renouvelées, de façon à mettre en évidence la richesse des fonds du musée. Pour 2013, le musée a commandé une nouvelle aile à l'architecte Renzo Piano.

● **Peinture italienne**. Le musée a acquis en 2009 *Le Tourment de saint Antoine*★★ (vers 1487-1488), étonnant petit tableau peint par **Michel-Ange** à l'âge de 12 ans, alors qu'il étudiait dans l'atelier de Ghirlandaio. Admirez *L'Apôtre saint Jacques libérant le magicien Hermogènes*★ (1429-1430), détrempe sur bois de **Fra Angelico** ; *Les Tricheurs*★★★ (vers 1594-1595) de **Caravage**, tableau exceptionnel tout en nuances de lumière, de textures et de physionomies, qui inspira La Tour pour son *Tricheur* ; *L'Embarcadère*★ (1735), l'une des fameuses vues de Venise peintes par **Canaletto**.

☞ Plan II (Dallas et Fort Worth), p. 570.

♥ **RESTAURANT**
Los Vaqueros, 2629 N. Main St. Stockyard ☎ 817/624-1511. Dans un entrepôt restauré, l'endroit idéal pour un repas tex-mex abordable. Portions géantes. À ne pas manquer : leurs margaritas bien frappées.

En 1964, **Kay Kimbell**, homme d'affaires aux multiples talents financiers et amateur de peinture classique, disparaît en léguant sa fortune et sa collection à une fondation chargée de créer un musée d'Art public de premier plan à Fort Worth.

✎ **À NOTER**
La plupart des grands musées de Fort Worth sont rassemblés dans un périmètre restreint appelé « Cultural District », à 1,5 mi/ 2,5 km à l'O. du centre-ville par 7th St. et Camp Bowie Blvd. Tbus n°s 2, 7, 57. Parking gratuit.

Dallas et Fort Worth

2

● **Peinture française**. Louis Le Nain, Poussin, Lorrain, Boucher, Chardin, David, Watteau. À noter le magnifique *Tricheur à l'as de trèfle*★★ (1620) de **Georges de La Tour**, que l'accrochage permet de confronter au tableau de Caravage, ainsi qu'un rare autoportrait★ (vers 1781) de Mme **Vigée-Lebrun**, peintre officielle de la reine Marie-Antoinette.

● **Peinture flamande**. **Rubens**, *Le Martyre de sainte Ursule*★ (1615-1620) et *Le Duc de Buckingham* (portrait équestre, 1625) ; **Frans Hals**, *Le Joueur de rommelpot*★★ (1618-1622).

● **Peinture espagnole**. Œuvres du **Greco**, dont la modernité éclate dans son *Portrait de Francisco de Pisa* (vers 1610-1614), de **Ribera** (*Saint Matthieu*, 1632) et **Goya**, avec un noble portrait du *Matador Pedro Romero* (1795), sans omettre **Velázquez** et son art de révéler la complexité des âmes (*Don Pedro de Barberana*, 1631-1633).

● **Peinture du** XXe **s**. **Gustave Caillebotte**, *Sur le pont de l'Europe*★★ (1876-1877), à la palette monochrome, aux tonalités froides de bleus. On admirera *Le Saule pleureur*★ (1919) de **Monet**, *La Maison Maria avec vue du château noir* (1895) ou *L'Homme à la blouse bleue* (1892-1897) de **Cézanne**, ou encore *L'Asie* (1946) de **Matisse**, sans oublier quelques **Picasso** (*L'Homme à la pipe*, 1911), **Braque** (*Fille avec croix*, 1911) et **Mondrian** (*Composition n° 7*, 1914).

● **Art asiatique**. Exposée dans la nouvelle aile E., cette collection, qui représente la moitié des fonds du musée, regroupe une très belle sélection de pièces venues d'Inde, de Chine, de l'Himalaya, de Corée et du Japon : bouddhas chinois en marbre ou népalais en cuivre des VIe s. et VIIe s. ; Shaka Bouddha japonais (bois laqué doré, XIIIe s.) ; torse de Bodhisattva en marbre gris (Chine, VIIIe s.) ; imposante effigie en pierre du dieu hindou Hari Hara (VIIe s.). Séries de jarres rituelles et mortuaires chinoises de la dynastie Tang (XVIIIe s.), des porcelaines Ming et Yuan richement décorées, des tentures et des paravents japonais, pièces uniques des XVIIIe et XIXe s.

■ **Modern Art Museum**★★ (*3200 Darnell St., juste en face du Kimbell Art Museum, de l'autre côté d'Arch Adams St.* ☎ *817/738-9215* • *mar.-dim. 10 h-17 h, ven. 10 h-20 h, f. les j. fériés*). Le bâtiment principal du musée, tout en transparences (Tadao Ando, 2002), s'élève dans un parc de 5 ha. Avec 5 000 m² de surface d'exposition sur deux niveaux, ce « New Modern » est le 2e musée d'Art moderne et contemporain des États-Unis, après le MoMa de New York. Il est principalement consacré à l'art américain depuis 1945. L'Europe est néanmoins représentée par quelques grandes figures : Picasso, Kandinsky, Metzinger, Vasarely.

On s'attardera volontiers devant les toiles de Maurice Prendergast (membre de l'Ash Can School), Georgia O'Keeffe, John Marin, Max Weber, Ben Shahn, Lyonel Feininger, Hans Hofmann, qui ont tous contribué à faire évoluer de façon décisive la peinture américaine du XXe s. Les « maîtres » de l'**expressionnisme abstrait**, mouvement né dans les années 1940, sont également représentés : Arshile Gorky, Jackson Pollock, Willem De Kooning, Robert Motherwell et Franz Kline. Des deux styles qui en émanent vers 1950, l'abstraction gestuelle, qui évoque la calligraphie (forme rendue célèbre par les grandes projections de Pollock), est illustrée ici par **Sam Francis** (*Untitled from Mako Series*★, 1967), et l'abstraction chromatique, par les plages colorées de **Mark Rothko** (*Untitled*★★, 1969 ; *Light Cloud, Dark Cloud*★★, 1957) et les grandes compositions de **Clyfford Still** (*Untitled*, 1956).

Côté **pop art**, réaction contre l'expressionnisme abstrait dans les années 1960, on trouve des œuvres contestataires de **Jim Dine** (*Four German Brushes*, 1973) et **Roy Lichtenstein** (*Sweet Dreams, Baby !* 1965). Quant au **minimalisme** des années

☞ Plan II (Dallas et Fort Worth), p. 570.

◀ *The Old Stage Coach on the Plains* (1901 ; Amon Carter Museum). Frederic Remington affectionnait les scènes nocturnes où des silhouettes sombres se déplacent furtivement dans une lumière verdâtre.

Peintres de l'Ouest

Les œuvres de Charles Marion Russell et de Frederic Remington sont emblématiques de l'histoire et de la culture pionnière du Far West. Ces scènes de la vie quotidienne croquées sur le vif parmi les pionniers, les cow-boys, les soldats ou les Indiens, ont une valeur historique et documentaire inestimable. La lumière implacable de l'Ouest baigne les toiles de **Frederic Remington** (1861-1909). Le sens du mouvement, en particulier celui des chevaux, l'attention au détail et les techniques de moulage donnent à ses sculptures une puissance et une présence troublante.

Les compositions de **Charles Marion Russell** (1864-1926), saturées de personnages réalistes, sont plus complexes. Les couleurs sont vives, les chevaux fougueux, la violence palpable jusque dans le moindre détail. Le cadrage des scènes d'action est digne des meilleurs westerns. Son œuvre est une ode à un Ouest idéalisé, tel qu'il existait avant la fin de la Frontière.

1960-1970, autre réaction aux débordements de la peinture gestuelle, il est représenté par **Ellsworth Kelly** (*Curved Red on Blue*, 1963) et **Brice Marden** (*Urdan*, 1970-1971).

■ Amon Carter Museum of American Art★★

(3501 Camp Bowie Blvd, en face du Kimbell Art Museum ☎ 817/738-1933 • www.cartermuseum.org • mar.-sam. 10 h-17 h, jeu. 10 h-20 h, dim. 12 h-17 h • entrée libre • bibliothèque spécialisée sur le Texas et l'Amérique de l'Ouest). L'édifice, construit par Philip Johnson en grès du Texas (1961), offre une façade en forme de loggia. Au bout du jardin, qui la prolonge, se dresse un bronze monumental de **Henry Moore**, *Upright Motives* (1955-1956). Fondé en 1961 par l'éditeur Amon Carter pour présenter sa collection personnelle, forte de 400 œuvres de Charles Marion Russell et de Frederic Remington, le musée a réuni, en 40 ans, près de 250 000 pièces témoignant principalement de l'art américain des XIXᵉ-XXᵉ s.

● **Peintres de l'Ouest**. Le musée détient l'ensemble des bronzes réalisés par **Russell** (notamment une belle collection de petits animaux) et un grand nombre dus à **Remington**. On retiendra un grand moulage du fameux *Broncho Buster*★ (1909) et deux autres pièces saisissantes, *Coming through the Rye*★★ (1902) et *The Wounded Bunkie* (1896).

☎ NUMÉROS GRATUITS
Les numéros de téléphone qui commencent par ☎ 800, 855, 866, 877, 888 sont des numéros d'appel gratuits *(toll-free number)*. Faites-les précéder du ☎ 1 si vous appelez depuis un poste fixe (et non d'un portable). Dans ce guide, ces numéros sont notés ainsi : ☎ (1)800/000-0000.

Il était une femme dans l'Ouest

Les femmes sont longtemps demeurées dans l'ombre ou confinées à des rôles de corruptrices – prostituées, ou hors-la-loi – car la glorieuse conquête du continent était exclusivement présentée comme une affaire d'hommes : explorateurs, soldats, trappeurs, mineurs, fermiers, grands éleveurs et politiciens. Pourtant, de Sacajawea (→ *encadré p. 405)*, l'Indienne qui guida les explorateurs Lewis et Clark, à Elinor Ostrom, première femme à recevoir le prix Nobel d'économie, de nombreuses femmes d'exception ont marqué l'histoire de l'Ouest.

Elles furent de ces pionniers, souffrant dans la poussière des pistes, bravant tous les dangers et combattant tous les adversaires pour défendre leurs biens, leurs terres et leurs familles. Elles furent les premières à conquérir une liberté et une indépendance bien plus grandes qu'en Europe ou même que sur la côte Est, et une égalité de fait, sinon de droit (les femmes du territoire du Wyoming obtinrent les premières le droit de vote en 1869). Les historiens leur reconnaissent aujourd'hui un rôle éminent dans la mise en valeur économique et idéologique de l'Ouest.

Un ensemble très intéressant d'aquarelles à la précision quasi ethnologique de Russell attire l'attention, de même que des huiles sur toile devenues aujourd'hui « classiques », comme *The Buffalo Hunt*★ (1919), ou encore *A Dash for the Timber*★★ (1889) et *The Cowboy* (1902) de F. Remington.

• **Peinture américaine des** xixe-xxe s. Constituant deux tiers des fonds du musée, la collection débute avec les paysagistes de 1825 et s'étend jusqu'aux débuts de l'expressionnisme abstrait.

Les **paysages** sublimes des peintres de l'école de l'Hudson (**Thomas Cole**, *The Garden of Eden*★, 1828 ; *The Hunter's Return*★, 1845) répondent à ceux des premiers paysagistes de l'Ouest, John Mix Stanley, George Catlin, Frederick Edwin Church et Thomas Moran. Quelques scènes bucoliques ou marines de Worthington Whitteredge, **Albert Bierstadt** (*Sunrise, Yosemite Valley*★, vers 1870), Winslow Homer, **Martin Johnson Heade** (*Thunder Storm on Narragansett Bay*★, 1868) et William Merritt Chase, des natures mortes en trompe l'œil de **William Michael Harnett** (*Ease*, 1887) ou **John Frederick Peto** (*A Closet Door*, 1906), des peintures de genre de George Caleb Bingham, donnent un aperçu intéressant de la production artistique américaine au xixe s.

Le **xxe siècle** est représenté par Arthur Dove, Marsden Hartley, John Marin, Grant Wood, Charles Demuth, Charles Sheeler, Georgia O'Keeffe et Stuart Davis. Des deux derniers, le musée possède une série d'huiles, d'aquarelles et de dessins qui témoignent des contre-coups de la révolution moderniste sur l'art américain, entre 1910 et 1930, puis de l'attrait pour la nature dépouillée mais intense du Nouveau-Mexique, tel qu'il s'exprime dans les œuvres de Georgia O'Keeffe et de Hartley.

À voir aussi : les gravures du xixe s. de Homer, Cassatt, Whistler ou Bierstadt, et les lithographies du xxe s. dues à Sheeler, Benton ou Bellows.

• **Photographie des** xixe-xxe s. Le musée propose une rétrospective de cette forme d'expression aux États-Unis depuis 1840. Le fonds d'archives conserve 185 000 objets (négatifs, prétirages, diapositives, etc.). La photographie du xixe s. est représentée par des daguerréotypes très rares de la guerre du Mexique (1845) et de la guerre de Sécession (1861-1865) et par plusieurs centaines de clichés de **William Henry Jackson** et de **Timothy O'Sullivan**, pris à l'époque des grandes études topographiques de l'Ouest (1870-1879) et des développements du chemin de fer.

Pour le xxe s., on peut admirer le travail ethnographique d'**Edwards Curtis** chez les Indiens

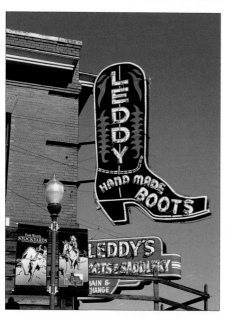

☞ Plan II (Dallas et Fort Worth), p. 570.

◀ Enseigne publicitaire du bottier et sellier Leddy, l'une des boutiques de vêtements et d'équipements « western » qui jalonnent le quartier d'Exchange Ave. Leurs collections de bottes et de chapeaux sont impressionnantes.

(700 photogravures), une centaine de clichés sur le Texas datant des années 1940, ainsi que l'œuvre artistique d'**Eliot Porter** (9 500 photos), **Laura Gilpin** (5 600 photos), Helen Levitt, Carlotta M. Corpron, Karl Struss et Berenice Abbott.

● **Sculpture américaine des XIXᵉ-XXᵉ s.** Cette collection réunit des œuvres de Henry Kirke Brown, Frederick MacMonnies et d'Augustus Saint-Gaudens, ainsi que quelques pièces originales de Calder, Louise Nevelson et John Storrs.

■ **National Cowgirl Museum and Hall of Fame** (*1720 Gendy St.* ☎ *817/336-4475* • *lun.-sam. 9 h 30-17 h, dim. 11 h 45-17 h* • *possibilité de billet combiné avec le Fort Worth Museum of Science and History* • *parking gratuit*). Ce musée un peu kitsch, mais unique en son genre, met en lumière les femmes de l'Ouest dont un petit film retrace la saga. Sous la rotonde, le Hall of Fame rend hommage à 158 femmes qui ont « fait » l'Ouest. On découvre la dure condition de cow-girl et le rôle non négligeable de ces pionnières dans l'histoire du Texas : objets, photos, affiches, documents audio et vidéo racontent leurs exploits et les joies de la vie au quotidien dans les ranches. Une curiosité !

Quitter le quartier des musées par University Dr. vers le S. Le jardin botanique est avant l'intersection de l'I-30.

♥ BONNES ADRESSES
● *Billy Bob's Texas*, 2520 Rodeo Plaza ; entrée payante. Le plus grand bastringue *honky-tonk* du Texas. Les plus grands noms de la country s'y sont produits. À la fois dancing, salle de jeu, bar, restaurant, boîte de nuit, music-hall et piste de rodéo.
● *Riscky's BBQ*, 120 E. Exchange Ave. ☎ 817/624-4800. Les meilleures *ribs*, sans modération.

Dallas et Fort Worth

2

■ **Botanic Garden**★★ *(3220 Botanic Garden Blvd • à 800 m du centre-ville • t.l.j.)* est riche de 150 000 plantes : serres tropicales, roseraie, jardins anglais et à la française, et **jardin japonais**★★ comprenant un « jardin de méditation » imité du célèbre jardin sec du Ryoan-ji, à Kyoto. Des pièces d'eau, des cascades ombragées, une pagode et des petits ponts de bois au milieu d'une végétation exotique soigneusement agencée font de cet endroit un havre de paix en pleine ville.

Reprendre University Dr. vers le N., puis Northside Dr.

■ **Stockyards National Historic District**★★ *(Exchange Ave. et Main St. • à 3 mi/5 km N. de Downtown).* À l'écart de la ville moderne, c'est dans ce quartier qu'il faut se rendre pour goûter, enfin, à l'ambiance western. Située sur la trajectoire des grands troupeaux de *longhorns*, Fort Worth fut bientôt baptisée Cowtown *(→ théma p. 84-85).* C'était, pour les *vaqueros*, le dernier point de ravitaillement et de repos avant de s'aventurer sur la Chisholm Trail avec le troupeau. Fort Worth devint un grand centre de production de viande de bétail.

Les bâtiments en brique datant de la fin du XIXe s. accueillent aujourd'hui, sur six *blocks*, de pittoresques magasins de souvenirs, des bars et restaurants typiques. On pourra, en quelques heures, assister à une **vente de bétail** *(le mer.),* à la reconstitution d'une **transhumance** *(sur Exchange Ave. • à 11 h et 16 h 30, arriver 30 mn en avance),* à un **rodéo** au Cowtown Coliseum *(121 E. Exchange Ave.* ☎ *817/625-1025 • rodéo les ven. et sam. à partir de 20 h • entrée payante),* craquer pour des *ribs*, pratiquer la danse country et s'habiller couleur locale…Bref, une véritable *cow-boy experience* !

Environs de Dallas et de Fort Worth

1 US Bureau of Engraving and Printing★ *(9000 Blue Mound Rd* ☎ *817/231-4000 • à 10 mi/17 km N. de Downtown Fort Worth • départ des vis. guidées 9 h-14 h • réserv. nécessaire, arrivée 30 mn avant • durée 45 mn • entrée libre).*
60 % des dollars en circulation aux États-Unis sont imprimés à Fort Worth. Ils sont marqués des initiales FW et de l'étoile solitaire, symbole du Texas. La visite permet d'assister à tout le processus de fabrication de centaines de millions de billets verts.

2 Southfork Ranch *(à 31 mi/50 km N. de Dallas • 3700 Hogge Rd, près de Plano • à Plano, 6 mi/10 km E. de l'US 75, sortie 30, Parker Rd puis suivre Hogge Rd • vis. guidées t.l.j. 9 h-16 h 30 • entrée payante).*
On visite le ranch de la famille Ewing, et « l'univers impitoyable » de la fameuse série télévisée *Dallas* (1978), championne du box-office dans 96 pays. Exposition des accessoires de la série : pistolet qui servit à abattre J.R., robe de mariée de Lucy, Lincoln Continental de Jock Ewing, etc. Le ranch a bien servi de décor aux scènes en extérieur, mais les scènes d'intérieur ont été tournées à Hollywood.

Austin★ TX

A gréablement située sur la rive nord de la Colorado River, au cœur d'une région verdoyante et vallonnée, Austin est la ville la plus décontractée et peut-être la plus attachante du Texas. Elle demeure une cité tranquille et un rien provinciale où il fait bon vivre. Capitale de la République du Texas en 1839 puis de l'État lors de son rattachement à l'Union en 1845, elle en abrite les instances administratives. À la pointe des nouvelles technologies, elle connaît un essor considérable dans la région des Silicon Hills. Son calendrier annuel est rythmé par de nombreux spectacles et festivals de musique *live* qui attirent les amateurs du monde entier.

Situation : à 79 mi/127 km N.-E. de San Antonio, 162 mi/261 km O. de Houston, 192 mi/308 km S. de Dallas.

Population : 790 500 hab.

Fuseau horaire : Central Time (– 7 h par rapport à la France).

Capitale du Texas.

❶ *Visitors Center*, 209 E. 6th St. (entre San Jacinto et Brazos Sts) ☎ 512/478-0098 ; lun.-ven. 9 h-17 h, sam.-dim. 9 h 30-17 h 30.

Visiter Austin

Se déplacer. À pied dans le centre-ville et en voiture pour découvrir les environs • parking : 1201 San Jacinto St. (entre 12th St. et 13th St.) ; gratuit les deux premières heures • en métro et en bus (Capital Metro), 1 $ le trajet, 2 $ la journée *(Day Pass)*.

Combien de temps. Compter une bonne journée pour Austin et 1/2 journée de plus pour les environs.

■ **Texas State Capitol★** *(1100 Congress Ave. et 11th St. • ouv. lun.-ven. 7 h-22 h, sam.-dim. 9 h-20 h)*. Cet édifice à coupole, le plus vaste et le plus haut des États-Unis (103 m), fut inauguré en 1888. Il abrite les deux assemblées, les bureaux du gouverneur et les instances administratives de l'État. Les visiteurs peuvent assister, depuis les galeries, aux débats du Sénat et de la Chambre des représentants du Texas. Parmi les nombreux monuments commémoratifs disséminés dans le parc de 24 ha, *Texas Cowboy* (1925) et une réplique de la rtatue de la Liberté (1951).

■ **Capitol Visitors Center** *(112 E. 11th St. • ouv. lun.-sam. 9 h-17 h, dim. 12 h-17 h)*. Exposition permanente sur l'histoire du Texas.

En face du Capitole, prendre Colorado St. jusqu'au croisement avec 11th St., vers le S.

Austin

Voir carte régionale p. 542

▶ 6th St. constitue, avec W. 4th St., le centre musical d'Austin depuis la fin des années 1960. Après Janis Joplin, Kris Kristofferson ou Willie Nelson, les meilleurs chanteurs de blues et des vedettes du country comme Emmylou Harris, Lyle Lovett, Sherryl Crow, Garth Brooks, s'y sont produits, entretenant une tradition dont la ville est très fière.

♥ BAR

Driskill Bar, 604 Brazos St. (entre 6th St. et E. 7th St.). Le temps d'un verre, pour découvrir le cossu *Driskill Hotel*, datant de 1886 et classé monument historique.

Austin, père et fils

Le nom Austin commémore l'un des « pères » du Texas, **Stephen F. Austin** (1793-1836), qui reprit à son compte le projet de colonisation des terres concédées à son propre père, Moses, par le gouvernement mexicain dans le centre du Texas. Entre 1824 et 1828, il fit venir 1 200 familles américaines. Des frictions avec le pouvoir du général López de Santa Anna l'amènent à encourager la sécession du Texas en 1835. Il commande un bataillon de volontaires contre les Mexicains, puis se rend à Washington chercher l'appui du président Jackson. Battu par Sam Houston pour le poste de premier président de la nouvelle République du Texas en 1836, il en sera brièvement le ministre des Affaires étrangères.

■ **Governor's Mansion** (*1010 Colorado St.* ☎ *512/ 463-0063 • f. pour travaux de restauration*), bâti en 1856 dans le style néoclassique, est l'un des plus anciens édifices de la ville.

Poursuivre sur Colorado St. vers le S.

■ **Old Pecan Street★★** (*E. 6th St.*). C'est la portion de 6th St. comprise entre Lavaca St. et l'I-35. Le quartier est l'un des plus anciens et des plus animés de la ville (restaurants, cafés, boutiques, cabarets, piano-bars). Il concentre quelques belles demeures victoriennes, récemment restaurées.

■ **Bats Watching★** (*rens.* ☎ *512/478-0098*). Le pont de Congress Ave. (*accès : lignes de trolley 450 ou 461*), sur le Colorado, abrite la plus importante colonie urbaine de **chauves-souris** des États-Unis (1,5 million d'individus). Ces migrateurs, venus du Mexique, nichent dans les interstices de la maçonnerie et se reproduisent sur place. Les petites bêtes contribuent à l'équilibre écologique de la région en consommant de 10 à 15 t d'insectes chaque nuit ! Leur envol spectaculaire, par milliers, un soir d'été constitue l'une des attractions d'Austin.

Deux **plates-formes** d'observation sont installées de chaque côté de la rivière • pour une découverte en **bateau** (*départ à 20 h*) : *Lone Star River Boat* ☎ 512/327-1388 ; *Capital Cruises* ☎ 512/480-9264.

■ **Zilker Park★** (*2101 Barton Springs Rd, par 6th St. vers l'O., puis à g., Congress Ave. ou Guadalupe St. • sur la rive S. du Colorado*). Le plus grand et le plus beau parc de la ville est divisé en plusieurs jardins : jardin oriental, jardin de cactus, roseraie et même un « jardin de papillons ». À voir également, une maison de pionniers et une école en rondins, ainsi que la reconstitution d'un atelier de forgeron. Une immense piscine naturelle, **Barton Springs Pool**, bordée d'arbres et de pelouses, alimentée par des sources souterraines, offre des eaux à température constante toute l'année. D'avr. à oct. spectacles de musique *live* dans le théâtre de plein air.

Prendre Old Pecan St. vers l'E en direction de l'I-35, puis rejoindre East 7th St. et à g., San Marcos Ave.

■ **French Legation Museum** *(802 San Marcos St., entre E. 8th St. et E. 9th Sts • mar.-dim. 13 h-17 h, dernière vis. guidée à 16 h).* Cette jolie maison de style créole fut construite en 1841 pour Dubois de Saligny, chargé d'affaires français auprès de la République du Texas (mobilier d'époque).

Au N. du Capitole.

■ **University of Texas** *(200 E. Martin Luther King Blvd et Congress Ave.).* Elle s'étend sur un vaste campus urbain (49 000 étudiants) que domine une tour haute de 93 m.

● **The University of Texas Tower** *(2247 Guadalupe St. et Inner Campus Dr. • rés. nécessaire* ☎ *512/475-6633)* offre, depuis 1936, une belle **vue★** panoramique sur Austin et ses environs.

● **Harry Ransom Center** *(300 W. 21st St. et Guadalupe St. • ouv. mar.-ven. 10 h-17 h, jeu. 10 h-19 h, sam.-dim. 12 h-17 h, f. lun. • entrée libre).* On pourra admirer, dans le hall d'entrée, une rare **bible**, imprimée par Gutenberg (1454-1455), ainsi que la première **photographie** de l'histoire, due à Nicéphore Niépce et datée de 1826.

● **The Blanton Museum of Art★** *(200 E. Martin Luther King Blvd et Congress Ave.).* La collection permanente, riche de plus de 17 000 pièces, occupe le 1er étage *(2nd floor)* du **Mari & James A. Michener Building**. Elle comprend une collection d'art contemporain latino-américain, des œuvres baroques et la collection d'œuvres contemporaines de l'écrivain James Michener (1907-1997).

■ **The Bob Bullock Texas State History Museum★★** *(1800 N. Congress Ave. et Martin Luther King Blvd* ☎ *512/936-8746 • lun.-sam. 9 h-18 h, dim. 12 h-18 h).* Ce musée retrace, sur trois niveaux, les grandes pages de l'histoire riche et édifiante du Texas, par une approche thématique. Photos, films, objets, animations audio, reconstitutions d'intérieurs rendent la visite instructive et très vivante.

Rez-de-chaussée (1st floor) : **la terre**. On analyse les rapports des Indiens avec les explorateurs européens.

♥ RESTAURANT

Stubb's BBQ, 801 Red River St. ☎ 512/480-8341. Barbecue texan traditionnel, avec buffet à volonté (all you can eat) et musique *live*.

♥ MUSIQUE *LIVE*

● ***Antone's***, 213 W. 5th St. Véritable temple local du blues.

● ***Broken Spoke***, 3201 S. Lamar St. Dancing dans le plus pur style bastringue rural *(honky-tonk).*

● ***Cactus Cafe & Bar***, angle Guadalupe St. et 24th St., entrée par le lobby du Texas Union Bldg ☎ 512/475-6515. L'un des meilleurs lieux de musique *live* à Austin.

☏ NUMÉROS GRATUITS

Les numéros de téléphone qui commencent par ☎ 800, 855, 866, 877, 888 sont des numéros d'appel gratuits *(toll-free number).* Faites-les précéder du ☎ 1 si vous appelez depuis un poste fixe (et non d'un portable). Dans ce guide, ces numéros sont notés ainsi : ☎ (1)800/000-0000.

⌗ CINÉMA AU BOB BULLOCK TEXAS STATE HISTORY MUSEUM

● Ne manquez pas le film de 15 mn, *The Star of Destiny*, projeté dans le Texas Spirit Theater au 1er étage : la combinaison de trois écrans et d'effets spéciaux permet de suivre un condensé d'histoires du Texas.

● Voir aussi *Texas, The Big Picture*, dans la salle IMAX du musée.

Austin

▲ À l'entrée du Texas State History Museum s'élève une imposante étoile en bronze de 12 m de haut, l'emblématique *Lone Star*, « étoile solitaire », qui ornait le drapeau et le sceau officiel de la République du Texas, et ensuite ceux de l'État à partir de 1845.

Les Karankawas

Tribus aujourd'hui disparues, les Karankawas (Carancaquacas pour les Espagnols) vivaient le long de la côte entre la baie de Galveston et Corpus Christi. Ce peuple de vanniers se nourrissait de pêche et de cueillette ; il dut successivement lutter contre les colons français amenés par Cavelier de La Salle, les missionnaires espagnols, les pirates de Jean Lafitte et les fermiers texans encouragés par Stephen Austin. Pourchassés et décimés par ces ennemis plus puissants, ils finirent par s'éteindre définitivement après une dernière bataille en 1858, près du Rio Grande.

Reconstitution de l'habitat des Karankawas (→ *encadré ci-contre*), objets provenant de l'épave de l'expédition Cavelier de La Salle (1684).

1er étage *(2nd floor)* : **l'identité texane**. De la République à l'État fédéral, par ceux qui l'ont forgée : Stephen F. Austin, Juan Seguin, Sam Houston, Mirabeau Lamar.

2e étage *(3rd floor)* : **l'essor économique du Texas au xxe s.** Élevage (ranching), industrie forestière, chemin de fer, conquête de l'espace, avancées médicales et, surtout, industrie pétrolière.

■ **Lyndon B. Johnson Library and Museum**★ *(2313 Red River St., à 1 block O. de l'I-35, entre 21st St. et 26th St. ☎ 512/721-0200 • ouv. t.l.j. 9 h-17 h • entrée libre • parking gratuit).* Entièrement dédié à Lyndon B. Johnson (1908-1973), devenu le 36e président des États-Unis en 1963, à la suite de l'assassinat du président Kennedy.

Environs d'Austin

1 **Lyndon B. Johnson Ranch** *(à 50 mi/80 km O.* ❶ *Visitors Center à Johnson City • ouv. 8 h 45-17 h).*

Plusieurs films de 30 mn consacrés à l'ancien président. Visites guidées de **L. B. Johnson Boyhood Home**, sa maison d'enfance. Au **L. B. Johnson Settlement**, exposition sur l'élevage, le rassemblement de troupeaux, la vie dans un ranch au Texas.

De l'autre côté de la rivière Pedernales *(à Stonewall, 14 mi/22 km de là • 20 mn en voiture),* le ranch familial **L. B. Johnson Ranch** servit de Maison-Blanche texane au président (1963-1969). Lady Bird Johnson, sa veuve, y vécut jusqu'à sa mort en 2007. On peut voir également la première école du président et le cimetière familial où il repose.

2 **Fredericksburg** *(à 78 mi/125 km O. d'Austin par l'US 290 • 10 400 hab.).*

En 1846, une petite communauté d'émigrants allemands fonde Fredericksburg, en territoire comanche. Aujourd'hui, toujours pour la plupart agriculteurs et éleveurs, les habitants de cette ville restent profondément attachés aux traditions de leurs ancêtres. Le **Pioneer Museum** *(309 W. Main St. • vis. mar.-sam. 10 h-17 h)* conserve des souvenirs du passé de la communauté.

Le **National Museum of the Pacific War** *(340 E. Main St. • ouv. 9 h-17 h, f. j. fériés)* reconstitue l'histoire des batailles du Pacifique pendant la Seconde Guerre mondiale.

San Antonio★★ TX

Aux confins du plateau texan et des Badlands mexicains, San Antonio, sans doute la ville la plus latine des États-Unis (plus de 63 % de la population est d'origine hispanique ou latino), est le berceau de l'indépendance du Texas. Le fort Alamo garde la mémoire d'un passé houleux où Davy Crockett et ses compagnons d'infortune perdirent la vie au terme d'un combat désespéré pour libérer le Texas du joug mexicain. San Antonio a su préserver le calme de ces bourgades provinciales du siècle dernier. Au cœur du vieux quartier, le tumulte de la ville moderne parvient assourdi par l'épaisse végétation qui borde le River Walk. Cité multiculturelle au charme hispanique, San Antonio conjugue avec bonheur l'indolence mexicaine et le dynamisme américain.

Situation : à 79 mi/127 km S.-O. d'Austin, 197 mi/316 km O. de Houston, 237 mi/439 km S. de Dallas.

Population : 1 327 500 hab.

Fuseau horaire : Central Time (– 7 h par rapport à la France).

☞ Plan du Downtown, p. 588.

❶ *Convention & Visitors Bureau*, 203 S. St Mary's St. (plan A2) ☎ 210/207-6700 ; t.l.j. 8 h 30-18 h.

San Antonio mode d'emploi

■ Arriver à San Antonio

En avion. *San Antonio International Airport* (SAT) se trouve à 8 mi/13 km au N. du centre-ville par Hwy 281 (☎ 210/207-3451).
Pour se rendre en ville, on peut utiliser les autobus urbains du réseau *VIA Metropolitan Transit* (ligne 5), des navettes collectives ou des taxis • compter 20 mn de trajet et 25 $ en taxi, 20 $ en navette, 1 h et 1,50 $ par personne en autobus.

En train. La ligne Chicago-Los Angeles du *Texas Eagle* (☎ 210/223-3226, www.texaseagle.com) dessert San Antonio.
La gare se trouve 350 Hoefgen St., à deux pas de l'Alamodome, au S.-E. d'Alamo Plaza.

■ Se déplacer

Le **centre-ville** est délimité par les autoroutes I-35, I-10 et Hwy 81 ; il se visite à pied mais, au-delà de ce périmètre, une voiture est indispensable • **stationnement** difficile dans les rues du centre-ville • **parking** du *Riverside Mall* : 2 h gratuites contre un coupon délivré par les commerces de cette galerie marchande.

Voir carte régionale p. 542

San Antonio

♥ BED AND BREAKFAST
Oge House B&B,
209 Washington St. (plan A3), King William Historic District ☏ (1)800/242-2770. Les 10 chambres occupent une superbe maison de style *antebellum* (1857), acquise par Louis Ogée, un immigrant français, dans les années 1900.

La défaite d'Alamo

En février 1836, le colonel Travis, Jim Bowie, Davy Crockett et leurs 180 hommes, décidés mais peu armés, se retranchent dans Alamo, la forteresse de San Antonio. Le général mexicain Santa Anna, à la tête de 5 000 soldats, entame le pilonnage de l'ancienne mission. Il lui faudra 15 jours de combats acharnés pour venir à bout des insurgés. Ces derniers périront tous (sauf deux, chargés de porter la nouvelle du désastre aux Texans) lors de l'assaut final, lancé le 6 mars 1836. Un bon millier de Mexicains trouveront aussi la mort.

Autobus urbains. Les autobus du centre-ville, déguisés en tramways historiques, desservent les divers sites touristiques • *ligne rouge* vers Market Square • *ligne jaune* vers l'université du Texas, l'Alamodome et la gare ferroviaire • *ligne pourpre* vers Hemisfair Park, Tower of the Americas et Institute of Texan Cultures • *ligne bleue* vers King William Historic District • la *ligne 7* dessert les principales attractions touristiques. *Via Day Pass* en vente au *Visitors Center*.

■ Combien de temps

San Antonio mérite bien 2 ou 3 jours de visite. Si vous disposez de peu de temps, outre la mission San Antonio de Valero (The Alamo, *p. suiv.*), visitez les missions San José et Concepción (*p. 592 et 589*).

■ Adresses utiles

Police (demandes non urgentes). *SA Police Departement*, 214 W. Nueva St. et S. Laredo St. A2 ☏ 210/207-7273.

Argent, change. *American Express*, 8103 Broadway, ☏ 210/828-4809 ; lun.-ven. 9 h-17 h 15.

Location de voitures. *Hertz* ☏ 281/443-0800, aéroport, et (1)800/654-3131 • *Avis* ☏ 281/443-5800, aéroport, et (1)800/331-1212 • *Alamo* ☏ 281/590-5100, aéroport, et (1)800/327-9633 • *National* ☏ 281/443-8850, aéroport, et (1)800/227-7368.

Poste centrale. 615 E. Houston St. B2, à deux pas d'Alamo Plaza ☏ (1)800/275-8777.

■ Fêtes et manifestations

Février. **San Antonio Stock Show et Rodeo** (☏ 210/225-5851 ; www.sarodeo.com) : 15 jours de concours agricoles, rodéos, concerts country et *corsos*.

Avril. **Fiesta San Antonio** (☏ 210/227-5191 ; www.fiesta-sa.org) commémore l'indépendance du Texas ; 11 jours de réjouissances avec défilés, bals, concerts, spectacles de rue à travers la ville.

Juin. **Texas Folklife Festival** (☏ 210/458-2224 ; www.texanfolklifefestival.org) célèbre la diversité ethnique du Texas ; 3 jours d'expositions d'art et d'artisanat, de danses traditionnelles et de compétitions.

Septembre. La fête du **Diez y Seis**, le 16 du mois ou le week-end le plus proche (☏ 210/223-3151 ; www.agatx.org), commémore l'indépendance du Mexique ; nombreuses manifestations organisées en ville par la communauté hispanique : orchestres de mariachis, danses, défilés, et *charreados* (rodéos).

San Antonio dans l'histoire

En 1718, les Espagnols établissent le Presidio de Bexar, poste militaire à l'abri duquel s'ouvre la mission franciscaine de San Antonio de Valero. Rapidement, d'autres missions se développent aux alentours et des civils s'implantent : la localité de San Antonio de Bexar est née. Elle devient la capitale de la province du Texas, alors sous domination espagnole. En 1821, le Mexique proclame son indépendance et propose à des colons américains de mettre en valeur ce territoire. Attirés par la richesse des terres, ces derniers affluent : en 1830, 30 000 Américains sont déjà solidement implantés au Texas. Les dissensions avec les Mexicains ne tardent guère : l'année 1835 est agitée de rébellions, 1836 apporte sa page de gloire à Alamo (→ encadrés).

☞ CONSEIL
Avant de visiter The Alamo, voir le film *The Price of Freedom*, projeté au théâtre IMAX du Rivercenter Mall (849 E. Commerce St. ; plan B2).

Visiter San Antonio

■ **The Alamo★** B2 *(300 Alamo Plaza* ☎ *210/225-1391)*. Ici s'élèvent les vestiges de la **mission San Antonio de Valero**, établie en 1718 par des missionnaires franciscains ; la mission, transformée en forteresse, sera plus tard appelée **The Alamo★**, « peuplier » en espagnol. L'**église**, construite en 1744, aujourd'hui restaurée, est consacrée aux héros de la célèbre bataille *(lun.-sam. 9 h-17 h 30, dim. 10 h-17 h 30 • entrée libre)*. **Long Barracks Museum**, seul baraquement restant du vieux fort, évoque le souvenir d'Alamo et l'histoire de la région. Un jardin botanique entoure le fort.

☞ Plan du Downtown, p. 588.

➊ *The Alamo Visitors Center,* 317 Alamo Plaza plan (B2) ; ouv. t.l.j. 9 h-17 h, en été jusqu'à 18 h les ven., sam. et dim.

▲ La mission San Antonio de Valero avait pour but de pérenniser la présence espagnole dans la région et de limiter l'expansion française depuis la Louisiane.

La revanche de San Jacinto

Stimulés par la résistance d'Alamo (→ encadré p. préc.), les Texans se réorganisent ; néanmoins, ils subissent un autre échec : le 27 mars, 350 hommes sont massacrés près de Goliad. C'est alors aux cris de « *Remember the Alamo !* » (Rappelez-vous Alamo !) que les Américains arrivent en renfort : Santa Anna est vaincu à San Jacinto le 21 avril. Par le traité de San Velasco, il reconnaît l'indépendance du Texas dont le Rio Grande constitue la frontière sud. Quelques mois plus tard, Samuel Houston est élu président du Texas, qui deviendra le 28e État de l'Union en 1845.

San Antonio

✐ **BON À SAVOIR**
Une navette fluviale dessert 39 stations le long du River Walk jusqu'au Museum of Art. *Rio Taxi*, t.l.j. 9 h-21 h, rens. ☎ (1)800/417-4139 ou 210/244-5700.

♥ SHOPPING

Rivercenter Mall, 849 E. Commerce St. (plan B2). Une galerie commerciale de 135 magasins en plein centre-ville, près du centre de congrès Henry B. Gonzalez.

☞ Plan du Downtown, p. 588.

▲ Le River Walk (Paseo del Rio), au bord de la San Antonio River, a été prolongé en 2009 de 2 km vers le nord, jusqu'au Museum of Art.

♥ RESTAURANTS

• ***Boudro's***, 421 E. Commerce et Loyola Sts (plan B2) ☎ 210/224-8484. Spécialités tex-mex ; terrasse sur le River Walk.

• ***Mi Tierra Cafe***, 218 Produce Row, Market Square (A2) ☎ 210/225-1262. Restaurant mexicain traditionnel et pâtisserie. Beau bar à tequila. Au fond du restaurant, une fresque retrace l'histoire du Mexique.

Tex-mex et high-tech

San Antonio compte 40 % d'Hispaniques, la plupart d'origine mexicaine. Plaque tournante du commerce entre le Mexique et les riches plaines du Texas, la cité prospère. Son économie s'appuie sur d'importants centres d'élevage, de solides industries (agroalimentaire, électronique) et un récent développement de la biotechnologie ; cinq grandes bases militaires sont installées dans la région. Avec une agglomération de plus de 1,3 million d'habitants, San Antonio est la 2e ville du Texas et la 10e des États-Unis.

■ **Hotel Menger** B2 *(204 Alamo Plaza ☎ 210/ 223-4361)*. Cet hôtel de 1859, classé monument historique, a accueilli les plus grands, de Theodore Roosevelt à Mae West et Sarah Bernhardt. À voir, le superbe **hall d'entrée** victorien. Mobilier d'époque.

■ **River Walk**★★ B2 (**Paseo del Rio** • *4 mi/6,4 km* • *accessible par de nombreux ponts et rues : Crockett St., Commerce St., Loyola St.*). En plein quartier des affaires, à 6 m en contrebas de la rue, le River Walk longe une boucle de la San Antonio River qu'enjambent plusieurs jolis ponts en dos d'âne. Surnommée « la Venise du Texas », cette agréable promenade serpente entre magasins, galeries d'art, hôtels, cafés et restaurants en terrasse… Une exubérante végétation subtropicale tente de faire oublier les buildings.

■ **La Villita**★ B2 *(t.l.j. 10 h-22 h)*. Situé sur la rive S., c'est le centre historique de la ville. Ses premiers habitants furent les soldats espagnols du fort Alamo et leurs familles, à la fin du XVIIIe s., après l'abandon de la mission. Quelques immigrants français et allemands s'y établirent au XIXe s. Aujourd'hui, ateliers d'artistes, boutiques de souvenirs, d'artisanat et petits restaurants avec terrasse, installés dans les maisons d'autrefois, font de ce quartier l'un des plus attachants de San Antonio.

Tout proche du River Walk et de La Villita, à l'angle de Commerce, Losoya et Alamo Sts, se dresse *Torch of Friendship*, œuvre de l'artiste mexicain Sebastián : cette structure aérienne en acier rouge (20 m de hauteur) célèbre l'amitié entre le Mexique et les États-Unis.

■ **San Fernando Cathedral** A2 *(115 Main Plaza)*. Bâtie en 1738 par quelques émigrants venus des îles Canaries, l'église porte le nom du roi d'Espagne Ferdinand III (XIIIᵉ s.), connu pour avoir conduit des croisades. Ses vestiges forment le chœur et le petit transept de la cathédrale. La coupole centrale était réputée se trouver exactement au centre de San Antonio. Le transept abrite des statues de la Vierge et de San Fernando.

Le porche s'ouvre sur une élégante place quadrangulaire ombragée, également appelée **Plaza de las Islas**, en mémoire des fondateurs canariens.

■ **Spanish Governor's Palace** A2 *(105 Military Plaza* ☎ *210/224-0601 • ouv. mar.-sam. 9 h-17 h, dim. 10 h-17 h • entrée payante)*. Dernier vestige du Presidio San Antonio de Bexar établi en 1722, quand la ville était capitale de la province espagnole du Texas, la résidence du capitaine constitue un remarquable exemple d'architecture coloniale espagnole. Le porche d'entrée, surmonté des armes du roi d'Espagne Ferdinand VI, porte l'inscription ANO 1749 SE ACABO (terminé en 1749). Les scènes ornant les vantaux de bois de la porte d'entrée retracent l'épopée de la colonisation espagnole.

■ **Market Square** A2 **(El Mercado** • *514 W. Commerce St.)*. On se balade parmi les échoppes d'artisanat colorées, bercé par la musique des mariachis, dans ce grand **marché mexicain** très touristique. Au **Farmer's Market** voisin *(Hall O.)*, on peut acheter des fruits et légumes.

■ **HemisFair Park** B2/3 a hébergé l'Exposition universelle de 1968 marquant le 250ᵉ anniversaire de la fondation de San Antonio. On y flâne volontiers sur les pelouses ombragées, bel espace pour les enfants.

● **Tower of the Americas** *(600 HemisFair Plaza* ☎ *210/223-3101 • ouv. dim.-jeu. 11 h-22 h, ven.-sam. 11 h-23 h • entrée payante)*. La tour de 228 m, qui se dresse à proximité, comprend une plate-forme d'observation (à 182 m) et un restaurant tournant.

● **Institute of Texan Cultures** *(lun.-sam. 9 h-17 h, dim. 12 h-17 h • entrée sur Durango Blvd)*. Dépendant de l'université du Texas, il présente des expositions sur l'histoire locale et l'apport des différentes cultures à l'origine du patrimoine texan ; derrière le bâtiment, quelques reproductions grandeur nature de l'habitat historique du Texas : maison en adobe, grange, école, cabane en rondins, etc.

■ **San Antonio Museum of Art**★ B1 *(200 West Jones Ave.* ☎ *210/978-8100 • www.samuseum.org • mar. 10 h-21 h, mer.-sam. 10 h-17 h, dim. 12 h-18 h • entrée libre le mar. • parking gratuit)*. Le musée, ouvert en 1981, est installé dans l'ancienne brasserie *Lone Star* (1884).

● L'**art contemporain** *(1ᵉʳ étage - 2nd floor • East Tower)* : œuvres abstraites de **Richard Diebenkorn** *(Ocean Park*, 1972) ou de Helen Frankenthaler et le très étrange *Potrero Hill* de **Wayne Thiebaud**, artiste californien. De **Frank Stella**, on verra *Double Scramble*, jeux optiques fluorescents, et pour le pop art, l'emblématique boîte de conserve Campbell d'**Andy Warhol**. Une partie de la collection met en avant les artistes contemporains texans majeurs.

● L'**art américain** *(2ᵉ étage - 3rd floor • East Tower)* est représenté par les œuvres de **John Singleton Copley** (époque coloniale), **Charles Wilson Peale** *(Anna de Peyster*, vers 1798), **William Dunlap** *(George Washington*, vers 1800), **John Singer Sargent** *(Mrs Elliott Fitch Shepard*★★, 1888), **William Merritt Chase** *(Mrs Chase and Child*, vers 1889), **Albert Bierstadt** *(Passing Storm over the Sierra Nevadas*★★, 1870), **Robert Henri** *(El Tango*, 1908), **Andrew Wyeth** *(Henriette*★, 1967).

San Antonio

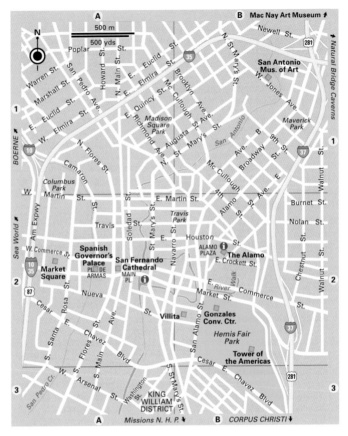

San Antonio : Downtown.

● L'**art européen** (*3e étage - 4th floor, et mezzanine ● East Tower*) permet de voir un rare **Bouguereau** (*Admiration*, 1875).

● Les **collections antiques** (*r.-d.-c. - 1st floor ● West Tower*) abritent de belles sculptures grecques et romaines, telle une ravissante *Ariane endormie*, marbre romain du II e s. av. J.-C., qui laisse voir la jeune femme abandonnée sur l'île de Naxos, avant qu'elle ne soit sauvée par Dionysos. Les éléments aquatiques de la décoration du socle (lézard, vagues, oiseaux) qui font partie de l'iconographie classique de la mort et de la résurrection sont employés ici pour évoquer les thèmes dionysiaques, car c'est après la mort que l'homme est promis à une vie d'ivresse et de danse.

Parmi les objets de l'Égypte ancienne, voir l'ensemble de flacons rares, et un **masque funéraire féminin** qui dénote l'influence romaine.

● L'**art océanien** (*3e étage - 4th floor ● West Tower*) présente de magnifiques *tapas* (peintures sur écorce), masques de cérémonie et figurines sculptées.

• Le **département asiatique** *(Lenora and Walter F. Brown Wing)* a été agrandi en 2005 par l'ajout de la Lenora and Walter F. Brown Asian Art Wing. Il est renommé pour ses céramiques chinoises avec une somptueuse collection de vases Ming et Qing. Du Japon, on ne manquera pas les beaux paravents du XVIIIᵉ s.

• Les **arts d'Amérique latine** *(Nelson Rockefeller Center)*, inauguré en 1998, est le premier centre entièrement consacré à l'art latino-américain aux États-Unis : collections d'**art précolombien** (sculptures en pierre d'Amérique centrale, textiles et céramiques des régions andines), et un fonds très riche de la **période coloniale espagnole** comprenant objets et peintures en provenance du Pérou, du Guatemala et du Mexique.

■ **Mac Nay Art Museum★** h. pl. par B1 *(6000 N. New Braunfels Ave. • par Hwy 281 vers le N., à 4 mi/6,5 km du centre-ville • bus VIA, lignes 8, 14 • mar.-ven. 10 h-16 h, jeu. 10 h-21 h, sam. 10 h-17 h, dim. 12 h-17 h • gratuit jeu. soir • parking gratuit)*. Installé dans une vaste villa de style néocolonial espagnol des années 1920, au cœur d'un très beau **parc★** boisé, le musée expose sa collection permanente et ses nouvelles acquisitions dans le nouveau Stieren Center, œuvre de l'architecte français Jean-Paul Viguier.

Dans le fonds (peinture et sculpture européennes des XIXᵉ-XXᵉ s.), œuvres de Cézanne, Manet, Sisley, Pissaro, Bonnard ou Gauguin. Parmi les acquisitions récentes, deux Picasso : *Femme allongée sur la plage★★* (1932), inspirée par Marie-Thérèse Walter, la compagne du peintre, et *Femme accroupie* (1958). On s'attardera devant une séduisante collection de **bronzes★** du XIXᵉ s., dont plusieurs œuvres de Rodin *(Tête de luxure)* et Bourdelle *(Héraclès)*. Le musée possède, en outre, un exceptionnel ensemble d'objets et de costumes de **théâtre★** (collection Tobin).

■ **King William Historic District★** A3 *(à 800 m S. du River Walk • accès par S. St Mary's St.)*. À l'ombre des cyprès, ce quartier très résidentiel s'étend sur 25 *blocks*, délimité par Durango St. au N., Alamo à l'E., Guenther au S. et la San Antonio River à l'O. Baptisé en hommage à Guillaume Iᵉʳ, roi de Prusse, il a accueilli, à partir des années 1870, nombre d'immigrants allemands, arrivés au Texas dans les années 1840 et qui avaient fait fortune dans le négoce, l'élevage, la banque ou les assurances. Un itinéraire pédestre, le long de King William St. et Madison St., permet d'admirer les plus belles demeures, ceintes de jardins parfaitement entretenus.

Seule est ouverte à la visite **Steves Homestead Museum** *(509 King William et Wickes Sts • ouv. t.l.j. 10 h-16 h 15 • dernière vis. guidée à 15 h 30 • entrée payante • parking gratuit)*, imposante maison victorienne construite en 1876 pour Edward Steves, riche immigrant allemand. Le *Visitors Center* occupe l'ancienne maison des serviteurs.

■ **Missions National Historic Park★★** h. pl. par B3 *(à 2 mi/3 km S. d'Alamo Plaza • accès à Mission Rd en suivant l'itinéraire fléché « Mission Trails » par Alamo St. vers le S., puis S. St Mary's St. prolongée par Roosevelt Rd. ; tourner à dr. à hauteur de Lone Star Blvd)*. Les cinq missions franciscaines (dont San Antonio, auj. The Alamo) furent bâties le long de la rivière San Antonio entre 1718 et 1731. À l'origine sans protection face à la menace d'incursions apaches et comanches, elles furent bientôt dotées d'une enceinte.

• **Mission Concepción★** (1731-1752 • *807 Mission Rd, croisement Felisa Rd • 2 mi/3 km*), transférée du Texas oriental en 1731, est construite en calcaire de la région et a gardé son aspect d'origine. Elle abrite la plus ancienne église non restaurée des États-Unis (1716) avec des fresques polychromes d'époque. ▶▶▶

Le bison d'Amérique

▲ Bison du parc national des Badlands, dans le Dakota du Sud.

On en trouvait par millions du Texas au Manitoba, de l'Oregon au Tennessee et à la Pennsylvanie. Des choix économiques et plus encore politiques auront réduit son habitat comme peau de chagrin en quelques décennies. Histoire d'une extermination…

Une chasse effrénée

Après avoir exterminé le castor entre 1810 et 1840, les chasseurs professionnels s'attaquent au bison. Un véritable massacre aura lieu entre 1830 et le début des années 1880, fondé sur le commerce de la seule fourrure de l'animal. L'activité est si lucrative que les chasseurs redoublent d'effort : au plus fort de l'extermination, entre 1872 et 1883, chacun d'entre eux tue 50, parfois 100 bisons chaque jour. Les hommes dépouillent l'animal sur place, le laissant se putréfier au milieu de la prairie. Après un excédent de peaux, qui s'entassent par dizaines de milliers dans les hangars, faisant chuter les prix de manière catastrophique, on assiste en 1883 au dernier chargement à destination de l'est.

Un obstacle à la civilisation

Dans les années 1840, l'arrivée des pionniers en route vers l'Oregon constitue une nouvelle menace pour les bisons : non seulement les attelages (chevaux et bœufs) privent les bisons de leurs pâturages, mais les populations blanches sont porteuses de maladies mortelles pour le bison. Fait dérisoire toutefois, en comparaison du désastre soulevé par l'arrivée du « cheval de fer » dans la prairie vers 1870. Les compagnies ferroviaires se désespèrent de voir leurs trains s'arrêter à chaque passage de troupeaux, ou dérailler à cause de voies ferrées endommagées. Elles mettront tout en œuvre pour éliminer cet obstacle à la marche en avant de la « civilisation ».
En reliant, de surcroît, les centres urbains aux endroits reculés, leur action est double : promouvoir le déplacement des chasseurs et attirer les populations dans les territoires ; les étendues désertées par les bisons sont autant de pâturages rendus disponibles pour l'élevage.

◄ Scène de chasse au bison, d'après George Catlin (Bibliothèque nationale de France, cabinet des Estampes).

▲ Avant 1830, les plaines étaient le domaine de dizaines de millions de bisons, vivant en immenses troupeaux de 20 à 50 km de large. Leurs déplacements pouvaient atteindre 45 km/h, faisaient trembler la terre et, aux dires des observateurs, s'obscurcir l'horizon. Une traque impitoyable réduisit, 70 ans plus tard, leur nombre à un millier, vivant dans des endroits reculés, comme le parc du Yellowstone. Les autorités et les citoyens réagirent et décidèrent de créer des espaces protégés, faisant remonter ce chiffre à 150 000 têtes, réparties sur des terres privées, tribales ou fédérales.

■ Ta-Tonka

Pour les Indiens des plaines, où vivent d'immenses troupeaux, l'introduction du cheval et des armes à feu les conduit à chasser davantage. En effet, la viande et la peau de *Ta-Tonka* (« bison » en dakota), dont on fait les vêtements et les tipis, sont tout autant indispensables à leur survie que ses viscères et ses os, utilisés comme outils et cordages. Cependant, en traquant ainsi le bison, les Indiens en deviennent plus dépendants, le suivant dans ses migrations, devenant eux-mêmes plus nomades que par le passé, et plus à même d'entrer en conflit avec d'autres tribus ayant, elles aussi, déplacé leur territoire de chasse. L'arrivée des Européens, puis des Américains, avides de peaux (utilisées dans l'habillement et comme courroies de transmission), poussera les habitants des Plaines à poursuivre la chasse des bisons et à en faire le troc, jusqu'à menacer leurs propres ressources.

■ No Game, No Wild Indian

« Pas de gibier, pas d'Indien sauvage » : la remarque faite par Noah Brooks dans *Century*, en 1902, résume assez bien la politique américaine sur la « question indienne ». La « grande chasse au bison » doit entraîner l'affaiblissement des populations indiennes dont il constitue la principale subsistance. Exterminer le bison revient à affamer l'Indien, donc à l'exterminer. Buffalo Bill y contribuera activement lorsque, poursuivant une carrière d'éclaireur dans l'armée, il engage, entre 1872 et 1876, des centaines d'hommes pour tuer autant de bisons que possible.

Vers 1880, la quasi-disparition des *buffaloes* aura non seulement décimé de nombreux Sioux et Cheyennes, mais aussi, au-delà du désastre écologique, obligé les nations indiennes à abandonner la chasse, à se sédentariser, à vivre dans les réserves, en quelque sorte, à se « civiliser ».

▶▶▶

• **Mission San José y San Miguel de Aguayo**★★
(1720-1731 • *6701 San José Dr.* • *4 mi/6,5 km*),
connue pour être la « reine des missions », la plus
vaste et la plus belle de toutes. L'ancien quartier
d'habitation des Indiens, le grenier à grains, le moulin et l'église ont été restaurés. Le portail de l'église
(construite entre 1768 et 1782) et la fenêtre de la
sacristie sont particulièrement remarquables. Vidéo
sur les cinq missions au *Visitors Center.*

• **Mission San Juan de Capistrano** (1731 • *9101
Graf Rd, croisement Ashley Rd* • *6 mi/10 km*) comprend
une chapelle, des bâtiments monastiques (exposition
d'artisanat) et les ruines d'une église qui ne fut jamais
achevée.

• **Mission San Francisco de la Espada** (1731 •
10040 Espada Rd • *9 mi/14 km*) est installée sur la rive
O. de la San Antonio River. Sécularisée en 1794, elle
fut pillée par les Comanches en 1826. Un rempart
entourait la mission dont il reste quelques vestiges ;
la petite église a été restaurée.

Environs de San Antonio

1 **Sea World** (*à 18 mi/29 km O. : suivre l'I-37 S.
puis Hwy 90 W., sortie Hwy 151 W., prendre
Westover Hill Blvd* • *10500 Seaworld Dr.* ☎ *(1)800/
700-886* • *www.seaworld.com* • *prévoir une bonne
demi-journée*).
Sea World a ouvert son 3ᵉ parc d'attractions aquatiques à San Antonio au printemps 2011. Les spectacles sont donnés à heures fixes. À ne pas manquer :
les orques, les baleines bélougas, les dauphins, pingouins et requins. Emportez un maillot de bain
pour profiter du Lost Lagoon Water Park : piscines,
cascades et autres activités rafraîchissantes. Attractions
(grand huit).

2 **Natural Bridge Caverns**★ (*26495 Natural Bridge
Caverns Rd* • *à 25 mi/ 40 km N.-E. de San Antonio
à partir de l'I-35* • *t.l.j. à partir de 9 h : vis. toutes les
1/2 h jusqu'à 16 h, de juin à août jusqu'à 18 h*).
Ce sont les plus importantes grottes à concrétions
du Texas. D'impressionnantes formations colorées
se répartissent en plusieurs « chambres » autour d'un
lac, au-dessus d'un ruisseau (Purgatory Creek) qui
ravine le fond depuis des millénaires.
Tout près des grottes, **Natural Bridge Wildlife
Ranch** (*juin 9 h-16 h, fin juin-mi-août 9 h-18 h 30, hors
saison 9 h-17 h*) rassemble plus de 500 animaux d'une
soixantaine d'espèces différentes, la plupart venus
d'Afrique, qui s'ébattent en toute liberté dans ce vaste
parc (100 ha) où l'on peut circuler en voiture.

Une étrange armure

Animal fétiche du Texas, l'*armadillo*
(« petite armure » en espagnol) est
un mammifère d'Amérique méridionale et centrale recouvert d'une
carapace osseuse et cornée (deux
larges plaques, séparées par une
ceinture articulée de neuf lanières
d'écailles). Il peut atteindre 80 cm
et peser jusqu'à 7 kg. Ce tatou
creuse de multiples terriers dans
les sols friables d'où il exhume sa
nourriture, principalement des
larves et des insectes. L'*armadillo*
n'aime pas les climats trop arides :
on en trouve peu dans l'ouest du
Texas, mais, depuis un siècle, son
habitat s'est beaucoup étendu
dans le centre et l'est de l'État.
L'*armadillo* circule surtout en fin de
journée (meilleur moment pour
l'observer) et à la nuit tombée, ce
qui en fait une victime désignée
du trafic automobile.

3 Corpus Christi *(à 143 mi/230 km S.-E. par l'I-37).*
En 1519, le jour de la Fête-Dieu, l'explorateur
Alonzo Alvarez de Piñeda baptisait Corpus Christi la
baie dans laquelle il venait de mouiller. La région est
alors occupée par les Indiens Karankawas *(→ encadré p. 582)*, réputés féroces. Tour à tour comptoir
commercial, ville d'éleveurs, centre d'exploitation et
port pétrolier (gigantesques raffineries aux portes de
la cité), Corpus Christi jouit d'un climat très doux.
L'été, lorsque les 160 km de plages débordent de
touristes, la ville et son avant-poste, Port Aransas,
sur Mustang Island, prennent des airs de station
balnéaire à la mode.

Le centre-ville s'étire le long du front de mer, au S.
du port marchand ; la plupart des musées, les maisons anciennes et les grands immeubles se trouvent
rassemblés dans ce quartier de **Bayfront**, en particulier à l'extrémité N. de Shoreline Blvd. Plus au S.,
trois jetées paysagères délimitent les deux grands
bassins du port de plaisance. Belle promenade au
bord de la marina.

● **South Texas Institute for the Arts** *(1902 N.
Shoreline Blvd* ☎ *361/825-3500 • www.stia.org •
mar.-sam. 10 h-17 h, dim. 13 h-17 h).* Donnant
sur un vaste jardin d'eau (bassins et fontaines), le
magnifique bâtiment, construit par Philip Johnson
en 1972, abrite une belle collection permanente
d'art régional américain et d'art moderne mexicain.

● **World of Discovery** *(1900 N. Chaparral St.*
☎ *361/826-4667 • www.ccmuseum.com • mar.-
sam. 10 h-17 h, dim. 12 h-17 h).* À la fois musée
des sciences et d'histoire, il propose d'intéressantes
expositions consacrées à l'impact de la colonisation
sur le Nouveau Monde. Clou de la visite : l'exposition
The Seeds of Change★ et les fascinantes reconstitutions grandeur nature des trois **caravelles**★★
de Christophe Colomb : la *Santa Maria*, la *Niña*
et la *Pinta*, offertes par l'Espagne à l'occasion du
500ᵉ anniversaire de la découverte de l'Amérique,
en 1492. La **salle Odyssée**★ est consacrée à l'expédition malheureuse du Français Cavelier de La Salle,
qui se termina par le naufrage de *La Belle* dans la
baie de Matagorda *(→ encadré ci-contre).* Voir aussi le
film consacré aux naufrages des galions espagnols au
XVIᵉ s. au large de Padre Island (Shipwreck Theater).

À quelques rues vers le S.

● **Heritage Park** *(1581 N. Chaparral St.).* Une promenade dans les allées fleuries permet d'admirer
des demeures du XIXᵉ s. et du début du XXᵉ s. qui ont
été transportées et restaurées sur place : **Merriman-
Boby's House** (1851 • *n° 1521*), la plus ancienne ;

La tragique odyssée de La Salle

René Robert Cavelier de La Salle
est né à Rouen en 1643. À la
recherche d'un passage reliant la
Nouvelle-France au continent asiatique, l'explorateur est le premier
Européen à parcourir la région des
Grands Lacs (1666-1667) et à descendre le Mississippi, en 1682.
Parvenu à son estuaire, il proclame
terre royale un immense territoire
qu'il baptise « Louisiane » en
l'honneur de Louis XIV. De retour
en France, La Salle échafaude le
projet d'y établir une colonie et un
port pour la traite des fourrures.

En 1684, une nouvelle expédition, composée de quatre navires,
s'élance de La Rochelle avec
300 personnes à bord. L'équipée
manque l'embouchure du fleuve
et s'échoue sur un banc de sable
dans le golfe du Mexique. De ce
désastre ne réchapperont que
180 personnes, réfugiées à bord
de la frégate *La Belle*. Ces rescapés, établis à Fort Saint Louis (près
de Victoria, au Texas), connaî-
tront un véritable calvaire sur ces
terres inhospitalières et finiront
quasiment tous massacrés par les
Indiens Karankawas. Entre-temps,
La Belle a sombré dans la baie
de Matagorda, en février 1687.
Pour sa part, Cavelier de La Salle
est assassiné, le 19 mars, par ses
hommes. Ces faits furent rela-
tés par Henri Joutel, homme de
confiance de l'explorateur, qui
parvint à regagner le Canada.

Au secours des oiseaux

Le Texas Parks and Wildlfife Department a mis en place, à partir des années 1970, un ensemble de réglementations destinées à protéger ou à réintroduire des espèces menacées ou en voie de disparition qui fréquentent la côte texane du golfe du Mexique.

C'est le cas de la **grue blanche** d'Amérique *(whooping crane)*, le plus grand oiseau d'Amérique du Nord (1,5 m d'envergure). Les rares spécimens qui hibernent aujourd'hui dans L'Aransas National Wildlife Refuge sont les descendants d'un groupe de 15 grues recensées en 1941.

Le **pélican brun**, remarquable pêcheur en voie de disparition, doit sa survie à l'interdiction du DDT en 1972 : utilisé comme pesticide, il était responsable de la destruction des œufs. Incapable de se reproduire, l'espèce ne comptait plus qu'une centaine d'individus en 1975.

☎ NUMÉROS GRATUITS
Les numéros de téléphone qui commencent par ☎ 800, 855, 866, 877, 888 sont des numéros d'appel gratuits *(toll-free number)*. Faites-les précéder du ☎ 1 si vous appelez depuis un poste fixe (et non d'un portable). Dans ce guide, ces numéros sont notés ainsi : ☎ (1)800/000-0000.

✐ BON À SAVOIR
• Parking payant sur les plages. Forfaits à la journée.
• Des espèces protégées de tortues marines viennent pondre sur les plages entre mai et septembre.
• En mars, lâchers de tortues sur la plage.

Julius Lichtenstein House (1905 • *n° 1617*), de style néocolonial, comme **Galvan House** (1908 • *n° 1581* • *vis. mar.-jeu. 9 h-17 h, ven. 9 h-14 h* • *entrée libre*), belle maison de deux étages entourée de galeries soutenues par des colonnes ioniques ; **Sidbury House** (1893 • *n° 1609*), avec ses balcons ouvragés, ses vérandas et ses toits asymétriques, est un bel exemple de style victorien tardif. La dernière restauration en date est celle de **Buddy Lawrence Home** (1893 • *sur Mesquite St.*), dont la longue véranda donne sur la mer.

En traversant la Nueces par le pont métallique de l'US 181.

• **Texas Aquarium**★★ (*2710 N. Shoreline Blvd* ☎ *361/ 881-1200* • *t.l.j. 9 h-17 h, en été 9 h-18 h* • *entrée payante*). C'est l'un des plus beaux aquariums du pays, entièrement consacré à la faune marine du golfe du Mexique et de la mer des Caraïbes : poissons tropicaux, tortues, méduses, poulpe géant du Pacifique, anguille-loup à la mâchoire de fer et une espèce très rare d'alligator blanc. L'accent est mis sur la préservation des espèces. Quatre écosystèmes ont été reconstitués : littoral, marais, plage et estuaire. À ne pas manquer : **Dolphin Bay**★, bassin à ciel ouvert où évoluent des dauphins incapables de survivre en haute mer ; **Flower Gardens**★, reconstitution d'un massif corallien peuplé de murènes et autres créatures étranges ; **Islands of Steel**★, étonnante plate-forme pétrolière offshore reconstituée.

• **USS Lexington**★ (*2914 N. Shoreline Blvd* • *ouv. t.l.j. 9 h-17 h* • *entrée payante*). Surnommé « le fantôme bleu » en raison de sa couleur et de ses quatre naufrages supposés, ce porte-avions, bâtiment le plus décoré de l'US Navy, s'est brillamment illustré pendant la Seconde Guerre mondiale. Ponts, coursives et passerelles n'auront pas de secret pour vous, pas plus que la cabine du capitaine et celles de l'équipage.

4 Padre Island National Seashore (*à 25 mi/ 40 km E. de Corpus Christi par Hwy 358 puis Park Rd 22 sur Padre Island via JFK Causeway* ❶ *Visitors Center : 20420 Park Rd, à Corpus Christi* ☎ *361/949-8068*).
Ce parc naturel occupe le N. de **Padre Island**, cordon sablonneux de 5 km sur 200 km de dunes pittoresques, sculptées par les vents, et de prairies littorales, qui abritent coyotes, lapins, lézards et serpents à sonnette.

Les régions de Port Aransas, au N., et Port Isabel, au S., sont accessibles en voiture. Entre les deux, 130 km de littoral naturel, vierges de toute route ou construction. On peut pêcher *(permis nécessaire)*, se baigner, faire du camping sur la plage, suivre les chemins pédestres pour observer la faune.

● **Mustang Island State Park**
*(à 15 mi/24 km E. de Corpus
Christi ✆ P.O. Box 326, Port
Aransas, TX 78373 ☎ 341/
749-5246)*, sur 8 km de
plages au S. de Port Aransas, doit
son nom aux vastes troupeaux de
chevaux sauvages qui profitaient jadis
de l'herbe grasse des prairies, habitées
aujourd'hui par les lapins, mouffettes,
opossums, tatous, ratons laveurs. Balades
en canoë.

● **Mansfield Channel** marque la limite S.
du Padre Island National Seashore *(60 mi/
90 km • accessible en 4 x 4 seulement •
accès payant)*. Faites le plein d'essence
et emportez eau et nourriture. Équipé
de voitures citadines, seuls les 30 premiers
km sont accessibles. Les déplacements hors des sentiers balisés sont interdits. Vitesse limitée : 15 mi/h.

● **Aransas National Wildlife Refuge** *(à 28 mi/45 km
N. de Rockport par Hwy 35 et FR 774 ✆ P.O. Box 100,
Austwell, TX 77950 ☎ 361/286-3559)* fut créé en
1937 pour préserver l'habitat des oiseaux migrateurs
et de la faune locale ; on peut y observer 390 espèces,
incluant alligators, daims, pécaris et surtout la grue
blanche, espèce en voie de disparition.

▲ 50 000 grues du Canada
traversent chaque année
l'Amérique du Nord pour se
rendre au Texas. Volant en V
à près de 300 m d'altitude,
elles parcourent les 3 500 km
qui les séparent de la tiédeur
méridionale en faisant étape dans
la vallée de la Platte, au Nebraska.

San Antonio

Big Bend National Park★★ TX

Situation : à 329 mi/530 km S.-E.
d'El Paso, 406 mi/653 km O.
de San Antonio.

Superficie : 3 244 km².

Fuseau horaire : Central Time
(– 7 h par rapport à la France).

❶ *Superintendent Big Bend N. P.,
TX 79834,* ☎ *432/477-2251* ;
www.nps.gov/bibe
• *Visitors Centers* à Panther
Junction (t.l.j. 8 h-18 h),
Castolon, Chisos Basin,
Persimmon Gap et Rio Grande
Village.

☞ CONSEIL
Prévoir au moins une nuit
sur place, pour la magie
du désert au coucher du soleil
ou tôt le matin.

Aux confins du Texas occidental et du Mexique, le parc de Big Bend épouse la grande boucle du Rio Grande qui a entaillé de canyons vertigineux les plateaux volcaniques du mont Chisos. L'association du désert, de la roche et du fleuve crée ici un décor grandiose et envoûtant. Ces espaces, riches en espèces animales et végétales, peuvent être explorés de nombreuses façons : en voiture, à cheval, ou à pied, sur les petites routes pierreuses ou sur les centaines de kilomètres de sentiers balisés, et même en radeau sur le Rio Grande. Au début du printemps, la saison la plus agréable, un tapis de fleurs éclabousse le paysage de ses multiples couleurs. La sensation de calme et de liberté n'y faiblit jamais. Des étendues désertiques hantées par les cactus aux forêts d'altitude, des petits canyons aux gorges escarpées, ce parc exceptionnel propose une variété de paysages infinie.

Big Bend National Park mode d'emploi

Accès. Par la route, depuis Alpine au N. par la TX 118 (102 mi/165 km), Marathon au N. par l'US 385 (6 mi/110 km) ou Presidio à l'O. par la RR 170 (93 mi/148 km) • ces routes convergent vers **Panther Junction**, où se trouvent le *Visitors Center* principal et les bureaux de l'administration du parc.

Visite. Parc ouv. toute l'année 24 h/24 (pic de fréquentation en mars-avr.) • *pass* de 7 j. : 20 $/véhicule.

Essence. À Panther Junction (☎ 432/477-2294) et Rio Grande Village (☎ 432/477-2293) seulement • dépanneuse : ☎ 432/371-2223.

Hébergement. Trois terrains de **camping** sont aménagés dans le parc : à Chisos Basin (60 places), à Cottonwood (35 places) et à Rio Grande Village (100 places) ; plus un terrain spécial pour **caravanes** et **camping-cars** à Rio Grande Village (25 places) • pas de rés.

Voir carte régionale p. 542

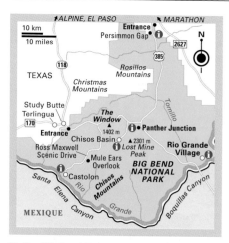

Big Bend National Park.

Une quarantaine d'**autres emplacements**, accessibles à pied ou en 4 x 4, sont disséminés le long des pistes du parc (permis obligatoire). Rés. : www.recreation. gov ☎ (1)877/444-6777.

Un seul **hôtel** dans le parc, la *Chisos Mountains Lodge*, à Chisos Basin (☎ 432/477-2291 et (1)877/386-4383).

Rafting. Des compagnies spécialisées organisent des descentes sur le Rio Grande (118 mi/190 km de parcours). *Big Bend River Tours* (☎ 432/371-3033) • *TX River Expeditions* (☎ 432/371-2633).

■ **Programme d'excursions**
En 1 journée : *le matin*, de Panther Junction montez jusqu'à Chisos Basin (pentes à 15 %, virages en épingle), installé dans un cirque de montagnes. Empruntez Window View Trail (500 m) à partir du parc de stationnement de la Chisos Mountains Lodge : l'échancrure appelée « The Window » offre une majestueuse échappée sur le désert. Par temps clair, vous verrez peut-être Terlingua, Study Butte et les montagnes hors du parc, sur près de 60 km.
L'après-midi, excursion en voiture sur la Ross Maxwell Scenic Drive, qui traverse le désert de Chihuahua (flore typique) et conduit au Rio Grande à hauteur de Castolon. Poussez jusqu'au Santa Elena Canyon et marchez jusqu'au pied des falaises gigantesques (1,6 mi/4 km a.-r.).
Vous pouvez revenir à la route principale soit en faisant demi-tour, soit en empruntant Old Maverick Road (13 mi/21 km de route gravillonnée) jusqu'à l'entrée O. du parc.

✏ SÉCURITÉ
• Pour les visites, emportez de l'eau, quelle que soit la durée de votre promenade ; prévoir un chapeau et de bonnes chaussures, éventuellement une boussole et un petit miroir pour appeler à l'aide.
• Attention aux scorpions et aux serpents à sonnette, nombreux dans le parc, ainsi qu'aux pumas.
• La baignade dans le Rio Grande est fortement déconseillée.
• Chasser ou nourrir les animaux sauvages est strictement interdit.

☏ NUMÉROS GRATUITS
Les numéros de téléphone qui commencent par ☎ 800, 855, 866, 877, 888 sont des numéros d'appel gratuits *(toll-free number)*. Faites-les précéder du ☎ 1 si vous appelez depuis un poste fixe (et non d'un portable). Dans ce guide, ces numéros sont notés ainsi : ☎ (1)800/000-0000.

Le désert est vivant

La végétation s'est adaptée à cet environnement aride : outre les nombreux cactus (notamment les figuiers de Barbarie), on observera les buissons de créosotiers, dont les racines plongent à 10 m sous terre, les *lecheguillas*, agaves du désert dont la fibre très dure servait à fabriquer cordes et tapis, les *ocotillos* qui ressemblent à un bouquet de fouets épineux plantés dans le sol, et les fameux yuccas géants capables d'atteindre 6 m de haut. Lézards, salamandres, serpents, criquets et scorpions abondent ; peut-être verrez-vous aussi sautiller quelque rat-kangourou ou filer un *road-runner* (→ *encadré p. 494*), deux animaux du désert qui ne boivent jamais.

Big Bend N. P.

Le Rio Grande

Long de 1 885 miles (3 033 km), le Rio Grande – Rio Bravo del Norte pour les Mexicains – est le deuxième fleuve des États-Unis après le Mississippi (dont le débit reste largement supérieur). Né dans l'État du Colorado (massif de San Juan), le Rio Grande traverse le Nouveau-Mexique puis bifurque vers le sud-est, à hauteur d'El Paso (1 147 m au-dessus du niveau de la mer ; → *encadré p. suiv.*). Sur son parcours vers le golfe du Mexique, le fleuve creuse le plateau sédimentaire de profonds canyons dont le Big Bend (« grand coude ») est le plus spectaculaire.

L'importance économique du fleuve a été renforcée par l'accord de l'Alena signé entre le Mexique, les États-Unis et le Canada en 1994. Près de 85 % des échanges commerciaux transitent par le Texas. Plusieurs villes jumelles biculturelles jalonnent son cours ; El Paso-Ciudad Juárez, Del Rio-Ciudad Acuna, Laredo-Nuevo Laredo ou Brownsville-Matamoros.

Depuis 1848, le fleuve fait office de frontière naturelle avec le Mexique sur plus de 1 500 km. Malgré la vigilance de la police des frontières américaine *(border patrol)* pour juguler l'immigration clandestine, de nombreux Mexicains tentent chaque année la traversée du Rio Grande à la nage, d'où leur surnom : *wetbacks* ou *espaldas mojadas* (dos mouillés).

▲ Le figuier de Barbarie, très répandu à Big Bend, est une espèce du désert mexicain. Ses fruits (jaunes ou rouges à maturité), à la chair pulpeuse et sucrée, sont délicieux.

2ᵉ jour : une alternative à la balade sur Ross Maxwell Scenic Drive peut être la route de Rio Grande Village (20 mi/32 km depuis Panther Junction), avec a.-r. (1,4 mi/2,3 km) jusqu'à Boquillas Canyon.

3ᵉ jour : consacrez la journée soit à une randonnée pédestre (Pine Canyon ou Juniper Canyon), soit à une sortie en 4 x 4 sur Glenn Spring Rd ou de Dagger Flat à Rio Grande Village, soit à une descente des rapides du fleuve.

Visiter Big Bend National Park

■ **Chisos Mountains**. Le seul massif montagneux entièrement inclus dans le parc. À 3 mi/5 km de Panther Junction, bifurcation vers Chisos Basin. La route s'élève rapidement (pentes à 15 %) entre des pentes verdoyantes. Ici et là, des *century plants* dressent leurs coussinets dorés vers le ciel.

Puis descente de Panther Pass à Chisos Basin, installé dans un cirque seulement interrompu par une large ouverture vers l'O., « The Window★★ » (vue imprenable sur le désert ; couchers de soleil magni-

Les *century plants*, ou « agaves des montagnes », sont réputées ne fleurir que tous les 100 ans, d'où leur nom.

fiques). Le Window View Trail part à 500 m du parking du *Chisos Mountain Lodge (5 mi/8 km a.-r.)*. Derrière l'hôtel se dressent les plus hauts pics du parc, dont Casa Grande (2 233 m) et Emory Peak (2 384 m, point culminant).

● De Panther Pass, la **Lost Mine Trail★** monte en pente douce sur 7 km et offre de magnifiques points de vue sur ces sommets ; falaises abruptes et gorges sauvages contrastent avec les vallées et les plateaux désertiques. De nombreux animaux vivent ici en liberté, pécaris, daims, écureuils, ours parfois, et toutes sortes d'oiseaux.

■ **Rio Grande Village**. La route d'accès traverse 30 km de désert torride avec, en arrière-plan, les montagnes bleutées et, dans la canicule, la ligne d'horizon qui vacille et miroite. À l'arrivée, faites un arrêt au **belvédère** qui surplombe le Rio Grande *(juste à la sortie du tunnel à dr.)*.

〰 PARCS NATIONAUX
À propos des conditions d'entrée et des forfaits, consultez la rubrique « Parcs nationaux », dans le chapitre Séjourner, p. 52.

La rude beauté de cette région aride a inspiré les plus beaux westerns de cinéma, parmi lesquels *Rio Grande* (John Ford, 1950), *Le Sorcier de Rio Grande* (Charles Marquis Warren, 1953) ou *Rio Bravo* (Howard Hawks, 1959).

El Paso, ville frontière

▲ Vue d'El Paso, installée à plus de 1 000 m d'altitude dans un coude du Rio Grande, entre les monts Franklin, au nord, et le désert de Chihuahua, au sud.

En 1581, Les Espagnols explorent les rives du Rio Grande et fondent El Paso sur ses berges désertiques, autour de trois missions en adobe (à Ysleta et Socorro, 15 mi/24 km au sud-est). Aux confins du Texas, du Nouveau-Mexique et du Mexique, au nord du désert Chihuahua, El Paso (passage du Nord) est une ville frontière texane dont plus de 80 % de la population (649 500 hab.) est hispanique, où l'espagnol est plus parlé que l'anglais. Avec Ciudad Juárez, sa jumelle mexicaine qui lui fait face sur la rive opposée, El Paso forme une entité de près de 2 millions d'habitants. Si les chiffres de la criminalité demeurent étonnamment exemplaires côté américain, il en va tout autrement à Ciudad Juárez, en proie à la lutte sanglante des cartels de la drogue pour le contrôle de la frontière.

☞ Carte du Big Bend National Park, p. 597.

● Une piste balisée permet d'accéder à **Boquillas Canyon★★** qui fend, comme d'un coup d'épée, la sierra del Carmen sur plus de 40 km. On peut traverser jusqu'à Boquillas del Carmen, au Mexique, ou **descendre les gorges en bateau★★**, entre d'impressionnantes murailles calcaires où nichent de nombreux faucons pèlerins. Le milieu naturel rend le site idéal pour les ornithologues amateurs.

✎ À NOTER
On peut pratiquer le rafting dans le Santa Elena Canyon : attention aux rapides et aux éboulis rocheux, dangereux pour les non-initiés. Certains passages entre Elena Canyon et Mariscal Canyon (60 km plus bas) sont classés IV (très difficiles).

■ **Santa Elena Canyon.** Le canyon le plus impressionnant du Rio Grande. Empruntez la **Ross Maxwell Scenic Drive★★** *(à 16 mi/21 km O. de Panther Junction)* qui conduit vers le S., par le flanc O. des Chisos et serpente entre les mesas. L'itinéraire est riche en paysages spectaculaires et formations rocheuses originales.

● Au km 23, une piste part sur la g., en direction de **Mule Ears Springs** *(3,8 mi/6 km a.-r.)* : la vue sur les pics volcaniques jumeaux (Mule Ears Peaks) est saisissante.

● Avant d'arriver au Rio Grande, belle **vue** du Cerro Castellan sur la g. Une piste mène jusqu'au pied des falaises, hautes de 450 m ; le spectacle, enrichi par la musique du fleuve et les cris des éperviers, est grandiose.

Environs de Big Bend National Park

🚻 Seminole Canyon : PO Box 820, Comstock, TX 78837 ☎ 432/292-4464 ; www.tpwd.state.tx.us

■ **Seminole Canyon** *(208 mi/335 km à l'E.).*
Un site préhistorique occupé depuis 12 000 ans avant notre ère. Des pictographes datant de 4 000 ans sont répartis dans plus de 200 sites le long des rivières Seminole, Pecos et Presa. Sur réservation, on peut visiter **Fate Bell Shelter**, **Upper Canyon** *(2 h a.-r.)* ou **Panther Cave** *(8 mi/13 km a.-r. ● compter 1 j.)*, très richement décorés.

▶ Toutes d'un même style, les peintures rupestres de Seminole Canyon, isolées ou réunies en grandes fresques, sont uniques en Amérique du Nord.

découvrir
partir
séjourner
comprendre
visiter

en savoir plus

Quelques pages pour aller plus loin

Bibliographie

Géographie

Adams R., *En longeant quelques rivières,* Actes Sud, Fondation Cartier pour l'art contemporain, 2007. Recueil d'entretiens entre le photographe et des historiens de l'art, écrivains et professeurs sur la géographie complexe des paysages de l'Ouest américain.

Collomp C. et Menéndez M. (dir.), *Amérique sans frontière,* Presses universitaires de Vincennes, 1996. Pour l'article instructif de **A. Foucrier** portant sur les tensions raciales, la fameuse « Proposition 187 » et l'immigration en Californie.

Coulais J.-F. et Gentele P., *San Francisco,* Belin, « Terre des villes », 2003. Ce livre original, étayé de cartes et de schémas très précis, reconstitue l'évolution de la ville et du territoire environnant au fil des siècles.

Giband D., *Géographie sociale des États-Unis,* Ellipses, 2007. Les questions sociales des États-Unis vues par le biais d'une approche géographique.

Goussot M., *Espaces et territoires aux États-Unis,* Belin, 2004. Des mutations liées à la mondialisation, au développement des nouvelles technologies, tous les changements de ce vaste territoire sont mis en avant.

Lipsky F., *La Grille sur les collines,* Parenthèses, Marseille, 1999. Pourquoi les rues rectilignes de San Francisco jouent-elles aux montagnes russes ? Quand une urbaniste se penche sur le relief très mouvementé de la « Babylone de l'Ouest »…

Roux-Westers M., *Les Villes fantômes de l'Ouest américain,* Publications de l'Université de Saint-Étienne, 2005. Parmi les villes qui se sont développées avec l'afflux des chercheurs d'or, certaines ont disparu, d'autres ont prospéré.

Histoire

Betz H. G., *États-Unis : une nation divisée,* Autrement, 2008. Pendant les élections présidentielles de 2000 et 2004, les États-Unis ont été divisés entre religion et laïcité, comme cela a été le cas de nombreuses fois auparavant.

Boorstin D., *Histoire des Américains,* Robert Laffont, « Bouquins », 1999. Une somme touffue (1620 p.) et passionnante sur les mentalités, les rites, l'imaginaire et la vie quotidienne des Américains.

Foucrier A., *Les Gangsters et la société américaine : 1920-1960,* Ellipses, 2003. Histoire du crime organisé aux États-Unis ;

–, *Meriwether Lewis & William Clark : la traversée d'un continent, 1803-1806,* M. Houdiard, 2005. Récit et enjeux de la célèbre exploration.

Gotteri N., *Le Western et ses mythes : les sources d'une passion,* B. Giovanangeli, 2005. À consulter pour découvrir ou redécouvrir les légendes du Far West et leurs liens avec l'histoire américaine.

Jacquin Ph. et Royot D., *Go West !,* Flammarion, 2004. De l'Eldorado convoité par les conquistadors aux labos high-tech de la Silicon Valley, une histoire de l'Ouest américain où l'on croise missionnaires franciscains, explorateurs, Japonais et Chicanos.

Kaspi A., *Les Américains,* Points, «Histoire», 2008. L'histoire des États-Unis et de ses habitants de la guerre froide jusqu'aux attentats du 11 septembre 2001 ;

–, *Comprendre les États-Unis d'aujourd'hui,* Perrin, « Tempus », 2009. L'auteur nous aide à mieux comprendre l'histoire, la culture ou les comportements politique de ce pays.

◀ Le centre-ville de Livingston, dans le Montana.

Lévy-Willard A., *Chroniques de Los Angeles*, Grasset, 2003. L'actualité américaine, vue par une journaliste de *Libération* installée à LA.

Lewis M., Clark W., *Far West : journal de la première traversée du continent nord-américain, 1804-1806*, Phébus, coll. « Libretto », 2000. Le récit de l'expédition par les deux explorateurs.

Saint-Jean-Paulin Ch., *La Contre-Culture*, Autrement, « Mémoires », 1997. Le phénomène hippie et la culture contestataire des années 1960, avec l'exemple des mouvements communautaires de San Francisco.

Trocmé H. et Rovet J., *Naissance de l'Amérique moderne*, Hachette, 1997. Les grandes étapes de l'histoire nord-américaine en 250 p. Une approche universitaire accessible à tous, assortie de cartes, d'une chronologie et d'un glossaire.

Vincent B. (dir.), *Histoire des États-Unis*, Flammarion, « Champs », n° 376, 2003. De bons encadrés et une chronologie claire (1607-2000) pour mieux replacer dans son contexte l'histoire des États de l'Ouest et du Centre.

Zinn H., *Une histoire populaire des États-Unis de 1492 à nos jours*, Agone, Marseille, 2002. En marge de l'histoire officielle, le témoignage original des acteurs les plus modestes de la région : mineurs du cuivre en Arizona, grévistes de Seattle, Latinos du Nouveau-Mexique en butte aux spéculateurs fonciers… ;
–, *Une histoire populaire des États-Unis pour les ados*, Au diable Vauvert, 2010. L'histoire des États-Unis à travers ses principaux acteurs, illustrée et revue pour les jeunes.

Le monde indien

On trouvera aux Éditions du Rocher, dans la collection « Nuage rouge », plusieurs études fort bien documentées sur les diverses tribus de l'Ouest américain, comme *Joseph, chef des Nez-Percés* par **H. A. Howard** ou *Le Dernier Pow-wow* de **R. Querry**.

Barrett S. M., *Mémoires de Geronimo*, La Découverte, n° 117, 2003. En 1904, un inspecteur de l'Oklahoma rencontre un vieux prisonnier indien déporté de son Arizona natal, le célèbre chef apache Geronimo. Témoignage sur la conquête de l'Ouest.

Carlson P., *Les Indiens des plaines : histoire, culture et société*, Albin Michel, « Terre indienne », 2004. L'auteur dresse le portrait d'un peuple hors du commun. Un classique sur le sujet.

Debo A., *Histoire des Indiens des États-Unis*, Albin Michel, « Terre indienne », 1996. Radioscopie, en 500 p., des principaux combats, des grandes figures et du destin des tribus qui composent la nation indienne.

Feltes-Strigler M.-C., *Parlons navajo*, L'Harmattan, 2002. Avec un essai très intéressant sur l'origine mythique de la langue et la façon dont les Navajos classent les objets en 225 catégories…

McLuhan T. C. (recueilli par), *Pieds nus sur la terre sacrée*, Denoël, 2011. Témoignages issus du patrimoine écrit et oral des Indiens d'Amérique du Nord, illustrés de photographies prises par Edward E. Curtis pendant plus de 30 ans.

Powers W. K., *La Langue sacrée*, Éd. du Rocher, 2003. Le regard d'un spécialiste incontesté de la culture indienne sur le discours surnaturel des Lakotas, les nombres sacrés, les chamanes, etc.

Rieupeyrout J.-L., *Histoire des Navajos*, Albin Michel, 1996. Pour tous ceux que passionne la saga (1540-1990) des plus farouches résistants à l'envahisseur blanc. En Appendice, les principaux mots clés de cette culture indienne (conseil tribal, *hogan*, langue, peinture de sable…).

Rotkowski J., *Le Renouveau indien aux États-Unis*, Albin Michel, 2001. Le redressement des cultures indiennes par une spécialiste de la question. Tous les pans y sont abordés avec beaucoup de passion.

Talayesva D. C., *Soleil hopi*, Plon, « Terre humaine », n° 3010, réimp. 2002. L'autobiographie du chef du Clan du Soleil, né en 1890 à l'E. du canyon du Colorado. Un classique de l'ethnologie.

Wertz J., *Les Indiens d'Amérique : expériences*, G. Trédaniel, 2011. Toute l'histoire des Amérindiens depuis les premières migrations jusqu'à aujourd'hui, avec de nombreux documents rares et plus de 1 200 illustrations.

Zolbrod P. G. (transcrit par), *Le Livre des Indiens Navajos*, Éd. du Rocher, 1995. « L'histoire vraie » du peuple navajo. Un texte sacré, aussi poétique que fantastique, qui décrit la manière dont furent forgés les noms des éléments de la Création.

Beaux-arts

L'Art des États-Unis, Citadelles & Mazenod, 1992. Une synthèse sérieuse et soignée qui se concentre sur les figures majeures de l'art américain : Irving Gill, Richard Neutra, Louis Kahn, etc.

Chefs-d'œuvre du J. Paul Getty Museum, Thames & Hudson, 1998. En sept volumes, un tour d'horizon des collections permanentes : antiquités, dessins, arts décoratifs, manuscrits, peintures, photographies et sculptures.

■ Architecture
Banham R., *Los Angeles*, Parenthèses, 2008. Une visite de Los Angeles à partir de quatre thématiques écologiques. L'auteur analyse avec humour cette gigantesque mégalopole.

Castria Marchetti F., *La Peinture américaine*, Gallimard, 2002. On consultera surtout ce bel ouvrage pour ses pages sur Albert Bierstadt (1830-1902), le premier artiste qui se soit attaché à peindre les paysages de la Yosemite Valley.

Coquelle A., *Le Style Palm Springs,* Assouline, 2006. Quelques exemples caractéristiques de l'architecture moderniste de Palm Springs, témoins d'un nouvel art de vivre californien.

Lloyd P., *San Francisco, guide de l'architecture contemporaine*, Könemann, 1998. Du complexe de Yerba Buena au musée d'Art moderne, petit inventaire en noir et blanc des édifices les plus marquants de ces dernières années.

Paolo Mosco V., *États-Unis côte Ouest*, Actes Sud, « Architectures contemporaines »,

2009. Panorama des réalisations contemporaines les plus singulières de la côte Ouest des États-Unis, de 1920 à 2007.

■ Art des Indiens
Degli M., Morel O., *Les Indiens des Grandes Plaines*, Éd. Courtes et longues, « Toutes mes histoires de l'art », 2008. La culture et l'art des Indiens d'Amérique avant la conquête présentés au moyen d'activités et d'une chronologie.

Noël M., Chaumely J., *Arts traditionnels des Amérindiens*, Éd. Hurtubise, 2005. Les différentes productions artisanales amérindiennes (sculpture, masque, poterie, cuisine, etc.) sont présentées et illustrées grâce à une importante recherche iconographique.

Penney D. W., *Art des Indiens d'Amérique du Nord*, Könneman, 1996. Où l'on verra que la production des Navajos et le savoir-faire des Cheyennes ne se résument pas aux seuls tipis, calumets et coiffes à plumes.

■ Photographie
Courtade É., *L'Ouest américain au bout des pistes*, Pages du monde, 2011. Cet ouvrage de photographies nous emmène à travers l'Ouest des États-Unis. Les plus beaux sites naturels pris en hélicoptère, raft, montgolfière et, surtout, à pied.

Curtis E. S., *L'Amérique indienne*, Albin Michel, « Terre indienne », 1992. Une sélection des plus belles photographies d'Indiens prises pendant 30 ans par le photographe Edward Sheriff Curtis.

Hill P., *Eadweard Muybridge*, Phaidon, 2001. Un mini-album retraçant l'essentiel de la carrière de celui qui a réalisé, dans les années 1870, les premières vues panoramiques de Frisco, de la Yosemite Valley et du haras de Palo Alto.

Littérature

■ Récits de voyage
Audubon J. J., *Journal du Missouri*, Petite bibliothèque Payot, « Voyageurs » n° 142, 2002. Le journal d'un dessinateur anima-lier du XIXe s., qui remonte le Missouri sur un bateau de trappeurs et s'enfonce en territoire indien jusqu'à la Yellowstone River.

Bryson B., *Motel Blues*, Petite bibliothèque Payot, « Voyageurs », n° 260, 2003. Après 10 ans passés en Angleterre, l'auteur, journaliste américain, parcourt l'Amérique profonde à bord de sa Buick et nous en livre un portrait amusant.

La Petite bibliothèque Payot a publié d'autres récits de voyage qui ont la Californie ou le Nevada pour toile de fond. Citons en particulier *À la dure* de **M. Twain**.

■ **Les grands espaces**

Delay F. et Roubaud J., *Partition rouge*, Éd. du Seuil, « Points », n° 1665, 2007. Anthologie de « poèmes » des Indiens Navajos, Sioux et Cheyennes, pour qui le chant est une médecine et la danse une cure.

Ford R., *Rock Springs*, Éd. du Seuil, « Points », n° 1143, 2003. Ce recueil de *short stories* donne une idée du style limpide et dense de Richard Ford et de la rudesse du quotidien dans les terres du Montana.

Guterson D., *La neige tombait sur les cèdres*, Éd. du Seuil, « Points », n° 386, 2000. Ce romancier, qui vit dans l'État de Washington, évoque la guerre du Pacifique en retraçant le procès d'un jeune Américain d'origine japonaise.

Kerouac J., *Sur la route*, Gallimard, « Folio »,1997. Le plus célèbre texte du « porte-parole » du mouvement *beat* (1957). Se lit comme en écoute du jazz.

McCarthy C., *Méridien de sang*, Éd. du Seuil, « Points », n° 827, 2001. L'histoire, vécue, d'un gamin de 14 ans qui quitta le Texas à la fin du XIXe s. pour rejoindre une bande d'irréguliers et livrer une guerre sans merci aux Indiens. Du même auteur : *De si jolis chevaux*, Éd. du Seuil, « Points », n° 490, réimp. 1998.

McMurtry L., *Lonesome Dove*, Gallmeister, « Totem », n° 7, 2011. Périple de deux héros à travers l'Ouest, avec son lot de rebondissements et de péripéties. Cette fresque épique en 2 vol. a reçu le prix Pulitzer en 1986.

Proulx A., *Les Pieds dans la boue*, Grasset, « Les cahiers rouges », 2010. Au cœur du Wyoming, l'auteur déploie le destin de personnages solitaires et mutiques. Ce recueil de nouvelles comprend *Brokeback Mountain*, porté à l'écran par Ang Lee en 2005.

Stegner W., *La Vie obstinée*, Phébus, 2002. Un couple des années 1970, fatigué de l'Amérique civilisée, s'en va planter sa tente dans un trou perdu de Californie…

Steinbeck J., *À l'est d'Éden*, Le Livre de Poche, n° 1008, 2002. Cette grande fresque, portée à l'écran par Elia Kazan en 1954, retrace l'histoire du pays natal de Steinbeck : la vallée de la Salinas, en Californie du Nord.

Welch J., *Comme des ombres sur la terre*, Albin Michel, « Terres d'Amérique », 2010. Au nord-ouest du Montana, des Indiens Pieds-Noirs ont installé leur campement mais ils sont menacés par les hommes blancs ; –, *L'Hiver dans le sang*, Albin Michel, « Terres d'Amérique », 2008. Récit d'un jeune Indien vivant dans une réserve du Montana.

■ **La jungle des villes**

Boyle T. C., *Un ami de la terre*, Le Livre de Poche, n° 15429, 2003. Par l'un des écrivains les plus imaginatifs des États-Unis, une satire décapante et prophétique de la Californie (l'histoire se passe en l'an 2025…).

Bukowski Ch., *Au sud de nulle part*, Le Livre de Poche, n° 6162, 2004. Vingt-cinq nouvelles brèves rédigées en 1973, juste après la publication des célèbres *Contes de la folie ordinaire*.

Chandler R., *Le Grand Sommeil*, Gallimard, « Folio policier », n° 13, 2003. C'est ici qu'apparaît Philip Marlowe, le détective qui deviendra à l'écran, sous les traits de Humphrey Bogart, l'un des premiers héros du roman noir…

Connelly M., *Les Égouts de Los Angeles*, Points, « Policiers », 2000. Premier opus du célèbre auteur de roman policier, mettant en scène Harry Bosch, inspecteur au Los Angeles Police Department.

Ellis B. E., *Moins que zéro*, 10/18, n° 1964, 2005. Entre Malibu et Sunset Boulevard, le témoignage d'une jeunesse bronzée et désespérée, « riche depuis si longtemps que ça leur fait comme s'ils étaient pauvres » ;

–, *Suite(s) impériale(s)*, 10/18, 2012. Vingt-cinq ans après *Moins que zéro*, Clay, le personnage principal, est devenu producteur et retourne sur les lieux de sa jeunesse, à la Cité des Anges.

Ellroy J., *LA Confidential*, Rivages, 1997. Double jeu et corruption au menu de ce *thriller* épique et très noir qui a pour toile de fond l'époque du maccarthysme. Troisième volet du quatuor de Los Angeles, constitué par le *Le Dahlia noir*, *Le Grand Nulle Part* et *White Jazz*.

Fante J., *La Route de Los Angeles*, 10/18, n° 2028, 2002. Originaire du Colorado, Fante évoque dans ce premier roman, écrit dès 1933 mais publié après sa mort en 1986, le LA des pauvres et des laissés-pour-compte. Du même auteur : *Demande à la poussière*, 10/18, n° 1954.

Fitzgerald F. S., *Le Dernier Nabab*, Gallimard, « Folio », n° 2002, 2000. Ce roman inachevé met en scène l'univers impitoyable des producteurs et des stars des années 1930, dans les studios de Hollywood.

Harrison J., *En route vers l'ouest*, 10/18, n° 3327, 2009. Chien Brun quitte le Michigan et part à la conquête de l'Ouest, plus particulièrement d'Hollywood, à la recherche d'une peau d'ours. Ce récit est suivi de deux autres nouvelles.

Lurie A., *La Ville de nulle part*, « Rivages Poche », n° 21, réimp. 2003. Quand Alison Lurie, lauréate du prix Pulitzer, dissèque au scalpel le chassé-croisé des couples dans la Californie des années 1960…

Maupin A., *Chroniques de San Francisco*, 10/18, 6 vol., n°s 3164, 3165, 3217, 3257, 3283 et 3317. Autour de Mme Madrigal (la logeuse du 28, Barbary Lane), une galerie de personnages décalés, attachants et bourrés d'humour. Un grand succès de librairie.

Thompson H. S., *Las Vegas parano*, Gallimard, « Folio », 2010. Court roman cocasse et déjanté d'un auteur aussi « allumé » que ses héros. Las Vegas, entre brigade des stups et rasades de bourbon.

West N., *L'Incendie de Los Angeles*, Éd. du Seuil, réimp. 1998. Le meilleur roman sur Hollywood au début du cinéma parlant. Pessimiste et grinçant.

Cinéma

Berthomieu P., *Le Cinéma hollywoodien*, Armand Colin, coll. « 128 », 2005. Un état des lieux de la « grande fabrique à rêves » et de ses protagonistes (Burton, Spielberg, Brian de Palma…), suivi d'une liste des films les plus marquants de ces dernières décennies.

Caron L., *Une Française à Hollywood*, *mémoires*, Baker Street, 2011. Autobiographie d'une actrice franco-américaine qui revient sur ses 60 ans de carrière, passés notamment à Hollywood.

Masson A. (dir.), *Hollywood 1927-1941*, Autrement, « Mémoires », n° 9, 1991. Mœurs, rituels, méthodes, conflits syndicaux et politiques au sein du troisième pôle de la puissance américaine.

130° O
120° O
110° O
100° O

Olympia
Seattle
WASHINGTON
Portland
Columbia R.
Salem
Helena
Missouri
MONTANA
DAKOTA
DU NORD
Bismarc
OREGON
Boise
DAKOTA
DU SUD
Pierre
IDAHO
Snake River
WYOMING
40° N
NEVADA
Cheyenne
NEBRASKA
Sacramento
Carson City
Salt Lake
City
Linco
San Francisco
UTAH
Denver
KANSA
Arkansas
COLORADO
Las Vegas
OKLAHOM
CALIFORNIE
ARIZONA
Santa Fe
Oklaho
City
Los Angeles
Albuquerque
Rio Grande
Colorado
Phoenix
NOUVEAU-
MEXIQUE
30° N
TEXAS
Aus

OCÉAN
PACIFIQUE

Tropique du Cancer

MEXIQUE

⊙ Capitales des États
○ Autres villes importantes

CANADA

MINNESOTA

Lac Supérieur

MAINE

Augusta

Montpelier
VERMONT
NEW HAMPSHIRE
Concord
Boston

St. Paul
Minneapolis

WISCONSIN

MICHIGAN

Lac Huron

Lac Ontario

Albany
NEW YORK
Hartford
CONNECTICUT
MASSACHUSETTS
Providence
RHODE ISLAND

Madison

Lansing

Lac Michigan

Detroit
Lac Érié

PENNSYLVANIE

Harrisburg
Pittsburgh

Trenton
New York
NEW JERSEY
Philadelphie

IOWA

Chicago

INDIANA

OHIO

Columbus

Dover
DELAWARE
Annapolis
MARYLAND

Des Moines

ILLINOIS

Indianapolis

WASHINGTON DC

Springfield

Ohio

VIRGINIE OCC.

Richmond

Baie de Chesapeake

Kansas City
Topeka

St. Louis

Frankfort

Charleston

VIRGINIE
Roanoke

Jefferson City
MISSOURI

KENTUCKY

Raleigh

CAROLINE DU NORD

ARKANSAS

Nashville

TENNESSEE

Tennessee

Columbia
CAROLINE DU SUD

Little Rock

Birmingham

Atlanta

Charleston

MISSISSIPPI

Mississippi

Montgomery

GÉORGIE

Dallas

Jackson

ALABAMA

Jacksonville

OCÉAN ATLANTIQUE

LOUISIANE
Baton Rouge

Tallahassee

Houston

La Nouvelle-Orléans

FLORIDE

Miami

Golfe du Mexique

500 km

500 miles

CUBA

90° 0   80° 0   70° 0

Index thématique des encadrés et des thémas

■ Société, art de vivre

■ Vie pratique

Index général

Les nombres en **gras** signalent les pages où le lieu reçoit un traitement plus développé ; les numéros de page en bleu indiquent une carte ou un plan ; ceux en *italique*, une illustration séparée de l'entrée correspondante.

Santa Fe : nom de lieu • *Buffalo Bill* : nom de personne • Hippies : mot clé

Achevé d'imprimer en mars 2012
Lego SPA Plant Vicenza – Viale dell'Industria, 2 – 36100 Vicenza – Italie
Dépôt légal : mars 2012
24-5174-8 – Édition 01
ISBN : 978-2-01-245174-2

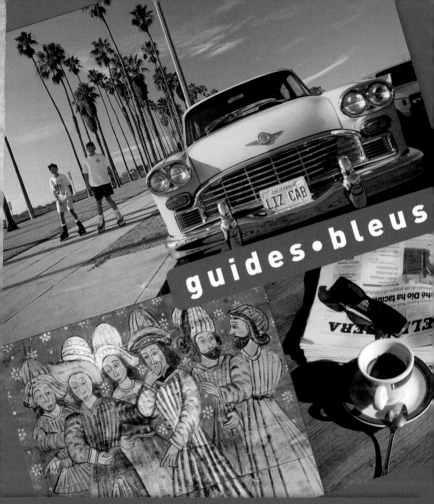

guides•bleus

Le guide de toutes les cultures

France • Alsace, Lorraine ∗ Bretagne Nord ∗ Bretagne Sud ∗ Champagne-Ardenne ∗ Corse ∗ Côte d'Azur ∗ Franche-Comté ∗ Languedoc-Roussillon ∗ Limousin ∗ Marseille ∗ Nord-Pas-de-Calais ∗ Normandie ∗ Paris ∗ Pays basque (France et Espagne) ∗ Pays de la Loire ∗ Périgord, Quercy ∗ Poitou-Charentes ∗ Provence

Monde • Andalousie ∗ Belgique : les villes d'art ∗ Chine : de Pékin à Hong Kong ∗ Égypte ∗ Espagne Centre (à paraître) ∗ États-Unis : Côte Est et Sud ∗ États-Unis : Ouest américain ∗ Grèce continentale ∗ Inde du Sud ∗ Italie du Sud ∗ Japon ∗ Jordanie ∗ Lacs italiens, Milan et la Lombardie ∗ Maroc ∗ Mexique ∗ New York (à paraître) ∗ Norvège ∗ Portugal ∗ Rajasthan et Gujarat ∗ Rome ∗ Syrie ∗ Toscane ∗ Tunisie ∗ Turquie ∗ Venise

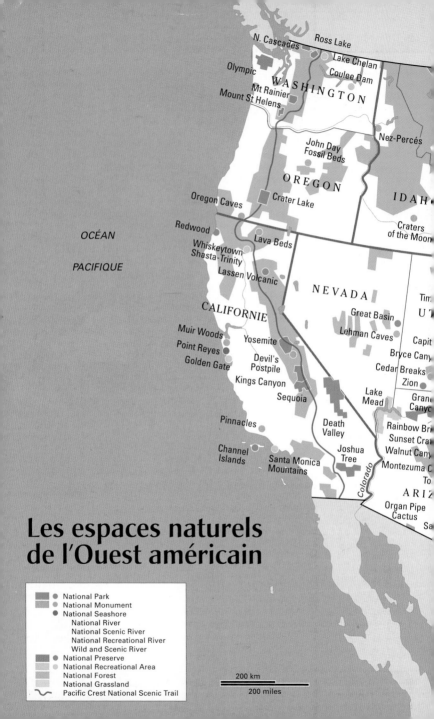

Les espaces naturels de l'Ouest américain

Légende :
- National Park
- National Monument
- National Seashore
- National River
- National Scenic River
- National Recreational River
- Wild and Scenic River
- National Preserve
- National Recreational Area
- National Forest
- National Grassland
- Pacific Crest National Scenic Trail

200 km
200 miles

OCÉAN
PACIFIQUE

N. Cascades
Ross Lake
Lake Chelan
Olympic
Coulee Dam
WASHINGTON
Mt Rainier
Mount St Helens
Nez-Percés
John Day Fossil Beds
OREGON
IDAHO
Oregon Caves
Crater Lake
Craters of the Moon
Redwood
Lava Beds
Whiskeytown Shasta-Trinity
Lassen Volcanic
NEVADA
Tim...
UTAH
CALIFORNIE
Great Basin
Lehman Caves
Muir Woods
Yosemite
Capit...
Point Reyes
Bryce Cany...
Golden Gate
Devil's Postpile
Cedar Breaks
Kings Canyon
Zion
Sequoia
Lake Mead
Gran... Canyo...
Pinnacles
Death Valley
Rainbow Br...
Sunset Cra...
Channel Islands
Santa Monica Mountains
Joshua Tree
Walnut Cany...
Montezuma C... To...
Colorado
ARIZ...
Organ Pipe Cactus
Sa...